THE
ASTRONOMICAL
ALMANAC

FOR THE YEAR

1985

Data for Astronomy, Space Sciences, Geodesy,
Surveying, Navigation and other applications

WASHINGTON

Issued by the
Nautical Almanac Office
United States
Naval Observatory
by direction of the
Secretary of the Navy
and under the
authority of Congress

LONDON

Issued by
Her Majesty's
Nautical Almanac Office
Royal Greenwich Observatory
on behalf of the
Science and Engineering
Research
Council

WASHINGTON: U.S. GOVERNMENT PRINTING OFFICE
LONDON: HER MAJESTY'S STATIONERY OFFICE

For sale by the Superintendent of Documents, U.S. Government Printing Office, Washington, D.C. 20402

ISBN 0 11 886922 1

UNITED STATES

For sale by the
Superintendent of Documents
U.S. GOVERNMENT PRINTING OFFICE
Washington, D.C., 20402

For sale by
HER MAJESTY'S STATIONERY OFFICE

Available from Government Bookshops at

49 High Holborn, London WC1V 6HB
13a Castle Street, Edinburgh EH2 3AR
Brazennose Street, Manchester M60 8AS
Southey House, Wine Street, Bristol BS1 2BQ
258 Broad Street, Birmingham B1 2HE
80 Chichester Street, Belfast BT1 4JY

and through booksellers

Overseas Orders to:
The Government Bookshop
P.O. Box 276, London SW8 5DT

NOTE

Every care is taken to prevent errors in the production of this publication. As a final precaution it is recommended that the sequence of pages in this copy be examined on receipt. If faulty it should be returned for replacement.

Printed in the United States of America
by the U.S. Government Printing Office

Beginning with the edition for 1981, the title *The Astronomical Almanac* replaced both the title *The American Ephemeris and Nautical Almanac* and the title *The Astronomical Ephemeris*. The changes in title symbolise the unification of the two series, which until 1980 were published separately in the United States of America since 1855 and in the United Kingdom since 1767. *The Astronomical Almanac* is prepared jointly by the Nautical Almanac Office, United States Naval Observatory, and H.M. Nautical Almanac Office, Royal Greenwich Observatory, and is published jointly by the United States Government Printing Office and Her Majesty's Stationery Office; it is printed only in the United States of America but some of the reproducible material that is used is prepared in the United Kingdom.

The principal ephemerides in this Almanac have been computed from fundamental ephemerides of the planets and the Moon prepared at the Jet Propulsion Laboratory, California, in cooperation with the U.S. Naval Observatory. They are in general accord with the recommendations of the International Astronomical Union and are consistent with the IAU (1976) system of astronomical constants apart from minor modifications introduced to permit a better fit to observations; in particular, dynamical time-scales and the standard reference system of J2000·0 are used where appropriate. A brief description of the use of each ephemeris is given with it, and the bases and additional notes are given in the Explanation at the end of the volume. Additional information about the IAU recommendations and the ephemerides is given in the *Supplement to the Astronomical Almanac for 1984*. A new Explanatory Supplement to the Astronomical Almanac is in preparation and will be published as soon as possible.

By international agreement the tasks of computation and publication of astronomical ephemerides are shared between the ephemeris offices of a number of countries. The sources of the basic data for this Almanac are indicated in the list of contributors on page vii. This volume was designed in consultation with other astronomers of many countries, and is intended to provide current, accurate astronomical data for use in the making and reduction of observations and for general purposes. (The other publications listed on pages viii–ix give astronomical data for particular applications, such as navigation and surveying.) Any changes introduced since the previous volume are listed on page iv. Suggestions for further improvement of this Almanac would be welcomed; they should be sent to the Director, Nautical Almanac Office, United States Naval Observatory or to the Superintendent, H.M. Nautical Almanac Office, Royal Greenwich Observatory.

CHARLES K. ROBERTS,
Captain, U.S. Navy,
Superintendent, U.S. Naval Observatory,
Washington, D.C. 20390,
U.S.A.

ALEXANDER BOKSENBERG,
Director,
Royal Greenwich Observatory,
Herstmonceux Castle, Hailsham,
East Sussex, BN27 1RP, England

May 1983

Astronomical Almanac 1983

Page B16 *Reduction for annual parallax*. In the formula for δ:

$$\text{for } -Y \sin \alpha_0 \sin \delta_0 \quad \text{read } +Y \sin \alpha_0 \sin \delta_0$$

Page E5, line 3 *for* 1982 January 0 *read* 1983 January 0

Astronomical Almanac 1984

Page S35, line –12, in the expression for Δm:

$$\text{for } 0^s\!\cdot\!6912 \quad \text{read } 0^s\!\cdot\!06912$$

Page S39, reference 44:

See also Murray, C.A. 1981. *Mon. Not. R. astr. Soc.*, **195**, 639–648.

Section A   PHENOMENA
Seasons: Moon's phases: planetary phenomena: principal occultations: visibility of planets: elongations and magnitudes of planets: diary of phenomena: times of sunrise, sunset, twilight, moonrise and moonset: eclipses.

Section B   TIME-SCALES AND COORDINATE SYSTEMS
Calendar: chronological cycles and eras: religious calendars: relationships between time scales: universal and sidereal times: reduction of celestial coordinates: proper motion, annual parallax, aberration, light-deflection, precession and nutation: Besselian day numbers: second-order day numbers: position and velocity of the Earth: rigorous formulae for apparent place reduction: polar motion: matrix elements for precession and nutation: diurnal parallax and aberration: altitude, azimuth: refraction: pole star table and formulae.

Section C   SUN
Mean orbital elements, elements of rotation: ecliptic and equatorial coordinates: heliographic coordinates, horizontal parallax, semi-diameter and time of transit: geocentric rectangular coordinates: low-precision formulae for coordinates of the Sun and the equation of time.

Section D   MOON
Phases: perigee and apogee: mean elements of orbit and rotation: lengths of mean months: geocentric, topocentric and selenographic coordinates: formulae for libration: ecliptic and equatorial coordinates, distance, horizontal parallax, semi-diameter and time of transit: physical ephemeris: daily polynomial coefficients: low-precision formulae for geocentric and topocentric coordinates.

Section E   MAJOR PLANETS
Osculating orbital elements for Mercury, Venus, Earth, Mars, Jupiter, Saturn, Uranus, Neptune and Pluto: rotation elements: heliocentric ecliptic coordinates: geocentric equatorial coordinates: times of transit: physical ephemerides.

Section F   SATELLITES OF THE PLANETS
Ephemerides and phenomena of the satellites of Mars, Jupiter, Saturn (including the rings), Uranus, Neptune and Pluto.

Section G   MINOR PLANETS AND COMETS
Geocentric equatorial coordinates and time of transit for Ceres, Pallas, Juno and Vesta: orbital elements, magnitudes and dates of opposition of the larger minor planets: perihelion passages of comets: geocentric ephemeris for Halley's comet.

Section H   STARS AND STELLAR SYSTEMS
Lists of bright stars, *UBVRI* standard stars, *uvby* and Hβ standard stars, radial velocity standard stars, bright galaxies, astrometric radio source positions, radio telescope flux calibrators, X-ray sources, variable stars, quasars and pulsars.

Section J   OBSERVATORIES
Index of observatory name and place: lists of optical and radio observatories: lists of instruments.

Section K   TABLES AND DATA
Julian dates of Gregorian calendar dates: IAU system of astronomical constants: reduction of time scales: interpolation methods.

Section L   EXPLANATION   Section M   GLOSSARY   Section N   INDEX

The pagination within each section is given in full on the first page of each section.

STAFF LISTS, 1985

U.S. NAVAL OBSERVATORY

Captain Charles K. Roberts, *U.S.N.*, *Superintendent*

ASTRONOMICAL COUNCIL

Captain Charles K. Roberts, *U.S.N.*, *Superintendent*
Commander James J. Galvin, *U.S.N.*, *Deputy Superintendent*
Gart Westerhout, *Scientific Director*
Gernot M. R. Winkler, *Director, Time Service Division*
P. Kenneth Seidelmann, *Director, Nautical Almanac Office*
James A. Hughes, *Director, Astrometry Division*

NAUTICAL ALMANAC OFFICE

P. Kenneth Seidelmann, *Director*

Thomas C. Van Flandern	Richard E. Schmidt
Paul M. Janiczek	Ernest J. Santoro
Jean B. Dudley	John A. Bangert
Alan D. Fiala	Tim S. Carroll
Dan Pascu	Arthur B. Robinson
LeRoy E. Doggett	Jean A. Blake
George H. Kaplan	Margaret C. Keeflin
Marta R. Goldblatt	Charlotte S. James
Peter Espenschied	Diane Diggs
Marie R. Lukac	Marion Sosslau
Kenneth Pulkkinen	

ROYAL GREENWICH OBSERVATORY

Alexander Boksenberg, Ph.D., F.R.S., *Director*

HER MAJESTY'S NAUTICAL ALMANAC OFFICE

G. A. Wilkins, B.Sc., Ph.D., *Superintendent*

B. D. Yallop, B.Sc., Ph.D.	D. B. Taylor, B.Sc., Ph.D.
A. T. Sinclair, B.Sc., Ph.D.	Miss C. Y. Hohenkerk, B.Sc.
G. E. Taylor	Mrs. A. F. Strong
B. Emerson, B.Sc., M.Sc.	M. T. White
G. G. C. Raymond-Barker	Mrs. G. A. Gibbs

Miss H. J. Saunders, *Secretary*

In addition, the following persons have assisted in the preparation and proof-reading of the publications of the Office:
Mrs. M. J. Everest, Mrs. P. V. Long and Mrs. R. A. Yallop.

May 1983

The data in this volume have been prepared as follows:—

By H.M. Nautical Almanac Office, Royal Greenwich Observatory:

Section A—phenomena, rising and setting of Sun and Moon; B—ephemerides and tables relating to time-scales and coordinate reference frames; C—rectangular coordinates of the Sun; D—daily polynomial coefficients of the Moon; E—geocentric coordinates and transit times of the major planets; H—lists of radial velocity standard stars, variable stars, quasars and pulsars.

By the Nautical Almanac Office, United States Naval Observatory:

Section A—eclipses of Sun and Moon; C, D, E—physical ephemerides and geocentric coordinates of Sun, Moon and major planets; F—ephemerides of satellites, except Jupiter I-IV; H—data for lists of bright stars, lists of photometric standard stars, bright galaxies, radio source positions, radio flux calibrators and X-ray sources; J—information on observatories; K—tables and data; L—explanation; M—glossary; N—index.

By the Service des Calculs, Bureau des Longitudes, Paris:

Section F—ephemerides of satellites I-IV of Jupiter.

By the Institute of Theoretical Astronomy, Leningrad:

Section G—orbital elements of minor planets.

In general the Office responsible for the preparation of the data has drafted the related explanatory notes and auxiliary material, but both have contributed to the final form of the material. The preliminaries and the explanatory material and short tabulations in sections A to E, G and H have been composed in the United Kingdom, while the rest of the material has been composed in the United States; computer programs developed at the U.S. Naval Observatory have been used for the composition of all extensive tabulations. The work of proofreading has been shared, but no attempt has been made to eliminate the differences in spelling and style between the contributions of the two Offices.

Joint publications of the Royal Greenwich Observatory and the United States Naval Observatory

Except for the *Explanatory Supplement*, these publications are available from Her Majesty's Stationery Office at the addresses listed on page ii of this volume and from the Superintendent of Documents, U.S. Government Printing Office, Washington, D.C. 20402.

The Nautical Almanac contains ephemerides at an interval of one hour and auxiliary astronomical data for marine navigation.

The Air Almanac is issued in two six-monthly parts and contains ephemerides at an interval of ten minutes and auxiliary astronomical data for air navigation.

Astronomical Phenomena contains extracts from *The Astronomical Almanac* and is published annually in advance of the main volume. It contains the dates and times of planetary and lunar phenomena and other astronomical data of general interest.

Planetary and Lunar Coordinates, 1984–2000 provides low-precision astronomical data for use in advance of the annual ephemerides and for other purposes. It contains helio-centric, geocentric, spherical and rectangular coordinates of the Sun, Moon and planets, eclipse data, and auxiliary data, such as orbital elements and precessional constants.

Explanatory Supplement to The Astronomical Ephemeris and The American Ephemeris and Nautical Almanac contains detailed explanations of the basis and derivation of each ephemeris in the *AE* in the edition for 1960; it also contains other useful material that is relevant to positional and dynamical astronomy and to chronology. Footnotes indicate the changes that have been introduced since 1960 and it contains a reprint of *The Supplement to A.E. 1968*, which gives an account of the introduction of the IAU (1964) system of astronomical constants. It was published by Her Majesty's Stationery Office but is now out of print. A new Explanatory Supplement to the Astronomical Almanac is in preparation.

Other publications of the United States Naval Observatory

Except for *The Ephemeris*, these publications are available from the Nautical Almanac Office, U.S. Naval Observatory, Washington, D.C. 20390.

Almanac for Computers contains short mathematical series which are used to represent the positions of the Sun, Moon and planets for efficient evaluation with small computers or programmable calculators. Data for both astronomical and navigational applications are included.

Astronomical Papers of the American Ephemeris are issued irregularly and contain reports of research in celestial mechanics with particular relevance to ephemerides.

U.S. Naval Observatory Circulars are issued irregularly to disseminate astronomical data concerning ephemerides or astronomical phenomena.

The Ephemeris is prepared annually for the Bureau of Land Management, U.S. Department of the Interior and contains astronomical data for use in land surveying. This volume is available from the Superintendent of Documents, U.S. Government Printing Office, Washington, D.C. 20402.

Other publications of the Royal Greenwich Observatory

Except for *The Star Almanac for Land Surveyors* and *Interpolation and Allied Tables*, these publications may be obtained, subject to availability, from the Royal Greenwich Observatory, Herstmonceux Castle, Hailsham, East Sussex BN27 1RP.

The Star Almanac for Land Surveyors contains tabulations of *R*, declination and *E* for the Sun for every 6 hours, and right ascension to $0^s \cdot 1$ and declination to $1''$ of all stars brighter than magnitude 4·0 for each month. In addition the ephemerides of *R*, declination and *E* for the Sun are represented by polynomial series for each month. This volume is available from Her Majesty's Stationery Office and from Kraus Thomson Organisation Ltd., Millwood, New York, 10546.

Interpolation and Allied Tables contains tables, formulae and explanatory notes on the techniques for numerical interpolation, differentiation and integration; in particular, it contains extensive tables of Bessel and Everett interpolation coefficients. This booklet is available from Her Majesty's Stationery Office and Kraus Thomson Organisation Ltd., Millwood, New York, 10546. The companion booklet *Subtabulation* contains tables of Lagrange interpolation coefficients at intervals of 1/20 and 1/24, as well as details for two other techniques of systematic interpolation.

Royal Observatory Annals are issued irregularly and contain tables of astronomical data and other material of a permanent nature.

Royal Observatory Bulletins (Nos. 21–181) and *Royal Greenwich Observatory Bulletins* (Nos. 1–20 and from No. 182) are issued irregularly and contain details of current astronomical research; of particular interest are: No. 185, "Compact Data for Navigation and Astronomy, 1981–1985" and No. 186, "Catalogue of Observations of Occultations of Stars by the Moon, 1623–1942 and Solar Eclipses, 1621–1806".

Publications of other countries

Apparent Places of Fundamental Stars is prepared annually by the Astronomisches Rechen-Institut in Heidelberg and contains mean and apparent coordinates of 1535 stars of the *Fifth Fundamental Catalogue* (FK5). This volume is available from Verlag G. Braun, Karl-Friedrich-Strasse 14–18, Karlsruhe, Germany.

Ephemerides of Minor Planets is prepared annually by the Institute of Theoretical Astronomy, and published by the Academy of Sciences of the U.S.S.R. Included in this volume are elements, opposition dates and opposition ephemerides of all numbered minor planets. This volume is available from the Institute of Theoretical Astronomy, Leningrad.

Conversion of stellar positions and proper motions from the standard epoch B1950·0 to J2000·0

A matrix method for calculating the mean place of a star at J2000·0 on the FK5 system from the mean place at B1950·0 on the FK4 system, ignoring the systematic corrections FK5–FK4 and individual star corrections to the FK5, is as follows:

1. From a star catalogue obtain the FK4 position (α_0, δ_0), proper motion $(\mu_{\alpha 0}, \mu_{\delta 0})$ in seconds of arc per tropical century, parallax (π_0) in seconds of arc and radial velocity (v_0) in km/s for B1950·0. If π_0 or v_0 are unspecified, set them both equal to zero.

2. Calculate the rectangular components of the position vector $\mathbf{r}_0$ and velocity vector $\dot{\mathbf{r}}_0$ from:

$$\mathbf{r}_0 = \begin{bmatrix} \cos\alpha_0 \cos\delta_0 \\ \sin\alpha_0 \cos\delta_0 \\ \sin\delta_0 \end{bmatrix} \qquad \dot{\mathbf{r}}_0 = \begin{bmatrix} -\mu_{\alpha 0}\sin\alpha_0 \cos\delta_0 - \mu_{\delta 0}\cos\alpha_0 \sin\delta_0 \\ \mu_{\alpha 0}\cos\alpha_0 \cos\delta_0 - \mu_{\delta 0}\sin\alpha_0 \sin\delta_0 \\ \mu_{\delta 0}\cos\delta_0 \end{bmatrix} + 21\cdot095\, v_0\, \pi_0\, \mathbf{r}_0$$

3. Remove the effects of the E-terms of aberration to form $\mathbf{r}_1$ and $\dot{\mathbf{r}}_1$ from:

$$\mathbf{r}_1 = \mathbf{r}_0 - \mathbf{A} + (\mathbf{r}_0'\,\mathbf{A})\,\mathbf{r}_0$$

$$\dot{\mathbf{r}}_1 = \dot{\mathbf{r}}_0 - \dot{\mathbf{A}} + (\mathbf{r}_0'\,\dot{\mathbf{A}})\,\mathbf{r}_0$$

where $\qquad \mathbf{A} = 10^{-6} \begin{bmatrix} -1\cdot625\ 57 \\ -0\cdot319\ 19 \\ -0\cdot138\ 43 \end{bmatrix} \qquad \dot{\mathbf{A}} = 10^{-3} \begin{bmatrix} +1\cdot244 \\ -1\cdot579 \\ -0\cdot660 \end{bmatrix}$

and $\mathbf{r}_0'$ is the transpose of $\mathbf{r}_0$. (The terms $\mathbf{r}_0'\,\mathbf{A}$ and $\mathbf{r}_0'\,\dot{\mathbf{A}}$ are scalar products).

4. Form the vector $\mathbf{R}_1 = \begin{bmatrix} \mathbf{r}_1 \\ \dot{\mathbf{r}}_1 \end{bmatrix}$ and calculate the vector $\mathbf{R} = \begin{bmatrix} \mathbf{r} \\ \dot{\mathbf{r}} \end{bmatrix}$ from:

$$\mathbf{R} = \mathbf{M}\,\mathbf{R}_1$$

where $\mathbf{M}$ is a constant 6×6 matrix given by:

$$\begin{bmatrix}
+0\cdot999\ 925\ 6782 & -0\cdot011\ 182\ 0611 & -0\cdot004\ 857\ 9477 & +0\cdot000\ 002\ 423\ 950\ 18 & -0\cdot000\ 000\ 027\ 106\ 63 & -0\cdot000\ 000\ 011\ 776\ 56 \\
+0\cdot011\ 182\ 0610 & +0\cdot999\ 937\ 4784 & -0\cdot000\ 027\ 1765 & +0\cdot000\ 000\ 027\ 106\ 63 & +0\cdot000\ 002\ 423\ 978\ 78 & -0\cdot000\ 000\ 000\ 065\ 87 \\
+0\cdot004\ 857\ 9479 & -0\cdot000\ 027\ 1474 & +0\cdot999\ 988\ 1997 & +0\cdot000\ 000\ 011\ 776\ 56 & -0\cdot000\ 000\ 000\ 065\ 82 & +0\cdot000\ 002\ 424\ 101\ 73 \\
-0\cdot000\ 551 & -0\cdot238\ 565 & +0\cdot435\ 739 & +0\cdot999\ 947\ 04 & -0\cdot011\ 182\ 51 & -0\cdot004\ 857\ 67 \\
+0\cdot238\ 514 & -0\cdot002\ 667 & -0\cdot008\ 541 & +0\cdot011\ 182\ 51 & +0\cdot999\ 958\ 83 & -0\cdot000\ 027\ 18 \\
-0\cdot435\ 623 & +0\cdot012\ 254 & +0\cdot002\ 117 & +0\cdot004\ 857\ 67 & -0\cdot000\ 027\ 14 & +1\cdot000\ 009\ 56
\end{bmatrix}$$

and set $(x, y, z, \dot{x}, \dot{y}, \dot{z}) = \mathbf{R}'$

5. Calculate the FK5 mean position (α_1, δ_1), proper motion $(\mu_{\alpha 1}, \mu_{\delta 1})$ in seconds of arc per Julian century, parallax (π_1) in seconds of arc and radial velocity (v_1) in km/s for J2000·0 from:

$$\cos\alpha_1 \cos\delta_1 = x/r \qquad \sin\alpha_1 \cos\delta_1 = y/r \qquad \sin\delta_1 = z/r$$

$$\mu_{\alpha 1} = (x\dot{y} - y\dot{x})/(x^2 + y^2) \qquad \mu_{\delta 1} = [\dot{z}(x^2 + y^2) - z(x\dot{x} + y\dot{y})]/[r^2(x^2 + y^2)^{1/2}]$$

$$v_1 = (x\dot{x} + y\dot{y} + z\dot{z})/(21\cdot095\,\pi_0\,r) \qquad \pi_1 = \pi_0/r$$

where $r = (x^2 + y^2 + z^2)^{1/2}$

If π_0 is zero, set $v_1 = v_0$

References.

Standish, E. M., (1982) *Astron. Astrophys.*, **115**, 20–22.

Aoki, S., Sôma, M., Kinoshita, H., Inoue, K., (1983) *Astron. Astrophys.*, **128**, 263–267.

CONTENTS OF SECTION A

NOTE: All the times in this section are expressed in universal time (UT).

THE SUN

		d h				d h m				d h m
Perigee	... Jan.	3 20	Equinoxes	... Mar.	20 16 14 ...		... Sept.	23 02 07
Apogee	... July	5 10	Solstices	... June	21 10 44 ...		... Dec.	21 22 08

PHASES OF THE MOON

Lunation	New Moon			First Quarter			Full Moon			Last Quarter		
	d	h	m	d	h	m	d	h	m	d	h	m
767							Jan.	7	02 16	Jan.	13	23 27
768	Jan.	21	02 28	Jan.	29	03 29	Feb.	5	15 19	Feb.	12	07 57
769	Feb.	19	18 43	Feb.	27	23 41	Mar.	7	02 13	Mar.	13	17 34
770	Mar.	21	11 59	Mar.	29	16 11	Apr.	5	11 32	Apr.	12	04 41
771	Apr.	20	05 22	Apr.	28	04 25	May	4	19 53	May	11	17 34
772	May	19	21 41	May	27	12 56	June	3	03 50	June	10	08 19
773	June	18	11 58	June	25	18 53	July	2	12 08	July	10	00 49
774	July	17	23 56	July	24	23 39	July	31	21 41	Aug.	8	18 29
775	Aug.	16	10 06	Aug.	23	04 36	Aug.	30	09 27	Sept.	7	12 16
776	Sept.	14	19 20	Sept.	21	11 03	Sept.	29	00 08	Oct.	7	05 04
777	Oct.	14	04 33	Oct.	20	20 13	Oct.	28	17 38	Nov.	5	20 07
778	Nov.	12	14 20	Nov.	19	09 04	Nov.	27	12 42	Dec.	5	09 01
779	Dec.	12	00 54	Dec.	19	01 58	Dec.	27	07 30			

ECLIPSES

Total eclipse of the Moon	May 4	Australasia, Asia, Europe, Africa
Partial eclipse of the Sun	May 19	N.E. Asia, Japan, N. of N. America, Greenland, Iceland, extreme N.W. Europe, arctic regions
Total eclipse of the Moon	Oct. 28	Australasia, Asia, Europe, Africa
Total eclipse of the Sun	Nov. 12	Antarctica, S. of S. America

MOON AT PERIGEE			MOON AT APOGEE		
d h	d h	d h	d h	d h	d h
Jan. 12 03	June 1 13	Oct. 15 01	Jan. 27 10	June 13 14	Oct. 29 22
Feb. 8 04	June 29 09	Nov. 12 13	Feb. 24 04	July 11 08	Nov. 25 22
Mar. 8 08	July 25 18	Dec. 11 01	Mar. 23 15	Aug. 8 02	Dec. 23 07
Apr. 5 18	Aug. 20 04		Apr. 19 17	Sept. 4 21	
May 4 05	Sept. 16 19		May 17 00	Oct. 2 13	

OCCULTATIONS OF PLANETS AND BRIGHT STARS BY THE MOON

Date	Body	Area of Visibility
d h		
Apr. 22 13	Mars	N. of S. America, N. Atlantic, N. Africa, Europe, Central Asia
Oct. 15 05	Mercury	Arctic, N.E. Asia, N. Pacific
Nov. 11 11	Venus	S. America, S. Atlantic, Antarctica
Nov. 14 04	Mercury	Indian Ocean, S. of Australia, New Zealand
Dec. 8 10	Mars	Central and N. America, N. of S. America, N. and S. Atlantic, S. Africa

No bright stars are occulted in 1985

OCCULTATIONS OF X-RAY SOURCES BY THE MOON

Occultations occur at intervals of a lunar month between the dates given below:

Source	Dates	Source	Dates	Source	Dates
4U0538+26	Jan. 5–Dec. 26	GX1+4	Jan. 18–Feb. 14	H0123+075	Apr. 19–Dec. 21
3C273B	Jan. 12–May 29	GX3+1	Jan. 18–Dec. 12	MXB1743−28	Oct. 18–Dec. 12
4U1621−23	Jan. 17–Dec. 11	GX5−1	Jan. 18 only	GX+1·1−1·0	Nov. 15 only
A1704−25	Jan. 17–Dec. 11	OSO−8 Burst	Jan. 18–Dec. 12		

AVAILABILITY OF PREDICTIONS OF LUNAR OCCULTATIONS

The International Lunar Occultation Centre, Astronomical Division, Hydrographic Department, Tsukiji-5, Chuo-ku, Tokyo, 104 JAPAN is responsible for the predictions and for the reductions of timings of occultations of stars by the Moon. Detailed predictions of lunar occultations of X-ray, radio and infra-red sources are distributed to observing groups, on request, by H.M. Nautical Almanac Office, Royal Greenwich Observatory.

GEOCENTRIC PHENOMENA

MERCURY

		d h		d h		d h
Greatest elongation East		Mar. 17 07(18°)	July 14 01(27°)		Nov. 8 09(23°)	
Stationary		Mar. 24 13	July 27 03		Nov. 18 19	
Inferior conjunction ...		Apr. 3 14	Aug. 10 22		Nov. 28 22	
Stationary		Apr. 16 00	Aug. 20 06		Dec. 8 11	
Greatest elongation West	Jan. 3 15(23°)	May 1 15(27°)	Aug. 28 12(18°)		Dec. 17 05(21°)	
Superior conjunction ...	Feb. 19 08	June 7 14	Sept. 22 20			

VENUS

	d h		d h
Greatest elongation East	Jan. 22 02(47°)	Stationary	Apr. 22 11
Greatest brilliancy ...	Feb. 26 18	Greatest brilliancy ...	May 9 13
Stationary	Mar. 12 08	Greatest elongation West	June 12 22(46°)
Inferior conjunction ...	Apr. 3 22		

SUPERIOR PLANETS

	Stationary	Opposition	Stationary	Conjunction
	d h	d h	d h	d h
Mars	—	—	—	July 18 03
Jupiter	June 5 08	Aug. 4 12	Oct. 3 10	Jan. 14 22
Saturn	Mar. 7 23	May 15 18	July 26 12	Nov. 23 02
Uranus	Mar. 22 22	June 6 19	Aug. 23 01	Dec. 10 08
Neptune	Apr. 5 01	June 23 19	Sept. 12 09	Dec. 25 05
Pluto	Feb. 11 10	Apr. 23 14	July 18 18	Oct. 28 04

OCCULTATIONS BY PLANETS AND SATELLITES

Predictions of occultations of stars and radio sources by planets, minor planets and satellites are distributed separately as soon as adequate data are available; details of these are given in *The Handbook of the British Astronomical Association*. Included in this list is an occultation of AGK3 + 14° 0146 by 10 Hygiea on July 21, visible from Indonesia and the North Pacific Ocean.

HELIOCENTRIC PHENOMENA

	Aphelion	Perihelion	Descending Node	Greatest Lat. South	Ascending Node	Greatest Lat. North
Mercury	Jan. 26	Mar. 11	Jan. 16	Feb. 15	Mar. 7	Mar. 21
	Apr. 24	June 7	Apr. 14	May 14	June 2	June 17
	July 21	Sept. 3	July 11	Aug. 10	Aug. 29	Sept. 13
	Oct. 17	Nov. 30	Oct. 7	Nov. 6	Nov. 25	Dec. 10
Venus	—	Feb. 24	—	—	Jan. 21	Mar. 17
	June 16	Oct. 6	May 12	July 8	Sept. 3	Oct. 28
			Dec. 23	—	—	—
Mars	Oct. 17	—	—	—	Mar. 8	Sept. 9

Jupiter, Saturn, Uranus, Neptune, Pluto: None in 1985

ELONGATIONS AND MAGNITUDES OF PLANETS AT 0ʰ UT

Date	Mercury Elong.	Mag.	Venus Elong.	Mag.	Date	Mercury Elong.	Mag.	Venus Elong.	Mag.
Jan. −5	W. 20	+0.2	E. 45	−4.2	June 29	E. 22	−0.2	W. 45	−4.2
0	22	−0.2	46	4.3	July 4	24	0.0	45	4.2
5	23	0.3	46	4.3	9	26	+0.3	44	4.1
10	22	0.3	47	4.3	14	27	0.5	43	4.1
15	20	0.3	47	4.4	19	26	0.8	43	4.1
20	W. 19	−0.3	E. 47	−4.4	24	E. 24	+1.2	W. 42	−4.1
25	16	0.4	47	4.4	29	20	1.8	41	4.1
30	14	0.5	47	4.5	Aug. 3	14	2.8	40	4.0
Feb. 4	11	0.6	46	4.5	8	E. 7	4.2	39	4.0
9	8	0.9	46	4.5	13	W. 6	4.4	38	4.0
14	W. 5	−1.2	E. 45	−4.6	18	W. 12	+2.6	W. 37	−4.0
19	W. 2	1.5	43	4.6	23	16	+1.0	36	4.0
24	E. 4	1.5	42	4.6	28	18	0.0	35	4.0
Mar. 1	8	1.4	39	4.6	Sept. 2	17	−0.7	34	4.0
6	13	1.2	36	4.6	7	14	1.1	33	4.0
11	E. 16	−0.9	E. 32	−4.6	12	W. 10	−1.3	W. 31	−4.0
16	18	−0.4	28	4.5	17	5	1.5	30	4.0
21	18	+0.5	22	4.4	22	W. 2	1.6	29	4.0
26	14	2.0	16	4.2	27	E. 4	1.3	28	4.0
31	E. 7	4.0	E. 10	4.1	Oct. 2	7	0.9	27	3.9
Apr. 5	W. 4	+5.1	W. 8	−4.0	7	E. 10	−0.7	W. 25	−3.9
10	11	3.3	12	4.1	12	13	0.5	24	3.9
15	18	2.0	18	4.3	17	16	0.3	23	3.9
20	23	1.3	24	4.4	22	18	0.3	22	3.9
25	26	0.9	29	4.5	27	20	0.2	21	3.9
30	W. 27	+0.6	W. 33	−4.5	Nov. 1	E. 22	−0.2	W. 19	−3.9
May 5	27	0.3	37	4.5	6	23	0.2	18	3.9
10	25	+0.1	39	4.5	11	23	−0.2	17	3.9
15	23	−0.1	41	4.5	16	21	+0.1	16	3.9
20	20	0.4	43	4.5	21	16	1.0	14	3.9
25	W. 15	−0.8	W. 44	−4.4	26	E. 7	+3.3	W. 13	−3.9
30	10	1.3	45	4.4	Dec. 1	W. 5	3.8	12	3.9
June 4	W. 4	1.9	45	4.4	6	15	+1.1	11	3.9
9	E. 2	2.1	46	4.3	11	20	0.0	10	3.9
14	8	1.5	46	4.3	16	21	−0.4	8	3.9
19	E. 13	−1.0	W. 46	−4.3	21	W. 21	−0.4	W. 7	−3.9
24	18	0.6	45	4.2	26	20	0.4	6	3.9
29	E. 22	−0.2	W. 45	−4.2	31	W. 18	−0.4	W. 5	−3.9

MINOR PLANETS

			Stationary	Opposition	Stationary	Conjunction
Ceres	...	...	—	—	Jan. 2	June 30
Pallas	...	...	Nov. 11	Dec. 22	—	Apr. 5.
Juno	...	...	Feb. 4	Mar. 25	May 17	Nov. 1
Vesta	...	...	Mar. 10	Apr. 18	June 6	—

ELONGATIONS AND MAGNITUDES OF PLANETS AT 0^h UT

Date	Mars Elong.	Mars Mag.	Jupiter Elong.	Jupiter Mag.	Saturn Elong.	Saturn Mag.	Uranus Elong.	Neptune Elong.	Pluto Elong.
Jan. −5	E. 56	+0·9	E. 16	−1·9	W. 40	+0·6	W. 19	W. 3	W. 62
5	54	1·0	E. 8	1·9	50	0·6	29	13	71
15	51	1·0	0	1·9	59	0·6	39	23	81
25	48	1·1	W. 8	1·9	68	0·6	48	33	90
Feb. 4	46	1·2	16	1·9	78	0·5	58	42	100
14	E. 43	+1·2	W. 24	−1·9	W. 88	+0·5	W. 68	W. 52	W. 110
24	41	1·3	31	1·9	97	0·5	78	62	119
Mar. 6	38	1·3	39	2·0	107	0·4	88	72	129
16	35	1·4	47	2·0	117	0·4	97	82	138
26	33	1·4	55	2·1	127	0·3	107	92	147
Apr. 5	E. 30	+1·5	W. 64	−2·1	W. 138	+0·3	W. 117	W. 102	W. 155
15	27	1·5	72	2·2	148	0·2	127	111	W. 161
25	24	1·6	80	2·2	158	0·1	137	121	E. 163
May 5	22	1·6	89	2·3	169	0·1	147	131	159
15	19	1·6	98	2·4	W. 178	0·0	157	141	153
25	E. 16	+1·6	W. 107	−2·4	E. 170	+0·1	W. 167	W. 151	E. 145
June 4	13	1·6	116	2·5	160	0·1	W. 177	161	136
14	10	1·7	126	2·6	150	0·2	E. 173	W. 170	127
24	7	1·7	136	2·7	140	0·3	163	E. 179	118
July 4	4	1·7	146	2·7	130	0·3	153	170	109
14	E. 2	+1·7	W. 157	−2·8	E. 120	+0·4	E. 143	E. 160	E. 100
24	W. 2	1·7	168	2·8	110	0·5	133	150	91
Aug. 3	5	1·7	W. 178	2·8	101	0·5	124	141	82
13	8	1·8	E. 171	2·8	92	0·5	114	131	73
23	11	1·8	160	2·8	82	0·6	104	121	64
Sept. 2	W. 15	+1·8	E. 149	−2·7	E. 73	+0·6	E. 95	E. 111	E. 55
12	18	1·8	139	2·7	64	0·6	85	102	46
22	21	1·8	128	2·6	55	0·6	75	92	38
Oct. 2	25	1·8	118	2·6	46	0·6	66	82	29
12	28	1·8	109	2·5	37	0·6	56	72	22
22	W. 32	+1·8	E. 99	−2·4	E. 29	+0·6	E. 47	E. 63	E. 17
Nov. 1	36	1·8	90	2·3	20	0·5	37	53	W. 16
11	40	1·8	81	2·3	11	0·5	28	43	21
21	43	1·7	72	2·2	E. 3	0·5	18	33	28
Dec. 1	47	1·7	64	2·2	W. 7	0·5	E. 9	24	36
11	W. 51	+1·6	E. 55	−2·1	W. 16	+0·5	W. 1	E. 14	W. 45
21	55	1·5	47	2·1	25	0·5	10	E. 4	54
31	59	1·4	39	2·1	34	0·5	20	W. 6	64
41	W. 63	+1·4	E. 31	−2·0	W. 43	+0·6	W. 29	W. 16	W. 73

Magnitudes at opposition: **Uranus** 5·5   **Neptune** 7·9   **Pluto** 13·7

VISUAL MAGNITUDES OF MINOR PLANETS

	Jan. 5	Feb. 14	Mar. 26	May 5	June 14	July 24	Sept. 2	Oct. 12	Nov. 21	Dec. 31
Ceres	7·7	8·2	8·5	8·5	8·3	8·3	8·4	8·3	7·9	7·4
Pallas	9·9	9·9	9·6	9·6	9·5	9·3	8·8	8·3	7·8	7·6
Juno	10·3	9·9	9·3	10·1	10·8	11·2	11·4	11·4	11·4	11·5
Vesta	7·7	7·0	6·2	5·9	6·6	7·2	7·6	7·8	7·9	7·7

VISIBILITY OF PLANETS

The planet diagram on page A7 shows, in graphical form for any date during the year, the local mean times of meridian passage of the Sun, of the five planets, Mercury, Venus, Mars, Jupiter and Saturn, and of every 2^h of right ascension. Intermediate lines, corresponding to particular stars, may be drawn in by the user if he so desires. The diagram is intended to provide a general picture of the availability of planets and stars for observation during the year.

On each side of the line marking the time of meridian passage of the Sun, a band 45^m wide is shaded to indicate that planets and most stars crossing the meridian within 45^m of the Sun are generally too close to the Sun for observation.

For any date the diagram provides immediately the local mean times of meridian passage of the Sun, planets and stars, and thus the following information:
(a) whether a planet or star is too close to the Sun for observation;
(b) visibility of a planet or star in the morning or evening;
(c) location of a planet or star during twilight;
(d) proximity of planets to stars or other planets.

When the meridian passage of a body occurs at midnight, it is close to opposition to the Sun and is visible all night, and may be observed in both morning and evening twilights. As the time of meridian passage decreases, the body ceases to be observable in the morning, but its altitude above the eastern horizon during evening twilight gradually increases until it is on the meridian at evening twilight. From then onwards the body is observable above the western horizon, its altitude at evening twilight gradually decreasing, until it becomes too close to the Sun for observation. When it again becomes visible, it is seen in the morning twilight, low in the east. Its altitude at morning twilight gradually increases until meridian passage occurs at the time of morning twilight, then as the time of meridian passage decreases to 0^h, the body is observable in the west in the morning twilight with a gradually decreasing altitude, until it once again reaches opposition.

Notes on the visibility of the principal planets, except Pluto, are given on page A8. Further information on the visibility of planets may be obtained from the diagram below which shows, in graphical form for any date during the year, the declinations of the bodies plotted on the planet diagram on page A7.

DECLINATIONS OF SUN AND PLANETS, 1985

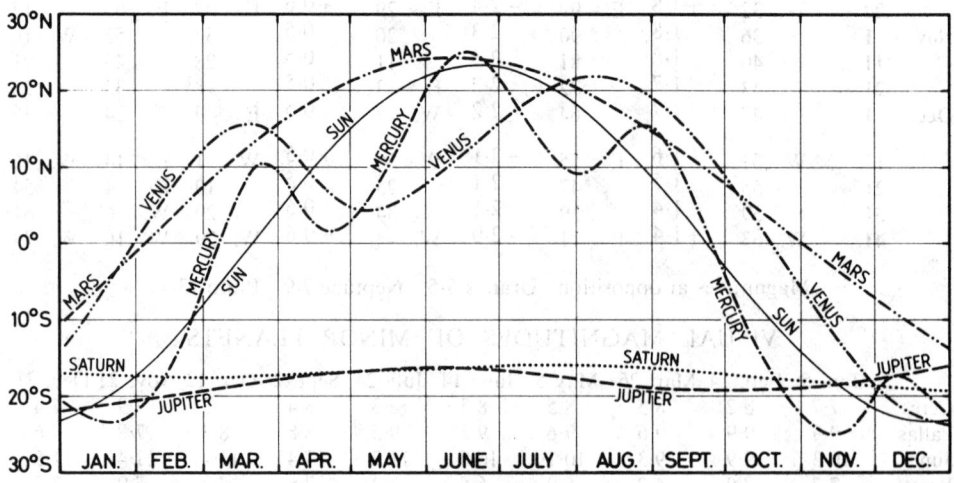

LOCAL MEAN TIME OF MERIDIAN PASSAGE

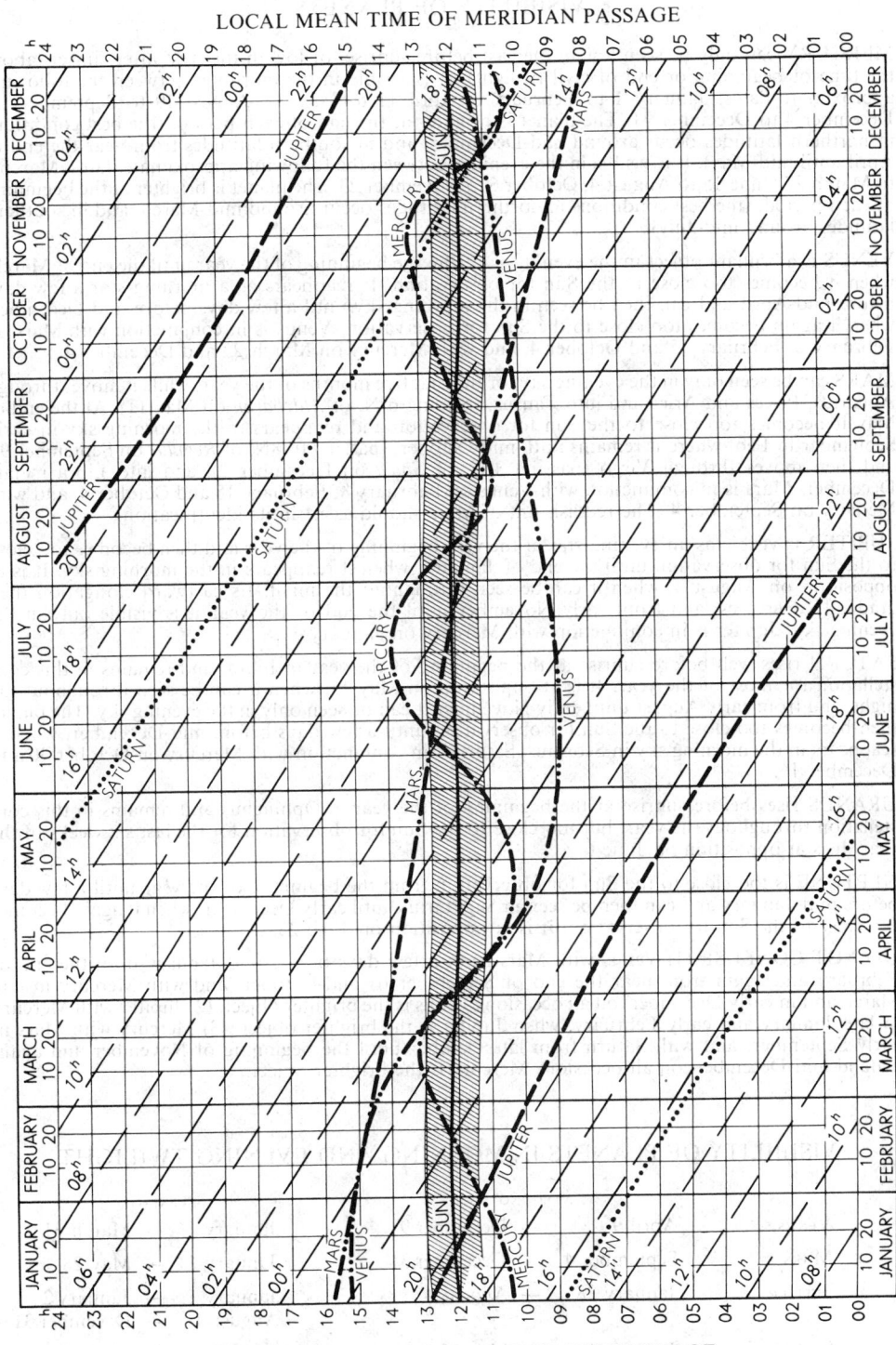

VISIBILITY OF PLANETS

MERCURY can only be seen low in the east before sunrise, or low in the west after sunset (about the time of beginning or end of civil twilight). It is visible in the mornings between the following approximate dates: January 1 to February 6, April 11 to May 31, August 19 to September 13, December 4 to December 31. The planet is brighter at the end of each period, (the best conditions in northern latitudes occur around mid-December, and in southern latitudes from near the end of April until mid-May). It is visible in the evenings between the following approximate dates: March 2 to March 27, June 15 to August 4, October 6 to November 23. The planet is brighter at the beginning of each period, (the best conditions in northern latitudes occur around mid-March, and in southern latitudes around mid-July).

VENUS is a brilliant object in the evening sky from the beginning of the year until the end of March, when it becomes too close to the Sun for observation. It reappears as a morning star a few days before mid-April and can then be seen in the morning sky until a few days before mid-December, when it again becomes too close to the Sun for observation. Venus is in conjunction with Mars on February 8, February 15 and October 4, and with Mercury on March 23 and December 4.

MARS can be seen only in the evening sky for the first five months of the year, while it moves through Aquarius, Pisces and Aries and into Taurus, (passing 6°N. of *Aldebaran* on May 11). At the end of May it becomes too close to the Sun for observation and reappears in the morning sky in early September in Leo, where it remains until mid-October, (passing 0°·8N. of *Regulus* on September 9), and then moves through Virgo (passing 3°N. of *Spica* on December 2), and into Libra in late December. Mars is in conjunction with Venus on February 8, February 15 and October 4, and with Mercury on September 4. The reddish tint of Mars should assist in its identification.

JUPITER is visible as an evening star at the very beginning of the year and then becomes too close to the Sun for observation until the end of January, when it reappears in the morning sky. It is at opposition on August 4, when it can be seen throughout the night. Its eastward elongation then gradually decreases, and from early November until the end of the year it is visible only in the evening sky. Jupiter is in conjunction with Mercury on January 31.

SATURN rises well before sunrise at the beginning of the year in Libra, and remains in this constellation for most of the year. It is at opposition on May 15, when it can be seen throughout the night, and from early August until early November it can be seen only in the evening sky. The planet then becomes too close to the Sun for observation until a few days before mid-December, when it reappears in the morning sky in Scorpius. Saturn is in conjunction with Mercury on October 30 and December 16.

URANUS rises before sunrise at the beginning of the year in Ophiuchus and remains in this constellation throughout the year, but too close to the Sun for observation for the last six weeks of the year. It is at opposition on June 6.

NEPTUNE is too close to the Sun for observation from the beginning of the year until a few days before mid-January and can then be seen in Sagittarius until early December, when it again becomes too close to the Sun for observation. It is at opposition on June 23.

DO NOT CONFUSE (1) Venus with Mars from a few days before mid-January until the end of February and again from near the end of September to mid-October, and with Mercury in late March and in early December; on all occasions Venus is the brighter object. (2) Jupiter with Mercury in late January and early February, when Jupiter is the brighter object. (3) Mercury with Mars in early September, and with Saturn from late October until the beginning of November and again around mid-December; on all occasions Mercury is the brighter object.

VISIBILITY OF PLANETS IN MORNING AND EVENING TWILIGHT

	MORNING		EVENING	
VENUS	April 9	— December 9	January 1	— March 31
MARS	September 4	— December 31	January 1	— May 28
JUPITER	January 28	— August 4	January 1	— January 2
			August 4	— December 31
SATURN	January 1	— May 15	May 15	— November 6
	December 10	— December 31		

CONFIGURATIONS OF SUN, MOON AND PLANETS

	d	h	
Jan.	2	09	Ceres stationary
	3	15	Mercury greatest elong. W.(23°)
	3	20	Earth at perihelion
	7	02	FULL MOON
	12	03	Moon at perigee
	13	05	Mercury 0°·7S. of Neptune
	13	23	LAST QUARTER
	14	22	Jupiter in conjunction with Sun
	16	08	Saturn 2°N. of Moon
	17	19	Uranus 1°·8N. of Moon
	18	22	Neptune 4°N. of Moon
	19	13	Mercury 3°N. of Moon
	21	02	NEW MOON
	22	02	Venus greatest elong. E.(47°)
	25	00	Venus 5°N. of Moon
	25	04	Mars 4°N. of Moon
	27	10	Moon at apogee
	29	03	FIRST QUARTER
	31	05	Mercury 1°·3 S. of Jupiter
Feb.	4	13	Juno stationary
	5	15	FULL MOON
	8	02	Venus 3°N. of Mars
	8	04	Moon at perigee
	9	11	Juno 1°·3S. of Moon Occⁿ.
	11	10	Pluto stationary
	12	08	LAST QUARTER
	12	16	Saturn 3°N. of Moon
	14	02	Uranus 2°N. of Moon
	15	06	Neptune 4°N. of Moon
	15	19	Venus 4°N. of Mars
	17	10	Jupiter 4°N. of Moon
	19	08	Mercury in superior conjunction
	19	19	NEW MOON
	23	06	Venus 8°N. of Moon
	23	08	Mars 3°N. of Moon
	24	04	Moon at apogee
	26	18	Venus greatest brilliancy
	28	00	FIRST QUARTER
Mar.	7	02	FULL MOON
	7	23	Saturn stationary
	8	08	Moon at perigee
	8	15	Juno 0°·7N. of Moon Occⁿ.
	10	15	Vesta stationary
	11	23	Saturn 3°N. of Moon
	12	08	Venus stationary
	13	09	Uranus 2°N. of Moon
	13	18	LAST QUARTER
	14	12	Neptune 5°N. of Moon

	d	h		
Mar.	17	02	Jupiter 5°N. of Moon	
	17	07	Mercury greatest elong. E.(18°)	
	20	16	Equinox	
	21	12	NEW MOON	
	22	18	Mercury 6°N. of Moon	
	22	19	Venus 12°N. of Moon	
	22	22	Uranus stationary	
	23	02	Mercury 5°S. of Venus	
	23	15	Moon at apogee	
	24	12	Mars 1°·4N. of Moon	
	24	13	Mercury stationary	
	25	19	Juno at opposition	
	29	16	FIRST QUARTER	
Apr.	3	14	Mercury in inferior conjunction	
	3	22	Venus in inferior conjunction	
	5	01	Neptune stationary	
	5	03	Pallas in conjunction with Sun	
	5	12	FULL MOON	
	5	18	Moon at perigee	
	8	07	Saturn 3°N. of Moon	
	9	16	Uranus 3°N. of Moon	
	10	19	Neptune 5°N. of Moon	
	12	05	LAST QUARTER	
	13	17	Jupiter 5°N. of Moon	
	16	00	Mercury stationary	
	17	23	Venus 10°N. of Moon	
	18	04	Mercury 3°N. of Moon	
	18	21	Vesta at opposition	
	19	17	Moon at apogee	
	20	05	NEW MOON	
	22	11	Venus stationary	
	22	13	Mars 0°·4S. of Moon	Occⁿ.
	23	14	Pluto at opposition	
	28	04	FIRST QUARTER	
May	1	15	Mercury greatest elong. W.(27°)	
	4	05	Moon at perigee	
	4	20	FULL MOON	Eclipse
	5	15	Saturn 3°N. of Moon	
	7	01	Uranus 3°N. of Moon	
	8	04	Neptune 5°N. of Moon	
	9	13	Venus greatest brilliancy	
	11	05	Jupiter 5°N. of Moon	
	11	13	Mars 6°N. of Aldebaran	
	11	18	LAST QUARTER	
	15	18	Saturn at opposition	
	15	23	Venus 3°N. of Moon	
	17	00	Moon at apogee	
	17	07	Juno stationary	
	18	01	Mercury 1°·5S. of Moon	

CONFIGURATIONS OF SUN, MOON AND PLANETS

	d	h	
May	19	22	NEW MOON
	21	10	Mars 1°·9 S. of Moon
	27	13	FIRST QUARTER
June	1	13	Moon at perigee
	1	22	Saturn 3°N. of Moon
	3	04	FULL MOON
	3	10	Uranus 2°N. of Moon
	4	13	Neptune 5°N. of Moon
	5	08	Jupiter stationary
	6	08	Vesta stationary
	6	19	Uranus at opposition
	7	14	Mercury in superior conjunction
	7	16	Jupiter 5°N. of Moon
	10	08	LAST QUARTER
	12	22	Venus greatest elong. W.(46°)
	13	14	Moon at apogee
	14	11	Venus 1°·9 S. of Moon
	18	12	NEW MOON
	21	11	Solstice
	23	19	Neptune at opposition
	25	19	FIRST QUARTER
	26	02	Mercury 5°S. of Pollux
	29	05	Saturn 3°N. of Moon
	29	09	Moon at perigee
	30	18	Uranus 2°N. of Moon
	30	23	Ceres in conjunction with Sun
July	1	22	Neptune 5°N. of Moon
	2	12	FULL MOON
	4	23	Jupiter 5°N. of Moon
	5	10	Earth at aphelion
	10	01	LAST QUARTER
	11	08	Moon at apogee
	14	01	Mercury greatest elong. E.(27°)
	14	09	Venus 5°S. of Moon
	15	13	Venus 3°N. of Aldebaran
	18	00	NEW MOON
	18	03	Mars in conjunction with Sun
	18	18	Pluto stationary
	19	21	Mercury 7°S. of Moon
	25	00	FIRST QUARTER
	25	18	Moon at perigee
	26	10	Saturn 3°N. of Moon
	26	12	Saturn stationary
	27	03	Mercury stationary
	28	00	Uranus 2°N. of Moon
	29	05	Neptune 5°N. of Moon
	31	22	FULL MOON
Aug.	1	02	Jupiter 4°N. of Moon

	d	h		
Aug.	4	12	Jupiter at opposition	
	8	02	Moon at apogee	
	8	18	LAST QUARTER	
	10	22	Mercury in inferior conjunction	
	13	08	Venus 5°S. of Moon	
	14	14	Ceres 1°·0 S. of Moon	Occ[n].
	16	10	NEW MOON	
	20	04	Moon at perigee	
	20	06	Mercury stationary	
	22	16	Saturn 3°N. of Moon	
	23	01	Uranus stationary	
	23	05	FIRST QUARTER	
	23	08	Venus 7°S. of Pollux	
	24	05	Uranus 3°N. of Moon	
	25	10	Neptune 5°N. of Moon	
	28	04	Jupiter 4°N. of Moon	
	28	12	Mercury greatest elong. W.(18°)	
	30	09	FULL MOON	
Sept.	4	21	Mercury 0°·01 S. of Mars	
	4	21	Moon at apogee	
	6	10	Mercury 1°·0 N. of Regulus	
	7	12	LAST QUARTER	
	9	01	Mars 0°·8 N. of Regulus	
	11	21	Ceres 0°·2 S. of Moon	Occ[n].
	12	08	Venus 5°S. of Moon	
	12	09	Neptune stationary	
	13	08	Mars 4°S. of Moon	
	14	19	NEW MOON	
	16	19	Moon at perigee	
	19	02	Saturn 3°N. of Moon	
	20	11	Uranus 3°N. of Moon	
	21	11	FIRST QUARTER	
	21	15	Neptune 5°N. of Moon	
	21	17	Venus 0°·4 N. of Regulus	
	22	20	Mercury in superior conjunction	
	23	02	Equinox	
	24	06	Jupiter 4°N. of Moon	
	29	00	FULL MOON	
Oct.	2	13	Moon at apogee	
	3	10	Jupiter stationary	
	4	23	Venus 0°·1 N. of Mars	
	7	05	LAST QUARTER	
	10	04	Ceres 1°·1 N. of Moon	Occ[n].
	12	01	Mars 3°S. of Moon	
	12	09	Venus 3°S. of Moon	
	14	05	NEW MOON	
	15	01	Moon at perigee	
	15	05	Mercury 1°·3 S. of Moon	Occ[n].

CONFIGURATIONS OF SUN, MOON AND PLANETS

	d	h		
Oct.	16	15	Saturn 4° N. of Moon	
	17	21	Uranus 3° N. of Moon	
	18	23	Neptune 5° N. of Moon	
	20	20	FIRST QUARTER	
	21	13	Jupiter 5° N. of Moon	
	28	04	Pluto in conjunction with Sun	
	28	18	FULL MOON	Eclipse
	29	22	Moon at apogee	
	30	21	Mercury 4° S. of Saturn	
Nov.	1	18	Juno in conjunction with Sun	
	3	10	Venus 4° N. of Spica	
	5	20	LAST QUARTER	
	8	09	Mercury greatest elong. E.(23°)	
	8	19	Mercury 1°·8 N. of Antares	
	9	18	Mars 1°·7 S. of Moon	
	11	11	Venus 0°·8 N. of Moon	Occ[n].
	11	22	Pallas stationary	
	12	13	Moon at perigee	
	12	14	NEW MOON	Eclipse
	14	04	Mercury 0°·5 N. of Moon	Occ[n].
	14	09	Uranus 3° N. of Moon	
	15	09	Neptune 5° N. of Moon	
	18	01	Jupiter 5° N. of Moon	
	18	19	Mercury stationary	
	19	09	FIRST QUARTER	
	23	02	Saturn in conjunction with Sun	

	d	h		
Nov.	25	22	Moon at apogee	
	27	13	FULL MOON	
	28	22	Mercury in inferior conjunction	
Dec.	2	11	Mars 3° N. of Spica	
	4	04	Mercury 1°·6 N. of Venus	
	5	09	LAST QUARTER	
	5	11	Venus 1°·1 S. of Saturn	
	8	10	Mars 0°·01 S. of Moon	Occ[n].
	8	11	Mercury stationary	
	10	08	Uranus in conjunction with Sun	
	10	18	Mercury 5° N. of Moon	
	10	23	Saturn 4° N. of Moon	
	11	01	Moon at perigee	
	12	01	NEW MOON	
	15	18	Jupiter 5° N. of Moon	
	16	17	Mercury 0°·5 N. of Saturn	
	17	05	Mercury greatest elong. W.(21°)	
	19	02	FIRST QUARTER	
	21	10	Mercury 6° N. of Antares	
	21	22	Solstice	
	22	15	Pallas at opposition	
	23	07	Moon at apogee	
	25	05	Neptune in conjunction with Sun	
	27	08	FULL MOON	
	29	12	Mercury 0°·7 N. of Uranus	

Arrangement and basis of the tabulations

The tabulations of risings, settings and twilights on pages A14–A77 refer to the instants when the true geocentric zenith distance of the central point of the disk of the Sun or Moon takes the value indicated in the following table. The tabular times are in universal time (UT) for selected latitudes on the meridian of Greenwich: the times for other latitudes and longitudes may be obtained by interpolation as described below and as exemplified on page A13.

	Phenomena	*Zenith distance*	*Pages*
SUN (interval 4 days):	sunrise and sunset	90° 50′	A14–A21
	civil twilight	96°	A22–A29
	nautical twilight	102°	A30–A37
	astronomical twilight	108°	A38–A45
MOON (interval 1 day): moonrise and moonset		90° 34′ + s − π	A46–A77
(s = semidiameter, π = horizontal parallax)			

The zenith distance at the times for rising and setting is such that under normal conditions the upper limb of the Sun and Moon appears to be on the horizon of an observer at sea-level. The parallax of the Sun is ignored. The observed time may differ from the tabular time because of a variation of the atmospheric refraction from the adopted value (34′) and because of a difference in height of the observer and the actual horizon.

Use of tabulations

The following procedure may be used to obtain times of the phenomena for a non-tabular place and date.

Step 1: Interpolate linearly for latitude. The differences between adjacent values are usually small and so the required interpolates can often be obtained by inspection.

Step 2: Interpolate linearly for date and longitude in order to obtain the local mean times of the phenomena at the longitude concerned. For the Sun the variations with longitude of the local mean times of the phenomena are small, but to obtain better precision the interpolation factor for date should be increased by

$$\text{west longitude in degrees} / 1440$$

since the interval of tabulation is 4 days. For the Moon, the interpolating factor to be used is simply

$$\text{west longitude in degrees} / 360$$

since the interval of tabulation is 1 day: backward interpolation should be carried out for east longitudes.

Step 3: Convert the times so obtained (which are on the scale of local mean time for the local meridian) to universal time (UT) or to the appropriate clock time, which may differ from the time of the nearest standard meridian according to the customs of the country concerned. The UT of the phenomenon is obtained from the local mean time by applying the longitude expressed in time measure (1 hour for each 15° of longitude), adding for west longitudes and subtracting for east longitudes. The times so obtained may require adjustment by 24^h: if so, the corresponding date must be changed accordingly.

Approximate formulae for direct calculation

The approximate UT of rising or setting of a body with right ascension α and declination δ at latitude φ and *east* longitude λ may be calculated from

$$UT = 0.99727 \left\{ \alpha - \lambda \pm \cos^{-1}\left(-\tan \varphi \tan \delta \right) - \left(\text{GMST at } 0^h\text{UT} \right) \right\}$$

where each term is expressed in time measure and the GMST at 0^{h}UT is given in the tabulations on pages B8–B15. The negative sign corresponds to rising and the positive sign to setting. The formula ignores refraction, semi-diameter and any changes in α and δ during the day. If $\tan \varphi \tan \delta$ is numerically greater than 1, there is no phenomenon.

Examples

The following examples of the calculations of the times of rising and setting phenomena use the procedure described on page A12.

1. To find the times of sunrise and sunset for Paris on 1985 July 20. Paris is at latitude N 48° 52′ ($= +48°{\cdot}87$), longitude E 2° 20′ ($=$ E 2°$\cdot$33 $=$ E 0^h 09^m), and in the summer the clocks are kept two hours in advance of UT. The relevant portions of the tabulation on page A19 and the results of the interpolation for latitude are as follows, where the interpolation factor is $(48{\cdot}87 - 48)/2 = 0{\cdot}44$:

	Sunrise				Sunset		
	+48°	+50°	+48°·87		+48°	+50°	+48°·87
	h m	h m	h m		h m	h m	h m
July 17	04 18	04 10	04 14		19 54	20 02	19 58
July 21	04 22	04 14	04 18		19 50	19 58	19 54

The interpolation factor for date and longitude is $(20 - 17)/4 - 2{\cdot}33/1440 = 0{\cdot}75$

	Sunrise	Sunset
	d h m	d h m
Interpolate to obtain local mean time:	20 04 17	20 19 55
Subtract 0^h 09^m to obtain universal time:	20 04 08	20 19 46
Add 2^h to obtain clock time:	20 06 08	20 21 46

2. To find the times of beginning and end of astronomical twilight for Canberra, Australia on 1985 November 15. Canberra is at latitude S 35° 18′ ($= -35°{\cdot}30$), longitude E 149° 08′ ($=$ E 149°$\cdot$13 $=$ E 9^h 57^m), and in the summer the clocks are kept eleven hours in advance of UT. The relevant portions of the tabulation on page A44 and the results of the interpolation for latitude are as follows, where the interpolation factor is $(-35{\cdot}30 - (-40))/5 = 0{\cdot}94$:

	Astronomical Twilight						
	beginning				end		
	−40°	−35°	−35°·3		−40°	−35°	−35°·3
	h m	h m	h m		h m	h m	h m
Nov. 14	02 47	03 09	03 08		20 43	20 21	20 22
Nov. 18	02 41	03 05	03 04		20 50	20 26	20 27

The interpolation factor for date and longitude is $(15 - 14)/4 - 149{\cdot}13/1440 = 0{\cdot}15$

	Astronomical Twilight	
	beginning	end
	d h m	d h m
Interpolation to obtain local mean time:	15 03 07	15 20 23
Subtract 9^h 57^m to obtain universal time:	14 17 10	15 10 26
Add 11^h to obtain clock time:	15 04 10	15 21 26

3. To find the times of moonrise and moonset for Washington, D.C. on 1985 February 1. Washington is at latitude N 38° 55′ ($= +38°{\cdot}92$), longitude W 77° 00′ ($=$ W 77°$\cdot$0 $=$ W 5^h 08^m), and in the winter the clocks are kept five hours behind UT. The relevant portions of the tabulation on page A48 and the results of the interpolation for latitude are as follows, where the interpolation factor is $(38{\cdot}92 - 35)/5 = 0{\cdot}78$:

	Moonrise				Moonset		
	+35°	+40°	+38°·92		+35°	+40°	+38°·92
	h m	h m	h m		h m	h m	h m
Feb. 1	13 16	13 00	13 04		03 26	03 42	03 38
Feb. 2	14 08	13 50	13 54		04 27	04 45	04 41

The interpolation factor for longitude is $77{\cdot}0/360 = 0{\cdot}21$

	Moonrise	Moonset
	d h m	d h m
Interpolate to obtain local mean time:	1 13 14	1 03 51
Add 5^h 08^m to obtain universal time:	1 18 22	1 08 59
Subtract 5^h to obtain clock time:	1 13 22	1 03 59

SUNRISE AND SUNSET, 1985

UNIVERSAL TIME FOR MERIDIAN OF GREENWICH

SUNRISE

Lat.	−55°	−50°	−45°	−40°	−35°	−30°	−20°	−10°	0°	+10°	+20°	+30°	+35°	+40°
	h m	h m	h m	h m	h m	h m	h m	h m	h m	h m	h m	h m	h m	h m
Jan. −2	3 23	3 52	4 15	4 33	4 47	5 00	5 22	5 41	5 58	6 16	6 34	6 55	7 07	7 21
2	3 27	3 56	4 18	4 36	4 50	5 03	5 25	5 43	6 00	6 17	6 36	6 56	7 08	7 22
6	3 33	4 01	4 22	4 39	4 54	5 06	5 27	5 45	6 02	6 19	6 37	6 57	7 09	7 22
10	3 39	4 06	4 27	4 43	4 57	5 09	5 30	5 48	6 04	6 20	6 37	6 57	7 09	7 22
14	3 46	4 12	4 32	4 48	5 01	5 13	5 33	5 50	6 05	6 21	6 38	6 57	7 08	7 21
18	3 53	4 18	4 37	4 52	5 05	5 16	5 35	5 52	6 07	6 22	6 38	6 56	7 07	7 19
22	4 01	4 24	4 42	4 57	5 09	5 20	5 38	5 54	6 08	6 22	6 38	6 55	7 05	7 17
26	4 10	4 31	4 48	5 02	5 13	5 23	5 40	5 55	6 09	6 23	6 37	6 54	7 03	7 14
30	4 18	4 38	4 54	5 07	5 17	5 27	5 43	5 57	6 10	6 23	6 36	6 52	7 00	7 11
Feb. 3	4 27	4 45	5 00	5 11	5 22	5 30	5 45	5 58	6 10	6 22	6 35	6 49	6 57	7 07
7	4 35	4 52	5 05	5 16	5 26	5 34	5 48	6 00	6 11	6 22	6 33	6 46	6 54	7 03
11	4 44	4 59	5 11	5 21	5 30	5 37	5 50	6 01	6 11	6 21	6 31	6 43	6 50	6 58
15	4 53	5 06	5 17	5 26	5 34	5 40	5 52	6 02	6 11	6 20	6 29	6 40	6 46	6 53
19	5 01	5 13	5 23	5 31	5 38	5 43	5 54	6 02	6 11	6 19	6 27	6 36	6 42	6 48
23	5 10	5 20	5 29	5 35	5 41	5 47	5 55	6 03	6 10	6 17	6 24	6 32	6 37	6 42
27	5 18	5 27	5 34	5 40	5 45	5 49	5 57	6 03	6 09	6 15	6 21	6 28	6 32	6 37
Mar. 3	5 27	5 34	5 40	5 45	5 49	5 52	5 58	6 04	6 09	6 13	6 18	6 24	6 27	6 31
7	5 35	5 41	5 45	5 49	5 52	5 55	6 00	6 04	6 08	6 11	6 15	6 19	6 22	6 25
11	5 43	5 47	5 50	5 53	5 56	5 58	6 01	6 04	6 07	6 09	6 12	6 15	6 16	6 18
15	5 51	5 54	5 56	5 57	5 59	6 00	6 02	6 04	6 06	6 07	6 09	6 10	6 11	6 12
19	5 59	6 00	6 01	6 02	6 02	6 03	6 04	6 04	6 05	6 05	6 05	6 05	6 05	6 05
23	6 07	6 06	6 06	6 06	6 05	6 05	6 05	6 04	6 03	6 03	6 02	6 00	6 00	5 59
27	6 14	6 13	6 11	6 10	6 09	6 08	6 06	6 04	6 02	6 00	5 58	5 56	5 54	5 52
31	6 22	6 19	6 16	6 14	6 12	6 10	6 07	6 04	6 01	5 58	5 55	5 51	5 49	5 46
Apr. 4	6 30	6 25	6 21	6 18	6 15	6 12	6 08	6 04	6 00	5 56	5 51	5 46	5 43	5 40

SUNSET

Lat.	−55°	−50°	−45°	−40°	−35°	−30°	−20°	−10°	0°	+10°	+20°	+30°	+35°	+40°
	h m	h m	h m	h m	h m	h m	h m	h m	h m	h m	h m	h m	h m	h m
Jan. −2	20 41	20 12	19 49	19 32	19 17	19 04	18 42	18 23	18 06	17 49	17 30	17 09	16 57	16 43
2	20 40	20 12	19 50	19 32	19 18	19 05	18 43	18 25	18 08	17 51	17 33	17 12	17 00	16 46
6	20 38	20 10	19 49	19 32	19 18	19 05	18 44	18 26	18 10	17 53	17 35	17 15	17 03	16 50
10	20 35	20 08	19 48	19 31	19 18	19 06	18 45	18 28	18 11	17 55	17 38	17 18	17 07	16 54
14	20 31	20 06	19 46	19 30	19 17	19 05	18 46	18 29	18 13	17 57	17 41	17 22	17 11	16 58
18	20 26	20 02	19 44	19 28	19 16	19 04	18 46	18 29	18 14	17 59	17 43	17 25	17 14	17 02
22	20 21	19 58	19 40	19 26	19 14	19 03	18 45	18 30	18 15	18 01	17 46	17 29	17 18	17 07
26	20 14	19 53	19 37	19 23	19 12	19 02	18 45	18 30	18 16	18 03	17 48	17 32	17 23	17 12
30	20 07	19 48	19 32	19 20	19 09	19 00	18 44	18 30	18 17	18 04	17 51	17 35	17 27	17 17
Feb. 3	20 00	19 42	19 27	19 16	19 06	18 57	18 42	18 29	18 17	18 06	17 53	17 39	17 31	17 21
7	19 52	19 35	19 22	19 11	19 02	18 54	18 41	18 29	18 18	18 07	17 55	17 42	17 35	17 26
11	19 43	19 28	19 16	19 07	18 58	18 51	18 39	18 28	18 18	18 08	17 57	17 46	17 39	17 31
15	19 34	19 21	19 10	19 02	18 54	18 48	18 36	18 27	18 18	18 09	17 59	17 49	17 43	17 36
19	19 25	19 13	19 04	18 56	18 50	18 44	18 34	18 25	18 17	18 09	18 01	17 52	17 46	17 40
23	19 16	19 05	18 57	18 51	18 45	18 40	18 31	18 24	18 17	18 10	18 03	17 55	17 50	17 45
27	19 06	18 57	18 50	18 45	18 40	18 36	18 28	18 22	18 16	18 10	18 04	17 58	17 54	17 49
Mar. 3	18 56	18 49	18 43	18 39	18 35	18 31	18 25	18 20	18 15	18 11	18 06	18 00	17 57	17 54
7	18 46	18 41	18 36	18 33	18 29	18 27	18 22	18 18	18 14	18 11	18 07	18 03	18 01	17 58
11	18 36	18 32	18 29	18 26	18 24	18 22	18 19	18 16	18 13	18 11	18 08	18 06	18 04	18 03
15	18 26	18 23	18 21	18 20	18 18	18 17	18 15	18 14	18 12	18 11	18 10	18 08	18 08	18 07
19	18 16	18 15	18 14	18 13	18 13	18 12	18 12	18 11	18 11	18 11	18 11	18 11	18 11	18 11
23	18 05	18 06	18 06	18 07	18 07	18 08	18 08	18 09	18 10	18 11	18 12	18 13	18 14	18 15
27	17 55	17 57	17 59	18 00	18 02	18 03	18 05	18 07	18 09	18 11	18 13	18 16	18 17	18 19
31	17 45	17 49	17 51	17 54	17 56	17 58	18 01	18 04	18 07	18 11	18 14	18 18	18 20	18 23
Apr. 4	17 35	17 40	17 44	17 48	17 51	17 53	17 58	18 02	18 06	18 10	18 15	18 20	18 24	18 27

UNIVERSAL TIME FOR MERIDIAN OF GREENWICH
SUNRISE

Lat.	+40°	+42°	+44°	+46°	+48°	+50°	+52°	+54°	+56°	+58°	+60°	+62°	+64°	+66°
	h m	h m	h m	h m	h m	h m	h m	h m	h m	h m	h m	h m	h m	h m
Jan. −2	7 21	7 28	7 34	7 42	7 50	7 59	8 08	8 19	8 32	8 46	9 03	9 25	9 52	10 32
2	7 22	7 28	7 35	7 42	7 50	7 59	8 08	8 19	8 31	8 45	9 02	9 22	9 49	10 26
6	7 22	7 28	7 35	7 42	7 49	7 58	8 07	8 17	8 29	8 43	8 59	9 18	9 43	10 18
10	7 22	7 27	7 34	7 41	7 48	7 56	8 05	8 15	8 26	8 39	8 55	9 13	9 36	10 08
14	7 21	7 26	7 32	7 39	7 46	7 54	8 02	8 12	8 22	8 35	8 49	9 07	9 28	9 56
18	7 19	7 24	7 30	7 36	7 43	7 50	7 58	8 08	8 18	8 29	8 43	8 59	9 19	9 44
22	7 17	7 22	7 27	7 33	7 39	7 46	7 54	8 03	8 12	8 23	8 36	8 50	9 08	9 31
26	7 14	7 19	7 24	7 29	7 35	7 42	7 49	7 57	8 06	8 16	8 28	8 41	8 57	9 17
30	7 11	7 15	7 20	7 25	7 31	7 37	7 43	7 51	7 59	8 08	8 19	8 31	8 46	9 04
Feb. 3	7 07	7 11	7 15	7 20	7 25	7 31	7 37	7 44	7 51	8 00	8 09	8 20	8 34	8 49
7	7 03	7 06	7 10	7 15	7 19	7 25	7 30	7 36	7 43	7 51	7 59	8 09	8 21	8 35
11	6 58	7 01	7 05	7 09	7 13	7 18	7 23	7 28	7 35	7 41	7 49	7 58	8 08	8 20
15	6 53	6 56	6 59	7 03	7 07	7 11	7 15	7 20	7 26	7 32	7 38	7 46	7 55	8 06
19	6 48	6 51	6 53	6 57	7 00	7 03	7 07	7 12	7 16	7 21	7 27	7 34	7 42	7 51
23	6 42	6 45	6 47	6 50	6 53	6 56	6 59	7 03	7 07	7 11	7 16	7 22	7 28	7 36
27	6 37	6 39	6 41	6 43	6 45	6 48	6 50	6 54	6 57	7 01	7 05	7 09	7 15	7 21
Mar. 3	6 31	6 32	6 34	6 36	6 38	6 40	6 42	6 44	6 47	6 50	6 53	6 57	7 01	7 06
7	6 25	6 26	6 27	6 28	6 30	6 31	6 33	6 35	6 37	6 39	6 41	6 44	6 47	6 51
11	6 18	6 19	6 20	6 21	6 22	6 23	6 24	6 25	6 26	6 28	6 29	6 31	6 33	6 35
15	6 12	6 12	6 13	6 13	6 14	6 14	6 15	6 15	6 16	6 16	6 17	6 18	6 19	6 20
19	6 05	6 05	6 05	6 05	6 05	6 05	6 05	6 05	6 05	6 05	6 05	6 05	6 05	6 05
23	5 59	5 59	5 58	5 58	5 57	5 57	5 56	5 55	5 55	5 54	5 53	5 52	5 51	5 49
27	5 52	5 52	5 51	5 50	5 49	5 48	5 47	5 46	5 44	5 43	5 41	5 39	5 37	5 34
31	5 46	5 45	5 44	5 42	5 41	5 39	5 38	5 36	5 34	5 31	5 29	5 26	5 22	5 19
Apr. 4	5 40	5 38	5 36	5 35	5 33	5 31	5 28	5 26	5 23	5 20	5 17	5 13	5 08	5 03

SUNSET

Lat.	+40°	+42°	+44°	+46°	+48°	+50°	+52°	+54°	+56°	+58°	+60°	+62°	+64°	+66°
	h m	h m	h m	h m	h m	h m	h m	h m	h m	h m	h m	h m	h m	h m
Jan. −2	16 43	16 37	16 30	16 23	16 15	16 06	15 56	15 45	15 33	15 18	15 01	14 40	14 13	13 32
2	16 46	16 40	16 33	16 26	16 18	16 10	16 00	15 50	15 37	15 23	15 07	14 46	14 20	13 42
6	16 50	16 44	16 37	16 30	16 23	16 14	16 05	15 55	15 43	15 29	15 13	14 54	14 29	13 55
10	16 54	16 48	16 42	16 35	16 28	16 20	16 11	16 01	15 49	15 36	15 21	15 02	14 39	14 08
14	16 58	16 52	16 46	16 40	16 33	16 25	16 17	16 07	15 56	15 44	15 29	15 12	14 51	14 23
18	17 02	16 57	16 51	16 45	16 38	16 31	16 23	16 14	16 04	15 52	15 39	15 23	15 03	14 38
22	17 07	17 02	16 57	16 51	16 44	16 37	16 30	16 21	16 12	16 01	15 48	15 34	15 16	14 53
26	17 12	17 07	17 02	16 56	16 50	16 44	16 37	16 29	16 20	16 10	15 58	15 45	15 29	15 09
30	17 17	17 12	17 07	17 02	16 57	16 51	16 44	16 37	16 29	16 19	16 09	15 57	15 42	15 24
Feb. 3	17 21	17 17	17 13	17 08	17 03	16 58	16 51	16 45	16 37	16 29	16 19	16 08	15 55	15 39
7	17 26	17 22	17 18	17 14	17 10	17 04	16 59	16 53	16 46	16 38	16 30	16 20	16 08	15 55
11	17 31	17 28	17 24	17 20	17 16	17 11	17 06	17 01	16 55	16 48	16 40	16 32	16 21	16 09
15	17 36	17 33	17 29	17 26	17 22	17 18	17 14	17 09	17 04	16 58	16 51	16 43	16 34	16 24
19	17 40	17 38	17 35	17 32	17 29	17 25	17 21	17 17	17 12	17 07	17 01	16 55	16 47	16 38
23	17 45	17 43	17 40	17 38	17 35	17 32	17 29	17 25	17 21	17 17	17 12	17 06	17 00	16 52
27	17 49	17 48	17 46	17 43	17 41	17 39	17 36	17 33	17 30	17 26	17 22	17 17	17 12	17 06
Mar. 3	17 54	17 52	17 51	17 49	17 47	17 45	17 43	17 41	17 38	17 35	17 32	17 29	17 24	17 20
7	17 58	17 57	17 56	17 55	17 53	17 52	17 50	17 49	17 47	17 45	17 42	17 40	17 37	17 33
11	18 03	18 02	18 01	18 00	17 59	17 58	17 57	17 56	17 55	17 54	17 52	17 51	17 49	17 46
15	18 07	18 06	18 06	18 06	18 05	18 05	18 04	18 04	18 03	18 03	18 02	18 01	18 01	18 00
19	18 11	18 11	18 11	18 11	18 11	18 11	18 11	18 11	18 12	18 12	18 12	18 12	18 12	18 13
23	18 15	18 15	18 16	18 16	18 17	18 18	18 18	18 19	18 20	18 21	18 22	18 23	18 24	18 26
27	18 19	18 20	18 21	18 22	18 23	18 24	18 25	18 26	18 28	18 30	18 31	18 34	18 36	18 39
31	18 23	18 24	18 26	18 27	18 29	18 30	18 32	18 34	18 36	18 38	18 41	18 44	18 48	18 52
Apr. 4	18 27	18 29	18 30	18 32	18 34	18 36	18 39	18 41	18 44	18 47	18 51	18 55	19 00	19 05

SUNRISE AND SUNSET, 1985

UNIVERSAL TIME FOR MERIDIAN OF GREENWICH

SUNRISE

Lat.	−55°	−50°	−45°	−40°	−35°	−30°	−20°	−10°	0°	+10°	+20°	+30°	+35°	+40°
	h m	h m	h m	h m	h m	h m	h m	h m	h m	h m	h m	h m	h m	h m
Mar. 31	6 22	6 19	6 16	6 14	6 12	6 10	6 07	6 04	6 01	5 58	5 55	5 51	5 49	5 46
Apr. 4	6 30	6 25	6 21	6 18	6 15	6 12	6 08	6 04	6 00	5 56	5 51	5 46	5 43	5 40
8	6 38	6 31	6 26	6 22	6 18	6 15	6 09	6 04	5 59	5 53	5 48	5 41	5 38	5 33
12	6 45	6 37	6 31	6 26	6 21	6 17	6 10	6 04	5 57	5 51	5 45	5 37	5 32	5 27
16	6 53	6 44	6 36	6 30	6 24	6 20	6 11	6 04	5 56	5 49	5 41	5 32	5 27	5 21
20	7 00	6 50	6 41	6 34	6 28	6 22	6 12	6 04	5 56	5 47	5 38	5 28	5 22	5 15
24	7 08	6 56	6 46	6 38	6 31	6 24	6 14	6 04	5 55	5 45	5 35	5 24	5 17	5 10
28	7 16	7 02	6 51	6 42	6 34	6 27	6 15	6 04	5 54	5 44	5 33	5 20	5 13	5 04
May 2	7 23	7 08	6 56	6 46	6 37	6 29	6 16	6 05	5 54	5 42	5 30	5 16	5 08	4 59
6	7 30	7 14	7 01	6 50	6 40	6 32	6 18	6 05	5 53	5 41	5 28	5 13	5 04	4 54
10	7 38	7 20	7 05	6 53	6 43	6 35	6 19	6 06	5 53	5 40	5 26	5 10	5 01	4 50
14	7 45	7 25	7 10	6 57	6 46	6 37	6 21	6 06	5 53	5 39	5 24	5 07	4 57	4 46
18	7 51	7 31	7 14	7 01	6 50	6 40	6 22	6 07	5 53	5 38	5 23	5 05	4 54	4 42
22	7 58	7 36	7 18	7 04	6 52	6 42	6 24	6 08	5 53	5 38	5 22	5 03	4 52	4 39
26	8 04	7 40	7 22	7 08	6 55	6 44	6 25	6 09	5 53	5 38	5 21	5 01	4 50	4 36
30	8 09	7 45	7 26	7 11	6 58	6 47	6 27	6 10	5 54	5 38	5 20	5 00	4 48	4 34
June 3	8 14	7 49	7 29	7 14	7 00	6 49	6 29	6 11	5 54	5 38	5 20	4 59	4 47	4 32
7	8 18	7 52	7 32	7 16	7 02	6 51	6 30	6 12	5 55	5 38	5 20	4 58	4 46	4 31
11	8 22	7 55	7 35	7 18	7 04	6 52	6 31	6 13	5 56	5 39	5 20	4 58	4 45	4 31
15	8 24	7 57	7 37	7 20	7 06	6 54	6 33	6 14	5 57	5 39	5 20	4 58	4 45	4 30
19	8 26	7 59	7 38	7 21	7 07	6 55	6 34	6 15	5 58	5 40	5 21	4 59	4 46	4 31
23	8 27	8 00	7 39	7 22	7 08	6 56	6 34	6 16	5 58	5 41	5 22	5 00	4 47	4 32
27	8 27	8 00	7 39	7 23	7 09	6 56	6 35	6 17	5 59	5 42	5 23	5 01	4 48	4 33
July 1	8 26	8 00	7 39	7 23	7 09	6 56	6 36	6 17	6 00	5 43	5 24	5 02	4 50	4 35
5	8 24	7 58	7 38	7 22	7 08	6 56	6 36	6 18	6 01	5 44	5 25	5 04	4 51	4 37

SUNSET

Lat.	−55°	−50°	−45°	−40°	−35°	−30°	−20°	−10°	0°	+10°	+20°	+30°	+35°	+40°
	h m	h m	h m	h m	h m	h m	h m	h m	h m	h m	h m	h m	h m	h m
Mar. 31	17 45	17 49	17 51	17 54	17 56	17 58	18 01	18 04	18 07	18 11	18 14	18 18	18 20	18 23
Apr. 4	17 35	17 40	17 44	17 48	17 51	17 53	17 58	18 02	18 06	18 10	18 15	18 20	18 24	18 27
8	17 25	17 32	17 37	17 41	17 45	17 49	17 55	18 00	18 05	18 10	18 16	18 23	18 27	18 31
12	17 15	17 23	17 30	17 35	17 40	17 44	17 51	17 58	18 04	18 10	18 17	18 25	18 30	18 35
16	17 06	17 15	17 23	17 29	17 35	17 40	17 48	17 56	18 03	18 11	18 19	18 28	18 33	18 39
20	16 56	17 07	17 16	17 23	17 30	17 35	17 45	17 54	18 02	18 11	18 20	18 30	18 36	18 43
24	16 47	17 00	17 10	17 18	17 25	17 31	17 42	17 52	18 02	18 11	18 21	18 33	18 40	18 47
28	16 39	16 52	17 03	17 13	17 21	17 28	17 40	17 51	18 01	18 11	18 22	18 35	18 43	18 51
May 2	16 30	16 45	16 58	17 08	17 16	17 24	17 37	17 49	18 00	18 12	18 24	18 38	18 46	18 56
6	16 22	16 39	16 52	17 03	17 13	17 21	17 35	17 48	18 00	18 12	18 25	18 40	18 49	19 00
10	16 15	16 33	16 47	16 59	17 09	17 18	17 33	17 47	18 00	18 13	18 27	18 43	18 53	19 03
14	16 07	16 27	16 42	16 55	17 06	17 15	17 32	17 46	18 00	18 14	18 28	18 46	18 56	19 07
18	16 01	16 22	16 38	16 51	17 03	17 13	17 30	17 46	18 00	18 14	18 30	18 48	18 59	19 11
22	15 55	16 17	16 34	16 48	17 01	17 11	17 29	17 45	18 00	18 15	18 32	18 51	19 02	19 15
26	15 50	16 13	16 31	16 46	16 58	17 09	17 28	17 45	18 01	18 16	18 33	18 53	19 05	19 18
30	15 45	16 10	16 29	16 44	16 57	17 08	17 28	17 45	18 01	18 17	18 35	18 55	19 07	19 21
June 3	15 42	16 07	16 26	16 42	16 56	17 07	17 28	17 45	18 02	18 18	18 36	18 57	19 10	19 24
7	15 39	16 05	16 25	16 41	16 55	17 07	17 28	17 46	18 02	18 20	18 38	18 59	19 12	19 27
11	15 37	16 04	16 24	16 41	16 55	17 07	17 28	17 46	18 03	18 21	18 39	19 01	19 14	19 29
15	15 36	16 03	16 24	16 41	16 55	17 07	17 28	17 47	18 04	18 22	18 41	19 02	19 15	19 30
19	15 36	16 03	16 24	16 41	16 55	17 08	17 29	17 47	18 05	18 23	18 42	19 04	19 17	19 32
23	15 37	16 04	16 25	16 42	16 56	17 09	17 30	17 48	18 06	18 23	18 42	19 04	19 18	19 33
27	15 39	16 06	16 27	16 43	16 57	17 10	17 31	17 49	18 07	18 24	18 43	19 05	19 18	19 33
July 1	15 42	16 08	16 29	16 45	16 59	17 11	17 32	17 50	18 07	18 25	18 43	19 05	19 18	19 33
5	15 45	16 11	16 31	16 47	17 01	17 13	17 33	17 51	18 08	18 25	18 44	19 05	19 17	19 32

UNIVERSAL TIME FOR MERIDIAN OF GREENWICH
SUNRISE

Lat.	+40°	+42°	+44°	+46°	+48°	+50°	+52°	+54°	+56°	+58°	+60°	+62°	+64°	+66°
	h m	h m	h m	h m	h m	h m	h m	h m	h m	h m	h m	h m	h m	h m
Mar. 31	5 46	5 45	5 44	5 42	5 41	5 39	5 38	5 36	5 34	5 31	5 29	5 26	5 22	5 19
Apr. 4	5 40	5 38	5 36	5 35	5 33	5 31	5 28	5 26	5 23	5 20	5 17	5 13	5 08	5 03
8	5 33	5 31	5 29	5 27	5 25	5 22	5 19	5 16	5 13	5 09	5 05	5 00	4 54	4 48
12	5 27	5 25	5 22	5 20	5 17	5 14	5 10	5 07	5 02	4 58	4 53	4 47	4 40	4 32
16	5 21	5 18	5 15	5 12	5 09	5 05	5 01	4 57	4 52	4 47	4 41	4 34	4 26	4 16
20	5 15	5 12	5 09	5 05	5 02	4 57	4 53	4 48	4 42	4 36	4 29	4 21	4 12	4 01
24	5 10	5 06	5 02	4 58	4 54	4 50	4 45	4 39	4 33	4 26	4 18	4 09	3 58	3 45
28	5 04	5 00	4 56	4 52	4 47	4 42	4 36	4 30	4 23	4 15	4 07	3 56	3 44	3 30
May 2	4 59	4 55	4 50	4 46	4 41	4 35	4 29	4 22	4 14	4 05	3 56	3 44	3 30	3 14
6	4 54	4 50	4 45	4 40	4 34	4 28	4 21	4 14	4 05	3 56	3 45	3 32	3 17	2 58
10	4 50	4 45	4 40	4 34	4 28	4 22	4 14	4 06	3 57	3 47	3 35	3 21	3 04	2 42
14	4 46	4 41	4 35	4 29	4 23	4 16	4 08	3 59	3 49	3 38	3 25	3 09	2 51	2 26
18	4 42	4 37	4 31	4 25	4 18	4 10	4 02	3 53	3 42	3 30	3 16	2 59	2 38	2 10
22	4 39	4 33	4 27	4 21	4 13	4 05	3 57	3 47	3 35	3 22	3 07	2 49	2 26	1 54
26	4 36	4 30	4 24	4 17	4 09	4 01	3 52	3 41	3 29	3 16	2 59	2 39	2 14	1 38
30	4 34	4 28	4 21	4 14	4 06	3 57	3 48	3 37	3 24	3 10	2 52	2 31	2 03	1 21
June 3	4 32	4 26	4 19	4 12	4 04	3 55	3 44	3 33	3 20	3 05	2 47	2 24	1 53	1 04
7	4 31	4 25	4 18	4 10	4 02	3 52	3 42	3 30	3 17	3 01	2 42	2 18	1 45	0 45
11	4 31	4 24	4 17	4 09	4 00	3 51	3 40	3 28	3 14	2 58	2 38	2 13	1 38	0 21
15	4 30	4 24	4 16	4 08	4 00	3 50	3 39	3 27	3 13	2 56	2 36	2 10	1 33	** **
19	4 31	4 24	4 17	4 09	4 00	3 50	3 39	3 27	3 13	2 56	2 35	2 09	1 31	** **
23	4 32	4 25	4 18	4 10	4 01	3 51	3 40	3 28	3 14	2 57	2 36	2 10	1 31	** **
27	4 33	4 26	4 19	4 11	4 02	3 53	3 42	3 29	3 15	2 59	2 38	2 12	1 35	** **
July 1	4 35	4 28	4 21	4 13	4 04	3 55	3 44	3 32	3 18	3 02	2 42	2 17	1 41	0 17
5	4 37	4 30	4 23	4 15	4 07	3 58	3 47	3 35	3 22	3 06	2 47	2 22	1 49	0 46

SUNSET

Lat.	+40°	+42°	+44°	+46°	+48°	+50°	+52°	+54°	+56°	+58°	+60°	+62°	+64°	+66°
	h m	h m	h m	h m	h m	h m	h m	h m	h m	h m	h m	h m	h m	h m
Mar. 31	18 23	18 24	18 26	18 27	18 29	18 30	18 32	18 34	18 36	18 38	18 41	18 44	18 48	18 52
Apr. 4	18 27	18 29	18 30	18 32	18 34	18 36	18 39	18 41	18 44	18 47	18 51	18 55	19 00	19 05
8	18 31	18 33	18 35	18 38	18 40	18 43	18 46	18 49	18 52	18 56	19 01	19 06	19 12	19 18
12	18 35	18 38	18 40	18 43	18 46	18 49	18 52	18 56	19 00	19 05	19 11	19 17	19 24	19 32
16	18 39	18 42	18 45	18 48	18 52	18 55	18 59	19 04	19 09	19 14	19 20	19 28	19 36	19 45
20	18 43	18 46	18 50	18 53	18 57	19 01	19 06	19 11	19 17	19 23	19 30	19 39	19 48	19 59
24	18 47	18 51	18 55	18 59	19 03	19 08	19 13	19 19	19 25	19 32	19 40	19 50	20 01	20 14
28	18 51	18 55	18 59	19 04	19 09	19 14	19 20	19 26	19 33	19 41	19 50	20 01	20 13	20 28
May 2	18 56	19 00	19 04	19 09	19 14	19 20	19 26	19 33	19 41	19 50	20 00	20 12	20 26	20 43
6	19 00	19 04	19 09	19 14	19 20	19 26	19 33	19 41	19 49	19 59	20 10	20 23	20 39	20 58
10	19 03	19 08	19 14	19 19	19 25	19 32	19 39	19 48	19 57	20 08	20 20	20 34	20 52	21 13
14	19 07	19 12	19 18	19 24	19 31	19 38	19 46	19 55	20 05	20 16	20 29	20 45	21 04	21 29
18	19 11	19 17	19 22	19 29	19 36	19 43	19 52	20 01	20 12	20 24	20 39	20 56	21 17	21 46
22	19 15	19 20	19 27	19 33	19 41	19 49	19 58	20 08	20 19	20 32	20 48	21 06	21 30	22 02
26	19 18	19 24	19 30	19 38	19 45	19 54	20 03	20 14	20 26	20 40	20 56	21 16	21 42	22 20
30	19 21	19 27	19 34	19 41	19 49	19 58	20 08	20 19	20 32	20 46	21 04	21 26	21 54	22 38
June 3	19 24	19 30	19 37	19 45	19 53	20 02	20 12	20 24	20 37	20 52	21 11	21 34	22 05	22 57
7	19 27	19 33	19 40	19 48	19 56	20 06	20 16	20 28	20 42	20 57	21 17	21 41	22 15	23 18
11	19 29	19 35	19 43	19 50	19 59	20 09	20 19	20 31	20 45	21 02	21 22	21 47	22 23	23 47
15	19 30	19 37	19 45	19 52	20 01	20 11	20 22	20 34	20 48	21 05	21 25	21 51	22 29	** **
19	19 32	19 39	19 46	19 54	20 03	20 12	20 23	20 36	20 50	21 07	21 27	21 54	22 32	** **
23	19 33	19 39	19 47	19 55	20 04	20 13	20 24	20 36	20 51	21 08	21 28	21 54	22 33	** **
27	19 33	19 40	19 47	19 55	20 04	20 13	20 24	20 36	20 50	21 07	21 27	21 53	22 30	** **
July 1	19 33	19 39	19 47	19 54	20 03	20 12	20 23	20 35	20 49	21 05	21 25	21 50	22 25	23 41
5	19 32	19 39	19 46	19 53	20 02	20 11	20 21	20 33	20 47	21 02	21 21	21 45	22 18	23 18

The symbols (–) and (*) indicate Sun continuously below and above horizon, respectively.

SUNRISE AND SUNSET, 1985

UNIVERSAL TIME FOR MERIDIAN OF GREENWICH

SUNRISE

Lat.	−55°	−50°	−45°	−40°	−35°	−30°	−20°	−10°	0°	+10°	+20°	+30°	+35°	+40°
	h m	h m	h m	h m	h m	h m	h m	h m	h m	h m	h m	h m	h m	h m
July 1	8 26	8 00	7 39	7 23	7 09	6 56	6 36	6 17	6 00	5 43	5 24	5 02	4 50	4 35
5	8 24	7 58	7 38	7 22	7 08	6 56	6 36	6 18	6 01	5 44	5 25	5 04	4 51	4 37
9	8 21	7 56	7 37	7 21	7 08	6 56	6 36	6 18	6 02	5 45	5 27	5 06	4 54	4 39
13	8 18	7 53	7 35	7 19	7 06	6 55	6 35	6 18	6 02	5 46	5 28	5 08	4 56	4 42
17	8 13	7 50	7 32	7 17	7 05	6 54	6 35	6 18	6 03	5 47	5 30	5 10	4 58	4 45
21	8 08	7 46	7 29	7 14	7 02	6 52	6 34	6 18	6 03	5 48	5 31	5 12	5 01	4 48
25	8 02	7 41	7 25	7 11	7 00	6 50	6 33	6 17	6 03	5 48	5 33	5 15	5 04	4 52
29	7 55	7 36	7 21	7 08	6 57	6 48	6 31	6 17	6 03	5 49	5 34	5 17	5 07	4 55
Aug. 2	7 48	7 30	7 16	7 04	6 54	6 45	6 29	6 16	6 03	5 50	5 36	5 19	5 10	4 59
6	7 41	7 24	7 11	6 59	6 50	6 42	6 27	6 14	6 02	5 50	5 37	5 22	5 13	5 03
10	7 33	7 17	7 05	6 55	6 46	6 38	6 25	6 13	6 02	5 51	5 38	5 24	5 16	5 07
14	7 24	7 10	6 59	6 50	6 42	6 35	6 22	6 12	6 01	5 51	5 40	5 27	5 19	5 10
18	7 15	7 03	6 53	6 44	6 37	6 31	6 20	6 10	6 00	5 51	5 41	5 29	5 22	5 14
22	7 06	6 55	6 46	6 39	6 32	6 27	6 17	6 08	6 00	5 51	5 42	5 31	5 25	5 18
26	6 57	6 47	6 39	6 33	6 27	6 22	6 14	6 06	5 58	5 51	5 43	5 34	5 28	5 22
30	6 47	6 39	6 32	6 27	6 22	6 18	6 10	6 04	5 57	5 51	5 44	5 36	5 31	5 26
Sept 3	6 37	6 30	6 25	6 21	6 17	6 13	6 07	6 01	5 56	5 51	5 45	5 38	5 34	5 29
7	6 27	6 22	6 18	6 14	6 11	6 08	6 03	5 59	5 55	5 50	5 46	5 40	5 37	5 33
11	6 17	6 13	6 10	6 08	6 05	6 03	6 00	5 57	5 53	5 50	5 46	5 42	5 40	5 37
15	6 07	6 05	6 03	6 01	6 00	5 58	5 56	5 54	5 52	5 50	5 47	5 44	5 43	5 41
19	5 57	5 56	5 55	5 55	5 54	5 53	5 52	5 52	5 51	5 49	5 48	5 47	5 46	5 44
23	5 46	5 47	5 48	5 48	5 48	5 48	5 49	5 49	5 49	5 49	5 49	5 49	5 49	5 48
27	5 36	5 38	5 40	5 41	5 42	5 43	5 45	5 47	5 48	5 49	5 50	5 51	5 52	5 52
Oct. 1	5 26	5 29	5 32	5 35	5 37	5 39	5 42	5 44	5 46	5 49	5 51	5 53	5 55	5 56
5	5 16	5 21	5 25	5 28	5 31	5 34	5 38	5 42	5 45	5 48	5 52	5 56	5 58	6 00

SUNSET

Lat.	−55°	−50°	−45°	−40°	−35°	−30°	−20°	−10°	0°	+10°	+20°	+30°	+35°	+40°
	h m	h m	h m	h m	h m	h m	h m	h m	h m	h m	h m	h m	h m	h m
July 1	15 42	16 08	16 29	16 45	16 59	17 11	17 32	17 50	18 07	18 25	18 43	19 05	19 18	19 33
5	15 45	16 11	16 31	16 47	17 01	17 13	17 33	17 51	18 08	18 25	18 44	19 05	19 17	19 32
9	15 49	16 14	16 34	16 50	17 03	17 15	17 35	17 52	18 09	18 25	18 43	19 04	19 17	19 31
13	15 54	16 18	16 37	16 52	17 05	17 17	17 36	17 53	18 09	18 26	18 43	19 03	19 15	19 29
17	15 59	16 23	16 41	16 55	17 08	17 19	17 38	17 54	18 10	18 25	18 42	19 02	19 13	19 27
21	16 05	16 27	16 44	16 59	17 11	17 21	17 39	17 55	18 10	18 25	18 41	19 00	19 11	19 24
25	16 12	16 32	16 49	17 02	17 13	17 23	17 41	17 56	18 10	18 24	18 40	18 58	19 09	19 21
29	16 18	16 37	16 53	17 05	17 16	17 26	17 42	17 56	18 10	18 24	18 38	18 55	19 05	19 17
Aug. 2	16 25	16 43	16 57	17 09	17 19	17 28	17 43	17 57	18 10	18 23	18 37	18 53	19 02	19 13
6	16 32	16 48	17 02	17 13	17 22	17 30	17 45	17 57	18 09	18 21	18 34	18 49	18 58	19 08
10	16 39	16 54	17 06	17 16	17 25	17 33	17 46	17 58	18 09	18 20	18 32	18 46	18 54	19 03
14	16 46	17 00	17 11	17 20	17 28	17 35	17 47	17 58	18 08	18 18	18 29	18 42	18 50	18 58
18	16 53	17 06	17 16	17 24	17 31	17 37	17 48	17 58	18 07	18 17	18 27	18 38	18 45	18 53
22	17 01	17 11	17 20	17 28	17 34	17 39	17 49	17 58	18 06	18 15	18 24	18 34	18 40	18 47
26	17 08	17 17	17 25	17 31	17 37	17 42	17 50	17 58	18 05	18 12	18 20	18 30	18 35	18 41
30	17 15	17 23	17 30	17 35	17 40	17 44	17 51	17 58	18 04	18 10	18 17	18 25	18 30	18 35
Sept 3	17 23	17 29	17 34	17 39	17 43	17 46	17 52	17 57	18 03	18 08	18 14	18 20	18 24	18 29
7	17 30	17 35	17 39	17 42	17 45	17 48	17 53	17 57	18 01	18 05	18 10	18 15	18 19	18 22
11	17 37	17 41	17 44	17 46	17 48	17 50	17 54	17 57	18 00	18 03	18 06	18 11	18 13	18 16
15	17 45	17 47	17 48	17 50	17 51	17 52	17 55	17 56	17 58	18 01	18 03	18 06	18 07	18 09
19	17 52	17 53	17 53	17 54	17 54	17 55	17 55	17 56	17 57	17 58	17 59	18 01	18 01	18 02
23	18 00	17 59	17 58	17 57	17 57	17 57	17 56	17 56	17 56	17 55	17 55	17 56	17 56	17 56
27	18 07	18 05	18 03	18 01	18 00	17 59	17 57	17 56	17 54	17 53	17 52	17 51	17 50	17 49
Oct. 1	18 15	18 11	18 08	18 05	18 03	18 01	17 58	17 55	17 53	17 51	17 48	17 46	17 44	17 43
5	18 22	18 17	18 13	18 09	18 06	18 04	17 59	17 55	17 52	17 48	17 45	17 41	17 39	17 36

UNIVERSAL TIME FOR MERIDIAN OF GREENWICH

SUNRISE

Lat.		+40°	+42°	+44°	+46°	+48°	+50°	+52°	+54°	+56°	+58°	+60°	+62°	+64°	+66°
		h m	h m	h m	h m	h m	h m	h m	h m	h m	h m	h m	h m	h m	h m
July	1	4 35	4 28	4 21	4 13	4 04	3 55	3 44	3 32	3 18	3 02	2 42	2 17	1 41	0 17
	5	4 37	4 30	4 23	4 15	4 07	3 58	3 47	3 35	3 22	3 06	2 47	2 22	1 49	0 46
	9	4 39	4 33	4 26	4 18	4 10	4 01	3 51	3 40	3 26	3 11	2 53	2 29	1 58	1 07
	13	4 42	4 36	4 29	4 22	4 14	4 05	3 55	3 44	3 32	3 17	2 59	2 38	2 09	1 26
	17	4 45	4 39	4 33	4 26	4 18	4 10	4 00	3 50	3 38	3 24	3 07	2 47	2 21	1 43
	21	4 48	4 43	4 36	4 30	4 22	4 14	4 05	3 55	3 44	3 31	3 15	2 57	2 33	2 01
	25	4 52	4 46	4 40	4 34	4 27	4 19	4 11	4 02	3 51	3 39	3 24	3 07	2 45	2 17
	29	4 55	4 50	4 45	4 39	4 32	4 25	4 17	4 08	3 58	3 47	3 33	3 17	2 58	2 33
Aug.	2	4 59	4 54	4 49	4 43	4 37	4 30	4 23	4 15	4 05	3 55	3 43	3 28	3 11	2 49
	6	5 03	4 58	4 53	4 48	4 42	4 36	4 29	4 22	4 13	4 03	3 52	3 39	3 23	3 04
	10	5 07	5 02	4 58	4 53	4 48	4 42	4 36	4 29	4 21	4 12	4 02	3 50	3 36	3 19
	14	5 10	5 07	5 02	4 58	4 53	4 48	4 42	4 36	4 29	4 21	4 11	4 01	3 48	3 33
	18	5 14	5 11	5 07	5 03	4 59	4 54	4 49	4 43	4 36	4 29	4 21	4 12	4 01	3 47
	22	5 18	5 15	5 12	5 08	5 04	5 00	4 55	4 50	4 44	4 38	4 31	4 22	4 13	4 01
	26	5 22	5 19	5 16	5 13	5 09	5 06	5 02	4 57	4 52	4 47	4 40	4 33	4 25	4 15
	30	5 26	5 23	5 21	5 18	5 15	5 12	5 08	5 04	5 00	4 55	4 50	4 44	4 36	4 28
Sept	3	5 29	5 27	5 25	5 23	5 20	5 18	5 15	5 11	5 08	5 04	4 59	4 54	4 48	4 41
	7	5 33	5 32	5 30	5 28	5 26	5 24	5 21	5 19	5 16	5 12	5 09	5 04	5 00	4 54
	11	5 37	5 36	5 34	5 33	5 31	5 30	5 28	5 26	5 23	5 21	5 18	5 15	5 11	5 07
	15	5 41	5 40	5 39	5 38	5 37	5 36	5 34	5 33	5 31	5 29	5 27	5 25	5 23	5 20
	19	5 44	5 44	5 43	5 43	5 42	5 42	5 41	5 40	5 39	5 38	5 37	5 35	5 34	5 32
	23	5 48	5 48	5 48	5 48	5 48	5 48	5 47	5 47	5 47	5 47	5 46	5 46	5 45	5 45
	27	5 52	5 52	5 53	5 53	5 53	5 54	5 54	5 54	5 55	5 55	5 56	5 56	5 57	5 57
Oct.	1	5 56	5 57	5 57	5 58	5 59	6 00	6 01	6 02	6 03	6 04	6 05	6 07	6 08	6 10
	5	6 00	6 01	6 02	6 03	6 05	6 06	6 07	6 09	6 11	6 13	6 15	6 17	6 20	6 23

SUNSET

		+40°	+42°	+44°	+46°	+48°	+50°	+52°	+54°	+56°	+58°	+60°	+62°	+64°	+66°
		h m	h m	h m	h m	h m	h m	h m	h m	h m	h m	h m	h m	h m	h m
July	1	19 33	19 39	19 47	19 54	20 03	20 12	20 23	20 35	20 49	21 05	21 25	21 50	22 25	23 41
	5	19 32	19 39	19 46	19 53	20 02	20 11	20 21	20 33	20 47	21 02	21 21	21 45	22 18	23 18
	9	19 31	19 37	19 44	19 51	20 00	20 09	20 19	20 30	20 43	20 58	21 17	21 39	22 10	22 59
	13	19 29	19 35	19 42	19 49	19 57	20 06	20 15	20 26	20 39	20 53	21 11	21 32	22 00	22 42
	17	19 27	19 33	19 39	19 46	19 54	20 02	20 11	20 22	20 34	20 47	21 04	21 24	21 49	22 25
	21	19 24	19 30	19 36	19 42	19 50	19 58	20 06	20 16	20 28	20 41	20 56	21 14	21 37	22 09
	25	19 21	19 26	19 32	19 38	19 45	19 53	20 01	20 10	20 21	20 33	20 47	21 04	21 25	21 53
	29	19 17	19 22	19 28	19 34	19 40	19 47	19 55	20 04	20 14	20 25	20 38	20 53	21 12	21 37
Aug.	2	19 13	19 18	19 23	19 28	19 34	19 41	19 48	19 57	20 06	20 16	20 28	20 42	20 59	21 21
	6	19 08	19 13	19 18	19 23	19 28	19 35	19 41	19 49	19 57	20 07	20 18	20 31	20 46	21 05
	10	19 03	19 08	19 12	19 17	19 22	19 28	19 34	19 41	19 49	19 57	20 07	20 19	20 32	20 49
	14	18 58	19 02	19 06	19 11	19 15	19 20	19 26	19 32	19 39	19 47	19 56	20 07	20 19	20 33
	18	18 53	18 56	19 00	19 04	19 08	19 13	19 18	19 24	19 30	19 37	19 45	19 54	20 05	20 18
	22	18 47	18 50	18 53	18 57	19 01	19 05	19 10	19 15	19 20	19 26	19 33	19 42	19 51	20 02
	26	18 41	18 44	18 47	18 50	18 53	18 57	19 01	19 05	19 10	19 16	19 22	19 29	19 37	19 46
	30	18 35	18 37	18 40	18 42	18 45	18 48	18 52	18 56	19 00	19 05	19 10	19 16	19 23	19 31
Sept	3	18 29	18 31	18 33	18 35	18 37	18 40	18 43	18 46	18 50	18 53	18 58	19 03	19 09	19 15
	7	18 22	18 24	18 25	18 27	18 29	18 31	18 34	18 36	18 39	18 42	18 46	18 50	18 54	19 00
	11	18 16	18 17	18 18	18 20	18 21	18 23	18 24	18 26	18 29	18 31	18 34	18 37	18 40	18 44
	15	18 09	18 10	18 11	18 12	18 13	18 14	18 15	18 16	18 18	18 20	18 22	18 24	18 26	18 29
	19	18 02	18 03	18 03	18 04	18 04	18 05	18 06	18 07	18 07	18 08	18 09	18 11	18 12	18 14
	23	17 56	17 56	17 56	17 56	17 56	17 56	17 56	17 57	17 57	17 57	17 57	17 57	17 58	17 58
	27	17 49	17 49	17 49	17 48	17 48	17 47	17 47	17 47	17 46	17 46	17 45	17 44	17 44	17 43
Oct.	1	17 43	17 42	17 41	17 40	17 40	17 39	17 38	17 37	17 36	17 34	17 33	17 31	17 30	17 28
	5	17 36	17 35	17 34	17 33	17 31	17 30	17 29	17 27	17 25	17 23	17 21	17 18	17 16	17 12

SUNRISE AND SUNSET, 1985

UNIVERSAL TIME FOR MERIDIAN OF GREENWICH

SUNRISE

Lat.	−55°	−50°	−45°	−40°	−35°	−30°	−20°	−10°	0°	+10°	+20°	+30°	+35°	+40°
	h m	h m	h m	h m	h m	h m	h m	h m	h m	h m	h m	h m	h m	h m
Oct. 1	5 26	5 29	5 32	5 35	5 37	5 39	5 42	5 44	5 46	5 49	5 51	5 53	5 55	5 56
5	5 16	5 21	5 25	5 28	5 31	5 34	5 38	5 42	5 45	5 48	5 52	5 56	5 58	6 00
9	5 05	5 12	5 17	5 22	5 26	5 29	5 35	5 40	5 44	5 48	5 53	5 58	6 01	6 04
13	4 56	5 04	5 10	5 16	5 20	5 24	5 31	5 37	5 43	5 48	5 54	6 00	6 04	6 08
17	4 46	4 55	5 03	5 10	5 15	5 20	5 28	5 35	5 42	5 49	5 55	6 03	6 07	6 12
21	4 36	4 47	4 56	5 04	5 10	5 16	5 25	5 34	5 41	5 49	5 57	6 06	6 11	6 17
25	4 27	4 40	4 50	4 58	5 05	5 12	5 23	5 32	5 41	5 49	5 58	6 09	6 14	6 21
29	4 18	4 32	4 44	4 53	5 01	5 08	5 20	5 31	5 40	5 50	6 00	6 11	6 18	6 25
Nov. 2	4 09	4 25	4 38	4 48	4 57	5 05	5 18	5 29	5 40	5 51	6 02	6 15	6 22	6 30
6	4 01	4 18	4 32	4 43	4 53	5 02	5 16	5 29	5 40	5 52	6 04	6 18	6 26	6 35
10	3 53	4 12	4 27	4 39	4 50	4 59	5 14	5 28	5 40	5 53	6 06	6 21	6 29	6 39
14	3 45	4 06	4 22	4 36	4 47	4 56	5 13	5 28	5 41	5 54	6 08	6 24	6 33	6 44
18	3 39	4 01	4 18	4 32	4 44	4 55	5 12	5 27	5 42	5 56	6 11	6 27	6 37	6 48
22	3 33	3 56	4 15	4 30	4 42	4 53	5 12	5 28	5 43	5 57	6 13	6 31	6 41	6 53
26	3 27	3 53	4 12	4 27	4 41	4 52	5 11	5 28	5 44	5 59	6 15	6 34	6 45	6 57
30	3 23	3 49	4 10	4 26	4 40	4 51	5 12	5 29	5 45	6 01	6 18	6 37	6 49	7 01
Dec. 4	3 19	3 47	4 08	4 25	4 39	4 51	5 12	5 30	5 47	6 03	6 20	6 40	6 52	7 05
8	3 17	3 46	4 07	4 24	4 39	4 52	5 13	5 31	5 48	6 05	6 23	6 43	6 55	7 09
12	3 16	3 45	4 07	4 25	4 40	4 52	5 14	5 33	5 50	6 07	6 25	6 46	6 58	7 12
16	3 15	3 45	4 08	4 26	4 41	4 54	5 16	5 34	5 52	6 09	6 28	6 49	7 01	7 15
20	3 16	3 46	4 09	4 27	4 42	4 55	5 17	5 36	5 54	6 11	6 30	6 51	7 04	7 18
24	3 18	3 48	4 11	4 29	4 44	4 57	5 19	5 38	5 56	6 13	6 32	6 53	7 06	7 20
28	3 22	3 51	4 14	4 32	4 47	5 00	5 21	5 40	5 58	6 15	6 34	6 55	7 07	7 21
32	3 26	3 55	4 17	4 35	4 49	5 02	5 24	5 42	6 00	6 17	6 35	6 56	7 08	7 22
36	3 31	3 59	4 21	4 38	4 53	5 05	5 26	5 45	6 02	6 18	6 36	6 57	7 09	7 22

SUNSET

Lat.	−55°	−50°	−45°	−40°	−35°	−30°	−20°	−10°	0°	+10°	+20°	+30°	+35°	+40°
	h m	h m	h m	h m	h m	h m	h m	h m	h m	h m	h m	h m	h m	h m
Oct. 1	18 15	18 11	18 08	18 05	18 03	18 01	17 58	17 55	17 53	17 51	17 48	17 46	17 44	17 43
5	18 22	18 17	18 13	18 09	18 06	18 04	17 59	17 55	17 52	17 48	17 45	17 41	17 39	17 36
9	18 30	18 23	18 18	18 13	18 09	18 06	18 00	17 55	17 51	17 46	17 41	17 36	17 33	17 30
13	18 38	18 30	18 23	18 18	18 13	18 09	18 01	17 55	17 50	17 44	17 38	17 32	17 28	17 24
17	18 46	18 36	18 28	18 22	18 16	18 11	18 03	17 55	17 49	17 42	17 35	17 27	17 23	17 18
21	18 55	18 43	18 34	18 26	18 20	18 14	18 04	17 56	17 48	17 40	17 32	17 23	17 18	17 12
25	19 03	18 50	18 39	18 31	18 23	18 17	18 06	17 56	17 47	17 39	17 30	17 19	17 13	17 07
29	19 11	18 56	18 45	18 35	18 27	18 20	18 08	17 57	17 47	17 37	17 27	17 16	17 09	17 01
Nov. 2	19 20	19 03	18 50	18 40	18 31	18 23	18 09	17 58	17 47	17 36	17 25	17 12	17 05	16 57
6	19 28	19 10	18 56	18 45	18 35	18 26	18 12	17 59	17 47	17 35	17 23	17 09	17 01	16 52
10	19 36	19 17	19 02	18 49	18 39	18 29	18 14	18 00	17 47	17 35	17 22	17 07	16 58	16 48
14	19 45	19 24	19 07	18 54	18 43	18 33	18 16	18 01	17 48	17 35	17 21	17 04	16 55	16 45
18	19 53	19 30	19 13	18 59	18 47	18 36	18 18	18 03	17 49	17 35	17 20	17 03	16 53	16 42
22	20 01	19 37	19 18	19 03	18 51	18 40	18 21	18 05	17 50	17 35	17 19	17 01	16 51	16 39
26	20 08	19 43	19 23	19 08	18 54	18 43	18 23	18 07	17 51	17 35	17 19	17 00	16 49	16 37
30	20 15	19 49	19 28	19 12	18 58	18 46	18 26	18 09	17 52	17 36	17 19	17 00	16 49	16 36
Dec. 4	20 22	19 54	19 33	19 16	19 02	18 49	18 29	18 11	17 54	17 37	17 20	17 00	16 48	16 35
8	20 27	19 59	19 37	19 20	19 05	18 52	18 31	18 13	17 56	17 39	17 21	17 00	16 48	16 35
12	20 32	20 03	19 41	19 23	19 08	18 55	18 34	18 15	17 57	17 40	17 22	17 01	16 49	16 35
16	20 36	20 06	19 44	19 26	19 11	18 58	18 36	18 17	17 59	17 42	17 24	17 02	16 50	16 36
20	20 39	20 09	19 46	19 28	19 13	19 00	18 38	18 19	18 01	17 44	17 25	17 04	16 52	16 37
24	20 41	20 11	19 48	19 30	19 15	19 02	18 40	18 21	18 03	17 46	17 27	17 06	16 54	16 40
28	20 41	20 12	19 49	19 31	19 16	19 04	18 42	18 23	18 05	17 48	17 30	17 09	16 56	16 42
32	20 41	20 12	19 50	19 32	19 17	19 05	18 43	18 24	18 07	17 50	17 32	17 11	16 59	16 45
36	20 39	20 11	19 49	19 32	19 18	19 05	18 44	18 26	18 09	17 52	17 34	17 14	17 02	16 49

UNIVERSAL TIME FOR MERIDIAN OF GREENWICH

SUNRISE

Lat.	+40°	+42°	+44°	+46°	+48°	+50°	+52°	+54°	+56°	+58°	+60°	+62°	+64°	+66°
	h m	h m	h m	h m	h m	h m	h m	h m	h m	h m	h m	h m	h m	h m
Oct. 1	5 56	5 57	5 57	5 58	5 59	6 00	6 01	6 02	6 03	6 04	6 05	6 07	6 08	6 10
5	6 00	6 01	6 02	6 03	6 05	6 06	6 07	6 09	6 11	6 13	6 15	6 17	6 20	6 23
9	6 04	6 05	6 07	6 09	6 10	6 12	6 14	6 16	6 19	6 21	6 24	6 28	6 32	6 36
13	6 08	6 10	6 12	6 14	6 16	6 18	6 21	6 24	6 27	6 30	6 34	6 38	6 43	6 49
17	6 12	6 15	6 17	6 19	6 22	6 25	6 28	6 31	6 35	6 39	6 44	6 49	6 55	7 02
21	6 17	6 19	6 22	6 25	6 28	6 31	6 35	6 39	6 43	6 48	6 54	7 00	7 08	7 16
25	6 21	6 24	6 27	6 30	6 34	6 38	6 42	6 47	6 52	6 58	7 04	7 11	7 20	7 30
29	6 25	6 29	6 32	6 36	6 40	6 44	6 49	6 55	7 00	7 07	7 14	7 23	7 32	7 44
Nov. 2	6 30	6 34	6 38	6 42	6 46	6 51	6 56	7 02	7 09	7 16	7 24	7 34	7 45	7 58
6	6 35	6 39	6 43	6 47	6 52	6 58	7 04	7 10	7 17	7 26	7 35	7 45	7 58	8 13
10	6 39	6 44	6 48	6 53	6 59	7 04	7 11	7 18	7 26	7 35	7 45	7 57	8 11	8 28
14	6 44	6 48	6 53	6 59	7 05	7 11	7 18	7 26	7 34	7 44	7 55	8 08	8 24	8 43
18	6 48	6 53	6 59	7 04	7 11	7 17	7 25	7 33	7 42	7 53	8 05	8 20	8 37	8 58
22	6 53	6 58	7 04	7 10	7 16	7 24	7 32	7 40	7 50	8 02	8 15	8 30	8 49	9 14
26	6 57	7 03	7 09	7 15	7 22	7 30	7 38	7 47	7 58	8 10	8 24	8 41	9 02	9 29
30	7 01	7 07	7 13	7 20	7 27	7 35	7 44	7 54	8 05	8 18	8 33	8 51	9 13	9 43
Dec. 4	7 05	7 11	7 18	7 25	7 32	7 40	7 50	8 00	8 12	8 25	8 41	9 00	9 24	9 57
8	7 09	7 15	7 22	7 29	7 37	7 45	7 55	8 05	8 17	8 31	8 48	9 08	9 33	10 10
12	7 12	7 19	7 25	7 33	7 41	7 49	7 59	8 10	8 22	8 37	8 54	9 14	9 41	10 21
16	7 15	7 22	7 28	7 36	7 44	7 53	8 03	8 14	8 26	8 41	8 58	9 20	9 48	10 29
20	7 18	7 24	7 31	7 38	7 46	7 55	8 05	8 16	8 29	8 44	9 01	9 23	9 52	10 34
24	7 20	7 26	7 33	7 40	7 48	7 57	8 07	8 18	8 31	8 46	9 03	9 25	9 53	10 36
28	7 21	7 27	7 34	7 42	7 50	7 58	8 08	8 19	8 32	8 46	9 04	9 25	9 53	10 34
32	7 22	7 28	7 35	7 42	7 50	7 59	8 08	8 19	8 31	8 46	9 02	9 23	9 50	10 28
36	7 22	7 28	7 35	7 42	7 50	7 58	8 07	8 18	8 30	8 44	9 00	9 20	9 45	10 21

SUNSET

	+40°	+42°	+44°	+46°	+48°	+50°	+52°	+54°	+56°	+58°	+60°	+62°	+64°	+66°
	h m	h m	h m	h m	h m	h m	h m	h m	h m	h m	h m	h m	h m	h m
Oct. 1	17 43	17 42	17 41	17 40	17 40	17 39	17 38	17 37	17 36	17 34	17 33	17 31	17 30	17 28
5	17 36	17 35	17 34	17 33	17 31	17 30	17 29	17 27	17 25	17 23	17 21	17 18	17 16	17 12
9	17 30	17 28	17 27	17 25	17 23	17 22	17 20	17 17	17 15	17 12	17 09	17 06	17 02	16 57
13	17 24	17 22	17 20	17 18	17 16	17 13	17 11	17 08	17 05	17 01	16 57	16 53	16 48	16 42
17	17 18	17 16	17 13	17 11	17 08	17 05	17 02	16 58	16 55	16 50	16 46	16 40	16 34	16 27
21	17 12	17 09	17 07	17 04	17 01	16 57	16 53	16 49	16 45	16 40	16 34	16 28	16 20	16 12
25	17 07	17 04	17 01	16 57	16 54	16 50	16 45	16 41	16 35	16 30	16 23	16 16	16 07	15 57
29	17 01	16 58	16 55	16 51	16 47	16 42	16 37	16 32	16 26	16 20	16 12	16 04	15 54	15 42
Nov. 2	16 57	16 53	16 49	16 45	16 40	16 35	16 30	16 24	16 17	16 10	16 02	15 52	15 41	15 28
6	16 52	16 48	16 44	16 39	16 34	16 29	16 23	16 16	16 09	16 01	15 52	15 41	15 28	15 13
10	16 48	16 44	16 39	16 34	16 29	16 23	16 16	16 09	16 01	15 52	15 42	15 30	15 16	14 59
14	16 45	16 40	16 35	16 30	16 24	16 17	16 10	16 03	15 54	15 44	15 33	15 20	15 04	14 45
18	16 42	16 37	16 31	16 26	16 19	16 12	16 05	15 57	15 47	15 37	15 24	15 10	14 53	14 31
22	16 39	16 34	16 28	16 22	16 15	16 08	16 00	15 51	15 41	15 30	15 17	15 01	14 42	14 18
26	16 37	16 32	16 26	16 19	16 12	16 05	15 56	15 47	15 36	15 24	15 10	14 53	14 32	14 05
30	16 36	16 30	16 24	16 17	16 10	16 02	15 53	15 43	15 32	15 19	15 04	14 46	14 24	13 54
Dec. 4	16 35	16 29	16 22	16 15	16 08	16 00	15 51	15 40	15 29	15 15	14 59	14 40	14 16	13 43
8	16 35	16 28	16 22	16 15	16 07	15 58	15 49	15 38	15 26	15 12	14 56	14 36	14 10	13 34
12	16 35	16 29	16 22	16 15	16 07	15 58	15 48	15 37	15 25	15 11	14 54	14 33	14 06	13 27
16	16 36	16 30	16 23	16 15	16 07	15 59	15 49	15 38	15 25	15 10	14 53	14 32	14 04	13 22
20	16 37	16 31	16 24	16 17	16 09	16 00	15 50	15 39	15 26	15 11	14 54	14 32	14 04	13 21
24	16 40	16 33	16 26	16 19	16 11	16 02	15 52	15 41	15 28	15 14	14 56	14 34	14 06	13 24
28	16 42	16 36	16 29	16 22	16 14	16 05	15 55	15 44	15 32	15 17	15 00	14 38	14 11	13 30
32	16 45	16 39	16 32	16 25	16 17	16 09	15 59	15 48	15 36	15 22	15 05	14 44	14 17	13 39
36	16 49	16 43	16 36	16 29	16 21	16 13	16 04	15 53	15 41	15 27	15 11	14 51	14 26	13 51

CIVIL TWILIGHT, 1985

UNIVERSAL TIME FOR MERIDIAN OF GREENWICH
MORNING CIVIL TWILIGHT

Lat.	−55°	−50°	−45°	−40°	−35°	−30°	−20°	−10°	0°	+10°	+20°	+30°	+35°	+40°
	h m	h m	h m	h m	h m	h m	h m	h m	h m	h m	h m	h m	h m	h m
Jan. −2	2 25	3 08	3 37	4 00	4 18	4 33	4 58	5 18	5 36	5 53	6 10	6 29	6 39	6 51
2	2 31	3 12	3 41	4 03	4 21	4 36	5 00	5 20	5 38	5 55	6 12	6 30	6 40	6 52
6	2 37	3 17	3 46	4 07	4 24	4 39	5 03	5 22	5 40	5 56	6 13	6 31	6 41	6 52
10	2 45	3 23	3 50	4 11	4 28	4 42	5 06	5 25	5 42	5 58	6 14	6 31	6 41	6 52
14	2 53	3 30	3 56	4 16	4 32	4 46	5 08	5 27	5 43	5 59	6 14	6 31	6 40	6 51
18	3 03	3 37	4 02	4 21	4 36	4 50	5 11	5 29	5 45	6 00	6 14	6 30	6 39	6 49
22	3 12	3 44	4 08	4 26	4 41	4 53	5 14	5 31	5 46	6 00	6 14	6 30	6 38	6 47
26	3 22	3 52	4 14	4 31	4 45	4 57	5 17	5 33	5 47	6 01	6 14	6 28	6 36	6 45
30	3 32	4 00	4 20	4 36	4 50	5 01	5 19	5 35	5 48	6 01	6 13	6 26	6 34	6 42
Feb. 3	3 42	4 08	4 27	4 42	4 54	5 05	5 22	5 36	5 49	6 00	6 12	6 24	6 31	6 38
7	3 52	4 15	4 33	4 47	4 59	5 08	5 24	5 38	5 49	6 00	6 11	6 22	6 28	6 34
11	4 02	4 23	4 39	4 52	5 03	5 12	5 27	5 39	5 50	5 59	6 09	6 19	6 24	6 30
15	4 12	4 31	4 46	4 57	5 07	5 15	5 29	5 40	5 50	5 58	6 07	6 16	6 20	6 25
19	4 21	4 39	4 52	5 02	5 11	5 19	5 31	5 41	5 49	5 57	6 05	6 12	6 16	6 20
23	4 31	4 46	4 58	5 07	5 15	5 22	5 33	5 42	5 49	5 56	6 02	6 08	6 12	6 15
27	4 40	4 53	5 04	5 12	5 19	5 25	5 35	5 42	5 49	5 54	5 59	6 04	6 07	6 09
Mar. 3	4 49	5 01	5 10	5 17	5 23	5 28	5 36	5 43	5 48	5 52	5 56	6 00	6 02	6 04
7	4 58	5 08	5 15	5 22	5 27	5 31	5 38	5 43	5 47	5 50	5 53	5 56	5 57	5 58
11	5 06	5 14	5 21	5 26	5 30	5 34	5 39	5 43	5 46	5 48	5 50	5 51	5 51	5 51
15	5 14	5 21	5 26	5 30	5 34	5 36	5 40	5 43	5 45	5 46	5 47	5 46	5 46	5 45
19	5 23	5 28	5 32	5 35	5 37	5 39	5 42	5 43	5 44	5 44	5 43	5 41	5 40	5 38
23	5 31	5 34	5 37	5 39	5 40	5 41	5 43	5 43	5 43	5 42	5 40	5 37	5 35	5 32
27	5 38	5 40	5 42	5 43	5 43	5 44	5 44	5 43	5 41	5 39	5 36	5 32	5 29	5 25
31	5 46	5 47	5 47	5 47	5 47	5 46	5 45	5 43	5 40	5 37	5 33	5 27	5 23	5 19
Apr. 4	5 54	5 53	5 52	5 51	5 50	5 48	5 46	5 43	5 39	5 35	5 29	5 22	5 17	5 12

EVENING CIVIL TWILIGHT

Lat.	−55°	−50°	−45°	−40°	−35°	−30°	−20°	−10°	0°	+10°	+20°	+30°	+35°	+40°
	h m	h m	h m	h m	h m	h m	h m	h m	h m	h m	h m	h m	h m	h m
Jan. −2	21 39	20 56	20 27	20 04	19 46	19 31	19 07	18 46	18 28	18 11	17 54	17 36	17 25	17 14
2	21 37	20 55	20 27	20 05	19 47	19 32	19 08	18 48	18 30	18 14	17 57	17 38	17 28	17 17
6	21 33	20 54	20 26	20 04	19 47	19 33	19 09	18 49	18 32	18 16	17 59	17 41	17 31	17 20
10	21 29	20 51	20 24	20 03	19 47	19 33	19 09	18 50	18 34	18 18	18 02	17 44	17 35	17 24
14	21 23	20 47	20 22	20 02	19 46	19 32	19 10	18 51	18 35	18 20	18 04	17 47	17 38	17 28
18	21 17	20 43	20 19	20 00	19 44	19 31	19 10	18 52	18 36	18 21	18 07	17 51	17 42	17 32
22	21 09	20 38	20 15	19 57	19 42	19 30	19 09	18 52	18 37	18 23	18 09	17 54	17 46	17 36
26	21 01	20 32	20 11	19 54	19 40	19 28	19 08	18 52	18 38	18 25	18 12	17 57	17 49	17 41
30	20 53	20 26	20 06	19 50	19 37	19 25	19 07	18 52	18 39	18 26	18 14	18 01	17 53	17 45
Feb. 3	20 44	20 19	20 00	19 45	19 33	19 23	19 05	18 51	18 39	18 27	18 16	18 04	17 57	17 50
7	20 35	20 12	19 54	19 41	19 29	19 20	19 04	18 50	18 39	18 28	18 18	18 07	18 01	17 54
11	20 25	20 04	19 48	19 36	19 25	19 16	19 01	18 49	18 39	18 29	18 20	18 10	18 05	17 59
15	20 15	19 56	19 42	19 30	19 21	19 12	18 59	18 48	18 39	18 30	18 22	18 13	18 09	18 04
19	20 05	19 48	19 35	19 24	19 16	19 08	18 56	18 47	18 38	18 31	18 23	18 16	18 12	18 08
23	19 54	19 40	19 28	19 19	19 11	19 04	18 54	18 45	18 38	18 31	18 25	18 19	18 16	18 12
27	19 44	19 31	19 21	19 12	19 06	19 00	18 51	18 43	18 37	18 32	18 27	18 22	18 19	18 17
Mar. 3	19 34	19 22	19 13	19 06	19 00	18 55	18 47	18 41	18 36	18 32	18 28	18 24	18 23	18 21
7	19 23	19 13	19 06	19 00	18 55	18 51	18 44	18 39	18 35	18 32	18 29	18 27	18 26	18 25
11	19 13	19 05	18 58	18 53	18 49	18 46	18 41	18 37	18 34	18 32	18 30	18 30	18 29	18 30
15	19 02	18 56	18 51	18 47	18 44	18 41	18 37	18 35	18 33	18 32	18 32	18 32	18 33	18 34
19	18 52	18 47	18 43	18 40	18 38	18 36	18 34	18 32	18 32	18 32	18 33	18 35	18 36	18 38
23	18 41	18 38	18 36	18 34	18 32	18 31	18 30	18 30	18 31	18 32	18 34	18 37	18 39	18 42
27	18 31	18 29	18 28	18 27	18 27	18 27	18 27	18 28	18 29	18 32	18 35	18 40	18 43	18 46
31	18 21	18 21	18 21	18 21	18 21	18 22	18 23	18 25	18 28	18 32	18 36	18 42	18 46	18 50
Apr. 4	18 11	18 12	18 13	18 15	18 16	18 17	18 20	18 23	18 27	18 32	18 37	18 45	18 49	18 55

UNIVERSAL TIME FOR MERIDIAN OF GREENWICH
MORNING CIVIL TWILIGHT

Lat.	+40°	+42°	+44°	+46°	+48°	+50°	+52°	+54°	+56°	+58°	+60°	+62°	+64°	+66°
	h m	h m	h m	h m	h m	h m	h m	h m	h m	h m	h m	h m	h m	h m
Jan. −2	6 51	6 56	7 01	7 07	7 13	7 20	7 28	7 36	7 45	7 55	8 06	8 20	8 35	8 55
2	6 52	6 57	7 02	7 08	7 14	7 20	7 28	7 36	7 44	7 54	8 05	8 18	8 34	8 52
6	6 52	6 57	7 02	7 08	7 13	7 20	7 27	7 35	7 43	7 53	8 03	8 16	8 31	8 48
10	6 52	6 56	7 01	7 07	7 12	7 19	7 25	7 33	7 41	7 50	8 00	8 12	8 26	8 43
14	6 51	6 55	7 00	7 05	7 11	7 16	7 23	7 30	7 38	7 46	7 56	8 07	8 21	8 36
18	6 49	6 54	6 58	7 03	7 08	7 14	7 20	7 26	7 34	7 42	7 51	8 02	8 14	8 28
22	6 47	6 51	6 56	7 00	7 05	7 10	7 16	7 22	7 29	7 37	7 45	7 55	8 06	8 19
26	6 45	6 49	6 53	6 57	7 01	7 06	7 11	7 17	7 23	7 30	7 38	7 47	7 58	8 10
30	6 42	6 45	6 49	6 53	6 57	7 01	7 06	7 12	7 17	7 24	7 31	7 39	7 48	7 59
Feb. 3	6 38	6 41	6 45	6 48	6 52	6 56	7 01	7 05	7 10	7 16	7 23	7 30	7 38	7 48
7	6 34	6 37	6 40	6 43	6 47	6 50	6 54	6 58	7 03	7 08	7 14	7 20	7 27	7 36
11	6 30	6 33	6 35	6 38	6 41	6 44	6 48	6 51	6 55	7 00	7 04	7 10	7 16	7 23
15	6 25	6 28	6 30	6 32	6 35	6 37	6 40	6 43	6 47	6 50	6 55	6 59	7 04	7 10
19	6 20	6 22	6 24	6 26	6 28	6 30	6 33	6 35	6 38	6 41	6 44	6 48	6 52	6 57
23	6 15	6 16	6 18	6 20	6 21	6 23	6 25	6 27	6 29	6 31	6 34	6 36	6 39	6 43
27	6 09	6 11	6 12	6 13	6 14	6 15	6 17	6 18	6 19	6 21	6 23	6 24	6 26	6 29
Mar. 3	6 04	6 04	6 05	6 06	6 06	6 07	6 08	6 09	6 10	6 10	6 11	6 12	6 13	6 14
7	5 58	5 58	5 58	5 58	5 59	5 59	5 59	5 59	6 00	6 00	6 00	6 00	6 00	6 00
11	5 51	5 51	5 51	5 51	5 51	5 51	5 50	5 50	5 49	5 49	5 48	5 47	5 46	5 45
15	5 45	5 44	5 44	5 43	5 43	5 42	5 41	5 40	5 39	5 37	5 36	5 34	5 32	5 29
19	5 38	5 38	5 37	5 36	5 35	5 33	5 32	5 30	5 28	5 26	5 24	5 21	5 18	5 14
23	5 32	5 31	5 29	5 28	5 26	5 24	5 22	5 20	5 18	5 15	5 11	5 07	5 03	4 58
27	5 25	5 24	5 22	5 20	5 18	5 15	5 13	5 10	5 07	5 03	4 59	4 54	4 48	4 42
31	5 19	5 17	5 15	5 12	5 09	5 07	5 03	5 00	4 56	4 51	4 46	4 40	4 33	4 25
Apr. 4	5 12	5 10	5 07	5 04	5 01	4 58	4 54	4 50	4 45	4 39	4 33	4 26	4 18	4 08

EVENING CIVIL TWILIGHT

Lat.	+40°	+42°	+44°	+46°	+48°	+50°	+52°	+54°	+56°	+58°	+60°	+62°	+64°	+66°
	h m	h m	h m	h m	h m	h m	h m	h m	h m	h m	h m	h m	h m	h m
Jan. −2	17 14	17 08	17 03	16 57	16 51	16 44	16 37	16 29	16 20	16 10	15 58	15 45	15 29	15 10
2	17 17	17 12	17 06	17 01	16 55	16 48	16 41	16 33	16 24	16 14	16 03	15 50	15 35	15 16
6	17 20	17 15	17 10	17 05	16 59	16 52	16 45	16 38	16 29	16 20	16 09	15 56	15 42	15 24
10	17 24	17 19	17 14	17 09	17 03	16 57	16 50	16 43	16 35	16 26	16 15	16 03	15 49	15 33
14	17 28	17 23	17 19	17 13	17 08	17 02	16 56	16 49	16 41	16 32	16 23	16 11	15 58	15 43
18	17 32	17 28	17 23	17 18	17 13	17 08	17 02	16 55	16 48	16 40	16 30	16 20	16 08	15 53
22	17 36	17 32	17 28	17 24	17 19	17 14	17 08	17 02	16 55	16 47	16 39	16 29	16 18	16 05
26	17 41	17 37	17 33	17 29	17 24	17 20	17 14	17 09	17 02	16 55	16 48	16 39	16 29	16 17
30	17 45	17 42	17 38	17 34	17 30	17 26	17 21	17 16	17 10	17 04	16 57	16 49	16 40	16 29
Feb. 3	17 50	17 47	17 43	17 40	17 36	17 32	17 28	17 23	17 18	17 12	17 06	16 59	16 51	16 41
7	17 54	17 52	17 49	17 46	17 42	17 39	17 35	17 31	17 26	17 21	17 16	17 09	17 02	16 54
11	17 59	17 57	17 54	17 51	17 48	17 45	17 42	17 38	17 34	17 30	17 25	17 20	17 14	17 07
15	18 04	18 01	17 59	17 57	17 54	17 52	17 49	17 46	17 43	17 39	17 35	17 30	17 25	17 20
19	18 08	18 06	18 04	18 02	18 00	17 58	17 56	17 53	17 51	17 48	17 45	17 41	17 37	17 33
23	18 12	18 11	18 10	18 08	18 06	18 05	18 03	18 01	17 59	17 57	17 54	17 52	17 49	17 45
27	18 17	18 16	18 15	18 14	18 12	18 11	18 10	18 09	18 07	18 06	18 04	18 02	18 01	17 58
Mar. 3	18 21	18 20	18 20	18 19	18 18	18 18	18 17	18 16	18 16	18 15	18 14	18 13	18 12	18 11
7	18 25	18 25	18 25	18 25	18 24	18 24	18 24	18 24	18 24	18 24	18 24	18 24	18 24	18 24
11	18 30	18 30	18 30	18 30	18 30	18 31	18 31	18 31	18 32	18 33	18 34	18 35	18 36	18 37
15	18 34	18 34	18 35	18 35	18 36	18 37	18 38	18 39	18 40	18 42	18 44	18 46	18 48	18 51
19	18 38	18 39	18 40	18 41	18 42	18 43	18 45	18 47	18 49	18 51	18 54	18 56	19 00	19 04
23	18 42	18 43	18 45	18 46	18 48	18 50	18 52	18 54	18 57	19 00	19 04	19 08	19 12	19 18
27	18 46	18 48	18 50	18 52	18 54	18 56	18 59	19 02	19 06	19 09	19 14	19 19	19 25	19 32
31	18 50	18 53	18 55	18 57	19 00	19 03	19 06	19 10	19 14	19 19	19 24	19 30	19 37	19 46
Apr. 4	18 55	18 57	19 00	19 03	19 06	19 10	19 13	19 18	19 23	19 28	19 35	19 42	19 50	20 00

CIVIL TWILIGHT, 1985

UNIVERSAL TIME FOR MERIDIAN OF GREENWICH
MORNING CIVIL TWILIGHT

Lat.		−55°	−50°	−45°	−40°	−35°	−30°	−20°	−10°	0°	+10°	+20°	+30°	+35°	+40°
		h m	h m	h m	h m	h m	h m	h m	h m	h m	h m	h m	h m	h m	h m
Mar.	31	5 46	5 47	5 47	5 47	5 47	5 46	5 45	5 43	5 40	5 37	5 33	5 27	5 23	5 19
Apr.	4	5 54	5 53	5 52	5 51	5 50	5 48	5 46	5 43	5 39	5 35	5 29	5 22	5 17	5 12
	8	6 01	5 59	5 57	5 55	5 53	5 51	5 47	5 42	5 38	5 32	5 26	5 17	5 12	5 06
	12	6 09	6 05	6 02	5 59	5 56	5 53	5 48	5 42	5 37	5 30	5 22	5 12	5 06	4 59
	16	6 16	6 11	6 06	6 02	5 59	5 55	5 49	5 42	5 35	5 28	5 19	5 08	5 01	4 53
	20	6 23	6 17	6 11	6 06	6 02	5 58	5 50	5 42	5 34	5 26	5 16	5 03	4 56	4 47
	24	6 30	6 22	6 16	6 10	6 05	6 00	5 51	5 42	5 34	5 24	5 13	4 59	4 51	4 41
	28	6 37	6 28	6 20	6 14	6 08	6 02	5 52	5 43	5 33	5 22	5 10	4 55	4 46	4 35
May	2	6 44	6 34	6 25	6 17	6 11	6 05	5 53	5 43	5 32	5 21	5 07	4 51	4 41	4 30
	6	6 51	6 39	6 29	6 21	6 14	6 07	5 55	5 43	5 32	5 19	5 05	4 47	4 37	4 25
	10	6 57	6 44	6 34	6 25	6 17	6 09	5 56	5 44	5 31	5 18	5 03	4 44	4 33	4 20
	14	7 04	6 50	6 38	6 28	6 20	6 12	5 57	5 44	5 31	5 17	5 01	4 41	4 29	4 15
	18	7 10	6 54	6 42	6 32	6 22	6 14	5 59	5 45	5 31	5 16	4 59	4 39	4 26	4 11
	22	7 15	6 59	6 46	6 35	6 25	6 16	6 00	5 46	5 31	5 15	4 58	4 36	4 23	4 08
	26	7 21	7 03	6 50	6 38	6 28	6 18	6 02	5 46	5 31	5 15	4 57	4 34	4 21	4 05
	30	7 25	7 08	6 53	6 41	6 30	6 21	6 03	5 47	5 32	5 15	4 56	4 33	4 19	4 02
June	3	7 30	7 11	6 56	6 43	6 32	6 22	6 05	5 48	5 32	5 15	4 55	4 32	4 17	4 00
	7	7 33	7 14	6 59	6 46	6 34	6 24	6 06	5 49	5 33	5 15	4 55	4 31	4 16	3 59
	11	7 37	7 17	7 01	6 48	6 36	6 26	6 07	5 50	5 33	5 16	4 55	4 31	4 16	3 58
	15	7 39	7 19	7 03	6 50	6 38	6 27	6 09	5 51	5 34	5 16	4 56	4 31	4 16	3 58
	19	7 41	7 21	7 04	6 51	6 39	6 28	6 10	5 52	5 35	5 17	4 56	4 31	4 16	3 58
	23	7 42	7 21	7 05	6 52	6 40	6 29	6 10	5 53	5 36	5 18	4 57	4 32	4 17	3 59
	27	7 42	7 22	7 06	6 52	6 40	6 30	6 11	5 54	5 37	5 19	4 58	4 33	4 18	4 00
July	1	7 41	7 21	7 05	6 52	6 41	6 30	6 12	5 55	5 38	5 20	5 00	4 35	4 20	4 02
	5	7 39	7 20	7 05	6 52	6 40	6 30	6 12	5 55	5 38	5 21	5 01	4 37	4 22	4 04

EVENING CIVIL TWILIGHT

Lat.		−55°	−50°	−45°	−40°	−35°	−30°	−20°	−10°	0°	+10°	+20°	+30°	+35°	+40°
		h m	h m	h m	h m	h m	h m	h m	h m	h m	h m	h m	h m	h m	h m
Mar.	31	18 21	18 21	18 21	18 21	18 21	18 22	18 23	18 25	18 28	18 32	18 36	18 42	18 46	18 50
Apr.	4	18 11	18 12	18 13	18 15	18 16	18 17	18 20	18 23	18 27	18 32	18 37	18 45	18 49	18 55
	8	18 02	18 04	18 06	18 08	18 10	18 13	18 17	18 21	18 26	18 32	18 38	18 47	18 53	18 59
	12	17 52	17 56	17 59	18 02	18 05	18 08	18 14	18 19	18 25	18 32	18 40	18 50	18 56	19 03
	16	17 43	17 48	17 53	17 57	18 00	18 04	18 11	18 17	18 24	18 32	18 41	18 52	18 59	19 07
	20	17 34	17 40	17 46	17 51	17 56	18 00	18 08	18 15	18 23	18 32	18 42	18 55	19 03	19 12
	24	17 25	17 33	17 40	17 46	17 51	17 56	18 05	18 14	18 23	18 33	18 44	18 58	19 06	19 16
	28	17 17	17 26	17 34	17 41	17 47	17 52	18 02	18 12	18 22	18 33	18 45	19 01	19 10	19 21
May	2	17 09	17 20	17 28	17 36	17 43	17 49	18 00	18 11	18 22	18 34	18 47	19 03	19 13	19 25
	6	17 02	17 13	17 23	17 32	17 39	17 46	17 58	18 10	18 22	18 34	18 49	19 06	19 17	19 29
	10	16 55	17 08	17 18	17 28	17 36	17 43	17 56	18 09	18 22	18 35	18 50	19 09	19 20	19 34
	14	16 48	17 03	17 14	17 24	17 33	17 41	17 55	18 08	18 22	18 36	18 52	19 12	19 24	19 38
	18	16 43	16 58	17 10	17 21	17 30	17 38	17 54	18 08	18 22	18 37	18 54	19 15	19 27	19 42
	22	16 37	16 54	17 07	17 18	17 28	17 37	17 53	18 08	18 22	18 38	18 56	19 17	19 30	19 46
	26	16 33	16 50	17 04	17 16	17 26	17 35	17 52	18 07	18 23	18 39	18 57	19 20	19 34	19 50
	30	16 29	16 47	17 02	17 14	17 25	17 34	17 52	18 08	18 23	18 40	18 59	19 22	19 36	19 53
June	3	16 26	16 45	17 00	17 12	17 24	17 34	17 51	18 08	18 24	18 41	19 01	19 25	19 39	19 56
	7	16 24	16 43	16 59	17 12	17 23	17 33	17 51	18 08	18 25	18 42	19 02	19 27	19 41	19 59
	11	16 22	16 42	16 58	17 11	17 23	17 33	17 52	18 09	18 26	18 44	19 04	19 28	19 43	20 01
	15	16 22	16 42	16 58	17 11	17 23	17 33	17 52	18 10	18 27	18 45	19 05	19 30	19 45	20 03
	19	16 22	16 42	16 58	17 12	17 23	17 34	17 53	18 10	18 27	18 46	19 06	19 31	19 46	20 05
	23	16 23	16 43	16 59	17 13	17 24	17 35	17 54	18 11	18 28	18 47	19 07	19 32	19 47	20 05
	27	16 24	16 44	17 00	17 14	17 26	17 36	17 55	18 12	18 29	18 47	19 08	19 32	19 48	20 06
July	1	16 27	16 46	17 02	17 16	17 27	17 37	17 56	18 13	18 30	18 48	19 08	19 32	19 48	20 05
	5	16 30	16 49	17 05	17 18	17 29	17 39	17 57	18 14	18 31	18 48	19 08	19 32	19 47	20 04

UNIVERSAL TIME FOR MERIDIAN OF GREENWICH
MORNING CIVIL TWILIGHT

Lat.	+40°	+42°	+44°	+46°	+48°	+50°	+52°	+54°	+56°	+58°	+60°	+62°	+64°	+66°
	h m	h m	h m	h m	h m	h m	h m	h m	h m	h m	h m	h m	h m	h m
Mar. 31	5 19	5 17	5 15	5 12	5 09	5 07	5 03	5 00	4 56	4 51	4 46	4 40	4 33	4 25
Apr. 4	5 12	5 10	5 07	5 04	5 01	4 58	4 54	4 50	4 45	4 39	4 33	4 26	4 18	4 08
8	5 06	5 03	5 00	4 56	4 53	4 49	4 44	4 39	4 34	4 28	4 20	4 12	4 02	3 51
12	4 59	4 56	4 52	4 49	4 45	4 40	4 35	4 29	4 23	4 16	4 07	3 58	3 47	3 33
16	4 53	4 49	4 45	4 41	4 36	4 31	4 26	4 19	4 12	4 04	3 54	3 44	3 31	3 15
20	4 47	4 43	4 38	4 34	4 28	4 23	4 16	4 09	4 01	3 52	3 41	3 29	3 14	2 55
24	4 41	4 36	4 32	4 26	4 21	4 14	4 07	3 59	3 50	3 40	3 28	3 14	2 57	2 35
28	4 35	4 30	4 25	4 19	4 13	4 06	3 58	3 50	3 40	3 28	3 15	2 59	2 39	2 14
May 2	4 30	4 24	4 19	4 13	4 06	3 58	3 50	3 40	3 29	3 17	3 02	2 44	2 21	1 50
6	4 25	4 19	4 13	4 06	3 59	3 51	3 41	3 31	3 19	3 05	2 49	2 28	2 01	1 21
10	4 20	4 14	4 07	4 00	3 52	3 43	3 33	3 22	3 09	2 54	2 36	2 12	1 40	0 42
14	4 15	4 09	4 02	3 54	3 46	3 37	3 26	3 14	3 00	2 43	2 23	1 56	1 16	// //
18	4 11	4 05	3 57	3 49	3 40	3 30	3 19	3 06	2 51	2 33	2 10	1 38	0 44	// //
22	4 08	4 01	3 53	3 45	3 35	3 25	3 13	2 59	2 42	2 23	1 57	1 20	// //	// //
26	4 05	3 57	3 49	3 40	3 31	3 19	3 07	2 52	2 35	2 13	1 44	0 59	// //	// //
30	4 02	3 55	3 46	3 37	3 27	3 15	3 02	2 46	2 28	2 04	1 32	0 31	// //	// //
June 3	4 00	3 52	3 44	3 34	3 24	3 11	2 58	2 41	2 22	1 57	1 21	// //	// //	// //
7	3 59	3 51	3 42	3 32	3 21	3 09	2 54	2 37	2 17	1 50	1 10	// //	// //	// //
11	3 58	3 50	3 41	3 31	3 19	3 07	2 52	2 35	2 13	1 45	1 00	// //	// //	// //
15	3 58	3 49	3 40	3 30	3 19	3 06	2 51	2 33	2 11	1 42	0 53	// //	// //	** **
19	3 58	3 50	3 40	3 30	3 19	3 06	2 50	2 32	2 10	1 40	0 49	// //	// //	** **
23	3 59	3 50	3 41	3 31	3 19	3 06	2 51	2 33	2 11	1 41	0 50	// //	// //	** **
27	4 00	3 52	3 43	3 32	3 21	3 08	2 53	2 35	2 13	1 44	0 54	// //	// //	** **
July 1	4 02	3 54	3 45	3 35	3 23	3 11	2 56	2 38	2 17	1 48	1 03	// //	// //	// //
5	4 04	3 56	3 47	3 37	3 26	3 14	2 59	2 42	2 22	1 54	1 13	// //	// //	// //

EVENING CIVIL TWILIGHT

Lat.	+40°	+42°	+44°	+46°	+48°	+50°	+52°	+54°	+56°	+58°	+60°	+62°	+64°	+66°
	h m	h m	h m	h m	h m	h m	h m	h m	h m	h m	h m	h m	h m	h m
Mar. 31	18 50	18 53	18 55	18 57	19 00	19 03	19 06	19 10	19 14	19 19	19 24	19 30	19 37	19 46
Apr. 4	18 55	18 57	19 00	19 03	19 06	19 10	19 13	19 18	19 23	19 28	19 35	19 42	19 50	20 00
8	18 59	19 02	19 05	19 08	19 12	19 16	19 21	19 26	19 31	19 38	19 45	19 54	20 04	20 16
12	19 03	19 06	19 10	19 14	19 18	19 23	19 28	19 34	19 40	19 48	19 56	20 06	20 17	20 32
16	19 07	19 11	19 15	19 20	19 24	19 30	19 35	19 42	19 49	19 58	20 07	20 18	20 32	20 48
20	19 12	19 16	19 20	19 25	19 31	19 36	19 43	19 50	19 58	20 08	20 19	20 31	20 47	21 06
24	19 16	19 21	19 26	19 31	19 37	19 43	19 50	19 58	20 08	20 18	20 30	20 45	21 02	21 25
28	19 21	19 26	19 31	19 37	19 43	19 50	19 58	20 07	20 17	20 29	20 42	20 59	21 19	21 46
May 2	19 25	19 30	19 36	19 42	19 49	19 57	20 06	20 15	20 26	20 39	20 54	21 13	21 37	22 10
6	19 29	19 35	19 41	19 48	19 56	20 04	20 13	20 24	20 36	20 50	21 07	21 28	21 56	22 39
10	19 34	19 40	19 46	19 54	20 02	20 11	20 21	20 32	20 45	21 01	21 20	21 44	22 17	23 26
14	19 38	19 44	19 51	19 59	20 08	20 17	20 28	20 40	20 54	21 11	21 33	22 00	22 43	// //
18	19 42	19 49	19 56	20 04	20 13	20 24	20 35	20 48	21 04	21 22	21 46	22 18	23 20	// //
22	19 46	19 53	20 01	20 09	20 19	20 30	20 42	20 56	21 12	21 33	21 59	22 38	// //	// //
26	19 50	19 57	20 05	20 14	20 24	20 35	20 48	21 03	21 21	21 43	22 12	23 01	// //	// //
30	19 53	20 01	20 09	20 19	20 29	20 41	20 54	21 10	21 29	21 52	22 25	23 35	// //	// //
June 3	19 56	20 04	20 13	20 23	20 33	20 45	20 59	21 16	21 36	22 01	22 38	// //	// //	// //
7	19 59	20 07	20 16	20 26	20 37	20 49	21 04	21 21	21 42	22 09	22 50	// //	// //	// //
11	20 01	20 10	20 19	20 29	20 40	20 53	21 08	21 25	21 47	22 15	23 01	// //	// //	// //
15	20 03	20 12	20 21	20 31	20 42	20 55	21 10	21 28	21 50	22 20	23 09	// //	// //	** **
19	20 05	20 13	20 22	20 33	20 44	20 57	21 12	21 30	21 53	22 23	23 14	// //	// //	** **
23	20 05	20 14	20 23	20 33	20 45	20 58	21 13	21 31	21 53	22 23	23 14	// //	// //	** **
27	20 06	20 14	20 23	20 33	20 45	20 58	21 13	21 30	21 52	22 22	23 10	// //	// //	** **
July 1	20 05	20 14	20 23	20 33	20 44	20 57	21 11	21 29	21 50	22 18	23 03	// //	// //	// //
5	20 04	20 13	20 21	20 31	20 42	20 55	21 09	21 26	21 46	22 13	22 53	// //	// //	// //

The symbols (*) and (/) indicate Sun continuously above horizon and continuous twilight, respectively.

CIVIL TWILIGHT, 1985
UNIVERSAL TIME FOR MERIDIAN OF GREENWICH
MORNING CIVIL TWILIGHT

Lat.		−55°	−50°	−45°	−40°	−35°	−30°	−20°	−10°	0°	+10°	+20°	+30°	+35°	+40°
		h m	h m	h m	h m	h m	h m	h m	h m	h m	h m	h m	h m	h m	h m
July	1	7 41	7 21	7 05	6 52	6 41	6 30	6 12	5 55	5 38	5 20	5 00	4 35	4 20	4 02
	5	7 39	7 20	7 05	6 52	6 40	6 30	6 12	5 55	5 38	5 21	5 01	4 37	4 22	4 04
	9	7 37	7 18	7 03	6 51	6 40	6 30	6 12	5 55	5 39	5 22	5 02	4 39	4 24	4 07
	13	7 34	7 16	7 02	6 49	6 39	6 29	6 12	5 56	5 40	5 23	5 04	4 41	4 27	4 10
	17	7 30	7 13	6 59	6 47	6 37	6 28	6 11	5 56	5 40	5 24	5 06	4 43	4 30	4 13
	21	7 26	7 09	6 56	6 45	6 35	6 26	6 10	5 55	5 41	5 25	5 07	4 46	4 33	4 17
	25	7 20	7 05	6 53	6 42	6 33	6 24	6 09	5 55	5 41	5 26	5 09	4 48	4 36	4 21
	29	7 14	7 00	6 49	6 39	6 30	6 22	6 08	5 54	5 41	5 27	5 11	4 51	4 39	4 25
Aug.	2	7 08	6 55	6 44	6 35	6 27	6 20	6 06	5 54	5 41	5 28	5 12	4 54	4 42	4 29
	6	7 01	6 49	6 39	6 31	6 24	6 17	6 04	5 53	5 41	5 28	5 14	4 56	4 45	4 33
	10	6 54	6 43	6 34	6 26	6 20	6 14	6 02	5 51	5 40	5 29	5 15	4 59	4 49	4 37
	14	6 46	6 36	6 28	6 22	6 16	6 10	6 00	5 50	5 40	5 29	5 17	5 01	4 52	4 41
	18	6 37	6 29	6 22	6 17	6 11	6 06	5 57	5 48	5 39	5 29	5 18	5 04	4 55	4 45
	22	6 29	6 22	6 16	6 11	6 07	6 02	5 54	5 47	5 38	5 30	5 19	5 06	4 59	4 50
	26	6 20	6 14	6 10	6 05	6 02	5 58	5 51	5 45	5 37	5 30	5 20	5 09	5 02	4 54
	30	6 10	6 06	6 03	6 00	5 57	5 54	5 48	5 42	5 36	5 30	5 21	5 11	5 05	4 58
Sept	3	6 01	5 58	5 56	5 53	5 51	5 49	5 45	5 40	5 35	5 29	5 22	5 14	5 08	5 02
	7	5 51	5 50	5 48	5 47	5 46	5 44	5 41	5 38	5 34	5 29	5 23	5 16	5 11	5 06
	11	5 41	5 41	5 41	5 41	5 40	5 40	5 38	5 36	5 33	5 29	5 24	5 18	5 14	5 10
	15	5 31	5 32	5 34	5 34	5 35	5 35	5 34	5 33	5 31	5 29	5 25	5 20	5 17	5 13
	19	5 21	5 24	5 26	5 28	5 29	5 30	5 31	5 31	5 30	5 28	5 26	5 23	5 20	5 17
	23	5 10	5 15	5 18	5 21	5 23	5 25	5 27	5 28	5 28	5 28	5 27	5 25	5 23	5 21
	27	5 00	5 06	5 11	5 14	5 17	5 20	5 23	5 26	5 27	5 28	5 28	5 27	5 26	5 25
Oct.	1	4 49	4 57	5 03	5 08	5 11	5 15	5 20	5 23	5 26	5 28	5 29	5 29	5 29	5 29
	5	4 39	4 48	4 55	5 01	5 06	5 10	5 16	5 21	5 24	5 27	5 30	5 32	5 32	5 33

EVENING CIVIL TWILIGHT

		h m	h m	h m	h m	h m	h m	h m	h m	h m	h m	h m	h m	h m	h m
July	1	16 27	16 46	17 02	17 16	17 27	17 37	17 56	18 13	18 30	18 48	19 08	19 32	19 48	20 05
	5	16 30	16 49	17 05	17 18	17 29	17 39	17 57	18 14	18 31	18 48	19 08	19 32	19 47	20 04
	9	16 34	16 52	17 07	17 20	17 31	17 41	17 59	18 15	18 31	18 48	19 08	19 31	19 46	20 03
	13	16 38	16 56	17 10	17 22	17 33	17 43	18 00	18 16	18 32	18 48	19 07	19 30	19 44	20 01
	17	16 43	17 00	17 13	17 25	17 35	17 45	18 01	18 17	18 32	18 48	19 06	19 29	19 42	19 58
	21	16 48	17 04	17 17	17 28	17 38	17 47	18 03	18 17	18 32	18 48	19 05	19 27	19 40	19 55
	25	16 53	17 08	17 21	17 31	17 40	17 49	18 04	18 18	18 32	18 47	19 04	19 24	19 37	19 52
	29	16 59	17 13	17 25	17 34	17 43	17 51	18 05	18 18	18 32	18 46	19 02	19 22	19 33	19 47
Aug.	2	17 05	17 18	17 29	17 38	17 46	17 53	18 06	18 19	18 31	18 45	19 00	19 18	19 30	19 43
	6	17 11	17 23	17 33	17 41	17 49	17 55	18 08	18 19	18 31	18 43	18 58	19 15	19 26	19 38
	10	17 18	17 28	17 37	17 45	17 51	17 57	18 09	18 19	18 30	18 42	18 55	19 11	19 21	19 33
	14	17 24	17 34	17 41	17 48	17 54	18 00	18 10	18 19	18 29	18 40	18 52	19 07	19 17	19 27
	18	17 31	17 39	17 46	17 52	17 57	18 02	18 11	18 19	18 28	18 38	18 49	19 03	19 12	19 21
	22	17 38	17 45	17 50	17 55	18 00	18 04	18 12	18 19	18 27	18 36	18 46	18 59	19 06	19 15
	26	17 45	17 50	17 55	17 59	18 02	18 06	18 13	18 19	18 26	18 34	18 43	18 54	19 01	19 09
	30	17 52	17 56	17 59	18 02	18 05	18 08	18 13	18 19	18 25	18 32	18 39	18 49	18 56	19 03
Sept	3	17 59	18 01	18 04	18 06	18 08	18 10	18 14	18 19	18 23	18 29	18 36	18 45	18 50	18 56
	7	18 06	18 07	18 08	18 10	18 11	18 12	18 15	18 18	18 22	18 27	18 32	18 40	18 44	18 50
	11	18 13	18 13	18 13	18 13	18 14	18 14	18 16	18 18	18 21	18 24	18 29	18 35	18 38	18 43
	15	18 21	18 19	18 18	18 17	18 16	18 16	18 17	18 17	18 19	18 22	18 25	18 29	18 33	18 36
	19	18 28	18 25	18 22	18 21	18 19	18 18	18 17	18 17	18 18	18 19	18 21	18 24	18 27	18 29
	23	18 36	18 31	18 27	18 25	18 22	18 21	18 18	18 16	18 16	18 17	18 18	18 19	18 21	18 23
	27	18 44	18 37	18 32	18 28	18 25	18 23	18 19	18 15	18 14	18 14	18 14	18 14	18 15	18 16
Oct.	1	18 52	18 44	18 37	18 32	18 29	18 25	18 20	18 16	18 14	18 12	18 10	18 10	18 09	18 10
	5	19 00	18 50	18 43	18 37	18 32	18 28	18 21	18 16	18 12	18 09	18 07	18 05	18 04	18 03

UNIVERSAL TIME FOR MERIDIAN OF GREENWICH
MORNING CIVIL TWILIGHT

Lat.	+40°	+42°	+44°	+46°	+48°	+50°	+52°	+54°	+56°	+58°	+60°	+62°	+64°	+66°
	h m	h m	h m	h m	h m	h m	h m	h m	h m	h m	h m	h m	h m	h m
July 1	4 02	3 54	3 45	3 35	3 23	3 11	2 56	2 38	2 17	1 48	1 03	// //	// //	// //
5	4 04	3 56	3 47	3 37	3 26	3 14	2 59	2 42	2 22	1 54	1 13	// //	// //	// //
9	4 07	3 59	3 50	3 41	3 30	3 18	3 04	2 48	2 28	2 02	1 25	// //	// //	// //
13	4 10	4 02	3 54	3 45	3 34	3 23	3 09	2 53	2 35	2 11	1 38	0 29	// //	// //
17	4 13	4 06	3 58	3 49	3 39	3 28	3 15	3 00	2 42	2 20	1 51	1 02	// //	// //
21	4 17	4 10	4 02	3 53	3 44	3 33	3 21	3 07	2 51	2 30	2 04	1 25	// //	// //
25	4 21	4 14	4 07	3 58	3 49	3 39	3 28	3 15	2 59	2 41	2 17	1 44	0 42	// //
29	4 25	4 18	4 11	4 04	3 55	3 45	3 35	3 22	3 08	2 51	2 30	2 02	1 19	// //
Aug. 2	4 29	4 23	4 16	4 09	4 01	3 52	3 42	3 30	3 17	3 02	2 43	2 18	1 45	0 34
6	4 33	4 27	4 21	4 14	4 07	3 58	3 49	3 39	3 26	3 12	2 55	2 34	2 06	1 22
10	4 37	4 32	4 26	4 20	4 13	4 05	3 56	3 47	3 36	3 23	3 07	2 49	2 25	1 51
14	4 41	4 36	4 31	4 25	4 19	4 12	4 04	3 55	3 45	3 33	3 19	3 03	2 42	2 15
18	4 45	4 41	4 36	4 31	4 25	4 18	4 11	4 03	3 54	3 43	3 31	3 16	2 58	2 36
22	4 50	4 45	4 41	4 36	4 31	4 25	4 18	4 11	4 03	3 53	3 42	3 29	3 14	2 54
26	4 54	4 50	4 46	4 41	4 37	4 31	4 25	4 19	4 11	4 03	3 53	3 42	3 28	3 12
30	4 58	4 54	4 51	4 47	4 42	4 38	4 32	4 27	4 20	4 13	4 04	3 54	3 42	3 28
Sept 3	5 02	4 59	4 56	4 52	4 48	4 44	4 40	4 34	4 29	4 22	4 15	4 06	3 56	3 44
7	5 06	5 03	5 00	4 57	4 54	4 50	4 46	4 42	4 37	4 31	4 25	4 17	4 09	3 58
11	5 10	5 07	5 05	5 03	5 00	4 57	4 53	4 50	4 45	4 41	4 35	4 29	4 21	4 13
15	5 13	5 12	5 10	5 08	5 05	5 03	5 00	4 57	4 54	4 50	4 45	4 40	4 34	4 27
19	5 17	5 16	5 15	5 13	5 11	5 09	5 07	5 04	5 02	4 58	4 55	4 51	4 46	4 40
23	5 21	5 20	5 19	5 18	5 17	5 15	5 14	5 12	5 10	5 07	5 05	5 01	4 58	4 53
27	5 25	5 25	5 24	5 23	5 22	5 21	5 20	5 19	5 18	5 16	5 14	5 12	5 09	5 06
Oct. 1	5 29	5 29	5 29	5 28	5 28	5 27	5 27	5 26	5 26	5 25	5 24	5 22	5 21	5 19
5	5 33	5 33	5 33	5 33	5 34	5 34	5 34	5 34	5 34	5 34	5 33	5 33	5 32	5 32

EVENING CIVIL TWILIGHT

Lat.	+40°	+42°	+44°	+46°	+48°	+50°	+52°	+54°	+56°	+58°	+60°	+62°	+64°	+66°
	h m	h m	h m	h m	h m	h m	h m	h m	h m	h m	h m	h m	h m	h m
July 1	20 05	20 14	20 23	20 33	20 44	20 57	21 11	21 29	21 50	22 18	23 03	// //	// //	// //
5	20 04	20 13	20 21	20 31	20 42	20 55	21 09	21 26	21 46	22 13	22 53	// //	// //	// //
9	20 03	20 11	20 19	20 29	20 40	20 52	21 06	21 22	21 41	22 07	22 43	// //	// //	// //
13	20 01	20 09	20 17	20 26	20 36	20 48	21 01	21 17	21 35	21 59	22 31	23 32	// //	// //
17	19 58	20 06	20 14	20 23	20 32	20 44	20 56	21 11	21 28	21 50	22 19	23 04	// //	// //
21	19 55	20 02	20 10	20 18	20 28	20 38	20 50	21 04	21 21	21 40	22 06	22 43	// //	// //
25	19 52	19 58	20 06	20 14	20 23	20 33	20 44	20 57	21 12	21 30	21 53	22 25	23 20	// //
29	19 47	19 54	20 01	20 08	20 17	20 26	20 37	20 49	21 03	21 20	21 40	22 07	22 47	// //
Aug. 2	19 43	19 49	19 56	20 03	20 11	20 19	20 29	20 41	20 53	21 09	21 27	21 51	22 23	23 22
6	19 38	19 44	19 50	19 57	20 04	20 12	20 21	20 32	20 44	20 57	21 14	21 35	22 02	22 42
10	19 33	19 38	19 44	19 50	19 57	20 04	20 13	20 22	20 33	20 46	21 01	21 19	21 42	22 14
14	19 27	19 32	19 37	19 43	19 50	19 56	20 04	20 13	20 23	20 34	20 48	21 04	21 24	21 50
18	19 21	19 26	19 31	19 36	19 42	19 48	19 55	20 03	20 12	20 23	20 35	20 49	21 06	21 28
22	19 15	19 19	19 24	19 29	19 34	19 40	19 46	19 53	20 01	20 11	20 21	20 34	20 49	21 08
26	19 09	19 13	19 17	19 21	19 26	19 31	19 37	19 43	19 51	19 59	20 08	20 19	20 33	20 49
30	19 03	19 06	19 10	19 13	19 18	19 22	19 27	19 33	19 40	19 47	19 55	20 05	20 16	20 30
Sept 3	18 56	18 59	19 02	19 06	19 09	19 13	19 18	19 23	19 29	19 35	19 42	19 51	20 00	20 12
7	18 50	18 52	18 55	18 58	19 01	19 04	19 08	19 13	19 17	19 23	19 29	19 36	19 45	19 55
11	18 43	18 45	18 47	18 50	18 52	18 55	18 59	19 02	19 06	19 11	19 16	19 23	19 30	19 38
15	18 36	18 38	18 40	18 42	18 44	18 46	18 49	18 52	18 55	18 59	19 04	19 09	19 15	19 21
19	18 29	18 31	18 32	18 34	18 35	18 37	18 40	18 42	18 45	18 48	18 51	18 55	19 00	19 05
23	18 23	18 24	18 25	18 26	18 27	18 28	18 30	18 32	18 34	18 36	18 39	18 42	18 45	18 49
27	18 16	18 17	18 17	18 18	18 19	18 20	18 21	18 22	18 23	18 25	18 26	18 28	18 31	18 34
Oct. 1	18 10	18 10	18 10	18 10	18 10	18 11	18 11	18 12	18 12	18 13	18 14	18 15	18 17	18 18
5	18 03	18 03	18 03	18 03	18 02	18 02	18 02	18 02	18 02	18 02	18 02	18 03	18 03	18 03

The symbols (*) and (/) indicate Sun continuously above horizon and continuous twilight, respectively.

CIVIL TWILIGHT, 1985

UNIVERSAL TIME FOR MERIDIAN OF GREENWICH
MORNING CIVIL TWILIGHT

Lat.	−55°	−50°	−45°	−40°	−35°	−30°	−20°	−10°	0°	+10°	+20°	+30°	+35°	+40°
	h m	h m	h m	h m	h m	h m	h m	h m	h m	h m	h m	h m	h m	h m
Oct. 1	4 49	4 57	5 03	5 08	5 11	5 15	5 20	5 23	5 26	5 28	5 29	5 29	5 29	5 29
5	4 39	4 48	4 55	5 01	5 06	5 10	5 16	5 21	5 24	5 27	5 30	5 32	5 32	5 33
9	4 28	4 39	4 48	4 54	5 00	5 05	5 12	5 18	5 23	5 27	5 31	5 34	5 35	5 37
13	4 18	4 30	4 40	4 48	4 55	5 00	5 09	5 16	5 22	5 27	5 32	5 36	5 39	5 41
17	4 07	4 21	4 33	4 42	4 49	4 56	5 06	5 14	5 21	5 27	5 33	5 39	5 42	5 45
21	3 57	4 13	4 25	4 36	4 44	4 51	5 03	5 12	5 20	5 28	5 34	5 42	5 45	5 49
25	3 46	4 05	4 19	4 30	4 39	4 47	5 00	5 10	5 20	5 28	5 36	5 44	5 49	5 53
29	3 36	3 56	4 12	4 24	4 34	4 43	4 57	5 09	5 19	5 28	5 37	5 47	5 52	5 58
Nov. 2	3 26	3 49	4 05	4 19	4 30	4 39	4 55	5 08	5 19	5 29	5 39	5 50	5 56	6 02
6	3 17	3 41	3 59	4 14	4 26	4 36	4 53	5 07	5 19	5 30	5 41	5 53	5 59	6 06
10	3 08	3 34	3 54	4 09	4 22	4 33	4 51	5 06	5 19	5 31	5 43	5 56	6 03	6 11
14	2 59	3 27	3 49	4 05	4 19	4 30	4 50	5 05	5 19	5 32	5 45	5 59	6 06	6 15
18	2 51	3 21	3 44	4 02	4 16	4 28	4 49	5 05	5 20	5 33	5 47	6 02	6 10	6 19
22	2 43	3 16	3 40	3 58	4 14	4 27	4 48	5 05	5 21	5 35	5 50	6 05	6 14	6 23
26	2 36	3 11	3 36	3 56	4 12	4 25	4 47	5 06	5 22	5 37	5 52	6 08	6 17	6 28
30	2 30	3 07	3 34	3 54	4 11	4 24	4 47	5 06	5 23	5 38	5 54	6 11	6 21	6 32
Dec. 4	2 25	3 04	3 32	3 53	4 10	4 24	4 48	5 07	5 24	5 40	5 57	6 14	6 24	6 35
8	2 21	3 02	3 30	3 52	4 10	4 24	4 48	5 08	5 26	5 42	5 59	6 17	6 27	6 39
12	2 19	3 01	3 30	3 52	4 10	4 25	4 50	5 10	5 28	5 44	6 01	6 20	6 30	6 42
16	2 18	3 01	3 30	3 53	4 11	4 26	4 51	5 11	5 29	5 46	6 04	6 23	6 33	6 45
20	2 18	3 02	3 32	3 54	4 12	4 28	4 53	5 13	5 31	5 48	6 06	6 25	6 35	6 47
24	2 20	3 04	3 34	3 56	4 14	4 30	4 55	5 15	5 33	5 50	6 08	6 27	6 37	6 49
28	2 24	3 07	3 36	3 59	4 17	4 32	4 57	5 17	5 35	5 52	6 10	6 28	6 39	6 51
32	2 29	3 11	3 40	4 02	4 20	4 35	4 59	5 19	5 37	5 54	6 11	6 30	6 40	6 51
36	2 35	3 16	3 44	4 06	4 23	4 38	5 02	5 22	5 39	5 56	6 12	6 31	6 41	6 52

EVENING CIVIL TWILIGHT

Lat.	−55°	−50°	−45°	−40°	−35°	−30°	−20°	−10°	0°	+10°	+20°	+30°	+35°	+40°
	h m	h m	h m	h m	h m	h m	h m	h m	h m	h m	h m	h m	h m	h m
Oct. 1	18 52	18 44	18 37	18 32	18 29	18 25	18 20	18 16	18 14	18 12	18 10	18 10	18 09	18 10
5	19 00	18 50	18 43	18 37	18 32	18 28	18 21	18 16	18 12	18 09	18 07	18 05	18 04	18 03
9	19 08	18 57	18 48	18 41	18 35	18 30	18 22	18 16	18 11	18 07	18 03	18 00	17 59	17 57
13	19 16	19 03	18 53	18 45	18 39	18 33	18 24	18 16	18 10	18 05	18 00	17 56	17 53	17 51
17	19 25	19 10	18 59	18 50	18 42	18 36	18 25	18 17	18 10	18 03	17 57	17 51	17 48	17 45
21	19 34	19 18	19 05	18 54	18 46	18 39	18 27	18 17	18 09	18 02	17 55	17 47	17 44	17 40
25	19 43	19 25	19 11	18 59	18 50	18 42	18 29	18 18	18 09	18 00	17 52	17 44	17 39	17 34
29	19 53	19 32	19 17	19 04	18 54	18 45	18 30	18 19	18 08	17 59	17 50	17 40	17 35	17 29
Nov. 2	20 02	19 40	19 23	19 09	18 58	18 48	18 33	18 20	18 08	17 58	17 48	17 37	17 31	17 25
6	20 12	19 47	19 29	19 14	19 02	18 52	18 35	18 21	18 09	17 57	17 46	17 34	17 28	17 21
10	20 22	19 55	19 35	19 19	19 06	18 55	18 37	18 22	18 09	17 57	17 45	17 32	17 25	17 17
14	20 32	20 03	19 41	19 24	19 11	18 59	18 40	18 24	18 10	17 57	17 44	17 30	17 22	17 14
18	20 41	20 10	19 47	19 30	19 15	19 02	18 42	18 25	18 11	17 57	17 43	17 28	17 20	17 11
22	20 51	20 18	19 53	19 34	19 19	19 06	18 45	18 27	18 12	17 57	17 43	17 27	17 18	17 09
26	21 00	20 24	19 59	19 39	19 23	19 10	18 47	18 29	18 13	17 58	17 43	17 26	17 17	17 07
30	21 09	20 31	20 04	19 44	19 27	19 13	18 50	18 31	18 15	17 59	17 43	17 26	17 16	17 06
Dec. 4	21 17	20 37	20 09	19 48	19 31	19 17	18 53	18 33	18 16	18 00	17 44	17 26	17 16	17 05
8	21 24	20 42	20 14	19 52	19 35	19 20	18 56	18 36	18 18	18 01	17 45	17 26	17 16	17 05
12	21 30	20 47	20 18	19 56	19 38	19 23	18 58	18 38	18 20	18 03	17 46	17 27	17 17	17 05
16	21 34	20 51	20 21	19 59	19 41	19 25	19 00	18 40	18 22	18 05	17 48	17 29	17 18	17 06
20	21 37	20 54	20 24	20 01	19 43	19 28	19 03	18 42	18 24	18 07	17 49	17 30	17 20	17 08
24	21 39	20 55	20 26	20 03	19 45	19 29	19 05	18 44	18 26	18 09	17 51	17 33	17 22	17 10
28	21 39	20 56	20 27	20 04	19 46	19 31	19 06	18 46	18 28	18 11	17 54	17 35	17 24	17 13
32	21 37	20 56	20 27	20 05	19 47	19 32	19 08	18 47	18 30	18 13	17 56	17 37	17 27	17 16
36	21 35	20 54	20 26	20 05	19 47	19 33	19 09	18 49	18 31	18 15	17 58	17 40	17 30	17 19

UNIVERSAL TIME FOR MERIDIAN OF GREENWICH
MORNING CIVIL TWILIGHT

Lat.	+40°	+42°	+44°	+46°	+48°	+50°	+52°	+54°	+56°	+58°	+60°	+62°	+64°	+66°
	h m	h m	h m	h m	h m	h m	h m	h m	h m	h m	h m	h m	h m	h m
Oct. 1	5 29	5 29	5 29	5 28	5 28	5 27	5 27	5 26	5 26	5 25	5 24	5 22	5 21	5 19
5	5 33	5 33	5 33	5 33	5 34	5 34	5 34	5 34	5 34	5 33	5 33	5 33	5 32	5 32
9	5 37	5 37	5 38	5 39	5 39	5 40	5 40	5 41	5 41	5 42	5 43	5 43	5 44	5 44
13	5 41	5 42	5 43	5 44	5 45	5 46	5 47	5 48	5 49	5 51	5 52	5 54	5 55	5 57
17	5 45	5 46	5 48	5 49	5 51	5 52	5 54	5 55	5 57	5 59	6 01	6 04	6 07	6 10
21	5 49	5 51	5 53	5 54	5 56	5 58	6 00	6 03	6 05	6 08	6 11	6 14	6 18	6 22
25	5 53	5 55	5 57	6 00	6 02	6 05	6 07	6 10	6 13	6 17	6 20	6 25	6 29	6 35
29	5 58	6 00	6 02	6 05	6 08	6 11	6 14	6 17	6 21	6 25	6 30	6 35	6 41	6 47
Nov. 2	6 02	6 05	6 07	6 10	6 14	6 17	6 21	6 25	6 29	6 34	6 39	6 45	6 52	7 00
6	6 06	6 09	6 12	6 16	6 19	6 23	6 27	6 32	6 37	6 42	6 48	6 55	7 03	7 12
10	6 11	6 14	6 17	6 21	6 25	6 29	6 34	6 39	6 45	6 51	6 58	7 05	7 14	7 24
14	6 15	6 19	6 22	6 26	6 31	6 36	6 41	6 46	6 52	6 59	7 06	7 15	7 25	7 36
18	6 19	6 23	6 27	6 32	6 36	6 42	6 47	6 53	7 00	7 07	7 15	7 25	7 35	7 48
22	6 23	6 28	6 32	6 37	6 42	6 47	6 53	7 00	7 07	7 15	7 24	7 34	7 46	8 00
26	6 28	6 32	6 37	6 42	6 47	6 53	6 59	7 06	7 13	7 22	7 31	7 42	7 55	8 10
30	6 32	6 36	6 41	6 46	6 52	6 58	7 05	7 12	7 20	7 29	7 39	7 51	8 04	8 21
Dec. 4	6 35	6 40	6 45	6 51	6 56	7 03	7 10	7 17	7 26	7 35	7 46	7 58	8 12	8 30
8	6 39	6 44	6 49	6 55	7 01	7 07	7 14	7 22	7 31	7 40	7 52	8 04	8 19	8 38
12	6 42	6 47	6 52	6 58	7 04	7 11	7 18	7 26	7 35	7 45	7 57	8 10	8 25	8 44
16	6 45	6 50	6 55	7 01	7 07	7 14	7 22	7 30	7 39	7 49	8 01	8 14	8 30	8 50
20	6 47	6 52	6 58	7 04	7 10	7 17	7 24	7 33	7 42	7 52	8 04	8 17	8 33	8 53
24	6 49	6 54	7 00	7 06	7 12	7 19	7 26	7 34	7 44	7 54	8 06	8 19	8 35	8 55
28	6 51	6 56	7 01	7 07	7 13	7 20	7 27	7 35	7 45	7 55	8 06	8 20	8 36	8 55
32	6 51	6 57	7 02	7 08	7 14	7 20	7 28	7 36	7 44	7 54	8 06	8 19	8 34	8 53
36	6 52	6 57	7 02	7 08	7 14	7 20	7 27	7 35	7 44	7 53	8 04	8 17	8 32	8 50

EVENING CIVIL TWILIGHT

Lat.	+40°	+42°	+44°	+46°	+48°	+50°	+52°	+54°	+56°	+58°	+60°	+62°	+64°	+66°
	h m	h m	h m	h m	h m	h m	h m	h m	h m	h m	h m	h m	h m	h m
Oct. 1	18 10	18 10	18 10	18 10	18 10	18 11	18 11	18 12	18 12	18 13	18 14	18 15	18 17	18 18
5	18 03	18 03	18 03	18 03	18 02	18 02	18 02	18 02	18 02	18 02	18 02	18 02	18 03	18 03
9	17 57	17 56	17 56	17 55	17 54	17 54	17 53	17 53	17 52	17 51	17 51	17 50	17 49	17 48
13	17 51	17 50	17 49	17 48	17 47	17 46	17 45	17 43	17 42	17 41	17 39	17 38	17 36	17 34
17	17 45	17 44	17 42	17 41	17 39	17 38	17 36	17 34	17 32	17 30	17 28	17 26	17 23	17 20
21	17 40	17 38	17 36	17 34	17 32	17 30	17 28	17 26	17 23	17 20	17 17	17 14	17 10	17 06
25	17 34	17 32	17 30	17 28	17 25	17 23	17 20	17 17	17 14	17 11	17 07	17 02	16 58	16 52
29	17 29	17 27	17 24	17 22	17 19	17 16	17 13	17 09	17 05	17 01	16 57	16 52	16 46	16 39
Nov. 2	17 25	17 22	17 19	17 16	17 13	17 09	17 06	17 02	16 57	16 52	16 47	16 41	16 34	16 26
6	17 21	17 18	17 14	17 11	17 07	17 03	16 59	16 55	16 50	16 44	16 38	16 31	16 23	16 14
10	17 17	17 13	17 10	17 06	17 02	16 58	16 53	16 48	16 43	16 36	16 30	16 22	16 13	16 02
14	17 14	17 10	17 06	17 02	16 58	16 53	16 48	16 42	16 36	16 29	16 22	16 13	16 03	15 51
18	17 11	17 07	17 03	16 58	16 53	16 48	16 43	16 37	16 30	16 23	16 14	16 05	15 54	15 41
22	17 09	17 04	17 00	16 55	16 50	16 45	16 39	16 32	16 25	16 17	16 08	15 58	15 46	15 32
26	17 07	17 02	16 58	16 53	16 47	16 41	16 35	16 28	16 21	16 12	16 03	15 52	15 39	15 23
30	17 06	17 01	16 56	16 51	16 45	16 39	16 32	16 25	16 17	16 08	15 58	15 46	15 33	15 16
Dec. 4	17 05	17 00	16 55	16 50	16 44	16 37	16 30	16 23	16 15	16 05	15 54	15 42	15 28	15 10
8	17 05	17 00	16 55	16 49	16 43	16 36	16 29	16 21	16 13	16 03	15 52	15 39	15 24	15 06
12	17 05	17 00	16 55	16 49	16 43	16 36	16 29	16 21	16 12	16 02	15 51	15 37	15 22	15 03
16	17 06	17 01	16 56	16 50	16 44	16 37	16 30	16 21	16 12	16 02	15 51	15 37	15 21	15 02
20	17 08	17 03	16 57	16 52	16 45	16 38	16 31	16 23	16 14	16 03	15 52	15 38	15 22	15 02
24	17 10	17 05	16 59	16 54	16 47	16 40	16 33	16 25	16 16	16 05	15 54	15 40	15 24	15 04
28	17 13	17 08	17 02	16 56	16 50	16 43	16 36	16 28	16 19	16 09	15 57	15 44	15 28	15 08
32	17 16	17 11	17 05	17 00	16 53	16 47	16 40	16 32	16 23	16 13	16 02	15 48	15 33	15 14
36	17 19	17 14	17 09	17 03	16 57	16 51	16 44	16 36	16 27	16 18	16 07	15 54	15 39	15 21

NAUTICAL TWILIGHT, 1985

UNIVERSAL TIME FOR MERIDIAN OF GREENWICH
BEGINNING NAUTICAL TWILIGHT

Lat.	−55°	−50°	−45°	−40°	−35°	−30°	−20°	−10°	0°	+10°	+20°	+30°	+35°	+40°
	h m	h m	h m	h m	h m	h m	h m	h m	h m	h m	h m	h m	h m	h m
Jan. −2	// //	2 03	2 48	3 18	3 41	4 00	4 29	4 51	5 10	5 27	5 43	5 59	6 08	6 17
2	0 18	2 09	2 52	3 22	3 44	4 03	4 31	4 53	5 12	5 28	5 44	6 00	6 09	6 18
6	0 46	2 15	2 57	3 26	3 48	4 06	4 34	4 56	5 14	5 30	5 45	6 01	6 09	6 18
10	1 06	2 23	3 03	3 31	3 52	4 10	4 37	4 58	5 16	5 31	5 46	6 02	6 09	6 18
14	1 24	2 32	3 09	3 36	3 57	4 13	4 40	5 00	5 17	5 33	5 47	6 02	6 09	6 17
18	1 41	2 41	3 16	3 42	4 01	4 17	4 43	5 03	5 19	5 34	5 47	6 01	6 08	6 16
22	1 56	2 50	3 23	3 47	4 06	4 22	4 46	5 05	5 21	5 34	5 48	6 00	6 07	6 14
26	2 12	3 00	3 30	3 53	4 11	4 26	4 49	5 07	5 22	5 35	5 47	5 59	6 06	6 12
30	2 26	3 09	3 38	3 59	4 16	4 30	4 52	5 09	5 23	5 35	5 47	5 58	6 03	6 09
Feb. 3	2 40	3 19	3 45	4 05	4 21	4 34	4 55	5 11	5 24	5 35	5 46	5 56	6 01	6 06
7	2 53	3 28	3 53	4 11	4 26	4 38	4 57	5 12	5 24	5 35	5 44	5 53	5 58	6 02
11	3 06	3 38	4 00	4 17	4 31	4 42	5 00	5 14	5 25	5 34	5 43	5 51	5 54	5 58
15	3 18	3 47	4 07	4 23	4 35	4 46	5 02	5 15	5 25	5 33	5 41	5 48	5 51	5 54
19	3 30	3 55	4 14	4 28	4 40	4 49	5 04	5 16	5 25	5 32	5 39	5 44	5 47	5 49
23	3 41	4 04	4 21	4 34	4 44	4 53	5 07	5 17	5 25	5 31	5 36	5 40	5 42	5 44
27	3 52	4 12	4 27	4 39	4 49	4 56	5 08	5 17	5 24	5 30	5 34	5 36	5 37	5 38
Mar. 3	4 02	4 20	4 34	4 44	4 53	5 00	5 10	5 18	5 24	5 28	5 31	5 32	5 32	5 32
7	4 12	4 28	4 40	4 49	4 57	5 03	5 12	5 18	5 23	5 26	5 28	5 28	5 27	5 26
11	4 21	4 35	4 46	4 54	5 00	5 05	5 13	5 19	5 22	5 24	5 24	5 23	5 22	5 20
15	4 31	4 42	4 51	4 58	5 04	5 08	5 15	5 19	5 21	5 22	5 21	5 19	5 16	5 13
19	4 39	4 49	4 57	5 03	5 07	5 11	5 16	5 19	5 20	5 20	5 18	5 14	5 11	5 07
23	4 48	4 56	5 02	5 07	5 11	5 14	5 17	5 19	5 19	5 17	5 14	5 09	5 05	5 00
27	4 56	5 03	5 08	5 11	5 14	5 16	5 18	5 19	5 17	5 15	5 10	5 04	4 59	4 53
31	5 04	5 09	5 13	5 15	5 17	5 18	5 19	5 18	5 16	5 12	5 07	4 59	4 53	4 47
Apr. 4	5 12	5 15	5 18	5 19	5 20	5 21	5 20	5 18	5 15	5 10	5 03	4 54	4 47	4 40

ENDING NAUTICAL TWILIGHT

Lat.	−55°	−50°	−45°	−40°	−35°	−30°	−20°	−10°	0°	+10°	+20°	+30°	+35°	+40°
	h m	h m	h m	h m	h m	h m	h m	h m	h m	h m	h m	h m	h m	h m
Jan. −2	// //	22 01	21 16	20 46	20 23	20 05	19 36	19 13	18 55	18 38	18 22	18 06	17 57	17 48
2	23 42	21 59	21 15	20 46	20 23	20 05	19 37	19 15	18 56	18 40	18 24	18 08	18 00	17 51
6	23 21	21 55	21 14	20 45	20 23	20 06	19 38	19 16	18 58	18 42	18 26	18 11	18 03	17 54
10	23 05	21 51	21 11	20 44	20 22	20 05	19 38	19 17	18 59	18 44	18 29	18 14	18 06	17 57
14	22 51	21 45	21 08	20 42	20 21	20 04	19 38	19 18	19 01	18 46	18 31	18 17	18 09	18 01
18	22 37	21 39	21 04	20 39	20 19	20 03	19 38	19 18	19 02	18 47	18 34	18 20	18 13	18 05
22	22 24	21 32	20 59	20 35	20 17	20 01	19 37	19 18	19 03	18 49	18 36	18 23	18 16	18 09
26	22 11	21 24	20 54	20 31	20 13	19 59	19 36	19 18	19 03	18 50	18 38	18 26	18 20	18 14
30	21 58	21 16	20 48	20 27	20 10	19 56	19 35	19 18	19 04	18 52	18 40	18 29	18 24	18 18
Feb. 3	21 45	21 07	20 41	20 22	20 06	19 53	19 33	19 17	19 04	18 53	18 42	18 32	18 27	18 22
7	21 32	20 58	20 35	20 16	20 02	19 50	19 31	19 16	19 04	18 54	18 44	18 35	18 31	18 27
11	21 20	20 49	20 27	20 11	19 57	19 46	19 28	19 15	19 04	18 54	18 46	18 38	18 35	18 31
15	21 08	20 40	20 20	20 05	19 52	19 42	19 26	19 13	19 03	18 55	18 48	18 41	18 38	18 35
19	20 56	20 31	20 13	19 58	19 47	19 38	19 23	19 12	19 03	18 55	18 49	18 44	18 42	18 40
23	20 44	20 21	20 05	19 52	19 42	19 33	19 20	19 10	19 02	18 56	18 51	18 47	18 45	18 44
27	20 32	20 12	19 57	19 46	19 36	19 29	19 17	19 08	19 01	18 56	18 52	18 50	18 49	18 48
Mar. 3	20 20	20 02	19 49	19 39	19 31	19 24	19 13	19 06	19 00	18 56	18 54	18 52	18 52	18 52
7	20 08	19 53	19 41	19 32	19 25	19 19	19 10	19 04	18 59	18 56	18 55	18 55	18 55	18 57
11	19 57	19 43	19 33	19 25	19 19	19 14	19 06	19 01	18 58	18 56	18 56	18 57	18 59	19 01
15	19 46	19 34	19 25	19 19	19 13	19 09	19 03	18 59	18 57	18 56	18 57	19 00	19 02	19 05
19	19 35	19 25	19 18	19 12	19 08	19 04	18 59	18 57	18 56	18 56	18 58	19 02	19 06	19 10
23	19 24	19 16	19 10	19 05	19 02	18 59	18 56	18 54	18 55	18 56	19 00	19 05	19 09	19 14
27	19 13	19 07	19 02	18 59	18 56	18 54	18 52	18 52	18 53	18 56	19 01	19 08	19 12	19 18
31	19 03	18 58	18 55	18 52	18 51	18 50	18 49	18 50	18 52	18 56	19 02	19 10	19 16	19 23
Apr. 4	18 53	18 50	18 47	18 46	18 45	18 45	18 46	18 48	18 51	18 56	19 03	19 13	19 19	19 27

The symbols (*) and (/) indicate Sun continuously above horizon and continuous twilight, respectively.

UNIVERSAL TIME FOR MERIDIAN OF GREENWICH
BEGINNING NAUTICAL TWILIGHT

Lat.	+40°	+42°	+44°	+46°	+48°	+50°	+52°	+54°	+56°	+58°	+60°	+62°	+64°	+66°
	h m	h m	h m	h m	h m	h m	h m	h m	h m	h m	h m	h m	h m	h m
Jan. −2	6 17	6 21	6 25	6 29	6 34	6 39	6 44	6 50	6 56	7 02	7 10	7 18	7 27	7 38
2	6 18	6 22	6 26	6 30	6 34	6 39	6 44	6 50	6 56	7 02	7 09	7 17	7 26	7 37
6	6 18	6 22	6 26	6 30	6 34	6 39	6 44	6 49	6 55	7 01	7 08	7 16	7 24	7 34
10	6 18	6 22	6 25	6 29	6 33	6 38	6 42	6 47	6 53	6 59	7 05	7 13	7 21	7 30
14	6 17	6 21	6 24	6 28	6 32	6 36	6 40	6 45	6 50	6 56	7 02	7 09	7 17	7 25
18	6 16	6 19	6 23	6 26	6 30	6 34	6 38	6 42	6 47	6 52	6 58	7 04	7 11	7 19
22	6 14	6 17	6 20	6 24	6 27	6 31	6 34	6 38	6 43	6 47	6 53	6 58	7 05	7 12
26	6 12	6 15	6 18	6 21	6 24	6 27	6 30	6 34	6 38	6 42	6 47	6 52	6 57	7 04
30	6 09	6 12	6 14	6 17	6 20	6 22	6 25	6 29	6 32	6 36	6 40	6 44	6 49	6 54
Feb. 3	6 06	6 08	6 10	6 13	6 15	6 18	6 20	6 23	6 26	6 29	6 32	6 36	6 40	6 44
7	6 02	6 04	6 06	6 08	6 10	6 12	6 14	6 16	6 19	6 21	6 24	6 27	6 30	6 34
11	5 58	6 00	6 01	6 03	6 04	6 06	6 08	6 10	6 11	6 13	6 15	6 17	6 20	6 22
15	5 54	5 55	5 56	5 57	5 58	6 00	6 01	6 02	6 03	6 05	6 06	6 07	6 09	6 10
19	5 49	5 50	5 50	5 51	5 52	5 53	5 53	5 54	5 55	5 55	5 56	5 56	5 57	5 57
23	5 44	5 44	5 45	5 45	5 45	5 46	5 46	5 46	5 46	5 46	5 45	5 45	5 45	5 44
27	5 38	5 38	5 38	5 38	5 38	5 38	5 38	5 37	5 36	5 36	5 35	5 33	5 32	5 30
Mar. 3	5 32	5 32	5 32	5 31	5 31	5 30	5 29	5 28	5 27	5 25	5 23	5 21	5 18	5 15
7	5 26	5 26	5 25	5 24	5 23	5 22	5 20	5 19	5 17	5 14	5 12	5 08	5 05	5 00
11	5 20	5 19	5 18	5 16	5 15	5 13	5 11	5 09	5 06	5 03	4 59	4 55	4 50	4 44
15	5 13	5 12	5 10	5 09	5 07	5 04	5 02	4 59	4 55	4 51	4 47	4 42	4 35	4 28
19	5 07	5 05	5 03	5 01	4 58	4 55	4 52	4 48	4 44	4 40	4 34	4 28	4 20	4 11
23	5 00	4 58	4 55	4 53	4 50	4 46	4 42	4 38	4 33	4 27	4 21	4 13	4 04	3 53
27	4 53	4 51	4 48	4 45	4 41	4 37	4 32	4 27	4 21	4 15	4 07	3 58	3 48	3 35
31	4 47	4 43	4 40	4 36	4 32	4 27	4 22	4 16	4 10	4 02	3 53	3 43	3 30	3 15
Apr. 4	4 40	4 36	4 32	4 28	4 23	4 18	4 12	4 05	3 58	3 49	3 39	3 27	3 12	2 54

ENDING NAUTICAL TWILIGHT

Lat.	+40°	+42°	+44°	+46°	+48°	+50°	+52°	+54°	+56°	+58°	+60°	+62°	+64°	+66°
	h m	h m	h m	h m	h m	h m	h m	h m	h m	h m	h m	h m	h m	h m
Jan. −2	17 48	17 44	17 40	17 35	17 31	17 26	17 21	17 15	17 09	17 02	16 55	16 47	16 37	16 26
2	17 51	17 47	17 43	17 38	17 34	17 29	17 24	17 19	17 13	17 06	16 59	16 51	16 42	16 32
6	17 54	17 50	17 46	17 42	17 38	17 33	17 28	17 23	17 17	17 11	17 04	16 57	16 48	16 38
10	17 57	17 54	17 50	17 46	17 42	17 38	17 33	17 28	17 23	17 17	17 10	17 03	16 55	16 45
14	18 01	17 58	17 54	17 51	17 47	17 43	17 38	17 34	17 28	17 23	17 17	17 10	17 02	16 54
18	18 05	18 02	17 59	17 55	17 52	17 48	17 44	17 39	17 35	17 30	17 24	17 18	17 11	17 03
22	18 09	18 06	18 03	18 00	17 57	17 53	17 50	17 46	17 41	17 37	17 32	17 26	17 20	17 12
26	18 14	18 11	18 08	18 05	18 02	17 59	17 56	17 52	17 48	17 44	17 40	17 35	17 29	17 23
30	18 18	18 15	18 13	18 10	18 08	18 05	18 02	17 59	17 55	17 52	17 48	17 44	17 39	17 33
Feb. 3	18 22	18 20	18 18	18 16	18 13	18 11	18 08	18 06	18 03	18 00	17 57	17 53	17 49	17 45
7	18 27	18 25	18 23	18 21	18 19	18 17	18 15	18 13	18 10	18 08	18 05	18 03	18 00	17 56
11	18 31	18 29	18 28	18 26	18 25	18 23	18 22	18 20	18 18	18 16	18 14	18 12	18 10	18 08
15	18 35	18 34	18 33	18 32	18 31	18 30	18 28	18 27	18 26	18 25	18 24	18 23	18 21	18 20
19	18 40	18 39	18 38	18 37	18 37	18 36	18 35	18 35	18 34	18 34	18 33	18 33	18 32	18 32
23	18 44	18 43	18 43	18 43	18 42	18 42	18 42	18 42	18 42	18 42	18 43	18 43	18 44	18 45
27	18 48	18 48	18 48	18 48	18 48	18 49	18 49	18 50	18 50	18 51	18 52	18 54	18 56	18 58
Mar. 3	18 52	18 53	18 53	18 54	18 54	18 55	18 56	18 57	18 59	19 00	19 02	19 05	19 07	19 11
7	18 57	18 57	18 58	18 59	19 00	19 02	19 03	19 05	19 07	19 09	19 12	19 16	19 19	19 24
11	19 01	19 02	19 03	19 05	19 06	19 08	19 10	19 13	19 15	19 19	19 22	19 27	19 32	19 38
15	19 05	19 07	19 08	19 10	19 12	19 15	19 17	19 21	19 24	19 28	19 33	19 38	19 45	19 52
19	19 10	19 11	19 14	19 16	19 19	19 21	19 25	19 29	19 33	19 38	19 43	19 50	19 58	20 07
23	19 14	19 16	19 19	19 22	19 25	19 28	19 32	19 37	19 42	19 48	19 54	20 02	20 12	20 23
27	19 18	19 21	19 24	19 27	19 31	19 35	19 40	19 45	19 51	19 58	20 06	20 15	20 26	20 39
31	19 23	19 26	19 29	19 33	19 38	19 42	19 48	19 54	20 00	20 08	20 17	20 28	20 41	20 57
Apr. 4	19 27	19 31	19 35	19 39	19 44	19 49	19 56	20 02	20 10	20 19	20 30	20 42	20 57	21 16

UNIVERSAL TIME FOR MERIDIAN OF GREENWICH
BEGINNING NAUTICAL TWILIGHT

Lat.	−55°	−50°	−45°	−40°	−35°	−30°	−20°	−10°	0°	+10°	+20°	+30°	+35°	+40°
	h m	h m	h m	h m	h m	h m	h m	h m	h m	h m	h m	h m	h m	h m
Mar. 31	5 04	5 09	5 13	5 15	5 17	5 18	5 19	5 18	5 16	5 12	5 07	4 59	4 53	4 47
Apr. 4	5 12	5 15	5 18	5 19	5 20	5 21	5 20	5 18	5 15	5 10	5 03	4 54	4 47	4 40
8	5 19	5 21	5 23	5 23	5 23	5 23	5 21	5 18	5 14	5 08	5 00	4 49	4 41	4 33
12	5 27	5 27	5 28	5 27	5 26	5 25	5 22	5 18	5 12	5 05	4 56	4 44	4 36	4 26
16	5 34	5 33	5 32	5 31	5 29	5 27	5 23	5 18	5 11	5 03	4 53	4 39	4 30	4 19
20	5 41	5 39	5 37	5 35	5 32	5 30	5 24	5 18	5 10	5 01	4 49	4 34	4 24	4 13
24	5 48	5 44	5 41	5 38	5 35	5 32	5 25	5 18	5 09	4 59	4 46	4 29	4 19	4 06
28	5 54	5 50	5 46	5 42	5 38	5 34	5 26	5 18	5 08	4 57	4 43	4 25	4 14	4 00
May 2	6 01	5 55	5 50	5 45	5 41	5 36	5 27	5 18	5 07	4 55	4 40	4 21	4 09	3 54
6	6 07	6 00	5 54	5 49	5 44	5 38	5 28	5 18	5 07	4 53	4 37	4 17	4 04	3 48
10	6 13	6 05	5 58	5 52	5 46	5 41	5 30	5 18	5 06	4 52	4 35	4 13	3 59	3 43
14	6 19	6 10	6 02	5 55	5 49	5 43	5 31	5 19	5 06	4 51	4 33	4 10	3 55	3 38
18	6 25	6 15	6 06	5 59	5 52	5 45	5 32	5 19	5 05	4 50	4 31	4 07	3 52	3 33
22	6 30	6 19	6 10	6 02	5 54	5 47	5 33	5 20	5 05	4 49	4 29	4 04	3 48	3 29
26	6 35	6 23	6 13	6 05	5 57	5 49	5 35	5 21	5 05	4 48	4 28	4 02	3 46	3 25
30	6 39	6 27	6 16	6 07	5 59	5 51	5 36	5 21	5 06	4 48	4 27	4 00	3 43	3 22
June 3	6 43	6 30	6 19	6 10	6 01	5 53	5 37	5 22	5 06	4 48	4 27	3 59	3 41	3 20
7	6 46	6 33	6 22	6 12	6 03	5 55	5 39	5 23	5 07	4 48	4 26	3 58	3 40	3 18
11	6 49	6 36	6 24	6 14	6 05	5 56	5 40	5 24	5 07	4 49	4 26	3 58	3 39	3 17
15	6 51	6 37	6 26	6 15	6 06	5 57	5 41	5 25	5 08	4 49	4 27	3 58	3 39	3 16
19	6 53	6 39	6 27	6 17	6 07	5 59	5 42	5 26	5 09	4 50	4 27	3 58	3 39	3 16
23	6 54	6 40	6 28	6 18	6 08	5 59	5 43	5 27	5 10	4 51	4 28	3 59	3 40	3 17
27	6 54	6 40	6 28	6 18	6 09	6 00	5 44	5 28	5 11	4 52	4 29	4 00	3 42	3 18
July 1	6 53	6 40	6 28	6 18	6 09	6 00	5 44	5 28	5 11	4 53	4 30	4 02	3 43	3 21
5	6 52	6 39	6 28	6 18	6 09	6 00	5 44	5 29	5 12	4 54	4 32	4 04	3 46	3 23

ENDING NAUTICAL TWILIGHT

Lat.	−55°	−50°	−45°	−40°	−35°	−30°	−20°	−10°	0°	+10°	+20°	+30°	+35°	+40°
	h m	h m	h m	h m	h m	h m	h m	h m	h m	h m	h m	h m	h m	h m
Mar. 31	19 03	18 58	18 55	18 52	18 51	18 50	18 49	18 50	18 52	18 56	19 02	19 10	19 16	19 23
Apr. 4	18 53	18 50	18 47	18 46	18 45	18 45	18 46	18 48	18 51	18 56	19 03	19 13	19 19	19 27
8	18 43	18 41	18 40	18 40	18 40	18 40	18 42	18 46	18 50	18 56	19 05	19 16	19 23	19 32
12	18 34	18 33	18 33	18 34	18 35	18 36	18 39	18 44	18 49	18 57	19 06	19 19	19 27	19 36
16	18 25	18 26	18 27	18 28	18 30	18 32	18 36	18 42	18 49	18 57	19 07	19 21	19 30	19 41
20	18 16	18 18	18 20	18 23	18 25	18 28	18 34	18 40	18 48	18 57	19 09	19 24	19 34	19 46
24	18 08	18 11	18 14	18 17	18 21	18 24	18 31	18 39	18 47	18 58	19 11	19 27	19 38	19 51
28	18 00	18 04	18 09	18 13	18 17	18 21	18 29	18 37	18 47	18 58	19 12	19 31	19 42	19 56
May 2	17 52	17 58	18 03	18 08	18 13	18 17	18 26	18 36	18 47	18 59	19 14	19 34	19 46	20 01
6	17 45	17 52	17 58	18 04	18 09	18 14	18 25	18 35	18 47	19 00	19 16	19 37	19 50	20 06
10	17 39	17 47	17 54	18 00	18 06	18 12	18 23	18 34	18 47	19 01	19 18	19 40	19 54	20 11
14	17 33	17 42	17 50	17 57	18 03	18 09	18 22	18 34	18 47	19 02	19 20	19 43	19 58	20 16
18	17 28	17 38	17 46	17 54	18 01	18 08	18 20	18 33	18 47	19 03	19 22	19 46	20 02	20 21
22	17 23	17 34	17 43	17 51	17 59	18 06	18 20	18 33	18 48	19 04	19 24	19 49	20 05	20 25
26	17 19	17 30	17 40	17 49	17 57	18 05	18 19	18 33	18 49	19 06	19 26	19 52	20 09	20 29
30	17 16	17 28	17 38	17 47	17 56	18 04	18 19	18 34	18 49	19 07	19 28	19 55	20 12	20 33
June 3	17 13	17 26	17 37	17 46	17 55	18 03	18 19	18 34	18 50	19 08	19 30	19 57	20 15	20 37
7	17 11	17 24	17 36	17 45	17 54	18 03	18 19	18 34	18 51	19 09	19 31	20 00	20 18	20 40
11	17 10	17 23	17 35	17 45	17 54	18 03	18 19	18 35	18 52	19 11	19 33	20 02	20 20	20 43
15	17 09	17 23	17 35	17 45	17 55	18 03	18 20	18 36	18 53	19 12	19 34	20 03	20 22	20 45
19	17 10	17 24	17 35	17 46	17 55	18 04	18 20	18 37	18 54	19 13	19 35	20 05	20 23	20 46
23	17 10	17 24	17 36	17 47	17 56	18 05	18 21	18 38	18 55	19 14	19 36	20 05	20 24	20 47
27	17 12	17 26	17 38	17 48	17 57	18 06	18 22	18 38	18 55	19 14	19 37	20 06	20 24	20 47
July 1	17 14	17 28	17 39	17 49	17 59	18 07	18 23	18 39	18 56	19 15	19 37	20 06	20 24	20 47
5	17 17	17 30	17 42	17 51	18 00	18 09	18 25	18 40	18 57	19 15	19 37	20 05	20 23	20 45

UNIVERSAL TIME FOR MERIDIAN OF GREENWICH
BEGINNING NAUTICAL TWILIGHT

Lat.	+40°	+42°	+44°	+46°	+48°	+50°	+52°	+54°	+56°	+58°	+60°	+62°	+64°	+66°
	h m	h m	h m	h m	h m	h m	h m	h m	h m	h m	h m	h m	h m	h m
Mar. 31	4 47	4 43	4 40	4 36	4 32	4 27	4 22	4 16	4 10	4 02	3 53	3 43	3 30	3 15
Apr. 4	4 40	4 36	4 32	4 28	4 23	4 18	4 12	4 05	3 58	3 49	3 39	3 27	3 12	2 54
8	4 33	4 29	4 24	4 20	4 14	4 08	4 02	3 54	3 45	3 36	3 24	3 10	2 53	2 31
12	4 26	4 22	4 17	4 11	4 05	3 59	3 51	3 43	3 33	3 22	3 08	2 52	2 32	2 05
16	4 19	4 14	4 09	4 03	3 56	3 49	3 41	3 31	3 20	3 08	2 52	2 34	2 09	1 34
20	4 13	4 07	4 01	3 55	3 48	3 39	3 30	3 20	3 08	2 53	2 36	2 13	1 43	0 49
24	4 06	4 00	3 54	3 47	3 39	3 30	3 20	3 08	2 54	2 38	2 18	1 51	1 10	// //
28	4 00	3 54	3 47	3 39	3 30	3 20	3 09	2 56	2 41	2 23	1 59	1 25	// //	// //
May 2	3 54	3 47	3 39	3 31	3 22	3 11	2 59	2 45	2 28	2 06	1 37	0 49	// //	// //
6	3 48	3 41	3 33	3 24	3 14	3 02	2 49	2 33	2 14	1 49	1 12	// //	// //	// //
10	3 43	3 35	3 26	3 17	3 06	2 53	2 39	2 21	1 59	1 30	0 37	// //	// //	// //
14	3 38	3 29	3 20	3 10	2 58	2 45	2 29	2 09	1 44	1 08	// //	// //	// //	// //
18	3 33	3 24	3 14	3 04	2 51	2 37	2 19	1 58	1 29	0 39	// //	// //	// //	// //
22	3 29	3 20	3 09	2 58	2 44	2 29	2 10	1 46	1 12	// //	// //	// //	// //	// //
26	3 25	3 16	3 05	2 53	2 39	2 22	2 02	1 35	0 53	// //	// //	// //	// //	// //
30	3 22	3 12	3 01	2 48	2 33	2 16	1 54	1 24	0 28	// //	// //	// //	// //	// //
June 3	3 20	3 09	2 58	2 44	2 29	2 10	1 47	1 13	// //	// //	// //	// //	// //	// //
7	3 18	3 07	2 55	2 41	2 25	2 06	1 41	1 04	// //	// //	// //	// //	// //	// //
11	3 17	3 06	2 53	2 39	2 23	2 03	1 36	0 55	// //	// //	// //	// //	// //	// //
15	3 16	3 05	2 53	2 38	2 21	2 01	1 33	0 49	// //	// //	// //	// //	// //	** **
19	3 16	3 05	2 53	2 38	2 21	2 00	1 32	0 45	// //	// //	// //	// //	// //	** **
23	3 17	3 06	2 53	2 39	2 22	2 01	1 33	0 45	// //	// //	// //	// //	// //	** **
27	3 18	3 07	2 55	2 41	2 24	2 03	1 35	0 50	// //	// //	// //	// //	// //	** **
July 1	3 21	3 10	2 57	2 43	2 27	2 06	1 40	0 58	// //	// //	// //	// //	// //	// //
5	3 23	3 12	3 00	2 47	2 30	2 11	1 45	1 07	// //	// //	// //	// //	// //	// //

ENDING NAUTICAL TWILIGHT

Lat.	+40°	+42°	+44°	+46°	+48°	+50°	+52°	+54°	+56°	+58°	+60°	+62°	+64°	+66°
	h m	h m	h m	h m	h m	h m	h m	h m	h m	h m	h m	h m	h m	h m
Mar. 31	19 23	19 26	19 29	19 33	19 38	19 42	19 48	19 54	20 00	20 08	20 17	20 28	20 41	20 57
Apr. 4	19 27	19 31	19 35	19 39	19 44	19 49	19 56	20 02	20 10	20 19	20 30	20 42	20 57	21 16
8	19 32	19 36	19 40	19 45	19 51	19 57	20 04	20 11	20 20	20 30	20 42	20 57	21 15	21 38
12	19 36	19 41	19 46	19 51	19 58	20 04	20 12	20 21	20 31	20 42	20 56	21 13	21 34	22 02
16	19 41	19 46	19 52	19 58	20 05	20 12	20 21	20 30	20 41	20 54	21 10	21 30	21 55	22 34
20	19 46	19 52	19 58	20 04	20 12	20 20	20 29	20 40	20 53	21 07	21 25	21 49	22 21	23 26
24	19 51	19 57	20 04	20 11	20 19	20 28	20 38	20 50	21 04	21 21	21 42	22 10	22 56	// //
28	19 56	20 02	20 10	20 17	20 26	20 36	20 47	21 01	21 16	21 36	22 00	22 37	// //	// //
May 2	20 01	20 08	20 16	20 24	20 34	20 44	20 57	21 11	21 29	21 51	22 21	23 16	// //	// //
6	20 06	20 13	20 22	20 31	20 41	20 53	21 06	21 23	21 42	22 08	22 47	// //	// //	// //
10	20 11	20 19	20 28	20 37	20 48	21 01	21 16	21 34	21 56	22 27	23 29	// //	// //	// //
14	20 16	20 24	20 33	20 44	20 56	21 10	21 26	21 46	22 11	22 50	// //	// //	// //	// //
18	20 21	20 29	20 39	20 50	21 03	21 18	21 35	21 57	22 27	23 24	// //	// //	// //	// //
22	20 25	20 34	20 45	20 57	21 10	21 26	21 45	22 09	22 45	// //	// //	// //	// //	// //
26	20 29	20 39	20 50	21 02	21 17	21 33	21 54	22 22	23 06	// //	// //	// //	// //	// //
30	20 33	20 44	20 55	21 08	21 23	21 41	22 03	22 34	23 37	// //	// //	// //	// //	// //
June 3	20 37	20 47	20 59	21 13	21 28	21 47	22 11	22 45	// //	// //	// //	// //	// //	// //
7	20 40	20 51	21 03	21 17	21 33	21 53	22 18	22 56	// //	// //	// //	// //	// //	// //
11	20 43	20 54	21 06	21 20	21 37	21 57	22 24	23 06	// //	// //	// //	// //	// //	// //
15	20 45	20 56	21 08	21 23	21 40	22 01	22 28	23 14	// //	// //	// //	// //	// //	** **
19	20 46	20 58	21 10	21 25	21 42	22 03	22 31	23 18	// //	// //	// //	// //	// //	** **
23	20 47	20 58	21 11	21 25	21 42	22 03	22 31	23 18	// //	// //	// //	// //	// //	** **
27	20 47	20 58	21 11	21 25	21 42	22 03	22 30	23 15	// //	// //	// //	// //	// //	** **
July 1	20 47	20 58	21 10	21 24	21 41	22 01	22 27	23 08	// //	// //	// //	// //	// //	// //
5	20 45	20 56	21 08	21 22	21 38	21 57	22 22	22 59	// //	// //	// //	// //	// //	// //

The symbols (*) and (/) indicate Sun continuously above horizon and continuous twilight, respectively.

NAUTICAL TWILIGHT, 1985

UNIVERSAL TIME FOR MERIDIAN OF GREENWICH
BEGINNING NAUTICAL TWILIGHT

Lat.	−55°	−50°	−45°	−40°	−35°	−30°	−20°	−10°	0°	+10°	+20°	+30°	+35°	+40°
	h m	h m	h m	h m	h m	h m	h m	h m	h m	h m	h m	h m	h m	h m
July 1	6 53	6 40	6 28	6 18	6 09	6 00	5 44	5 28	5 11	4 53	4 30	4 02	3 43	3 21
5	6 52	6 39	6 28	6 18	6 09	6 00	5 44	5 29	5 12	4 54	4 32	4 04	3 46	3 23
9	6 50	6 37	6 27	6 17	6 08	6 00	5 45	5 29	5 13	4 55	4 34	4 06	3 48	3 26
13	6 48	6 35	6 25	6 16	6 07	5 59	5 44	5 30	5 14	4 56	4 35	4 08	3 51	3 30
17	6 44	6 33	6 23	6 14	6 06	5 58	5 44	5 30	5 15	4 57	4 37	4 11	3 54	3 34
21	6 40	6 29	6 20	6 12	6 04	5 57	5 43	5 30	5 15	4 59	4 39	4 14	3 58	3 38
25	6 35	6 25	6 17	6 09	6 02	5 55	5 42	5 29	5 15	5 00	4 41	4 17	4 01	3 42
29	6 30	6 21	6 13	6 06	6 00	5 53	5 41	5 29	5 16	5 01	4 43	4 20	4 05	3 47
Aug. 2	6 24	6 16	6 09	6 03	5 57	5 51	5 40	5 28	5 16	5 02	4 44	4 22	4 09	3 52
6	6 17	6 10	6 04	5 59	5 53	5 48	5 38	5 27	5 16	5 02	4 46	4 25	4 12	3 56
10	6 10	6 05	5 59	5 54	5 50	5 45	5 36	5 26	5 15	5 03	4 48	4 28	4 16	4 01
14	6 03	5 58	5 54	5 50	5 46	5 42	5 34	5 25	5 15	5 04	4 50	4 31	4 20	4 06
18	5 55	5 51	5 48	5 45	5 41	5 38	5 31	5 23	5 15	5 04	4 51	4 34	4 24	4 11
22	5 46	5 44	5 42	5 40	5 37	5 34	5 28	5 22	5 14	5 04	4 53	4 37	4 27	4 15
26	5 38	5 37	5 35	5 34	5 32	5 30	5 26	5 20	5 13	5 05	4 54	4 40	4 31	4 20
30	5 28	5 29	5 29	5 28	5 27	5 26	5 22	5 18	5 12	5 05	4 55	4 42	4 34	4 24
Sept 3	5 19	5 21	5 22	5 22	5 22	5 21	5 19	5 16	5 11	5 05	4 56	4 45	4 38	4 29
7	5 09	5 12	5 15	5 16	5 16	5 17	5 16	5 13	5 10	5 05	4 57	4 48	4 41	4 33
11	4 59	5 04	5 07	5 09	5 11	5 12	5 12	5 11	5 09	5 04	4 59	4 50	4 44	4 37
15	4 49	4 55	5 00	5 03	5 05	5 07	5 09	5 09	5 07	5 04	5 00	4 52	4 47	4 41
19	4 38	4 46	4 52	4 56	4 59	5 02	5 05	5 06	5 06	5 04	5 00	4 55	4 51	4 46
23	4 27	4 37	4 44	4 49	4 54	4 57	5 01	5 04	5 04	5 04	5 01	4 57	4 54	4 50
27	4 16	4 27	4 36	4 42	4 48	4 52	4 58	5 01	5 03	5 03	5 02	4 59	4 57	4 54
Oct. 1	4 05	4 18	4 28	4 36	4 42	4 47	4 54	4 59	5 02	5 03	5 03	5 02	5 00	4 58
5	3 54	4 09	4 20	4 29	4 36	4 41	4 50	4 56	5 00	5 03	5 04	5 04	5 03	5 02

ENDING NAUTICAL TWILIGHT

Lat.	−55°	−50°	−45°	−40°	−35°	−30°	−20°	−10°	0°	+10°	+20°	+30°	+35°	+40°
	h m	h m	h m	h m	h m	h m	h m	h m	h m	h m	h m	h m	h m	h m
July 1	17 14	17 28	17 39	17 49	17 59	18 07	18 23	18 39	18 56	19 15	19 37	20 06	20 24	20 47
5	17 17	17 30	17 42	17 51	18 00	18 09	18 25	18 40	18 57	19 15	19 37	20 05	20 23	20 45
9	17 20	17 33	17 44	17 54	18 02	18 10	18 26	18 41	18 57	19 15	19 37	20 04	20 22	20 44
13	17 24	17 36	17 47	17 56	18 04	18 12	18 27	18 42	18 57	19 16	19 36	20 03	20 20	20 41
17	17 29	17 40	17 50	17 59	18 06	18 14	18 28	18 43	18 58	19 15	19 35	20 01	20 17	20 38
21	17 33	17 44	17 53	18 01	18 09	18 16	18 30	18 43	18 58	19 14	19 34	19 59	20 15	20 34
25	17 38	17 48	17 57	18 04	18 11	18 18	18 31	18 44	18 57	19 13	19 32	19 56	20 11	20 30
29	17 44	17 53	18 00	18 07	18 14	18 20	18 32	18 44	18 57	19 12	19 30	19 53	20 07	20 25
Aug. 2	17 49	17 57	18 04	18 10	18 16	18 22	18 33	18 44	18 57	19 11	19 28	19 49	20 03	20 20
6	17 55	18 02	18 08	18 13	18 19	18 24	18 34	18 44	18 56	19 09	19 25	19 46	19 59	20 14
10	18 01	18 07	18 12	18 17	18 21	18 26	18 35	18 45	18 55	19 07	19 22	19 42	19 54	20 09
14	18 07	18 12	18 16	18 20	18 24	18 28	18 36	18 44	18 54	19 05	19 19	19 37	19 49	20 03
18	18 14	18 17	18 20	18 23	18 27	18 30	18 37	18 44	18 53	19 03	19 16	19 33	19 43	19 56
22	18 20	18 22	18 25	18 27	18 29	18 32	18 38	18 44	18 52	19 01	19 13	19 28	19 38	19 50
26	18 27	18 28	18 29	18 30	18 32	18 34	18 38	18 44	18 50	18 59	19 09	19 23	19 32	19 43
30	18 34	18 33	18 33	18 34	18 35	18 36	18 39	18 43	18 49	18 56	19 06	19 18	19 26	19 36
Sept 3	18 41	18 39	18 38	18 37	18 37	18 38	18 40	18 43	18 48	18 54	19 02	19 13	19 20	19 29
7	18 48	18 45	18 42	18 41	18 40	18 40	18 41	18 43	18 46	18 51	18 58	19 08	19 14	19 22
11	18 55	18 50	18 47	18 45	18 43	18 42	18 41	18 42	18 45	18 49	18 54	19 03	19 08	19 15
15	19 03	18 57	18 52	18 48	18 46	18 44	18 42	18 42	18 43	18 46	18 51	18 57	19 02	19 08
19	19 11	19 03	18 57	18 52	18 49	18 46	18 43	18 42	18 42	18 43	18 47	18 52	18 56	19 01
23	19 19	19 09	19 02	18 56	18 52	18 48	18 44	18 41	18 40	18 41	18 43	18 47	18 50	18 54
27	19 27	19 16	19 07	19 00	18 55	18 51	18 45	18 41	18 39	18 38	18 39	18 42	18 44	18 48
Oct. 1	19 36	19 23	19 12	19 05	18 58	18 53	18 46	18 41	18 38	18 36	18 36	18 37	18 39	18 41
5	19 45	19 30	19 18	19 09	19 02	18 56	18 47	18 41	18 37	18 34	18 32	18 32	18 33	18 35

UNIVERSAL TIME FOR MERIDIAN OF GREENWICH
BEGINNING NAUTICAL TWILIGHT

Lat.	+40°	+42°	+44°	+46°	+48°	+50°	+52°	+54°	+56°	+58°	+60°	+62°	+64°	+66°
	h m	h m	h m	h m	h m	h m	h m	h m	h m	h m	h m	h m	h m	h m
July 1	3 21	3 10	2 57	2 43	2 27	2 06	1 40	0 58	// //	// //	// //	// //	// //	// //
5	3 23	3 12	3 00	2 47	2 30	2 11	1 45	1 07	// //	// //	// //	// //	// //	// //
9	3 26	3 16	3 04	2 51	2 35	2 16	1 52	1 18	// //	// //	// //	// //	// //	// //
13	3 30	3 20	3 08	2 55	2 41	2 23	2 00	1 30	0 27	// //	// //	// //	// //	// //
17	3 34	3 24	3 13	3 01	2 47	2 30	2 09	1 42	0 57	// //	// //	// //	// //	// //
21	3 38	3 29	3 18	3 06	2 53	2 37	2 18	1 54	1 18	// //	// //	// //	// //	// //
25	3 42	3 33	3 24	3 12	3 00	2 45	2 27	2 05	1 35	0 39	// //	// //	// //	// //
29	3 47	3 38	3 29	3 19	3 07	2 53	2 37	2 17	1 51	1 12	// //	// //	// //	// //
Aug. 2	3 52	3 44	3 35	3 25	3 14	3 01	2 46	2 28	2 06	1 35	0 31	// //	// //	// //
6	3 56	3 49	3 41	3 31	3 21	3 09	2 56	2 40	2 20	1 54	1 14	// //	// //	// //
10	4 01	3 54	3 46	3 38	3 28	3 17	3 05	2 50	2 33	2 10	1 40	0 43	// //	// //
14	4 06	3 59	3 52	3 44	3 35	3 26	3 14	3 01	2 45	2 26	2 01	1 24	// //	// //
18	4 11	4 05	3 58	3 51	3 43	3 33	3 23	3 11	2 57	2 40	2 19	1 50	1 03	// //
22	4 15	4 10	4 04	3 57	3 50	3 41	3 32	3 21	3 08	2 53	2 35	2 11	1 38	0 27
26	4 20	4 15	4 09	4 03	3 56	3 49	3 40	3 30	3 19	3 06	2 50	2 30	2 04	1 25
30	4 24	4 20	4 15	4 09	4 03	3 56	3 48	3 40	3 30	3 18	3 04	2 47	2 25	1 56
Sept 3	4 29	4 25	4 20	4 15	4 10	4 03	3 56	3 49	3 40	3 29	3 17	3 02	2 44	2 21
7	4 33	4 29	4 25	4 21	4 16	4 10	4 04	3 57	3 49	3 40	3 30	3 17	3 01	2 42
11	4 37	4 34	4 30	4 27	4 22	4 17	4 12	4 06	3 59	3 51	3 41	3 30	3 17	3 01
15	4 41	4 39	4 36	4 32	4 28	4 24	4 19	4 14	4 08	4 01	3 53	3 43	3 32	3 18
19	4 46	4 43	4 41	4 38	4 34	4 31	4 27	4 22	4 17	4 11	4 04	3 56	3 46	3 35
23	4 50	4 48	4 45	4 43	4 40	4 37	4 34	4 30	4 25	4 20	4 14	4 08	4 00	3 50
27	4 54	4 52	4 50	4 48	4 46	4 44	4 41	4 38	4 34	4 30	4 25	4 19	4 12	4 04
Oct. 1	4 58	4 56	4 55	4 54	4 52	4 50	4 48	4 45	4 42	4 39	4 35	4 30	4 25	4 18
5	5 02	5 01	5 00	4 59	4 58	4 56	4 54	4 53	4 50	4 48	4 45	4 41	4 37	4 32

ENDING NAUTICAL TWILIGHT

Lat.	+40°	+42°	+44°	+46°	+48°	+50°	+52°	+54°	+56°	+58°	+60°	+62°	+64°	+66°
	h m	h m	h m	h m	h m	h m	h m	h m	h m	h m	h m	h m	h m	h m
July 1	20 47	20 58	21 10	21 24	21 41	22 01	22 27	23 08	// //	// //	// //	// //	// //	// //
5	20 45	20 56	21 08	21 22	21 38	21 57	22 22	22 59	// //	// //	// //	// //	// //	// //
9	20 44	20 54	21 06	21 19	21 34	21 53	22 16	22 50	// //	// //	// //	// //	// //	// //
13	20 41	20 51	21 02	21 15	21 30	21 47	22 09	22 39	23 35	// //	// //	// //	// //	// //
17	20 38	20 47	20 58	21 10	21 25	21 41	22 01	22 28	23 10	// //	// //	// //	// //	// //
21	20 34	20 43	20 54	21 05	21 18	21 34	21 53	22 17	22 51	// //	// //	// //	// //	// //
25	20 30	20 39	20 48	20 59	21 12	21 26	21 44	22 05	22 34	23 24	// //	// //	// //	// //
29	20 25	20 33	20 43	20 53	21 05	21 18	21 34	21 53	22 18	22 55	// //	// //	// //	// //
Aug. 2	20 20	20 28	20 37	20 46	20 57	21 10	21 24	21 42	22 04	22 33	23 27	// //	// //	// //
6	20 14	20 22	20 30	20 39	20 49	21 01	21 14	21 30	21 49	22 14	22 51	// //	// //	// //
10	20 09	20 16	20 23	20 31	20 41	20 52	21 04	21 18	21 35	21 57	22 26	23 15	// //	// //
14	20 03	20 09	20 16	20 24	20 32	20 42	20 53	21 06	21 22	21 40	22 05	22 39	// //	// //
18	19 56	20 02	20 09	20 16	20 24	20 33	20 43	20 55	21 08	21 25	21 45	22 13	22 55	// //
22	19 50	19 55	20 01	20 08	20 15	20 23	20 32	20 43	20 55	21 10	21 28	21 50	22 21	23 18
26	19 43	19 48	19 53	19 59	20 06	20 13	20 22	20 31	20 42	20 55	21 11	21 30	21 55	22 31
30	19 36	19 41	19 45	19 51	19 57	20 04	20 11	20 20	20 30	20 41	20 55	21 11	21 32	21 59
Sept 3	19 29	19 33	19 38	19 42	19 48	19 54	20 01	20 08	20 17	20 27	20 39	20 53	21 11	21 33
7	19 22	19 26	19 30	19 34	19 39	19 44	19 50	19 57	20 05	20 14	20 24	20 36	20 51	21 10
11	19 15	19 18	19 22	19 26	19 30	19 35	19 40	19 46	19 53	20 01	20 10	20 20	20 33	20 49
15	19 08	19 11	19 14	19 17	19 21	19 25	19 30	19 35	19 41	19 48	19 55	20 05	20 16	20 29
19	19 01	19 04	19 06	19 09	19 12	19 16	19 20	19 24	19 29	19 35	19 42	19 50	19 59	20 10
23	18 54	18 56	18 58	19 01	19 03	19 06	19 10	19 13	19 18	19 23	19 28	19 35	19 43	19 52
27	18 48	18 49	18 51	18 53	18 55	18 57	19 00	19 03	19 07	19 11	19 15	19 21	19 27	19 35
Oct. 1	18 41	18 42	18 43	18 45	18 46	18 48	18 50	18 53	18 56	18 59	19 03	19 07	19 12	19 19
5	18 35	18 35	18 36	18 37	18 38	18 40	18 41	18 43	18 45	18 48	18 51	18 54	18 58	19 03

The symbols (*) and (/) indicate Sun continuously above horizon and continuous twilight, respectively.

NAUTICAL TWILIGHT, 1985

UNIVERSAL TIME FOR MERIDIAN OF GREENWICH
BEGINNING NAUTICAL TWILIGHT

Lat.	−55°	−50°	−45°	−40°	−35°	−30°	−20°	−10°	0°	+10°	+20°	+30°	+35°	+40°
	h m	h m	h m	h m	h m	h m	h m	h m	h m	h m	h m	h m	h m	h m
Oct. 1	4 05	4 18	4 28	4 36	4 42	4 47	4 54	4 59	5 02	5 03	5 03	5 02	5 00	4 58
5	3 54	4 09	4 20	4 29	4 36	4 41	4 50	4 56	5 00	5 03	5 04	5 04	5 03	5 02
9	3 42	3 59	4 12	4 22	4 30	4 36	4 47	4 54	4 59	5 03	5 05	5 06	5 06	5 06
13	3 30	3 49	4 04	4 15	4 24	4 31	4 43	4 51	4 58	5 03	5 06	5 09	5 09	5 10
17	3 18	3 40	3 56	4 08	4 18	4 27	4 40	4 49	4 57	5 03	5 07	5 11	5 12	5 14
21	3 06	3 30	3 48	4 02	4 13	4 22	4 36	4 47	4 56	5 03	5 09	5 14	5 16	5 18
25	2 54	3 21	3 40	3 55	4 08	4 18	4 33	4 45	4 55	5 03	5 10	5 16	5 19	5 22
29	2 42	3 12	3 33	3 49	4 02	4 13	4 30	4 44	4 54	5 03	5 11	5 19	5 22	5 26
Nov. 2	2 29	3 02	3 26	3 43	3 58	4 09	4 28	4 42	4 54	5 04	5 13	5 21	5 26	5 30
6	2 17	2 53	3 19	3 38	3 53	4 06	4 26	4 41	4 54	5 05	5 15	5 24	5 29	5 34
10	2 04	2 45	3 12	3 33	3 49	4 02	4 24	4 40	4 54	5 06	5 16	5 27	5 32	5 38
14	1 51	2 36	3 06	3 28	3 45	3 59	4 22	4 39	4 54	5 07	5 18	5 30	5 36	5 42
18	1 38	2 28	3 00	3 23	3 42	3 57	4 20	4 39	4 54	5 08	5 20	5 33	5 39	5 46
22	1 25	2 21	2 55	3 20	3 39	3 55	4 19	4 39	4 55	5 09	5 23	5 36	5 43	5 50
26	1 11	2 14	2 50	3 16	3 37	3 53	4 19	4 39	4 56	5 11	5 25	5 39	5 46	5 54
30	0 57	2 08	2 47	3 14	3 35	3 52	4 19	4 39	4 57	5 12	5 27	5 42	5 50	5 58
Dec. 4	0 42	2 03	2 44	3 12	3 34	3 51	4 19	4 40	4 58	5 14	5 29	5 45	5 53	6 02
8	0 24	1 59	2 42	3 11	3 33	3 51	4 19	4 41	5 00	5 16	5 32	5 48	5 56	6 05
12	// //	1 57	2 41	3 11	3 33	3 52	4 20	4 43	5 01	5 18	5 34	5 50	5 59	6 08
16	// //	1 56	2 41	3 11	3 34	3 53	4 22	4 44	5 03	5 20	5 36	5 53	6 01	6 11
20	// //	1 56	2 42	3 12	3 36	3 54	4 23	4 46	5 05	5 22	5 38	5 55	6 04	6 13
24	// //	1 58	2 44	3 14	3 38	3 56	4 25	4 48	5 07	5 24	5 40	5 57	6 06	6 15
28	// //	2 02	2 47	3 17	3 40	3 59	4 28	4 50	5 09	5 26	5 42	5 59	6 07	6 17
32	// //	2 07	2 51	3 21	3 43	4 02	4 30	4 52	5 11	5 28	5 44	6 00	6 08	6 18
36	0 39	2 13	2 56	3 25	3 47	4 05	4 33	4 55	5 13	5 30	5 45	6 01	6 09	6 18

ENDING NAUTICAL TWILIGHT

Lat.	−55°	−50°	−45°	−40°	−35°	−30°	−20°	−10°	0°	+10°	+20°	+30°	+35°	+40°
	h m	h m	h m	h m	h m	h m	h m	h m	h m	h m	h m	h m	h m	h m
Oct. 1	19 36	19 23	19 12	19 05	18 58	18 53	18 46	18 41	18 38	18 36	18 36	18 37	18 39	18 41
5	19 45	19 30	19 18	19 09	19 02	18 56	18 47	18 41	18 37	18 34	18 32	18 32	18 33	18 35
9	19 54	19 37	19 24	19 14	19 05	18 59	18 48	18 41	18 36	18 32	18 29	18 28	18 28	18 28
13	20 04	19 44	19 30	19 18	19 09	19 02	18 50	18 41	18 35	18 30	18 26	18 23	18 23	18 22
17	20 14	19 52	19 36	19 23	19 13	19 05	18 52	18 42	18 34	18 28	18 23	18 19	18 18	18 17
21	20 25	20 00	19 42	19 28	19 17	19 08	18 53	18 42	18 33	18 26	18 20	18 15	18 13	18 11
25	20 36	20 09	19 49	19 34	19 21	19 11	18 55	18 43	18 33	18 25	18 18	18 12	18 09	18 06
29	20 48	20 18	19 56	19 39	19 26	19 15	18 57	18 44	18 33	18 24	18 16	18 08	18 05	18 01
Nov. 2	21 00	20 27	20 03	19 45	19 30	19 18	19 00	18 45	18 33	18 23	18 14	18 05	18 01	17 57
6	21 13	20 36	20 10	19 50	19 35	19 22	19 02	18 47	18 34	18 23	18 12	18 03	17 58	17 53
10	21 26	20 45	20 17	19 56	19 40	19 26	19 05	18 48	18 34	18 22	18 11	18 00	17 55	17 49
14	21 40	20 54	20 24	20 02	19 44	19 30	19 07	18 50	18 35	18 22	18 10	17 59	17 53	17 46
18	21 55	21 04	20 31	20 08	19 49	19 34	19 10	18 52	18 36	18 23	18 10	17 57	17 51	17 44
22	22 10	21 13	20 38	20 13	19 54	19 38	19 13	18 54	18 37	18 23	18 10	17 56	17 49	17 42
26	22 27	21 22	20 45	20 19	19 59	19 42	19 16	18 56	18 39	18 24	18 10	17 55	17 48	17 40
30	22 44	21 31	20 51	20 24	20 03	19 46	19 19	18 58	18 41	18 25	18 10	17 55	17 47	17 39
Dec. 4	23 03	21 39	20 57	20 29	20 07	19 49	19 22	19 00	18 42	18 26	18 11	17 56	17 47	17 39
8	23 25	21 46	21 03	20 33	20 11	19 53	19 25	19 03	18 44	18 28	18 12	17 56	17 48	17 39
12	// //	21 51	21 07	20 37	20 14	19 56	19 27	19 05	18 46	18 29	18 13	17 57	17 49	17 39
16	// //	21 56	21 11	20 40	20 17	19 59	19 30	19 07	18 48	18 31	18 15	17 59	17 50	17 41
20	// //	21 59	21 14	20 43	20 20	20 01	19 32	19 09	18 50	18 33	18 17	18 00	17 52	17 42
24	// //	22 01	21 15	20 45	20 22	20 03	19 34	19 11	18 52	18 35	18 19	18 02	17 54	17 44
28	// //	22 01	21 16	20 46	20 23	20 04	19 35	19 13	18 54	18 37	18 21	18 05	17 56	17 47
32	23 53	21 59	21 16	20 46	20 23	20 05	19 37	19 14	18 56	18 39	18 23	18 07	17 59	17 50
36	23 27	21 56	21 14	20 46	20 23	20 06	19 38	19 16	18 58	18 41	18 26	18 10	18 02	17 53

The symbols (*) and (/) indicate Sun continuously above horizon and continuous twilight, respectively.

UNIVERSAL TIME FOR MERIDIAN OF GREENWICH
BEGINNING NAUTICAL TWILIGHT

Lat.	+40°	+42°	+44°	+46°	+48°	+50°	+52°	+54°	+56°	+58°	+60°	+62°	+64°	+66°
	h m	h m	h m	h m	h m	h m	h m	h m	h m	h m	h m	h m	h m	h m
Oct. 1	4 58	4 56	4 55	4 54	4 52	4 50	4 48	4 45	4 42	4 39	4 35	4 30	4 25	4 18
5	5 02	5 01	5 00	4 59	4 58	4 56	4 54	4 53	4 50	4 48	4 45	4 41	4 37	4 32
9	5 06	5 05	5 05	5 04	5 03	5 02	5 01	5 00	4 58	4 57	4 54	4 52	4 49	4 45
13	5 10	5 10	5 09	5 09	5 09	5 08	5 08	5 07	5 06	5 05	5 04	5 02	5 00	4 58
17	5 14	5 14	5 14	5 14	5 15	5 15	5 15	5 14	5 14	5 14	5 13	5 13	5 12	5 10
21	5 18	5 18	5 19	5 20	5 20	5 21	5 21	5 22	5 22	5 22	5 23	5 23	5 23	5 23
25	5 22	5 23	5 24	5 25	5 26	5 27	5 28	5 29	5 30	5 31	5 32	5 33	5 34	5 35
29	5 26	5 27	5 29	5 30	5 31	5 33	5 34	5 36	5 37	5 39	5 41	5 42	5 44	5 46
Nov. 2	5 30	5 32	5 33	5 35	5 37	5 39	5 41	5 43	5 45	5 47	5 49	5 52	5 55	5 58
6	5 34	5 36	5 38	5 40	5 42	5 45	5 47	5 50	5 52	5 55	5 58	6 01	6 05	6 09
10	5 38	5 40	5 43	5 45	5 48	5 51	5 53	5 56	6 00	6 03	6 07	6 11	6 15	6 20
14	5 42	5 45	5 48	5 50	5 53	5 56	6 00	6 03	6 07	6 11	6 15	6 20	6 25	6 31
18	5 46	5 49	5 52	5 55	5 58	6 02	6 05	6 09	6 13	6 18	6 23	6 28	6 34	6 41
22	5 50	5 53	5 57	6 00	6 04	6 07	6 11	6 15	6 20	6 25	6 30	6 36	6 43	6 51
26	5 54	5 58	6 01	6 05	6 08	6 12	6 17	6 21	6 26	6 32	6 38	6 44	6 52	7 00
30	5 58	6 01	6 05	6 09	6 13	6 17	6 22	6 27	6 32	6 38	6 44	6 51	6 59	7 08
Dec. 4	6 02	6 05	6 09	6 13	6 17	6 22	6 27	6 32	6 37	6 43	6 50	6 58	7 06	7 16
8	6 05	6 09	6 13	6 17	6 21	6 26	6 31	6 36	6 42	6 48	6 56	7 03	7 12	7 23
12	6 08	6 12	6 16	6 20	6 25	6 30	6 35	6 40	6 46	6 53	7 00	7 08	7 18	7 28
16	6 11	6 15	6 19	6 23	6 28	6 33	6 38	6 44	6 50	6 56	7 04	7 12	7 22	7 33
20	6 13	6 17	6 21	6 26	6 30	6 35	6 41	6 46	6 52	6 59	7 07	7 15	7 25	7 36
24	6 15	6 19	6 23	6 28	6 32	6 37	6 42	6 48	6 54	7 01	7 09	7 17	7 27	7 38
28	6 17	6 20	6 25	6 29	6 34	6 38	6 44	6 49	6 55	7 02	7 10	7 18	7 27	7 38
32	6 18	6 21	6 26	6 30	6 34	6 39	6 44	6 50	6 56	7 02	7 09	7 18	7 27	7 37
36	6 18	6 22	6 26	6 30	6 34	6 39	6 44	6 49	6 55	7 01	7 08	7 16	7 25	7 35

ENDING NAUTICAL TWILIGHT

Lat.	+40°	+42°	+44°	+46°	+48°	+50°	+52°	+54°	+56°	+58°	+60°	+62°	+64°	+66°
	h m	h m	h m	h m	h m	h m	h m	h m	h m	h m	h m	h m	h m	h m
Oct. 1	18 41	18 42	18 43	18 45	18 46	18 48	18 50	18 53	18 56	18 59	19 03	19 07	19 12	19 19
5	18 35	18 35	18 36	18 37	18 38	18 40	18 41	18 43	18 45	18 48	18 51	18 54	18 58	19 03
9	18 28	18 29	18 29	18 30	18 30	18 31	18 32	18 33	18 35	18 37	18 39	18 41	18 44	18 48
13	18 22	18 22	18 22	18 22	18 23	18 23	18 24	18 24	18 25	18 26	18 27	18 29	18 31	18 33
17	18 17	18 16	18 16	18 16	18 15	18 15	18 15	18 15	18 15	18 16	18 16	18 17	18 18	18 19
21	18 11	18 10	18 10	18 09	18 08	18 08	18 07	18 07	18 06	18 06	18 05	18 05	18 05	18 05
25	18 06	18 05	18 04	18 03	18 02	18 01	18 00	17 58	17 57	17 56	17 55	17 54	17 53	17 52
29	18 01	18 00	17 58	17 57	17 55	17 54	17 52	17 51	17 49	17 47	17 46	17 44	17 42	17 40
Nov. 2	17 57	17 55	17 53	17 51	17 50	17 48	17 46	17 44	17 41	17 39	17 37	17 34	17 31	17 28
6	17 53	17 51	17 49	17 46	17 44	17 42	17 39	17 37	17 34	17 31	17 28	17 25	17 21	17 17
10	17 49	17 47	17 45	17 42	17 39	17 37	17 34	17 31	17 28	17 24	17 20	17 16	17 12	17 06
14	17 46	17 44	17 41	17 38	17 35	17 32	17 29	17 25	17 22	17 18	17 13	17 08	17 03	16 57
18	17 44	17 41	17 38	17 35	17 31	17 28	17 24	17 20	17 16	17 12	17 07	17 01	16 55	16 48
22	17 42	17 38	17 35	17 32	17 28	17 25	17 21	17 16	17 12	17 07	17 01	16 55	16 48	16 41
26	17 40	17 37	17 33	17 30	17 26	17 22	17 17	17 13	17 08	17 02	16 57	16 50	16 42	16 34
30	17 39	17 36	17 32	17 28	17 24	17 20	17 15	17 10	17 05	16 59	16 53	16 46	16 37	16 28
Dec. 4	17 39	17 35	17 31	17 27	17 23	17 18	17 14	17 08	17 03	16 57	16 50	16 42	16 34	16 24
8	17 39	17 35	17 31	17 27	17 22	17 18	17 13	17 07	17 01	16 55	16 48	16 40	16 31	16 21
12	17 39	17 35	17 31	17 27	17 23	17 18	17 13	17 07	17 01	16 54	16 47	16 39	16 30	16 19
16	17 41	17 37	17 32	17 28	17 23	17 18	17 13	17 08	17 01	16 55	16 47	16 39	16 29	16 18
20	17 42	17 38	17 34	17 30	17 25	17 20	17 15	17 09	17 03	16 56	16 48	16 40	16 30	16 19
24	17 44	17 40	17 36	17 32	17 27	17 22	17 17	17 11	17 05	16 58	16 51	16 42	16 33	16 21
28	17 47	17 43	17 39	17 34	17 30	17 25	17 20	17 14	17 08	17 01	16 54	16 45	16 36	16 25
32	17 50	17 46	17 42	17 37	17 33	17 28	17 23	17 18	17 12	17 05	16 58	16 50	16 41	16 30
36	17 53	17 49	17 45	17 41	17 37	17 32	17 27	17 22	17 16	17 10	17 03	16 55	16 46	16 36

ASTRONOMICAL TWILIGHT, 1985

UNIVERSAL TIME FOR MERIDIAN OF GREENWICH
BEGINNING ASTRONOMICAL TWILIGHT

Lat.	−55°	−50°	−45°	−40°	−35°	−30°	−20°	−10°	0°	+10°	+20°	+30°	+35°	+40°
	h m	h m	h m	h m	h m	h m	h m	h m	h m	h m	h m	h m	h m	h m
Jan. −2	// //	// //	1 43	2 30	3 01	3 24	3 58	4 23	4 43	5 00	5 16	5 30	5 37	5 44
2	// //	// //	1 48	2 34	3 04	3 27	4 01	4 26	4 46	5 02	5 17	5 31	5 38	5 45
6	// //	// //	1 55	2 39	3 08	3 31	4 04	4 28	4 48	5 04	5 18	5 32	5 39	5 45
10	// //	0 10	2 03	2 45	3 13	3 35	4 07	4 31	4 50	5 05	5 20	5 33	5 39	5 45
14	// //	0 53	2 12	2 51	3 18	3 39	4 10	4 33	4 52	5 07	5 20	5 33	5 39	5 45
18	// //	1 14	2 21	2 57	3 23	3 44	4 14	4 36	4 53	5 08	5 21	5 32	5 38	5 44
22	// //	1 33	2 30	3 04	3 29	3 48	4 17	4 38	4 55	5 09	5 21	5 32	5 37	5 42
26	// //	1 49	2 40	3 11	3 35	3 53	4 20	4 40	4 56	5 10	5 21	5 31	5 35	5 40
30	// //	2 04	2 49	3 18	3 40	3 57	4 23	4 43	4 58	5 10	5 20	5 29	5 33	5 37
Feb. 3	0 50	2 18	2 58	3 25	3 46	4 02	4 27	4 45	4 59	5 10	5 19	5 28	5 31	5 34
7	1 26	2 31	3 07	3 32	3 51	4 07	4 30	4 46	4 59	5 10	5 18	5 25	5 28	5 31
11	1 50	2 44	3 16	3 39	3 57	4 11	4 32	4 48	5 00	5 09	5 17	5 23	5 25	5 27
15	2 10	2 56	3 25	3 46	4 02	4 15	4 35	4 49	5 00	5 09	5 15	5 20	5 21	5 22
19	2 27	3 07	3 33	3 52	4 07	4 19	4 38	4 51	5 00	5 08	5 13	5 16	5 17	5 17
23	2 43	3 17	3 41	3 58	4 12	4 23	4 40	4 52	5 00	5 07	5 11	5 13	5 13	5 12
27	2 57	3 27	3 48	4 04	4 17	4 27	4 42	4 53	5 00	5 05	5 08	5 09	5 08	5 07
Mar. 3	3 10	3 37	3 56	4 10	4 21	4 30	4 44	4 53	5 00	5 03	5 05	5 05	5 03	5 01
7	3 22	3 45	4 03	4 16	4 26	4 34	4 46	4 54	4 59	5 02	5 02	5 00	4 58	4 55
11	3 33	3 54	4 09	4 21	4 30	4 37	4 47	4 54	4 58	5 00	4 59	4 56	4 53	4 48
15	3 43	4 02	4 16	4 26	4 34	4 40	4 49	4 54	4 57	4 57	4 56	4 51	4 47	4 42
19	3 53	4 10	4 22	4 31	4 37	4 43	4 50	4 54	4 56	4 55	4 52	4 46	4 41	4 35
23	4 03	4 17	4 27	4 35	4 41	4 46	4 51	4 54	4 55	4 53	4 48	4 41	4 35	4 28
27	4 12	4 24	4 33	4 40	4 44	4 48	4 53	4 54	4 53	4 50	4 45	4 35	4 29	4 21
31	4 21	4 31	4 38	4 44	4 48	4 51	4 54	4 54	4 52	4 48	4 41	4 30	4 23	4 13
Apr. 4	4 29	4 37	4 44	4 48	4 51	4 53	4 55	4 54	4 51	4 45	4 37	4 25	4 17	4 06

ENDING ASTRONOMICAL TWILIGHT

Lat.	−55°	−50°	−45°	−40°	−35°	−30°	−20°	−10°	0°	+10°	+20°	+30°	+35°	+40°
	h m	h m	h m	h m	h m	h m	h m	h m	h m	h m	h m	h m	h m	h m
Jan. −2	// //	// //	22 21	21 34	21 03	20 40	20 06	19 41	19 21	19 04	18 49	18 35	18 28	18 21
2	// //	// //	22 19	21 34	21 03	20 41	20 07	19 42	19 23	19 06	18 51	18 37	18 30	18 23
6	// //	// //	22 15	21 32	21 03	20 41	20 08	19 43	19 24	19 08	18 53	18 40	18 33	18 27
10	// //	23 47	22 11	21 30	21 01	20 40	20 08	19 44	19 26	19 10	18 56	18 43	18 36	18 30
14	// //	23 20	22 05	21 26	20 59	20 39	20 08	19 45	19 27	19 11	18 58	18 46	18 40	18 34
18	// //	23 02	21 58	21 22	20 57	20 37	20 07	19 45	19 28	19 13	19 00	18 49	18 43	18 38
22	// //	22 47	21 51	21 18	20 54	20 35	20 06	19 45	19 28	19 14	19 02	18 52	18 47	18 42
26	// //	22 33	21 44	21 13	20 50	20 32	20 05	19 45	19 29	19 16	19 05	18 55	18 50	18 46
30	// //	22 20	21 36	21 07	20 46	20 29	20 03	19 44	19 29	19 17	19 07	18 58	18 54	18 50
Feb. 3	23 27	22 07	21 28	21 01	20 41	20 25	20 01	19 43	19 29	19 18	19 08	19 01	18 57	18 54
7	22 57	21 54	21 19	20 55	20 36	20 21	19 58	19 42	19 29	19 19	19 10	19 03	19 01	18 58
11	22 34	21 42	21 11	20 48	20 31	20 17	19 56	19 40	19 29	19 19	19 12	19 06	19 04	19 02
15	22 15	21 30	21 02	20 41	20 25	20 12	19 53	19 39	19 28	19 20	19 14	19 09	19 08	19 07
19	21 57	21 19	20 53	20 34	20 20	20 08	19 50	19 37	19 27	19 20	19 15	19 12	19 11	19 11
23	21 41	21 08	20 44	20 27	20 14	20 03	19 46	19 35	19 26	19 20	19 16	19 15	19 15	19 15
27	21 26	20 57	20 36	20 20	20 08	19 58	19 43	19 33	19 25	19 21	19 18	19 17	19 18	19 20
Mar. 3	21 12	20 46	20 27	20 13	20 02	19 53	19 40	19 31	19 24	19 21	19 19	19 20	19 21	19 24
7	20 58	20 35	20 18	20 06	19 56	19 48	19 36	19 28	19 23	19 21	19 20	19 23	19 25	19 28
11	20 45	20 25	20 10	19 58	19 49	19 42	19 32	19 26	19 22	19 21	19 22	19 25	19 28	19 33
15	20 33	20 14	20 01	19 51	19 43	19 37	19 29	19 23	19 21	19 21	19 23	19 28	19 32	19 37
19	20 20	20 04	19 53	19 44	19 37	19 32	19 25	19 21	19 20	19 21	19 24	19 30	19 35	19 42
23	20 09	19 55	19 45	19 37	19 31	19 27	19 21	19 19	19 19	19 21	19 25	19 33	19 39	19 46
27	19 57	19 45	19 37	19 30	19 26	19 22	19 18	19 16	19 17	19 21	19 27	19 36	19 43	19 51
31	19 46	19 36	19 29	19 24	19 20	19 17	19 14	19 14	19 16	19 21	19 28	19 39	19 46	19 56
Apr. 4	19 36	19 27	19 21	19 17	19 14	19 13	19 11	19 12	19 15	19 21	19 29	19 42	19 50	20 01

The symbols (*) and (/) indicate Sun continuously above horizon and continuous twilight, respectively.

UNIVERSAL TIME FOR MERIDIAN OF GREENWICH
BEGINNING ASTRONOMICAL TWILIGHT

Lat.	+40°	+42°	+44°	+46°	+48°	+50°	+52°	+54°	+56°	+58°	+60°	+62°	+64°	+66°
	h m	h m	h m	h m	h m	h m	h m	h m	h m	h m	h m	h m	h m	h m
Jan. −2	5 44	5 47	5 50	5 53	5 56	5 59	6 03	6 06	6 10	6 14	6 18	6 23	6 28	6 34
2	5 45	5 48	5 51	5 54	5 57	6 00	6 03	6 07	6 10	6 14	6 18	6 22	6 27	6 33
6	5 45	5 48	5 51	5 54	5 57	6 00	6 03	6 06	6 09	6 13	6 17	6 21	6 26	6 31
10	5 45	5 48	5 51	5 53	5 56	5 59	6 02	6 05	6 08	6 11	6 15	6 19	6 23	6 27
14	5 45	5 47	5 50	5 52	5 55	5 57	6 00	6 03	6 06	6 09	6 12	6 15	6 19	6 23
18	5 44	5 46	5 48	5 50	5 53	5 55	5 57	6 00	6 02	6 05	6 08	6 11	6 14	6 17
22	5 42	5 44	5 46	5 48	5 50	5 52	5 54	5 56	5 59	6 01	6 03	6 06	6 08	6 11
26	5 40	5 42	5 44	5 45	5 47	5 49	5 50	5 52	5 54	5 56	5 57	5 59	6 01	6 03
30	5 37	5 39	5 40	5 42	5 43	5 45	5 46	5 47	5 49	5 50	5 51	5 52	5 53	5 54
Feb. 3	5 34	5 36	5 37	5 38	5 39	5 40	5 41	5 42	5 42	5 43	5 44	5 44	5 45	5 45
7	5 31	5 32	5 32	5 33	5 34	5 35	5 35	5 35	5 36	5 36	5 36	5 36	5 35	5 34
11	5 27	5 27	5 28	5 28	5 29	5 29	5 29	5 29	5 28	5 28	5 27	5 26	5 25	5 23
15	5 22	5 23	5 23	5 23	5 23	5 22	5 22	5 21	5 20	5 19	5 18	5 16	5 14	5 11
19	5 17	5 17	5 17	5 17	5 16	5 15	5 15	5 13	5 12	5 10	5 08	5 05	5 02	4 58
23	5 12	5 12	5 11	5 10	5 09	5 08	5 07	5 05	5 03	5 00	4 57	4 54	4 49	4 44
27	5 07	5 06	5 05	5 04	5 02	5 00	4 58	4 56	4 53	4 50	4 46	4 41	4 36	4 29
Mar. 3	5 01	5 00	4 58	4 56	4 55	4 52	4 50	4 47	4 43	4 39	4 34	4 28	4 22	4 13
7	4 55	4 53	4 51	4 49	4 47	4 44	4 41	4 37	4 33	4 28	4 22	4 15	4 07	3 57
11	4 48	4 46	4 44	4 41	4 38	4 35	4 31	4 27	4 21	4 16	4 09	4 00	3 51	3 39
15	4 42	4 39	4 36	4 33	4 30	4 26	4 21	4 16	4 10	4 03	3 55	3 45	3 34	3 19
19	4 35	4 32	4 29	4 25	4 21	4 16	4 11	4 05	3 58	3 50	3 40	3 29	3 16	2 58
23	4 28	4 24	4 21	4 16	4 12	4 06	4 00	3 53	3 45	3 36	3 25	3 12	2 56	2 35
27	4 21	4 17	4 13	4 08	4 02	3 56	3 49	3 42	3 32	3 22	3 09	2 54	2 34	2 08
31	4 13	4 09	4 04	3 59	3 53	3 46	3 38	3 29	3 19	3 07	2 52	2 34	2 10	1 36
Apr. 4	4 06	4 01	3 56	3 50	3 43	3 35	3 27	3 17	3 05	2 51	2 34	2 12	1 41	0 45

ENDING ASTRONOMICAL TWILIGHT

Lat.	+40°	+42°	+44°	+46°	+48°	+50°	+52°	+54°	+56°	+58°	+60°	+62°	+64°	+66°
	h m	h m	h m	h m	h m	h m	h m	h m	h m	h m	h m	h m	h m	h m
Jan. −2	18 21	18 18	18 15	18 12	18 08	18 05	18 02	17 58	17 55	17 51	17 46	17 42	17 37	17 31
2	18 23	18 21	18 18	18 15	18 12	18 09	18 05	18 02	17 58	17 55	17 50	17 46	17 41	17 36
6	18 27	18 24	18 21	18 18	18 15	18 12	18 09	18 06	18 03	17 59	17 55	17 51	17 47	17 42
10	18 30	18 28	18 25	18 22	18 20	18 17	18 14	18 11	18 08	18 04	18 01	17 57	17 53	17 49
14	18 34	18 31	18 29	18 26	18 24	18 21	18 19	18 16	18 13	18 10	18 07	18 04	18 00	17 56
18	18 38	18 35	18 33	18 31	18 29	18 26	18 24	18 22	18 19	18 16	18 14	18 11	18 08	18 05
22	18 42	18 40	18 38	18 36	18 34	18 32	18 30	18 28	18 25	18 23	18 21	18 19	18 16	18 14
26	18 46	18 44	18 42	18 41	18 39	18 37	18 35	18 34	18 32	18 30	18 29	18 27	18 25	18 23
30	18 50	18 48	18 47	18 46	18 44	18 43	18 42	18 40	18 39	18 38	18 37	18 36	18 35	18 34
Feb. 3	18 54	18 53	18 52	18 51	18 50	18 49	18 48	18 47	18 46	18 46	18 45	18 45	18 44	18 44
7	18 58	18 57	18 57	18 56	18 55	18 55	18 54	18 54	18 54	18 54	18 54	18 54	18 55	18 56
11	19 02	19 02	19 01	19 01	19 01	19 01	19 01	19 01	19 01	19 02	19 03	19 04	19 05	19 07
15	19 07	19 06	19 06	19 06	19 07	19 07	19 07	19 08	19 09	19 10	19 12	19 14	19 16	19 19
19	19 11	19 11	19 11	19 12	19 12	19 13	19 14	19 16	19 17	19 19	19 21	19 24	19 28	19 32
23	19 15	19 16	19 16	19 17	19 18	19 20	19 21	19 23	19 25	19 28	19 31	19 35	19 40	19 45
27	19 20	19 20	19 22	19 23	19 24	19 26	19 28	19 31	19 34	19 37	19 41	19 46	19 52	19 59
Mar. 3	19 24	19 25	19 27	19 28	19 30	19 33	19 36	19 39	19 42	19 47	19 52	19 58	20 05	20 13
7	19 28	19 30	19 32	19 34	19 37	19 40	19 43	19 47	19 51	19 56	20 02	20 10	20 18	20 28
11	19 33	19 35	19 37	19 40	19 43	19 46	19 50	19 55	20 00	20 06	20 14	20 22	20 32	20 45
15	19 37	19 40	19 43	19 46	19 49	19 54	19 58	20 04	20 10	20 17	20 25	20 35	20 47	21 02
19	19 42	19 45	19 48	19 52	19 56	20 01	20 06	20 12	20 20	20 28	20 38	20 49	21 03	21 21
23	19 46	19 50	19 54	19 58	20 03	20 08	20 15	20 22	20 30	20 39	20 51	21 04	21 21	21 43
27	19 51	19 55	19 59	20 04	20 10	20 16	20 23	20 31	20 40	20 51	21 04	21 20	21 41	22 08
31	19 56	20 00	20 05	20 11	20 17	20 24	20 32	20 41	20 52	21 04	21 19	21 38	22 04	22 41
Apr. 4	20 01	20 06	20 11	20 18	20 25	20 32	20 41	20 52	21 04	21 18	21 36	21 59	22 32	23 51

ASTRONOMICAL TWILIGHT, 1985

UNIVERSAL TIME FOR MERIDIAN OF GREENWICH

BEGINNING ASTRONOMICAL TWILIGHT

Lat.	−55°	−50°	−45°	−40°	−35°	−30°	−20°	−10°	0°	+10°	+20°	+30°	+35°	+40°
	h m	h m	h m	h m	h m	h m	h m	h m	h m	h m	h m	h m	h m	h m
Mar. 31	4 21	4 31	4 38	4 44	4 48	4 51	4 54	4 54	4 52	4 48	4 41	4 30	4 23	4 13
Apr. 4	4 29	4 37	4 44	4 48	4 51	4 53	4 55	4 54	4 51	4 45	4 37	4 25	4 17	4 06
8	4 37	4 44	4 49	4 52	4 54	4 55	4 56	4 54	4 49	4 43	4 33	4 20	4 10	3 59
12	4 44	4 50	4 53	4 56	4 57	4 57	4 56	4 53	4 48	4 40	4 30	4 14	4 04	3 51
16	4 52	4 56	4 58	5 00	5 00	5 00	4 57	4 53	4 47	4 38	4 26	4 09	3 58	3 44
20	4 59	5 01	5 03	5 03	5 03	5 02	4 58	4 53	4 45	4 36	4 22	4 04	3 52	3 37
24	5 06	5 07	5 07	5 07	5 06	5 04	4 59	4 53	4 44	4 33	4 19	3 59	3 46	3 29
28	5 12	5 12	5 12	5 10	5 08	5 06	5 00	4 53	4 43	4 31	4 15	3 54	3 40	3 22
May 2	5 19	5 18	5 16	5 14	5 11	5 08	5 01	4 53	4 42	4 29	4 12	3 49	3 34	3 15
6	5 25	5 23	5 20	5 17	5 14	5 10	5 02	4 53	4 41	4 27	4 09	3 45	3 29	3 09
10	5 31	5 27	5 24	5 20	5 16	5 12	5 03	4 53	4 41	4 26	4 07	3 41	3 24	3 02
14	5 36	5 32	5 28	5 23	5 19	5 14	5 04	4 53	4 40	4 24	4 04	3 37	3 19	2 56
18	5 42	5 36	5 31	5 26	5 21	5 16	5 06	4 54	4 40	4 23	4 02	3 34	3 15	2 50
22	5 46	5 41	5 35	5 29	5 24	5 18	5 07	4 54	4 40	4 22	4 00	3 31	3 11	2 45
26	5 51	5 44	5 38	5 32	5 26	5 20	5 08	4 55	4 40	4 22	3 59	3 28	3 07	2 40
30	5 55	5 48	5 41	5 35	5 28	5 22	5 09	4 55	4 40	4 21	3 58	3 26	3 04	2 36
June 3	5 59	5 51	5 44	5 37	5 30	5 24	5 10	4 56	4 40	4 21	3 57	3 24	3 02	2 33
7	6 02	5 54	5 46	5 39	5 32	5 25	5 12	4 57	4 40	4 21	3 56	3 23	3 00	2 30
11	6 05	5 56	5 48	5 41	5 34	5 27	5 13	4 58	4 41	4 21	3 56	3 22	2 59	2 29
15	6 07	5 58	5 50	5 43	5 35	5 28	5 14	4 59	4 42	4 22	3 56	3 22	2 59	2 28
19	6 08	5 59	5 51	5 44	5 36	5 29	5 15	5 00	4 42	4 22	3 57	3 22	2 59	2 27
23	6 09	6 00	5 52	5 45	5 37	5 30	5 16	5 00	4 43	4 23	3 58	3 23	3 00	2 28
27	6 10	6 01	5 53	5 45	5 38	5 31	5 17	5 01	4 44	4 24	3 59	3 24	3 01	2 30
July 1	6 09	6 01	5 53	5 45	5 38	5 31	5 17	5 02	4 45	4 25	4 00	3 26	3 03	2 32
5	6 08	6 00	5 52	5 45	5 38	5 31	5 17	5 03	4 46	4 27	4 02	3 28	3 06	2 36

ENDING ASTRONOMICAL TWILIGHT

Lat.	−55°	−50°	−45°	−40°	−35°	−30°	−20°	−10°	0°	+10°	+20°	+30°	+35°	+40°
	h m	h m	h m	h m	h m	h m	h m	h m	h m	h m	h m	h m	h m	h m
Mar. 31	19 46	19 36	19 29	19 24	19 20	19 17	19 14	19 14	19 16	19 21	19 28	19 39	19 46	19 56
Apr. 4	19 36	19 27	19 21	19 17	19 14	19 13	19 11	19 12	19 15	19 21	19 29	19 42	19 50	20 01
8	19 26	19 19	19 14	19 11	19 09	19 08	19 08	19 10	19 14	19 21	19 31	19 45	19 54	20 06
12	19 16	19 11	19 07	19 05	19 04	19 04	19 05	19 08	19 14	19 21	19 32	19 48	19 58	20 11
16	19 07	19 03	19 01	18 59	18 59	18 59	19 02	19 06	19 13	19 22	19 34	19 51	20 03	20 17
20	18 58	18 55	18 54	18 54	18 54	18 56	18 59	19 05	19 12	19 22	19 36	19 55	20 07	20 22
24	18 49	18 48	18 48	18 49	18 50	18 52	18 57	19 03	19 12	19 23	19 38	19 58	20 11	20 28
28	18 42	18 42	18 43	18 44	18 46	18 48	18 55	19 02	19 12	19 24	19 40	20 02	20 16	20 34
May 2	18 34	18 36	18 37	18 40	18 42	18 45	18 53	19 01	19 12	19 25	19 42	20 05	20 21	20 40
6	18 28	18 30	18 33	18 36	18 39	18 43	18 51	19 00	19 12	19 26	19 44	20 09	20 25	20 46
10	18 21	18 25	18 28	18 32	18 36	18 40	18 49	19 00	19 12	19 27	19 46	20 12	20 30	20 52
14	18 16	18 20	18 24	18 29	18 33	18 38	18 48	18 59	19 12	19 28	19 49	20 16	20 34	20 58
18	18 11	18 16	18 21	18 26	18 31	18 36	18 47	18 59	19 13	19 30	19 51	20 20	20 39	21 03
22	18 06	18 12	18 18	18 24	18 29	18 35	18 46	18 59	19 14	19 31	19 53	20 23	20 43	21 09
26	18 02	18 09	18 16	18 22	18 28	18 34	18 46	18 59	19 14	19 33	19 55	20 27	20 47	21 14
30	17 59	18 07	18 14	18 20	18 26	18 33	18 46	19 00	19 15	19 34	19 58	20 30	20 51	21 19
June 3	17 57	18 05	18 12	18 19	18 26	18 32	18 46	19 00	19 16	19 35	20 00	20 32	20 55	21 24
7	17 55	18 04	18 11	18 18	18 25	18 32	18 46	19 01	19 17	19 37	20 01	20 35	20 58	21 28
11	17 54	18 03	18 11	18 18	18 25	18 32	18 46	19 01	19 18	19 38	20 03	20 37	21 00	21 31
15	17 54	18 03	18 11	18 18	18 25	18 33	18 47	19 02	19 19	19 39	20 05	20 39	21 02	21 34
19	17 54	18 03	18 11	18 19	18 26	18 33	18 48	19 03	19 20	19 40	20 06	20 40	21 04	21 35
23	17 55	18 04	18 12	18 20	18 27	18 34	18 49	19 04	19 21	19 41	20 06	20 41	21 05	21 36
27	17 56	18 05	18 13	18 21	18 28	18 35	18 49	19 05	19 22	19 42	20 07	20 41	21 05	21 36
July 1	17 59	18 07	18 15	18 22	18 30	18 36	18 51	19 06	19 22	19 42	20 07	20 41	21 04	21 35
5	18 01	18 10	18 17	18 24	18 31	18 38	18 52	19 06	19 23	19 42	20 07	20 40	21 03	21 33

UNIVERSAL TIME FOR MERIDIAN OF GREENWICH
BEGINNING ASTRONOMICAL TWILIGHT

Lat.	+40°	+42°	+44°	+46°	+48°	+50°	+52°	+54°	+56°	+58°	+60°	+62°	+64°	+66°
	h m	h m	h m	h m	h m	h m	h m	h m	h m	h m	h m	h m	h m	h m
Mar. 31	4 13	4 09	4 04	3 59	3 53	3 46	3 38	3 29	3 19	3 07	2 52	2 34	2 10	1 36
Apr. 4	4 06	4 01	3 56	3 50	3 43	3 35	3 27	3 17	3 05	2 51	2 34	2 12	1 41	0 45
8	3 59	3 53	3 47	3 41	3 33	3 25	3 15	3 03	2 50	2 34	2 14	1 46	1 02	// //
12	3 51	3 45	3 39	3 31	3 23	3 13	3 03	2 50	2 34	2 16	1 51	1 14	// //	// //
16	3 44	3 37	3 30	3 22	3 13	3 02	2 50	2 35	2 18	1 55	1 23	// //	// //	// //
20	3 37	3 29	3 22	3 13	3 02	2 51	2 37	2 20	2 00	1 32	0 44	// //	// //	// //
24	3 29	3 22	3 13	3 03	2 52	2 39	2 23	2 05	1 40	1 02	// //	// //	// //	// //
28	3 22	3 14	3 04	2 54	2 41	2 27	2 09	1 47	1 16	// //	// //	// //	// //	// //
May 2	3 15	3 06	2 56	2 44	2 31	2 15	1 55	1 28	0 44	// //	// //	// //	// //	// //
6	3 09	2 59	2 48	2 35	2 20	2 02	1 39	1 05	// //	// //	// //	// //	// //	// //
10	3 02	2 52	2 40	2 26	2 09	1 49	1 22	0 34	// //	// //	// //	// //	// //	// //
14	2 56	2 45	2 32	2 17	1 59	1 36	1 02	// //	// //	// //	// //	// //	// //	// //
18	2 50	2 38	2 25	2 08	1 48	1 21	0 35	// //	// //	// //	// //	// //	// //	// //
22	2 45	2 32	2 18	2 00	1 38	1 06	// //	// //	// //	// //	// //	// //	// //	// //
26	2 40	2 27	2 11	1 52	1 27	0 49	// //	// //	// //	// //	// //	// //	// //	// //
30	2 36	2 22	2 06	1 45	1 17	0 25	// //	// //	// //	// //	// //	// //	// //	// //
June 3	2 33	2 18	2 01	1 39	1 08	// //	// //	// //	// //	// //	// //	// //	// //	// //
7	2 30	2 15	1 57	1 33	0 59	// //	// //	// //	// //	// //	// //	// //	// //	// //
11	2 29	2 13	1 54	1 29	0 51	// //	// //	// //	// //	// //	// //	// //	// //	// //
15	2 28	2 12	1 52	1 26	0 45	// //	// //	// //	// //	// //	// //	// //	// //	** **
19	2 27	2 11	1 51	1 25	0 42	// //	// //	// //	// //	// //	// //	// //	// //	** **
23	2 28	2 12	1 52	1 26	0 42	// //	// //	// //	// //	// //	// //	// //	// //	** **
27	2 30	2 14	1 54	1 28	0 46	// //	// //	// //	// //	// //	// //	// //	// //	** **
July 1	2 32	2 17	1 57	1 32	0 53	// //	// //	// //	// //	// //	// //	// //	// //	// //
5	2 36	2 20	2 02	1 38	1 02	// //	// //	// //	// //	// //	// //	// //	// //	// //

ENDING ASTRONOMICAL TWILIGHT

Lat.	+40°	+42°	+44°	+46°	+48°	+50°	+52°	+54°	+56°	+58°	+60°	+62°	+64°	+66°
	h m	h m	h m	h m	h m	h m	h m	h m	h m	h m	h m	h m	h m	h m
Mar. 31	19 56	20 00	20 05	20 11	20 17	20 24	20 32	20 41	20 52	21 04	21 19	21 38	22 04	22 41
Apr. 4	20 01	20 06	20 11	20 18	20 25	20 32	20 41	20 52	21 04	21 18	21 36	21 59	22 32	23 51
8	20 06	20 12	20 18	20 25	20 32	20 41	20 51	21 03	21 16	21 33	21 54	22 24	23 15	// //
12	20 11	20 17	20 24	20 32	20 40	20 50	21 01	21 14	21 30	21 50	22 16	22 57	// //	// //
16	20 17	20 23	20 31	20 39	20 49	20 59	21 12	21 27	21 45	22 09	22 43	// //	// //	// //
20	20 22	20 30	20 38	20 47	20 57	21 09	21 23	21 40	22 02	22 32	23 30	// //	// //	// //
24	20 28	20 36	20 45	20 55	21 06	21 20	21 35	21 55	22 21	23 03	// //	// //	// //	// //
28	20 34	20 42	20 52	21 03	21 16	21 30	21 48	22 11	22 45	// //	// //	// //	// //	// //
May 2	20 40	20 49	20 59	21 11	21 25	21 42	22 02	22 30	23 20	// //	// //	// //	// //	// //
6	20 46	20 56	21 07	21 20	21 35	21 54	22 18	22 54	// //	// //	// //	// //	// //	// //
10	20 52	21 02	21 14	21 29	21 45	22 06	22 35	23 32	// //	// //	// //	// //	// //	// //
14	20 58	21 09	21 22	21 37	21 56	22 20	22 56	// //	// //	// //	// //	// //	// //	// //
18	21 03	21 16	21 30	21 46	22 07	22 35	23 .27	// //	// //	// //	// //	// //	// //	// //
22	21 09	21 22	21 37	21 55	22 18	22 51	// //	// //	// //	// //	// //	// //	// //	// //
26	21 14	21 28	21 44	22 03	22 29	23 10	// //	// //	// //	// //	// //	// //	// //	// //
30	21 19	21 34	21 51	22 12	22 40	23 38	// //	// //	// //	// //	// //	// //	// //	// //
June 3	21 24	21 39	21 57	22 19	22 51	// //	// //	// //	// //	// //	// //	// //	// //	// //
7	21 28	21 43	22 02	22 26	23 01	// //	// //	// //	// //	// //	// //	// //	// //	// //
11	21 31	21 47	22 06	22 31	23 10	// //	// //	// //	// //	// //	// //	// //	// //	// //
15	21 34	21 50	22 09	22 35	23 17	// //	// //	// //	// //	// //	// //	// //	// //	** **
19	21 35	21 51	22 11	22 37	23 21	// //	// //	// //	// //	// //	// //	// //	// //	** **
23	21 36	21 52	22 12	22 38	23 22	// //	// //	// //	// //	// //	// //	// //	// //	** **
27	21 36	21 52	22 11	22 37	23 18	// //	// //	// //	// //	// //	// //	// //	// //	** **
July 1	21 35	21 51	22 10	22 34	23 12	// //	// //	// //	// //	// //	// //	// //	// //	// //
5	21 33	21 48	22 07	22 30	23 04	// //	// //	// //	// //	// //	// //	// //	// //	// //

The symbols (*) and (/) indicate Sun continuously above horizon and continuous twilight, respectively.

ASTRONOMICAL TWILIGHT, 1985

UNIVERSAL TIME FOR MERIDIAN OF GREENWICH
BEGINNING ASTRONOMICAL TWILIGHT

Lat.		−55°	−50°	−45°	−40°	−35°	−30°	−20°	−10°	0°	+10°	+20°	+30°	+35°	+40°
		h m	h m	h m	h m	h m	h m	h m	h m	h m	h m	h m	h m	h m	h m
July	1	6 09	6 01	5 53	5 45	5 38	5 31	5 17	5 02	4 45	4 25	4 00	3 26	3 03	2 32
	5	6 08	6 00	5 52	5 45	5 38	5 31	5 17	5 03	4 46	4 27	4 02	3 28	3 06	2 36
	9	6 06	5 58	5 51	5 44	5 38	5 31	5 18	5 03	4 47	4 28	4 04	3 31	3 09	2 39
	13	6 04	5 56	5 50	5 43	5 37	5 30	5 18	5 04	4 48	4 29	4 06	3 34	3 12	2 44
	17	6 01	5 54	5 48	5 41	5 36	5 30	5 17	5 04	4 49	4 30	4 08	3 37	3 16	2 49
	21	5 57	5 51	5 45	5 39	5 34	5 28	5 17	5 04	4 49	4 32	4 10	3 40	3 20	2 54
	25	5 52	5 47	5 42	5 37	5 32	5 27	5 16	5 04	4 50	4 33	4 12	3 43	3 24	2 59
	29	5 47	5 43	5 38	5 34	5 29	5 25	5 15	5 03	4 50	4 34	4 14	3 47	3 28	3 05
Aug.	2	5 41	5 38	5 34	5 31	5 27	5 23	5 13	5 03	4 50	4 35	4 16	3 50	3 33	3 11
	6	5 35	5 33	5 30	5 27	5 24	5 20	5 12	5 02	4 51	4 36	4 18	3 53	3 37	3 16
	10	5 28	5 27	5 25	5 23	5 20	5 17	5 10	5 01	4 51	4 37	4 20	3 57	3 42	3 22
	14	5 21	5 21	5 20	5 18	5 16	5 14	5 08	5 00	4 50	4 38	4 22	4 00	3 46	3 28
	18	5 13	5 14	5 14	5 13	5 12	5 10	5 05	4 59	4 50	4 39	4 24	4 04	3 50	3 33
	22	5 05	5 07	5 08	5 08	5 08	5 06	5 03	4 57	4 49	4 39	4 26	4 07	3 54	3 39
	26	4 56	4 59	5 02	5 03	5 03	5 02	5 00	4 55	4 49	4 40	4 27	4 10	3 58	3 44
	30	4 46	4 51	4 55	4 57	4 58	4 58	4 57	4 53	4 48	4 40	4 29	4 13	4 02	3 49
Sept	3	4 37	4 43	4 48	4 51	4 53	4 54	4 54	4 51	4 47	4 40	4 30	4 16	4 06	3 54
	7	4 27	4 35	4 40	4 44	4 47	4 49	4 50	4 49	4 46	4 40	4 31	4 19	4 10	3 59
	11	4 16	4 26	4 33	4 38	4 42	4 44	4 47	4 47	4 44	4 40	4 33	4 21	4 14	4 04
	15	4 05	4 17	4 25	4 31	4 36	4 39	4 43	4 44	4 43	4 40	4 34	4 24	4 17	4 09
	19	3 54	4 07	4 17	4 24	4 30	4 34	4 39	4 42	4 42	4 40	4 35	4 26	4 21	4 13
	23	3 42	3 57	4 09	4 17	4 24	4 29	4 36	4 39	4 40	4 39	4 36	4 29	4 24	4 17
	27	3 30	3 47	4 00	4 10	4 18	4 23	4 32	4 37	4 39	4 39	4 37	4 31	4 27	4 22
Oct.	1	3 17	3 37	3 52	4 03	4 11	4 18	4 28	4 34	4 38	4 39	4 38	4 34	4 30	4 26
	5	3 04	3 27	3 43	3 55	4 05	4 13	4 24	4 32	4 36	4 39	4 39	4 36	4 34	4 30

ENDING ASTRONOMICAL TWILIGHT

Lat.		−55°	−50°	−45°	−40°	−35°	−30°	−20°	−10°	0°	+10°	+20°	+30°	+35°	+40°
		h m	h m	h m	h m	h m	h m	h m	h m	h m	h m	h m	h m	h m	h m
July	1	17 59	18 07	18 15	18 22	18 30	18 36	18 51	19 06	19 22	19 42	20 07	20 41	21 04	21 35
	5	18 01	18 10	18 17	18 24	18 31	18 38	18 52	19 06	19 23	19 42	20 07	20 40	21 03	21 33
	9	18 04	18 12	18 19	18 26	18 33	18 39	18 53	19 07	19 23	19 42	20 06	20 39	21 01	21 30
	13	18 08	18 15	18 22	18 29	18 35	18 41	18 54	19 08	19 23	19 42	20 06	20 37	20 59	21 27
	17	18 12	18 19	18 25	18 31	18 37	18 43	18 55	19 08	19 24	19 42	20 04	20 35	20 56	21 23
	21	18 17	18 22	18 28	18 34	18 39	18 45	18 56	19 09	19 23	19 41	20 03	20 32	20 52	21 18
	25	18 21	18 26	18 31	18 36	18 41	18 46	18 57	19 09	19 23	19 40	20 01	20 29	20 48	21 13
	29	18 26	18 31	18 35	18 39	18 44	18 48	18 58	19 09	19 23	19 38	19 58	20 26	20 44	21 07
Aug.	2	18 32	18 35	18 39	18 42	18 46	18 50	18 59	19 10	19 22	19 37	19 56	20 22	20 39	21 01
	6	18 37	18 40	18 42	18 45	18 49	18 52	19 00	19 10	19 21	19 35	19 53	20 18	20 34	20 54
	10	18 43	18 44	18 46	18 48	18 51	18 54	19 01	19 10	19 20	19 33	19 50	20 13	20 28	20 47
	14	18 49	18 49	18 49	18 52	18 54	18 56	19 02	19 09	19 19	19 31	19 47	20 08	20 22	20 40
	18	18 56	18 54	18 54	18 55	18 56	18 58	19 03	19 09	19 18	19 29	19 43	20 03	20 17	20 33
	22	19 02	19 00	18 58	18 58	18 59	19 00	19 03	19 09	19 16	19 26	19 40	19 58	20 10	20 26
	26	19 09	19 05	19 03	19 02	19 01	19 02	19 04	19 08	19 15	19 24	19 36	19 53	20 04	20 18
	30	19 16	19 11	19 07	19 05	19 04	19 04	19 05	19 08	19 13	19 21	19 32	19 48	19 58	20 11
Sept	3	19 23	19 17	19 12	19 09	19 07	19 06	19 05	19 08	19 12	19 19	19 28	19 42	19 52	20 03
	7	19 31	19 22	19 17	19 12	19 09	19 08	19 06	19 07	19 10	19 16	19 24	19 37	19 45	19 56
	11	19 39	19 29	19 21	19 16	19 12	19 10	19 07	19 07	19 09	19 13	19 20	19 31	19 39	19 48
	15	19 47	19 35	19 26	19 20	19 15	19 12	19 08	19 06	19 07	19 10	19 16	19 26	19 32	19 41
	19	19 56	19 42	19 32	19 24	19 18	19 14	19 09	19 06	19 06	19 08	19 12	19 20	19 26	19 34
	23	20 05	19 49	19 37	19 28	19 22	19 17	19 09	19 06	19 04	19 05	19 09	19 15	19 20	19 26
	27	20 14	19 56	19 43	19 33	19 25	19 19	19 11	19 05	19 03	19 03	19 05	19 10	19 14	19 19
Oct.	1	20 24	20 04	19 49	19 38	19 29	19 22	19 12	19 05	19 02	19 00	19 01	19 05	19 08	19 13
	5	20 35	20 12	19 55	19 42	19 33	19 25	19 13	19 05	19 01	18 58	18 58	19 00	19 03	19 06

UNIVERSAL TIME FOR MERIDIAN OF GREENWICH
BEGINNING ASTRONOMICAL TWILIGHT

Lat.	+40°	+42°	+44°	+46°	+48°	+50°	+52°	+54°	+56°	+58°	+60°	+62°	+64°	+66°
	h m	h m	h m	h m	h m	h m	h m	h m	h m	h m	h m	h m	h m	h m
July 1	2 32	2 17	1 57	1 32	0 53	// //	// //	// //	// //	// //	// //	// //	// //	// //
5	2 36	2 20	2 02	1 38	1 02	// //	// //	// //	// //	// //	// //	// //	// //	// //
9	2 39	2 25	2 07	1 44	1 13	// //	// //	// //	// //	// //	// //	// //	// //	// //
13	2 44	2 30	2 13	1 52	1 23	0 25	// //	// //	// //	// //	// //	// //	// //	// //
17	2 49	2 35	2 19	2 00	1 34	0 53	// //	// //	// //	// //	// //	// //	// //	// //
21	2 54	2 41	2 26	2 08	1 45	1 12	// //	// //	// //	// //	// //	// //	// //	// //
25	2 59	2 47	2 33	2 17	1 56	1 28	0 36	// //	// //	// //	// //	// //	// //	// //
29	3 05	2 54	2 41	2 25	2 07	1 42	1 06	// //	// //	// //	// //	// //	// //	// //
Aug. 2	3 11	3 00	2 48	2 34	2 17	1 56	1 27	0 29	// //	// //	// //	// //	// //	// //
6	3 16	3 07	2 55	2 42	2 27	2 08	1 44	1 08	// //	// //	// //	// //	// //	// //
10	3 22	3 13	3 03	2 51	2 37	2 20	1 59	1 31	0 40	// //	// //	// //	// //	// //
14	3 28	3 19	3 10	2 59	2 46	2 31	2 13	1 50	1 16	// //	// //	// //	// //	// //
18	3 33	3 26	3 17	3 07	2 55	2 42	2 26	2 06	1 39	0 57	// //	// //	// //	// //
22	3 39	3 32	3 23	3 14	3 04	2 52	2 38	2 20	1 58	1 28	0 25	// //	// //	// //
26	3 44	3 38	3 30	3 22	3 12	3 01	2 49	2 33	2 15	1 51	1 15	// //	// //	// //
30	3 49	3 43	3 36	3 29	3 20	3 10	2 59	2 46	2 30	2 10	1 43	0 59	// //	// //
Sept 3	3 54	3 49	3 43	3 36	3 28	3 19	3 09	2 57	2 43	2 26	2 04	1 34	0 37	// //
7	3 59	3 54	3 49	3 42	3 35	3 27	3 18	3 08	2 56	2 41	2 23	1 59	1 24	// //
11	4 04	3 59	3 54	3 49	3 42	3 35	3 27	3 18	3 07	2 54	2 39	2 19	1 53	1 13
15	4 09	4 05	4 00	3 55	3 49	3 43	3 36	3 28	3 18	3 07	2 54	2 37	2 16	1 47
19	4 13	4 10	4 06	4 01	3 56	3 51	3 44	3 37	3 29	3 19	3 07	2 53	2 36	2 13
23	4 17	4 14	4 11	4 07	4 03	3 58	3 52	3 46	3 38	3 30	3 20	3 08	2 53	2 35
27	4 22	4 19	4 16	4 13	4 09	4 05	4 00	3 54	3 48	3 41	3 32	3 22	3 09	2 54
Oct. 1	4 26	4 24	4 21	4 18	4 15	4 11	4 07	4 03	3 57	3 51	3 43	3 35	3 24	3 11
5	4 30	4 28	4 26	4 24	4 21	4 18	4 15	4 11	4 06	4 01	3 54	3 47	3 38	3 27

ENDING ASTRONOMICAL TWILIGHT

Lat.	+40°	+42°	+44°	+46°	+48°	+50°	+52°	+54°	+56°	+58°	+60°	+62°	+64°	+66°
	h m	h m	h m	h m	h m	h m	h m	h m	h m	h m	h m	h m	h m	h m
July 1	21 35	21 51	22 10	22 34	23 12	// //	// //	// //	// //	// //	// //	// //	// //	// //
5	21 33	21 48	22 07	22 30	23 04	// //	// //	// //	// //	// //	// //	// //	// //	// //
9	21 30	21 45	22 02	22 25	22 56	// //	// //	// //	// //	// //	// //	// //	// //	// //
13	21 27	21 41	21 57	22 18	22 46	23 37	// //	// //	// //	// //	// //	// //	// //	// //
17	21 23	21 36	21 52	22 11	22 36	23 14	// //	// //	// //	// //	// //	// //	// //	// //
21	21 18	21 31	21 45	22 03	22 25	22 57	// //	// //	// //	// //	// //	// //	// //	// //
25	21 13	21 24	21 38	21 55	22 15	22 42	23 28	// //	// //	// //	// //	// //	// //	// //
29	21 07	21 18	21 31	21 46	22 04	22 27	23 01	// //	// //	// //	// //	// //	// //	// //
Aug. 2	21 01	21 11	21 23	21 37	21 53	22 14	22 41	23 30	// //	// //	// //	// //	// //	// //
6	20 54	21 04	21 15	21 28	21 43	22 01	22 24	22 58	// //	// //	// //	// //	// //	// //
10	20 47	20 56	21 07	21 18	21 32	21 48	22 08	22 35	23 20	// //	// //	// //	// //	// //
14	20 40	20 49	20 58	21 09	21 21	21 36	21 53	22 16	22 47	// //	// //	// //	// //	// //
18	20 33	20 41	20 50	20 59	21 11	21 24	21 39	21 59	22 24	23 02	// //	// //	// //	// //
22	20 26	20 33	20 41	20 50	21 00	21 12	21 26	21 42	22 03	22 32	23 23	// //	// //	// //
26	20 18	20 25	20 32	20 40	20 50	21 00	21 13	21 27	21 45	22 08	22 41	// //	// //	// //
30	20 11	20 17	20 23	20 31	20 39	20 49	21 00	21 13	21 29	21 48	22 13	22 52	// //	// //
Sept 3	20 03	20 09	20 15	20 22	20 29	20 38	20 48	20 59	21 13	21 29	21 50	22 18	23 06	// //
7	19 56	20 01	20 06	20 12	20 19	20 27	20 36	20 46	20 58	21 12	21 30	21 52	22 24	23 29
11	19 48	19 53	19 58	20 03	20 09	20 16	20 24	20 33	20 44	20 56	21 11	21 30	21 55	22 31
15	19 41	19 45	19 49	19 54	20 00	20 06	20 13	20 21	20 30	20 41	20 54	21 10	21 30	21 57
19	19 34	19 37	19 41	19 45	19 50	19 56	20 02	20 09	20 17	20 26	20 38	20 51	21 08	21 29
23	19 26	19 29	19 33	19 37	19 41	19 46	19 51	19 57	20 04	20 13	20 22	20 34	20 48	21 06
27	19 19	19 22	19 25	19 28	19 32	19 36	19 41	19 46	19 52	19 59	20 08	20 18	20 30	20 44
Oct. 1	19 13	19 15	19 17	19 20	19 23	19 27	19 31	19 35	19 41	19 47	19 54	20 02	20 13	20 25
5	19 06	19 08	19 10	19 12	19 15	19 18	19 21	19 25	19 29	19 35	19 41	19 48	19 56	20 07

The symbols (*) and (/) indicate Sun continuously above horizon and continuous twilight, respectively.

UNIVERSAL TIME FOR MERIDIAN OF GREENWICH
BEGINNING ASTRONOMICAL TWILIGHT

Lat.	−55°	−50°	−45°	−40°	−35°	−30°	−20°	−10°	0°	+10°	+20°	+30°	+35°	+40°
	h m	h m	h m	h m	h m	h m	h m	h m	h m	h m	h m	h m	h m	h m
Oct. 1	3 17	3 37	3 52	4 03	4 11	4 18	4 28	4 34	4 38	4 39	4 38	4 34	4 30	4 26
5	3 04	3 27	3 43	3 55	4 05	4 13	4 24	4 32	4 36	4 39	4 39	4 36	4 34	4 30
9	2 51	3 16	3 34	3 48	3 59	4 08	4 20	4 29	4 35	4 38	4 40	4 39	4 37	4 34
13	2 36	3 05	3 25	3 41	3 53	4 02	4 17	4 27	4 34	4 38	4 41	4 41	4 40	4 38
17	2 22	2 54	3 17	3 33	3 47	3 57	4 13	4 24	4 32	4 38	4 42	4 43	4 43	4 42
21	2 06	2 43	3 08	3 26	3 41	3 52	4 10	4 22	4 31	4 38	4 43	4 46	4 46	4 46
25	1 49	2 31	2 59	3 19	3 35	3 47	4 06	4 20	4 30	4 38	4 44	4 48	4 50	4 50
29	1 30	2 19	2 50	3 12	3 29	3 43	4 03	4 18	4 30	4 39	4 46	4 51	4 53	4 54
Nov. 2	1 09	2 07	2 41	3 05	3 24	3 38	4 00	4 17	4 29	4 39	4 47	4 53	4 56	4 58
6	0 42	1 55	2 33	2 59	3 18	3 34	3 58	4 15	4 29	4 40	4 49	4 56	4 59	5 02
10	// //	1 42	2 24	2 52	3 13	3 30	3 55	4 14	4 28	4 40	4 50	4 59	5 03	5 06
14	// //	1 29	2 16	2 47	3 09	3 27	3 53	4 13	4 28	4 41	4 52	5 02	5 06	5 10
18	// //	1 15	2 08	2 41	3 05	3 24	3 52	4 12	4 29	4 42	4 54	5 04	5 09	5 14
22	// //	1 01	2 01	2 36	3 01	3 21	3 50	4 12	4 29	4 44	4 56	5 07	5 13	5 18
26	// //	0 44	1 54	2 32	2 58	3 19	3 50	4 12	4 30	4 45	4 58	5 10	5 16	5 22
30	// //	0 23	1 48	2 28	2 56	3 17	3 49	4 12	4 31	4 46	5 00	5 13	5 19	5 25
Dec. 4	// //	// //	1 43	2 26	2 54	3 16	3 49	4 13	4 32	4 48	5 02	5 16	5 22	5 29
8	// //	// //	1 39	2 24	2 53	3 16	3 49	4 14	4 33	4 50	5 05	5 18	5 25	5 32
12	// //	// //	1 37	2 23	2 53	3 16	3 50	4 15	4 35	4 52	5 07	5 21	5 28	5 35
16	// //	// //	1 35	2 23	2 54	3 17	3 52	4 17	4 37	4 54	5 09	5 23	5 30	5 38
20	// //	// //	1 36	2 24	2 55	3 19	3 53	4 19	4 39	4 56	5 11	5 26	5 33	5 40
24	// //	// //	1 38	2 26	2 57	3 21	3 55	4 21	4 41	4 58	5 13	5 28	5 35	5 42
28	// //	// //	1 41	2 29	3 00	3 23	3 58	4 23	4 43	5 00	5 15	5 29	5 36	5 44
32	// //	// //	1 47	2 33	3 03	3 26	4 00	4 25	4 45	5 02	5 17	5 31	5 38	5 45
36	// //	// //	1 53	2 37	3 07	3 30	4 03	4 27	4 47	5 03	5 18	5 32	5 38	5 45

ENDING ASTRONOMICAL TWILIGHT

Lat.	−55°	−50°	−45°	−40°	−35°	−30°	−20°	−10°	0°	+10°	+20°	+30°	+35°	+40°
	h m	h m	h m	h m	h m	h m	h m	h m	h m	h m	h m	h m	h m	h m
Oct. 1	20 24	20 04	19 49	19 38	19 29	19 22	19 12	19 05	19 02	19 00	19 01	19 05	19 08	19 13
5	20 35	20 12	19 55	19 42	19 33	19 25	19 13	19 05	19 01	18 58	18 58	19 00	19 03	19 06
9	20 46	20 20	20 02	19 47	19 36	19 28	19 15	19 06	19 00	18 56	18 55	18 56	18 57	19 00
13	20 59	20 29	20 08	19 53	19 41	19 31	19 16	19 06	18 59	18 54	18 51	18 51	18 52	18 54
17	21 12	20 39	20 16	19 58	19 45	19 34	19 18	19 07	18 58	18 52	18 49	18 47	18 47	18 48
21	21 27	20 49	20 23	20 04	19 50	19 38	19 20	19 07	18 58	18 51	18 46	18 43	18 42	18 42
25	21 43	20 59	20 31	20 10	19 54	19 42	19 22	19 08	18 58	18 50	18 44	18 40	18 38	18 37
29	22 01	21 10	20 39	20 17	19 59	19 46	19 25	19 09	18 58	18 49	18 42	18 36	18 34	18 33
Nov. 2	22 23	21 22	20 47	20 23	20 05	19 50	19 27	19 11	18 58	18 48	18 40	18 33	18 31	18 28
6	22 53	21 35	20 56	20 30	20 10	19 54	19 30	19 12	18 59	18 48	18 39	18 31	18 28	18 25
10	// //	21 48	21 05	20 37	20 15	19 58	19 33	19 14	18 59	18 48	18 37	18 29	18 25	18 21
14	// //	22 03	21 14	20 43	20 21	20 03	19 36	19 16	19 01	18 48	18 37	18 27	18 23	18 18
18	// //	22 18	21 24	20 50	20 26	20 07	19 39	19 18	19 02	18 48	18 36	18 26	18 21	18 16
22	// //	22 36	21 33	20 57	20 32	20 12	19 42	19 20	19 03	18 49	18 36	18 25	18 19	18 14
26	// //	22 55	21 42	21 04	20 37	20 16	19 45	19 23	19 05	18 50	18 36	18 24	18 18	18 13
30	// //	23 22	21 50	21 10	20 42	20 20	19 49	19 25	19 07	18 51	18 37	18 24	18 18	18 12
Dec. 4	// //	// //	21 58	21 16	20 47	20 24	19 52	19 28	19 08	18 52	18 38	18 25	18 18	18 11
8	// //	// //	22 06	21 21	20 51	20 28	19 55	19 30	19 10	18 54	18 39	18 25	18 18	18 12
12	// //	// //	22 12	21 25	20 55	20 31	19 57	19 32	19 12	18 56	18 41	18 26	18 19	18 12
16	// //	// //	22 17	21 29	20 58	20 34	20 00	19 35	19 14	18 57	18 42	18 28	18 21	18 14
20	// //	// //	22 20	21 32	21 00	20 37	20 02	19 37	19 17	18 59	18 44	18 30	18 22	18 15
24	// //	// //	22 21	21 33	21 02	20 39	20 04	19 39	19 18	19 01	18 46	18 32	18 25	18 17
28	// //	// //	22 21	21 34	21 03	20 40	20 06	19 40	19 20	19 03	18 48	18 34	18 27	18 20
32	// //	// //	22 20	21 34	21 04	20 41	20 07	19 42	19 22	19 05	18 50	18 36	18 30	18 23
36	// //	// //	22 16	21 33	21 03	20 41	20 07	19 43	19 24	19 07	18 53	18 39	18 32	18 26

The symbols (*) and (/) indicate Sun continuously above horizon and continuous twilight, respectively.

UNIVERSAL TIME FOR MERIDIAN OF GREENWICH
BEGINNING ASTRONOMICAL TWILIGHT

Lat.	+40°	+42°	+44°	+46°	+48°	+50°	+52°	+54°	+56°	+58°	+60°	+62°	+64°	+66°
	h m	h m	h m	h m	h m	h m	h m	h m	h m	h m	h m	h m	h m	h m
Oct. 1	4 26	4 24	4 21	4 18	4 15	4 11	4 07	4 03	3 57	3 51	3 43	3 35	3 24	3 11
5	4 30	4 28	4 26	4 24	4 21	4 18	4 15	4 11	4 06	4 01	3 54	3 47	3 38	3 27
9	4 34	4 33	4 31	4 29	4 27	4 25	4 22	4 18	4 14	4 10	4 05	3 59	3 51	3 42
13	4 38	4 37	4 36	4 35	4 33	4 31	4 29	4 26	4 23	4 19	4 15	4 10	4 04	3 56
17	4 42	4 42	4 41	4 40	4 39	4 37	4 35	4 33	4 31	4 28	4 25	4 21	4 16	4 10
21	4 46	4 46	4 46	4 45	4 44	4 43	4 42	4 41	4 39	4 37	4 34	4 31	4 27	4 23
25	4 50	4 50	4 50	4 50	4 50	4 49	4 49	4 48	4 47	4 45	4 43	4 41	4 39	4 35
29	4 54	4 55	4 55	4 55	4 55	4 55	4 55	4 55	4 54	4 54	4 52	4 51	4 49	4 47
Nov. 2	4 58	4 59	5 00	5 00	5 01	5 01	5 02	5 02	5 02	5 02	5 01	5 01	5 00	4 59
6	5 02	5 03	5 04	5 05	5 06	5 07	5 08	5 08	5 09	5 09	5 10	5 10	5 10	5 10
10	5 06	5 08	5 09	5 10	5 11	5 13	5 14	5 15	5 16	5 17	5 18	5 19	5 20	5 20
14	5 10	5 12	5 13	5 15	5 17	5 18	5 20	5 21	5 23	5 24	5 26	5 27	5 29	5 30
18	5 14	5 16	5 18	5 20	5 22	5 24	5 26	5 27	5 29	5 31	5 33	5 36	5 38	5 40
22	5 18	5 20	5 22	5 24	5 27	5 29	5 31	5 33	5 36	5 38	5 41	5 43	5 46	5 49
26	5 22	5 24	5 26	5 29	5 31	5 34	5 36	5 39	5 42	5 44	5 47	5 51	5 54	5 58
30	5 25	5 28	5 30	5 33	5 36	5 38	5 41	5 44	5 47	5 50	5 54	5 57	6 01	6 06
Dec. 4	5 29	5 31	5 34	5 37	5 40	5 43	5 46	5 49	5 52	5 56	5 59	6 03	6 08	6 13
8	5 32	5 35	5 38	5 41	5 44	5 47	5 50	5 53	5 57	6 00	6 04	6 09	6 13	6 19
12	5 35	5 38	5 41	5 44	5 47	5 50	5 54	5 57	6 01	6 05	6 09	6 13	6 18	6 24
16	5 38	5 41	5 44	5 47	5 50	5 53	5 57	6 00	6 04	6 08	6 12	6 17	6 22	6 28
20	5 40	5 43	5 46	5 49	5 52	5 56	5 59	6 03	6 07	6 11	6 15	6 20	6 25	6 31
24	5 42	5 45	5 48	5 51	5 54	5 58	6 01	6 05	6 09	6 13	6 17	6 22	6 27	6 33
28	5 44	5 47	5 50	5 53	5 56	5 59	6 02	6 06	6 10	6 14	6 18	6 23	6 28	6 34
32	5 45	5 48	5 50	5 53	5 57	6 00	6 03	6 07	6 10	6 14	6 18	6 23	6 28	6 33
36	5 45	5 48	5 51	5 54	5 57	6 00	6 03	6 06	6 10	6 13	6 17	6 22	6 26	6 31

ENDING ASTRONOMICAL TWILIGHT

Lat.	+40°	+42°	+44°	+46°	+48°	+50°	+52°	+54°	+56°	+58°	+60°	+62°	+64°	+66°
	h m	h m	h m	h m	h m	h m	h m	h m	h m	h m	h m	h m	h m	h m
Oct. 1	19 13	19 15	19 17	19 20	19 23	19 27	19 31	19 35	19 41	19 47	19 54	20 02	20 13	20 25
5	19 06	19 08	19 10	19 12	19 15	19 18	19 21	19 25	19 29	19 35	19 41	19 48	19 56	20 07
9	19 00	19 01	19 03	19 04	19 06	19 09	19 12	19 15	19 19	19 23	19 28	19 34	19 41	19 50
13	18 54	18 55	18 56	18 57	18 59	19 01	19 03	19 05	19 08	19 12	19 16	19 21	19 27	19 34
17	18 48	18 48	18 49	18 50	18 51	18 53	18 54	18 56	18 58	19 01	19 04	19 08	19 13	19 19
21	18 42	18 43	18 43	18 43	18 44	18 45	18 46	18 47	18 49	18 51	18 54	18 57	19 00	19 05
25	18 37	18 37	18 37	18 37	18 37	18 38	18 38	18 39	18 40	18 42	18 43	18 45	18 48	18 51
29	18 33	18 32	18 32	18 31	18 31	18 31	18 31	18 32	18 32	18 33	18 34	18 35	18 37	18 39
Nov. 2	18 28	18 28	18 27	18 26	18 26	18 25	18 25	18 25	18 24	18 24	18 25	18 25	18 26	18 27
6	18 25	18 23	18 22	18 21	18 20	18 20	18 19	18 18	18 17	18 17	18 16	18 16	18 16	18 16
10	18 21	18 20	18 18	18 17	18 16	18 14	18 13	18 12	18 11	18 10	18 09	18 08	18 07	18 06
14	18 18	18 17	18 15	18 13	18 12	18 10	18 08	18 07	18 05	18 04	18 02	18 00	17 59	17 57
18	18 16	18 14	18 12	18 10	18 08	18 06	18 04	18 02	18 00	17 58	17 56	17 54	17 52	17 49
22	18 14	18 12	18 10	18 07	18 05	18 03	18 01	17 58	17 56	17 53	17 51	17 48	17 45	17 42
26	18 13	18 10	18 08	18 05	18 03	18 00	17 58	17 55	17 52	17 50	17 47	17 43	17 40	17 36
30	18 12	18 09	18 07	18 04	18 01	17 59	17 56	17 53	17 50	17 47	17 43	17 39	17 35	17 31
Dec. 4	18 11	18 09	18 06	18 03	18 00	17 57	17 54	17 51	17 48	17 44	17 41	17 37	17 32	17 27
8	18 12	18 09	18 06	18 03	18 00	17 57	17 54	17 50	17 47	17 43	17 39	17 35	17 30	17 25
12	18 12	18 09	18 06	18 03	18 00	17 57	17 54	17 50	17 47	17 43	17 38	17 34	17 29	17 23
16	18 14	18 11	18 08	18 04	18 01	17 58	17 54	17 51	17 47	17 43	17 39	17 34	17 29	17 23
20	18 15	18 12	18 09	18 06	18 03	17 59	17 56	17 52	17 48	17 44	17 40	17 35	17 30	17 24
24	18 17	18 14	18 11	18 08	18 05	18 02	17 58	17 54	17 51	17 47	17 42	17 37	17 32	17 26
28	18 20	18 17	18 14	18 11	18 08	18 04	18 01	17 57	17 54	17 50	17 45	17 41	17 35	17 30
32	18 23	18 20	18 17	18 14	18 11	18 07	18 04	18 01	17 57	17 53	17 49	17 45	17 40	17 34
36	18 26	18 23	18 20	18 17	18 14	18 11	18 08	18 05	18 01	17 58	17 54	17 50	17 45	17 40

MOONRISE AND MOONSET, 1985

UNIVERSAL TIME FOR MERIDIAN OF GREENWICH

MOONRISE

Lat.	−55°	−50°	−45°	−40°	−35°	−30°	−20°	−10°	0°	+10°	+20°	+30°	+35°	+40°
	h m	h m	h m	h m	h m	h m	h m	h m	h m	h m	h m	h m	h m	h m
Jan. 0	13 35	13 28	13 22	13 18	13 14	13 10	13 04	12 59	12 54	12 49	12 43	12 38	12 34	12 30
1	14 49	14 36	14 26	14 18	14 10	14 04	13 53	13 44	13 35	13 26	13 17	13 06	13 00	12 53
2	16 06	15 47	15 32	15 20	15 09	15 00	14 44	14 31	14 18	14 06	13 52	13 37	13 29	13 19
3	17 26	17 00	16 40	16 24	16 10	15 59	15 39	15 21	15 05	14 49	14 32	14 13	14 02	13 49
4	18 45	18 12	17 48	17 29	17 13	16 59	16 35	16 15	15 56	15 38	15 18	14 55	14 41	14 26
5	19 58	19 21	18 54	18 33	18 15	18 00	17 34	17 12	16 51	16 31	16 09	15 43	15 28	15 11
6	20 59	20 21	19 54	19 32	19 14	18 59	18 33	18 10	17 49	17 28	17 05	16 39	16 24	16 06
7	21 42	21 09	20 44	20 25	20 08	19 53	19 29	19 08	18 48	18 28	18 07	17 42	17 27	17 10
8	22 12	21 46	21 25	21 09	20 54	20 42	20 21	20 03	19 46	19 28	19 10	18 48	18 36	18 21
9	22 32	22 13	21 58	21 45	21 34	21 25	21 09	20 54	20 41	20 27	20 13	19 56	19 46	19 35
10	22 47	22 35	22 25	22 17	22 09	22 03	21 52	21 42	21 33	21 24	21 14	21 03	20 56	20 49
11	22 59	22 53	22 49	22 44	22 41	22 38	22 32	22 28	22 23	22 19	22 14	22 08	22 05	22 01
12	23 10	23 10	23 10	23 10	23 11	23 11	23 11	23 11	23 12	23 12	23 12	23 13	23 13	23 13
13	23 21	23 27	23 32	23 37	23 41	23 44	23 50	23 55	.. ..	.. ..	.. ..	.. ..	.. ..	.. ..
14	23 33	23 46	23 56	.. ..	.. ..	.. ..	.. ..	.. ..	0 00	0 05	0 11	0 17	0 20	0 25
15	23 48	.. ..	.. ..	0 05	0 12	0 19	0 30	0 40	0 50	0 59	1 10	1 22	1 29	1 37
16	.. ..	0 08	0 23	0 36	0 47	0 56	1 13	1 28	1 42	1 55	2 10	2 28	2 38	2 50
17	0 09	0 35	0 56	1 13	1 27	1 39	2 00	2 19	2 36	2 54	3 13	3 34	3 47	4 02
18	0 39	1 12	1 37	1 57	2 13	2 28	2 52	3 13	3 33	3 53	4 15	4 40	4 55	5 12
19	1 23	2 00	2 27	2 49	3 07	3 22	3 48	4 11	4 32	4 53	5 15	5 42	5 57	6 15
20	2 24	3 01	3 27	3 49	4 06	4 21	4 47	5 09	5 29	5 50	6 12	6 38	6 53	7 10
21	3 39	4 10	4 34	4 53	5 09	5 23	5 46	6 06	6 25	6 43	7 03	7 26	7 40	7 55
22	4 59	5 24	5 44	5 59	6 12	6 24	6 43	7 00	7 16	7 32	7 49	8 08	8 19	8 32
23	6 20	6 38	6 53	7 04	7 14	7 23	7 38	7 52	8 04	8 16	8 29	8 44	8 52	9 02
24	7 38	7 50	7 59	8 07	8 14	8 20	8 30	8 39	8 48	8 56	9 05	9 15	9 21	9 28

MOONSET

Lat.	−55°	−50°	−45°	−40°	−35°	−30°	−20°	−10°	0°	+10°	+20°	+30°	+35°	+40°
	h m	h m	h m	h m	h m	h m	h m	h m	h m	h m	h m	h m	h m	h m
Jan. 0	0 09	0 13	0 16	0 19	0 21	0 23	0 27	0 30	0 33	0 36	0 39	0 43	0 45	0 47
1	0 18	0 27	0 34	0 40	0 46	0 51	0 59	1 06	1 13	1 20	1 27	1 36	1 41	1 46
2	0 28	0 43	0 55	1 04	1 13	1 20	1 33	1 45	1 55	2 06	2 18	2 31	2 38	2 47
3	0 41	1 02	1 18	1 32	1 43	1 53	2 11	2 26	2 40	2 55	3 10	3 28	3 38	3 50
4	1 00	1 27	1 48	2 05	2 19	2 32	2 53	3 12	3 29	3 47	4 06	4 27	4 40	4 55
5	1 28	2 01	2 26	2 46	3 02	3 17	3 41	4 02	4 22	4 42	5 03	5 28	5 43	6 00
6	2 09	2 47	3 14	3 36	3 54	4 09	4 35	4 58	5 19	5 40	6 02	6 28	6 44	7 02
7	3 10	3 47	4 14	4 35	4 53	5 08	5 34	5 57	6 17	6 38	7 00	7 25	7 40	7 58
8	4 28	5 00	5 24	5 43	5 59	6 13	6 37	6 57	7 16	7 34	7 54	8 17	8 30	8 46
9	5 56	6 21	6 41	6 56	7 09	7 21	7 40	7 57	8 12	8 28	8 44	9 03	9 14	9 26
10	7 28	7 45	7 59	8 10	8 20	8 28	8 42	8 54	9 06	9 17	9 29	9 43	9 51	10 00
11	8 59	9 09	9 17	9 23	9 29	9 34	9 43	9 50	9 57	10 04	10 11	10 19	10 24	10 29
12	10 28	10 31	10 34	10 36	10 37	10 39	10 42	10 44	10 46	10 48	10 51	10 53	10 54	10 56
13	11 56	11 52	11 50	11 47	11 45	11 43	11 40	11 37	11 35	11 32	11 29	11 26	11 24	11 22
14	13 25	13 14	13 06	12 59	12 53	12 48	12 39	12 31	12 23	12 16	12 08	12 00	11 54	11 49
15	14 54	14 37	14 23	14 11	14 02	13 53	13 39	13 26	13 14	13 02	12 50	12 36	12 27	12 18
16	16 24	15 59	15 40	15 24	15 11	15 00	14 40	14 23	14 07	13 52	13 35	13 16	13 04	12 52
17	17 51	17 19	16 55	16 36	16 20	16 06	15 42	15 22	15 03	14 44	14 24	14 01	13 47	13 32
18	19 08	18 31	18 04	17 43	17 25	17 10	16 44	16 22	16 01	15 41	15 18	14 53	14 37	14 20
19	20 07	19 31	19 04	18 42	18 24	18 09	17 43	17 21	17 00	16 39	16 16	15 50	15 34	15 16
20	20 49	20 16	19 52	19 32	19 16	19 02	18 37	18 16	17 56	17 37	17 15	16 50	16 36	16 19
21	21 16	20 50	20 30	20 13	19 59	19 47	19 26	19 07	18 50	18 33	18 14	17 52	17 39	17 25
22	21 35	21 15	20 59	20 46	20 35	20 25	20 08	19 54	19 40	19 25	19 10	18 53	18 43	18 31
23	21 49	21 35	21 23	21 14	21 06	20 59	20 47	20 36	20 25	20 15	20 04	19 51	19 44	19 35
24	21 59	21 51	21 44	21 38	21 33	21 29	21 21	21 14	21 08	21 02	20 55	20 47	20 42	20 37

The symbols (..) indicate that the phenomenon will occur the next day.

MOONRISE AND MOONSET, 1985

UNIVERSAL TIME FOR MERIDIAN OF GREENWICH

MOONRISE

Lat.		+40°	+42°	+44°	+46°	+48°	+50°	+52°	+54°	+56°	+58°	+60°	+62°	+64°	+66°
		h m	h m	h m	h m	h m	h m	h m	h m	h m	h m	h m	h m	h m	h m
Jan.	0	12 30	12 29	12 27	12 25	12 23	12 21	12 18	12 16	12 13	12 10	12 06	12 02	11 58	11 52
	1	12 53	12 50	12 47	12 43	12 40	12 36	12 31	12 27	12 21	12 15	12 09	12 01	11 52	11 42
	2	13 19	13 14	13 10	13 05	12 59	12 53	12 47	12 40	12 32	12 23	12 13	12 01	11 47	11 30
	3	13 49	13 43	13 37	13 30	13 23	13 15	13 07	12 57	12 46	12 34	12 19	12 02	11 41	11 14
	4	14 26	14 19	14 11	14 03	13 54	13 45	13 34	13 21	13 07	12 51	12 31	12 07	11 33	10 37
	5	15 11	15 03	14 55	14 45	14 35	14 24	14 12	13 57	13 40	13 20	12 55	12 20	11 17	** **
	6	16 06	15 58	15 49	15 40	15 29	15 17	15 04	14 49	14 31	14 09	13 41	13 00	** **	** **
	7	17 10	17 03	16 54	16 45	16 36	16 25	16 12	15 58	15 41	15 21	14 56	14 22	13 20	** **
	8	18 21	18 15	18 08	18 00	17 52	17 42	17 32	17 20	17 07	16 52	16 33	16 10	15 38	14 49
	9	19 35	19 30	19 24	19 19	19 12	19 05	18 58	18 49	18 40	18 29	18 16	18 01	17 43	17 19
	10	20 49	20 45	20 42	20 38	20 34	20 29	20 24	20 19	20 13	20 06	19 58	19 49	19 39	19 26
	11	22 01	22 00	21 58	21 56	21 54	21 52	21 50	21 47	21 44	21 41	21 38	21 33	21 29	21 23
	12	23 13	23 13	23 13	23 13	23 14	23 14	23 14	23 14	23 14	23 15	23 15	23 15	23 16	23 16
	13	..	..	..	..	..	..	..	..	..	..	..	..	..	..
	14	0 25	0 26	0 28	0 30	0 33	0 35	0 38	0 41	0 44	0 48	0 52	0 57	1 02	1 09
	15	1 37	1 40	1 44	1 48	1 53	1 57	2 03	2 09	2 15	2 22	2 31	2 41	2 52	3 06
	16	2 50	2 55	3 00	3 06	3 13	3 20	3 28	3 37	3 47	3 59	4 12	4 28	4 48	5 13
	17	4 02	4 09	4 16	4 24	4 32	4 42	4 53	5 05	5 19	5 35	5 54	6 19	6 53	7 55
	18	5 12	5 20	5 28	5 37	5 47	5 59	6 11	6 26	6 43	7 04	7 30	8 07	9 35	-- --
	19	6 15	6 24	6 32	6 42	6 53	7 05	7 18	7 34	7 52	8 15	8 44	9 28	-- --	-- --
	20	7 10	7 18	7 26	7 36	7 46	7 57	8 10	8 25	8 42	9 02	9 28	10 04	11 15	-- --
	21	7 55	8 02	8 10	8 18	8 27	8 36	8 47	9 00	9 14	9 30	9 50	10 15	10 48	11 46
	22	8 32	8 38	8 44	8 50	8 57	9 05	9 14	9 23	9 34	9 47	10 01	10 18	10 39	11 05
	23	9 02	9 06	9 11	9 16	9 21	9 27	9 33	9 40	9 48	9 57	10 07	10 18	10 32	10 48
	24	9 28	9 31	9 34	9 37	9 40	9 44	9 49	9 53	9 58	10 04	10 10	10 17	10 26	10 35

MOONSET

Lat.		+40°	+42°	+44°	+46°	+48°	+50°	+52°	+54°	+56°	+58°	+60°	+62°	+64°	+66°
		h m	h m	h m	h m	h m	h m	h m	h m	h m	h m	h m	h m	h m	h m
Jan.	0	0 47	0 48	0 49	0 51	0 52	0 53	0 55	0 57	0 58	1 00	1 03	1 05	1 08	1 12
	1	1 46	1 49	1 52	1 54	1 57	2 01	2 04	2 08	2 13	2 18	2 23	2 30	2 37	2 46
	2	2 47	2 51	2 55	3 00	3 05	3 10	3 16	3 22	3 30	3 38	3 47	3 58	4 11	4 26
	3	3 50	3 55	4 01	4 07	4 14	4 22	4 30	4 39	4 49	5 01	5 15	5 31	5 51	6 17
	4	4 55	5 02	5 09	5 16	5 25	5 34	5 45	5 57	6 10	6 26	6 45	7 09	7 42	8 38
	5	6 00	6 07	6 16	6 25	6 35	6 46	6 58	7 12	7 29	7 49	8 14	8 48	9 51	** **
	6	7 02	7 10	7 19	7 28	7 39	7 50	8 04	8 19	8 37	8 59	9 27	10 08	** **	** **
	7	7 58	8 05	8 14	8 23	8 33	8 44	8 57	9 12	9 28	9 48	10 14	10 48	11 51	** **
	8	8 46	8 53	9 00	9 08	9 17	9 26	9 37	9 49	10 03	10 19	10 38	11 02	11 34	12 25
	9	9 26	9 31	9 37	9 44	9 51	9 58	10 06	10 16	10 26	10 38	10 51	11 07	11 26	11 51
	10	10 00	10 04	10 08	10 12	10 17	10 23	10 28	10 35	10 42	10 49	10 58	11 08	11 20	11 34
	11	10 29	10 32	10 34	10 37	10 39	10 42	10 46	10 49	10 53	10 58	11 03	11 08	11 15	11 22
	12	10 56	10 57	10 57	10 58	10 59	11 00	11 01	11 02	11 03	11 05	11 06	11 08	11 09	11 12
	13	11 22	11 21	11 20	11 19	11 18	11 17	11 15	11 14	11 12	11 11	11 09	11 07	11 04	11 01
	14	11 49	11 46	11 43	11 41	11 37	11 34	11 31	11 27	11 22	11 17	11 12	11 06	10 58	10 50
	15	12 18	12 14	12 09	12 05	12 00	11 54	11 48	11 41	11 34	11 25	11 16	11 05	10 52	10 37
	16	12 52	12 46	12 40	12 33	12 27	12 18	12 10	12 00	11 49	11 37	11 23	11 06	10 45	10 19
	17	13 32	13 25	13 17	13 09	13 00	12 50	12 39	12 27	12 12	11 55	11 35	11 10	10 35	9 33
	18	14 20	14 12	14 03	13 54	13 44	13 32	13 19	13 04	12 47	12 26	12 00	11 23	9 54	-- --
	19	15 16	15 08	14 59	14 49	14 39	14 27	14 13	13 58	13 39	13 17	12 47	12 03	-- --	-- --
	20	16 19	16 11	16 03	15 54	15 44	15 33	15 20	15 06	14 49	14 29	14 03	13 28	12 16	-- --
	21	17 25	17 18	17 11	17 03	16 55	16 45	16 35	16 23	16 09	15 53	15 34	15 10	14 37	13 40
	22	18 31	18 26	18 20	18 14	18 07	18 00	17 52	17 43	17 32	17 21	17 07	16 51	16 31	16 05
	23	19 35	19 31	19 27	19 23	19 18	19 13	19 07	19 01	18 54	18 46	18 37	18 26	18 14	17 59
	24	20 37	20 35	20 32	20 29	20 26	20 23	20 20	20 16	20 12	20 07	20 02	19 56	19 49	19 41

The symbols (..) indicate that the phenomenon will occur the next day.

The symbols (-) and (*) indicate Moon continuously below and above horizon, respectively.

MOONRISE AND MOONSET, 1985
UNIVERSAL TIME FOR MERIDIAN OF GREENWICH
MOONRISE

Lat.	−55°	−50°	−45°	−40°	−35°	−30°	−20°	−10°	0°	+10°	+20°	+30°	+35°	+40°
	h m	h m	h m	h m	h m	h m	h m	h m	h m	h m	h m	h m	h m	h m
Jan. 23	6 20	6 38	6 53	7 04	7 14	7 23	7 38	7 52	8 04	8 16	8 29	8 44	8 52	9 02
24	7 38	7 50	7 59	8 07	8 14	8 20	8 30	8 39	8 48	8 56	9 05	9 15	9 21	9 28
25	8 53	8 59	9 04	9 08	9 12	9 15	9 20	9 25	9 29	9 34	9 38	9 44	9 47	9 50
26	10 06	10 06	10 07	10 07	10 08	10 08	10 08	10 09	10 09	10 10	10 10	10 11	10 11	10 12
27	11 18	11 13	11 09	11 06	11 03	11 00	10 56	10 52	10 49	10 45	10 42	10 38	10 35	10 33
28	12 31	12 20	12 12	12 05	11 59	11 53	11 44	11 36	11 29	11 22	11 14	11 05	11 00	10 54
29	13 46	13 29	13 16	13 05	12 56	12 48	12 34	12 22	12 11	12 00	11 48	11 35	11 27	11 18
30	15 03	14 40	14 22	14 08	13 55	13 45	13 26	13 10	12 56	12 41	12 26	12 08	11 58	11 46
31	16 22	15 52	15 30	15 12	14 56	14 43	14 21	14 02	13 44	13 26	13 08	12 46	12 33	12 19
Feb. 1	17 38	17 02	16 36	16 16	15 58	15 44	15 18	14 57	14 37	14 17	13 55	13 31	13 16	13 00
2	18 45	18 07	17 39	17 17	16 59	16 43	16 17	15 54	15 33	15 12	14 49	14 23	14 08	13 50
3	19 36	19 00	18 34	18 13	17 55	17 40	17 14	16 52	16 32	16 11	15 49	15 23	15 08	14 50
4	20 12	19 42	19 19	19 01	18 45	18 32	18 09	17 49	17 31	17 12	16 52	16 29	16 15	15 59
5	20 36	20 13	19 56	19 41	19 29	19 18	19 00	18 44	18 28	18 13	17 57	17 38	17 27	17 14
6	20 53	20 38	20 26	20 16	20 07	19 59	19 46	19 34	19 23	19 12	19 01	18 47	18 39	18 30
7	21 06	20 58	20 51	20 45	20 41	20 36	20 29	20 22	20 16	20 10	20 03	19 55	19 51	19 46
8	21 17	21 16	21 14	21 13	21 12	21 11	21 09	21 08	21 07	21 05	21 04	21 02	21 01	21 00
9	21 28	21 33	21 36	21 40	21 42	21 45	21 49	21 53	21 56	22 00	22 04	22 09	22 11	22 14
10	21 40	21 51	22 00	22 07	22 14	22 19	22 29	22 38	22 47	22 55	23 04	23 15	23 21	23 28
11	21 54	22 12	22 26	22 37	22 48	22 56	23 12	23 25	23 38	23 51	.. ..	.. ..	.. ..	.. ..
12	22 12	22 37	22 57	23 12	23 26	23 38	23 58	.. ..	.. ..	.. ..	0 05	0 21	0 30	0 41
13	22 39	23 11	23 34	23 54	.. ..	.. ..	.. ..	0 15	0 32	0 49	1 07	1 28	1 40	1 54
14	23 18	23 54	.. ..	.. ..	0 10	0 24	0 48	1 09	1 28	1 48	2 09	2 33	2 48	3 04
15	.. ..	.. ..	0 21	0 43	1 00	1 16	1 42	2 04	2 25	2 46	3 09	3 35	3 51	4 09
16	0 13	0 50	1 18	1 39	1 57	2 13	2 39	3 01	3 22	3 43	4 06	4 32	4 47	5 05

MOONSET

Lat.	−55°	−50°	−45°	−40°	−35°	−30°	−20°	−10°	0°	+10°	+20°	+30°	+35°	+40°
	h m	h m	h m	h m	h m	h m	h m	h m	h m	h m	h m	h m	h m	h m
Jan. 23	21 49	21 35	21 23	21 14	21 06	20 59	20 47	20 36	20 25	20 15	20 04	19 51	19 44	19 35
24	21 59	21 51	21 44	21 38	21 33	21 29	21 21	21 14	21 08	21 02	20 55	20 47	20 42	20 37
25	22 08	22 05	22 02	22 00	21 58	21 57	21 54	21 51	21 49	21 46	21 44	21 41	21 39	21 37
26	22 16	22 18	22 20	22 21	22 22	22 23	22 25	22 27	22 28	22 30	22 31	22 33	22 34	22 35
27	22 24	22 32	22 37	22 42	22 47	22 50	22 57	23 03	23 08	23 13	23 19	23 26	23 30	23 34
28	22 34	22 46	22 56	23 05	23 12	23 19	23 30	23 40	23 49	23 58	.. ..	.. ..	.. ..	.. ..
29	22 45	23 04	23 18	23 30	23 41	23 50	.. ..	.. ..	.. ..	.. ..	0 08	0 20	0 26	0 34
30	23 01	23 26	23 45	.. ..	.. ..	.. ..	0 05	0 19	0 32	0 45	0 59	1 15	1 24	1 35
31	23 24	23 54	.. ..	0 00	0 14	0 25	0 45	1 02	1 19	1 35	1 52	2 13	2 24	2 38
Feb. 1	23 58	.. ..	0 18	0 37	0 53	1 06	1 30	1 50	2 09	2 28	2 48	3 12	3 26	3 42
2	.. ..	0 34	1 01	1 22	1 39	1 55	2 20	2 43	3 03	3 24	3 46	4 12	4 27	4 45
3	0 49	1 27	1 55	2 17	2 35	2 51	3 17	3 40	4 01	4 22	4 45	5 11	5 26	5 44
4	2 00	2 36	3 01	3 22	3 39	3 54	4 19	4 40	5 00	5 20	5 41	6 05	6 19	6 36
5	3 27	3 55	4 17	4 34	4 49	5 01	5 23	5 41	5 58	6 15	6 34	6 54	7 06	7 20
6	5 00	5 21	5 37	5 50	6 01	6 11	6 27	6 42	6 55	7 08	7 22	7 38	7 47	7 57
7	6 35	6 48	6 58	7 06	7 13	7 20	7 31	7 40	7 49	7 57	8 06	8 17	8 22	8 29
8	8 08	8 13	8 18	8 22	8 25	8 27	8 32	8 36	8 40	8 44	8 48	8 52	8 55	8 58
9	9 39	9 38	9 37	9 36	9 35	9 34	9 33	9 31	9 30	9 29	9 28	9 26	9 25	9 24
10	11 10	11 02	10 55	10 49	10 44	10 40	10 33	10 26	10 20	10 14	10 08	10 00	9 56	9 51
11	12 41	12 25	12 13	12 03	11 54	11 46	11 33	11 22	11 11	11 00	10 49	10 36	10 29	10 20
12	14 12	13 49	13 31	13 16	13 04	12 53	12 34	12 18	12 04	11 49	11 33	11 15	11 04	10 53
13	15 40	15 09	14 46	14 28	14 12	13 59	13 36	13 17	12 59	12 40	12 21	11 58	11 45	11 30
14	16 59	16 23	15 57	15 36	15 18	15 03	14 38	14 16	13 55	13 35	13 13	12 48	12 33	12 15
15	18 03	17 26	16 58	16 37	16 19	16 03	15 37	15 14	14 53	14 32	14 09	13 42	13 27	13 08
16	18 49	18 15	17 49	17 29	17 11	16 57	16 31	16 10	15 49	15 29	15 07	14 41	14 26	14 08

The symbols (..) indicate that the phenomenon will occur the next day.

UNIVERSAL TIME FOR MERIDIAN OF GREENWICH
MOONRISE

Lat.	+40°	+42°	+44°	+46°	+48°	+50°	+52°	+54°	+56°	+58°	+60°	+62°	+64°	+66°
	h m	h m	h m	h m	h m	h m	h m	h m	h m	h m	h m	h m	h m	h m
Jan. 23	9 02	9 06	9 11	9 16	9 21	9 27	9 33	9 40	9 48	9 57	10 07	10 18	10 32	10 48
24	9 28	9 31	9 34	9 37	9 40	9 44	9 49	9 53	9 58	10 04	10 10	10 17	10 26	10 35
25	9 50	9 52	9 54	9 55	9 57	9 59	10 01	10 04	10 06	10 09	10 12	10 16	10 20	10 25
26	10 12	10 12	10 12	10 12	10 12	10 13	10 13	10 13	10 13	10 14	10 14	10 15	10 15	10 16
27	10 33	10 31	10 30	10 29	10 27	10 26	10 24	10 22	10 20	10 18	10 16	10 13	10 10	10 06
28	10 54	10 52	10 49	10 46	10 43	10 40	10 36	10 32	10 28	10 23	10 18	10 12	10 04	9 56
29	11 18	11 14	11 10	11 06	11 01	10 56	10 50	10 44	10 37	10 29	10 21	10 11	9 59	9 45
30	11 46	11 41	11 35	11 29	11 22	11 15	11 08	10 59	10 49	10 38	10 26	10 11	9 53	9 31
31	12 19	12 12	12 05	11 58	11 50	11 41	11 31	11 19	11 07	10 52	10 34	10 13	9 46	9 07
Feb. 1	13 00	12 52	12 44	12 35	12 25	12 15	12 03	11 49	11 33	11 14	10 51	10 21	9 34	** **
2	13 50	13 42	13 33	13 23	13 13	13 01	12 48	12 33	12 15	11 53	11 25	10 45	** **	** **
3	14 50	14 42	14 34	14 24	14 14	14 02	13 49	13 34	13 16	12 55	12 27	11 48	** **	** **
4	15 59	15 52	15 45	15 36	15 27	15 17	15 05	14 52	14 37	14 20	13 58	13 30	12 48	** **
5	17 14	17 08	17 02	16 55	16 48	16 40	16 31	16 21	16 10	15 57	15 42	15 24	15 01	14 30
6	18 30	18 26	18 22	18 17	18 12	18 07	18 01	17 54	17 46	17 38	17 28	17 17	17 04	16 48
7	19 46	19 44	19 41	19 39	19 36	19 33	19 30	19 26	19 22	19 18	19 13	19 07	19 00	18 52
8	21 00	21 00	21 00	20 59	20 59	20 58	20 57	20 57	20 56	20 55	20 54	20 53	20 52	20 50
9	22 14	22 16	22 17	22 19	22 20	22 22	22 24	22 26	22 28	22 31	22 34	22 38	22 42	22 46
10	23 28	23 31	23 34	23 38	23 42	23 46	23 50	23 55	.. ..	.. ..	.. ..	.. ..	.. ..	.. ..
11	.. ..	.. ..	.. ..	.. ..	.. ..	.. ..	.. ..	.. ..	0 01	0 07	0 15	0 23	0 33	0 44
12	0 41	0 46	0 51	0 57	1 03	1 09	1 17	1 25	1 34	1 45	1 57	2 11	2 28	2 50
13	1 54	2 00	2 07	2 15	2 23	2 32	2 42	2 53	3 06	3 21	3 39	4 02	4 31	5 17
14	3 04	3 12	3 20	3 29	3 39	3 50	4 02	4 16	4 33	4 53	5 17	5 51	6 53	-- --
15	4 09	4 17	4 26	4 36	4 47	4 59	5 12	5 28	5 46	6 09	6 39	7 24	-- --	-- --
16	5 05	5 13	5 22	5 32	5 42	5 54	6 07	6 23	6 41	7 03	7 31	8 11	-- --	-- --

MOONSET

Lat.	+40°	+42°	+44°	+46°	+48°	+50°	+52°	+54°	+56°	+58°	+60°	+62°	+64°	+66°
	h m	h m	h m	h m	h m	h m	h m	h m	h m	h m	h m	h m	h m	h m
Jan. 23	19 35	19 31	19 27	19 23	19 18	19 13	19 07	19 01	18 54	18 46	18 37	18 26	18 14	17 59
24	20 37	20 35	20 32	20 29	20 26	20 23	20 20	20 16	20 12	20 07	20 02	19 56	19 49	19 41
25	21 37	21 36	21 35	21 34	21 33	21 32	21 30	21 29	21 27	21 25	21 23	21 21	21 19	21 16
26	22 35	22 36	22 37	22 37	22 38	22 39	22 39	22 40	22 41	22 42	22 43	22 45	22 46	22 48
27	23 34	23 36	23 38	23 40	23 43	23 45	23 48	23 51	23 55	23 59	.. ..	.. ..	.. ..	.. ..
28	.. ..	.. ..	.. ..	.. ..	.. ..	.. ..	.. ..	.. ..	.. ..	.. ..	0 03	0 08	0 14	0 20
29	0 34	0 37	0 41	0 45	0 49	0 53	0 58	1 04	1 10	1 17	1 25	1 34	1 44	1 57
30	1 35	1 40	1 45	1 50	1 56	2 03	2 10	2 18	2 27	2 38	2 50	3 04	3 21	3 42
31	2 38	2 44	2 51	2 58	3 06	3 14	3 24	3 35	3 47	4 01	4 18	4 39	5 06	5 44
Feb. 1	3 42	3 49	3 57	4 06	4 15	4 26	4 38	4 51	5 06	5 25	5 48	6 18	7 04	** **
2	4 45	4 53	5 02	5 11	5 22	5 33	5 47	6 02	6 20	6 41	7 09	7 49	** **	** **
3	5 44	5 52	6 01	6 10	6 21	6 33	6 46	7 01	7 19	7 40	8 08	8 47	** **	** **
4	6 36	6 43	6 51	7 00	7 09	7 20	7 32	7 45	8 00	8 19	8 41	9 10	9 52	** **
5	7 20	7 26	7 33	7 40	7 48	7 56	8 06	8 16	8 28	8 42	8 58	9 17	9 41	10 13
6	7 57	8 02	8 07	8 12	8 18	8 24	8 31	8 38	8 47	8 56	9 07	9 19	9 34	9 51
7	8 29	8 32	8 35	8 39	8 42	8 46	8 50	8 55	9 00	9 06	9 12	9 19	9 28	9 37
8	8 58	8 59	9 00	9 02	9 03	9 05	9 07	9 08	9 11	9 13	9 16	9 18	9 22	9 26
9	9 24	9 24	9 24	9 23	9 23	9 22	9 21	9 21	9 20	9 19	9 18	9 17	9 16	9 15
10	9 51	9 49	9 47	9 45	9 42	9 39	9 36	9 33	9 30	9 26	9 21	9 16	9 10	9 04
11	10 20	10 16	10 12	10 08	10 04	9 59	9 53	9 47	9 41	9 33	9 25	9 15	9 04	8 51
12	10 53	10 47	10 42	10 35	10 29	10 21	10 13	10 05	9 55	9 43	9 30	9 15	8 57	8 34
13	11 30	11 24	11 16	11 09	11 00	10 51	10 40	10 28	10 15	9 59	9 40	9 17	8 47	8 01
14	12 15	12 08	11 59	11 50	11 40	11 29	11 16	11 02	10 45	10 25	10 00	9 25	8 23	-- --
15	13 08	13 00	12 51	12 41	12 31	12 19	12 05	11 49	11 31	11 08	10 38	9 53	-- --	-- --
16	14 08	14 00	13 52	13 42	13 32	13 20	13 07	12 52	12 34	12 13	11 45	11 04	-- --	-- --

The symbols (..) indicate that the phenomenon will occur the next day.

The symbols (-) and (*) indicate Moon continuously below and above horizon, respectively.

MOONRISE AND MOONSET, 1985

UNIVERSAL TIME FOR MERIDIAN OF GREENWICH

MOONRISE

Lat.	−55°	−50°	−45°	−40°	−35°	−30°	−20°	−10°	0°	+10°	+20°	+30°	+35°	+40°
	h m	h m	h m	h m	h m	h m	h m	h m	h m	h m	h m	h m	h m	h m
Feb. 15	.. ..	.. ..	0 21	0 43	1 00	1 16	1 42	2 04	2 25	2 46	3 09	3 35	3 51	4 09
16	0 13	0 50	1 18	1 39	1 57	2 13	2 39	3 01	3 22	3 43	4 06	4 32	4 47	5 05
17	1 23	1 56	2 22	2 42	2 58	3 13	3 37	3 58	4 18	4 37	4 58	5 22	5 36	5 53
18	2 41	3 09	3 30	3 47	4 01	4 13	4 34	4 53	5 10	5 26	5 45	6 05	6 17	6 31
19	4 01	4 22	4 38	4 52	5 03	5 13	5 30	5 44	5 58	6 12	6 26	6 43	6 52	7 03
20	5 20	5 34	5 46	5 55	6 03	6 10	6 23	6 33	6 43	6 53	7 03	7 15	7 22	7 30
21	6 36	6 45	6 51	6 57	7 02	7 06	7 13	7 19	7 25	7 31	7 37	7 45	7 49	7 53
22	7 50	7 53	7 55	7 57	7 58	8 00	8 02	8 04	8 06	8 08	8 10	8 12	8 13	8 15
23	9 03	9 00	8 58	8 56	8 54	8 52	8 50	8 47	8 45	8 43	8 41	8 39	8 37	8 36
24	10 16	10 07	10 00	9 54	9 50	9 45	9 38	9 31	9 25	9 19	9 13	9 06	9 01	8 57
25	11 30	11 15	11 04	10 54	10 46	10 39	10 27	10 16	10 06	9 56	9 46	9 34	9 27	9 19
26	12 46	12 25	12 08	11 55	11 44	11 34	11 17	11 03	10 49	10 36	10 21	10 05	9 56	9 45
27	14 03	13 35	13 14	12 58	12 43	12 31	12 10	11 52	11 35	11 19	11 01	10 40	10 29	10 15
28	15 20	14 46	14 20	14 00	13 44	13 30	13 05	12 44	12 25	12 06	11 45	11 21	11 07	10 51
Mar. 1	16 30	15 52	15 24	15 02	14 44	14 28	14 02	13 39	13 18	12 57	12 35	12 09	11 54	11 36
2	17 27	16 49	16 21	15 59	15 41	15 25	14 59	14 36	14 15	13 54	13 31	13 04	12 49	12 31
3	18 09	17 35	17 10	16 50	16 33	16 19	15 54	15 33	15 13	14 53	14 31	14 06	13 52	13 35
4	18 37	18 11	17 50	17 34	17 20	17 07	16 46	16 28	16 11	15 53	15 35	15 14	15 01	14 46
5	18 57	18 38	18 23	18 11	18 00	17 51	17 35	17 20	17 07	16 54	16 39	16 23	16 13	16 02
6	19 11	19 00	18 50	18 43	18 36	18 30	18 19	18 10	18 02	17 53	17 44	17 33	17 27	17 20
7	19 23	19 19	19 15	19 11	19 09	19 06	19 02	18 58	18 54	18 51	18 47	18 42	18 40	18 37
8	19 34	19 36	19 38	19 39	19 40	19 41	19 43	19 44	19 46	19 47	19 49	19 51	19 52	19 54
9	19 46	19 54	20 01	20 07	20 12	20 16	20 24	20 31	20 38	20 44	20 52	21 00	21 05	21 10
10	19 59	20 14	20 27	20 37	20 46	20 54	21 07	21 19	21 31	21 42	21 55	22 09	22 17	22 27
11	20 38	20 56	21 11	21 24	21 35	21 44	21 53	22 10	22 26	22 41	22 58	23 18	23 30	23 43

MOONSET

Lat.	−55°	−50°	−45°	−40°	−35°	−30°	−20°	−10°	0°	+10°	+20°	+30°	+35°	+40°
	h m	h m	h m	h m	h m	h m	h m	h m	h m	h m	h m	h m	h m	h m
Feb. 15	18 03	17 26	16 58	16 37	16 19	16 03	15 37	15 14	14 53	14 32	14 09	13 42	13 27	13 08
16	18 49	18 15	17 49	17 29	17 11	16 57	16 31	16 10	15 49	15 29	15 07	14 41	14 26	14 08
17	19 20	18 51	18 29	18 11	17 56	17 43	17 21	17 01	16 43	16 25	16 05	15 42	15 28	15 12
18	19 41	19 19	19 01	18 47	18 34	18 23	18 05	17 49	17 33	17 18	17 01	16 42	16 31	16 18
19	19 56	19 39	19 26	19 16	19 06	18 58	18 44	18 32	18 20	18 08	17 56	17 41	17 32	17 23
20	20 07	19 56	19 48	19 41	19 35	19 29	19 20	19 11	19 04	18 56	18 47	18 37	18 32	18 25
21	20 16	20 11	20 07	20 03	20 00	19 58	19 53	19 49	19 45	19 41	19 37	19 32	19 29	19 26
22	20 24	20 24	20 24	20 24	20 24	20 24	20 25	20 25	20 25	20 25	20 25	20 25	20 25	20 25
23	20 32	20 37	20 41	20 45	20 48	20 51	20 56	21 00	21 04	21 09	21 13	21 18	21 21	21 24
24	20 40	20 51	21 00	21 07	21 13	21 19	21 28	21 37	21 45	21 53	22 01	22 11	22 17	22 23
25	20 51	21 07	21 20	21 31	21 40	21 48	22 02	22 15	22 27	22 38	22 51	23 05	23 14	23 23
26	21 04	21 26	21 44	21 58	22 10	22 21	22 40	22 56	23 11	23 26	23 42	.. ..	.. ..	.. ..
27	21 22	21 51	22 13	22 31	22 46	22 59	23 21	23 41	23 59	.. ..	.. ..	0 01	0 12	0 25
28	21 50	22 25	22 51	23 11	23 28	23 43	.. ..	.. ..	.. ..	0 17	0 36	0 59	1 12	1 28
Mar. 1	22 32	23 10	23 38	.. ..	.. ..	.. ..	0 08	0 30	0 50	1 11	1 32	1 58	2 13	2 30
2	23 33	.. ..	.. ..	0 00	0 19	0 34	1 01	1 24	1 45	2 06	2 29	2 56	3 11	3 30
3	.. ..	0 11	0 38	1 00	1 18	1 33	1 59	2 22	2 42	3 03	3 26	3 51	4 06	4 24
4	0 52	1 24	1 49	2 08	2 24	2 38	3 01	3 22	3 41	3 59	4 19	4 42	4 56	5 11
5	2 23	2 48	3 07	3 22	3 35	3 46	4 06	4 22	4 38	4 53	5 09	5 28	5 39	5 51
6	3 58	4 15	4 28	4 39	4 48	4 56	5 10	5 22	5 33	5 44	5 56	6 09	6 17	6 25
7	5 34	5 43	5 50	5 56	6 02	6 06	6 14	6 20	6 27	6 33	6 39	6 47	6 51	6 55
8	7 09	7 11	7 12	7 13	7 14	7 15	7 16	7 18	7 19	7 20	7 21	7 22	7 23	7 23
9	8 44	8 38	8 34	8 30	8 27	8 24	8 19	8 14	8 10	8 06	8 02	7 57	7 54	7 51
10	10 19	10 06	9 55	9 47	9 39	9 33	9 22	9 12	9 03	8 54	8 44	8 33	8 27	8 20
11	11 54	11 33	11 16	11 03	10 52	10 42	10 25	10 10	9 57	9 43	9 28	9 12	9 02	8 51

The symbols (..) indicate that the phenomenon will occur the next day.

UNIVERSAL TIME FOR MERIDIAN OF GREENWICH
MOONRISE

Lat.	+40°	+42°	+44°	+46°	+48°	+50°	+52°	+54°	+56°	+58°	+60°	+62°	+64°	+66°
	h m	h m	h m	h m	h m	h m	h m	h m	h m	h m	h m	h m	h m	h m
Feb. 15	4 09	4 17	4 26	4 36	4 47	4 59	5 12	5 28	5 46	6 09	6 39	7 24	-- --	-- --
16	5 05	5 13	5 22	5 32	5 42	5 54	6 07	6 23	6 41	7 03	7 31	8 11	-- --	-- --
17	5 53	6 00	6 08	6 16	6 26	6 36	6 48	7 01	7 17	7 35	7 57	8 26	9 08	-- --
18	6 31	6 37	6 44	6 51	6 59	7 08	7 17	7 28	7 40	7 54	8 10	8 30	8 54	9 28
19	7 03	7 08	7 13	7 19	7 25	7 31	7 38	7 46	7 55	8 05	8 17	8 30	8 46	9 05
20	7 30	7 33	7 37	7 41	7 45	7 50	7 55	8 00	8 06	8 13	8 21	8 29	8 39	8 51
21	7 53	7 55	7 57	8 00	8 02	8 05	8 08	8 11	8 15	8 18	8 23	8 28	8 33	8 40
22	8 15	8 15	8 16	8 17	8 18	8 19	8 20	8 21	8 22	8 23	8 24	8 26	8 28	8 30
23	8 36	8 35	8 34	8 33	8 33	8 32	8 31	8 30	8 28	8 27	8 26	8 24	8 22	8 20
24	8 57	8 55	8 53	8 50	8 48	8 45	8 42	8 39	8 35	8 31	8 27	8 22	8 16	8 10
25	9 19	9 16	9 12	9 09	9 04	9 00	8 55	8 49	8 43	8 37	8 29	8 21	8 11	7 59
26	9 45	9 40	9 35	9 30	9 24	9 17	9 10	9 02	8 54	8 44	8 33	8 20	8 04	7 45
27	10 15	10 09	10 02	9 55	9 48	9 39	9 30	9 20	9 08	8 55	8 39	8 20	7 57	7 25
28	10 51	10 44	10 36	10 28	10 19	10 09	9 57	9 44	9 29	9 12	8 51	8 24	7 45	** **
Mar. 1	11 36	11 28	11 19	11 10	11 00	10 48	10 35	10 20	10 02	9 41	9 14	8 36	** **	** **
2	12 31	12 22	12 13	12 04	11 53	11 41	11 27	11 12	10 53	10 31	10 01	9 17	** **	** **
3	13 35	13 27	13 19	13 10	13 00	12 48	12 36	12 22	12 05	11 45	11 19	10 44	9 35	** **
4	14 46	14 40	14 33	14 25	14 17	14 08	13 57	13 46	13 32	13 17	12 58	12 35	12 03	11 13
5	16 02	15 57	15 52	15 46	15 40	15 33	15 26	15 18	15 08	14 57	14 45	14 30	14 12	13 50
6	17 20	17 17	17 13	17 10	17 06	17 01	16 57	16 52	16 46	16 40	16 32	16 24	16 14	16 02
7	18 37	18 36	18 34	18 33	18 31	18 29	18 28	18 26	18 23	18 21	18 18	18 15	18 11	18 07
8	19 54	19 54	19 55	19 55	19 56	19 57	19 58	19 59	20 00	20 01	20 02	20 04	20 06	20 08
9	21 10	21 13	21 15	21 18	21 21	21 24	21 28	21 32	21 36	21 41	21 47	21 53	22 01	22 10
10	22 27	22 31	22 36	22 41	22 46	22 52	22 58	23 05	23 13	23 22	23 33	23 45	.. ..	.. ..
11	23 43	23 49	23 55	.. ..	.. ..	.. ..	.. ..	.. ..	.. ..	.. ..	.. ..	.. ..	0 00	0 17

MOONSET

Lat.	+40°	+42°	+44°	+46°	+48°	+50°	+52°	+54°	+56°	+58°	+60°	+62°	+64°	+66°
	h m	h m	h m	h m	h m	h m	h m	h m	h m	h m	h m	h m	h m	h m
Feb. 15	13 08	13 00	12 51	12 41	12 31	12 19	12 05	11 49	11 31	11 08	10 38	9 53	-- --	-- --
16	14 08	14 00	13 52	13 42	13 32	13 20	13 07	12 52	12 34	12 13	11 45	11 04	-- --	-- --
17	15 12	15 05	14 58	14 49	14 40	14 30	14 19	14 06	13 51	13 33	13 12	12 43	12 02	-- --
18	16 18	16 12	16 06	15 59	15 52	15 44	15 35	15 25	15 13	15 00	14 44	14 25	14 01	13 29
19	17 23	17 18	17 14	17 09	17 03	16 57	16 50	16 43	16 35	16 26	16 15	16 03	15 48	15 29
20	18 25	18 22	18 19	18 16	18 12	18 09	18 04	18 00	17 54	17 48	17 42	17 34	17 25	17 15
21	19 26	19 25	19 23	19 21	19 20	19 18	19 16	19 13	19 11	19 08	19 05	19 01	18 57	18 52
22	20 25	20 25	20 25	20 25	20 25	20 25	20 25	20 25	20 25	20 25	20 26	20 26	20 26	20 26
23	21 24	21 25	21 27	21 29	21 30	21 32	21 34	21 37	21 39	21 42	21 45	21 49	21 53	21 58
24	22 23	22 26	22 29	22 32	22 36	22 40	22 44	22 49	22 54	23 00	23 06	23 14	23 23	23 33
25	23 23	23 28	23 32	23 37	23 43	23 48	23 55	.. ..	.. ..	.. ..	.. ..	.. ..	.. ..	.. ..
26	.. ..	.. ..	.. ..	.. ..	.. ..	.. ..	.. ..	0 02	0 10	0 19	0 30	0 42	0 56	1 14
27	0 25	0 31	0 37	0 43	0 51	0 59	1 07	1 17	1 28	1 41	1 56	2 14	2 37	3 07
28	1 28	1 35	1 42	1 50	1 59	2 09	2 20	2 33	2 47	3 04	3 25	3 51	4 29	** **
Mar. 1	2 30	2 38	2 46	2 56	3 06	3 17	3 30	3 45	4 02	4 23	4 50	5 28	** **	** **
2	3 30	3 38	3 47	3 57	4 07	4 19	4 33	4 49	5 07	5 30	5 59	6 44	** **	** **
3	4 24	4 32	4 40	4 49	5 00	5 11	5 24	5 38	5 56	6 16	6 42	7 17	8 27	** **
4	5 11	5 18	5 25	5 33	5 42	5 52	6 02	6 15	6 28	6 45	7 04	7 28	8 00	8 51
5	5 51	5 56	6 02	6 08	6 15	6 23	6 31	6 40	6 50	7 02	7 15	7 31	7 50	8 13
6	6 25	6 29	6 33	6 37	6 42	6 47	6 53	6 59	7 05	7 13	7 21	7 31	7 42	7 55
7	6 55	6 57	7 00	7 02	7 04	7 07	7 10	7 13	7 17	7 21	7 25	7 30	7 36	7 42
8	7 23	7 24	7 24	7 24	7 25	7 25	7 26	7 26	7 27	7 27	7 28	7 29	7 29	7 30
9	7 51	7 49	7 48	7 46	7 45	7 43	7 41	7 39	7 36	7 33	7 30	7 27	7 23	7 19
10	8 20	8 16	8 13	8 10	8 06	8 01	7 57	7 52	7 46	7 40	7 33	7 26	7 17	7 06
11	8 51	8 47	8 41	8 36	8 30	8 23	8 16	8 08	7 59	7 49	7 38	7 25	7 09	6 50

The symbols (..) indicate that the phenomenon will occur the next day.
The symbols (-) and (*) indicate Moon continuously below and above horizon, respectively.

UNIVERSAL TIME FOR MERIDIAN OF GREENWICH
MOONRISE

Lat.	−55°	−50°	−45°	−40°	−35°	−30°	−20°	−10°	0°	+10°	+20°	+30°	+35°	+40°
	h m	h m	h m	h m	h m	h m	h m	h m	h m	h m	h m	h m	h m	h m
Mar. 9	19 46	19 54	20 01	20 07	20 12	20 16	20 24	20 31	20 38	20 44	20 52	21 00	21 05	21 10
10	19 59	20 14	20 27	20 37	20 46	20 54	21 07	21 19	21 31	21 42	21 55	22 09	22 17	22 27
11	20 16	20 38	20 56	21 11	21 24	21 35	21 53	22 10	22 26	22 41	22 58	23 18	23 30	23 43
12	20 40	21 10	21 33	21 51	22 07	22 20	22 43	23 04	23 22	23 42	.. ..	.. ..	.. ..	.. ..
13	21 15	21 51	22 17	22 38	22 56	23 11	23 37	.. ..	.. ..	.. ..	0 02	0 26	0 40	0 56
14	22 05	22 43	23 11	23 33	23 51	.. ..	.. ..	0 00	0 20	0 41	1 04	1 30	1 46	2 04
15	23 11	23 47	.. ..	.. ..	.. ..	0 07	0 34	0 57	1 18	1 40	2 03	2 29	2 45	3 03
16	.. ..	.. ..	0 13	0 34	0 51	1 06	1 32	1 54	2 14	2 34	2 56	3 21	3 36	3 53
17	0 27	0 57	1 20	1 38	1 54	2 07	2 29	2 48	3 06	3 24	3 44	4 06	4 19	4 33
18	1 47	2 10	2 28	2 43	2 55	3 06	3 25	3 41	3 55	4 10	4 26	4 44	4 54	5 06
19	3 06	3 23	3 36	3 47	3 56	4 04	4 18	4 30	4 41	4 52	5 04	5 17	5 25	5 34
20	4 23	4 33	4 41	4 48	4 54	4 59	5 08	5 16	5 23	5 31	5 38	5 47	5 52	5 58
21	5 37	5 42	5 45	5 48	5 51	5 53	5 57	6 01	6 04	6 07	6 11	6 15	6 17	6 20
22	6 50	6 49	6 48	6 48	6 47	6 46	6 45	6 45	6 44	6 43	6 42	6 41	6 41	6 40
23	8 03	7 56	7 51	7 46	7 42	7 39	7 33	7 28	7 23	7 19	7 14	7 08	7 05	7 01
24	9 17	9 04	8 54	8 46	8 39	8 32	8 22	8 12	8 04	7 55	7 46	7 36	7 30	7 23
25	10 32	10 13	9 58	9 46	9 36	9 27	9 12	8 58	8 46	8 33	8 20	8 05	7 57	7 47
26	11 49	11 23	11 04	10 48	10 35	10 23	10 03	9 46	9 31	9 15	8 58	8 39	8 28	8 15
27	13 06	12 34	12 09	11 50	11 34	11 21	10 57	10 37	10 18	10 00	9 40	9 17	9 04	8 48
28	14 18	13 40	13 13	12 52	12 34	12 18	11 52	11 30	11 09	10 49	10 27	10 01	9 46	9 29
29	15 19	14 40	14 12	13 49	13 31	13 15	12 48	12 25	12 03	11 42	11 19	10 52	10 36	10 18
30	16 06	15 30	15 03	14 41	14 24	14 08	13 42	13 20	12 59	12 38	12 16	11 50	11 34	11 16
31	16 38	16 08	15 45	15 27	15 11	14 57	14 34	14 14	13 55	13 37	13 16	12 53	12 39	12 23
Apr. 1	17 01	16 38	16 20	16 05	15 53	15 42	15 23	15 06	14 51	14 35	14 19	14 00	13 48	13 35
2	17 17	17 01	16 49	16 38	16 30	16 22	16 08	15 56	15 45	15 34	15 22	15 08	15 00	14 51

MOONSET

Lat.	−55°	−50°	−45°	−40°	−35°	−30°	−20°	−10°	0°	+10°	+20°	+30°	+35°	+40°
	h m	h m	h m	h m	h m	h m	h m	h m	h m	h m	h m	h m	h m	h m
Mar. 9	8 44	8 38	8 34	8 30	8 27	8 24	8 19	8 14	8 10	8 06	8 02	7 57	7 54	7 51
10	10 19	10 06	9 55	9 47	9 39	9 33	9 22	9 12	9 03	8 54	8 44	8 33	8 27	8 20
11	11 54	11 33	11 16	11 03	10 52	10 42	10 25	10 10	9 57	9 43	9 28	9 12	9 02	8 51
12	13 27	12 58	12 36	12 18	12 03	11 51	11 29	11 10	10 53	10 35	10 16	9 55	9 43	9 28
13	14 51	14 16	13 50	13 29	13 12	12 57	12 32	12 10	11 50	11 30	11 08	10 43	10 29	10 12
14	16 01	15 23	14 55	14 33	14 15	13 59	13 33	13 10	12 48	12 27	12 04	11 37	11 21	11 03
15	16 52	16 16	15 49	15 28	15 10	14 55	14 29	14 06	13 45	13 24	13 02	12 35	12 20	12 01
16	17 26	16 55	16 32	16 13	15 57	15 43	15 19	14 59	14 40	14 20	13 59	13 35	13 21	13 05
17	17 49	17 24	17 05	16 49	16 36	16 24	16 04	15 47	15 30	15 14	14 56	14 35	14 23	14 09
18	18 04	17 46	17 32	17 20	17 09	17 00	16 44	16 31	16 18	16 05	15 50	15 34	15 25	15 14
19	18 16	18 04	17 54	17 45	17 38	17 32	17 21	17 11	17 02	16 52	16 42	16 31	16 24	16 17
20	18 25	18 18	18 13	18 08	18 04	18 00	17 54	17 48	17 43	17 38	17 32	17 26	17 22	17 18
21	18 33	18 31	18 30	18 29	18 28	18 27	18 26	18 25	18 23	18 22	18 21	18 19	18 18	18 17
22	18 41	18 44	18 47	18 50	18 52	18 54	18 57	19 00	19 03	19 06	19 08	19 12	19 14	19 16
23	18 49	18 57	19 05	19 11	19 16	19 21	19 29	19 36	19 43	19 49	19 57	20 05	20 10	20 15
24	18 58	19 12	19 24	19 34	19 42	19 49	20 02	20 13	20 24	20 34	20 46	20 59	21 06	21 15
25	19 09	19 30	19 46	19 59	20 11	20 21	20 38	20 53	21 07	21 21	21 36	21 54	22 04	22 16
26	19 25	19 52	20 13	20 30	20 44	20 56	21 17	21 36	21 53	22 11	22 29	22 51	23 03	23 18
27	19 49	20 22	20 46	21 06	21 23	21 37	22 02	22 23	22 43	23 02	23 24	23 48	.. ..	.. ..
28	20 23	21 01	21 29	21 51	22 09	22 25	22 51	23 14	23 35	23 56	.. ..	.. ..	0 03	0 20
29	21 15	21 54	22 22	22 44	23 03	23 19	23 46	.. ..	.. ..	.. ..	0 19	0 46	1 01	1 20
30	22 24	23 00	23 26	23 47	.. ..	.. ..	.. ..	0 09	0 30	0 51	1 14	1 41	1 56	2 15
31	23 48	.. ..	.. ..	0 04	0 19	0 44	1 06	1 26	1 46	2 08	2 32	2 47	3 03	
Apr. 1	.. ..	0 17	0 39	0 57	1 12	1 24	1 46	2 05	2 22	2 39	2 58	3 19	3 31	3 45
2	1 20	1 41	1 58	2 11	2 22	2 32	2 49	3 03	3 17	3 30	3 45	4 01	4 10	4 21

The symbols (..) indicate that the phenomenon will occur the next day.

UNIVERSAL TIME FOR MERIDIAN OF GREENWICH
MOONRISE

Lat.	+40°	+42°	+44°	+46°	+48°	+50°	+52°	+54°	+56°	+58°	+60°	+62°	+64°	+66°
	h m	h m	h m	h m	h m	h m	h m	h m	h m	h m	h m	h m	h m	h m
Mar. 9	21 10	21 13	21 15	21 18	21 21	21 24	21 28	21 32	21 36	21 41	21 47	21 53	22 01	22 10
10	22 27	22 31	22 36	22 41	22 46	22 52	22 58	23 05	23 13	23 22	23 33	23 45	.. ..	.. ..
11	23 43	23 49	23 55	.. ..	.. ..	.. ..	.. ..	.. ..	.. ..	.. ..	.. ..	.. ..	0 00	0 17
12	.. ..	.. ..	.. ..	0 02	0 10	0 18	0 27	0 38	0 50	1 04	1 20	1 40	2 05	2 41
13	0 56	1 04	1 12	1 20	1 30	1 40	1 52	2 06	2 22	2 41	3 04	3 35	4 26	-- --
14	2 04	2 12	2 21	2 31	2 42	2 54	3 07	3 23	3 41	4 04	4 34	5 20	-- --	-- --
15	3 03	3 12	3 21	3 30	3 41	3 53	4 07	4 23	4 42	5 05	5 35	6 22	-- --	-- --
16	3 53	4 01	4 09	4 18	4 28	4 39	4 51	5 06	5 22	5 42	6 06	6 39	7 36	-- --
17	4 33	4 40	4 47	4 55	5 03	5 13	5 23	5 34	5 48	6 03	6 21	6 44	7 13	7 56
18	5 06	5 12	5 17	5 24	5 30	5 37	5 45	5 54	6 04	6 16	6 29	6 44	7 02	7 25
19	5 34	5 38	5 42	5 47	5 51	5 57	6 02	6 09	6 16	6 24	6 32	6 43	6 55	7 09
20	5 58	6 00	6 03	6 06	6 09	6 12	6 16	6 20	6 24	6 29	6 35	6 41	6 48	6 56
21	6 20	6 21	6 22	6 23	6 25	6 26	6 28	6 29	6 31	6 34	6 36	6 39	6 42	6 45
22	6 40	6 40	6 40	6 40	6 39	6 39	6 39	6 38	6 38	6 37	6 37	6 36	6 36	6 35
23	7 01	6 59	6 58	6 56	6 54	6 52	6 50	6 47	6 44	6 41	6 38	6 34	6 30	6 25
24	7 23	7 20	7 17	7 13	7 10	7 06	7 02	6 57	6 52	6 46	6 39	6 32	6 24	6 14
25	7 47	7 43	7 38	7 33	7 28	7 22	7 16	7 09	7 01	6 52	6 42	6 30	6 17	6 01
26	8 15	8 09	8 03	7 57	7 50	7 42	7 33	7 24	7 13	7 01	6 46	6 30	6 09	5 43
27	8 48	8 41	8 34	8 26	8 17	8 07	7 57	7 44	7 31	7 14	6 55	6 31	5 58	5 04
28	9 29	9 21	9 12	9 03	8 53	8 42	8 29	8 15	7 58	7 37	7 12	6 37	5 30	** **
29	10 18	10 10	10 01	9 51	9 40	9 28	9 14	8 58	8 39	8 16	7 46	7 00	** **	** **
30	11 16	11 08	11 00	10 50	10 39	10 28	10 14	9 59	9 41	9 18	8 50	8 07	** **	** **
31	12 23	12 16	12 08	12 00	11 50	11 40	11 28	11 15	11 00	10 42	10 19	9 50	9 05	** **
Apr. 1	13 35	13 30	13 23	13 17	13 09	13 01	12 52	12 42	12 30	12 17	12 02	11 43	11 19	10 46
2	14 51	14 47	14 42	14 37	14 32	14 27	14 20	14 14	14 06	13 57	13 47	13 36	13 22	13 05

MOONSET

Lat.	+40°	+42°	+44°	+46°	+48°	+50°	+52°	+54°	+56°	+58°	+60°	+62°	+64°	+66°
	h m	h m	h m	h m	h m	h m	h m	h m	h m	h m	h m	h m	h m	h m
Mar. 9	7 51	7 49	7 48	7 46	7 45	7 43	7 41	7 39	7 36	7 33	7 30	7 27	7 23	7 19
10	8 20	8 16	8 13	8 10	8 06	8 01	7 57	7 52	7 46	7 40	7 33	7 26	7 17	7 06
11	8 51	8 47	8 41	8 36	8 30	8 23	8 16	8 08	7 59	7 49	7 38	7 25	7 09	6 50
12	9 28	9 22	9 15	9 08	9 00	8 51	8 41	8 30	8 17	8 03	7 46	7 25	6 59	6 22
13	10 12	10 04	9 56	9 47	9 37	9 26	9 14	9 00	8 44	8 25	8 01	7 29	6 38	-- --
14	11 03	10 55	10 46	10 36	10 25	10 13	9 59	9 44	9 25	9 02	8 32	7 46	-- --	-- --
15	12 01	11 53	11 44	11 35	11 24	11 12	10 58	10 42	10 24	10 01	9 31	8 44	-- --	-- --
16	13 05	12 57	12 49	12 40	12 30	12 20	12 08	11 54	11 37	11 18	10 54	10 21	9 25	-- --
17	14 09	14 03	13 56	13 49	13 41	13 32	13 22	13 11	12 58	12 44	12 26	12 04	11 36	10 53
18	15 14	15 09	15 04	14 58	14 52	14 45	14 38	14 30	14 20	14 10	13 57	13 43	13 26	13 03
19	16 17	16 13	16 10	16 06	16 01	15 57	15 52	15 46	15 40	15 33	15 25	15 16	15 05	14 52
20	17 18	17 16	17 14	17 11	17 09	17 06	17 04	17 01	16 57	16 53	16 49	16 44	16 38	16 32
21	18 17	18 17	18 16	18 16	18 15	18 14	18 14	18 13	18 12	18 11	18 10	18 09	18 08	18 06
22	19 16	19 17	19 18	19 19	19 20	19 22	19 23	19 25	19 26	19 28	19 30	19 33	19 35	19 39
23	20 15	20 17	20 20	20 23	20 26	20 29	20 32	20 36	20 41	20 46	20 51	20 57	21 04	21 13
24	21 15	21 19	21 23	21 27	21 32	21 37	21 43	21 49	21 57	22 05	22 14	22 24	22 37	22 52
25	22 16	22 21	22 27	22 33	22 40	22 47	22 55	23 04	23 14	23 26	23 39	23 55	.. ..	.. ..
26	23 18	23 25	23 32	23 39	23 48	23 57	.. ..	.. ..	.. ..	.. ..	.. ..	.. ..	0 15	0 41
27	.. ..	.. ..	.. ..	.. ..	.. ..	.. ..	0 07	0 19	0 33	0 48	1 07	1 31	2 03	2 56
28	0 20	0 28	0 36	0 45	0 55	1 06	1 18	1 33	1 49	2 09	2 34	3 09	4 16	** **
29	1 20	1 28	1 37	1 47	1 57	2 09	2 23	2 39	2 58	3 20	3 50	4 37	** **	** **
30	2 15	2 23	2 32	2 41	2 52	3 04	3 18	3 33	3 51	4 14	4 43	5 26	** **	** **
31	3 03	3 11	3 19	3 28	3 37	3 48	4 00	4 13	4 29	4 48	5 10	5 40	6 25	** **
Apr. 1	3 45	3 51	3 58	4 05	4 13	4 22	4 31	4 42	4 54	5 08	5 24	5 44	6 09	6 42
2	4 21	4 25	4 30	4 36	4 42	4 48	4 55	5 02	5 11	5 21	5 32	5 44	5 59	6 17

The symbols (..) indicate that the phenomenon will occur the next day.
The symbols (-) and (*) indicate Moon continuously below and above horizon, respectively.

MOONRISE AND MOONSET, 1985

UNIVERSAL TIME FOR MERIDIAN OF GREENWICH

MOONRISE

Lat.	−55°	−50°	−45°	−40°	−35°	−30°	−20°	−10°	0°	+10°	+20°	+30°	+35°	+40°
Apr.	h m	h m	h m	h m	h m	h m	h m	h m	h m	h m	h m	h m	h m	h m
1	17 01	16 38	16 20	16 05	15 53	15 42	15 23	15 06	14 51	14 35	14 19	14 00	13 48	13 35
2	17 17	17 01	16 49	16 38	16 30	16 22	16 08	15 56	15 45	15 34	15 22	15 08	15 00	14 51
3	17 29	17 21	17 14	17 08	17 03	16 59	16 51	16 44	16 38	16 31	16 25	16 17	16 12	16 07
4	17 40	17 38	17 37	17 36	17 35	17 34	17 32	17 31	17 30	17 29	17 27	17 26	17 25	17 24
5	17 51	17 56	18 00	18 04	18 07	18 09	18 14	18 18	18 22	18 26	18 31	18 36	18 39	18 42
6	18 03	18 15	18 25	18 33	18 40	18 46	18 57	19 07	19 16	19 25	19 35	19 47	19 53	20 01
7	18 18	18 38	18 53	19 06	19 17	19 27	19 43	19 58	20 12	20 26	20 41	20 58	21 09	21 20
8	18 39	19 06	19 27	19 44	19 59	20 12	20 33	20 52	21 10	21 28	21 48	22 10	22 23	22 39
9	19 10	19 44	20 10	20 30	20 48	21 02	21 28	21 50	22 10	22 31	22 53	23 19	23 34	23 52
10	19 55	20 34	21 02	21 24	21 43	21 59	22 26	22 49	23 10	23 32	23 55	.. ..	.. ..	.. ..
11	20 58	21 36	22 04	22 25	22 43	22 59	23 25	23 47	.. ..	.. ..	.. ..	0 22	0 38	0 57
12	22 14	22 46	23 10	23 30	23 46	.. ..	.. ..	.. ..	0 08	0 29	0 52	1 18	1 33	1 51
13	23 34	.. ..	.. ..	.. ..	.. ..	0 00	0 24	0 44	1 03	1 22	1 42	2 06	2 19	2 35
14	.. ..	0 00	0 19	0 35	0 49	1 00	1 20	1 37	1 53	2 09	2 26	2 46	2 57	3 10
15	0 54	1 13	1 27	1 39	1 50	1 59	2 14	2 27	2 40	2 52	3 05	3 21	3 29	3 39
16	2 11	2 24	2 33	2 42	2 49	2 55	3 05	3 14	3 23	3 32	3 41	3 51	3 57	4 04
17	3 26	3 32	3 37	3 42	3 45	3 49	3 54	3 59	4 04	4 09	4 13	4 19	4 22	4 26
18	4 39	4 40	4 40	4 41	4 41	4 42	4 42	4 43	4 44	4 44	4 45	4 45	4 46	4 46
19	5 52	5 47	5 43	5 40	5 37	5 34	5 30	5 26	5 23	5 19	5 16	5 12	5 09	5 07
20	7 05	6 54	6 46	6 39	6 33	6 27	6 18	6 10	6 03	5 55	5 48	5 39	5 34	5 28
21	8 20	8 03	7 50	7 39	7 30	7 22	7 08	6 56	6 44	6 33	6 21	6 08	6 00	5 51
22	9 37	9 14	8 55	8 41	8 28	8 17	7 59	7 43	7 28	7 13	6 58	6 40	6 29	6 18
23	10 54	10 24	10 01	9 43	9 28	9 15	8 52	8 33	8 15	7 57	7 38	7 16	7 04	6 49
24	12 09	11 32	11 06	10 45	10 27	10 12	9 47	9 25	9 05	8 45	8 23	7 58	7 44	7 27
25	13 14	12 34	12 06	11 43	11 25	11 09	10 42	10 19	9 57	9 36	9 13	8 46	8 31	8 12

MOONSET

Lat.	−55°	−50°	−45°	−40°	−35°	−30°	−20°	−10°	0°	+10°	+20°	+30°	+35°	+40°
Apr.	h m	h m	h m	h m	h m	h m	h m	h m	h m	h m	h m	h m	h m	h m
1	.. ..	0 17	0 39	0 57	1 12	1 24	1 46	2 05	2 22	2 39	2 58	3 19	3 31	3 45
2	1 20	1 41	1 58	2 11	2 22	2 32	2 49	3 03	3 17	3 30	3 45	4 01	4 10	4 21
3	2 55	3 08	3 18	3 27	3 34	3 41	3 52	4 01	4 10	4 19	4 28	4 39	4 45	4 52
4	4 30	4 35	4 40	4 44	4 47	4 50	4 54	4 59	5 02	5 06	5 10	5 15	5 17	5 20
5	6 06	6 04	6 02	6 01	6 00	5 59	5 57	5 56	5 55	5 53	5 52	5 50	5 49	5 48
6	7 43	7 33	7 26	7 19	7 14	7 09	7 01	6 54	6 47	6 41	6 34	6 26	6 21	6 16
7	9 21	9 04	8 50	8 39	8 29	8 21	8 06	7 54	7 42	7 31	7 18	7 04	6 56	6 47
8	10 59	10 34	10 14	9 58	9 44	9 33	9 13	8 55	8 39	8 23	8 06	7 47	7 35	7 22
9	12 33	11 59	11 34	11 14	10 57	10 43	10 19	9 58	9 39	9 19	8 59	8 35	8 21	8 04
10	13 52	13 14	12 46	12 24	12 05	11 50	11 23	11 00	10 39	10 18	9 55	9 28	9 13	8 55
11	14 51	14 13	13 46	13 24	13 05	12 50	12 23	12 00	11 38	11 17	10 54	10 27	10 11	9 52
12	15 31	14 58	14 33	14 13	13 56	13 41	13 17	12 55	12 35	12 15	11 53	11 28	11 13	10 56
13	15 57	15 30	15 09	14 52	14 38	14 25	14 04	13 45	13 28	13 10	12 51	12 29	12 16	12 01
14	16 14	15 53	15 37	15 24	15 13	15 03	14 46	14 30	14 16	14 02	13 46	13 29	13 18	13 06
15	16 26	16 12	16 00	15 51	15 43	15 35	15 23	15 11	15 01	14 50	14 39	14 26	14 18	14 10
16	16 35	16 27	16 20	16 14	16 09	16 04	15 56	15 50	15 43	15 36	15 29	15 21	15 16	15 11
17	16 43	16 40	16 37	16 35	16 33	16 31	16 28	16 26	16 23	16 20	16 18	16 14	16 13	16 10
18	16 51	16 53	16 54	16 56	16 57	16 58	16 59	17 01	17 02	17 04	17 05	17 07	17 08	17 09
19	16 58	17 05	17 11	17 16	17 20	17 24	17 31	17 36	17 42	17 47	17 53	18 00	18 04	18 08
20	17 07	17 20	17 30	17 38	17 46	17 52	18 03	18 13	18 23	18 32	18 42	18 53	19 00	19 08
21	17 17	17 36	17 51	18 03	18 13	18 22	18 38	18 52	19 05	19 18	19 32	19 48	19 58	20 09
22	17 32	17 56	18 16	18 31	18 45	18 56	19 16	19 34	19 50	20 07	20 25	20 45	20 57	21 11
23	17 52	18 23	18 47	19 06	19 22	19 35	19 59	20 20	20 39	20 58	21 19	21 42	21 57	22 13
24	18 22	18 59	19 26	19 47	20 05	20 20	20 46	21 09	21 30	21 51	22 14	22 40	22 55	23 13
25	19 06	19 46	20 15	20 37	20 56	21 12	21 39	22 02	22 24	22 45	23 08	23 35	23 51	.. ..

The symbols (..) indicate that the phenomenon will occur the next day.

UNIVERSAL TIME FOR MERIDIAN OF GREENWICH
MOONRISE

Lat.	+40°	+42°	+44°	+46°	+48°	+50°	+52°	+54°	+56°	+58°	+60°	+62°	+64°	+66°
Apr.	h m	h m	h m	h m	h m	h m	h m	h m	h m	h m	h m	h m	h m	h m
1	13 35	13 30	13 23	13 17	13 09	13 01	12 52	12 42	12 30	12 17	12 02	11 43	11 19	10 46
2	14 51	14 47	14 42	14 37	14 32	14 27	14 20	14 14	14 06	13 57	13 47	13 36	13 22	13 05
3	16 07	16 05	16 02	16 00	15 57	15 54	15 50	15 47	15 43	15 38	15 33	15 27	15 20	15 12
4	17 24	17 24	17 23	17 23	17 22	17 22	17 21	17 21	17 20	17 19	17 18	17 17	17 16	17 15
5	18 42	18 44	18 45	18 47	18 49	18 51	18 53	18 55	18 58	19 01	19 04	19 08	19 13	19 18
6	20 01	20 04	20 08	20 12	20 16	20 21	20 26	20 32	20 38	20 45	20 53	21 02	21 13	21 26
7	21 20	21 26	21 31	21 37	21 44	21 51	22 00	22 09	22 19	22 31	22 44	23 01	23 21	23 47
8	22 39	22 45	22 53	23 01	23 10	23 20	23 31	23 43	23 58	.. ..	.. ..	.. ..	.. ..	.. ..
9	23 52	.. ..	.. ..	.. ..	.. ..	.. ..	.. ..	.. ..	.. ..	0 15	0 36	1 02	1 41	-- --
10	.. ..	0 00	0 09	0 18	0 29	0 41	0 54	1 09	1 27	1 50	2 18	3 01	-- --	-- --
11	0 57	1 05	1 14	1 25	1 36	1 48	2 02	2 19	2 38	3 02	3 34	4 27	-- --	-- --
12	1 51	1 59	2 08	2 17	2 28	2 40	2 53	3 08	3 26	3 47	4 14	4 53	-- --	-- --
13	2 35	2 42	2 50	2 58	3 07	3 17	3 28	3 41	3 55	4 12	4 32	4 58	5 34	6 42
14	3 10	3 16	3 22	3 29	3 36	3 44	3 53	4 03	4 14	4 26	4 41	4 58	5 20	5 48
15	3 39	3 43	3 48	3 53	3 59	4 05	4 11	4 18	4 26	4 35	4 45	4 57	5 11	5 27
16	4 04	4 07	4 10	4 13	4 17	4 21	4 25	4 30	4 35	4 41	4 47	4 55	5 03	5 13
17	4 26	4 27	4 29	4 31	4 33	4 35	4 37	4 40	4 42	4 45	4 49	4 52	4 57	5 02
18	4 46	4 47	4 47	4 47	4 47	4 48	4 48	4 48	4 49	4 49	4 49	4 50	4 50	4 51
19	5 07	5 06	5 04	5 03	5 02	5 00	4 58	4 57	4 55	4 53	4 50	4 47	4 44	4 41
20	5 28	5 25	5 23	5 20	5 17	5 13	5 10	5 06	5 01	4 57	4 51	4 45	4 38	4 30
21	5 51	5 47	5 43	5 39	5 34	5 29	5 23	5 17	5 10	5 02	4 53	4 43	4 31	4 17
22	6 18	6 12	6 07	6 01	5 54	5 47	5 39	5 30	5 20	5 09	4 56	4 41	4 23	4 01
23	6 49	6 42	6 35	6 28	6 19	6 10	6 00	5 49	5 36	5 21	5 03	4 41	4 13	3 32
24	7 27	7 19	7 11	7 02	6 52	6 41	6 29	6 15	5 59	5 40	5 16	4 44	3 53	** **
25	8 12	8 04	7 55	7 45	7 35	7 23	7 09	6 53	6 35	6 12	5 42	4 58	** **	** **

MOONSET

Lat.	+40°	+42°	+44°	+46°	+48°	+50°	+52°	+54°	+56°	+58°	+60°	+62°	+64°	+66°
Apr.	h m	h m	h m	h m	h m	h m	h m	h m	h m	h m	h m	h m	h m	h m
1	3 45	3 51	3 58	4 05	4 13	4 22	4 31	4 42	4 54	5 08	5 24	5 44	6 09	6 42
2	4 21	4 25	4 30	4 36	4 42	4 48	4 55	5 02	5 11	5 21	5 32	5 44	5 59	6 17
3	4 52	4 55	4 58	5 01	5 05	5 09	5 13	5 18	5 23	5 29	5 36	5 43	5 52	6 02
4	5 20	5 22	5 23	5 24	5 26	5 27	5 29	5 31	5 33	5 36	5 38	5 41	5 45	5 49
5	5 48	5 47	5 47	5 46	5 46	5 45	5 44	5 43	5 43	5 42	5 41	5 39	5 38	5 36
6	6 16	6 14	6 11	6 09	6 06	6 03	6 00	5 56	5 52	5 48	5 43	5 37	5 31	5 24
7	6 47	6 43	6 38	6 34	6 29	6 23	6 17	6 11	6 04	5 55	5 46	5 36	5 23	5 09
8	7 22	7 17	7 10	7 04	6 56	6 48	6 40	6 30	6 19	6 06	5 52	5 35	5 13	4 46
9	8 04	7 57	7 49	7 41	7 32	7 21	7 10	6 57	6 42	6 24	6 03	5 36	4 57	-- --
10	8 55	8 46	8 37	8 28	8 17	8 05	7 51	7 36	7 18	6 55	6 26	5 43	-- --	-- --
11	9 52	9 44	9 35	9 25	9 14	9 01	8 47	8 31	8 12	7 48	7 16	6 22	-- --	-- --
12	10 56	10 48	10 39	10 30	10 20	10 08	9 55	9 40	9 23	9 02	8 35	7 56	-- --	-- --
13	12 01	11 54	11 47	11 39	11 31	11 21	11 10	10 58	10 44	10 28	10 08	9 42	9 07	8 00
14	13 06	13 01	12 55	12 49	12 42	12 35	12 26	12 17	12 07	11 55	11 41	11 24	11 04	10 37
15	14 10	14 06	14 02	13 57	13 52	13 47	13 41	13 35	13 28	13 19	13 10	12 59	12 47	12 31
16	15 11	15 08	15 06	15 03	15 00	14 57	14 53	14 49	14 45	14 40	14 35	14 29	14 21	14 13
17	16 10	16 09	16 08	16 07	16 06	16 05	16 04	16 02	16 00	15 59	15 56	15 54	15 51	15 48
18	17 09	17 10	17 10	17 11	17 11	17 12	17 13	17 14	17 14	17 15	17 17	17 18	17 19	17 21
19	18 08	18 10	18 12	18 14	18 17	18 19	18 22	18 25	18 29	18 33	18 37	18 42	18 48	18 54
20	19 08	19 11	19 15	19 19	19 23	19 27	19 32	19 38	19 44	19 51	19 59	20 08	20 19	20 32
21	20 09	20 13	20 19	20 24	20 30	20 37	20 44	20 52	21 02	21 12	21 24	21 38	21 56	22 17
22	21 11	21 17	21 24	21 31	21 39	21 47	21 57	22 08	22 21	22 35	22 52	23 13	23 41	.. ..
23	22 13	22 20	22 28	22 37	22 46	22 57	23 09	23 23	23 38	23 57	.. ..	.. ..	.. ..	0 21
24	23 13	23 21	23 30	23 40	23 51	.. ..	.. ..	.. ..	.. ..	.. ..	0 21	0 52	1 43	** **
25	.. ..	.. ..	.. ..	.. ..	.. ..	0 03	0 16	0 32	0 50	1 13	1 42	2 27	** **	** **

The symbols (..) indicate that the phenomenon will occur the next day.
The symbols (-) and (*) indicate Moon continuously below and above horizon, respectively.

MOONRISE AND MOONSET, 1985

UNIVERSAL TIME FOR MERIDIAN OF GREENWICH

MOONRISE

Lat.	−55°	−50°	−45°	−40°	−35°	−30°	−20°	−10°	0°	+10°	+20°	+30°	+35°	+40°
	h m	h m	h m	h m	h m	h m	h m	h m	h m	h m	h m	h m	h m	h m
Apr. 24	12 09	11 32	11 06	10 45	10 27	10 12	9 47	9 25	9 05	8 45	8 23	7 58	7 44	7 27
25	13 14	12 34	12 06	11 43	11 25	11 09	10 42	10 19	9 57	9 36	9 13	8 46	8 31	8 12
26	14 05	13 27	12 59	12 37	12 19	12 03	11 36	11 13	10 52	10 30	10 08	9 41	9 25	9 07
27	14 41	14 08	13 43	13 23	13 07	12 52	12 28	12 07	11 47	11 27	11 05	10 41	10 26	10 09
28	15 05	14 39	14 19	14 03	13 49	13 37	13 16	12 58	12 41	12 24	12 05	11 44	11 32	11 17
29	15 23	15 04	14 49	14 37	14 26	14 17	14 01	13 47	13 34	13 20	13 06	12 50	12 40	12 29
30	15 36	15 24	15 15	15 07	15 00	14 54	14 43	14 34	14 25	14 16	14 07	13 56	13 50	13 43
May 1	15 47	15 42	15 38	15 34	15 31	15 28	15 24	15 19	15 16	15 12	15 08	15 03	15 00	14 57
2	15 57	15 59	16 00	16 01	16 02	16 02	16 04	16 05	16 06	16 08	16 09	16 11	16 12	16 13
3	16 08	16 16	16 23	16 29	16 33	16 38	16 45	16 52	16 59	17 05	17 12	17 20	17 25	17 30
4	16 21	16 37	16 49	16 59	17 08	17 16	17 30	17 42	17 53	18 05	18 17	18 32	18 40	18 50
5	16 39	17 02	17 20	17 35	17 48	17 59	18 18	18 35	18 51	19 07	19 25	19 45	19 57	20 10
6	17 04	17 36	17 59	18 18	18 34	18 48	19 12	19 33	19 52	20 12	20 33	20 57	21 12	21 29
7	17 44	18 21	18 48	19 10	19 28	19 44	20 10	20 33	20 55	21 16	21 39	22 06	22 22	22 41
8	18 41	19 20	19 48	20 10	20 29	20 45	21 12	21 35	21 56	22 18	22 41	23 08	23 24	23 42
9	19 54	20 30	20 56	21 16	21 33	21 48	22 13	22 34	22 54	23 14	23 36	.. ..	.. ..	.. ..
10	21 16	21 45	22 06	22 23	22 38	22 51	23 12	23 31	23 48	.. ..	.. ..	0 00	0 15	0 32
11	22 38	23 00	23 16	23 30	23 41	23 51	.. ..	.. ..	.. ..	0 05	0 23	0 45	0 57	1 11
12	23 58	.. ..	.. ..	.. ..	.. ..	.. ..	0 08	0 23	0 37	0 50	1 05	1 22	1 31	1 42
13	.. ..	0 12	0 24	0 33	0 41	0 49	1 01	1 11	1 21	1 31	1 42	1 54	2 01	2 09
14	1 14	1 22	1 29	1 35	1 39	1 44	1 51	1 57	2 03	2 09	2 15	2 23	2 27	2 31
15	2 27	2 30	2 32	2 34	2 35	2 37	2 39	2 41	2 43	2 45	2 47	2 49	2 51	2 52
16	3 40	3 37	3 35	3 33	3 31	3 29	3 27	3 24	3 22	3 20	3 18	3 16	3 14	3 13
17	4 53	4 44	4 37	4 31	4 27	4 22	4 15	4 08	4 02	3 56	3 49	3 42	3 38	3 33
18	6 08	5 53	5 41	5 31	5 23	5 16	5 04	4 53	4 43	4 33	4 22	4 10	4 04	3 56

MOONSET

Lat.	−55°	−50°	−45°	−40°	−35°	−30°	−20°	−10°	0°	+10°	+20°	+30°	+35°	+40°
	h m	h m	h m	h m	h m	h m	h m	h m	h m	h m	h m	h m	h m	h m
Apr. 24	18 22	18 59	19 26	19 47	20 05	20 20	20 46	21 09	21 30	21 51	22 14	22 40	22 55	23 13
25	19 06	19 46	20 15	20 37	20 56	21 12	21 39	22 02	22 24	22 45	23 08	23 35	23 51	.. ..
26	20 09	20 46	21 14	21 36	21 54	22 09	22 35	22 57	23 18	23 39	.. ..	.. ..	.. ..	0 09
27	21 26	21 58	22 22	22 41	22 57	23 11	23 34	23 54	.. ..	.. ..	0 01	0 27	0 42	0 59
28	22 52	23 17	23 36	23 51	.. ..	.. ..	.. ..	.. ..	0 13	0 31	0 51	1 14	1 27	1 42
29	.. ..	.. ..	.. ..	.. ..	0 04	0 15	0 34	0 51	1 06	1 21	1 38	1 56	2 07	2 19
30	0 23	0 40	0 53	1 04	1 13	1 21	1 35	1 47	1 58	2 09	2 21	2 34	2 42	2 50
May 1	1 55	2 04	2 12	2 18	2 23	2 28	2 36	2 43	2 49	2 55	3 02	3 10	3 14	3 19
2	3 28	3 30	3 31	3 33	3 34	3 35	3 37	3 38	3 39	3 41	3 42	3 44	3 45	3 46
3	5 02	4 57	4 53	4 49	4 46	4 43	4 39	4 35	4 31	4 27	4 23	4 18	4 16	4 13
4	6 40	6 27	6 16	6 08	6 00	5 54	5 43	5 33	5 24	5 15	5 06	4 55	4 49	4 42
5	8 20	7 58	7 41	7 28	7 16	7 06	6 49	6 34	6 20	6 07	5 52	5 35	5 26	5 14
6	9 59	9 29	9 06	8 48	8 33	8 20	7 57	7 38	7 20	7 02	6 43	6 21	6 08	5 54
7	11 29	10 52	10 25	10 04	9 46	9 31	9 05	8 43	8 22	8 01	7 39	7 14	6 58	6 41
8	12 41	12 02	11 33	11 11	10 52	10 36	10 09	9 46	9 24	9 03	8 39	8 12	7 56	7 37
9	13 30	12 54	12 28	12 06	11 49	11 34	11 08	10 45	10 25	10 04	9 41	9 15	8 59	8 41
10	14 01	13 32	13 09	12 51	12 35	12 22	11 59	11 39	11 21	11 02	10 42	10 18	10 04	9 48
11	14 21	13 59	13 41	13 26	13 14	13 03	12 44	12 27	12 12	11 56	11 39	11 20	11 09	10 55
12	14 35	14 19	14 06	13 55	13 46	13 37	13 23	13 10	12 59	12 47	12 34	12 19	12 10	12 01
13	14 45	14 35	14 26	14 19	14 13	14 08	13 58	13 50	13 42	13 34	13 25	13 15	13 10	13 03
14	14 54	14 49	14 44	14 41	14 38	14 35	14 31	14 26	14 23	14 19	14 14	14 09	14 07	14 03
15	15 01	15 01	15 01	15 02	15 02	15 02	15 02	15 02	15 02	15 02	15 02	15 02	15 02	15 02
16	15 08	15 14	15 18	15 22	15 25	15 28	15 33	15 37	15 41	15 45	15 50	15 55	15 58	16 01
17	15 16	15 27	15 36	15 43	15 50	15 55	16 05	16 13	16 21	16 29	16 38	16 48	16 54	17 00
18	15 26	15 43	15 56	16 07	16 16	16 25	16 39	16 52	17 03	17 15	17 28	17 43	17 51	18 01

The symbols (..) indicate that the phenomenon will occur the next day.

UNIVERSAL TIME FOR MERIDIAN OF GREENWICH
MOONRISE

Lat.	+40°	+42°	+44°	+46°	+48°	+50°	+52°	+54°	+56°	+58°	+60°	+62°	+64°	+66°
	h m	h m	h m	h m	h m	h m	h m	h m	h m	h m	h m	h m	h m	h m
Apr. 24	7 27	7 19	7 11	7 02	6 52	6 41	6 29	6 15	5 59	5 40	5 16	4 44	3 53	** **
25	8 12	8 04	7 55	7 45	7 35	7 23	7 09	6 53	6 35	6 12	5 42	4 58	** **	** **
26	9 07	8 59	8 50	8 40	8 29	8 17	8 03	7 47	7 28	7 05	6 34	5 46	** **	** **
27	10 09	10 02	9 53	9 44	9 34	9 23	9 11	8 56	8 40	8 20	8 20	7 54	6 12	** **
28	11 17	11 11	11 04	10 56	10 48	10 39	10 29	10 17	10 04	9 49	9 31	9 08	8 37	7 49
29	12 29	12 24	12 19	12 13	12 07	12 00	11 53	11 45	11 35	11 24	11 12	10 58	10 40	10 18
30	13 43	13 39	13 36	13 32	13 28	13 24	13 19	13 14	13 08	13 02	12 54	12 46	12 36	12 24
May 1	14 57	14 56	14 54	14 53	14 51	14 49	14 47	14 45	14 42	14 40	14 37	14 33	14 29	14 24
2	16 13	16 13	16 14	16 14	16 15	16 15	16 16	16 17	16 18	16 19	16 20	16 21	16 22	16 24
3	17 30	17 32	17 35	17 38	17 41	17 44	17 47	17 51	17 56	18 00	18 06	18 12	18 19	18 28
4	18 50	18 54	18 59	19 04	19 09	19 15	19 21	19 29	19 37	19 46	19 56	20 09	20 23	20 41
5	20 10	20 16	20 23	20 30	20 38	20 47	20 56	21 07	21 19	21 34	21 51	22 12	22 39	23 18
6	21 29	21 36	21 45	21 54	22 04	22 15	22 27	22 41	22 58	23 18	23 43	.. ..	.. ..	.. ..
7	22 41	22 49	22 58	23 08	23 19	23 32	23 46	.. ..	.. ..	.. ..	.. ..	0 18	1 23	-- --
8	23 42	23 50	23 59	.. ..	.. ..	.. ..	.. ..	0 02	0 21	0 45	1 17	2 10	-- --	-- --
9	.. ..	.. ..	.. ..	0 09	0 20	0 32	0 46	1 02	1 21	1 44	2 15	3 02	-- --	-- --
10	0 32	0 39	0 47	0 56	1 06	1 17	1 29	1 42	1 58	2 17	2 40	3 11	3 59	-- --
11	1 11	1 17	1 24	1 31	1 39	1 48	1 58	2 09	2 21	2 35	2 52	3 12	3 38	4 13
12	1 42	1 47	1 53	1 58	2 04	2 11	2 18	2 26	2 35	2 45	2 57	3 11	3 27	3 47
13	2 09	2 12	2 16	2 20	2 24	2 29	2 34	2 39	2 45	2 52	3 00	3 09	3 19	3 31
14	2 31	2 33	2 36	2 38	2 40	2 43	2 46	2 49	2 53	2 57	3 01	3 06	3 12	3 18
15	2 52	2 53	2 54	.2 54	2 55	2 56	2 57	2 58	2 59	3 01	3 02	3 04	3 05	3 07
16	3 13	3 12	3 11	3 10	3 10	3 09	3 08	3 07	3 05	3 04	3 03	3 01	2 59	2 57
17	3 33	3 31	3 29	3 27	3 24	3 21	3 19	3 15	3 12	3 08	3 03	2 58	2 53	2 46
18	3 56	3 52	3 49	3 45	3 40	3 36	3 31	3 25	3 19	3 13	3 05	2 56	2 46	2 34

MOONSET

Lat.	+40°	+42°	+44°	+46°	+48°	+50°	+52°	+54°	+56°	+58°	+60°	+62°	+64°	+66°
	h m	h m	h m	h m	h m	h m	h m	h m	h m	h m	h m	h m	h m	h m
Apr. 24	23 13	23 21	23 30	23 40	23 51	.. ..	.. ..	.. ..	.. ..	.. ..	0 21	0 52	1 43	** **
25	.. ..	.. ..	.. ..	.. ..	.. ..	0 03	0 16	0 32	0 50	1 13	1 42	2 27	** **	** **
26	0 09	0 18	0 27	0 37	0 48	1 00	1 14	1 30	1 49	2 12	2 43	3 31	** **	** **
27	0 59	1 07	1 16	1 25	1 35	1 46	1 59	2 14	2 31	2 51	3 17	3 52	5 00	** **
28	1 42	1 49	1 56	2 04	2 13	2 23	2 33	2 45	2 59	3 15	3 34	3 57	4 28	5 17
29	2 19	2 24	2 30	2 36	2 43	2 50	2 58	3 07	3 18	3 29	3 42	3 58	4 17	4 40
30	2 50	2 54	2 58	3 03	3 07	3 12	3 18	3 24	3 31	3 38	3 47	3 57	4 08	4 21
May 1	3 19	3 21	3 23	3 26	3 28	3 31	3 34	3 37	3 41	3 45	3 50	3 55	4 01	4 07
2	3 46	3 46	3 46	3 47	3 47	3 48	3 49	3 49	3 50	3 51	3 52	3 53	3 54	3 55
3	4 13	4 11	4 10	4 08	4 07	4 05	4 03	4 01	3 59	3 56	3 53	3 50	3 47	3 43
4	4 42	4 38	4 35	4 32	4 28	4 24	4 19	4 14	4 09	4 03	3 56	3 48	3 39	3 29
5	5 14	5 10	5 04	4 59	4 53	4 46	4 39	4 31	4 22	4 11	4 00	3 46	3 30	3 11
6	5 54	5 47	5 40	5 32	5 24	5 15	5 05	4 53	4 40	4 25	4 07	3 46	3 18	2 38
7	6 41	6 33	6 25	6 15	6 05	5 54	5 41	5 26	5 10	4 49	4 24	3 48	2 43	-- --
8	7 37	7 29	7 20	7 10	6 58	6 46	6 32	6 15	5 56	5 32	5 00	4 07	-- --	-- --
9	8 41	8 33	8 24	8 14	8 03	7 51	7 38	7 22	7 03	6 40	6 10	5 23	-- --	-- --
10	9 48	9 41	9 33	9 25	9 15	9 05	8 53	8 40	8 24	8 06	7 43	7 13	6 26	-- --
11	10 55	10 50	10 43	10 36	10 29	10 21	10 11	10 01	9 49	9 36	9 20	9 00	8 35	8 01
12	12 01	11 56	11 51	11 46	11 41	11 35	11 28	11 21	11 12	11 03	10 52	10 40	10 24	10 06
13	13 03	13 00	12 57	12 54	12 50	12 46	12 42	12 37	12 32	12 26	12 19	12 12	12 03	11 52
14	14 03	14 02	14 00	13 59	13 57	13 55	13 53	13 51	13 48	13 45	13 42	13 38	13 34	13 29
15	15 02	15 02	15 02	15 02	15 02	15 02	15 02	15 02	15 02	15 03	15 03	15 03	15 03	15 03
16	16 01	16 02	16 04	16 06	16 07	16 09	16 12	16 14	16 16	16 19	16 23	16 26	16 30	16 35
17	17 00	17 03	17 06	17 10	17 13	17 17	17 21	17 26	17 31	17 37	17 44	17 52	18 00	18 11
18	18 01	18 05	18 10	18 15	18 20	18 26	18 33	18 40	18 48	18 58	19 08	19 21	19 35	19 53

The symbols (..) indicate that the phenomenon will occur the next day.
The symbols (–) and (*) indicate Moon continuously below and above horizon, respectively.

MOONRISE AND MOONSET, 1985

UNIVERSAL TIME FOR MERIDIAN OF GREENWICH

MOONRISE

Lat.		−55°	−50°	−45°	−40°	−35°	−30°	−20°	−10°	0°	+10°	+20°	+30°	+35°	+40°
		h m	h m	h m	h m	h m	h m	h m	h m	h m	h m	h m	h m	h m	h m
May	17	4 53	4 44	4 37	4 31	4 27	4 22	4 15	4 08	4 02	3 56	3 49	3 42	3 38	3 33
	18	6 08	5 53	5 41	5 31	5 23	5 16	5 04	4 53	4 43	4 33	4 22	4 10	4 04	3 56
	19	7 24	7 03	6 46	6 33	6 21	6 11	5 54	5 40	5 26	5 12	4 58	4 41	4 32	4 21
	20	8 42	8 14	7 53	7 35	7 21	7 09	6 47	6 29	6 12	5 55	5 37	5 17	5 04	4 51
	21	9 58	9 24	8 58	8 38	8 21	8 07	7 42	7 21	7 01	6 42	6 21	5 57	5 43	5 27
	22	11 08	10 29	10 00	9 38	9 20	9 04	8 38	8 15	7 54	7 32	7 10	6 43	6 28	6 10
	23	12 03	11 24	10 56	10 34	10 15	9 59	9 32	9 09	8 48	8 26	8 03	7 36	7 20	7 02
	24	12 44	12 09	11 43	11 22	11 05	10 50	10 25	10 03	9 42	9 22	9 00	8 34	8 19	8 02
	25	13 11	12 43	12 21	12 03	11 48	11 36	11 13	10 54	10 36	10 18	9 59	9 36	9 23	9 08
	26	13 30	13 09	12 52	12 38	12 26	12 16	11 58	11 43	11 28	11 14	10 58	10 40	10 29	10 17
	27	13 44	13 29	13 18	13 08	13 00	12 53	12 40	12 29	12 19	12 08	11 57	11 44	11 37	11 28
	28	13 55	13 47	13 41	13 35	13 31	13 27	13 20	13 13	13 08	13 02	12 56	12 48	12 44	12 39
	29	14 05	14 03	14 02	14 01	14 00	14 00	13 58	13 57	13 56	13 55	13 54	13 53	13 53	13 52
	30	14 15	14 20	14 24	14 27	14 30	14 33	14 38	14 42	14 46	14 50	14 54	14 59	15 02	15 06
	31	14 26	14 38	14 47	14 55	15 02	15 09	15 19	15 29	15 38	15 47	15 57	16 08	16 15	16 22
June	1	14 41	15 00	15 15	15 28	15 39	15 48	16 05	16 19	16 33	16 47	17 02	17 19	17 29	17 41
	2	15 02	15 29	15 50	16 07	16 21	16 34	16 55	17 14	17 32	17 50	18 09	18 32	18 45	19 00
	3	15 33	16 08	16 34	16 54	17 12	17 26	17 52	18 14	18 34	18 55	19 17	19 43	19 59	20 17
	4	16 22	17 01	17 29	17 51	18 10	18 26	18 53	19 16	19 38	19 59	20 23	20 50	21 06	21 25
	5	17 30	18 08	18 35	18 56	19 14	19 30	19 56	20 18	20 39	21 00	21 22	21 48	22 04	22 21
	6	18 51	19 23	19 47	20 05	20 21	20 35	20 58	21 18	21 36	21 55	22 15	22 38	22 51	23 06
	7	20 16	20 41	20 59	21 14	21 27	21 38	21 57	22 13	22 29	22 44	23 00	23 19	23 30	23 42
	8	21 39	21 56	22 10	22 21	22 30	22 38	22 52	23 05	23 16	23 28	23 40	23 54	.. ..	.. ..
	9	22 58	23 09	23 17	23 24	23 30	23 35	23 44	23 52	.. ..	.. ..	.. ..	.. ..	0 02	0 11
	10	.. ..	.. ..	.. ..	.. ..	.. ..	.. ..	.. ..	.. ..	0 00	0 07	0 15	0 24	0 29	0 35

MOONSET

Lat.		−55°	−50°	−45°	−40°	−35°	−30°	−20°	−10°	0°	+10°	+20°	+30°	+35°	+40°
		h m	h m	h m	h m	h m	h m	h m	h m	h m	h m	h m	h m	h m	h m
May	17	15 16	15 27	15 36	15 43	15 50	15 55	16 05	16 13	16 21	16 29	16 38	16 48	16 54	17 00
	18	15 26	15 43	15 56	16 07	16 16	16 25	16 39	16 52	17 03	17 15	17 28	17 43	17 51	18 01
	19	15 39	16 02	16 20	16 34	16 47	16 57	17 16	17 33	17 48	18 03	18 20	18 39	18 50	19 03
	20	15 57	16 26	16 49	17 07	17 22	17 35	17 57	18 17	18 35	18 54	19 14	19 37	19 50	20 06
	21	16 24	16 59	17 25	17 46	18 03	18 18	18 44	19 06	19 26	19 47	20 09	20 35	20 50	21 07
	22	17 03	17 43	18 11	18 33	18 52	19 08	19 35	19 58	20 19	20 41	21 04	21 31	21 47	22 05
	23	18 00	18 39	19 07	19 29	19 48	20 03	20 30	20 53	21 14	21 35	21 58	22 24	22 39	22 57
	24	19 13	19 47	20 13	20 33	20 49	21 04	21 28	21 49	22 08	22 28	22 48	23 12	23 26	23 42
	25	20 36	21 03	21 24	21 41	21 54	22 07	22 27	22 45	23 01	23 18	23 35	23 55	.. ..	.. ..
	26	22 04	22 23	22 38	22 51	23 01	23 11	23 26	23 40	23 53	.. ..	.. ..	.. ..	0 07	0 20
	27	23 32	23 44	23 54	.. ..	.. ..	.. ..	.. ..	.. ..	.. ..	0 05	0 18	0 33	0 42	0 52
	28	.. ..	.. ..	.. ..	0 02	0 09	0 15	0 25	0 34	0 42	0 50	0 59	1 09	1 14	1 20
	29	1 01	1 06	1 10	1 14	1 17	1 19	1 23	1 27	1 31	1 34	1 38	1 42	1 44	1 47
	30	2 32	2 30	2 28	2 27	2 26	2 25	2 23	2 21	2 20	2 18	2 16	2 15	2 14	2 12
	31	4 05	3 55	3 48	3 42	3 36	3 32	3 24	3 17	3 10	3 04	2 57	2 49	2 44	2 39
June	1	5 41	5 24	5 10	4 59	4 50	4 41	4 27	4 15	4 04	3 52	3 40	3 26	3 18	3 09
	2	7 20	6 54	6 34	6 19	6 05	5 54	5 34	5 17	5 01	4 45	4 28	4 08	3 57	3 44
	3	8 56	8 22	7 57	7 37	7 20	7 06	6 42	6 21	6 01	5 42	5 21	4 57	4 43	4 27
	4	10 19	9 40	9 12	8 50	8 31	8 16	7 49	7 26	7 05	6 43	6 20	5 54	5 38	5 20
	5	11 20	10 42	10 14	9 52	9 34	9 19	8 52	8 29	8 07	7 46	7 23	6 56	6 40	6 21
	6	12 00	11 27	11 03	10 43	10 27	10 13	9 48	9 27	9 07	8 47	8 26	8 01	7 46	7 29
	7	12 25	12 00	11 40	11 23	11 10	10 58	10 37	10 19	10 02	9 45	9 27	9 05	8 53	8 38
	8	12 42	12 23	12 08	11 56	11 45	11 36	11 20	11 05	10 52	10 39	10 24	10 07	9 58	9 47
	9	12 53	12 41	12 31	12 22	12 15	12 08	11 57	11 47	11 38	11 28	11 18	11 06	10 59	10 52
	10	13 03	12 56	12 50	12 45	12 41	12 37	12 31	12 25	12 20	12 14	12 09	12 02	11 58	11 54

The symbols (..) indicate that the phenomenon will occur the next day.

MOONRISE AND MOONSET, 1985

UNIVERSAL TIME FOR MERIDIAN OF GREENWICH

MOONRISE

Lat.	+40°	+42°	+44°	+46°	+48°	+50°	+52°	+54°	+56°	+58°	+60°	+62°	+64°	+66°
	h m	h m	h m	h m	h m	h m	h m	h m	h m	h m	h m	h m	h m	h m
May 17	3 33	3 31	3 29	3 27	3 24	3 21	3 19	3 15	3 12	3 08	3 03	2 58	2 53	2 46
18	3 56	3 52	3 49	3 45	3 40	3 36	3 31	3 25	3 19	3 13	3 05	2 56	2 46	2 34
19	4 21	4 16	4 11	4 06	4 00	3 53	3 46	3 38	3 29	3 19	3 08	2 54	2 39	2 19
20	4 51	4 45	4 38	4 31	4 23	4 15	4 05	3 55	3 43	3 29	3 13	2 54	2 29	1 57
21	5 27	5 19	5 11	5 03	4 53	4 43	4 31	4 18	4 03	3 45	3 23	2 55	2 15	** **
22	6 10	6 02	5 53	5 43	5 33	5 21	5 08	4 53	4 35	4 13	3 45	3 04	** **	** **
23	7 02	6 54	6 44	6 35	6 24	6 11	5 57	5 41	5 22	4 59	4 28	3 38	** **	** **
24	8 02	7 54	7 45	7 36	7 26	7 14	7 01	6 46	6 29	6 07	5 40	5 01	** **	** **
25	9 08	9 01	8 53	8 45	8 37	8 27	8 16	8 03	7 49	7 32	7 12	6 45	6 09	4 43
26	10 17	10 12	10 06	10 00	9 53	9 45	9 37	9 27	9 17	9 05	8 50	8 33	8 12	7 45
27	11 28	11 24	11 20	11 16	11 11	11 06	11 00	10 54	10 47	10 39	10 30	10 19	10 07	9 52
28	12 39	12 37	12 35	12 33	12 30	12 27	12 24	12 21	12 17	12 13	12 08	12 03	11 57	11 49
29	13 52	13 51	13 51	13 51	13 50	13 50	13 49	13 49	13 48	13 48	13 47	13 46	13 45	13 44
30	15 06	15 07	15 09	15 10	15 12	15 14	15 16	15 19	15 22	15 25	15 28	15 32	15 36	15 41
31	16 22	16 25	16 29	16 33	16 37	16 42	16 46	16 52	16 58	17 05	17 13	17 22	17 33	17 45
June 1	17 41	17 46	17 52	17 58	18 04	18 11	18 19	18 28	18 38	18 50	19 03	19 20	19 39	20 05
2	19 00	19 07	19 15	19 23	19 32	19 41	19 53	20 05	20 19	20 36	20 57	21 24	22 02	-- --
3	20 17	20 25	20 33	20 43	20 54	21 06	21 19	21 34	21 53	22 15	22 44	23 28	.. ..	-- --
4	21 25	21 33	21 42	21 52	22 04	22 16	22 30	22 47	23 06	23 30	.. ..	...	-- --	-- --
5	22 21	22 29	22 38	22 47	22 58	23 09	23 22	23 37	23 55	.. ..	0 02	0 56	-- --	-- --
6	23 06	23 13	23 20	23 29	23 37	23 47	23 58	.. ..	.. ..	0 16	0 42	1 20	-- --	-- --
7	23 42	23 47	23 53	23 59	.. ..	.. ..	.. ..	0 10	0 24	0 40	0 59	1 23	1 55	2 47
8	.. ..	.. ..	.. ..	.. ..	0 06	0 14	0 22	0 31	0 42	0 53	1 07	1 23	1 42	2 07
9	0 11	0 15	0 19	0 24	0 28	0 34	0 40	0 46	0 53	1 01	1 11	1 21	1 33	1 48
10	0 35	0 38	0 40	0 43	0 46	0 50	0 53	0 58	1 02	1 07	1 12	1 19	1 26	1 34

MOONSET

Lat.	+40°	+42°	+44°	+46°	+48°	+50°	+52°	+54°	+56°	+58°	+60°	+62°	+64°	+66°
	h m	h m	h m	h m	h m	h m	h m	h m	h m	h m	h m	h m	h m	h m
May 17	17 00	17 03	17 06	17 10	17 13	17 17	17 21	17 26	17 31	17 37	17 44	17 52	18 00	18 11
18	18 01	18 05	18 10	18 15	18 20	18 26	18 33	18 40	18 48	18 58	19 08	19 21	19 35	19 53
19	19 03	19 09	19 15	19 22	19 29	19 37	19 46	19 56	20 07	20 20	20 36	20 54	21 18	21 50
20	20 06	20 13	20 20	20 29	20 38	20 48	20 59	21 12	21 26	21 44	22 05	22 33	23 13	.. ..
21	21 07	21 15	21 24	21 33	21 44	21 55	22 08	22 24	22 41	23 03	23 31	.. ..	.. ..	** **
22	22 05	22 14	22 23	22 33	22 44	22 56	23 10	23 26	23 45	.. ..	.. ..	0 11	** **	** **
23	22 57	23 05	23 14	23 24	23 34	23 46	23 59	.. ..	.. ..	0 08	0 39	1 29	** **	** **
24	23 42	23 49	23 57	.. ..	.. ..	.. ..	.. ..	.. ..	0 14	0 32	0 54	1 21	2 01	** **
25	.. ..	.. ..	.. ..	0 05	0 15	0 25	0 36	0 49	1 04	1 21	1 42	2 09	2 46	4 13
26	0 20	0 26	0 32	0 39	0 46	0 54	0 54	1 03	1 13	1 25	1 37	1 52	2 10	2 32
27	0 52	0 56	1 01	1 06	1 12	1 17	1 24	1 31	1 39	1 48	1 58	2 09	2 23	2 39
28	1 20	1 23	1 26	1 29	1 33	1 36	1 40	1 45	1 50	1 55	2 01	2 08	2 16	2 25
29	1 47	1 48	1 49	1 50	1 52	1 53	1 55	1 57	1 58	2 01	2 03	2 06	2 09	2 12
30	2 12	2 12	2 11	2 11	2 10	2 09	2 09	2 08	2 07	2 06	2 05	2 03	2 02	2 00
31	2 39	2 37	2 35	2 32	2 29	2 26	2 23	2 20	2 16	2 11	2 06	2 01	1 55	1 48
June 1	3 09	3 05	3 01	2 56	2 51	2 46	2 40	2 34	2 26	2 18	2 09	1 59	1 47	1 33
2	3 44	3 39	3 32	3 26	3 19	3 11	3 02	2 52	2 42	2 29	2 15	1 58	1 37	1 10
3	4 27	4 20	4 12	4 04	3 54	3 44	3 33	3 20	3 05	2 47	2 26	1 58	1 20	-- --
4	5 20	5 11	5 02	4 53	4 42	4 30	4 16	4 00	3 42	3 19	2 50	2 06	-- --	-- --
5	6 21	6 13	6 04	5 53	5 42	5 30	5 16	5 00	4 40	4 16	3 44	2 50	-- --	-- --
6	7 29	7 21	7 13	7 04	6 53	6 42	6 29	6 15	5 58	5 37	5 11	4 34	-- --	-- --
7	8 38	8 32	8 25	8 17	8 09	8 00	7 49	7 38	7 25	7 09	6 50	6 27	5 55	5 04
8	9 47	9 42	9 36	9 30	9 24	9 17	9 09	9 01	8 51	8 40	8 28	8 12	7 54	7 31
9	10 52	10 48	10 44	10 40	10 36	10 31	10 26	10 20	10 14	10 07	9 59	9 49	9 38	9 25
10	11 54	11 52	11 50	11 47	11 45	11 42	11 39	11 36	11 33	11 29	11 24	11 19	11 14	11 07

The symbols (..) indicate that the phenomenon will occur the next day.

The symbols (–) and (*) indicate Moon continuously below and above horizon, respectively.

UNIVERSAL TIME FOR MERIDIAN OF GREENWICH

MOONRISE

Lat.		−55°	−50°	−45°	−40°	−35°	−30°	−20°	−10°	0°	+10°	+20°	+30°	+35°	+40°
		h m	h m	h m	h m	h m	h m	h m	h m	h m	h m	h m	h m	h m	h m
June	8	21 39	21 56	22 10	22 21	22 30	22 38	22 52	23 05	23 16	23 28	23 40	23 54	.. ..	.. ..
	9	22 58	23 09	23 17	23 24	23 30	23 35	23 44	23 52	.. ..	.. ..	.. ..	.. ..	0 02	0 11
	10	.. ..	.. ..	.. ..	.. ..	.. ..	.. ..	.. ..	.. ..	0 00	0 07	0 15	0 24	0 29	0 35
	11	0 13	0 18	0 22	0 25	0 28	0 30	0 34	0 38	0 41	0 44	0 48	0 52	0 54	0 57
	12	1 27	1 26	1 25	1 24	1 23	1 23	1 22	1 21	1 21	1 20	1 19	1 18	1 18	1 17
	13	2 39	2 33	2 27	2 23	2 19	2 16	2 10	2 05	2 00	1 55	1 50	1 45	1 42	1 38
	14	3 53	3 41	3 31	3 22	3 15	3 09	2 58	2 49	2 40	2 32	2 23	2 12	2 06	2 00
	15	5 09	4 50	4 35	4 23	4 13	4 04	3 49	3 35	3 23	3 10	2 57	2 42	2 34	2 24
	16	6 27	6 01	5 42	5 26	5 12	5 01	4 41	4 24	4 08	3 52	3 35	3 16	3 05	2 52
	17	7 45	7 12	6 48	6 29	6 13	5 59	5 35	5 15	4 56	4 37	4 17	3 55	3 41	3 26
	18	8 58	8 20	7 52	7 31	7 13	6 57	6 31	6 09	5 48	5 27	5 05	4 39	4 24	4 07
	19	9 59	9 19	8 51	8 28	8 10	7 54	7 27	7 04	6 42	6 21	5 58	5 31	5 15	4 57
	20	10 44	10 08	9 41	9 20	9 02	8 47	8 21	7 58	7 38	7 17	6 54	6 28	6 13	5 55
	21	11 15	10 45	10 22	10 03	9 48	9 34	9 11	8 51	8 32	8 13	7 53	7 30	7 16	7 00
	22	11 36	11 13	10 55	10 40	10 28	10 17	9 58	9 41	9 25	9 10	8 53	8 33	8 22	8 09
	23	11 51	11 35	11 22	11 12	11 02	10 54	10 40	10 28	10 16	10 04	9 52	9 37	9 29	9 19
	24	12 03	11 53	11 46	11 39	11 33	11 28	11 20	11 12	11 05	10 58	10 50	10 41	10 36	10 30
	25	12 13	12 10	12 07	12 05	12 03	12 01	11 58	11 55	11 53	11 50	11 47	11 44	11 43	11 41
	26	12 22	12 25	12 28	12 30	12 31	12 33	12 36	12 38	12 40	12 43	12 45	12 48	12 50	12 52
	27	12 33	12 42	12 50	12 56	13 01	13 06	13 15	13 22	13 30	13 37	13 45	13 54	13 59	14 05
	28	12 45	13 02	13 15	13 25	13 35	13 43	13 57	14 10	14 22	14 34	14 46	15 01	15 10	15 20
	29	13 03	13 26	13 45	14 00	14 13	14 24	14 44	15 01	15 17	15 34	15 51	16 11	16 23	16 37
	30	13 28	14 00	14 24	14 43	14 59	15 13	15 37	15 57	16 17	16 36	16 58	17 22	17 37	17 53
July	1	14 08	14 45	15 13	15 35	15 53	16 08	16 35	16 58	17 19	17 41	18 04	18 30	18 46	19 05
	2	15 07	15 46	16 14	16 36	16 54	17 10	17 37	18 00	18 21	18 43	19 06	19 33	19 48	20 07

MOONSET

Lat.		−55°	−50°	−45°	−40°	−35°	−30°	−20°	−10°	0°	+10°	+20°	+30°	+35°	+40°
		h m	h m	h m	h m	h m	h m	h m	h m	h m	h m	h m	h m	h m	h m
June	8	12 42	12 23	12 08	11 56	11 45	11 36	11 20	11 05	10 52	10 39	10 24	10 07	9 58	9 47
	9	12 53	12 41	12 31	12 22	12 15	12 08	11 57	11 47	11 38	11 28	11 18	11 06	10 59	10 52
	10	13 03	12 56	12 50	12 45	12 41	12 37	12 31	12 25	12 20	12 14	12 09	12 02	11 58	11 54
	11	13 10	13 09	13 07	13 06	13 05	13 04	13 03	13 01	13 00	12 59	12 57	12 56	12 55	12 54
	12	13 18	13 21	13 24	13 27	13 29	13 31	13 34	13 37	13 39	13 42	13 45	13 48	13 50	13 52
	13	13 25	13 34	13 42	13 48	13 53	13 57	14 05	14 13	14 19	14 26	14 33	14 41	14 46	14 51
	14	13 35	13 49	14 01	14 10	14 19	14 26	14 39	14 50	15 00	15 11	15 22	15 35	15 43	15 52
	15	13 46	14 07	14 23	14 36	14 48	14 58	15 15	15 30	15 44	15 58	16 14	16 31	16 41	16 53
	16	14 02	14 29	14 50	15 07	15 21	15 33	15 55	16 13	16 31	16 48	17 07	17 29	17 41	17 56
	17	14 26	14 59	15 24	15 44	16 01	16 15	16 40	17 01	17 21	17 41	18 02	18 27	18 42	18 59
	18	15 01	15 39	16 07	16 29	16 47	17 03	17 30	17 53	18 14	18 35	18 58	19 25	19 40	19 59
	19	15 53	16 32	17 01	17 23	17 42	17 58	18 24	18 47	19 09	19 30	19 53	20 20	20 35	20 53
	20	17 02	17 38	18 04	18 25	18 42	18 57	19 22	19 44	20 04	20 24	20 45	21 10	21 24	21 41
	21	18 24	18 53	19 15	19 33	19 47	20 00	20 22	20 41	20 58	21 15	21 34	21 55	22 07	22 21
	22	19 51	20 12	20 29	20 43	20 54	21 04	21 21	21 36	21 50	22 04	22 18	22 35	22 44	22 55
	23	21 19	21 33	21 44	21 53	22 01	22 08	22 20	22 30	22 39	22 49	22 59	23 10	23 17	23 24
	24	22 46	22 53	22 59	23 04	23 08	23 11	23 17	23 23	23 28	23 32	23 38	23 43	23 47	23 50
	25	.. ..	.. ..	.. ..	.. ..	.. ..	.. ..	.. ..	.. ..	.. ..	.. ..	.. ..	.. ..	.. ..	.. ..
	26	0 14	0 14	0 14	0 14	0 15	0 15	0 15	0 15	0 15	0 15	0 15	0 15	0 15	0 15
	27	1 43	1 36	1 31	1 26	1 22	1 19	1 13	1 08	1 03	0 59	0 54	0 48	0 45	0 41
	28	3 14	3 00	2 49	2 40	2 32	2 25	2 14	2 03	1 54	1 44	1 34	1 23	1 16	1 08
	29	4 49	4 27	4 10	3 56	3 45	3 34	3 17	3 02	2 48	2 33	2 18	2 01	1 51	1 40
	30	6 25	5 54	5 32	5 14	4 58	4 45	4 23	4 03	3 45	3 27	3 08	2 46	2 33	2 18
July	1	7 53	7 16	6 49	6 28	6 10	5 55	5 29	5 07	4 46	4 26	4 04	3 38	3 23	3 05
	2	9 05	8 26	7 57	7 35	7 17	7 01	6 34	6 11	5 49	5 27	5 04	4 37	4 21	4 02

The symbols (..) indicate that the phenomenon will occur the next day.

UNIVERSAL TIME FOR MERIDIAN OF GREENWICH
MOONRISE

Lat.	+40°	+42°	+44°	+46°	+48°	+50°	+52°	+54°	+56°	+58°	+60°	+62°	+64°	+66°
	h m	h m	h m	h m	h m	h m	h m	h m	h m	h m	h m	h m	h m	h m
June 8	.. ..	.. ..	.. ..	.. ..	0 06	0 14	0 22	0 31	0 42	0 53	1 07	1 23	1 42	2 07
9	0 11	0 15	0 19	0 24	0 28	0 34	0 40	0 46	0 53	1 01	1 11	1 21	1 33	1 48
10	0 35	0 38	0 40	0 43	0 46	0 50	0 53	0 58	1 02	1 07	1 12	1 19	1 26	1 34
11	0 57	0 58	0 59	1 01	1 02	1 03	1 05	1 07	1 09	1 11	1 14	1 16	1 19	1 23
12	1 17	1 17	1 17	1 17	1 16	1 16	1 16	1 15	1 15	1 15	1 14	1 14	1 13	1 12
13	1 38	1 36	1 35	1 33	1 31	1 29	1 27	1 24	1 21	1 18	1 15	1 11	1 07	1 02
14	2 00	1 57	1 54	1 50	1 47	1 43	1 38	1 34	1 28	1 23	1 16	1 09	1 00	0 51
15	2 24	2 19	2 15	2 10	2 04	1 59	1 52	1 45	1 37	1 29	1 19	1 07	0 53	0 37
16	2 52	2 46	2 40	2 34	2 26	2 19	2 10	2 00	1 50	1 37	1 23	1 06	0 45	0 19
17	3 26	3 19	3 11	3 03	2 54	2 45	2 34	2 21	2 07	1 51	1 31	1 07	0 34	** **
18	4 07	3 59	3 50	3 41	3 31	3 19	3 07	2 52	2 35	2 14	1 49	1 13	0 00	** **
19	4 57	4 48	4 39	4 29	4 18	4 06	3 52	3 36	3 18	2 54	2 24	1 36	** **	** **
20	5 55	5 47	5 38	5 28	5 18	5 06	4 53	4 37	4 19	3 57	3 28	2 45	** **	** **
21	7 00	6 53	6 45	6 36	6 27	6 17	6 05	5 52	5 37	5 18	4 56	4 27	3 42	** **
22	8 09	8 03	7 57	7 50	7 43	7 34	7 25	7 15	7 03	6 50	6 34	6 15	5 51	5 17
23	9 19	9 15	9 11	9 06	9 00	8 54	8 48	8 41	8 33	8 24	8 13	8 01	7 47	7 29
24	10 30	10 27	10 25	10 22	10 18	10 15	10 11	10 07	10 02	9 57	9 51	9 44	9 36	9 27
25	11 41	11 40	11 39	11 38	11 38	11 36	11 34	11 33	11 31	11 30	11 28	11 25	11 23	11 20
26	12 52	12 53	12 54	12 55	12 56	12 57	12 58	12 59	13 01	13 03	13 05	13 07	13 09	13 12
27	14 05	14 07	14 10	14 13	14 16	14 20	14 24	14 28	14 33	14 38	14 45	14 52	15 00	15 09
28	15 20	15 24	15 29	15 34	15 40	15 46	15 53	16 00	16 09	16 18	16 29	16 42	16 58	17 17
29	16 37	16 43	16 50	16 57	17 05	17 14	17 23	17 34	17 47	18 01	18 19	18 40	19 08	19 48
30	17 53	18 01	18 09	18 18	18 28	18 39	18 52	19 06	19 23	19 43	20 08	20 42	21 48	-- --
July 1	19 05	19 13	19 22	19 32	19 43	19 56	20 10	20 26	20 45	21 09	21 41	22 33	-- --	-- --
2	20 07	20 15	20 24	20 34	20 45	20 57	21 11	21 26	21 45	22 08	22 38	23 23	-- --	-- --

MOONSET

Lat.	+40°	+42°	+44°	+46°	+48°	+50°	+52°	+54°	+56°	+58°	+60°	+62°	+64°	+66°
	h m	h m	h m	h m	h m	h m	h m	h m	h m	h m	h m	h m	h m	h m
June 8	9 47	9 42	9 36	9 30	9 24	9 17	9 09	9 01	8 51	8 40	8 28	8 12	7 54	7 31
9	10 52	10 48	10 44	10 40	10 36	10 31	10 26	10 20	10 14	10 07	9 59	9 49	9 38	9 25
10	11 54	11 52	11 50	11 47	11 45	11 42	11 39	11 36	11 33	11 29	11 24	11 19	11 14	11 07
11	12 54	12 53	12 53	12 52	12 51	12 51	12 50	12 49	12 48	12 47	12 46	12 45	12 44	12 42
12	13 52	13 53	13 54	13 56	13 57	13 58	13 59	14 01	14 03	14 04	14 07	14 09	14 12	14 15
13	14 51	14 54	14 56	14 59	15 02	15 05	15 09	15 13	15 17	15 22	15 27	15 33	15 41	15 49
14	15 52	15 55	16 00	16 04	16 09	16 14	16 20	16 26	16 33	16 41	16 50	17 01	17 13	17 29
15	16 53	16 58	17 04	17 10	17 17	17 24	17 32	17 41	17 52	18 03	18 17	18 33	18 53	19 19
16	17 56	18 03	18 10	18 17	18 26	18 35	18 46	18 58	19 11	19 27	19 46	20 10	20 43	21 38
17	18 59	19 06	19 15	19 24	19 34	19 45	19 57	20 12	20 29	20 49	21 14	21 50	23 02	** **
18	19 59	20 07	20 16	20 26	20 37	20 49	21 03	21 18	21 37	22 00	22 31	23 18	.. ..	** **
19	20 53	21 02	21 11	21 20	21 31	21 43	21 57	22 12	22 30	22 53	23 22	.. ..	** **	** **
20	21 41	21 48	21 57	22 05	22 15	22 26	22 38	22 51	23 07	23 25	23 48	0 05	** **	** **
21	22 21	22 27	22 34	22 41	22 49	22 58	23 08	23 18	23 31	23 45	.. ..	0 18	1 03	** **
22	22 55	23 00	23 05	23 10	23 16	23 23	23 30	23 38	23 47	23 57	0 01	0 21	0 46	1 21
23	23 24	23 27	23 31	23 34	23 38	23 43	23 47	23 53	23 58	.. ..	0 08	0 21	0 37	0 56
24	23 50	23 52	23 54	23 56	23 58	.. ..	.. ..	.. ..	.. ..	0 05	0 12	0 20	0 29	0 40
25	.. ..	.. ..	.. ..	.. ..	.. ..	0 00	0 02	0 05	0 07	0 10	0 14	0 18	0 22	0 27
26	0 15	0 15	0 15	0 15	0 15	0 15	0 15	0 15	0 15	0 15	0 16	0 16	0 16	0 16
27	0 41	0 39	0 37	0 36	0 34	0 31	0 29	0 27	0 24	0 21	0 17	0 13	0 09	0 04
28	1 08	1 05	1 02	0 58	0 54	0 49	0 44	0 39	0 33	0 27	0 19	0 11	0 01	23 32
29	1 40	1 35	1 30	1 24	1 18	1 11	1 03	0 55	0 46	0 35	0 23	0 09	23 41	22 59
30	2 18	2 12	2 05	1 57	1 49	1 39	1 29	1 17	1 04	0 49	0 31	0 09	23 06	-- --
July 1	3 05	2 57	2 49	2 40	2 29	2 18	2 05	1 51	1 34	1 13	0 48	0 13	-- --	-- --
2	4 02	3 54	3 45	3 35	3 23	3 11	2 57	2 41	2 21	1 57	1 26	0 34	-- --	-- --

The symbols (..) indicate that the phenomenon will occur the next day.
The symbols (–) and (*) indicate Moon continuously below and above horizon, respectively.

MOONRISE AND MOONSET, 1985

UNIVERSAL TIME FOR MERIDIAN OF GREENWICH

MOONRISE

Lat.	−55°	−50°	−45°	−40°	−35°	−30°	−20°	−10°	0°	+10°	+20°	+30°	+35°	+40°
	h m	h m	h m	h m	h m	h m	h m	h m	h m	h m	h m	h m	h m	h m
July 1	14 08	14 45	15 13	15 35	15 53	16 08	16 35	16 58	17 19	17 41	18 04	18 30	18 46	19 05
2	15 07	15 46	16 14	16 36	16 54	17 10	17 37	18 00	18 21	18 43	19 06	19 33	19 48	20 07
3	16 24	16 58	17 24	17 44	18 01	18 16	18 40	19 02	19 21	19 41	20 02	20 27	20 41	20 57
4	17 49	18 17	18 38	18 55	19 09	19 21	19 42	20 00	20 17	20 34	20 51	21 12	21 24	21 38
5	19 15	19 35	19 51	20 04	20 14	20 24	20 40	20 54	21 07	21 20	21 34	21 50	21 59	22 10
6	20 37	20 50	21 01	21 10	21 17	21 23	21 35	21 44	21 53	22 02	22 12	22 23	22 29	22 36
7	21 55	22 02	22 08	22 12	22 16	22 20	22 26	22 31	22 36	22 41	22 46	22 52	22 56	22 59
8	23 10	23 11	23 12	23 13	23 14	23 14	23 15	23 16	23 17	23 18	23 18	23 19	23 20	23 21
9	.. ..	.. ..	.. ..	.. ..	.. ..	.. ..	.. ..	.. ..	23 56	23 53	23 50	23 46	23 44	23 41
10	0 24	0 19	0 15	0 12	0 10	0 07	0 03	0 00	.. ..	.. ..	.. ..	.. ..	.. ..	.. ..
11	1 38	1 27	1 19	1 12	1 06	1 01	0 52	0 44	0 37	0 29	0 22	0 13	0 08	0 02
12	2 53	2 36	2 23	2 12	2 03	1 55	1 41	1 29	1 18	1 07	0 55	0 42	0 34	0 26
13	4 10	3 46	3 28	3 14	3 01	2 51	2 32	2 17	2 02	1 47	1 32	1 14	1 04	0 52
14	5 28	4 57	4 35	4 17	4 01	3 48	3 26	3 07	2 49	2 31	2 12	1 51	1 38	1 23
15	6 43	6 07	5 40	5 19	5 02	4 47	4 22	4 00	3 40	3 19	2 58	2 33	2 18	2 02
16	7 49	7 10	6 42	6 19	6 01	5 45	5 18	4 55	4 33	4 12	3 49	3 22	3 07	2 48
17	8 41	8 03	7 35	7 14	6 55	6 40	6 13	5 50	5 29	5 08	4 45	4 18	4 03	3 44
18	9 17	8 45	8 20	8 01	7 44	7 30	7 06	6 45	6 25	6 05	5 44	5 20	5 05	4 48
19	9 41	9 16	8 56	8 40	8 27	8 15	7 54	7 36	7 20	7 03	6 45	6 24	6 12	5 58
20	9 58	9 40	9 26	9 14	9 03	8 54	8 39	8 25	8 12	7 59	7 45	7 29	7 20	7 09
21	10 11	9 59	9 50	9 43	9 36	9 30	9 20	9 11	9 02	8 54	8 45	8 34	8 28	8 21
22	10 21	10 16	10 12	10 09	10 06	10 03	9 58	9 54	9 51	9 47	9 43	9 38	9 35	9 32
23	10 31	10 32	10 33	10 34	10 34	10 35	10 36	10 37	10 38	10 39	10 40	10 42	10 43	10 43
24	10 40	10 48	10 54	10 59	11 04	11 08	11 15	11 21	11 27	11 32	11 39	11 46	11 50	11 55
25	10 52	11 06	11 18	11 27	11 35	11 42	11 55	12 06	12 17	12 27	12 39	12 52	13 00	13 08

MOONSET

Lat.	−55°	−50°	−45°	−40°	−35°	−30°	−20°	−10°	0°	+10°	+20°	+30°	+35°	+40°
	h m	h m	h m	h m	h m	h m	h m	h m	h m	h m	h m	h m	h m	h m
July 1	7 53	7 16	6 49	6 28	6 10	5 55	5 29	5 07	4 46	4 26	4 04	3 38	3 23	3 05
2	9 05	8 26	7 57	7 35	7 17	7 01	6 34	6 11	5 49	5 27	5 04	4 37	4 21	4 02
3	9 54	9 19	8 52	8 32	8 14	7 59	7 34	7 11	6 51	6 30	6 07	5 41	5 26	5 08
4	10 25	9 57	9 35	9 17	9 02	8 49	8 26	8 07	7 48	7 30	7 10	6 47	6 33	6 18
5	10 46	10 24	10 07	9 53	9 41	9 31	9 12	8 56	8 42	8 26	8 10	7 52	7 41	7 28
6	10 59	10 44	10 32	10 22	10 14	10 06	9 53	9 41	9 30	9 19	9 07	8 53	8 45	8 36
7	11 10	11 01	10 53	10 47	10 42	10 37	10 29	10 21	10 14	10 07	10 00	9 51	9 46	9 40
8	11 18	11 15	11 12	11 09	11 07	11 05	11 02	10 59	10 56	10 53	10 50	10 46	10 44	10 42
9	11 26	11 27	11 29	11 30	11 31	11 32	11 33	11 35	11 36	11 37	11 38	11 40	11 41	11 42
10	11 33	11 40	11 46	11 51	11 55	11 58	12 05	12 10	12 16	12 21	12 27	12 33	12 37	12 41
11	11 42	11 54	12 04	12 13	12 20	12 26	12 37	12 47	12 56	13 05	13 15	13 27	13 33	13 41
12	11 52	12 11	12 25	12 37	12 47	12 57	13 12	13 26	13 39	13 52	14 06	14 22	14 31	14 42
13	12 06	12 31	12 50	13 06	13 19	13 31	13 50	14 08	14 24	14 40	14 58	15 18	15 30	15 44
14	12 27	12 58	13 21	13 40	13 56	14 10	14 33	14 54	15 13	15 32	15 53	16 16	16 30	16 47
15	12 57	13 34	14 01	14 22	14 40	14 56	15 22	15 44	16 05	16 26	16 49	17 15	17 30	17 48
16	13 43	14 23	14 51	15 14	15 32	15 48	16 15	16 38	17 00	17 21	17 45	18 11	18 27	18 46
17	14 47	15 25	15 52	16 14	16 32	16 47	17 13	17 35	17 56	18 17	18 39	19 04	19 19	19 36
18	16 07	16 38	17 02	17 21	17 37	17 50	18 13	18 33	18 51	19 10	19 29	19 52	20 05	20 20
19	17 34	17 58	18 17	18 32	18 44	18 55	19 14	19 30	19 45	20 00	20 16	20 34	20 44	20 56
20	19 04	19 20	19 33	19 44	19 53	20 00	20 14	20 25	20 36	20 47	20 58	21 11	21 19	21 27
21	20 33	20 42	20 49	20 55	21 00	21 05	21 12	21 19	21 25	21 32	21 38	21 45	21 50	21 54
22	22 01	22 03	22 05	22 06	22 07	22 08	22 10	22 12	22 13	22 15	22 16	22 18	22 19	22 20
23	23 29	23 25	23 21	23 18	23 15	23 12	23 08	23 04	23 01	22 58	22 54	22 50	22 47	22 45
24	.. ..	.. ..	.. ..	.. ..	.. ..	.. ..	.. ..	23 58	23 50	23 42	23 33	23 23	23 18	23 11
25	0 59	0 47	0 38	0 30	0 23	0 17	0 07	.. ..	.. ..	.. ..	.. ..	.. ..	23 51	23 41

The symbols (..) indicate that the phenomenon will occur the next day.

UNIVERSAL TIME FOR MERIDIAN OF GREENWICH
MOONRISE

Lat.	+40°	+42°	+44°	+46°	+48°	+50°	+52°	+54°	+56°	+58°	+60°	+62°	+64°	+66°
	h m	h m	h m	h m	h m	h m	h m	h m	h m	h m	h m	h m	h m	h m
July 1	19 05	19 13	19 22	19 32	19 43	19 56	20 10	20 26	20 45	21 09	21 41	22 33	-- --	-- --
2	20 07	20 15	20 24	20 34	20 45	20 57	21 11	21 26	21 45	22 08	22 38	23 23	-- --	-- --
3	20 57	21 05	21 13	21 22	21 31	21 42	21 53	22 07	22 22	22 41	23 03	23 32	-- --	-- --
4	21 38	21 44	21 50	21 57	22 05	22 13	22 23	22 33	22 45	22 59	23 15	23 34	0 16	-- --
5	22 10	22 14	22 19	22 25	22 30	22 37	22 43	22 51	22 59	23 09	23 20	23 32	23 47	0 29
6	22 36	22 39	22 43	22 46	22 50	22 54	22 59	23 04	23 09	23 16	23 23	23 30	23 39	0 05
7	22 59	23 01	23 03	23 05	23 07	23 09	23 12	23 14	23 17	23 20	23 24	23 28	23 33	23 38
8	23 21	23 21	23 21	23 22	23 22	23 22	23 23	23 23	23 23	23 24	23 24	23 25	23 26	23 27
9	23 41	23 40	23 39	23 38	23 36	23 35	23 33	23 32	23 30	23 28	23 25	23 23	23 20	23 17
10	.. ..	.. ..	23 57	23 55	23 52	23 48	23 45	23 41	23 37	23 32	23 26	23 20	23 14	23 06
11	0 02	0 00	.. ..	.. ..	.. ..	.. ..	23 58	23 52	23 45	23 37	23 28	23 18	23 07	22 53
12	0 26	0 22	0 18	0 13	0 08	0 03	.. ..	.. ..	23 55	23 44	23 32	23 17	22 59	22 37
13	0 52	0 47	0 41	0 35	0 29	0 22	0 14	0 05	.. ..	23 56	23 38	23 17	22 49	22 10
14	1 23	1 17	1 10	1 02	0 54	0 45	0 35	0 24	0 11	.. ..	23 51	23 20	22 30	** **
15	2 02	1 54	1 46	1 37	1 27	1 16	1 04	0 50	0 34	0 15	.. ..	23 35	** **	** **
16	2 48	2 40	2 31	2 21	2 11	1 59	1 45	1 29	1 11	0 48	0 19	.. ..	** **	** **
17	3 44	3 36	3 27	3 17	3 06	2 54	2 41	2 25	2 06	1 43	1 13	0 26	** **	** **
18	4 48	4 41	4 33	4 24	4 14	4 03	3 50	3 36	3 20	3 00	2 35	2 02	1 01	** **
19	5 58	5 51	5 45	5 37	5 29	5 20	5 10	4 59	4 46	4 31	4 13	3 51	3 22	2 38
20	7 09	7 05	6 59	6 54	6 48	6 41	6 34	6 26	6 17	6 07	5 55	5 41	5 24	5 02
21	8 21	8 18	8 15	8 11	8 07	8 03	7 59	7 54	7 48	7 42	7 35	7 26	7 17	7 06
22	9 32	9 31	9 30	9 28	9 26	9 25	9 23	9 20	9 18	9 15	9 12	9 09	9 05	9 01
23	10 43	10 44	10 44	10 45	10 45	10 46	10 46	10 47	10 48	10 48	10 49	10 50	10 52	10 53
24	11 55	11 57	12 00	12 02	12 05	12 08	12 11	12 14	12 18	12 23	12 27	12 33	12 40	12 47
25	13 08	13 12	13 17	13 21	13 26	13 31	13 37	13 44	13 51	13 59	14 09	14 20	14 33	14 49

MOONSET

Lat.	+40°	+42°	+44°	+46°	+48°	+50°	+52°	+54°	+56°	+58°	+60°	+62°	+64°	+66°
	h m	h m	h m	h m	h m	h m	h m	h m	h m	h m	h m	h m	h m	h m
July 1	3 05	2 57	2 49	2 40	2 29	2 18	2 05	1 51	1 34	1 13	0 48	0 13	-- --	-- --
2	4 02	3 54	3 45	3 35	3 23	3 11	2 57	2 41	2 21	1 57	1 26	0 34	-- --	-- --
3	5 08	5 00	4 51	4 41	4 30	4 18	4 05	3 49	3 31	3 08	2 39	1 54	-- --	-- --
4	6 18	6 11	6 03	5 54	5 45	5 35	5 24	5 11	4 56	4 38	4 16	3 47	3 04	-- --
5	7 28	7 22	7 16	7 09	7 02	6 54	6 46	6 36	6 24	6 12	5 56	5 38	5 15	4 44
6	8 36	8 32	8 27	8 22	8 17	8 12	8 05	7 59	7 51	7 42	7 32	7 21	7 07	6 50
7	9 40	9 38	9 35	9 32	9 29	9 25	9 22	9 17	9 13	9 08	9 02	8 55	8 47	8 38
8	10 42	10 41	10 40	10 38	10 37	10 36	10 34	10 33	10 31	10 29	10 26	10 24	10 21	10 17
9	11 42	11 42	11 43	11 43	11 44	11 44	11 45	11 45	11 46	11 47	11 48	11 49	11 50	11 52
10	12 41	12 43	12 45	12 47	12 49	12 52	12 55	12 58	13 01	13 05	13 09	13 14	13 19	13 26
11	13 41	13 44	13 48	13 51	13 56	14 00	14 05	14 10	14 16	14 23	14 31	14 40	14 50	15 03
12	14 42	14 46	14 51	14 57	15 03	15 10	15 17	15 25	15 34	15 44	15 56	16 10	16 27	16 48
13	15 44	15 50	15 57	16 04	16 12	16 20	16 30	16 41	16 53	17 07	17 24	17 45	18 12	18 51
14	16 47	16 54	17 02	17 11	17 20	17 31	17 43	17 56	18 12	18 31	18 54	19 25	20 14	** **
15	17 48	17 56	18 05	18 15	18 26	18 37	18 51	19 06	19 25	19 47	20 16	21 01	** **	** **
16	18 46	18 54	19 03	19 13	19 24	19 36	19 50	20 06	20 24	20 48	21 18	22 05	** **	** **
17	19 36	19 44	19 53	20 02	20 12	20 23	20 36	20 50	21 07	21 27	21 52	22 26	23 28	** **
18	20 20	20 26	20 34	20 41	20 50	20 59	21 10	21 22	21 35	21 50	22 09	22 32	23 01	23 46
19	20 56	21 01	21 07	21 13	21 20	21 27	21 35	21 44	21 53	22 04	22 17	22 32	22 50	23 13
20	21 27	21 31	21 35	21 39	21 43	21 48	21 54	22 00	22 06	22 13	22 22	22 31	22 42	22 55
21	21 54	21 56	21 59	22 01	22 03	22 06	22 09	22 12	22 16	22 20	22 24	22 29	22 35	22 42
22	22 20	22 20	22 21	22 21	22 22	22 22	22 23	22 24	22 24	22 25	22 26	22 27	22 28	22 30
23	22 45	22 43	22 42	22 41	22 39	22 38	22 36	22 34	22 32	22 30	22 28	22 25	22 21	22 18
24	23 11	23 08	23 05	23 02	22 58	22 55	22 51	22 46	22 41	22 36	22 29	22 22	22 14	22 05
25	23 41	23 36	23 31	23 26	23 21	23 14	23 08	23 00	22 52	22 43	22 33	22 20	22 06	21 49

The symbols (..) indicate that the phenomenon will occur the next day.
The symbols (-) and (*) indicate Moon continuously below and above horizon, respectively.

MOONRISE AND MOONSET, 1985

UNIVERSAL TIME FOR MERIDIAN OF GREENWICH

MOONRISE

Lat.	−55°	−50°	−45°	−40°	−35°	−30°	−20°	−10°	0°	+10°	+20°	+30°	+35°	+40°
	h m	h m	h m	h m	h m	h m	h m	h m	h m	h m	h m	h m	h m	h m
July 24	10 40	10 48	10 54	10 59	11 04	11 08	11 15	11 21	11 27	11 32	11 39	11 46	11 50	11 55
25	10 52	11 06	11 18	11 27	11 35	11 42	11 55	12 06	12 17	12 27	12 39	12 52	13 00	13 08
26	11 07	11 28	11 45	11 59	12 11	12 21	12 39	12 55	13 10	13 25	13 41	14 00	14 11	14 23
27	11 29	11 57	12 20	12 38	12 53	13 06	13 28	13 48	14 07	14 25	14 45	15 09	15 22	15 38
28	12 01	12 37	13 04	13 25	13 42	13 57	14 23	14 46	15 06	15 27	15 50	16 16	16 32	16 50
29	12 51	13 31	13 59	14 21	14 40	14 56	15 23	15 46	16 08	16 29	16 53	17 20	17 36	17 54
30	14 01	14 38	15 05	15 26	15 44	15 59	16 25	16 47	17 08	17 28	17 51	18 16	18 31	18 49
31	15 23	15 54	16 17	16 35	16 51	17 04	17 27	17 46	18 05	18 23	18 42	19 05	19 18	19 33
Aug. 1	16 50	17 13	17 31	17 45	17 58	18 08	18 27	18 42	18 57	19 12	19 28	19 45	19 56	20 08
2	18 14	18 30	18 43	18 53	19 02	19 10	19 23	19 34	19 45	19 56	20 07	20 20	20 28	20 36
3	19 35	19 44	19 52	19 58	20 03	20 08	20 16	20 23	20 30	20 36	20 43	20 51	20 56	21 01
4	20 52	20 55	20 58	21 00	21 02	21 04	21 07	21 09	21 12	21 14	21 16	21 19	21 21	21 23
5	22 07	22 04	22 02	22 00	21 59	21 58	21 56	21 54	21 52	21 50	21 48	21 46	21 45	21 44
6	23 21	23 12	23 06	23 00	22 55	22 51	22 44	22 38	22 32	22 26	22 20	22 13	22 09	22 05
7	.. ..	.. ..	.. ..	.. ..	23 52	23 45	23 33	23 23	23 13	23 03	22 53	22 41	22 35	22 27
8	0 35	0 21	0 10	0 00	.. ..	.. ..	.. ..	.. ..	23 56	23 42	23 28	23 12	23 02	22 52
9	1 52	1 31	1 14	1 01	0 50	0 40	0 24	0 09	.. ..	.. ..	.. ..	23 46	23 34	23 21
10	3 09	2 41	2 20	2 03	1 49	1 37	1 16	0 58	0 41	0 24	0 07	.. ..	.. ..	23 56
11	4 26	3 51	3 26	3 06	2 49	2 35	2 10	1 49	1 30	1 10	0 50	0 26	0 12	.. ..
12	5 36	4 57	4 29	4 07	3 48	3 33	3 06	2 43	2 22	2 01	1 38	1 12	0 56	0 38
13	6 34	5 55	5 26	5 03	4 45	4 29	4 02	3 38	3 17	2 55	2 32	2 05	1 49	1 30
14	7 16	6 41	6 15	5 54	5 36	5 21	4 56	4 34	4 13	3 52	3 30	3 04	2 49	2 32
15	7 45	7 16	6 54	6 37	6 22	6 09	5 46	5 27	5 09	4 51	4 31	4 09	3 55	3 40
16	8 04	7 43	7 26	7 13	7 01	6 51	6 33	6 18	6 03	5 48	5 33	5 15	5 04	4 52
17	8 18	8 04	7 53	7 44	7 36	7 28	7 16	7 05	6 55	6 45	6 34	6 21	6 14	6 06

MOONSET

Lat.	−55°	−50°	−45°	−40°	−35°	−30°	−20°	−10°	0°	+10°	+20°	+30°	+35°	+40°
	h m	h m	h m	h m	h m	h m	h m	h m	h m	h m	h m	h m	h m	h m
July 24	.. ..	.. ..	.. ..	.. ..	.. ..	.. ..	.. ..	23 58	23 50	23 42	23 33	23 23	23 18	23 11
25	0 59	0 47	0 38	0 30	0 23	0 17	0 07	.. ..	.. ..	.. ..	.. ..	.. ..	23 51	23 41
26	2 31	2 12	1 56	1 44	1 33	1 24	1 08	0 54	0 42	0 29	0 15	0 00	.. ..	.. ..
27	4 05	3 37	3 16	2 59	2 45	2 33	2 12	1 53	1 37	1 20	1 02	0 41	0 29	0 16
28	5 34	4 59	4 33	4 13	3 56	3 41	3 16	2 55	2 35	2 15	1 54	1 29	1 15	0 58
29	6 51	6 12	5 44	5 21	5 03	4 47	4 20	3 57	3 36	3 14	2 51	2 24	2 08	1 50
30	7 48	7 10	6 43	6 21	6 03	5 47	5 21	4 58	4 37	4 15	3 52	3 25	3 09	2 51
31	8 25	7 53	7 29	7 10	6 54	6 40	6 16	5 55	5 35	5 16	4 55	4 30	4 16	3 59
Aug. 1	8 49	8 24	8 05	7 49	7 36	7 24	7 04	6 47	6 30	6 14	5 56	5 35	5 23	5 09
2	9 05	8 47	8 33	8 21	8 11	8 02	7 47	7 33	7 21	7 08	6 54	6 38	6 29	6 18
3	9 16	9 05	8 56	8 48	8 41	8 35	8 25	8 16	8 07	7 58	7 49	7 38	7 32	7 25
4	9 25	9 20	9 15	9 11	9 08	9 05	8 59	8 54	8 50	8 45	8 41	8 35	8 32	8 28
5	9 33	9 33	9 33	9 32	9 32	9 32	9 32	9 31	9 31	9 31	9 30	9 30	9 30	9 29
6	9 41	9 46	9 50	9 53	9 56	9 59	10 03	10 07	10 11	10 15	10 19	10 24	10 26	10 29
7	9 49	9 59	10 08	10 15	10 21	10 26	10 35	10 44	10 51	10 59	11 08	11 17	11 23	11 29
8	9 58	10 14	10 27	10 38	10 47	10 55	11 09	11 22	11 33	11 45	11 57	12 12	12 20	12 29
9	10 10	10 33	10 50	11 04	11 17	11 27	11 46	12 02	12 17	12 32	12 49	13 07	13 18	13 31
10	10 27	10 56	11 18	11 36	11 51	12 04	12 26	12 46	13 04	13 22	13 42	14 05	14 18	14 33
11	10 53	11 28	11 54	12 15	12 32	12 47	13 12	13 34	13 55	14 15	14 37	15 03	15 18	15 35
12	11 32	12 11	12 39	13 02	13 20	13 36	14 03	14 26	14 48	15 10	15 33	16 00	16 16	16 34
13	12 28	13 08	13 36	13 58	14 17	14 33	14 59	15 22	15 44	16 05	16 28	16 54	17 10	17 28
14	13 43	14 17	14 43	15 03	15 20	15 35	15 59	16 20	16 40	16 59	17 20	17 44	17 58	18 14
15	15 09	15 37	15 57	16 14	16 28	16 40	17 01	17 18	17 35	17 51	18 09	18 29	18 40	18 54
16	16 41	17 00	17 15	17 27	17 38	17 47	18 02	18 16	18 28	18 41	18 54	19 09	19 17	19 27
17	18 12	18 24	18 33	18 41	18 47	18 53	19 03	19 11	19 19	19 27	19 35	19 45	19 50	19 56

The symbols (..) indicate that the phenomenon will occur the next day.

UNIVERSAL TIME FOR MERIDIAN OF GREENWICH

MOONRISE

Lat.	+40°	+42°	+44°	+46°	+48°	+50°	+52°	+54°	+56°	+58°	+60°	+62°	+64°	+66°
	h m	h m	h m	h m	h m	h m	h m	h m	h m	h m	h m	h m	h m	h m
July 24	11 55	11 57	12 00	12 02	12 05	12 08	12 11	12 14	12 18	12 23	12 27	12 33	12 40	12 47
25	13 08	13 12	13 17	13 21	13 26	13 31	13 37	13 44	13 51	13 59	14 09	14 20	14 33	14 49
26	14 23	14 29	14 35	14 42	14 49	14 57	15 06	15 15	15 27	15 39	15 54	16 13	16 36	17 06
27	15 38	15 45	15 53	16 02	16 11	16 21	16 33	16 46	17 01	17 20	17 42	18 11	18 56	-- --
28	16 50	16 58	17 07	17 17	17 28	17 40	17 53	18 09	18 28	18 51	19 21	20 08	-- --	-- --
29	17 54	18 03	18 12	18 22	18 33	18 46	19 00	19 16	19 36	20 00	20 32	21 24	-- --	-- --
30	18 49	18 57	19 05	19 14	19 25	19 36	19 49	20 03	20 20	20 41	21 07	21 42	22 51	-- --
31	19 33	19 39	19 46	19 54	20 03	20 12	20 23	20 34	20 48	21 03	21 22	21 45	22 15	23 00
Aug. 1	20 08	20 13	20 19	20 25	20 31	20 38	20 46	20 55	21 05	21 16	21 29	21 44	22 02	22 24
2	20 36	20 40	20 44	20 48	20 53	20 58	21 04	21 10	21 16	21 24	21 32	21 42	21 53	22 06
3	21 01	21 03	21 06	21 08	21 11	21 14	21 17	21 21	21 25	21 29	21 34	21 37	21 39	21 42
4	21 23	21 24	21 25	21 26	21 27	21 28	21 29	21 30	21 32	21 33	21 35	21 37	21 39	21 42
5	21 44	21 43	21 43	21 42	21 41	21 40	21 40	21 39	21 38	21 37	21 36	21 34	21 33	21 31
6	22 05	22 03	22 01	21 58	21 56	21 53	21 51	21 48	21 44	21 40	21 36	21 32	21 26	21 20
7	22 27	22 24	22 20	22 16	22 12	22 08	22 03	21 57	21 51	21 45	21 37	21 29	21 19	21 08
8	22 52	22 47	22 42	22 37	22 31	22 24	22 17	22 09	22 01	21 51	21 40	21 27	21 12	20 53
9	23 21	23 15	23 08	23 01	22 53	22 45	22 36	22 25	22 14	22 00	21 45	21 26	21 02	20 31
10	23 56	23 48	23 41	23 32	23 23	23 13	23 01	22 48	22 33	22 15	21 54	21 27	20 48	** **
11	.. ..	.. ..	.. ..	.. ..	.. ..	23 50	23 36	23 21	23 03	22 42	22 14	21 34	** **	** **
12	0 38	0 30	0 22	0 12	0 01	.. ..	.. ..	.. ..	23 50	23 27	22 55	22 04	** **	** **
13	1 30	1 22	1 13	1 03	0 52	0 40	0 26	0 09	.. ..	.. ..	.. ..	23 27	** **	** **
14	2 32	2 24	2 15	2 05	1 55	1 43	1 30	1 15	0 57	0 35	0 08	.. ..	** **	** **
15	3 40	3 33	3 25	3 17	3 08	2 58	2 47	2 35	2 20	2 03	1 42	1 16	0 38	** **
16	4 52	4 47	4 41	4 35	4 28	4 20	4 12	4 02	3 52	3 40	3 25	3 08	2 47	2 20
17	6 06	6 02	5 58	5 54	5 49	5 44	5 38	5 32	5 25	5 18	5 09	4 59	4 47	4 32

MOONSET

Lat.	+40°	+42°	+44°	+46°	+48°	+50°	+52°	+54°	+56°	+58°	+60°	+62°	+64°	+66°
	h m	h m	h m	h m	h m	h m	h m	h m	h m	h m	h m	h m	h m	h m
July 24	23 11	23 08	23 05	23 02	22 58	22 55	22 51	22 46	22 41	22 36	22 29	22 22	22 14	22 05
25	23 41	23 36	23 31	23 26	23 21	23 14	23 08	23 00	22 52	22 43	22 33	22 20	22 06	21 49
26	.. ..	.. ..	23 56	23 48	23 39	23 30	23 20	23 08	22 54	22 38	22 19	21 55	21 24	
27	0 16	0 09	0 03	.. ..	.. ..	.. ..	.. ..	23 48	23 32	23 13	22 50	22 20	21 35	-- --
28	0 58	0 50	0 42	0 34	0 24	0 13	0 01	.. ..	.. ..	23 48	23 17	22 30	-- --	-- --
29	1 50	1 41	1 32	1 23	1 12	0 59	0 46	0 30	0 11	.. ..	.. ..	23 22	-- --	-- --
30	2 51	2 43	2 33	2 23	2 12	2 00	1 46	1 30	1 10	0 47	0 15	.. ..	-- --	-- --
31	3 59	3 51	3 43	3 34	3 24	3 13	3 00	2 46	2 29	2 09	1 44	1 09	0 01	-- --
Aug. 1	5 09	5 03	4 56	4 48	4 40	4 31	4 21	4 10	3 57	3 42	3 25	3 02	2 33	1 49
2	6 18	6 13	6 08	6 03	5 57	5 50	5 43	5 35	5 26	5 15	5 03	4 49	4 32	4 11
3	7 25	7 21	7 18	7 14	7 10	7 06	7 01	6 56	6 50	6 44	6 36	6 28	6 18	6 06
4	8 28	8 26	8 25	8 23	8 21	8 19	8 16	8 14	8 11	8 07	8 04	8 00	7 55	7 49
5	9 29	9 29	9 29	9 29	9 29	9 29	9 28	9 28	9 28	9 28	9 27	9 27	9 27	9 26
6	10 29	10 31	10 32	10 34	10 35	10 37	10 39	10 41	10 44	10 46	10 49	10 53	10 56	11 01
7	11 29	11 32	11 35	11 38	11 42	11 45	11 49	11 54	11 59	12 05	12 11	12 19	12 27	12 37
8	12 29	12 34	12 38	12 43	12 49	12 54	13 01	13 08	13 16	13 25	13 35	13 47	14 02	14 19
9	13 31	13 37	13 43	13 49	13 57	14 05	14 13	14 23	14 34	14 47	15 02	15 20	15 43	16 13
10	14 33	14 40	14 48	14 56	15 05	15 15	15 26	15 39	15 53	16 10	16 31	16 58	17 37	** **
11	15 35	15 43	15 52	16 01	16 12	16 23	16 36	16 51	17 09	17 30	17 58	18 38	** **	** **
12	16 34	16 43	16 52	17 02	17 13	17 25	17 39	17 55	18 14	18 38	19 09	20 00	** **	** **
13	17 28	17 36	17 45	17 54	18 05	18 17	18 30	18 46	19 04	19 26	19 54	20 35	** **	** **
14	18 14	18 22	18 29	18 38	18 47	18 57	19 09	19 22	19 37	19 54	20 16	20 43	21 22	** **
15	18 54	19 00	19 06	19 13	19 20	19 28	19 37	19 47	19 58	20 11	20 26	20 44	21 06	21 35
16	19 27	19 31	19 36	19 41	19 46	19 52	19 58	20 05	20 13	20 22	20 32	20 43	20 56	21 12
17	19 56	19 59	20 01	20 04	20 08	20 11	20 15	20 19	20 24	20 29	20 35	20 41	20 49	20 57

The symbols (..) indicate that the phenomenon will occur the next day.

The symbols (-) and (*) indicate Moon continuously below and above horizon, respectively.

MOONRISE AND MOONSET, 1985

UNIVERSAL TIME FOR MERIDIAN OF GREENWICH

MOONRISE

Lat.		−55°	−50°	−45°	−40°	−35°	−30°	−20°	−10°	0°	+10°	+20°	+30°	+35°	+40°
		h m	h m	h m	h m	h m	h m	h m	h m	h m	h m	h m	h m	h m	h m
Aug.	16	8 04	7 43	7 26	7 13	7 01	6 51	6 33	6 18	6 03	5 48	5 33	5 15	5 04	4 52
	17	8 18	8 04	7 53	7 44	7 36	7 28	7 16	7 05	6 55	6 45	6 34	6 21	6 14	6 06
	18	8 29	8 22	8 16	8 11	8 07	8 03	7 57	7 51	7 45	7 40	7 34	7 27	7 24	7 19
	19	8 39	8 38	8 37	8 37	8 36	8 36	8 35	8 35	8 34	8 34	8 33	8 33	8 32	8 32
	20	8 48	8 54	8 59	9 02	9 06	9 09	9 14	9 19	9 23	9 28	9 33	9 38	9 42	9 45
	21	8 59	9 11	9 21	9 30	9 37	9 43	9 54	10 04	10 14	10 23	10 33	10 45	10 52	10 59
	22	9 13	9 32	9 48	10 00	10 11	10 21	10 38	10 52	11 06	11 20	11 35	11 52	12 03	12 14
	23	9 32	9 59	10 20	10 37	10 51	11 04	11 25	11 44	12 02	12 19	12 39	13 01	13 14	13 29
	24	10 00	10 34	11 00	11 20	11 38	11 52	12 18	12 39	13 00	13 21	13 43	14 09	14 24	14 42
	25	10 43	11 22	11 51	12 13	12 32	12 48	13 15	13 38	14 00	14 22	14 45	15 12	15 29	15 47
	26	11 46	12 24	12 52	13 14	13 33	13 49	14 15	14 38	14 59	15 21	15 44	16 10	16 26	16 44
	27	13 03	13 37	14 02	14 21	14 38	14 52	15 16	15 37	15 56	16 16	16 36	17 00	17 14	17 30
	28	14 28	14 54	15 14	15 30	15 44	15 56	16 16	16 33	16 50	17 06	17 23	17 43	17 54	18 07
	29	15 53	16 12	16 27	16 39	16 49	16 58	17 13	17 26	17 39	17 51	18 04	18 19	18 28	18 38
	30	17 15	17 27	17 36	17 44	17 51	17 57	18 07	18 16	18 24	18 32	18 41	18 51	18 57	19 03
	31	18 33	18 39	18 44	18 47	18 51	18 53	18 58	19 03	19 07	19 11	19 15	19 20	19 23	19 26
Sept	1	19 49	19 49	19 49	19 49	19 48	19 48	19 48	19 48	19 48	19 47	19 47	19 47	19 47	19 47
	2	21 04	20 58	20 53	20 49	20 45	20 42	20 37	20 32	20 28	20 23	20 19	20 14	20 11	20 08
	3	22 19	22 07	21 57	21 49	21 42	21 36	21 26	21 17	21 08	21 00	20 51	20 41	20 36	20 29
	4	23 35	23 16	23 02	22 50	22 40	22 31	22 16	22 02	21 50	21 38	21 25	21 11	21 02	20 53
	5	.. ..	.. ..	.. ..	23 51	23 38	23 27	23 07	22 50	22 34	22 19	22 02	21 43	21 32	21 19
	6	0 52	0 26	0 07	.. ..	.. ..	.. ..	.. ..	23 40	23 21	23 03	22 43	22 20	22 07	21 51
	7	2 09	1 36	1 12	0 53	0 37	0 24	0 00	.. ..	.. ..	23 51	23 28	23 03	22 48	22 30
	8	3 22	2 44	2 16	1 54	1 36	1 21	0 55	0 32	0 11	.. ..	.. ..	23 52	23 36	23 17
	9	4 25	3 44	3 15	2 52	2 33	2 17	1 50	1 26	1 04	0 43	0 19	.. ..	.. ..	.. ..

MOONSET

Lat.		−55°	−50°	−45°	−40°	−35°	−30°	−20°	−10°	0°	+10°	+20°	+30°	+35°	+40°
		h m	h m	h m	h m	h m	h m	h m	h m	h m	h m	h m	h m	h m	h m
Aug.	16	16 41	17 00	17 15	17 27	17 38	17 47	18 02	18 16	18 28	18 41	18 54	19 09	19 17	19 27
	17	18 12	18 24	18 33	18 41	18 47	18 53	19 03	19 11	19 19	19 27	19 35	19 45	19 50	19 56
	18	19 43	19 48	19 51	19 54	19 56	19 59	20 02	20 06	20 09	20 12	20 15	20 18	20 20	20 22
	19	21 14	21 11	21 09	21 07	21 05	21 04	21 02	20 59	20 57	20 55	20 53	20 51	20 49	20 48
	20	22 45	22 35	22 27	22 20	22 15	22 10	22 01	21 54	21 47	21 40	21 33	21 24	21 20	21 14
	21	.. ..	.. ..	23 46	23 35	23 25	23 17	23 02	22 50	22 38	22 27	22 14	22 00	21 52	21 43
	22	0 17	0 00	.. ..	.. ..	.. ..	.. ..	.. ..	23 48	23 32	23 16	22 59	22 40	22 29	22 16
	23	1 51	1 26	1 06	0 50	0 37	0 25	0 05	.. ..	.. ..	.. ..	23 49	23 26	23 12	22 56
	24	3 22	2 49	2 24	2 04	1 48	1 33	1 09	0 49	0 29	0 10	.. ..	.. ..	.. ..	23 44
	25	4 43	4 04	3 36	3 14	2 55	2 40	2 13	1 50	1 29	1 07	0 44	0 18	0 02	.. ..
	26	5 45	5 06	4 37	4 15	3 57	3 41	3 14	2 50	2 29	2 07	1 43	1 16	1 00	0 41
	27	6 27	5 53	5 27	5 07	4 49	4 35	4 09	3 48	3 27	3 07	2 44	2 19	2 03	1 46
	28	6 54	6 26	6 05	5 48	5 34	5 21	4 59	4 40	4 22	4 04	3 45	3 23	3 10	2 54
	29	7 12	6 51	6 35	6 22	6 10	6 00	5 43	5 28	5 14	4 59	4 44	4 26	4 15	4 03
	30	7 24	7 10	6 59	6 50	6 42	6 34	6 22	6 11	6 01	5 50	5 39	5 26	5 19	5 10
	31	7 33	7 26	7 19	7 14	7 09	7 05	6 57	6 51	6 45	6 39	6 32	6 24	6 20	6 15
Sept	1	7 41	7 39	7 37	7 35	7 34	7 33	7 30	7 28	7 26	7 25	7 22	7 20	7 19	7 17
	2	7 49	7 52	7 54	7 56	7 58	7 59	8 02	8 05	8 07	8 09	8 12	8 14	8 16	8 18
	3	7 56	8 05	8 11	8 17	8 22	8 26	8 34	8 41	8 47	8 54	9 00	9 08	9 13	9 18
	4	8 05	8 19	8 30	8 39	8 48	8 55	9 07	9 18	9 28	9 39	9 50	10 02	10 10	10 18
	5	8 15	8 35	8 51	9 04	9 16	9 25	9 42	9 57	10 11	10 25	10 40	10 58	11 08	11 19
	6	8 30	8 56	9 17	9 34	9 48	10 00	10 21	10 39	10 57	11 14	11 32	11 54	12 07	12 21
	7	8 51	9 24	9 49	10 09	10 25	10 40	11 04	11 25	11 45	12 05	12 26	12 51	13 06	13 23
	8	9 23	10 01	10 29	10 51	11 10	11 25	11 52	12 15	12 37	12 58	13 21	13 48	14 04	14 22
	9	10 10	10 51	11 20	11 43	12 02	12 18	12 45	13 09	13 31	13 52	14 16	14 43	14 59	15 18

The symbols (..) indicate that the phenomenon will occur the next day.

UNIVERSAL TIME FOR MERIDIAN OF GREENWICH

MOONRISE

Lat.	+40°	+42°	+44°	+46°	+48°	+50°	+52°	+54°	+56°	+58°	+60°	+62°	+64°	+66°
	h m	h m	h m	h m	h m	h m	h m	h m	h m	h m	h m	h m	h m	h m
Aug. 16	4 52	4 47	4 41	4 35	4 28	4 20	4 12	4 02	3 52	3 40	3 25	3 08	2 47	2 20
17	6 06	6 02	5 58	5 54	5 49	5 44	5 38	5 32	5 25	5 18	5 09	4 59	4 47	4 32
18	7 19	7 17	7 15	7 13	7 10	7 08	7 05	7 02	6 58	6 55	6 50	6 45	6 39	6 33
19	8 32	8 32	8 32	8 32	8 31	8 31	8 31	8 31	8 31	8 30	8 30	8 30	8 29	8 29
20	9 45	9 47	9 49	9 51	9 53	9 55	9 57	10 00	10 03	10 06	10 10	10 14	10 19	10 25
21	10 59	11 03	11 06	11 10	11 15	11 19	11 25	11 30	11 37	11 44	11 52	12 01	12 13	12 26
22	12 14	12 20	12 25	12 31	12 38	12 45	12 53	13 02	13 12	13 24	13 38	13 54	14 14	14 39
23	13 29	13 36	13 44	13 52	14 00	14 10	14 21	14 34	14 48	15 05	15 25	15 51	16 28	17 56
24	14 42	14 50	14 58	15 08	15 18	15 30	15 44	15 59	16 17	16 39	17 08	17 51	-- --	-- --
25	15 47	15 56	16 05	16 15	16 27	16 39	16 54	17 10	17 30	17 55	18 28	19 27	-- --	-- --
26	16 44	16 52	17 01	17 11	17 21	17 33	17 47	18 02	18 21	18 43	19 12	19 55	-- --	-- --
27	17 30	17 37	17 45	17 54	18 03	18 13	18 24	18 37	18 52	19 10	19 31	19 58	20 36	-- --
28	18 07	18 13	18 19	18 26	18 33	18 42	18 50	19 00	19 12	19 24	19 39	19 57	20 19	20 47
29	18 38	18 42	18 47	18 52	18 57	19 03	19 09	19 16	19 24	19 33	19 43	19 55	20 08	20 25
30	19 03	19 06	19 09	19 12	19 16	19 20	19 24	19 28	19 33	19 39	19 45	19 52	20 00	20 10
31	19 26	19 27	19 29	19 30	19 32	19 34	19 36	19 38	19 40	19 43	19 46	19 49	19 53	19 57
Sept 1	19 47	19 47	19 47	19 47	19 47	19 47	19 47	19 46	19 46	19 46	19 46	19 46	19 46	19 46
2	20 08	20 06	20 05	20 03	20 01	19 59	19 57	19 55	19 52	19 50	19 47	19 43	19 39	19 35
3	20 29	20 26	20 23	20 20	20 16	20 13	20 08	20 04	19 59	19 53	19 47	19 40	19 32	19 23
4	20 53	20 48	20 44	20 39	20 34	20 28	20 22	20 15	20 07	19 59	19 49	19 38	19 24	19 09
5	21 19	21 14	21 08	21 01	20 54	20 47	20 38	20 29	20 18	20 06	19 52	19 35	19 15	18 49
6	21 51	21 44	21 37	21 29	21 20	21 11	21 00	20 48	20 34	20 18	19 58	19 34	19 02	18 09
7	22 30	22 22	22 14	22 04	21 54	21 43	21 30	21 15	20 58	20 38	20 12	19 36	18 23	** **
8	23 17	23 09	23 00	22 50	22 39	22 26	22 12	21 56	21 37	21 13	20 41	19 49	** **	** **
9	.. ..	.. ..	23 56	23 46	23 36	23 23	23 09	22 53	22 34	22 11	21 39	20 49	** **	** **

MOONSET

Lat.	+40°	+42°	+44°	+46°	+48°	+50°	+52°	+54°	+56°	+58°	+60°	+62°	+64°	+66°
	h m	h m	h m	h m	h m	h m	h m	h m	h m	h m	h m	h m	h m	h m
Aug. 16	19 27	19 31	19 36	19 41	19 46	19 52	19 58	20 05	20 13	20 22	20 32	20 43	20 56	21 12
17	19 56	19 59	20 01	20 04	20 08	20 11	20 15	20 19	20 24	20 29	20 35	20 41	20 49	20 57
18	20 22	20 23	20 24	20 26	20 27	20 28	20 29	20 31	20 33	20 34	20 36	20 39	20 41	20 44
19	20 48	20 47	20 46	20 46	20 45	20 44	20 43	20 42	20 41	20 39	20 38	20 36	20 34	20 32
20	21 14	21 12	21 09	21 06	21 04	21 00	20 57	20 53	20 49	20 44	20 39	20 34	20 27	20 19
21	21 43	21 39	21 34	21 30	21 25	21 19	21 13	21 07	20 59	20 51	20 42	20 31	20 19	20 04
22	22 16	22 10	22 04	21 57	21 50	21 42	21 34	21 24	21 13	21 01	20 46	20 29	20 08	19 41
23	22 56	22 48	22 41	22 32	22 23	22 13	22 01	21 48	21 34	21 16	20 55	20 28	19 51	18 13
24	23 44	23 36	23 27	23 17	23 06	22 54	22 40	22 25	22 07	21 44	21 15	20 32	-- --	-- --
25	.. ..	.. ..	.. ..	.. ..	.. ..	23 49	23 35	23 18	22 58	22 34	22 00	21 02	-- --	-- --
26	0 41	0 32	0 23	0 13	0 02	.. ..	.. ..	.. ..	.. ..	23 49	23 20	22 38	-- --	-- --
27	1 46	1 38	1 29	1 19	1 09	0 57	0 44	0 29	0 11	.. ..	.. ..	.. ..	23 54	-- --
28	2 54	2 47	2 40	2 32	2 23	2 13	2 02	1 50	1 35	1 18	0 58	0 31	.. ..	-- --
29	4 03	3 58	3 52	3 46	3 39	3 32	3 23	3 14	3 03	2 51	2 37	2 20	1 59	1 32
30	5 10	5 07	5 03	4 58	4 53	4 48	4 42	4 36	4 29	4 21	4 12	4 01	3 49	3 34
31	6 15	6 13	6 10	6 08	6 05	6 02	5 59	5 55	5 51	5 46	5 41	5 36	5 29	5 21
Sept 1	7 17	7 16	7 16	7 15	7 14	7 13	7 12	7 11	7 10	7 08	7 07	7 05	7 03	7 00
2	8 18	8 19	8 19	8 20	8 21	8 22	8 23	8 25	8 26	8 28	8 29	8 31	8 34	8 36
3	9 18	9 20	9 22	9 25	9 28	9 31	9 34	9 38	9 42	9 47	9 52	9 58	10 04	10 12
4	10 18	10 22	10 26	10 30	10 35	10 40	10 46	10 52	10 59	11 06	11 15	11 26	11 38	11 52
5	11 19	11 24	11 30	11 36	11 43	11 50	11 58	12 07	12 17	12 28	12 41	12 57	13 16	13 41
6	12 21	12 28	12 35	12 42	12 51	13 00	13 10	13 22	13 35	13 51	14 10	14 33	15 05	15 57
7	13 23	13 30	13 39	13 48	13 58	14 09	14 21	14 36	14 53	15 13	15 38	16 14	17 26	** **
8	14 22	14 31	14 40	14 50	15 01	15 13	15 27	15 43	16 02	16 26	16 58	17 49	** **	** **
9	15 18	15 26	15 35	15 45	15 56	16 09	16 23	16 39	16 58	17 22	17 53	18 44	** **	** **

The symbols (..) indicate that the phenomenon will occur the next day.

The symbols (-) and (*) indicate Moon continuously below and above horizon, respectively.

MOONRISE AND MOONSET, 1985

UNIVERSAL TIME FOR MERIDIAN OF GREENWICH

MOONRISE

Lat.		−55°	−50°	−45°	−40°	−35°	−30°	−20°	−10°	0°	+10°	+20°	+30°	+35°	+40°
		h m	h m	h m	h m	h m	h m	h m	h m	h m	h m	h m	h m	h m	h m
Sept	8	3 22	2 44	2 16	1 54	1 36	1 21	0 55	0 32	0 11	.. ..	.. ..	23 52	23 36	23 17
	9	4 25	3 44	3 15	2 52	2 33	2 17	1 50	1 26	1 04	0 43	0 19	.. ..	.. ..	.. ..
	10	5 13	4 34	4 07	3 44	3 26	3 10	2 44	2 21	1 59	1 38	1 15	0 48	0 32	0 14
	11	5 46	5 14	4 49	4 30	4 14	3 59	3 35	3 14	2 55	2 35	2 14	1 50	1 35	1 18
	12	6 08	5 44	5 24	5 09	4 55	4 44	4 23	4 06	3 49	3 33	3 15	2 55	2 43	2 29
	13	6 24	6 07	5 53	5 42	5 32	5 23	5 08	4 55	4 43	4 30	4 17	4 02	3 53	3 42
	14	6 36	6 26	6 18	6 11	6 05	5 59	5 50	5 42	5 34	5 26	5 18	5 09	5 03	4 57
	15	6 46	6 43	6 40	6 37	6 35	6 33	6 30	6 27	6 25	6 22	6 19	6 16	6 14	6 12
	16	6 56	6 59	7 01	7 03	7 05	7 07	7 10	7 12	7 15	7 17	7 20	7 23	7 25	7 27
	17	7 06	7 16	7 24	7 30	7 36	7 41	7 51	7 59	8 06	8 14	8 22	8 32	8 37	8 43
	18	7 18	7 35	7 49	8 01	8 10	8 19	8 34	8 47	8 59	9 12	9 25	9 41	9 50	10 01
	19	7 35	8 00	8 20	8 35	8 49	9 01	9 21	9 39	9 55	10 12	10 30	10 52	11 04	11 18
	20	8 00	8 33	8 58	9 17	9 34	9 48	10 13	10 34	10 54	11 14	11 36	12 01	12 16	12 33
	21	8 39	9 17	9 46	10 08	10 26	10 42	11 09	11 33	11 55	12 16	12 40	13 07	13 23	13 42
	22	9 36	10 16	10 44	11 07	11 26	11 42	12 09	12 33	12 54	13 16	13 40	14 07	14 23	14 42
	23	10 49	11 25	11 52	12 12	12 30	12 45	13 10	13 32	13 52	14 12	14 34	14 59	15 13	15 30
	24	12 12	12 41	13 03	13 21	13 35	13 48	14 10	14 28	14 46	15 03	15 22	15 43	15 55	16 09
	25	13 37	13 58	14 15	14 28	14 40	14 50	15 07	15 21	15 35	15 49	16 04	16 20	16 30	16 41
	26	14 59	15 13	15 25	15 34	15 42	15 49	16 01	16 11	16 21	16 31	16 41	16 53	17 00	17 07
	27	16 18	16 26	16 32	16 37	16 42	16 46	16 52	16 58	17 04	17 10	17 15	17 22	17 26	17 30
	28	17 34	17 36	17 37	17 39	17 40	17 41	17 42	17 44	17 45	17 46	17 48	17 49	17 50	17 51
	29	18 49	18 45	18 42	18 39	18 37	18 35	18 31	18 28	18 25	18 22	18 19	18 16	18 14	18 12
	30	20 04	19 54	19 46	19 39	19 33	19 28	19 20	19 12	19 05	18 58	18 51	18 43	18 38	18 33
Oct.	1	21 19	21 03	20 50	20 40	20 31	20 23	20 09	19 58	19 47	19 36	19 24	19 11	19 04	18 55
	2	22 36	22 13	21 56	21 41	21 29	21 18	21 00	20 44	20 30	20 15	20 00	19 42	19 32	19 21

MOONSET

Lat.		−55°	−50°	−45°	−40°	−35°	−30°	−20°	−10°	0°	+10°	+20°	+30°	+35°	+40°
		h m	h m	h m	h m	h m	h m	h m	h m	h m	h m	h m	h m	h m	h m
Sept	8	9 23	10 01	10 29	10 51	11 10	11 25	11 52	12 15	12 37	12 58	13 21	13 48	14 04	14 22
	9	10 10	10 51	11 20	11 43	12 02	12 18	12 45	13 09	13 31	13 52	14 16	14 43	14 59	15 18
	10	11 17	11 55	12 22	12 44	13 01	13 17	13 43	14 05	14 26	14 47	15 09	15 34	15 49	16 06
	11	12 38	13 09	13 33	13 51	14 07	14 20	14 43	15 03	15 21	15 39	15 59	16 21	16 34	16 48
	12	14 08	14 31	14 49	15 04	15 16	15 27	15 45	16 00	16 15	16 30	16 45	17 02	17 12	17 24
	13	15 41	15 56	16 08	16 18	16 26	16 34	16 46	16 57	17 07	17 17	17 28	17 40	17 47	17 55
	14	17 14	17 22	17 28	17 33	17 37	17 41	17 47	17 53	17 58	18 03	18 09	18 15	18 18	18 22
	15	18 47	18 47	18 47	18 48	18 48	18 48	18 48	18 48	18 48	18 48	18 48	18 48	18 49	18 49
	16	20 21	20 14	20 08	20 03	19 59	19 56	19 49	19 44	19 39	19 34	19 28	19 22	19 19	19 15
	17	21 56	21 41	21 30	21 20	21 12	21 04	20 52	20 41	20 31	20 21	20 10	19 58	19 51	19 43
	18	23 33	23 10	22 52	22 38	22 25	22 15	21 56	21 40	21 26	21 11	20 55	20 37	20 27	20 15
	19	.. ..	.. ..	.. ..	23 54	23 39	23 25	23 02	22 42	22 23	22 05	21 45	21 22	21 09	20 53
	20	1 08	0 37	0 13	.. ..	.. ..	.. ..	.. ..	23 44	23 23	23 02	22 39	22 13	21 58	21 40
	21	2 35	1 57	1 29	1 07	0 49	0 33	0 07	.. ..	.. ..	.. ..	23 38	23 10	22 54	22 35
	22	3 43	3 03	2 34	2 11	1 53	1 36	1 09	0 45	0 23	0 01	.. ..	.. ..	23 56	23 37
	23	4 31	3 54	3 27	3 06	2 48	2 32	2 06	1 44	1 22	1 01	0 38	0 12	.. ..	.. ..
	24	5 01	4 31	4 08	3 49	3 34	3 20	2 57	2 37	2 18	1 59	1 39	1 15	1 01	0 45
	25	5 20	4 57	4 39	4 25	4 12	4 01	3 42	3 26	3 10	2 54	2 37	2 18	2 06	1 53
	26	5 33	5 17	5 04	4 53	4 44	4 36	4 22	4 09	3 58	3 46	3 33	3 18	3 10	3 00
	27	5 43	5 33	5 25	5 18	5 12	5 07	4 58	4 50	4 42	4 34	4 26	4 17	4 11	4 05
	28	5 51	5 47	5 43	5 40	5 37	5 35	5 31	5 27	5 24	5 20	5 17	5 12	5 10	5 07
	29	5 58	5 59	6 00	6 01	6 01	6 02	6 03	6 04	6 04	6 05	6 06	6 07	6 07	6 08
	30	6 05	6 12	6 17	6 21	6 25	6 28	6 34	6 40	6 44	6 49	6 55	7 01	7 04	7 08
Oct.	1	6 13	6 25	6 35	6 43	6 50	6 56	7 07	7 16	7 25	7 34	7 44	7 55	8 01	8 08
	2	6 22	6 40	6 55	7 06	7 17	7 26	7 41	7 55	8 07	8 20	8 34	8 49	8 59	9 09

The symbols (..) indicate that the phenomenon will occur the next day.

UNIVERSAL TIME FOR MERIDIAN OF GREENWICH

MOONRISE

Lat.	+40°	+42°	+44°	+46°	+48°	+50°	+52°	+54°	+56°	+58°	+60°	+62°	+64°	+66°
	h m	h m	h m	h m	h m	h m	h m	h m	h m	h m	h m	h m	h m	h m
Sept 8	23 17	23 09	23 00	22 50	22 39	22 26	22 12	21 56	21 37	21 13	20 41	19 49	** **	** **
9	.. ..	.. ..	23 56	23 46	23 36	23 23	23 09	22 53	22 34	22 11	21 39	20 49	** **	** **
10	0 14	0 05	.. ..	.. ..	.. ..	.. ..	.. ..	.. ..	23 50	23 31	23 06	22 32	21 32	** **
11	1 18	1 11	1 03	0 54	0 44	0 33	0 21	0 07	.. ..	.. ..	.. ..	.. ..	23 58	23 17
12	2 29	2 23	2 16	2 09	2 01	1 52	1 42	1 31	1 19	1 04	0 47	0 26	.. ..	.. ..
13	3 42	3 38	3 33	3 28	3 22	3 16	3 09	3 01	2 52	2 43	2 31	2 18	2 02	1 42
14	4 57	4 54	4 51	4 48	4 45	4 41	4 37	4 32	4 27	4 22	4 15	4 08	4 00	3 49
15	6 12	6 11	6 10	6 09	6 08	6 07	6 05	6 04	6 02	6 00	5 58	5 56	5 53	5 50
16	7 27	7 28	7 29	7 30	7 31	7 33	7 34	7 35	7 37	7 39	7 41	7 43	7 46	7 49
17	8 43	8 46	8 49	8 52	8 56	9 00	9 04	9 09	9 14	9 19	9 26	9 33	9 42	9 52
18	10 01	10 05	10 10	10 16	10 22	10 28	10 35	10 43	10 52	11 02	11 14	11 28	11 45	12 05
19	11 18	11 25	11 32	11 39	11 47	11 57	12 07	12 18	12 31	12 47	13 05	13 28	13 59	14 48
20	12 33	12 41	12 50	12 59	13 09	13 21	13 34	13 48	14 06	14 27	14 54	15 33	-- --	-- --
21	13 42	13 51	14 00	14 10	14 22	14 34	14 49	15 06	15 26	15 51	16 25	17 28	-- --	-- --
22	14 42	14 50	14 59	15 09	15 21	15 33	15 47	16 03	16 23	16 47	17 19	18 11	-- --	-- --
23	15 30	15 38	15 46	15 55	16 05	16 16	16 28	16 42	16 58	17 18	17 42	18 13	19 05	-- --
24	16 09	16 16	16 23	16 30	16 38	16 47	16 57	17 08	17 20	17 34	17 51	18 12	18 38	19 14
25	16 41	16 46	16 51	16 57	17 03	17 09	17 17	17 25	17 34	17 44	17 55	18 09	18 25	18 45
26	17 07	17 11	17 14	17 18	17 22	17 27	17 32	17 37	17 43	17 50	17 57	18 06	18 16	18 27
27	17 30	17 32	17 34	17 36	17 39	17 41	17 44	17 47	17 50	17 54	17 58	18 03	18 08	18 14
28	17 51	17 52	17 52	17 53	17 53	17 54	17 55	17 56	17 56	17 57	17 58	17 59	18 01	18 02
29	18 12	18 11	18 10	18 09	18 08	18 06	18 05	18 04	18 02	18 00	17 58	17 56	17 53	17 51
30	18 33	18 30	18 28	18 25	18 22	18 19	18 16	18 12	18 08	18 04	17 58	17 53	17 46	17 39
Oct. 1	18 55	18 52	18 47	18 43	18 39	18 34	18 28	18 22	18 15	18 08	17 59	17 50	17 38	17 25
2	19 21	19 15	19 10	19 04	18 58	18 51	18 43	18 34	18 25	18 14	18 01	17 47	17 29	17 08

MOONSET

Lat.	+40°	+42°	+44°	+46°	+48°	+50°	+52°	+54°	+56°	+58°	+60°	+62°	+64°	+66°
	h m	h m	h m	h m	h m	h m	h m	h m	h m	h m	h m	h m	h m	h m
Sept 8	14 22	14 31	14 40	14 50	15 01	15 13	15 27	15 43	16 02	16 26	16 58	17 49	** **	** **
9	15 18	15 26	15 35	15 45	15 56	16 09	16 23	16 39	16 58	17 22	17 53	18 44	** **	** **
10	16 06	16 14	16 23	16 32	16 42	16 53	17 06	17 20	17 37	17 57	18 22	18 56	19 57	** **
11	16 48	16 55	17 02	17 10	17 18	17 27	17 38	17 49	18 02	18 18	18 36	18 58	19 26	20 08
12	17 24	17 29	17 35	17 40	17 47	17 54	18 01	18 10	18 19	18 30	18 42	18 56	19 13	19 34
13	17 55	17 58	18 02	18 06	18 10	18 15	18 20	18 25	18 31	18 38	18 46	18 54	19 04	19 16
14	18 22	18 24	18 26	18 28	18 30	18 32	18 35	18 37	18 40	18 44	18 47	18 51	18 56	19 02
15	18 49	18 49	18 49	18 49	18 49	18 49	18 49	18 49	18 49	18 49	18 49	18 48	18 48	18 48
16	19 15	19 13	19 11	19 09	19 07	19 05	19 02	19 00	18 57	18 53	18 50	18 45	18 41	18 35
17	19 43	19 40	19 36	19 32	19 28	19 23	19 18	19 12	19 06	18 59	18 51	18 42	18 32	18 20
18	20 15	20 10	20 04	19 58	19 52	19 45	19 37	19 28	19 18	19 07	18 55	18 40	18 22	18 00
19	20 53	20 47	20 39	20 31	20 22	20 13	20 02	19 50	19 36	19 20	19 01	18 37	18 06	17 16
20	21 40	21 32	21 23	21 13	21 03	20 51	20 38	20 23	20 05	19 43	19 16	18 37	-- --	-- --
21	22 35	22 26	22 17	22 06	21 55	21 42	21 28	21 11	20 51	20 26	19 51	18 48	-- --	-- --
22	23 37	23 29	23 20	23 10	22 59	22 47	22 33	22 17	21 58	21 34	21 02	20 10	-- --	-- --
23	.. ..	.. ..	.. ..	.. ..	.. ..	.. ..	23 49	23 35	23 19	23 01	22 37	22 06	21 15	-- --
24	0 45	0 37	0 29	0 21	0 11	0 01	.. ..	.. ..	.. ..	.. ..	.. ..	23 57	23 32	22 56
25	1 53	1 47	1 41	1 34	1 26	1 18	1 09	0 58	0 46	0 33	0 17	.. ..	.. ..	.. ..
26	3 00	2 56	2 51	2 46	2 40	2 34	2 28	2 21	2 12	2 03	1 52	1 40	1 25	1 06
27	4 05	4 02	3 59	3 56	3 52	3 48	3 44	3 40	3 35	3 29	3 22	3 15	3 06	2 56
28	5 07	5 06	5 04	5 03	5 01	5 00	4 58	4 56	4 54	4 51	4 48	4 45	4 42	4 37
29	6 08	6 08	6 08	6 09	6 09	6 09	6 10	6 10	6 11	6 11	6 12	6 12	6 13	6 14
30	7 08	7 10	7 12	7 14	7 16	7 18	7 21	7 23	7 27	7 30	7 34	7 38	7 44	7 49
Oct. 1	8 08	8 12	8 15	8 19	8 23	8 27	8 32	8 37	8 43	8 50	8 57	9 06	9 16	9 28
2	9 09	9 14	9 19	9 24	9 30	9 37	9 44	9 52	10 01	10 11	10 23	10 36	10 53	11 14

The symbols (..) indicate that the phenomenon will occur the next day.

The symbols (-) and (*) indicate Moon continuously below and above horizon, respectively.

MOONRISE AND MOONSET, 1985

UNIVERSAL TIME FOR MERIDIAN OF GREENWICH
MOONRISE

Lat.	−55°	−50°	−45°	−40°	−35°	−30°	−20°	−10°	0°	+10°	+20°	+30°	+35°	+40°
	h m	h m	h m	h m	h m	h m	h m	h m	h m	h m	h m	h m	h m	h m
Oct. 1	21 19	21 03	20 50	20 40	20 31	20 23	20 09	19 58	19 47	19 36	19 24	19 11	19 04	18 55
2	22 36	22 13	21 56	21 41	21 29	21 18	21 00	20 44	20 30	20 15	20 00	19 42	19 32	19 21
3	23 54	23 24	23 01	22 43	22 28	22 15	21 53	21 33	21 16	20 58	20 39	20 17	20 05	19 50
4	.. ..	.. ..	.. ..	23 44	23 27	23 12	22 46	22 24	22 04	21 44	21 22	20 57	20 43	20 26
5	1 08	0 32	0 05	.. ..	.. ..	.. ..	23 40	23 17	22 55	22 34	22 10	21 43	21 27	21 09
6	2 15	1 35	1 05	0 43	0 24	0 08	.. ..	.. ..	23 48	23 26	23 03	22 36	22 19	22 01
7	3 08	2 28	1 59	1 36	1 17	1 01	0 34	0 10	.. ..	.. ..	23 59	23 34	23 18	23 00
8	3 46	3 11	2 44	2 23	2 06	1 51	1 25	1 03	0 42	0 22	.. ..	.. ..	.. ..	.. ..
9	4 12	3 43	3 22	3 04	2 49	2 36	2 14	1 54	1 36	1 18	0 58	0 36	0 22	0 07
10	4 30	4 09	3 52	3 38	3 27	3 16	2 59	2 43	2 29	2 14	1 58	1 40	1 30	1 18
11	4 43	4 29	4 18	4 08	4 00	3 53	3 41	3 30	3 20	3 10	2 59	2 46	2 39	2 31
12	4 53	4 46	4 40	4 36	4 31	4 28	4 21	4 16	4 10	4 05	3 59	3 53	3 49	3 45
13	5 03	5 02	5 02	5 02	5 02	5 01	5 01	5 01	5 01	5 01	5 00	5 00	5 00	5 00
14	5 12	5 19	5 24	5 28	5 32	5 36	5 42	5 47	5 52	5 57	6 03	6 09	6 13	6 17
15	5 24	5 37	5 48	5 57	6 05	6 12	6 25	6 35	6 46	6 56	7 07	7 20	7 27	7 36
16	5 38	6 00	6 17	6 31	6 43	6 53	7 11	7 27	7 42	7 58	8 14	8 33	8 44	8 57
17	6 00	6 30	6 53	7 11	7 27	7 40	8 03	8 23	8 42	9 01	9 22	9 46	10 00	10 16
18	6 34	7 11	7 38	8 00	8 18	8 34	9 00	9 23	9 45	10 06	10 29	10 56	11 12	11 31
19	7 25	8 06	8 35	8 58	9 17	9 33	10 01	10 25	10 47	11 09	11 33	12 00	12 17	12 36
20	8 36	9 14	9 41	10 03	10 21	10 37	11 03	11 26	11 47	12 08	12 30	12 56	13 11	13 29
21	9 58	10 29	10 53	11 12	11 27	11 41	12 04	12 24	12 42	13 01	13 20	13 43	13 56	14 11
22	11 23	11 47	12 05	12 20	12 33	12 44	13 02	13 18	13 33	13 48	14 04	14 22	14 33	14 45
23	12 46	13 03	13 16	13 26	13 35	13 43	13 57	14 09	14 20	14 31	14 43	14 56	15 04	15 13
24	14 06	14 15	14 23	14 30	14 35	14 40	14 49	14 56	15 03	15 10	15 18	15 26	15 31	15 36
25	15 22	15 26	15 29	15 31	15 33	15 35	15 39	15 42	15 44	15 47	15 50	15 53	15 55	15 57

MOONSET

Lat.	−55°	−50°	−45°	−40°	−35°	−30°	−20°	−10°	0°	+10°	+20°	+30°	+35°	+40°
	h m	h m	h m	h m	h m	h m	h m	h m	h m	h m	h m	h m	h m	h m
Oct. 1	6 13	6 25	6 35	6 43	6 50	6 56	7 07	7 16	7 25	7 34	7 44	7 55	8 01	8 08
2	6 22	6 40	6 55	7 06	7 17	7 26	7 41	7 55	8 07	8 20	8 34	8 49	8 59	9 09
3	6 35	6 59	7 18	7 34	7 47	7 58	8 18	8 35	8 52	9 08	9 25	9 45	9 57	10 11
4	6 53	7 24	7 47	8 06	8 22	8 36	8 59	9 20	9 39	9 58	10 18	10 42	10 56	11 13
5	7 19	7 56	8 24	8 45	9 03	9 18	9 45	10 07	10 28	10 50	11 12	11 39	11 54	12 13
6	7 59	8 40	9 09	9 32	9 51	10 08	10 35	10 59	11 21	11 43	12 06	12 34	12 50	13 09
7	8 57	9 37	10 06	10 28	10 47	11 03	11 30	11 53	12 14	12 36	12 59	13 25	13 41	13 59
8	10 11	10 46	11 11	11 31	11 48	12 03	12 27	12 49	13 08	13 28	13 49	14 13	14 27	14 43
9	11 36	12 03	12 24	12 40	12 54	13 06	13 27	13 45	14 01	14 18	14 35	14 55	15 07	15 20
10	13 06	13 25	13 40	13 52	14 03	14 12	14 27	14 41	14 53	15 06	15 19	15 34	15 42	15 52
11	14 38	14 49	14 58	15 06	15 12	15 18	15 28	15 36	15 44	15 52	16 00	16 09	16 15	16 21
12	16 10	16 14	16 18	16 20	16 23	16 25	16 28	16 31	16 34	16 37	16 40	16 43	16 45	16 47
13	17 45	17 41	17 39	17 36	17 34	17 33	17 30	17 27	17 25	17 22	17 20	17 17	17 15	17 13
14	19 22	19 10	19 02	18 54	18 48	18 43	18 33	18 25	18 17	18 09	18 01	17 52	17 47	17 41
15	21 01	20 42	20 27	20 14	20 04	19 54	19 39	19 25	19 12	18 59	18 46	18 30	18 22	18 11
16	22 42	22 14	21 52	21 35	21 20	21 08	20 46	20 28	20 10	19 53	19 35	19 14	19 02	18 48
17	.. ..	23 40	23 14	22 52	22 35	22 20	21 54	21 32	21 12	20 51	20 29	20 04	19 49	19 32
18	0 17	.. ..	.. ..	.. ..	23 44	23 28	23 00	22 36	22 14	21 52	21 29	21 01	20 45	20 26
19	1 36	0 55	0 26	0 03	.. ..	.. ..	.. ..	23 38	23 16	22 54	22 30	22 03	21 47	21 28
20	2 31	1 53	1 24	1 02	0 44	0 28	0 01	.. ..	.. ..	23 54	23 32	23 07	22 53	22 36
21	3 06	2 34	2 10	1 50	1 33	1 19	0 55	0 34	0 14	.. ..	.. ..	.. ..	23 59	23 45
22	3 28	3 03	2 44	2 28	2 14	2 02	1 42	1 24	1 07	0 50	0 32	0 11	.. ..	.. ..
23	3 43	3 25	3 10	2 58	2 48	2 39	2 23	2 09	1 56	1 43	1 29	1 13	1 03	0 52
24	3 53	3 41	3 32	3 24	3 17	3 10	3 00	2 50	2 41	2 32	2 22	2 11	2 05	1 57
25	4 01	3 55	3 50	3 46	3 42	3 39	3 33	3 28	3 23	3 18	3 13	3 07	3 04	3 00

The symbols (..) indicate that the phenomenon will occur the next day.

UNIVERSAL TIME FOR MERIDIAN OF GREENWICH
MOONRISE

Lat.	+40°	+42°	+44°	+46°	+48°	+50°	+52°	+54°	+56°	+58°	+60°	+62°	+64°	+66°
	h m	h m	h m	h m	h m	h m	h m	h m	h m	h m	h m	h m	h m	h m
Oct. 1	18 55	18 52	18 47	18 43	18 39	18 34	18 28	18 22	18 15	18 08	17 59	17 50	17 38	17 25
2	19 21	19 15	19 10	19 04	18 58	18 51	18 43	18 34	18 25	18 14	18 01	17 47	17 29	17 08
3	19 50	19 44	19 37	19 29	19 21	19 12	19 02	18 51	18 38	18 23	18 06	17 44	17 17	16 38
4	20 26	20 18	20 10	20 01	19 51	19 40	19 28	19 14	18 58	18 39	18 15	17 43	16 53	** **
5	21 09	21 01	20 51	20 42	20 31	20 18	20 05	19 49	19 30	19 06	18 36	17 48	** **	** **
6	22 01	21 52	21 43	21 33	21 21	21 09	20 54	20 38	20 18	19 53	19 20	18 20	** **	** **
7	23 00	22 52	22 44	22 34	22 24	22 12	21 59	21 43	21 25	21 03	20 35	19 52	** **	** **
8	.. ..	.. ..	23 53	23 44	23 35	23 26	23 14	23 02	22 47	22 30	22 09	21 42	21 04	** **
9	0 07	0 00	.. ..	.. ..	.. ..	.. ..	.. ..	.. ..	.. ..	.. ..	23 51	23 34	23 13	22 45
10	1 18	1 12	1 06	1 00	0 53	0 46	0 37	0 28	0 17	0 05	.. ..	.. ..	.. ..	.. ..
11	2 31	2 27	2 23	2 19	2 14	2 09	2 03	1 57	1 50	1 43	1 34	1 24	1 12	0 57
12	3 45	3 43	3 41	3 39	3 36	3 34	3 31	3 28	3 25	3 21	3 16	3 12	3 06	2 59
13	5 00	5 00	5 00	5 00	5 00	5 00	5 00	5 00	5 00	5 00	5 00	5 00	5 00	4 59
14	6 17	6 19	6 21	6 23	6 25	6 28	6 31	6 34	6 37	6 41	6 45	6 50	6 56	7 02
15	7 36	7 40	7 44	7 48	7 53	7 58	8 04	8 11	8 18	8 26	8 35	8 46	8 58	9 14
16	8 57	9 02	9 09	9 15	9 23	9 31	9 40	9 50	10 01	10 14	10 30	10 48	11 12	11 44
17	10 16	10 24	10 32	10 40	10 50	11 01	11 13	11 27	11 43	12 02	12 26	12 58	13 51	-- --
18	11 31	11 39	11 49	11 59	12 10	12 22	12 37	12 53	13 13	13 38	14 11	15 09	-- --	-- --
19	12 36	12 45	12 54	13 04	13 16	13 29	13 43	14 00	14 21	14 46	15 21	16 26	-- --	-- --
20	13 29	13 37	13 46	13 55	14 06	14 17	14 31	14 46	15 03	15 24	15 51	16 29	-- --	-- --
21	14 11	14 18	14 26	14 34	14 42	14 52	15 03	15 15	15 28	15 44	16 03	16 27	16 58	17 48
22	14 45	14 50	14 56	15 02	15 09	15 16	15 25	15 34	15 44	15 55	16 08	16 24	16 42	17 06
23	15 13	15 16	15 21	15 25	15 30	15 35	15 41	15 47	15 54	16 02	16 10	16 20	16 32	16 46
24	15 36	15 39	15 41	15 44	15 47	15 50	15 53	15 57	16 01	16 06	16 11	16 17	16 24	16 31
25	15 57	15 58	15 59	16 00	16 02	16 03	16 04	16 06	16 07	16 09	16 11	16 13	16 16	16 19

MOONSET

Lat.	+40°	+42°	+44°	+46°	+48°	+50°	+52°	+54°	+56°	+58°	+60°	+62°	+64°	+66°
	h m	h m	h m	h m	h m	h m	h m	h m	h m	h m	h m	h m	h m	h m
Oct. 1	8 08	8 12	8 15	8 19	8 23	8 27	8 32	8 37	8 43	8 50	8 57	9 06	9 16	9 28
2	9 09	9 14	9 19	9 24	9 30	9 37	9 44	9 52	10 01	10 11	10 23	10 36	10 53	11 14
3	10 11	10 17	10 24	10 31	10 39	10 47	10 57	11 07	11 20	11 34	11 51	12 11	12 38	13 16
4	11 13	11 20	11 28	11 37	11 46	11 57	12 09	12 22	12 38	12 57	13 20	13 51	14 42	** **
5	12 13	12 21	12 30	12 40	12 50	13 02	13 16	13 32	13 51	14 14	14 44	15 32	** **	** **
6	13 09	13 17	13 27	13 37	13 48	14 01	14 15	14 32	14 52	15 16	15 50	16 50	** **	** **
7	13 59	14 08	14 16	14 26	14 37	14 49	15 02	15 18	15 36	15 59	16 27	17 10	** **	** **
8	14 43	14 50	14 58	15 07	15 16	15 26	15 38	15 51	16 06	16 23	16 45	17 12	17 51	** **
9	15 20	15 26	15 32	15 39	15 47	15 55	16 04	16 14	16 25	16 38	16 53	17 11	17 33	18 01
10	15 52	15 56	16 01	16 06	16 11	16 17	16 24	16 31	16 38	16 47	16 57	17 08	17 22	17 38
11	16 21	16 23	16 26	16 29	16 32	16 36	16 39	16 44	16 48	16 53	16 59	17 05	17 13	17 21
12	16 47	16 48	16 49	16 50	16 51	16 52	16 53	16 55	16 56	16 58	17 00	17 02	17 04	17 07
13	17 13	17 12	17 11	17 11	17 09	17 08	17 07	17 06	17 04	17 03	17 01	16 59	16 56	16 54
14	17 41	17 38	17 35	17 32	17 29	17 25	17 21	17 17	17 13	17 08	17 02	16 55	16 48	16 39
15	18 11	18 07	18 02	17 57	17 51	17 45	17 39	17 32	17 23	17 14	17 04	16 52	16 38	16 21
16	18 48	18 42	18 35	18 28	18 20	18 11	18 02	17 51	17 39	17 25	17 08	16 49	16 24	15 51
17	19 32	19 24	19 16	19 07	18 57	18 46	18 33	18 19	18 03	17 43	17 19	16 46	15 52	-- --
18	20 26	20 17	20 08	19 58	19 46	19 34	19 19	19 02	18 43	18 18	17 45	16 46	-- --	-- --
19	21 28	21 19	21 10	21 00	20 48	20 36	20 21	20 04	19 44	19 19	18 44	17 39	-- --	-- --
20	22 36	22 28	22 19	22 10	22 00	21 49	21 36	21 21	21 04	20 43	20 17	19 39	-- --	-- --
21	23 45	23 38	23 31	23 24	23 15	23 06	22 56	22 45	22 32	22 16	21 58	21 35	21 04	20 16
22	.. ..	.. ..	.. ..	.. ..	.. ..	.. ..	.. ..	.. ..	23 58	23 48	23 35	23 21	23 03	22 41
23	0 52	0 47	0 42	0 36	0 30	0 23	0 16	0 08	.. ..	.. ..	.. ..	.. ..	.. ..	.. ..
24	1 57	1 54	1 50	1 47	1 42	1 38	1 33	1 28	1 21	1 15	1 07	0 58	0 48	0 35
25	3 00	2 58	2 56	2 54	2 52	2 49	2 47	2 44	2 41	2 37	2 33	2 29	2 24	2 18

The symbols (..) indicate that the phenomenon will occur the next day.
The symbols (-) and (*) indicate Moon continuously below and above horizon, respectively.

MOONRISE AND MOONSET, 1985

UNIVERSAL TIME FOR MERIDIAN OF GREENWICH

MOONRISE

Lat.		−55°	−50°	−45°	−40°	−35°	−30°	−20°	−10°	0°	+10°	+20°	+30°	+35°	+40°
		h m	h m	h m	h m	h m	h m	h m	h m	h m	h m	h m	h m	h m	h m
Oct.	24	14 06	14 15	14 23	14 30	14 35	14 40	14 49	14 56	15 03	15 10	15 18	15 26	15 31	15 36
	25	15 22	15 26	15 29	15 31	15 33	15 35	15 39	15 42	15 44	15 47	15 50	15 53	15 55	15 57
	26	16 36	16 34	16 33	16 31	16 30	16 29	16 27	16 26	16 24	16 23	16 21	16 20	16 19	16 18
	27	17 51	17 43	17 36	17 31	17 27	17 23	17 16	17 10	17 04	16 59	16 53	16 46	16 42	16 38
	28	19 06	18 52	18 41	18 31	18 24	18 17	18 05	17 54	17 45	17 35	17 25	17 14	17 07	17 00
	29	20 23	20 02	19 46	19 33	19 21	19 12	18 55	18 41	18 27	18 14	18 00	17 44	17 34	17 24
	30	21 40	21 12	20 51	20 34	20 20	20 08	19 47	19 29	19 12	18 55	18 38	18 17	18 05	17 52
	31	22 56	22 22	21 56	21 36	21 19	21 05	20 40	20 19	20 00	19 40	19 19	18 55	18 41	18 25
Nov.	1	.. ..	23 27	22 58	22 36	22 17	22 01	21 34	21 11	20 50	20 29	20 06	19 39	19 24	19 05
	2	0 07	.. ..	23 54	23 31	23 12	22 55	22 28	22 04	21 42	21 20	20 56	20 29	20 13	19 54
	3	1 04	0 23	.. ..	.. ..	.. ..	23 46	23 19	22 56	22 35	22 14	21 51	21 24	21 08	20 50
	4	1 47	1 09	0 41	0 19	0 01	.. ..	.. ..	23 47	23 27	23 08	22 47	22 23	22 09	21 52
	5	2 16	1 44	1 20	1 01	0 45	0 31	0 07	.. ..	.. ..	.. ..	23 45	23 25	23 13	23 00
	6	2 35	2 11	1 52	1 37	1 24	1 12	0 52	0 35	0 19	0 03	.. ..	.. ..	.. ..	.. ..
	7	2 49	2 32	2 19	2 07	1 58	1 49	1 34	1 21	1 09	0 57	0 43	0 28	0 19	0 09
	8	3 00	2 50	2 42	2 35	2 28	2 23	2 14	2 06	1 58	1 50	1 42	1 32	1 27	1 20
	9	3 10	3 06	3 03	3 00	2 58	2 56	2 52	2 49	2 46	2 44	2 41	2 37	2 35	2 33
	10	3 19	3 22	3 24	3 26	3 27	3 29	3 31	3 34	3 36	3 38	3 41	3 44	3 45	3 47
	11	3 29	3 38	3 46	3 53	3 59	4 04	4 12	4 20	4 28	4 35	4 43	4 53	4 58	5 04
	12	3 42	3 59	4 12	4 24	4 34	4 42	4 57	5 10	5 23	5 36	5 49	6 05	6 14	6 25
	13	3 59	4 25	4 45	5 01	5 15	5 27	5 47	6 05	6 22	6 40	6 58	7 20	7 32	7 47
	14	4 27	5 01	5 26	5 46	6 03	6 18	6 43	7 05	7 26	7 46	8 08	8 34	8 49	9 07
	15	5 11	5 51	6 19	6 42	7 01	7 17	7 45	8 08	8 30	8 53	9 16	9 44	10 01	10 20
	16	6 16	6 56	7 25	7 47	8 06	8 22	8 49	9 12	9 34	9 56	10 19	10 46	11 02	11 21
	17	7 38	8 12	8 37	8 57	9 14	9 29	9 53	10 14	10 34	10 53	11 14	11 38	11 53	12 09

MOONSET

Lat.		−55°	−50°	−45°	−40°	−35°	−30°	−20°	−10°	0°	+10°	+20°	+30°	+35°	+40°
		h m	h m	h m	h m	h m	h m	h m	h m	h m	h m	h m	h m	h m	h m
Oct.	24	3 53	3 41	3 32	3 24	3 17	3 10	3 00	2 50	2 41	2 32	2 22	2 11	2 05	1 57
	25	4 01	3 55	3 50	3 46	3 42	3 39	3 33	3 28	3 23	3 18	3 13	3 07	3 04	3 00
	26	4 09	4 08	4 07	4 07	4 06	4 06	4 05	4 04	4 04	4 03	4 02	4 01	4 01	4 00
	27	4 15	4 20	4 24	4 27	4 30	4 32	4 36	4 40	4 43	4 47	4 51	4 55	4 57	5 00
	28	4 23	4 33	4 41	4 48	4 54	4 59	5 08	5 16	5 24	5 31	5 39	5 49	5 54	6 00
	29	4 31	4 47	5 00	5 10	5 20	5 28	5 41	5 54	6 05	6 17	6 29	6 43	6 51	7 01
	30	4 42	5 05	5 22	5 36	5 48	5 59	6 17	6 34	6 49	7 04	7 20	7 39	7 50	8 02
	31	4 58	5 27	5 49	6 07	6 22	6 35	6 57	7 17	7 35	7 53	8 13	8 35	8 49	9 04
Nov.	1	5 21	5 56	6 22	6 43	7 01	7 16	7 41	8 03	8 24	8 44	9 06	9 32	9 47	10 05
	2	5 55	6 36	7 05	7 27	7 46	8 02	8 29	8 53	9 15	9 37	10 00	10 28	10 44	11 03
	3	6 46	7 27	7 56	8 19	8 38	8 55	9 22	9 46	10 07	10 29	10 53	11 20	11 36	11 55
	4	7 53	8 30	8 58	9 19	9 37	9 52	10 18	10 40	11 00	11 21	11 43	12 08	12 23	12 40
	5	9 13	9 43	10 06	10 24	10 39	10 53	11 15	11 34	11 52	12 10	12 29	12 51	13 04	13 18
	6	10 38	11 01	11 18	11 33	11 45	11 55	12 13	12 29	12 43	12 57	13 12	13 30	13 40	13 51
	7	12 06	12 21	12 33	12 43	12 51	12 59	13 11	13 22	13 32	13 42	13 53	14 05	14 12	14 20
	8	13 36	13 43	13 50	13 55	13 59	14 03	14 10	14 15	14 21	14 26	14 32	14 38	14 42	14 46
	9	15 06	15 07	15 07	15 08	15 08	15 09	15 09	15 10	15 10	15 10	15 11	15 11	15 11	15 11
	10	16 40	16 33	16 28	16 23	16 20	16 16	16 10	16 05	16 00	15 55	15 50	15 44	15 41	15 37
	11	18 18	18 03	17 52	17 42	17 34	17 27	17 14	17 03	16 53	16 43	16 33	16 21	16 14	16 06
	12	20 00	19 37	19 18	19 04	18 51	18 40	18 22	18 06	17 51	17 36	17 20	17 02	16 51	16 39
	13	21 42	21 09	20 45	20 25	20 09	19 55	19 31	19 11	18 52	18 33	18 13	17 49	17 36	17 20
	14	23 13	22 33	22 05	21 43	21 24	21 08	20 41	20 18	19 56	19 35	19 12	18 45	18 29	18 11
	15	.. ..	23 42	23 13	22 50	22 31	22 15	21 47	21 23	21 01	20 39	20 15	19 47	19 31	19 12
	16	0 22	.. ..	.. ..	23 44	23 27	23 12	22 46	22 24	22 03	21 42	21 20	20 54	20 38	20 20
	17	1 07	0 31	0 05	.. ..	.. ..	.. ..	23 38	23 18	23 00	22 42	22 23	22 00	21 47	21 31

The symbols (..) indicate that the phenomenon will occur the next day.

UNIVERSAL TIME FOR MERIDIAN OF GREENWICH

MOONRISE

Lat.	+40°	+42°	+44°	+46°	+48°	+50°	+52°	+54°	+56°	+58°	+60°	+62°	+64°	+66°
	h m	h m	h m	h m	h m	h m	h m	h m	h m	h m	h m	h m	h m	h m
Oct. 24	15 36	15 39	15 41	15 44	15 47	15 50	15 53	15 57	16 01	16 06	16 11	16 17	16 24	16 31
25	15 57	15 58	15 59	16 00	16 02	16 03	16 04	16 06	16 07	16 09	16 11	16 13	16 16	16 19
26	16 18	16 17	16 17	16 16	16 16	16 15	16 14	16 14	16 13	16 12	16 11	16 10	16 09	16 07
27	16 38	16 36	16 34	16 32	16 30	16 27	16 25	16 22	16 18	16 15	16 11	16 06	16 01	15 55
28	17 00	16 56	16 53	16 49	16 45	16 41	16 36	16 31	16 25	16 19	16 11	16 03	15 54	15 42
29	17 24	17 19	17 14	17 09	17 03	16 57	16 50	16 42	16 33	16 24	16 13	16 00	15 45	15 26
30	17 52	17 46	17 39	17 32	17 25	17 16	17 07	16 57	16 45	16 32	16 16	15 57	15 34	15 02
31	18 25	18 18	18 10	18 02	17 52	17 42	17 30	17 17	17 02	16 45	16 23	15 55	15 15	** **
Nov. 1	19 05	18 57	18 48	18 39	18 28	18 16	18 03	17 47	17 29	17 07	16 38	15 56	** **	** **
2	19 54	19 45	19 36	19 26	19 14	19 02	18 47	18 30	18 11	17 46	17 12	16 11	** **	** **
3	20 50	20 41	20 32	20 22	20 12	19 59	19 45	19 29	19 10	18 47	18 15	17 25	** **	** **
4	21 52	21 45	21 37	21 28	21 19	21 08	20 56	20 42	20 26	20 07	19 43	19 10	18 16	** **
5	23 00	22 54	22 47	22 40	22 32	22 23	22 14	22 03	21 51	21 37	21 20	20 59	20 32	19 54
6	.. ..	.. ..	.. ..	23 55	23 49	23 43	23 36	23 28	23 20	23 10	22 59	22 46	22 30	22 11
7	0 09	0 05	0 00	.. ..	.. ..	.. ..	.. ..	.. ..	.. ..	.. ..	.. ..	.. ..	.. ..	.. ..
8	1 20	1 18	1 15	1 11	1 08	1 04	1 00	0 55	0 50	0 45	0 38	0 31	0 22	0 12
9	2 33	2 32	2 31	2 30	2 28	2 27	2 26	2 24	2 22	2 20	2 18	2 15	2 12	2 09
10	3 47	3 48	3 49	3 50	3 51	3 52	3 53	3 55	3 56	3 58	4 00	4 02	4 04	4 07
11	5 04	5 07	5 10	5 13	5 17	5 20	5 24	5 29	5 34	5 40	5 46	5 53	6 02	6 12
12	6 25	6 29	6 34	6 40	6 46	6 52	7 00	7 08	7 17	7 27	7 39	7 53	8 10	8 31
13	7 47	7 53	8 01	8 08	8 17	8 26	8 37	8 49	9 02	9 18	9 37	10 02	10 35	11 31
14	9 07	9 15	9 24	9 34	9 44	9 56	10 09	10 25	10 43	11 05	11 34	12 18	-- --	-- --
15	10 20	10 29	10 38	10 49	11 00	11 13	11 28	11 45	12 05	12 31	13 07	14 22	-- --	-- --
16	11 21	11 29	11 38	11 48	11 59	12 11	12 25	12 41	13 00	13 24	13 54	14 42	-- --	-- --
17	12 09	12 16	12 24	12 33	12 42	12 52	13 04	13 17	13 33	13 50	14 12	14 40	15 21	-- --

MOONSET

Lat.	+40°	+42°	+44°	+46°	+48°	+50°	+52°	+54°	+56°	+58°	+60°	+62°	+64°	+66°
	h m	h m	h m	h m	h m	h m	h m	h m	h m	h m	h m	h m	h m	h m
Oct. 24	1 57	1 54	1 50	1 47	1 42	1 38	1 33	1 28	1 21	1 15	1 07	0 58	0 48	0 35
25	3 00	2 58	2 56	2 54	2 52	2 49	2 47	2 44	2 41	2 37	2 33	2 29	2 24	2 18
26	4 00	4 00	4 00	4 00	3 59	3 59	3 59	3 58	3 58	3 57	3 57	3 56	3 55	3 54
27	5 00	5 01	5 03	5 04	5 06	5 07	5 09	5 11	5 13	5 16	5 19	5 22	5 25	5 29
28	6 00	6 03	6 06	6 09	6 12	6 16	6 20	6 24	6 29	6 35	6 41	6 48	6 57	7 06
29	7 01	7 05	7 10	7 14	7 20	7 25	7 32	7 39	7 47	7 56	8 06	8 18	8 32	8 49
30	8 02	8 08	8 14	8 21	8 28	8 36	8 45	8 54	9 05	9 18	9 33	9 51	10 14	10 44
31	9 04	9 11	9 19	9 27	9 36	9 46	9 57	10 10	10 24	10 42	11 03	11 30	12 09	** **
Nov. 1	10 05	10 13	10 22	10 31	10 42	10 53	11 07	11 22	11 40	12 02	12 30	13 12	** **	** **
2	11 03	11 11	11 20	11 31	11 42	11 54	12 09	12 25	12 45	13 10	13 44	14 45	** **	** **
3	11 55	12 03	12 12	12 22	12 33	12 46	13 00	13 16	13 35	13 59	14 30	15 21	** **	** **
4	12 40	12 47	12 56	13 05	13 15	13 26	13 38	13 52	14 09	14 29	14 53	15 26	16 21	** **
5	13 18	13 25	13 32	13 39	13 48	13 57	14 07	14 18	14 31	14 46	15 03	15 25	15 52	16 31
6	13 51	13 56	14 01	14 07	14 14	14 20	14 28	14 36	14 46	14 56	15 08	15 22	15 39	15 59
7	14 20	14 23	14 27	14 31	14 35	14 40	14 45	14 50	14 56	15 03	15 10	15 19	15 29	15 41
8	14 46	14 48	14 50	14 52	14 54	14 56	14 59	15 01	15 04	15 08	15 12	15 16	15 21	15 26
9	15 11	15 11	15 11	15 11	15 11	15 12	15 12	15 12	15 12	15 12	15 12	15 12	15 13	15 13
10	15 37	15 35	15 34	15 32	15 30	15 28	15 25	15 23	15 20	15 17	15 13	15 09	15 04	14 59
11	16 06	16 02	15 59	15 55	15 50	15 46	15 41	15 35	15 29	15 22	15 14	15 06	14 55	14 43
12	16 39	16 34	16 28	16 22	16 15	16 08	16 00	15 51	15 41	15 30	15 17	15 02	14 44	14 21
13	17 20	17 13	17 06	16 57	16 48	16 38	16 27	16 15	16 01	15 44	15 24	14 59	14 25	13 28
14	18 11	18 02	17 53	17 44	17 33	17 21	17 07	16 51	16 33	16 10	15 41	14 57	-- --	-- --
15	19 12	19 03	18 53	18 43	18 31	18 18	18 04	17 46	17 26	17 00	16 24	15 09	-- --	-- --
16	20 20	20 12	20 03	19 53	19 42	19 30	19 17	19 01	18 42	18 19	17 49	17 01	-- --	-- --
17	21 31	21 24	21 17	21 09	21 00	20 50	20 38	20 26	20 11	19 54	19 32	19 05	18 25	-- --

The symbols (..) indicate that the phenomenon will occur the next day.

The symbols (-) and (*) indicate Moon continuously below and above horizon, respectively.

MOONRISE AND MOONSET, 1985

UNIVERSAL TIME FOR MERIDIAN OF GREENWICH

MOONRISE

Lat.	−55°	−50°	−45°	−40°	−35°	−30°	−20°	−10°	0°	+10°	+20°	+30°	+35°	+40°
	h m	h m	h m	h m	h m	h m	h m	h m	h m	h m	h m	h m	h m	h m
Nov. 16	6 16	6 56	7 25	7 47	8 06	8 22	8 49	9 12	9 34	9 56	10 19	10 46	11 02	11 21
17	7 38	8 12	8 37	8 57	9 14	9 29	9 53	10 14	10 34	10 53	11 14	11 38	11 53	12 09
18	9 05	9 32	9 52	10 08	10 22	10 34	10 54	11 12	11 28	11 44	12 02	12 22	12 33	12 46
19	10 31	10 50	11 05	11 17	11 27	11 36	11 51	12 05	12 17	12 30	12 43	12 58	13 07	13 16
20	11 53	12 05	12 14	12 22	12 29	12 35	12 45	12 54	13 02	13 10	13 19	13 29	13 35	13 41
21	13 10	13 16	13 21	13 24	13 28	13 30	13 35	13 40	13 44	13 48	13 52	13 57	14 00	14 03
22	14 25	14 25	14 25	14 25	14 25	14 24	14 24	14 24	14 24	14 24	14 24	14 24	14 24	14 24
23	15 39	15 33	15 28	15 24	15 21	15 18	15 12	15 08	15 04	14 59	14 55	14 50	14 47	14 44
24	16 54	16 41	16 32	16 24	16 17	16 11	16 01	15 52	15 44	15 36	15 27	15 17	15 11	15 05
25	18 09	17 51	17 36	17 25	17 15	17 06	16 51	16 38	16 26	16 13	16 01	15 46	15 38	15 28
26	19 27	19 02	18 42	18 26	18 13	18 02	17 42	17 25	17 10	16 54	16 37	16 18	16 07	15 55
27	20 44	20 12	19 48	19 29	19 13	18 59	18 35	18 15	17 56	17 38	17 18	16 55	16 42	16 26
28	21 57	21 19	20 51	20 29	20 11	19 56	19 29	19 07	18 46	18 25	18 03	17 37	17 22	17 04
29	23 00	22 19	21 49	21 26	21 07	20 51	20 23	20 00	19 38	19 16	18 52	18 25	18 09	17 50
30	23 47	23 08	22 39	22 17	21 58	21 43	21 16	20 52	20 31	20 09	19 46	19 19	19 03	18 44
Dec. 1	.. ..	23 46	23 21	23 01	22 44	22 29	22 05	21 43	21 23	21 03	20 42	20 17	20 02	19 45
2	0 19	.. ..	23 54	23 38	23 23	23 11	22 50	22 32	22 14	21 57	21 39	21 17	21 04	20 50
3	0 41	0 15	.. ..	.. ..	23 58	23 48	23 32	23 17	23 04	22 50	22 35	22 18	22 09	21 57
4	0 56	0 37	0 22	0 09	.. ..	.. ..	.. ..	.. ..	23 51	23 42	23 32	23 20	23 13	23 06
5	1 08	0 55	0 45	0 36	0 29	0 22	0 11	0 01	.. ..	.. ..	.. ..	.. ..	.. ..	.. ..
6	1 17	1 11	1 06	1 01	0 57	0 54	0 48	0 43	0 38	0 33	0 28	0 22	0 19	0 15
7	1 26	1 26	1 26	1 26	1 25	1 25	1 25	1 25	1 25	1 25	1 25	1 25	1 25	1 25
8	1 35	1 41	1 46	1 51	1 54	1 58	2 04	2 09	2 14	2 19	2 24	2 30	2 34	2 38
9	1 46	1 59	2 10	2 19	2 26	2 33	2 45	2 55	3 05	3 15	3 26	3 39	3 46	3 54
10	2 00	2 21	2 38	2 51	3 03	3 13	3 31	3 47	4 01	4 16	4 32	4 51	5 01	5 14

MOONSET

Lat.	−55°	−50°	−45°	−40°	−35°	−30°	−20°	−10°	0°	+10°	+20°	+30°	+35°	+40°
	h m	h m	h m	h m	h m	h m	h m	h m	h m	h m	h m	h m	h m	h m
Nov. 16	0 22	.. ..	.. ..	23 44	23 27	23 12	22 46	22 24	22 03	21 42	21 20	20 54	20 38	20 20
17	1 07	0 31	0 05	.. ..	.. ..	.. ..	23 38	23 18	23 00	22 42	22 23	22 00	21 47	21 31
18	1 34	1 06	0 44	0 27	0 12	0 00	.. ..	.. ..	23 52	23 38	23 22	23 04	22 54	22 41
19	1 51	1 30	1 14	1 01	0 49	0 39	0 22	0 07	.. ..	.. ..	.. ..	.. ..	23 57	23 49
20	2 03	1 49	1 37	1 28	1 20	1 13	1 00	0 49	0 39	0 29	0 18	0 05	.. ..	.. ..
21	2 11	2 03	1 57	1 51	1 47	1 42	1 35	1 29	1 22	1 16	1 10	1 02	0 57	0 52
22	2 19	2 16	2 14	2 13	2 11	2 10	2 07	2 05	2 03	2 01	1 59	1 57	1 55	1 54
23	2 26	2 28	2 31	2 33	2 34	2 36	2 39	2 41	2 43	2 45	2 48	2 50	2 52	2 53
24	2 33	2 41	2 48	2 53	2 58	3 02	3 10	3 17	3 23	3 29	3 36	3 43	3 48	3 53
25	2 41	2 55	3 06	3 15	3 23	3 30	3 43	3 53	4 04	4 14	4 25	4 37	4 45	4 53
26	2 51	3 11	3 27	3 40	3 51	4 01	4 18	4 33	4 46	5 00	5 15	5 33	5 43	5 54
27	3 05	3 31	3 52	4 09	4 23	4 35	4 56	5 15	5 32	5 49	6 08	6 29	6 42	6 56
28	3 25	3 58	4 23	4 43	5 00	5 14	5 39	6 00	6 20	6 40	7 01	7 26	7 41	7 58
29	3 56	4 35	5 03	5 25	5 43	5 59	6 26	6 49	7 11	7 32	7 56	8 23	8 39	8 57
30	4 41	5 22	5 52	6 15	6 34	6 50	7 18	7 41	8 03	8 25	8 49	9 16	9 32	9 51
Dec. 1	5 44	6 22	6 50	7 12	7 30	7 46	8 12	8 35	8 56	9 17	9 40	10 05	10 21	10 38
2	6 59	7 32	7 56	8 15	8 31	8 45	9 09	9 29	9 48	10 07	10 27	10 50	11 03	11 18
3	8 22	8 47	9 06	9 22	9 35	9 46	10 06	10 23	10 38	10 54	11 10	11 29	11 40	11 52
4	9 47	10 05	10 19	10 30	10 40	10 48	11 02	11 15	11 27	11 38	11 50	12 04	12 12	12 21
5	11 13	11 23	11 32	11 39	11 45	11 50	11 59	12 06	12 14	12 21	12 28	12 37	12 42	12 47
6	12 39	12 43	12 46	12 48	12 50	12 52	12 55	12 58	13 00	13 03	13 05	13 08	13 10	13 12
7	14 08	14 04	14 02	14 00	13 58	13 56	13 53	13 50	13 48	13 45	13 43	13 40	13 38	13 36
8	15 40	15 29	15 21	15 14	15 08	15 02	14 53	14 45	14 38	14 30	14 22	14 13	14 08	14 02
9	17 17	16 59	16 44	16 32	16 21	16 12	15 57	15 44	15 31	15 19	15 06	14 51	14 42	14 32
10	18 58	18 30	18 09	17 52	17 38	17 26	17 05	16 46	16 30	16 13	15 55	15 34	15 22	15 08

The symbols (..) indicate that the phenomenon will occur the next day.

UNIVERSAL TIME FOR MERIDIAN OF GREENWICH

MOONRISE

Lat.	+40°	+42°	+44°	+46°	+48°	+50°	+52°	+54°	+56°	+58°	+60°	+62°	+64°	+66°
	h m	h m	h m	h m	h m	h m	h m	h m	h m	h m	h m	h m	h m	h m
Nov. 16	11 21	11 29	11 38	11 48	11 59	12 11	12 25	12 41	13 00	13 24	13 54	14 42	-- --	-- --
17	12 09	12 16	12 24	12 33	12 42	12 52	13 04	13 17	13 33	13 50	14 12	14 40	15 21	-- --
18	12 46	12 52	12 59	13 05	13 13	13 21	13 30	13 40	13 51	14 04	14 19	14 37	14 59	15 28
19	13 16	13 21	13 25	13 30	13 36	13 42	13 48	13 55	14 03	14 12	14 22	14 34	14 48	15 04
20	13 41	13 44	13 47	13 50	13 54	13 58	14 02	14 06	14 11	14 17	14 23	14 30	14 39	14 48
21	14 03	14 05	14 06	14 08	14 09	14 11	14 13	14 15	14 18	14 21	14 24	14 27	14 31	14 35
22	14 24	14 24	14 24	14 24	14 24	14 24	14 24	14 24	14 23	14 23	14 23	14 23	14 23	14 23
23	14 44	14 42	14 41	14 39	14 38	14 36	14 34	14 31	14 29	14 26	14 23	14 20	14 16	14 12
24	15 05	15 02	14 59	14 56	14 52	14 49	14 45	14 40	14 35	14 30	14 24	14 17	14 09	13 59
25	15 28	15 24	15 19	15 14	15 09	15 04	14 57	14 51	14 43	14 34	14 25	14 13	14 00	13 45
26	15 55	15 49	15 43	15 37	15 30	15 22	15 13	15 04	14 53	14 41	14 27	14 11	13 50	13 25
27	16 26	16 19	16 12	16 04	15 55	15 45	15 35	15 22	15 09	14 52	14 33	14 09	13 36	12 42
28	17 04	16 56	16 48	16 39	16 28	16 17	16 04	15 49	15 32	15 11	14 45	14 09	12 49	** **
29	17 50	17 42	17 32	17 22	17 11	16 59	16 45	16 28	16 09	15 44	15 12	14 17	** **	** **
30	18 44	18 36	18 26	18 16	18 05	17 53	17 39	17 22	17 03	16 39	16 06	15 10	** **	** **
Dec. 1	19 45	19 37	19 29	19 19	19 09	18 58	18 45	18 31	18 14	17 53	17 27	16 50	** **	** **
2	20 50	20 43	20 36	20 28	20 20	20 11	20 00	19 49	19 35	19 20	19 01	18 37	18 05	17 12
3	21 57	21 52	21 47	21 41	21 35	21 28	21 20	21 11	21 01	20 50	20 37	20 22	20 04	19 40
4	23 06	23 02	22 59	22 55	22 50	22 46	22 41	22 35	22 29	22 22	22 14	22 04	21 53	21 40
5	.. ..	.. ..	.. ..	.. ..	.. ..	.. ..	.. ..	23 59	23 56	23 53	23 49	23 45	23 40	23 34
6	0 15	0 13	0 11	0 09	0 07	0 05	0 02	.. ..	.. ..	.. ..	.. ..	.. ..	.. ..	.. ..
7	1 25	1 25	1 25	1 25	1 25	1 25	1 25	1 25	1 25	1 25	1 25	1 26	1 26	1 26
8	2 38	2 40	2 42	2 44	2 46	2 49	2 51	2 54	2 57	3 01	3 05	3 10	3 15	3 22
9	3 54	3 58	4 02	4 06	4 11	4 16	4 21	4 28	4 34	4 42	4 51	5 01	5 13	5 28
10	5 14	5 20	5 26	5 32	5 39	5 47	5 56	6 05	6 17	6 29	6 44	7 02	7 25	7 55

MOONSET

Lat.	+40°	+42°	+44°	+46°	+48°	+50°	+52°	+54°	+56°	+58°	+60°	+62°	+64°	+66°
	h m	h m	h m	h m	h m	h m	h m	h m	h m	h m	h m	h m	h m	h m
Nov. 16	20 20	20 12	20 03	19 53	19 42	19 30	19 17	19 01	18 42	18 19	17 49	17 01	-- --	-- --
17	21 31	21 24	21 17	21 09	21 00	20 50	20 38	20 26	20 11	19 54	19 32	19 05	18 25	-- --
18	22 41	22 36	22 30	22 24	22 17	22 09	22 01	21 52	21 41	21 29	21 15	20 57	20 36	20 08
19	23 49	23 45	23 41	23 36	23 31	23 26	23 20	23 14	23 07	22 59	22 50	22 39	22 27	22 12
20	.. ..	.. ..	.. ..	.. ..	.. ..	.. ..	.. ..	.. ..	.. ..	.. ..	.. ..	.. ..	.. ..	23 58
21	0 52	0 50	0 48	0 45	0 42	0 39	0 36	0 32	0 28	0 24	0 19	0 13	0 06	.. ..
22	1 54	1 53	1 52	1 51	1 50	1 49	1 48	1 47	1 46	1 44	1 43	1 41	1 39	1 36
23	2 53	2 54	2 55	2 56	2 57	2 58	2 59	3 00	3 01	3 03	3 05	3 07	3 09	3 11
24	3 53	3 55	3 58	4 00	4 03	4 06	4 09	4 13	4 17	4 21	4 26	4 32	4 39	4 47
25	4 53	4 57	5 01	5 05	5 10	5 15	5 20	5 27	5 33	5 41	5 50	6 00	6 12	6 26
26	5 54	6 00	6 05	6 11	6 18	6 25	6 33	6 42	6 52	7 03	7 16	7 32	7 51	8 16
27	6 56	7 03	7 10	7 18	7 26	7 35	7 46	7 57	8 11	8 27	8 46	9 09	9 41	10 34
28	7 58	8 06	8 14	8 23	8 33	8 44	8 57	9 11	9 28	9 49	10 15	10 51	12 10	** **
29	8 57	9 05	9 15	9 25	9 36	9 48	10 02	10 19	10 38	11 02	11 34	12 29	** **	** **
30	9 51	10 00	10 09	10 19	10 30	10 43	10 57	11 13	11 33	11 57	12 30	13 26	** **	** **
Dec. 1	10 38	10 46	10 55	11 04	11 15	11 26	11 39	11 54	12 11	12 32	12 59	13 36	** **	** **
2	11 18	11 25	11 33	11 41	11 50	11 59	12 10	12 22	12 36	12 53	13 12	13 36	14 09	15 03
3	11 52	11 58	12 04	12 10	12 17	12 25	12 33	12 42	12 53	13 05	13 18	13 34	13 54	14 19
4	12 21	12 25	12 30	12 34	12 39	12 45	12 51	12 57	13 04	13 12	13 21	13 32	13 44	13 58
5	12 47	12 50	12 52	12 55	12 58	13 01	13 05	13 09	13 13	13 18	13 23	13 29	13 35	13 43
6	13 12	13 13	13 14	13 14	13 15	13 16	13 18	13 19	13 20	13 22	13 23	13 25	13 28	13 30
7	13 36	13 35	13 35	13 34	13 33	13 31	13 30	13 29	13 27	13 26	13 24	13 22	13 20	13 17
8	14 02	14 00	13 57	13 54	13 51	13 48	13 44	13 40	13 35	13 30	13 25	13 19	13 11	13 03
9	14 32	14 28	14 23	14 18	14 13	14 07	14 01	13 54	13 46	13 37	13 27	13 15	13 02	12 46
10	15 08	15 02	14 56	14 49	14 41	14 32	14 23	14 12	14 01	13 47	13 31	13 12	12 49	12 17

The symbols (..) indicate that the phenomenon will occur the next day.
The symbols (-) and (*) indicate Moon continuously below and above horizon, respectively.

MOONRISE AND MOONSET, 1985

UNIVERSAL TIME FOR MERIDIAN OF GREENWICH

MOONRISE

Lat.	−55°	−50°	−45°	−40°	−35°	−30°	−20°	−10°	0°	+10°	+20°	+30°	+35°	+40°
	h m	h m	h m	h m	h m	h m	h m	h m	h m	h m	h m	h m	h m	h m
Dec. 9	1 46	1 59	2 10	2 19	2 26	2 33	2 45	2 55	3 05	3 15	3 26	3 39	3 46	3 54
10	2 00	2 21	2 38	2 51	3 03	3 13	3 31	3 47	4 01	4 16	4 32	4 51	5 01	5 14
11	2 22	2 51	3 14	3 32	3 47	4 00	4 23	4 43	5 02	5 21	5 41	6 05	6 19	6 35
12	2 57	3 34	4 01	4 22	4 40	4 56	5 22	5 45	6 07	6 28	6 51	7 18	7 34	7 53
13	3 51	4 32	5 01	5 24	5 43	5 59	6 27	6 51	7 13	7 35	7 59	8 26	8 43	9 02
14	5 08	5 46	6 13	6 34	6 52	7 07	7 33	7 56	8 17	8 37	9 00	9 25	9 40	9 58
15	6 37	7 07	7 30	7 48	8 03	8 16	8 38	8 58	9 16	9 33	9 52	10 14	10 27	10 42
16	8 08	8 29	8 46	9 00	9 12	9 22	9 40	9 55	10 09	10 23	10 38	10 55	11 05	11 16
17	9 34	9 48	10 00	10 09	10 17	10 24	10 36	10 47	10 57	11 06	11 17	11 29	11 36	11 43
18	10 55	11 02	11 09	11 14	11 18	11 22	11 29	11 35	11 41	11 46	11 52	11 59	12 03	12 07
19	12 11	12 13	12 15	12 16	12 17	12 18	12 19	12 21	12 22	12 23	12 25	12 26	12 27	12 28
20	13 26	13 22	13 19	13 16	13 14	13 12	13 08	13 05	13 02	12 59	12 56	12 53	12 51	12 49
21	14 41	14 30	14 22	14 16	14 10	14 05	13 56	13 49	13 42	13 35	13 28	13 19	13 15	13 09
22	15 56	15 39	15 27	15 16	15 07	14 59	14 46	14 34	14 23	14 12	14 01	13 48	13 40	13 32
23	17 13	16 50	16 32	16 17	16 05	15 55	15 36	15 21	15 06	14 52	14 36	14 19	14 09	13 57
24	18 30	18 00	17 38	17 19	17 04	16 51	16 29	16 10	15 52	15 34	15 16	14 54	14 41	14 27
25	19 45	19 09	18 42	18 21	18 04	17 49	17 23	17 01	16 41	16 21	15 59	15 34	15 20	15 03
26	20 52	20 12	19 42	19 20	19 01	18 45	18 18	17 54	17 33	17 11	16 48	16 21	16 05	15 46
27	21 45	21 05	20 36	20 13	19 54	19 38	19 11	18 48	18 26	18 04	17 40	17 13	16 57	16 38
28	22 22	21 46	21 20	21 00	20 42	20 27	20 02	19 40	19 19	18 58	18 36	18 11	17 55	17 38
29	22 47	22 18	21 56	21 39	21 24	21 11	20 49	20 29	20 11	19 53	19 34	19 11	18 58	18 42
30	23 03	22 42	22 25	22 12	22 00	21 49	21 32	21 16	21 01	20 47	20 31	20 13	20 02	19 50
31	23 16	23 01	22 50	22 40	22 31	22 24	22 11	22 00	21 49	21 39	21 27	21 14	21 07	20 58
32	23 25	23 17	23 11	23 05	23 00	22 56	22 48	22 42	22 36	22 30	22 23	22 15	22 11	22 06
33	23 34	23 32	23 30	23 29	23 28	23 27	23 25	23 23	23 21	23 20	23 18	23 16	23 15	23 14

MOONSET

Lat.	−55°	−50°	−45°	−40°	−35°	−30°	−20°	−10°	0°	+10°	+20°	+30°	+35°	+40°
	h m	h m	h m	h m	h m	h m	h m	h m	h m	h m	h m	h m	h m	h m
Dec. 9	17 17	16 59	16 44	16 32	16 21	16 12	15 57	15 44	15 31	15 19	15 06	14 51	14 42	14 32
10	18 58	18 30	18 09	17 52	17 38	17 26	17 05	16 46	16 30	16 13	15 55	15 34	15 22	15 08
11	20 36	20 00	19 34	19 13	18 55	18 40	18 15	17 53	17 32	17 12	16 50	16 25	16 10	15 53
12	21 59	21 19	20 50	20 27	20 08	19 51	19 24	19 00	18 38	18 16	17 52	17 25	17 09	16 50
13	22 57	22 19	21 51	21 29	21 11	20 55	20 28	20 05	19 44	19 22	18 59	18 31	18 15	17 56
14	23 33	23 02	22 38	22 19	22 03	21 49	21 25	21 05	20 45	20 26	20 05	19 40	19 26	19 09
15	23 55	23 31	23 13	22 58	22 45	22 34	22 15	21 58	21 42	21 26	21 08	20 48	20 36	20 23
16	.. ..	23 53	23 40	23 29	23 19	23 11	22 57	22 44	22 32	22 20	22 07	21 52	21 44	21 34
17	0 09	.. ..	.. ..	23 54	23 48	23 43	23 34	23 26	23 18	23 10	23 02	22 52	22 47	22 41
18	0 19	0 09	0 01	.. ..	.. ..	.. ..	.. ..	.. ..	.. ..	23 57	23 53	23 49	23 47	23 44
19	0 27	0 23	0 20	0 17	0 14	0 12	0 08	0 04	0 01	.. ..	.. ..	.. ..	.. ..	.. ..
20	0 35	0 36	0 37	0 37	0 38	0 39	0 40	0 40	0 41	0 42	0 43	0 44	0 44	0 45
21	0 42	0 48	0 53	0 58	1 02	1 05	1 11	1 16	1 21	1 26	1 31	1 37	1 41	1 45
22	0 49	1 01	1 11	1 19	1 26	1 32	1 43	1 53	2 02	2 11	2 20	2 31	2 37	2 45
23	0 59	1 17	1 31	1 43	1 53	2 02	2 17	2 31	2 44	2 56	3 10	3 26	3 35	3 46
24	1 11	1 36	1 55	2 10	2 23	2 35	2 55	3 12	3 28	3 44	4 02	4 22	4 34	4 47
25	1 29	2 00	2 24	2 43	2 59	3 12	3 36	3 56	4 15	4 34	4 55	5 19	5 33	5 49
26	1 56	2 33	3 01	3 22	3 40	3 56	4 22	4 44	5 06	5 27	5 49	6 16	6 31	6 50
27	2 37	3 18	3 47	4 10	4 29	4 45	5 13	5 36	5 58	6 20	6 44	7 11	7 27	7 46
28	3 35	4 15	4 43	5 06	5 24	5 40	6 07	6 30	6 51	7 13	7 36	8 02	8 18	8 36
29	4 48	5 23	5 48	6 08	6 25	6 39	7 04	7 25	7 44	8 04	8 25	8 48	9 02	9 19
30	6 10	6 37	6 58	7 14	7 28	7 41	8 01	8 19	8 36	8 52	9 09	9 29	9 41	9 54
31	7 35	7 54	8 10	8 22	8 33	8 42	8 58	9 12	9 25	9 37	9 51	10 06	10 15	10 25
32	9 00	9 12	9 22	9 30	9 37	9 44	9 54	10 03	10 12	10 20	10 29	10 39	10 45	10 51
33	10 25	10 30	10 35	10 38	10 42	10 45	10 49	10 54	10 57	11 01	11 05	11 10	11 13	11 16

The symbols (..) indicate that the phenomenon will occur the next day.

UNIVERSAL TIME FOR MERIDIAN OF GREENWICH
MOONRISE

Lat.	+40°	+42°	+44°	+46°	+48°	+50°	+52°	+54°	+56°	+58°	+60°	+62°	+64°	+66°
	h m	h m	h m	h m	h m	h m	h m	h m	h m	h m	h m	h m	h m	h m
Dec. 9	3 54	3 58	4 02	4 06	4 11	4 16	4 21	4 28	4 34	4 42	4 51	5 01	5 13	5 28
10	5 14	5 20	5 26	5 32	5 39	5 47	5 56	6 05	6 17	6 29	6 44	7 02	7 25	7 55
11	6 35	6 42	6 50	6 59	7 09	7 19	7 31	7 45	8 00	8 19	8 42	9 14	10 04	-- --
12	7 53	8 02	8 11	8 21	8 32	8 45	8 59	9 15	9 35	9 59	10 32	11 29	-- --	-- --
13	9 02	9 11	9 20	9 30	9 42	9 54	10 09	10 26	10 46	11 11	11 45	12 47	-- --	-- --
14	9 58	10 06	10 14	10 24	10 34	10 45	10 58	11 13	11 30	11 50	12 16	12 51	13 58	-- --
15	10 42	10 48	10 55	11 03	11 11	11 20	11 30	11 42	11 55	12 10	12 27	12 49	13 17	13 57
16	11 16	11 21	11 26	11 32	11 38	11 45	11 52	12 00	12 10	12 20	12 32	12 46	13 03	13 23
17	11 43	11 47	11 50	11 54	11 59	12 03	12 08	12 14	12 20	12 26	12 34	12 43	12 53	13 04
18	12 07	12 09	12 11	12 13	12 15	12 18	12 21	12 24	12 27	12 31	12 35	12 39	12 45	12 51
19	12 28	12 29	12 29	12 30	12 30	12 31	12 31	12 32	12 33	12 34	12 35	12 36	12 37	12 38
20	12 49	12 48	12 47	12 45	12 44	12 43	12 42	12 40	12 39	12 37	12 35	12 32	12 30	12 27
21	13 09	13 07	13 04	13 02	12 59	12 56	12 52	12 49	12 44	12 40	12 35	12 29	12 23	12 15
22	13 32	13 28	13 24	13 20	13 15	13 10	13 04	12 58	12 52	12 44	12 36	12 26	12 15	12 01
23	13 57	13 52	13 46	13 40	13 34	13 27	13 19	13 11	13 01	12 50	12 38	12 23	12 06	11 44
24	14 27	14 20	14 13	14 06	13 58	13 49	13 39	13 27	13 15	13 00	12 42	12 21	11 54	11 15
25	15 03	14 55	14 47	14 38	14 28	14 17	14 05	13 51	13 35	13 16	12 52	12 20	11 30	** **
26	15 46	15 38	15 29	15 19	15 08	14 56	14 42	14 26	14 07	13 44	13 13	12 26	** **	** **
27	16 38	16 30	16 20	16 10	15 59	15 47	15 32	15 16	14 56	14 32	13 58	13 01	** **	** **
28	17 38	17 30	17 21	17 12	17 01	16 49	16 36	16 21	16 03	15 41	15 13	14 32	** **	** **
29	18 42	18 35	18 28	18 20	18 11	18 01	17 50	17 38	17 23	17 06	16 45	16 19	15 41	** **
30	19 50	19 44	19 38	19 32	19 25	19 17	19 09	19 00	18 49	18 37	18 22	18 05	17 44	17 16
31	20 58	20 54	20 50	20 45	20 40	20 35	20 29	20 23	20 16	20 08	19 58	19 48	19 35	19 20
32	22 06	22 04	22 01	21 59	21 56	21 53	21 50	21 46	21 42	21 38	21 33	21 27	21 20	21 13
33	23 14	23 14	23 13	23 13	23 12	23 11	23 10	23 10	23 09	23 08	23 07	23 05	23 04	23 02

MOONSET

Lat.	+40°	+42°	+44°	+46°	+48°	+50°	+52°	+54°	+56°	+58°	+60°	+62°	+64°	+66°
	h m	h m	h m	h m	h m	h m	h m	h m	h m	h m	h m	h m	h m	h m
Dec. 9	14 32	14 28	14 23	14 18	14 13	14 07	14 01	13 54	13 46	13 37	13 27	13 15	13 02	12 46
10	15 08	15 02	14 56	14 49	14 41	14 32	14 23	14 12	14 01	13 47	13 31	13 12	12 49	12 17
11	15 53	15 46	15 37	15 28	15 19	15 08	14 55	14 41	14 25	14 06	13 42	13 10	12 19	-- --
12	16 50	16 41	16 32	16 21	16 10	15 57	15 43	15 26	15 07	14 42	14 09	13 12	-- --	-- --
13	17 56	17 48	17 38	17 28	17 17	17 04	16 50	16 33	16 13	15 48	15 14	14 12	-- --	-- --
14	19 09	19 01	18 53	18 44	18 34	18 23	18 11	17 57	17 40	17 20	16 55	16 20	15 14	-- --
15	20 23	20 17	20 10	20 03	19 55	19 46	19 37	19 26	19 14	19 00	18 43	18 22	17 55	17 16
16	21 34	21 29	21 24	21 19	21 14	21 07	21 01	20 53	20 45	20 35	20 24	20 11	19 56	19 37
17	22 41	22 38	22 35	22 31	22 28	22 24	22 20	22 15	22 10	22 04	21 58	21 51	21 42	21 32
18	23 44	23 43	23 41	23 40	23 38	23 37	23 35	23 33	23 31	23 28	23 25	23 22	23 19	23 14
19	.. ..	.. ..	.. ..	.. ..	.. ..	.. ..	.. ..	.. ..	.. ..	.. ..	.. ..	.. ..	.. ..	.. ..
20	0 45	0 45	0 45	0 46	0 46	0 46	0 47	0 47	0 48	0 48	0 49	0 50	0 50	0 51
21	1 45	1 47	1 48	1 50	1 53	1 55	1 58	2 00	2 04	2 07	2 11	2 15	2 21	2 27
22	2 45	2 48	2 51	2 55	2 59	3 04	3 08	3 14	3 20	3 26	3 34	3 42	3 52	4 04
23	3 46	3 50	3 55	4 01	4 07	4 13	4 20	4 28	4 37	4 47	4 59	5 13	5 29	5 50
24	4 47	4 53	5 00	5 07	5 15	5 23	5 33	5 44	5 56	6 10	6 27	6 48	7 14	7 53
25	5 49	5 57	6 05	6 13	6 23	6 33	6 45	6 59	7 14	7 33	7 57	8 28	9 18	** **
26	6 50	6 58	7 07	7 17	7 27	7 39	7 53	8 09	8 28	8 51	9 21	10 08	** **	** **
27	7 46	7 54	8 04	8 14	8 25	8 38	8 52	9 09	9 28	9 53	10 26	11 24	** **	** **
28	8 36	8 44	8 53	9 03	9 13	9 25	9 39	9 54	10 12	10 34	11 03	11 44	** **	** **
29	9 19	9 26	9 34	9 42	9 51	10 02	10 13	10 26	10 41	10 58	11 20	11 47	12 25	** **
30	9 54	10 00	10 07	10 14	10 21	10 29	10 38	10 48	11 00	11 13	11 28	11 46	12 08	12 37
31	10 25	10 29	10 34	10 39	10 44	10 50	10 57	11 04	11 12	11 21	11 31	11 43	11 57	12 14
32	10 51	10 54	10 57	11 00	11 04	11 08	11 12	11 16	11 21	11 27	11 33	11 40	11 48	11 58
33	11 16	11 17	11 18	11 20	11 21	11 23	11 25	11 27	11 29	11 31	11 34	11 37	11 41	11 45

The symbols (..) indicate that the phenomenon will occur the next day.
The symbols (–) and (*) indicate Moon continuously below and above horizon, respectively.

There are four eclipses, two of the Sun and two of the Moon.

I May 4	Total eclipse of the Moon
II May 19	Partial eclipse of the Sun
III October 28	Total eclipse of the Moon
IV November 12	Total eclipse of the Sun

No correction has been applied to the tabular latitude of the Moon.

The arguments are given provisionally in universal time, using ΔT (A)= $+55^s$.

Define $\delta T = \Delta T - \Delta T$ (A). Once the value of ΔT is known, the data on these pages may be expressed in universal time as follows:

Convert all arguments in provisional universal time by subtracting δT.

Apply the correction $1.0027\ \delta T$ to μ and the longitudes in such a way that if δT is positive, μ decreases and the longitudes shift to the east.

Leave all other quantities unchanged.

I.—*Total Eclipse of the Moon*, May 4; the beginning of the umbral phase visible in Antarctica, eastern Europe, Africa except the western part, Asia, the U.S.S.R. except the extreme northeastern part, Australia, New Zealand, and the Indian Ocean; the end visible in eastern South America, Europe, Africa, Asia except the eastern part, western Australia, Antarctica, the South Atlantic Ocean, the Indian Ocean, and western U.S.S.R.

ELEMENTS OF THE ECLIPSE

U.T. of geocentric opposition in right ascension, May $4^d19^h41^m03^s44$

	h m s		s
R.A. of Sun	2 47 14.722	Hourly motion	9.627
R.A. of Moon	14 47 14.722	Hourly motion	145.938

	° ′ ″		′ ″
Declination of Sun	+16 07 26.70	Hourly motion	+ 0 43.07
Declination of Moon	−15 44 02.74	Hourly motion	−14 34.02
Equatorial hor. par. of Sun	8.72	True semidiameter of Sun	15 51.5
Equatorial hor. par. of Moon	61 15.37	True semidiameter of Moon	16 41.5

CIRCUMSTANCES OF THE ECLIPSE

	d h m	
Moon enters penumbra	May 4 17 19.8	
Moon enters umbra	4 18 16.6	
Total eclipse begins	4 19 22.1	
Middle of the eclipse	4 19 56.4	U.T.
Total eclipse ends	4 20 30.7	
Moon leaves umbra	4 21 36.2	
Moon leaves penumbra	4 22 33.0	

Contacts of Umbra with Limb of Moon	Position Angles from the North Point	The Moon being in the Zenith in Longitude	Latitude
	°	° ′	° ′
First	133 to E.	+84 15	−15 23
Last	87 to W.	+36 13	−16 12

Magnitude of the eclipse 1.243

II.—*Partial Eclipse of the Sun*, May 19.

ELEMENTS OF THE ECLIPSE

U.T. of geocentric conjunction in right ascension, May $19^d22^h10^m17\overset{s}{.}34$

	h m s		s	s
R.A. of Sun and Moon	3 46 30.761	Hourly motions	9.991 and 122.706	

	° ′ ″		′ ″
Declination of Sun	+19 54 24.47	Hourly motion	+ 0 31.61
Declination of Moon	+20 55 40.24	Hourly motion	+ 9 12.93
Equatorial hor. par. of Sun	8.69	True semidiameter of Sun	15 48.3
Equatorial hor. par. of Moon	54 25.05	True semidiameter of Moon	14 49.7

CIRCUMSTANCES OF THE ECLIPSE

	U. T. d h m	Longitude ° ′	Latitude ° ′
Eclipse begins	May 19 19 14.8	+151 22.0	+23 29.9
Greatest eclipse	19 21 28.7	+ 80 53.0	+63 18.4
Eclipse ends	19 23 42.3	− 54 08.5	+55 52.8

Magnitude of greatest eclipse 0.841

III.—*Total Eclipse of the Moon*, October 28; the beginning of the umbral phase visible in eastern Europe, Asia, the U.S.S.R., Alaska, the Arctic regions, Arctic Ocean, eastern Africa, Australia, New Zealand, Indian Ocean, the North Pacific Ocean, northern Greenland, and Wilkes Land part of Antarctica; the end visible in Greenland, Iceland, Europe, Africa, Asia, the U.S.S.R., Australia, the Arctic regions, the Indian Ocean, and Antarctica between Queen Maud Land and Wilkes Land.

ELEMENTS OF THE ECLIPSE

U.T. of geocentric opposition in right ascension, October $28^d17^h19^m44\overset{s}{.}41$

	h m s		s
R.A. of Sun	14 11 46.139	Hourly motions	9.669
R.A. of Moon	2 11 46.139	Hourly motions	110.552

	° ′ ″		′ ″
Declination of Sun	−13 16 06.09	Hourly motion	− 0 49.99
Declination of Moon	+12 52 04.57	Hourly motion	+12 26.50
Equatorial hor. par. of Sun	8.85	True semidiameter of Sun	16 06.1
Equatorial hor. par. of Moon	54 01.68	True semidiameter of Moon	14 43.3

CIRCUMSTANCES OF THE ECLIPSE

	d h m	
Moon enters penumbra	October 28 14 38.0	
Moon enters umbra	28 15 54.6	
Total eclipse begins	28 17 19.8	
Middle of the eclipse	28 17 42.4	U.T.
Total eclipse ends	28 18 05.0	
Moon leaves umbra	28 19 30.2	
Moon leaves penumbra	28 20 46.7	

Contacts of Umbra with Limb of Moon	Position Angles from the North Point °	The Moon being in the Zenith in Longitude ° ′	Latitude ° ′
First	41 to E.	+116 43	+12 34
Last	91 to W.	+ 64 19	+13 19

Magnitude of the eclipse 1.078

IV.—*Total Eclipse of the Sun*, November 12

ELEMENTS OF THE ECLIPSE

U.T. of geocentric conjunction in right ascension, November $12^d14^h49^m22^s54$

	h m s		s s
R.A. of Sun and Moon	15 10 53.275	Hourly motions	10.186 and 151.239

	° ′ ″		′ ″
Declination of Sun	−17 47 17.90	Hourly motion	− 0 40.41
Declination of Moon	−18 51 38.43	Hourly motion	−13 31.70
Equatorial hor. par. of Sun	8.89	True semidiameter of Sun	16 09.6
Equatorial hor. par. of Moon	61 26.55	True semidiameter of Moon	16 44.6

CIRCUMSTANCES OF THE ECLIPSE

	U.T.	Longitude	Latitude
	d h m	° ′	° ′
Eclipse begins	November 12 12 08.7	−101 59.5	−17 40.2
Central eclipse begins	12 13 50.9	−147 46.8	−53 54.6
Greatest eclipse	12 14 10.5	−165 07.6	−62 46.0
Central eclipse ends	12 14 29.7	+169 14.8	−69 33.5
Eclipse ends	12 16 12.1	+ 51 46.5	−56 16.4

PARTIAL SOLAR ECLIPSE OF 1985 MAY 19

A82

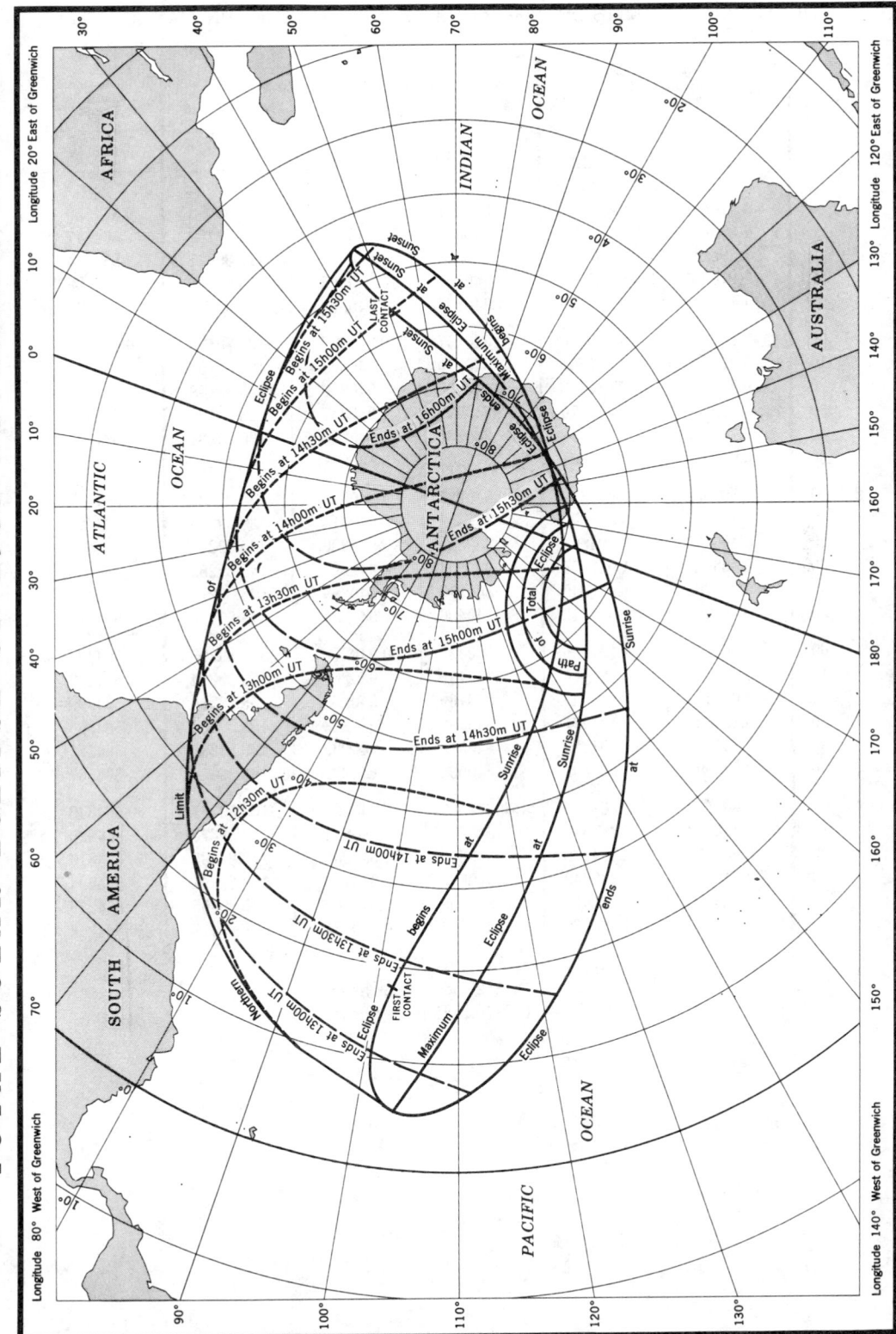

ECLIPSES, 1985

BESSELIAN ELEMENTS OF THE PARTIAL ECLIPSE OF THE SUN MAY 19

U.T.		Intersection of Axis of Shadow with Fundamental Plane		Direction of Axis of Shadow			Radius of Shadow on Fundamental Plane
		x	y	$\sin d$	$\cos d$	μ	Penumbra
h	m					°	
19	10	−1.456634	+0.647097	+0.340032	0.940414	108.39098	0.564550
	20	1.375878	0.673885	.340055	.940406	110.89109	.564547
	30	1.295117	0.700664	.340078	.940397	113.39121	.564544
	40	1.214351	0.727435	.340101	.940389	115.89132	.564539
	50	1.133579	0.754199	.340124	.940381	118.39144	.564535
20	00	−1.052803	+0.780954	+0.340147	0.940372	120.89155	0.564530
	10	0.972022	0.807701	.340170	.940364	123.39167	.564524
	20	0.891237	0.834440	.340193	.940356	125.89178	.564517
	30	0.810447	0.861170	.340216	.940347	128.39190	.564511
	40	0.729652	0.887893	.340239	.940339	130.89201	.564503
	50	0.648854	0.914607	.340262	.940331	133.39213	.564495
21	00	−0.568051	+0.941312	+0.340285	0.940322	135.89224	0.564487
	10	0.487245	0.968009	.340308	.940314	138.39236	.564478
	20	0.406435	0.994698	.340331	.940306	140.89247	.564468
	30	0.325622	1.021378	.340354	.940297	143.39259	.564458
	40	0.244805	1.048049	.340377	.940289	145.89270	.564447
	50	0.163985	1.074712	.340400	.940281	148.39282	.564436
22	00	−0.083162	+1.101366	+0.340423	0.940272	150.89293	0.564424
	10	−0.002336	1.128011	.340446	.940264	153.39304	.564412
	20	+0.078493	1.154647	.340469	.940256	155.89316	.564399
	30	0.159324	1.181275	.340492	.940248	158.39327	.564385
	40	0.240158	1.207893	.340515	.940239	160.89338	.564371
	50	0.320994	1.234502	.340538	.940231	163.39350	.564357
23	00	+0.401832	+1.261103	+0.340560	0.940223	165.89361	0.564342
	10	0.482672	1.287694	.340583	.940214	168.39372	.564326
	20	0.563514	1.314276	.340606	.940206	170.89383	.564310
	30	0.644358	1.340849	.340629	.940198	173.39394	.564293
	40	0.725203	1.367412	.340652	.940189	175.89405	.564276
	50	+0.806050	+1.393966	+0.340675	0.940181	178.39417	0.564258

$\tan f_1$ 0.004621

μ' 0.261812 radians per hour

d' +0.000146 radians per hour

BESSELIAN ELEMENTS OF THE TOTAL ECLIPSE OF THE SUN NOVEMBER 12

U.T.		Intersection of Axis of Shadow with Fundamental Plane		Direction of Axis of Shadow			Radius of Shadow on Fundamental Plane	
		x	y	$\sin d$	$\cos d$	μ	Penumbra	Umbra
h m						°		
12	00	−1.536330	−0.456352	−0.304955	0.952367	3.95423	0.536714	−0.009624
	10	1.445668	0.491455	.304985	.952357	6.45424	.536724	.009613
	20	1.354999	0.526550	.305014	.952348	8.95425	.536734	.009604
	30	1.264324	0.561636	.305044	.952338	11.45425	.536743	.009595
	40	1.173642	0.596714	.305074	.952329	13.95426	.536751	.009587
	50	1.082955	0.631783	.305104	.952319	16.45427	.536758	.009580
13	00	−0.992262	−0.666843	−0.305133	0.952310	18.95428	0.536765	−0.009573
	10	0.901563	0.701895	.305163	.952300	21.45429	.536771	.009567
	20	0.810859	0.736937	.305193	.952291	23.95430	.536776	.009562
	30	0.720151	0.771971	.305222	.952281	26.45430	.536780	.009558
	40	0.629438	0.806995	.305252	.952272	28.95431	.536784	.009554
	50	0.538720	0.842010	.305282	.952262	31.45432	.536787	.009551
14	00	−0.447998	−0.877016	−0.305311	0.952253	33.95433	0.536789	−0.009549
	10	0.357272	0.912012	.305341	.952243	36.45433	.536791	.009547
	20	0.266543	0.946999	.305371	.952234	38.95434	.536792	.009546
	30	0.175810	0.981976	.305400	.952224	41.45435	.536792	.009546
	40	−0.085074	1.016944	.305430	.952215	43.95435	.536791	.009547
	50	+0.005665	1.051901	.305460	.952205	46.45436	.536790	.009548
15	00	+0.096406	−1.086849	−0.305489	0.952195	48.95437	0.536788	−0.009550
	10	0.187150	1.121786	.305519	.952186	51.45437	.536785	.009553
	20	0.277896	1.156713	.305549	.952176	53.95438	.536781	.009557
	30	0.368644	1.191630	.305578	.952167	56.45438	.536777	.009561
	40	0.459393	1.226537	.305608	.952157	58.95439	.536772	.009566
	50	0.550144	1.261433	.305638	.952148	61.45440	.536766	.009572
16	00	+0.640896	−1.296318	−0.305667	0.952138	63.95440	0.536760	−0.009578
	10	0.731648	1.331193	.305697	.952129	66.45441	.536753	.009585
	20	+0.822401	−1.366057	−0.305727	0.952119	68.95441	0.536745	−0.009593

$$\tan f_1 \quad 0.004624$$
$$\tan f_2 \quad 0.004700$$
$$\mu' \quad 0.261800 \text{ radians per hour}$$
$$d' \quad -0.000187 \text{ radians per hour}$$

ECLIPSES, 1985

PATH OF TOTAL PHASE DURING THE ECLIPSE OF THE SUN NOVEMBER 12

U.T.	Northern Limit		Central Line		Southern Limit		Central Line	
	Latitude	Longitude	Latitude	Longitude	Latitude	Longitude	Duration of Total Phase	Altitude
	° ′	° ′	° ′	° ′	° ′	° ′	m s	°
Limits	−51 40	−144 28	−53 55	−147 47	−56 49	−152 35	1 43.7	
h m								
13 50	−56 38.8	−135 28.5	.. ...	... ...	.. ...	... ...	. ...	
52	58 12.5	134 00.6	−56 08.2	−143 11.3	.. ...	... ...	1 49.2	4
54	59 37.6	133 02.1	58 08.1	140 45.4	.. ...	... ...	1 52.9	6
56	60 57.5	132 23.7	59 43.9	139 32.2	.. ...	... ...	1 55.3	7
58	62 13.8	132 01.5	61 09.6	138 53.8	−58 34.1	−149 27.5	1 57.1	8
14 00	−63 27.4	−131 53.4	−62 29.2	−138 39.4	−60 29.0	−147 47.6	1 58.5	9
02	64 39.0	131 58.7	63 44.6	138 45.0	61 59.6	147 21.7	1 59.5	10
04	65 48.8	132 17.4	64 56.7	139 08.8	63 19.5	147 33.8	2 00.3	10
06	66 57.2	132 50.0	66 05.9	139 50.7	64 32.3	148 15.2	2 00.9	11
08	68 04.1	133 37.5	67 12.5	140 51.4	65 39.4	149 23.2	2 01.2	11
14 10	−69 09.7	−134 41.9	−68 16.5	−142 12.5	−66 41.3	−150 57.9	2 01.3	11
12	70 13.7	136 05.3	69 17.7	143 56.4	67 37.6	153 01.1	2 01.3	11
14	71 15.9	137 50.8	70 15.6	146 06.2	68 27.4	155 35.7	2 01.0	11
16	72 16.0	140 02.4	71 09.3	148 45.8	69 09.2	158 46.0	2 00.5	10
18	73 13.1	142 45.0	71 57.9	151 60.0	69 39.9	162 38.0	1 59.8	10
14 20	−74 06.3	−146 04.5	−72 39.4	−155 54.0	−69 54.0	−167 21.3	1 58.9	9
22	74 54.1	150 07.9	73 11.3	160 33.8	−69 37.2	−173 18.3	1 57.6	9
24	75 34.3	155 02.5	73 29.3	166 05.3	.. ...	... ...	1 56.0	8
26	76 03.6	160 54.9	73 26.0	−172 35.3	.. ...	... ...	1 53.8	6
28	76 17.3	167 49.0	−72 43.9	+179 41.5	.. ...	... ...	1 50.6	4
14 30	−76 07.7	−175 44.1	.. ...	... ...	.. ...	... ...	. ...	
32	75 19.5	+175 23.6	.. ...	... ...	.. ...	... ...	. ...	
14 34	−72 46.8	+164 51.0	.. ...	... ...	.. ...	... ...	. ...	
Limits	−70 41	+161 13	−69 34	+169 15	−67 42	+178 44	1 43.7	

CONTENTS OF SECTION B

NOTE

The tables and formulae in this section were revised in 1984 to bring them into accordance with the recommendations of the International Astronomical Union at its General Assemblies in 1976, 1979 and 1982. They are intended for use with the new dynamical time-scales, the new FK5 celestial reference system and the new standard epoch of J2000·0, and formulae are given for the computation of relativistic effects in the reduction from mean to apparent place. Except when the highest precision is required it is possible, however, to continue to use the classical methods (e.g. to use day numbers), but the catalogue position should be reduced to the FK5 system and to the standard equinox of J2000·0 as explained in the Supplement to the Almanac for 1984, and precession should be applied to give the mean place for the *middle* of the year as the starting point for the reduction from mean to apparent place when day numbers are to be used. A concise method of reduction to J2000·0 on the FK5 system is given on page x.

Background information about the new time and coordinate reference systems, and about the changes in the procedures, are given in the Explanation and in the Supplement to the Almanac for 1984.

CALENDAR, 1985

Day of Month	JANUARY Day of Week	Day of Year	FEBRUARY Day of Week	Day of Year	MARCH Day of Week	Day of Year	APRIL Day of Week	Day of Year	MAY Day of Week	Day of Year	JUNE Day of Week	Day of Year
1	Tue.	1	Fri.	32	Fri.	60	Mon.	91	Wed.	121	Sat.	152
2	Wed.	2	Sat.	33	Sat.	61	Tue.	92	Thu.	'22	Sun.	153
3	Thu.	3	Sun.	34	Sun.	62	Wed.	93	Fri.	123	Mon.	154
4	Fri.	4	Mon.	35	Mon.	63	Thu.	94	Sat.	124	Tue.	155
5	Sat.	5	Tue.	36	Tue.	64	Fri.	95	Sun.	125	Wed.	156
6	Sun.	6	Wed.	37	Wed.	65	Sat.	96	Mon.	126	Thu.	157
7	Mon.	7	Thu.	38	Thu.	66	Sun.	97	Tue.	127	Fri.	158
8	Tue.	8	Fri.	39	Fri.	67	Mon.	98	Wed.	128	Sat.	159
9	Wed.	9	Sat.	40	Sat.	68	Tue.	99	Thu.	129	Sun.	160
10	Thu.	10	Sun.	41	Sun.	69	Wed.	100	Fri.	130	Mon.	161
11	Fri.	11	Mon.	42	Mon.	70	Thu.	101	Sat.	131	Tue.	162
12	Sat.	12	Tue.	43	Tue.	71	Fri.	102	Sun.	132	Wed.	163
13	Sun.	13	Wed.	44	Wed.	72	Sat.	103	Mon.	133	Thu.	164
14	Mon.	14	Thu.	45	Thu.	73	Sun.	104	Tue.	134	Fri.	165
15	Tue.	15	Fri.	46	Fri.	74	Mon.	105	Wed.	135	Sat.	166
16	Wed.	16	Sat.	47	Sat.	75	Tue.	106	Thu.	136	Sun.	167
17	Thu.	17	Sun.	48	Sun.	76	Wed.	107	Fri.	137	Mon.	168
18	Fri.	18	Mon.	49	Mon.	77	Thu.	108	Sat.	138	Tue.	169
19	Sat.	19	Tue.	50	Tue.	78	Fri.	109	Sun.	139	Wed.	170
20	Sun.	20	Wed.	51	Wed.	79	Sat.	110	Mon.	140	Thu.	171
21	Mon.	21	Thu.	52	Thu.	80	Sun.	111	Tue.	141	Fri.	172
22	Tue.	22	Fri.	53	Fri.	81	Mon.	112	Wed.	142	Sat.	173
23	Wed.	23	Sat.	54	Sat.	82	Tue.	113	Thu.	143	Sun.	174
24	Thu.	24	Sun.	55	Sun.	83	Wed.	114	Fri.	144	Mon.	175
25	Fri.	25	Mon.	56	Mon.	84	Thu.	115	Sat.	145	Tue.	176
26	Sat.	26	Tue.	57	Tue.	85	Fri.	116	Sun.	146	Wed.	177
27	Sun.	27	Wed.	58	Wed.	86	Sat.	117	Mon.	147	Thu.	178
28	Mon.	28	Thu.	59	Thu.	87	Sun.	118	Tue.	148	Fri.	179
29	Tue.	29			Fri.	88	Mon.	119	Wed.	149	Sat.	180
30	Wed.	30			Sat.	89	Tue.	120	Thu.	150	Sun.	181
31	Thu.	31			Sun.	90			Fri.	151		

CHRONOLOGICAL CYCLES AND ERAS

Dominical Letter	...	...	...	F	Julian Period (year of)	6698
Epact	...	...	...	8	Roman Indiction	8
Golden Number (Lunar Cycle)			...	X	Solar Cycle	6

All dates are given in terms of the Gregorian calendar in which
1985 January 14 corresponds to 1985 January 1 of the Julian calendar.

ERA			YEAR	BEGINS	ERA			YEAR	BEGINS
Byzantine ...	...	...	7494	Sept. 14	Grecian (Seleucidæ)	...	2297	Sept. 14
Jewish (A.M.) *	...	...	5746	Sept. 15					or (Oct. 14)
Chinese	...	...	(4622)	Feb. 20	Indian (Saka)	...	...	1907	Mar. 22
Roman (A.U.C.)	...	...	2738	Jan. 14	Diocletian ...	...	...	1702	Sept. 11
Nabonassar...	...	...	2734	Apr. 27	Islamic (Hegira) *	...	...	1406	Sept. 15
Japanese	...	...	2645	Jan. 1					

*Year begins at sunset.

	JULY		AUGUST		SEPTEMBER		OCTOBER		NOVEMBER		DECEMBER	
Day of Month	Day of Week	Day of Year	Day of Week	Day of Year	Day of Week	Day of Year	Day of Week	Day of Year	Day of Week	Day of Year	Day of Week	Day of Year
1	Mon.	182	Thu.	213	Sun.	244	Tue.	274	Fri.	305	Sun.	335
2	Tue.	183	Fri.	214	Mon.	245	Wed.	275	Sat.	306	Mon.	336
3	Wed.	184	Sat.	215	Tue.	246	Thu.	276	Sun.	307	Tue.	337
4	Thu.	185	Sun.	216	Wed.	247	Fri.	277	Mon.	308	Wed.	338
5	Fri.	186	Mon.	217	Thu.	248	Sat.	278	Tue.	309	Thu.	339
6	Sat.	187	Tue.	218	Fri.	249	Sun.	279	Wed.	310	Fri.	340
7	Sun.	188	Wed.	219	Sat.	250	Mon.	280	Thu.	311	Sat.	341
8	Mon.	189	Thu.	220	Sun.	251	Tue.	281	Fri.	312	Sun.	342
9	Tue.	190	Fri.	221	Mon.	252	Wed.	282	Sat.	313	Mon.	343
10	Wed.	191	Sat.	222	Tue.	253	Thu.	283	Sun.	314	Tue.	344
11	Thu.	192	Sun.	223	Wed.	254	Fri.	284	Mon.	315	Wed.	345
12	Fri.	193	Mon.	224	Thu.	255	Sat.	285	Tue.	316	Thu.	346
13	Sat.	194	Tue.	225	Fri.	256	Sun.	286	Wed.	317	Fri.	347
14	Sun.	195	Wed.	226	Sat.	257	Mon.	287	Thu.	318	Sat.	348
15	Mon.	196	Thu.	227	Sun.	258	Tue.	288	Fri.	319	Sun.	349
16	Tue.	197	Fri.	228	Mon.	259	Wed.	289	Sat.	320	Mon.	350
17	Wed.	198	Sat.	229	Tue.	260	Thu.	290	Sun.	321	Tue.	351
18	Thu.	199	Sun.	230	Wed.	261	Fri.	291	Mon.	322	Wed.	352
19	Fri.	200	Mon.	231	Thu.	262	Sat.	292	Tue.	323	Thu.	353
20	Sat.	201	Tue.	232	Fri.	263	Sun.	293	Wed.	324	Fri.	354
21	Sun.	202	Wed.	233	Sat.	264	Mon.	294	Thu.	325	Sat.	355
22	Mon.	203	Thu.	234	Sun.	265	Tue.	295	Fri.	326	Sun.	356
23	Tue.	204	Fri.	235	Mon.	266	Wed.	296	Sat.	327	Mon.	357
24	Wed.	205	Sat.	236	Tue.	267	Thu.	297	Sun.	328	Tue.	358
25	Thu.	206	Sun.	237	Wed.	268	Fri.	298	Mon.	329	Wed.	359
26	Fri.	207	Mon.	238	Thu.	269	Sat.	299	Tue.	330	Thu.	360
27	Sat.	208	Tue.	239	Fri.	270	Sun.	300	Wed.	331	Fri.	361
28	Sun.	209	Wed.	240	Sat.	271	Mon.	301	Thu.	332	Sat.	362
29	Mon.	210	Thu.	241	Sun.	272	Tue.	302	Fri.	333	Sun.	363
30	Tue.	211	Fri.	242	Mon.	273	Wed.	303	Sat.	334	Mon.	364
31	Wed.	212	Sat.	243			Thu.	304			Tue.	365

RELIGIOUS CALENDARS

Epiphany	Jan. 6	Ascension Day	May 16
Ash Wednesday	Feb. 20	Whit Sunday—Pentecost	May 26
Palm Sunday	Mar. 31	Trinity Sunday	June 2
Good Friday	Apr. 5	First Sunday in Advent	Dec. 1
Easter Day	Apr. 7	Christmas Day (Wednesday) ...	Dec. 25

First Day of Passover (Pesach) ... Apr. 6
Feast of Weeks (**Shavuot**) ... May 26
Jewish New Year (tabular)
  (Rosh Hashanah) ... ... Sept. 16

Day of Atonement
  (Yom Kippur) ... ... Sept. 25
First day of Tabernacles
  (Succoth) ... ... Sept. 30

Islamic New Year ... ... Sept. 16
  (tabular)

First day of Ramadân ... ... May 21
  (tabular)

The Jewish and Islamic dates above are tabular dates, which begin at sunset on the previous evening and end at sunset on the date tabulated. In practice, the dates of Islamic fasts and festivals are determined by an actual sighting of the appropriate new moon.

Julian date

A tabulation of Julian date (JD) at 0^h UT against calendar date is given with the ephemeris of universal and sidereal times on pages B8–B15. The following relationship holds during 1985:

$$\text{Julian date} = 244\ 6065\cdot5 + \text{day of year} + \text{fraction of day from } 0^h \text{ UT}$$

where the day of the year for the current year of the Gregorian calendar is given on pages B2–B3. The following table gives the Julian dates at day 0 of each month of 1985:

0^h UT	JD	0^h UT	JD	0^h UT	JD	0^h UT	JD
Jan. 0	244 6065·5	Apr. 0	244 6155·5	July 0	244 6246·5	Oct. 0	244 6338·5
Feb. 0	244 6096·5	May 0	244 6185·5	Aug. 0	244 6277·5	Nov. 0	244 6369·5
Mar. 0	244 6124·5	June 0	244 6216·5	Sept. 0	244 6308·5	Dec. 0	244 6399·5

Tabulations of Julian date against calendar date for other years are given on pages K2–K4. Other relevant dates are:

$$400\text{-day date, JD } 244\ 6400\cdot5 = 1985 \text{ December } 1\cdot0$$
$$\text{Standard epoch, 1900 January 0, } 12^h \text{ UT} = \text{JD } 241\ 5020\cdot000$$
$$\text{B}1950\cdot0 = 1950 \text{ Jan. } 0\cdot923 = \text{JD } 243\ 3282\cdot423$$
$$\text{B}1985\cdot0 = 1985 \text{ Jan. } 0\cdot400 = \text{JD } 244\ 6065\cdot900$$
$$\text{J}1985\cdot5 = 1985 \text{ July } 2\cdot375 = \text{JD } 244\ 6248\cdot875$$
$$\text{J}2000\cdot0 = 2000 \text{ Jan. } 1\cdot5 \quad = \text{JD } 245\ 1545\cdot0$$

The fraction of the year from 1985·5 is tabulated with the Besselian day numbers on pages B24–B31.

The "*modified Julian date*" (MJD) is the Julian date minus 240 0000·5 and in 1985 is given by: $\text{MJD} = 4\ 6065\cdot0 + \text{day of year} + \text{fraction of day from } 0^h \text{ UT}$.

A date may also be expressed in years as a Julian epoch, or for some purposes as a Besselian epoch using:

$$\text{Julian epoch} = \text{J}[2000\cdot0 + (\text{JD} - 245\ 1545\cdot0)/365\cdot25]$$
$$\text{Besselian epoch} = \text{B}[1900\cdot0 + (\text{JD} - 241\ 5020\cdot313\ 52)/365\cdot242\ 198\ 781]$$

where JD is the Julian date; the prefixes J and B may be omitted only where the context, or precision, make them superfluous.

Notation for time-scales

A summary of the notation for time-scales and related quantities used in the table on page K9 and elsewhere in this Almanac is given below. Additional information is given in the Glossary and in the Explanation.

UT   = UT1; universal time; counted from 0^h at midnight; unit is mean solar day
UT0   local approximation to universal time; not corrected for polar motion
u_x, u_y Coefficients for reduction of UT0 in seconds of time
θ = GMST; Greenwich mean sidereal time; GHA of mean equinox of date
θ_0 = LAST; local apparent sidereal time; LHA of true equinox of date
TAI   international atomic time; unit is the SI second
UTC   coordinated universal time; differs from TAI by an integral number of seconds, and is the basis of most radio time signals and legal time systems
ΔUT   = UT − UTC; increment to be applied to UTC to give UT
DUT   = predicted value of ΔUT, rounded to $0^s\cdot1$, given in some radio time signals
ET   ephemeris time; was used in dynamical theories and in the Almanac from 1960–1983; but is now replaced by TDT and TDB
ΔT = ET − UT (prior to 1984); increment to be applied to UT to give ET
ΔT = TDT − UT (1984 onwards); increment to be applied to UT to give TDT
ΔT(A) = TAI + $32^s\cdot184$ − UT; an approximation to ΔT

Notation for time-scales (continued)

TDT terrestrial dynamical time; used as time-scale of ephemerides for observations from the Earth's surface. TDT = TAI + $32^s \cdot 184$

TDB barycentric dynamical time; used as time-scale of ephemerides referred to the barycentre of the solar system

ΔAT = TAI $-$ UTC; increment to be applied to UTC to give TAI

ΔET = ET $-$ UTC; increment to be applied to UTC to give ET

ΔTT = TDT $-$ UTC; increment to be applied to UTC to give TDT

The name Greenwich mean time (GMT) is not used in this Almanac since it is ambiguous and is now used, although not in astronomy, in the sense of UTC in addition to the earlier sense of UT; prior to 1925 it was reckoned for astronomical purposes from Greenwich mean noon (12^h UT).

Relationships between time-scales

The correction for polar motion in the reduction of observations of universal time is given by:

$$UT = UT0 - (u_x \sin \lambda + u_y \cos \lambda) \tan \phi$$

where ϕ, λ are the latitude and *east* longitude of the place of observation.

The relationships between universal and sidereal times are described on page B6 and a daily ephemeris is given on pages B8–B15; examples of the use of the ephemeris are given on page B7.

The scale of coordinated universal time (UTC) contains step adjustments of exactly one second (leap seconds) so that universal time (UT) may be obtained directly from it with an accuracy of 1 second or better and so that international atomic time (TAI) may be obtained by the addition of an integral number of seconds. The step adjustments are usually inserted after the 60th second of the last minute of December 31 or June 30. Accurate values of the increment ΔUT to be applied to UTC to give UT are derived from observations, but predicted values are transmitted in code in some time signals.

Recent and predicted values of the differences between time scales and of the coefficients for the correction of UT0 are given in the table below. Values of ET $-$ UT for the years 1621–1971 are given on pages K8, and various data for the reduction of time scales from 1972–1982 are given on page K9. For most purposes, ET up to 1983 December 31 and TDT from 1984 January 1 can be regarded as a continuous time-scale.

Date	Difference ET $-$ UT ΔT	Difference UT $-$ UTC ΔUT	Coefficients for UT0 u_x	Coefficients for UT0 u_y	Date	Difference TDT $-$ UT ΔT Extrapolated
1983	s	s	s	s	1984	s
Jan. 1	$+52 \cdot 96$	$+0 \cdot 23$	$-0 \cdot 014$	$+0 \cdot 017$	Jan. 1	$+53 \cdot 8$
Feb. 1	$+53 \cdot 04$	$+0 \cdot 14$	$-0 \cdot 013$	$+0 \cdot 025$	Apr. 1	$+54 \cdot 0$
Mar. 1	$+53 \cdot 13$	$+0 \cdot 06$	$-0 \cdot 011$	$+0 \cdot 030$	July 1	$+54 \cdot 2$
Apr. 1	$+53 \cdot 22$	$-0 \cdot 03$	$-0 \cdot 005$	$+0 \cdot 036$	Oct. 1	$+54 \cdot 4$
May 1	$+53 \cdot 30$	$-0 \cdot 12$	$+0 \cdot 004$	$+0 \cdot 038$		
June 1	$+53 \cdot 38$	$-0 \cdot 19$	$+0 \cdot 012$	$+0 \cdot 035$	1985	
June 30	$+53 \cdot 43$	$-0 \cdot 25$	$+0 \cdot 018$	$+0 \cdot 029$	Jan. 1	$+54 \cdot 6$
July 1	$+53 \cdot 43$	$+0 \cdot 75$	$+0 \cdot 018$	$+0 \cdot 029$	Apr. 1	$+54 \cdot 8$
Aug. 1	$+53 \cdot 48$	$+0 \cdot 71$	$+0 \cdot 022$	$+0 \cdot 020$	July 1	$+55 \cdot 1$
Sept. 1	$+53 \cdot 53$	$+0 \cdot 65$	$+0 \cdot 021$	$+0 \cdot 012$	Oct. 1	$+55 \cdot 3$
Oct. 1	$+53 \cdot 59$	$+0 \cdot 60$	$+0 \cdot 016$	$+0 \cdot 005$	1986	
	Extrapolated				Jan. 1	$+55 \cdot 5$
Nov. 1	$+53 \cdot 7$	$+0 \cdot 5$				
Dec. 1	$+53 \cdot 7$	$+0 \cdot 5$				

On 1984 Jan. 1: TAI = UTC + $22^s \cdot 00$ and TDT = UTC + $54^s \cdot 184$

Relationships between time-scales (continued)

The differences between the terrestrial and barycentric dynamical time-scales (due to the variations in gravitational potential around the Earth's orbit) are given by:

$$\text{TDB} = \text{TDT} + 0^s\!\cdot\!001\,658 \sin g + 0^s\!\cdot\!000\,014 \sin 2g$$
$$g = 357°\!\cdot\!53 + 0°\!\cdot\!985\,600\,28\,(\text{JD} - 245\,1545\!\cdot\!0)$$

where higher-order terms are neglected and g is the mean anomaly of the Earth in its orbit around the Sun. For the current year

$$g = 356°\!\cdot\!93 + 0°\!\cdot\!985\,600\,28 d$$

where d is the day of the year tabulated on pages B2–B3.

Relationships between universal and sidereal time

The ephemeris of universal and sidereal times on pages B8–B15 is primarily intended to facilitate the conversion of universal time to local apparent sidereal time, and vice versa, for use in the computation and reduction of quantities dependent on local hour angle. Numerical examples of such conversions using the ephemeris and other tables are given opposite on page B7. Alternatively, such conversions may be carried out using the basic formulae and numerical coefficients given below.

Relation between GMST and UT

Universal time is defined in terms of Greenwich mean sidereal time (i.e. the Greenwich hour angle of the mean equinox of date) by:

$$\text{GMST at } 0^h \text{ UT} = 24\,110^s\!\cdot\!548\,41 + 8640\,184^s\!\cdot\!812\,866\,T_U$$
$$+ 0^s\!\cdot\!093\,104\,T_U^2 - 6^s\!\cdot\!2 \times 10^{-6}\,T_U^3$$

where $\qquad\qquad T_U = (\text{JD} - 245\,1545\!\cdot\!0)/36\,525$

T_U is the interval of time, measured in Julian centuries of 36 525 days of universal time (mean solar days), elapsed since the epoch 2000 January 1^d 12^h UT. Hence, the following relationship holds during 1985:

on day of year d at t^h UT, GMST $= 6^h\!\cdot\!640\,3922 + 0^h\!\cdot\!065\,709\,8242\,d + 1^h\!\cdot\!002\,737\,91\,t$

where the day of year d is tabulated on pages B2–B3. Add or subtract multiples of 24^h as necessary.

In 1985: 1 mean solar day $= 1\!\cdot\!002\,737\,909\,34$ mean sidereal days
$= 24^h\,03^m\,56^s\!\cdot\!555\,37$ of mean sidereal time
1 mean sidereal day $= 0\!\cdot\!997\,269\,566\,34$ mean solar days
$= 23^h\,56^m\,04^s\!\cdot\!090\,53$ of mean solar time

Relationships with local time and hour angle

The following general relationships are used:

local mean solar time = universal time + east longitude
local mean sidereal time = Greenwich mean sidereal time + east longitude
local apparent sidereal time = local mean sidereal time + equation of equinoxes
local hour angle = local apparent sidereal time − apparent right ascension

The equation of the equinoxes is tabulated on pages B8–B15 at 0^h UT for each day and should be interpolated to the required time if full precision is required; it is equal to the total nutation in longitude multiplied by the cosine of the obliquity of the ecliptic.

Relationships with local time and hour angle (continued)

A further small correction for the effect of polar motion is required in the reduction of very precise observations; for details see page B41. Local hour angle may also be related directly to local mean sidereal time if the equation of the equinoxes is omitted in the computation of the apparent right ascension (i.e. if the apparent position is computed with respect to the true pole and the mean equinox of date).

Examples of the use of the ephemeris of universal and sidereal times

1. *Conversion of universal time to local sidereal time*

To find the local apparent sidereal time at $09^h 44^m 30^s$ UT on 1985 July 8 in longitude 80° 22′ 55″·79 west.

	h m s
Greenwich mean sidereal time on July 8 at 0^h UT is (page B12)	19 03 34·3764
Add the equivalent mean sidereal time interval from 0^h to $09^h 44^m 30^s$ UT (multiply UT interval by 1·002 737 9093)	9 46 06·0185
Greenwich mean sidereal time at required UT:	4 49 40·3949
Add equation of equinoxes, interpolated using second order differences to approximate UT = 0^d·41	−0·6852
Greenwich apparent sidereal time:	4 49 39·7097
Subtract west longitude (add east longitude)	5 21 31·7193
Local apparent sidereal time:	23 28 07·9904

The calculation for local mean sidereal time is similar, but omit the step which allows for the equation of the equinoxes. Alternatively use the formula on page B6 for GMST.

2. *Conversion of local sidereal time to universal time*

To find the universal time at $23^h 28^m 07^s·9904$ local apparent sidereal time on 1985 July 8 in longitude 80° 22′ 55″·79 west.

	h m s
Local apparent sidereal time:	23 28 07·9904
Add west longitude (subtract east longitude)	5 21 31·7193
Greenwich apparent sideral time:	4 49 39·7097
Subtract equation of equinoxes, interpolated using second order differences to approximate UT = 0^d·41	−0·6852
Greenwich mean sidereal time:	4 49 40·3949
Subtract Greenwich mean sidereal time at 0^h UT	19 03 34·3764
Mean sidereal time interval from 0^h UT:	9 46 06·0185
Equivalent UT interval (multiply mean sidereal time interval by 0·997 269 5663)	9 44 30·0000

The conversion of mean sidereal time to universal time is carried out by a similar procedure; omit the step which allows for the equation of the equinoxes. Alternatively use the formula on page B6 to determine GMST at 0^h UT.

Date 0^h U.T.		Julian Date	G. SIDEREAL TIME (G. H. A. of the Equinox)		Equation of Equinoxes at 0^h U.T.	G.S.D. 0^h G.S.T.	U.T. at 0^h G.M.S.T. (Greenwich Transit of the Mean Equinox)			
			Apparent	Mean						
		244	h m s	s	s	245			h m s	
Jan.	0	6065.5	6 38 24.5794	25.4120	−0.8326	2764.0	Jan.	0	17 18 43.9506	
	1	6066.5	6 42 21.1326	21.9674	.8348	2765.0		1	17 14 48.0412	
	2	6067.5	6 46 17.6879	18.5228	.8349	2766.0		2	17 10 52.1317	
	3	6068.5	6 50 14.2457	15.0782	.8324	2767.0		3	17 06 56.2222	
	4	6069.5	6 54 10.8064	11.6335	.8271	2768.0		4	17 03 00.3127	
	5	6070.5	6 58 07.3697	08.1889	−0.8192	2769.0		5	16 59 04.4033	
	6	6071.5	7 02 03.9349	04.7443	.8093	2770.0		6	16 55 08.4938	
	7	6072.5	7 06 00.5007	01.2996	.7990	2771.0		7	16 51 12.5843	
	8	6073.5	7 09 57.0653	57.8550	.7897	2772.0		8	16 47 16.6749	
	9	6074.5	7 13 53.6274	54.4104	.7829	2773.0		9	16 43 20.7654	
	10	6075.5	7 17 50.1859	50.9657	−0.7798	2774.0		10	16 39 24.8559	
	11	6076.5	7 21 46.7408	47.5211	.7803	2775.0		11	16 35 28.9465	
	12	6077.5	7 25 43.2929	44.0765	.7836	2776.0		12	16 31 33.0370	
	13	6078.5	7 29 39.8438	40.6318	.7880	2777.0		13	16 27 37.1275	
	14	6079.5	7 33 36.3956	37.1872	.7916	2778.0		14	16 23 41.2181	
	15	6080.5	7 37 32.9498	33.7426	−0.7928	2779.0		15	16 19 45.3086	
	16	6081.5	7 41 29.5075	30.2979	.7905	2780.0		16	16 15 49.3991	
	17	6082.5	7 45 26.0686	26.8533	.7847	2781.0		17	16 11 53.4897	
	18	6083.5	7 49 22.6325	23.4087	.7762	2782.0		18	16 07 57.5802	
	19	6084.5	7 53 19.1976	19.9640	.7665	2783.0		19	16 04 01.6707	
	20	6085.5	7 57 15.7623	16.5194	−0.7571	2784.0		20	16 00 05.7613	
	21	6086.5	8 01 12.3250	13.0748	.7497	2785.0		21	15 56 09.8518	
	22	6087.5	8 05 08.8849	09.6301	.7452	2786.0		22	15 52 13.9423	
	23	6088.5	8 09 05.4416	06.1855	.7439	2787.0		23	15 48 18.0328	
	24	6089.5	8 13 01.9953	02.7409	.7456	2788.0		24	15 44 22.1234	
	25	6090.5	8 16 58.5467	59.2962	−0.7495	2789.0		25	15 40 26.2139	
	26	6091.5	8 20 55.0969	55.8516	.7547	2790.0		26	15 36 30.3044	
	27	6092.5	8 24 51.6469	52.4070	.7600	2791.0		27	15 32 34.3950	
	28	6093.5	8 28 48.1977	48.9623	.7647	2792.0		28	15 28 38.4855	
	29	6094.5	8 32 44.7501	45.5177	.7676	2793.0		29	15 24 42.5760	
	30	6095.5	8 36 41.3048	42.0731	−0.7683	2794.0		30	15 20 46.6666	
	31	6096.5	8 40 37.8622	38.6284	.7663	2795.0		31	15 16 50.7571	
Feb.	1	6097.5	8 44 34.4222	35.1838	.7616	2796.0	Feb.	1	15 12 54.8476	
	2	6098.5	8 48 30.9844	31.7392	.7548	2797.0		2	15 08 58.9382	
	3	6099.5	8 52 27.5478	28.2945	.7468	2798.0		3	15 05 03.0287	
	4	6100.5	8 56 24.1108	24.8499	−0.7391	2799.0		4	15 01 07.1192	
	5	6101.5	9 00 20.6719	21.4053	.7334	2800.0		5	14 57 11.2098	
	6	6102.5	9 04 17.2296	17.9606	.7311	2801.0		6	14 53 15.3003	
	7	6103.5	9 08 13.7833	14.5160	.7327	2802.0		7	14 49 19.3908	
	8	6104.5	9 12 10.3335	11.0714	.7378	2803.0		8	14 45 23.4814	
	9	6105.5	9 16 06.8820	07.6267	−0.7447	2804.0		9	14 41 27.5719	
	10	6106.5	9 20 03.4308	04.1821	.7513	2805.0		10	14 37 31.6624	
	11	6107.5	9 23 59.9818	60.7375	.7557	2806.0		11	14 33 35.7529	
	12	6108.5	9 27 56.5361	57.2928	.7567	2807.0		12	14 29 39.8435	
	13	6109.5	9 31 53.0940	53.8482	.7542	2808.0		13	14 25 43.9340	
	14	6110.5	9 35 49.6546	50.4036	−0.7490	2809.0		14	14 21 48.0245	
	15	6111.5	9 39 46.2167	46.9589	−0.7422	2810.0		15	14 17 52.1151	

Date 0^h U.T.	Julian Date	G. SIDEREAL TIME (G. H. A. of the Equinox) Apparent	Mean	Equation of Equinoxes at 0^h U.T.	G.S.D. 0^h G.S.T.	U.T. at 0^h G.M.S.T. (Greenwich Transit of the Mean Equinox)
	244	h m s	s	s	245	h m s
Feb. 15	6111.5	9 39 46.2167	46.9589	− 0.7422	2810.0	Feb. 15 14 17 52.1151
16	6112.5	9 43 42.7787	43.5143	.7356	2811.0	16 14 13 56.2056
17	6113.5	9 47 39.3391	40.0697	.7306	2812.0	17 14 10 00.2961
18	6114.5	9 51 35.8970	36.6250	.7281	2813.0	18 14 06 04.3867
19	6115.5	9 55 32.4518	33.1804	.7286	2814.0	19 14 02 08.4772
20	6116.5	9 59 29.0036	29.7358	− 0.7322	2815.0	20 13 58 12.5677
21	6117.5	10 03 25.5529	26.2911	.7382	2816.0	21 13 54 16.6583
22	6118.5	10 07 22.1007	22.8465	.7458	2817.0	22 13 50 20.7488
23	6119.5	10 11 18.6480	19.4019	.7539	2818.0	23 13 46 24.8393
24	6120.5	10 15 15.1958	15.9572	.7615	2819.0	24 13 42 28.9299
25	6121.5	10 19 11.7450	12.5126	− 0.7677	2820.0	25 13 38 33.0204
26	6122.5	10 23 08.2963	09.0680	.7717	2821.0	26 13 34 37.1109
27	6123.5	10 27 04.8501	05.6233	.7732	2822.0	27 13 30 41.2015
28	6124.5	10 31 01.4066	02.1787	.7721	2823.0	28 13 26 45.2920
Mar. 1	6125.5	10 34 57.9653	58.7341	.7688	2824.0	Mar. 1 13 22 49.3825
2	6126.5	10 38 54.5256	55.2894	− 0.7639	2825.0	2 13 18 53.4730
3	6127.5	10 42 51.0863	51.8448	.7586	2826.0	3 13 14 57.5636
4	6128.5	10 46 47.6459	48.4002	.7543	2827.0	4 13 11 01.6541
5	6129.5	10 50 44.2028	44.9555	.7527	2828.0	5 13 07 05.7446
6	6130.5	10 54 40.7561	41.5109	.7548	2829.0	6 13 03 09.8352
7	6131.5	10 58 37.3055	38.0663	− 0.7608	2830.0	7 12 59 13.9257
8	6132.5	11 02 33.8523	34.6216	.7694	2831.0	8 12 55 18.0162
9	6133.5	11 06 30.3985	31.1770	.7785	2832.0	9 12 51 22.1068
10	6134.5	11 10 26.9466	27.7324	.7858	2833.0	10 12 47 26.1973
11	6135.5	11 14 23.4982	24.2877	.7896	2834.0	11 12 43 30.2878
12	6136.5	11 18 20.0536	20.8431	− 0.7895	2835.0	12 12 39 34.3784
13	6137.5	11 22 16.6124	17.3985	.7861	2836.0	13 12 35 38.4689
14	6138.5	11 26 13.1729	13.9539	.7809	2837.0	14 12 31 42.5594
15	6139.5	11 30 09.7336	10.5092	.7756	2838.0	15 12 27 46.6500
16	6140.5	11 34 06.2930	07.0646	.7716	2839.0	16 12 23 50.7405
17	6141.5	11 38 02.8500	03.6200	− 0.7700	2840.0	17 12 19 54.8310
18	6142.5	11 41 59.4040	60.1753	.7713	2841.0	18 12 15 58.9216
19	6143.5	11 45 55.9551	56.7307	.7756	2842.0	19 12 12 03.0121
20	6144.5	11 49 52.5037	53.2861	.7824	2843.0	20 12 08 07.1026
21	6145.5	11 53 49.0506	49.8414	.7908	2844.0	21 12 04 11.1931
22	6146.5	11 57 45.5967	46.3968	− 0.8000	2845.0	22 12 00 15.2837
23	6147.5	12 01 42.1432	42.9522	.8089	2846.0	23 11 56 19.3742
24	6148.5	12 05 38.6910	39.5075	.8165	2847.0	24 11 52 23.4647
25	6149.5	12 09 35.2408	36.0629	.8221	2848.0	25 11 48 27.5553
26	6150.5	12 13 31.7931	32.6183	.8252	2849.0	26 11 44 31.6458
27	6151.5	12 17 28.3480	29.1736	− 0.8256	2850.0	27 11 40 35.7363
28	6152.5	12 21 24.9053	25.7290	.8237	2851.0	28 11 36 39.8269
29	6153.5	12 25 21.4643	22.2844	.8201	2852.0	29 11 32 43.9174
30	6154.5	12 29 18.0241	18.8397	.8157	2853.0	30 11 28 48.0079
31	6155.5	12 33 14.5834	15.3951	.8117	2854.0	31 11 24 52.0985
Apr. 1	6156.5	12 37 11.1409	11.9505	− 0.8095	2855.0	Apr. 1 11 20 56.1890
2	6157.5	12 41 07.6955	08.5058	− 0.8104	2856.0	2 11 17 00.2795

Date 0^h U.T.	Julian Date	G. SIDEREAL TIME (G. H. A. of the Equinox)		Equation of Equinoxes at 0^h U.T.	G.S.D. 0^h G.S.T.	U.T. at 0^h G.M.S.T. (Greenwich Transit of the Mean Equinox)
		Apparent	Mean			
	244	h m s	s	s	245	h m s
Apr. 1	6156.5	12 37 11.1409	11.9505	− 0.8095	2855.0	Apr. 1 11 20 56.1890
2	6157.5	12 41 07.6955	08.5058	.8104	2856.0	2 11 17 00.2795
3	6158.5	12 45 04.2464	05.0612	.8148	2857.0	3 11 13 04.3701
4	6159.5	12 49 00.7942	01.6166	.8224	2858.0	4 11 09 08.4606
5	6160.5	12 52 57.3404	58.1719	.8315	2859.0	5 11 05 12.5511
6	6161.5	12 56 53.8876	54.7273	− 0.8397	2860.0	6 11 01 16.6417
7	6162.5	13 00 50.4379	51.2827	.8448	2861.0	7 10 57 20.7322
8	6163.5	13 04 46.9926	47.8380	.8454	2862.0	8 10 53 24.8227
9	6164.5	13 08 43.5513	44.3934	.8421	2863.0	9 10 49 28.9132
10	6165.5	13 12 40.1127	40.9488	.8360	2864.0	10 10 45 33.0038
11	6166.5	13 16 36.6749	37.5041	− 0.8293	2865.0	11 10 41 37.0943
12	6167.5	13 20 33.2360	34.0595	.8235	2866.0	12 10 37 41.1848
13	6168.5	13 24 29.7947	30.6149	.8201	2867.0	13 10 33 45.2754
14	6169.5	13 28 26.3505	27.1702	.8197	2868.0	14 10 29 49.3659
15	6170.5	13 32 22.9033	23.7256	.8223	2869.0	15 10 25 53.4564
16	6171.5	13 36 19.4534	20.2810	− 0.8276	2870.0	16 10 21 57.5470
17	6172.5	13 40 16.0017	16.8363	.8347	2871.0	17 10 18 01.6375
18	6173.5	13 44 12.5491	13.3917	.8426	2872.0	18 10 14 05.7280
19	6174.5	13 48 09.0966	09.9471	.8504	2873.0	19 10 10 09.8186
20	6175.5	13 52 05.6453	06.5024	.8571	2874.0	20 10 06 13.9091
21	6176.5	13 56 02.1959	03.0578	− 0.8619	2875.0	21 10 02 17.9996
22	6177.5	13 59 58.7490	59.6132	.8642	2876.0	22 9 58 22.0902
23	6178.5	14 03 55.3047	56.1685	.8638	2877.0	23 9 54 26.1807
24	6179.5	14 07 51.8630	52.7239	.8610	2878.0	24 9 50 30.2712
25	6180.5	14 11 48.4231	49.2793	.8562	2879.0	25 9 46 34.3618
26	6181.5	14 15 44.9842	45.8346	− 0.8505	2880.0	26 9 42 38.4523
27	6182.5	14 19 41.5451	42.3900	.8449	2881.0	27 9 38 42.5428
28	6183.5	14 23 38.1047	38.9454	.8407	2882.0	28 9 34 46.6333
29	6184.5	14 27 34.6618	35.5007	.8390	2883.0	29 9 30 50.7239
30	6185.5	14 31 31.2157	32.0561	.8404	2884.0	30 9 26 54.8144
May 1	6186.5	14 35 27.7665	28.6115	− 0.8450	2885.0	May 1 9 22 58.9049
2	6187.5	14 39 24.3151	25.1668	.8517	2886.0	2 9 19 02.9955
3	6188.5	14 43 20.8636	21.7222	.8586	2887.0	3 9 15 07.0860
4	6189.5	14 47 17.4143	18.2776	.8633	2888.0	4 9 11 11.1765
5	6190.5	14 51 13.9691	14.8329	.8639	2889.0	5 9 07 15.2671
6	6191.5	14 55 10.5285	11.3883	− 0.8598	2890.0	6 9 03 19.3576
7	6192.5	14 59 07.0917	07.9437	.8520	2891.0	7 8 59 23.4481
8	6193.5	15 03 03.6566	04.4990	.8424	2892.0	8 8 55 27.5387
9	6194.5	15 07 00.2212	01.0544	.8332	2893.0	9 8 51 31.6292
10	6195.5	15 10 56.7836	57.6098	.8262	2894.0	10 8 47 35.7197
11	6196.5	15 14 53.3430	54.1651	− 0.8221	2895.0	11 8 43 39.8103
12	6197.5	15 18 49.8991	50.7205	.8214	2896.0	12 8 39 43.9008
13	6198.5	15 22 46.4523	47.2759	.8236	2897.0	13 8 35 47.9913
14	6199.5	15 26 43.0033	43.8312	.8280	2898.0	14 8 31 52.0819
15	6200.5	15 30 39.5531	40.3866	.8335	2899.0	15 8 27 56.1724
16	6201.5	15 34 36.1029	36.9420	− 0.8391	2900.0	16 8 24 00.2629
17	6202.5	15 38 32.6535	33.4973	− 0.8438	2901.0	17 8 20 04.3534

Date 0ʰ U.T.		Julian Date	G. SIDEREAL TIME (G. H. A. of the Equinox) Apparent	Mean	Equation of Equinoxes at 0ʰ U.T.	G.S.D. 0ʰ G.S.T.	U.T. at 0ʰ G.M.S.T. (Greenwich Transit of the Mean Equinox)		
		244	h m s	s	s	245			h m s
May	17	6202.5	15 38 32.6535	33.4973	− 0.8438	2901.0	May	17	8 20 04.3534
	18	6203.5	15 42 29.2059	30.0527	.8468	2902.0		18	8 16 08.4440
	19	6204.5	15 46 25.7607	26.6081	.8474	2903.0		19	8 12 12.5345
	20	6205.5	15 50 22.3181	23.1635	.8453	2904.0		20	8 08 16.6250
	21	6206.5	15 54 18.8782	19.7188	.8406	2905.0		21	8 04 20.7156
	22	6207.5	15 58 15.4403	16.2742	− 0.8339	2906.0		22	8 00 24.8061
	23	6208.5	16 02 12.0035	12.8296	.8260	2907.0		23	7 56 28.8966
	24	6209.5	16 06 08.5668	09.3849	.8181	2908.0		24	7 52 32.9872
	25	6210.5	16 10 05.1289	05.9403	.8114	2909.0		25	7 48 37.0777
	26	6211.5	16 14 01.6887	02.4957	.8069	2910.0		26	7 44 41.1682
	27	6212.5	16 17 58.2455	59.0510	− 0.8055	2911.0		27	7 40 45.2588
	28	6213.5	16 21 54.7993	55.6064	.8071	2912.0		28	7 36 49.3493
	29	6214.5	16 25 51.3506	52.1618	.8111	2913.0		29	7 32 53.4398
	30	6215.5	16 29 47.9011	48.7171	.8160	2914.0		30	7 28 57.5304
	31	6216.5	16 33 44.4529	45.2725	.8196	2915.0		31	7 25 01.6209
June	1	6217.5	16 37 41.0078	41.8279	− 0.8201	2916.0	June	1	7 21 05.7114
	2	6218.5	16 41 37.5671	38.3832	.8161	2917.0		2	7 17 09.8020
	3	6219.5	16 45 34.1308	34.9386	.8078	2918.0		3	7 13 13.8925
	4	6220.5	16 49 30.6973	31.4940	.7967	2919.0		4	7 09 17.9830
	5	6221.5	16 53 27.2645	28.0493	.7848	2920.0		5	7 05 22.0735
	6	6222.5	16 57 23.8303	24.6047	− 0.7744	2921.0		6	7 01 26.1641
	7	6223.5	17 01 20.3932	21.1601	.7669	2922.0		7	6 57 30.2546
	8	6224.5	17 05 16.9525	17.7154	.7629	2923.0		8	6 53 34.3451
	9	6225.5	17 09 13.5085	14.2708	.7623	2924.0		9	6 49 38.4357
	10	6226.5	17 13 10.0618	10.8262	.7643	2925.0		10	6 45 42.5262
	11	6227.5	17 17 06.6136	07.3815	− 0.7680	2926.0		11	6 41 46.6167
	12	6228.5	17 21 03.1648	03.9369	.7721	2927.0		12	6 37 50.7073
	13	6229.5	17 24 59.7167	60.4923	.7756	2928.0		13	6 33 54.7978
	14	6230.5	17 28 56.2700	57.0476	.7776	2929.0		14	6 29 58.8883
	15	6231.5	17 32 52.8256	53.6030	.7774	2930.0		15	6 26 02.9789
	16	6232.5	17 36 49.3837	50.1584	− 0.7747	2931.0		16	6 22 07.0694
	17	6233.5	17 40 45.9444	46.7137	.7693	2932.0		17	6 18 11.1599
	18	6234.5	17 44 42.5074	43.2691	.7617	2933.0		18	6 14 15.2505
	19	6235.5	17 48 39.0718	39.8245	.7527	2934.0		19	6 10 19.3410
	20	6236.5	17 52 35.6364	36.3798	.7434	2935.0		20	6 06 23.4315
	21	6237.5	17 56 32.2001	32.9352	− 0.7351	2936.0		21	6 02 27.5221
	22	6238.5	18 00 28.7615	29.4906	.7291	2937.0		22	5 58 31.6126
	23	6239.5	18 04 25.3198	26.0459	.7261	2938.0		23	5 54 35.7031
	24	6240.5	18 08 21.8750	22.6013	.7263	2939.0		24	5 50 39.7936
	25	6241.5	18 12 18.4275	19.1567	.7292	2940.0		25	5 46 43.8842
	26	6242.5	18 16 14.9788	15.7120	− 0.7333	2941.0		26	5 42 47.9747
	27	6243.5	18 20 11.5306	12.2674	.7368	2942.0		27	5 38 52.0652
	28	6244.5	18 24 08.0848	08.8228	.7380	2943.0		28	5 34 56.1558
	29	6245.5	18 28 04.6428	05.3781	.7354	2944.0		29	5 31 00.2463
	30	6246.5	18 32 01.2050	01.9335	.7285	2945.0		30	5 27 04.3368
July	1	6247.5	18 35 57.7705	58.4889	− 0.7183	2946.0	July	1	5 23 08.4274
	2	6248.5	18 39 54.3377	55.0442	− 0.7065	2947.0		2	5 19 12.5179

Date 0ʰ U.T.		Julian Date	G. SIDEREAL TIME (G. H. A. of the Equinox)		Equation of Equinoxes at 0ʰ U.T.	G.S.D. 0ʰ G.S.T.	U.T. at 0ʰ G.M.S.T. (Greenwich Transit of the Mean Equinox)		
			Apparent	Mean					
		244	h m s	s	s	245		h m s	
July	2	6248.5	18 39 54.3377	55.0442	−0.7065	2947.0	July	2	5 19 12.5179
	3	6249.5	18 43 50.9044	51.5996	.6952	2948.0		3	5 15 16.6084
	4	6250.5	18 47 47.4688	48.1550	.6862	2949.0		4	5 11 20.6990
	5	6251.5	18 51 44.0296	44.7103	.6807	2950.0		5	5 07 24.7895
	6	6252.5	18 55 40.5868	41.2657	.6789	2951.0		6	5 03 28.8800
	7	6253.5	18 59 37.1410	37.8211	−0.6801	2952.0		7	4 59 32.9706
	8	6254.5	19 03 33.6929	34.3764	.6835	2953.0		8	4 55 37.0611
	9	6255.5	19 07 30.2440	30.9318	.6878	2954.0		9	4 51 41.1516
	10	6256.5	19 11 26.7952	27.4872	.6920	2955.0		10	4 47 45.2422
	11	6257.5	19 15 23.3475	24.0425	.6950	2956.0		11	4 43 49.3327
	12	6258.5	19 19 19.9019	20.5979	−0.6960	2957.0		12	4 39 53.4232
	13	6259.5	19 23 16.4586	17.1533	.6946	2958.0		13	4 35 57.5137
	14	6260.5	19 27 13.0180	13.7086	.6907	2959.0		14	4 32 01.6043
	15	6261.5	19 31 09.5797	10.2640	.6843	2960.0		15	4 28 05.6948
	16	6262.5	19 35 06.1431	06.8194	.6763	2961.0		16	4 24 09.7853
	17	6263.5	19 39 02.7071	03.3747	−0.6676	2962.0		17	4 20 13.8759
	18	6264.5	19 42 59.2705	59.9301	.6596	2963.0		18	4 16 17.9664
	19	6265.5	19 46 55.8318	56.4855	.6537	2964.0		19	4 12 22.0569
	20	6266.5	19 50 52.3901	53.0408	.6507	2965.0		20	4 08 26.1475
	21	6267.5	19 54 48.9450	49.5962	.6512	2966.0		21	4 04 30.2380
	22	6268.5	19 58 45.4968	46.1516	−0.6548	2967.0		22	4 00 34.3285
	23	6269.5	20 02 42.0470	42.7069	.6600	2968.0		23	3 56 38.4191
	24	6270.5	20 06 38.5972	39.2623	.6652	2969.0		24	3 52 42.5096
	25	6271.5	20 10 35.1493	35.8177	.6684	2970.0		25	3 48 46.6001
	26	6272.5	20 14 31.7048	32.3731	.6683	2971.0		26	3 44 50.6907
	27	6273.5	20 18 28.2641	28.9284	−0.6643	2972.0		27	3 40 54.7812
	28	6274.5	20 22 24.8269	25.4838	.6569	2973.0		28	3 36 58.8717
	29	6275.5	20 26 21.3917	22.0392	.6474	2974.0		29	3 33 02.9623
	30	6276.5	20 30 17.9567	18.5945	.6378	2975.0		30	3 29 07.0528
	31	6277.5	20 34 14.5200	15.1499	.6298	2976.0		31	3 25 11.1433
Aug.	1	6278.5	20 38 11.0803	11.7053	−0.6249	2977.0	Aug.	1	3 21 15.2338
	2	6279.5	20 42 07.6370	08.2606	.6236	2978.0		2	3 17 19.3244
	3	6280.5	20 46 04.1903	04.8160	.6257	2979.0		3	3 13 23.4149
	4	6281.5	20 50 00.7410	01.3714	.6304	2980.0		4	3 09 27.5054
	5	6282.5	20 53 57.2903	57.9267	.6365	2981.0		5	3 05 31.5960
	6	6283.5	20 57 53.8393	54.4821	−0.6428	2982.0		6	3 01 35.6865
	7	6284.5	21 01 50.3892	51.0375	.6482	2983.0		7	2 57 39.7770
	8	6285.5	21 05 46.9408	47.5928	.6520	2984.0		8	2 53 43.8676
	9	6286.5	21 09 43.4947	44.1482	.6535	2985.0		9	2 49 47.9581
	10	6287.5	21 13 40.0511	40.7036	.6525	2986.0		10	2 45 52.0486
	11	6288.5	21 17 36.6099	37.2589	−0.6490	2987.0		11	2 41 56.1392
	12	6289.5	21 21 33.1706	33.8143	.6437	2988.0		12	2 38 00.2297
	13	6290.5	21 25 29.7324	30.3697	.6373	2989.0		13	2 34 04.3202
	14	6291.5	21 29 26.2940	26.9250	.6310	2990.0		14	2 30 08.4108
	15	6292.5	21 33 22.8541	23.4804	.6263	2991.0		15	2 26 12.5013
	16	6293.5	21 37 19.4115	20.0358	−0.6243	2992.0		16	2 22 16.5918
	17	6294.5	21 41 15.9653	16.5911	−0.6258	2993.0		17	2 18 20.6824

Date 0ʰ U.T.	Julian Date	G. SIDEREAL TIME (G. H. A. of the Equinox) Apparent	Mean	Equation of Equinoxes at 0ʰ U.T.	G.S.D. 0ʰ G.S.T.	U.T. at 0ʰ G.M.S.T. (Greenwich Transit of the Mean Equinox)
	244	h m s	s	s	245	h m s
Aug. 17	6294.5	21 41 15.9653	16.5911	− 0.6258	2993.0	Aug. 17 2 18 20.6824
18	6295.5	21 45 12.5158	13.1465	.6307	2994.0	18 2 14 24.7729
19	6296.5	21 49 09.0639	09.7019	.6379	2995.0	19 2 10 28.8634
20	6297.5	21 53 05.6116	06.2572	.6456	2996.0	20 2 06 32.9539
21	6298.5	21 57 02.1609	02.8126	.6517	2997.0	21 2 02 37.0445
22	6299.5	22 00 58.7133	59.3680	− 0.6546	2998.0	22 1 58 41.1350
23	6300.5	22 04 55.2696	55.9233	.6537	2999.0	23 1 54 45.2255
24	6301.5	22 08 51.8294	52.4787	.6493	3000.0	24 1 50 49.3161
25	6302.5	22 12 48.3914	49.0341	.6427	3001.0	25 1 46 53.4066
26	6303.5	22 16 44.9540	45.5894	.6355	3002.0	26 1 42 57.4971
27	6304.5	22 20 41.5153	42.1448	− 0.6295	3003.0	27 1 39 01.5877
28	6305.5	22 24 38.0741	38.7002	.6261	3004.0	28 1 35 05.6782
29	6306.5	22 28 34.6295	35.2555	.6261	3005.0	29 1 31 09.7687
30	6307.5	22 32 31.1815	31.8109	.6294	3006.0	30 1 27 13.8593
31	6308.5	22 36 27.7306	28.3663	.6356	3007.0	31 1 23 17.9498
Sept. 1	6309.5	22 40 24.2781	24.9216	− 0.6436	3008.0	Sept. 1 1 19 22.0403
2	6310.5	22 44 20.8249	21.4770	.6521	3009.0	2 1 15 26.1309
3	6311.5	22 48 17.3723	18.0324	.6601	3010.0	3 1 11 30.2214
4	6312.5	22 52 13.9212	14.5877	.6666	3011.0	4 1 07 34.3119
5	6313.5	22 56 10.4722	11.1431	.6709	3012.0	5 1 03 38.4025
6	6314.5	23 00 07.0257	07.6985	− 0.6727	3013.0	6 0 59 42.4930
7	6315.5	23 04 03.5817	04.2538	.6721	3014.0	7 0 55 46.5835
8	6316.5	23 08 00.1398	00.8092	.6694	3015.0	8 0 51 50.6740
9	6317.5	23 11 56.6992	57.3646	.6654	3016.0	9 0 47 54.7646
10	6318.5	23 15 53.2590	53.9199	.6610	3017.0	10 0 43 58.8551
11	6319.5	23 19 49.8179	50.4753	− 0.6574	3018.0	11 0 40 02.9456
12	6320.5	23 23 46.3746	47.0307	.6560	3019.0	12 0 36 07.0362
13	6321.5	23 27 42.9283	43.5860	.6578	3020.0	13 0 32 11.1267
14	6322.5	23 31 39.4784	40.1414	.6630	3021.0	14 0 28 15.2172
15	6323.5	23 35 36.0256	36.6968	.6712	3022.0	15 0 24 19.3078
16	6324.5	23 39 32.5717	33.2521	− 0.6805	3023.0	16 0 20 23.3983
17	6325.5	23 43 29.1187	29.8075	.6888	3024.0	17 0 16 27.4888
18	6326.5	23 47 25.6688	26.3629	.6941	3025.0	18 0 12 31.5794
19	6327.5	23 51 22.2230	22.9182	.6953	3026.0	19 0 08 35.6699
20	6328.5	23 55 18.7811	19.4736	.6925	3027.0	20 0 04 39.7604
21	6329.5	23 59 15.3419	16.0290	− 0.6871	3028.0	21 0 00 43.8510
					3029.0	21 23 56 47.9415
22	6330.5	0 03 11.9035	12.5843	.6808	3030.0	22 23 52 52.0320
23	6331.5	0 07 08.4643	09.1397	.6755	3031.0	23 23 48 56.1226
24	6332.5	0 11 05.0226	05.6951	.6725	3032.0	24 23 45 00.2131
25	6333.5	0 15 01.5778	02.2504	− 0.6727	3033.0	25 23 41 04.3036
26	6334.5	0 18 58.1297	58.8058	.6762	3034.0	26 23 37 08.3941
27	6335.5	0 22 54.6787	55.3612	.6825	3035.0	27 23 33 12.4847
28	6336.5	0 26 51.2257	51.9166	.6908	3036.0	28 23 29 16.5752
29	6337.5	0 30 47.7719	48.4719	.7000	3037.0	29 23 25 20.6657
30	6338.5	0 34 44.3185	45.0273	− 0.7088	3038.0	30 23 21 24.7563
Oct. 1	6339.5	0 38 40.8663	41.5827	− 0.7163	3039.0	Oct. 1 23 17 28.8468

Date 0ʰ U.T.		Julian Date	G. SIDEREAL TIME (G. H. A. of the Equinox)		Equation of Equinoxes at 0ʰ U.T.	G.S.D. 0ʰ G.S.T.	U.T. at 0ʰ G.M.S.T. (Greenwich Transit of the Mean Equinox)		
			Apparent	Mean					
		244	h m s	s	s	245		h m s	
Oct.	1	6339.5	0 38 40.8663	41.5827	−0.7163	3039.0	Oct.	1 23 17 28.8468	
	2	6340.5	0 42 37.4163	38.1380	.7217	3040.0		2 23 13 32.9373	
	3	6341.5	0 46 33.9687	34.6934	.7247	3041.0		3 23 09 37.0279	
	4	6342.5	0 50 30.5237	31.2488	.7251	3042.0		4 23 05 41.1184	
	5	6343.5	0 54 27.0808	27.8041	.7233	3043.0		5 23 01 45.2089	
	6	6344.5	0 58 23.6396	24.3595	−0.7199	3044.0		6 22 57 49.2995	
	7	6345.5	1 02 20.1991	20.9149	.7158	3045.0		7 22 53 53.3900	
	8	6346.5	1 06 16.7582	17.4702	.7121	3046.0		8 22 49 57.4805	
	9	6347.5	1 10 13.3157	14.0256	.7099	3047.0		9 22 46 01.5711	
	10	6348.5	1 14 09.8708	10.5810	.7102	3048.0		10 22 42 05.6616	
	11	6349.5	1 18 06.4226	07.1363	−0.7137	3049.0		11 22 38 09.7521	
	12	6350.5	1 22 02.9714	03.6917	.7203	3050.0		12 22 34 13.8427	
	13	6351.5	1 25 59.5182	60.2471	.7289	3051.0		13 22 30 17.9332	
	14	6352.5	1 29 56.0651	56.8024	.7373	3052.0		14 22 26 22.0237	
	15	6353.5	1 33 52.6144	53.3578	.7434	3053.0		15 22 22 26.1142	
	16	6354.5	1 37 49.1680	49.9132	−0.7452	3054.0		16 22 18 30.2048	
	17	6355.5	1 41 45.7261	46.4685	.7424	3055.0		17 22 14 34.2953	
	18	6356.5	1 45 42.2879	43.0239	.7360	3056.0		18 22 10 38.3858	
	19	6357.5	1 49 38.8512	39.5793	.7280	3057.0		19 22 06 42.4764	
	20	6358.5	1 53 35.4140	36.1346	.7206	3058.0		20 22 02 46.5669	
	21	6359.5	1 57 31.9746	32.6900	−0.7154	3059.0		21 21 58 50.6574	
	22	6360.5	2 01 28.5320	29.2454	.7134	3060.0		22 21 54 54.7480	
	23	6361.5	2 05 25.0860	25.8007	.7147	3061.0		23 21 50 58.8385	
	24	6362.5	2 09 21.6370	22.3561	.7191	3062.0		24 21 47 02.9290	
	25	6363.5	2 13 18.1859	18.9115	.7256	3063.0		25 21 43 07.0196	
	26	6364.5	2 17 14.7338	15.4668	−0.7331	3064.0		26 21 39 11.1101	
	27	6365.5	2 21 11.2817	12.0222	.7405	3065.0		27 21 35 15.2006	
	28	6366.5	2 25 07.8308	08.5776	.7467	3066.0		28 21 31 19.2912	
	29	6367.5	2 29 04.3819	05.1329	.7510	3067.0		29 21 27 23.3817	
	30	6368.5	2 33 00.9355	01.6883	.7528	3068.0		30 21 23 27.4722	
	31	6369.5	2 36 57.4916	58.2437	−0.7520	3069.0		31 21 19 31.5628	
Nov.	1	6370.5	2 40 54.0502	54.7990	.7489	3070.0	Nov.	1 21 15 35.6533	
	2	6371.5	2 44 50.6105	51.3544	.7439	3071.0		2 21 11 39.7438	
	3	6372.5	2 48 47.1717	47.9098	.7381	3072.0		3 21 07 43.8343	
	4	6373.5	2 52 43.7328	44.4651	.7323	3073.0		4 21 03 47.9249	
	5	6374.5	2 56 40.2927	41.0205	−0.7278	3074.0		5 20 59 52.0154	
	6	6375.5	3 00 36.8506	37.5759	.7253	3075.0		6 20 55 56.1059	
	7	6376.5	3 04 33.4056	34.1312	.7256	3076.0		7 20 52 00.1965	
	8	6377.5	3 08 29.9578	30.6866	.7288	3077.0		8 20 48 04.2870	
	9	6378.5	3 12 26.5076	27.2420	.7344	3078.0		9 20 44 08.3775	
	10	6379.5	3 16 23.0566	23.7973	−0.7407	3079.0		10 20 40 12.4681	
	11	6380.5	3 20 19.6070	20.3527	.7457	3080.0		11 20 36 16.5586	
	12	6381.5	3 24 16.1609	16.9081	.7471	3081.0		12 20 32 20.6491	
	13	6382.5	3 28 12.7197	13.4634	.7437	3082.0		13 20 28 24.7397	
	14	6383.5	3 32 09.2831	10.0188	.7357	3083.0		14 20 24 28.8302	
	15	6384.5	3 36 05.8493	06.5742	−0.7249	3084.0		15 20 20 32.9207	
	16	6385.5	3 40 02.4160	03.1295	−0.7135	3085.0		16 20 16 37.0113	

Date 0h U.T.	Julian Date	G. SIDEREAL TIME (G. H. A. of the Equinox)		Equation of Equinoxes at 0h U.T.	G.S.D. 0h G.S.T.	U.T. at 0h G.M.S.T. (Greenwich Transit of the Mean Equinox)
		Apparent	Mean			
	244	h m s	s	s	245	h m s
Nov. 16	6385.5	3 40 02.4160	03.1295	− 0.7135	3085.0	Nov. 16 20 16 37.0113
17	6386.5	3 43 58.9808	59.6849	.7041	3086.0	17 20 12 41.1018
18	6387.5	3 47 55.5424	56.2403	.6979	3087.0	18 20 08 45.1923
19	6388.5	3 51 52.1002	52.7956	.6954	3088.0	19 20 04 49.2829
20	6389.5	3 55 48.6547	49.3510	.6963	3089.0	20 20 00 53.3734
21	6390.5	3 59 45.2068	45.9064	− 0.6996	3090.0	21 19 56 57.4639
22	6391.5	4 03 41.7575	42.4617	.7043	3091.0	22 19 53 01.5544
23	6392.5	4 07 38.3080	39.0171	.7091	3092.0	23 19 49 05.6450
24	6393.5	4 11 34.8594	35.5725	.7131	3093.0	24 19 45 09.7355
25	6394.5	4 15 31.4126	32.1278	.7153	3094.0	25 19 41 13.8260
26	6395.5	4 19 27.9681	28.6832	− 0.7151	3095.0	26 19 37 17.9166
27	6396.5	4 23 24.5263	25.2386	.7123	3096.0	27 19 33 22.0071
28	6397.5	4 27 21.0869	21.7939	.7070	3097.0	28 19 29 26.0976
29	6398.5	4 31 17.6495	18.3493	.6998	3098.0	29 19 25 30.1882
30	6399.5	4 35 14.2131	14.9047	.6916	3099.0	30 19 21 34.2787
Dec. 1	6400.5	4 39 10.7768	11.4601	− 0.6832	3100.0	Dec. 1 19 17 38.3692
2	6401.5	4 43 07.3395	08.0154	.6759	3101.0	2 19 13 42.4598
3	6402.5	4 47 03.9002	04.5708	.6706	3102.0	3 19 09 46.5503
4	6403.5	4 51 00.4583	01.1262	.6679	3103.0	4 19 05 50.6408
5	6404.5	4 54 57.0135	57.6815	.6680	3104.0	5 19 01 54.7314
6	6405.5	4 58 53.5663	54.2369	− 0.6706	3105.0	6 18 57 58.8219
7	6406.5	5 02 50.1178	50.7923	.6745	3106.0	7 18 54 02.9124
8	6407.5	5 06 46.6697	47.3476	.6779	3107.0	8 18 50 07.0029
9	6408.5	5 10 43.2241	43.9030	.6789	3108.0	9 18 46 11.0935
10	6409.5	5 14 39.7826	40.4584	.6757	3109.0	10 18 42 15.1840
11	6410.5	5 18 36.3459	37.0137	− 0.6678	3110.0	11 18 38 19.2745
12	6411.5	5 22 32.9132	33.5691	.6559	3111.0	12 18 34 23.3651
13	6412.5	5 26 29.4823	30.1245	.6421	3112.0	13 18 30 27.4556
14	6413.5	5 30 26.0506	26.6798	.6292	3113.0	14 18 26 31.5461
15	6414.5	5 34 22.6161	23.2352	.6191	3114.0	15 18 22 35.6367
16	6415.5	5 38 19.1775	19.7906	− 0.6130	3115.0	16 18 18 39.7272
17	6416.5	5 42 15.7351	16.3459	.6109	3116.0	17 18 14 43.8177
18	6417.5	5 46 12.2895	12.9013	.6118	3117.0	18 18 10 47.9083
19	6418.5	5 50 08.8421	09.4567	.6146	3118.0	19 18 06 51.9988
20	6419.5	5 54 05.3940	06.0120	.6180	3119.0	20 18 02 56.0893
21	6420.5	5 58 01.9466	02.5674	− 0.6208	3120.0	21 17 59 00.1799
22	6421.5	6 01 58.5006	59.1228	.6222	3121.0	22 17 55 04.2704
23	6422.5	6 05 55.0568	55.6781	.6214	3122.0	23 17 51 08.3609
24	6423.5	6 09 51.6154	52.2335	.6181	3123.0	24 17 47 12.4515
25	6424.5	6 13 48.1765	48.7889	.6123	3124.0	25 17 43 16.5420
26	6425.5	6 17 44.7397	45.3442	− 0.6045	3125.0	26 17 39 20.6325
27	6426.5	6 21 41.3042	41.8996	.5954	3126.0	27 17 35 24.7230
28	6427.5	6 25 37.8689	38.4550	.5861	3127.0	28 17 31 28.8136
29	6428.5	6 29 34.4327	35.0103	.5776	3128.0	29 17 27 32.9041
30	6429.5	6 33 30.9946	31.5657	.5711	3129.0	30 17 23 36.9946
31	6430.5	6 37 27.5538	28.1211	− 0.5673	3130.0	31 17 19 41.0852
32	6431.5	6 41 24.1100	24.6764	− 0.5664	3131.0	32 17 15 45.1757

Purpose and arrangement

The formulae, tables and ephemerides in the remainder of this section are mainly intended to provide for the reduction of astronomical coordinates (especially of right ascension and declination) from one reference system to another (especially for stars from catalogue (barycentric) place to apparent (geocentric) place) but some of the data may be used for other purposes. Formulae and numerical values are given on pages B16–B21 for the separate steps in such reductions (i.e. for proper motion, aberration, light-deflection, parallax, precession and nutation). Formulae, examples and ephemerides are given for approximate reductions using the day-number technique on pages B22–B35 and for full-precision reductions using vectors and the rotation-matrix technique on pages B36–B57. Finally, formulae and numerical values are given for the reduction from geocentric to topocentric place on pages B41 and B58. Background information is given in the Glossary and the Explanation.

Notation and units

t an epoch expressed in terms of the Julian year (see page B4); the difference between two epochs represents a time-interval expressed in Julian years; subscripts zero and one are used to indicate the epoch of a catalogue place, usually the standard epoch of J2000·0, and the epoch of the middle of a Julian year (here shortened to "epoch of year"), respectively.

τ fraction of year measured from the epoch of year; $\tau = t - t_1$

T an interval of time expressed in Julian centuries of 36 525 days; usually measured from J2000·0, i.e. from JD 245 1545·0.

α, δ, π right ascension, declination and annual parallax; in the formulae for computation, right ascension and related quantities are expressed in time-measure ($1^h = 15°$, etc.), while declination and related quantities, including annual parallax, are expressed in sexagesimal angular measure, unless the contrary is indicated.

μ_α, μ_δ components of *centennial* proper motion in right ascension and declination.

λ, β ecliptic longitude and latitude.

Ω, i, ω orbital elements referred to the ecliptic; longitude of ascending node, inclination, argument of perihelion.

X, Y, Z rectangular coordinates of the Earth with respect to the barycentre of the solar system, referred to the mean equinox and equator of J2000·0, and expressed in astronomical units (au).

$\dot{X}, \dot{Y}, \dot{Z}$ first derivatives of X, Y, Z with respect to time expressed in days.

Approximate reduction for proper motion

In its simplest form the reduction for the proper motion is given by:
$$\alpha = \alpha_0 + (t - t_0) \mu_\alpha / 100 \qquad \delta = \delta_0 + (t - t_0) \mu_\delta / 100$$
In some cases it is necessary to allow also for second-order terms, radial velocity and orbital motion, but appropriate formulae are usually given in the catalogue.

Approximate reduction for annual parallax

The reduction for annual parallax from the catalogue place (α_0, δ_0) to the geocentric place (α, δ) is given by:
$$\alpha = \alpha_0 + (\pi / 15 \cos \delta_0) (X \sin \alpha_0 - Y \cos \alpha_0)$$
$$\delta = \delta_0 + \pi (X \cos \alpha_0 \sin \delta_0 + Y \sin \alpha_0 \sin \delta_0 - Z \cos \delta_0)$$
where X, Y, Z are the coordinates of the Earth tabulated on pages B42 onwards. Expressions for X, Y, Z may be obtained from page C24, since $X = -x$, $Y = -y$, $Z = -z$. The correction may be applied with the correction for annual aberration using the C and D day numbers (see page B22).

The times of reception of periodic phenomena, such as pulsar signals, may be reduced to a common origin at the barycentre by adding the light-time corresponding to the component of the Earth's position vector along the direction to the object; that is by adding to the observed times $(X \cos \alpha \cos \delta + Y \sin \alpha \cos \delta + Z \sin \delta)/c$, where the velocity of light, $c = 173·14$ au$/$d, and the light time for 1 au, $1/c = 0^d·005\,7756$.

Approximate reduction for annual aberration

The reduction for annual aberration from a geometric geocentric place (α_0, δ_0) to an apparent geocentric place (α, δ) is given by:

$$\alpha = \alpha_0 + (-\dot{X} \sin \alpha_0 + \dot{Y} \cos \alpha_0)/(c \cos \delta_0)$$

$$\delta = \delta_0 + (-\dot{X} \cos \alpha_0 \sin \delta_0 - \dot{Y} \sin \alpha_0 \sin \delta_0 + \dot{Z} \cos \delta_0)/c$$

where $c = 173 \cdot 14$ au$/$d, and $\dot{X}, \dot{Y}, \dot{Z}$ are the velocity components of the Earth given on pages B42 onwards. Alternatively, but to lower precision, it is possible to use the expressions

$$\dot{X} = +0 \cdot 0172 \sin \lambda \qquad \dot{Y} = -0 \cdot 0158 \cos \lambda \qquad \dot{Z} = -0 \cdot 0068 \cos \lambda$$

where the apparent longitude of the Sun λ is given by the expression on page C24. The reduction may also be carried out by using the day-number technique (see page B22) or the rotation-matrix technique (see page B39) when full precision is required.

Measurements of radial velocity may be reduced to a common origin at the barycentre by adding the component of the Earth's velocity in the direction of the object; that is by adding

$$\dot{X} \cos \alpha_0 \cos \delta_0 + \dot{Y} \sin \alpha_0 \cos \delta_0 + \dot{Z} \sin \delta_0$$

Classical reduction for planetary aberration

In the case of a body in the solar system the apparent direction at the instant of observation (t) differs from the geometric direction at that instant because of (a) the motion of the body during the light-time and (b) the relative motion of the Earth and the light. The reduction may be carried out in two stages: (i) by combining the barycentric position of the body at time $t - \Delta t$, where Δt is the light-time, with the barycentric position of the Earth at time t, and then (ii) by applying the correction for annual aberration as described above. Alternatively it is possible to interpolate the geometric (geocentric) ephemeris of the body to the time $t - \Delta t$; it is usually sufficient to subtract the product of the light-time and the first derivative of the coordinate. The light-time Δt in days is given by the distance in au between the body and the Earth, multiplied by $0 \cdot 005 7755$; strictly, the light-time corresponds to the distance from the position of the Earth at time t to the position of the body at time $t - \Delta t$, but it is usually sufficient to use the geocentric distance at time t.

Approximate reduction for light-deflection

The apparent direction of a star or of a body in the solar system may be significantly affected by the deflection of light in the gravitational field of the Sun. The elongation (E) from the centre of the Sun is increased by an amount that, for a star, depends on the elongation in the following manner:

$$\Delta E = 0'' \cdot 00407 / \tan (E/2)$$

E	$0° \cdot 5$	$1°$	$2°$	$5°$	$10°$	$20°$	$50°$	$90°$
ΔE	$0'' \cdot 933$	$0'' \cdot 466$	$0'' \cdot 233$	$0'' \cdot 093$	$0'' \cdot 047$	$0'' \cdot 023$	$0'' \cdot 009$	$0'' \cdot 004$

The effects in right ascension and declination may be calculated approximately from:

$$\cos E = \sin \delta \sin \delta_0 + \cos \delta \cos \delta_0 \cos (\alpha - \alpha_0)$$

$$\Delta \alpha = 0^s \cdot 000 271 \cos \delta_0 \sin (\alpha - \alpha_0)/(1 - \cos E) \cos \delta$$

$$\Delta \delta = 0'' \cdot 004 07 [\sin \delta \cos \delta_0 \cos (\alpha - \alpha_0) - \cos \delta \sin \delta_0]/(1 - \cos E)$$

where α, δ refer to the star, and α_0, δ_0 to the Sun. See also page B39.

Reduction for precession—rigorous formulae

Rigorous formulae for the reduction of mean equatorial positions from an initial epoch t_0 to epoch of date t, and vice versa, are as follows:

For right ascension and declination:

$$\sin(\alpha - z_A)\cos\delta = \sin(\alpha_0 + \zeta_A)\cos\delta_0$$
$$\cos(\alpha - z_A)\cos\delta = \cos(\alpha_0 + \zeta_A)\cos\theta_A\cos\delta_0 - \sin\theta_A\sin\delta_0$$
$$\sin\delta = \cos(\alpha_0 + \zeta_A)\sin\theta_A\cos\delta_0 + \cos\theta_A\sin\delta_0$$

$$\sin(\alpha_0 + \zeta_A)\cos\delta_0 = \sin(\alpha - z_A)\cos\delta$$
$$\cos(\alpha_0 + \zeta_A)\cos\delta_0 = \cos(\alpha - z_A)\cos\theta_A\cos\delta + \sin\theta_A\sin\delta$$
$$\sin\delta_0 = -\cos(\alpha - z_A)\sin\theta_A\cos\delta + \cos\theta_A\sin\delta$$

where ζ_A, z_A, θ_A are angles that serve to specify the position of the mean equinox and equator of date with respect to the mean equinox and equator of the initial epoch.

For reduction with respect to the standard epoch $t_0 = \text{J}2000 \cdot 0$

$$\zeta_A = 0°\!\cdot\!640\ 6161\ T + 0°\!\cdot\!000\ 0839\ T^2 + 0°\!\cdot\!000\ 0050\ T^3$$
$$z_A = 0°\!\cdot\!640\ 6161\ T + 0°\!\cdot\!000\ 3041\ T^2 + 0°\!\cdot\!000\ 0051\ T^3$$
$$\theta_A = 0°\!\cdot\!556\ 7530\ T - 0°\!\cdot\!000\ 1185\ T^2 - 0°\!\cdot\!000\ 0116\ T^3$$

where $T = (t - 2000\cdot0)/100 = (\text{JD} - 245\ 1545\cdot0)/36\ 525$

For equatorial rectangular coordinates (or direction cosines):

$$\mathbf{r} = \mathbf{P}\,\mathbf{r}_0 \qquad \mathbf{r}_0 = \mathbf{P}^{-1}\mathbf{r} = \mathbf{P}'\,\mathbf{r} \qquad \text{where } \mathbf{r} \text{ is the position vector } (x, y, z).$$

The inverse of the rotation matrix $\mathbf{P}$ is equal to its transpose, i.e. $\mathbf{P}^{-1} = \mathbf{P}'$. The elements of $\mathbf{P}$ may be expressed in terms of ζ_A, z_A, θ_A as follows:

$$
\begin{array}{lll}
\cos\zeta_A\cos\theta_A\cos z_A - \sin\zeta_A\sin z_A & -\sin\zeta_A\cos\theta_A\cos z_A - \cos\zeta_A\sin z_A & -\sin\theta_A\cos z_A \\
\cos\zeta_A\cos\theta_A\sin z_A + \sin\zeta_A\cos z_A & -\sin\zeta_A\cos\theta_A\sin z_A + \cos\zeta_A\cos z_A & -\sin\theta_A\sin z_A \\
\cos\zeta_A\sin\theta_A & -\sin\zeta_A\sin\theta_A & \cos\theta_A
\end{array}
$$

Values of the angles ζ_A, z_A, θ_A and of the elements of $\mathbf{P}$ for reduction from the standard epoch J2000·0 to epoch of year are as follows:

Epoch J1985·5	Rotation matrix $\mathbf{P}$ for reduction to epoch J1985·5		
$\zeta_A = -334''\!\cdot\!40 = -0°\!\cdot\!092\ 888$	$+0\cdot999\ 993\ 75$	$+0\cdot003\ 242\ 30$	$+0\cdot001\ 409\ 03$
$z_A = -334''\!\cdot\!38 = -0°\!\cdot\!092\ 883$	$-0\cdot003\ 242\ 30$	$+0\cdot999\ 994\ 74$	$-0\cdot000\ 002\ 28$
$\theta_A = -290''\!\cdot\!63 = -0°\!\cdot\!080\ 732$	$-0\cdot001\ 409\ 03$	$-0\cdot000\ 002\ 28$	$+0\cdot999\ 999\ 01$

The obliquity of the ecliptic of date (with respect to the mean equator of date) is given by:

$$\varepsilon = 23° 26' 21''\!\cdot\!45 - 46''\!\cdot\!815\ T - 0''\!\cdot\!0006\ T^2 + 0''\!\cdot\!001\ 81\ T^3$$
$$\varepsilon = 23°\!\cdot\!439\ 291 - 0°\!\cdot\!013\ 0042\ T - 0°\!\cdot\!000\ 000\ 16\ T^2 + 0°\!\cdot\!000\ 000\ 504\ T^3$$

The precessional motion of the ecliptic is specified by the inclination (π_A) and longitude of the node (Π_A) of the ecliptic of date with respect to the ecliptic and equinox of J2000·0; they are given by:

$$\pi_A \sin\Pi_A = +\ 4''\!\cdot\!198\ T + 0''\!\cdot\!1945\ T^2 - 0''\!\cdot\!000\ 18\ T^3$$
$$\pi_A \cos\Pi_A = -46''\!\cdot\!815\ T + 0''\!\cdot\!0506\ T^2 + 0''\!\cdot\!000\ 34\ T^3$$

For epoch J1985·5

$$
\begin{aligned}
\varepsilon &= 23° 26' 28''\!\cdot\!24 &= 23°\!\cdot\!441\ 177 \\
\pi_A &= -6''\!\cdot\!816 &= -0°\!\cdot\!001\ 8934 \\
\Pi_A &= 174° 54'\!\cdot\!7 &= 174°\!\cdot\!911
\end{aligned}
$$

Reduction for precession—approximate formulae

Approximate formulae for the reduction of coordinates and orbital elements referred to the mean equinox and equator or ecliptic of date (t) are as follows:

For reduction to J2000·0

$$\alpha_0 = \alpha - M - N \sin \alpha_m \tan \delta_m$$
$$\delta_0 = \delta - N \cos \alpha_m$$
$$\lambda_0 = \lambda - a + b \cos (\lambda + c') \tan \beta_0$$
$$\beta_0 = \beta - b \sin (\lambda + c')$$
$$\Omega_0 = \Omega - a + b \sin (\Omega + c') \cot i_0$$
$$i_0 = i - b \cos (\Omega + c')$$
$$\omega_0 = \omega - b \sin (\Omega + c') \operatorname{cosec} i_0$$

For reduction from J2000·0

$$\alpha = \alpha_0 + M + N \sin \alpha_m \tan \delta_m$$
$$\delta = \delta_0 + N \cos \alpha_m$$
$$\lambda = \lambda_0 + a - b \cos (\lambda_0 + c) \tan \beta$$
$$\beta = \beta_0 + b \sin (\lambda_0 + c)$$
$$\Omega = \Omega_0 + a - b \sin (\Omega_0 + c) \cot i$$
$$i = i_0 + b \cos (\Omega_0 + c)$$
$$\omega = \omega_0 + b \sin (\Omega_0 + c) \operatorname{cosec} i$$

where the subscript zero refers to epoch J2000·0 and α_m, δ_m refer to the mean epoch; with sufficient accuracy:

$$\alpha_m = \alpha - \tfrac{1}{2}(M + N \sin \alpha \tan \delta)$$
$$\delta_m = \delta - \tfrac{1}{2}N \cos \alpha_m$$

or

$$\alpha_m = \alpha_0 + \tfrac{1}{2}(M + N \sin \alpha_0 \tan \delta_0)$$
$$\delta_m = \delta_0 + \tfrac{1}{2}N \cos \alpha_m$$

The precessional constants M, N, etc., are given by:

$$M = 1°{\cdot}281\ 2323\ T + 0°{\cdot}000\ 3879\ T^2 + 0°{\cdot}000\ 0101\ T^3$$
$$N = 0°{\cdot}556\ 7530\ T - 0°{\cdot}000\ 1185\ T^2 - 0°{\cdot}000\ 0116\ T^3$$
$$a = 1°{\cdot}396\ 971\ T + 0°{\cdot}000\ 3086\ T^2$$
$$b = 0°{\cdot}013\ 056\ T - 0°{\cdot}000\ 0092\ T^2$$
$$c = 5°{\cdot}123\ 62 + 0°{\cdot}241\ 614\ T + 0°{\cdot}000\ 1122\ T^2$$
$$c' = 5°{\cdot}123\ 62 - 1°{\cdot}155\ 358\ T - 0°{\cdot}000\ 1964\ T^2$$

where $T = (t - 2000{\cdot}0)/100 = (\text{JD} - 245\ 1545{\cdot}0)/36\ 525$

Formulae for the reduction from the mean equinox and equator or ecliptic of the middle of year (t_1) to date (t) are as follows:

$$\alpha = \alpha_1 + \tau (m + n \sin \alpha_1 \tan \delta_1)$$
$$\lambda = \lambda_1 + \tau (p - \pi \cos (\lambda_1 + 6°) \tan \beta)$$
$$\Omega = \Omega_1 + \tau (p - \pi \sin (\Omega_1 + 6°) \cot i)$$
$$\omega = \omega_1 + \tau \pi \sin (\Omega_1 + 6°) \operatorname{cosec} i$$

$$\delta = \delta_1 + \tau n \cos \alpha_1$$
$$\beta = \beta_1 + \tau \pi \sin (\lambda_1 + 6°)$$
$$i = i_1 + \tau \pi \cos (\Omega_1 + 6°)$$

where $\tau = t - t_1$ and π is the annual rate of rotation of the ecliptic. The precessional constants p, m, etc. are as follows:

	Epoch J1985·5
Annual general precession	$p = +0°{\cdot}013\ 9688$
Annual precession in R.A.	$m = +0°{\cdot}012\ 8112$
Annual precession in Dec.	$n = +0°{\cdot}005\ 5679$
Annual rate of rotation	$\pi = +0°{\cdot}000\ 1306$
Longitude of axis	$\Pi = +174°{\cdot}7439$
	$\gamma = 180° - \Pi = +5°{\cdot}2561$

where Π is the longitude of the instantaneous rotation axis of the ecliptic, measured from the mean equinox of date.

Reduction for nutation

The contributions of the nutations in longitude ($\Delta\psi$) and in obliquity ($\Delta\varepsilon$) to the reduction from mean place to true place are given by:

$$\Delta\alpha = (\cos\varepsilon + \sin\varepsilon \sin\alpha \tan\delta)\,\Delta\psi - \cos\alpha \tan\delta\,\Delta\varepsilon \qquad \Delta\lambda = \Delta\psi$$
$$\Delta\delta = \sin\varepsilon \cos\alpha\,\Delta\psi + \sin\alpha\,\Delta\varepsilon \qquad \Delta\beta = 0$$

The corrections to be added to the mean rectangular coordinates (x, y, z) to produce the true rectangular coordinates are given by:

$$\Delta x = -(y\cos\varepsilon + z\sin\varepsilon)\,\Delta\psi \qquad \Delta y = +x\cos\varepsilon\,\Delta\psi - z\,\Delta\varepsilon \qquad \Delta z = +x\sin\varepsilon\,\Delta\psi + y\,\Delta\varepsilon$$

where $\Delta\psi$ and $\Delta\varepsilon$ are expressed in radians.

The elements of the corresponding rotation matrix are:

$$\begin{matrix} 1 & -\Delta\psi\cos\varepsilon & -\Delta\psi\sin\varepsilon \\ +\Delta\psi\cos\varepsilon & 1 & -\Delta\varepsilon \\ +\Delta\psi\sin\varepsilon & +\Delta\varepsilon & 1 \end{matrix}$$

Daily values of $\Delta\psi$ and $\Delta\varepsilon$ during 1985 are tabulated on pages B24–B31. The following formulae may be used to compute $\Delta\psi$ and $\Delta\varepsilon$ to a precision of about $0°.0002$ ($1''$) during 1985:

$$\Delta\psi = -0°.0048 \sin(\,55°.2 - 0°.053d) \qquad \Delta\varepsilon = +0°.0026 \cos(\,55°.2 - 0°.053d)$$
$$-0°.0004 \sin(199°.2 + 1°.971d) \qquad\qquad +0°.0002 \cos(199°.2 + 1°.971d)$$

where $d = \mathrm{JD} - 244\ 6065.5$; for this precision

$$\varepsilon = 23°.44 \qquad \cos\varepsilon = 0.917 \qquad \sin\varepsilon = 0.398$$

Approximate reduction for precession and nutation

The following formulae and table may be used for the approximate reduction from the standard equinox and equator of J2000·0 to the true equinox and equator of date during 1985:

$$\alpha = \alpha_0 + f + g\sin(G + \alpha_0)\tan\delta_0$$
$$\delta = \delta_0 + g\cos(G + \alpha_0)$$

where the units of the correction to α_0 and δ_0 are seconds of time and minutes of arc, respectively.

Date 1985	f (s)	g (s)	g (′)	G (h m)	Date 1985	f (s)	g (s)	g (′)	G (h m)
Jan. −5	−47·0	20·4	5·11	12 03	July 4	−45·3	19·7	4·92	12 04
5	46·9	20·4	5·10	12 03	14	45·2	19·6	4·91	12 04
15*	46·8	20·3	5·08	12 03	24	45·1	19·6	4·90	12 05
25	46·7	20·3	5·07	12 04	Aug. 3*	44·9	19·5	4·88	12 05
Feb. 4	46·6	20·2	5·06	12 04	13	44·9	19·5	4·88	12 05
14	−46·5	20·2	5·05	12 04	23	−44·8	19·5	4·87	12 05
24*	46·4	20·2	5·04	12 04	Sept. 2	44·7	19·4	4·86	12 05
Mar. 6	46·3	20·1	5·04	12 04	12*	44·6	19·4	4·85	12 05
16	46·3	20·1	5·03	12 04	22	44·6	19·4	4·84	12 05
26	46·2	20·1	5·02	12 04	Oct. 2	44·5	19·4	4·84	12 06
Apr. 5*	−46·2	20·1	5·02	12 05	12	−44·4	19·3	4·83	12 06
15	46·1	20·0	5·01	12 04	22*	44·4	19·3	4·82	12 05
25	46·0	20·0	5·00	12 04	Nov. 1	44·3	19·3	4·82	12 05
May 5	45·9	20·0	4·99	12 04	11	44·2	19·2	4·81	12 05
15*	45·8	19·9	4·98	12 04	21	44·1	19·2	4·79	12 05
25	−45·7	19·9	4·97	12 04	Dec. 1*†	−44·0	19·1	4·78	12 05
June 4	45·6	19·8	4·96	12 04	11	43·9	19·1	4·77	12 05
14	45·5	19·8	4·95	12 04	21	43·8	19·0	4·76	12 05
24*	45·4	19·7	4·93	12 04	31	43·6	19·0	4·74	12 05
July 4	45·3	19·7	4·92	12 04	41*	43·5	18·9	4·73	12 05

* 40-day date

† 400-day date for osculation epoch

Differential precession and nutation

The corrections for differential precession and nutation are given below. These are to be added to the observed differences of the right ascension and declination, $\Delta\alpha$ and $\Delta\delta$, of an object relative to a comparison star to obtain the differences in the mean place for a standard epoch (e.g. J2000·0 or the beginning of the year). The differences $\Delta\alpha$ and $\Delta\delta$ are measured in the sense "object − comparison star", and the corrections are in the same units as $\Delta\alpha$ and $\Delta\delta$. In the correction to right ascension the same units must be used for $\Delta\alpha$ and $\Delta\delta$.

correction to right ascension $e \tan\delta\, \Delta\alpha - f \sec^2\delta\, \Delta\delta$

correction to declination $f\, \Delta\alpha$

where $e = -\cos\alpha\,(nt + \sin\varepsilon\,\Delta\psi) - \sin\alpha\,\Delta\varepsilon$

       $f = +\sin\alpha\,(nt + \sin\varepsilon\,\Delta\psi) - \cos\alpha\,\Delta\varepsilon$

and $\varepsilon = 23°\cdot44,$ $\sin\varepsilon = 0\cdot3978$

       $n = 0\cdot000\,0972$ radians for epoch J1985·5

       t is the time in years *from* the standard epoch *to* the time of observation.

     $\Delta\psi$, $\Delta\varepsilon$ are nutations in longitude and obliquity at the time of observation, *expressed in radians.* ($1'' = 0\cdot000\,004\,8481$ rad).

The errors in arc units caused by using these formulae are of order $10^{-8}\,t^2 \sec^2\delta$ multiplied by the displacement in arc from the comparison star.

Differential aberration

The corrections for differential annual aberration to be added to the observed differences (in the sense moving object minus star) of right ascension and declination to give the true differences are:

in right ascension $a\,\Delta\alpha + b\,\Delta\delta$ in units of $0^s\cdot001$

in declination $c\,\Delta\alpha + d\,\Delta\delta$ in units of $0''\cdot01$

where $\Delta\alpha$, $\Delta\delta$ are the observed differences in units of 1^m and $1'$ respectively, and where a, b, c, d are coefficients defined by:

$a = -5\cdot701\cos(H + \alpha)\sec\delta$ $b = -0\cdot380\sin(H + \alpha)\sec\delta\tan\delta$

$c = +8\cdot552\sin(H + \alpha)\sin\delta$ $d = -0\cdot570\cos(H + \alpha)\cos\delta$

$H^h = 23\cdot4 - (\text{day of year} / 15\cdot2)$

The day of year is tabulated on pages B2–B3.

Astrometric positions

An astrometric position of a body in the solar system is formed by applying the correction for the barycentric motion of the body during the light-time to the geometric geocentric position referred to the equator and equinox of the standard epoch of J2000·0. Such a position is then directly comparable with the astrometric positions of stars formed by applying the corrections for proper motion and annual parallax to the catalogue positions for the standard epoch of J2000·0. The deflection of light has been ignored.

Formulae using day numbers

For stars and other objects outside the solar system the usual procedure for the computation of apparent positions from catalogue data is as follows, but the techniques described on pages B39–B41 should be used if full precision is required.

From	To	Step	Correction
Catalogue epoch	current epoch	i	proper motion
catalogue equinox	mean equinox of year	ii	precession
mean equinox of year	mean equinox of date	iii	precession
mean equinox of date	true equinox of date	iv	nutation
true (heliocentric) position	apparent (geocentric) position $\begin{cases} v \\ vi \end{cases}$		aberration (annual) parallax (annual)

Star catalogues usually provide coefficients for steps i and ii for the reduction from catalogue position (α_0, δ_0) to the position for the mean equinox of another epoch. Besselian day numbers $(A$ to $E)$, which provide for steps iii to v for the reductions from the position (α_1, δ_1) for the mean equinox of the middle of the year to the apparent geocentric position (α, δ), are given on pages B24–B31; for high declinations, the second-order day numbers (J, J') given on pages B32–B35 may be required. The formulae to be used are:

$$\alpha = \alpha_1 + Aa + Bb + Cc + Dd + E + J \tan^2 \delta_1$$
$$\delta = \delta_1 + Aa' + Bb' + Cc' + Dd' + J' \tan \delta_1$$

where the Besselian star constants are given by:

$$a = (m/n) + \sin \alpha_1 \tan \delta_1 \qquad\qquad a' = \cos \alpha_1$$
$$b = \cos \alpha_1 \tan \delta_1 \qquad\qquad\qquad b' = -\sin \alpha_1$$
$$c = \cos \alpha_1 \sec \delta_1 \qquad\qquad\quad c' = \tan \varepsilon \cos \delta_1 - \sin \alpha_1 \sin \delta_1$$
$$d = \sin \alpha_1 \sec \delta_1 \qquad\qquad\quad d' = \cos \alpha_1 \sin \delta_1$$

where α and δ are in arc units. For 1985·5, $m/n = 2 \cdot 300\ 91$ and $\tan \varepsilon = 0 \cdot 433\ 59$.

The additional corrections for the proper motion (centennial components μ_α, μ_δ) during the fraction of year (τ) and for annual parallax (π) are given by:

$$\Delta\alpha = \tau\mu_\alpha / 100 + \pi(dX - cY) \qquad\qquad \Delta\delta = \tau\mu_\delta / 100 + \pi(d'X - c'Y)$$

where X, Y are the coordinates of the Earth with respect to the solar-system barycentre given on pages B42–B57. Strictly, this parallax correction should be computed using the coordinates of the Earth referred to the mean equinox of the middle of the year, or using star constants computed for the standard epoch of J2000·0.

The corrections for annual parallax may be included with the corrections for annual aberration by substituting $C - \pi Y$ for C and $D + \pi X$ for D in the formulae given above. Alternatively if the annual parallax is small enough it is possible to make the substitutions

$$c + 0\cdot0532\ d\pi \text{ for } c \qquad\qquad\qquad d - 0\cdot0448\ c\pi \text{ for } d$$
$$c' + 0\cdot0532\ d'\pi \text{ for } c' \qquad\qquad\qquad d' - 0\cdot0448\ c'\pi \text{ for } d'$$

The error in this approximate method is negligible if the parallax of the star is less than about $0''\cdot2$.

A further correction to allow for the deflection of the light in the gravitational field of the Sun may also be required—appropriate formulae are given on page B17.

The day-number technique may also be used for objects within the solar system but steps i and vi are omitted and step v is replaced by forming the geocentric position by combining the barycentric position of the body at time $t - \Delta t$, where Δt is the light-time, with the barycentric position of the Earth at time t.

Example of day-number technique

To calculate the apparent place of a star at 0^h TDT at Greenwich on 1985 January 1 from the mean place for J1985·5 using day numbers.

Step 1. From a fundamental star catalogue, such as the FK5, calculate for epoch and equinox J1985·5 the mean right ascension and declination (α_1, δ_1), the centennial proper motion (μ_α, μ_δ) and the parallax (π).

Since the FK5 is not yet available, assume the following fictitious values:

$$\alpha_1 = 14^h\ 38^m\ 36^s\!\cdot\!483 \qquad \delta_1 = -60°\ 46'\ 33''\!\cdot\!90 \qquad \pi = 0''\!\cdot\!751$$
$$\mu_\alpha = -49^s\!\cdot\!357 \text{ per century} \qquad \mu_\delta = +70''\!\cdot\!07 \text{ per century}$$

Step 2. Form the star constants as follows:

$$a = \tfrac{1}{15}((m/n) + \sin\alpha_1 \tan\delta_1) \qquad a' = \cos\alpha_1 = -0\!\cdot\!769\,93$$
$$= +0\!\cdot\!229\,44$$
$$b = \tfrac{1}{15}\cos\alpha_1 \tan\delta_1 = +0\!\cdot\!091\,75 \qquad b' = -\sin\alpha_1 = +0\!\cdot\!638\,12$$
$$c = \tfrac{1}{15}\cos\alpha_1 \sec\delta_1 = -0\!\cdot\!105\,13 \qquad c' = \tan\varepsilon\cos\delta_1 - \sin\alpha_1\sin\delta_1$$
$$= -0\!\cdot\!345\,21$$
$$d = \tfrac{1}{15}\sin\alpha_1 \sec\delta_1 = -0\!\cdot\!087\,14 \qquad d' = \cos\alpha_1\sin\delta_1 = +0\!\cdot\!671\,94$$

Step 3. Extract the day numbers from pages B24, B34 and B35. In general, linear interpolation is required and second differences may be significant for A and B. The values for 1985 January 1 at 0^h TDT are:

$$A = -15''\!\cdot\!438 \qquad C = -3''\!\cdot\!514 \qquad E = -0^s\!\cdot\!0020 \qquad J = +0^s\!\cdot\!000\,21$$
$$B = -4''\!\cdot\!815 \qquad D = +20''\!\cdot\!491 \qquad \tau = -0\!\cdot\!4993 \qquad J' = -0''\!\cdot\!0014$$

Step 4. Extract the values of the Earth's rectangular coordinates from page B42 (the values for J2000·0 are of sufficient accuracy for computing the parallax correction). The values are:

$$X = -0\!\cdot\!183 \qquad Y = +0\!\cdot\!895$$

Step 5. Calculate the corrections for light-deflection, $\Delta\alpha$ and $\Delta\delta$.

For the Sun for 1985 January 1 at 0^h TDT, $\alpha_0 = 18^h\ 45^m\!\cdot\!8$, $\delta_0 = -23°\ 02'$ and $\cos(\text{elongation}) = +0\!\cdot\!5538$. Using the formulae on page B17, the corrections for light-deflection are $\Delta\alpha = -0^s\!\cdot\!001$ and $\Delta\delta = 0''\!\cdot\!00$.

Step 6. Compute the apparent position as follows:

Mean position 1985·5, $\alpha_1 = 14^h\ 38^m\ 36^s\!\cdot\!483$		$\delta_1 = -60°\ 46'\ 33''\!\cdot\!90$	
$Aa + Bb + Cc + Dd + E$	$= -5^s\!\cdot\!402$	$Aa' + Bb' + Cc' + Dd' = +23''\!\cdot\!80$	
$J\tan^2\delta_1$	$= +0^s\!\cdot\!001$	$J'\tan\delta_1$	$= 0''\!\cdot\!00$
$\tau\mu_\alpha/100$	$= +0^s\!\cdot\!246$	$\tau\mu_\delta/100$	$= -0''\!\cdot\!35$
$\pi(dX - cY)$	$= +0^s\!\cdot\!083$	$\pi(d'X - c'Y)$	$= +0''\!\cdot\!14$
$\Delta\alpha$	$= -0^s\!\cdot\!001$	$\Delta\delta$	$= 0''\!\cdot\!00$

Apparent position	$\alpha = 14^h\ 38^m\ 31^s\!\cdot\!410$	$\delta = -60°\ 46'\ 10''\!\cdot\!31$

FOR 0ʰ DYNAMICAL TIME

Date		Nutation in Long.	Nutation in Obl.	Obl. of Ecliptic 23°26′	Besselian Day Numbers					Fraction of Year τ
					A	B	C	D	E	
		″	″	″	″	″	″	″	(0ˢ.0001)	
Jan.	0	−13.613	+ 4.829	33.301	−15.479	− 4.829	− 3.186	+20.556	− 20	−0.5021
	1	13.648	4.815	33.285	15.438	4.815	3.514	20.491	20	0.4993
	2	13.650	4.790	33.258	15.384	4.790	3.842	20.420	20	0.4966
	3	13.610	4.759	33.226	15.313	4.759	4.168	20.342	20	0.4938
	4	13.523	4.731	33.197	15.223	4.731	4.492	20.259	20	0.4911
	5	−13.393	+ 4.714	33.179	−15.117	− 4.714	− 4.815	+20.169	− 19	−0.4884
	6	13.232	4.716	33.180	14.998	4.716	5.136	20.074	19	0.4856
	7	13.063	4.742	33.204	14.876	4.742	5.456	19.973	19	0.4829
	8	12.910	4.792	33.253	14.760	4.792	5.774	19.866	19	0.4802
	9	12.801	4.861	33.320	14.662	4.861	6.090	19.754	18	0.4774
	10	−12.749	+ 4.937	33.395	−14.586	− 4.937	− 6.405	+19.635	− 18	−0.4747
	11	12.758	5.007	33.464	14.535	5.007	6.718	19.511	18	0.4719
	12	12.811	5.059	33.515	14.501	5.059	7.029	19.381	18	0.4692
	13	12.883	5.084	33.539	14.475	5.084	7.339	19.246	19	0.4665
	14	12.942	5.083	33.536	14.444	5.083	7.647	19.104	19	0.4637
	15	−12.961	+ 5.060	33.512	−14.396	− 5.060	− 7.952	+18.955	− 19	−0.4610
	16	12.924	5.028	33.479	14.326	5.028	8.256	18.801	19	0.4582
	17	12.829	5.000	33.450	14.234	5.000	8.557	18.641	19	0.4555
	18	12.690	4.988	33.436	14.124	4.988	8.856	18.474	18	0.4528
	19	12.531	4.998	33.445	14.006	4.998	9.152	18.301	18	0.4500
	20	−12.379	+ 5.033	33.478	−13.890	− 5.033	− 9.444	+18.122	− 18	−0.4473
	21	12.258	5.089	33.533	13.787	5.089	9.734	17.937	18	0.4446
	22	12.184	5.158	33.601	13.703	5.158	10.020	17.746	18	0.4418
	23	12.163	5.230	33.672	13.640	5.230	10.303	17.550	18	0.4391
	24	12.190	5.297	33.737	13.595	5.297	10.583	17.348	18	0.4363
	25	−12.254	+ 5.351	33.790	−13.566	− 5.351	−10.858	+17.140	− 18	−0.4336
	26	12.338	5.389	33.827	13.545	5.389	11.130	16.927	18	0.4309
	27	12.426	5.409	33.845	13.525	5.409	11.398	16.709	18	0.4281
	28	12.502	5.412	33.847	13.500	5.412	11.662	16.486	18	0.4254
	29	12.550	5.402	33.836	13.464	5.402	11.922	16.258	18	0.4227
	30	−12.561	+ 5.384	33.817	−13.414	− 5.384	−12.178	+16.025	− 18	−0.4199
	31	12.528	5.366	33.798	13.346	5.366	12.429	15.788	18	0.4172
Feb.	1	12.452	5.355	33.785	13.261	5.355	12.677	15.546	18	0.4144
	2	12.340	5.359	33.788	13.161	5.359	12.920	15.300	18	0.4117
	3	12.209	5.385	33.812	13.055	5.385	13.160	15.050	18	0.4090
	4	−12.084	+ 5.435	33.861	−12.950	− 5.435	−13.395	+14.796	− 17	−0.4062
	5	11.990	5.507	33.932	12.858	5.507	13.626	14.538	17	0.4035
	6	11.952	5.591	34.015	12.788	5.591	13.853	14.275	17	0.4008
	7	11.980	5.674	34.097	12.744	5.674	14.076	14.009	17	0.3980
	8	12.063	5.741	34.162	12.722	5.741	14.295	13.739	17	0.3953
	9	−12.176	+ 5.780	34.200	−12.712	− 5.780	−14.510	+13.465	− 18	−0.3925
	10	12.284	5.789	34.208	12.700	5.789	14.721	13.187	18	0.3898
	11	12.355	5.774	34.191	12.674	5.774	14.928	12.905	18	0.3871
	12	12.372	5.745	34.161	12.625	5.745	15.130	12.619	18	0.3843
	13	12.331	5.718	34.133	12.554	5.718	15.328	12.328	18	0.3816
	14	−12.245	+ 5.703	34.117	−12.465	− 5.703	−15.521	+12.034	− 18	−0.3789
	15	−12.135	+ 5.710	34.122	−12.367	− 5.710	−15.710	+11.735	− 18	−0.3761

FOR 0ʰ DYNAMICAL TIME

Date		Nutation in Long.	Nutation in Obl.	Obl. of Ecliptic 23°26′	A	B	C	D	E	Fraction of Year τ
		″	″	″	″	″	″	″	(0ṣ0001)	
Feb.	15	− 12.135	+ 5.710	34.122	− 12.367	− 5.710	− 15.710	+ 11.735	− 18	− 0.3761
	16	12.028	5.739	34.150	12.269	5.739	15.893	11.433	17	0.3734
	17	11.945	5.790	34.200	12.181	5.790	16.071	11.127	17	0.3706
	18	11.904	5.855	34.263	12.110	5.855	16.244	10.817	17	0.3679
	19	11.913	5.925	34.332	12.058	5.925	16.412	10.504	17	0.3652
	20	− 11.971	+ 5.992	34.398	− 12.027	− 5.992	− 16.574	+ 10.187	− 17	− 0.3624
	21	12.069	6.048	34.453	12.011	6.048	16.731	9.868	17	0.3597
	22	12.193	6.088	34.491	12.005	6.088	16.882	9.546	18	0.3569
	23	12.326	6.109	34.511	12.003	6.109	17.028	9.221	18	0.3542
	24	12.450	6.113	34.513	11.998	6.113	17.167	8.893	18	0.3515
	25	− 12.551	+ 6.101	34.500	− 11.983	− 6.101	− 17.302	+ 8.563	− 18	− 0.3487
	26	12.617	6.080	34.478	11.954	6.080	17.430	8.231	18	0.3460
	27	12.642	6.055	34.452	11.909	6.055	17.554	7.897	18	0.3433
	28	12.624	6.034	34.430	11.847	6.034	17.671	7.561	18	0.3405
Mar.	1	12.569	6.025	34.419	11.771	6.025	17.783	7.223	18	0.3378
	2	− 12.489	+ 6.034	34.427	− 11.684	− 6.034	− 17.889	+ 6.884	− 18	− 0.3350
	3	12.402	6.064	34.456	11.595	6.064	17.990	6.544	18	0.3323
	4	12.333	6.118	34.508	11.512	6.118	18.085	6.202	18	0.3296
	5	12.307	6.189	34.578	11.447	6.189	18.175	5.859	18	0.3268
	6	12.341	6.265	34.653	11.406	6.265	18.260	5.515	18	0.3241
	7	− 12.438	+ 6.330	34.717	− 11.389	− 6.330	− 18.339	+ 5.169	− 18	− 0.3214
	8	12.579	6.371	34.756	11.390	6.371	18.413	4.823	18	0.3186
	9	12.728	6.379	34.763	11.395	6.379	18.483	4.476	18	0.3159
	10	12.847	6.356	34.739	11.387	6.356	18.547	4.127	19	0.3131
	11	12.909	6.315	34.696	11.357	6.315	18.606	3.777	19	0.3104
	12	− 12.907	+ 6.269	34.650	− 11.302	− 6.269	− 18.659	+ 3.426	− 19	− 0.3077
	13	12.853	6.235	34.614	11.225	6.235	18.707	3.073	19	0.3049
	14	12.768	6.222	34.599	11.136	6.222	18.750	2.719	18	0.3022
	15	12.681	6.232	34.608	11.047	6.232	18.786	2.365	18	0.2995
	16	12.615	6.263	34.638	10.966	6.263	18.817	2.009	18	0.2967
	17	− 12.589	+ 6.310	34.684	− 10.901	− 6.310	− 18.842	+ 1.653	− 18	− 0.2940
	18	12.611	6.364	34.737	10.854	6.364	18.861	1.297	18	0.2912
	19	12.681	6.416	34.788	10.827	6.416	18.875	0.940	18	0.2885
	20	12.791	6.459	34.829	10.816	6.459	18.882	0.583	18	0.2858
	21	12.930	6.487	34.855	10.817	6.487	18.883	+ 0.225	19	0.2830
	22	− 13.080	+ 6.496	34.863	− 10.822	− 6.496	− 18.878	− 0.131	− 19	− 0.2803
	23	13.226	6.487	34.853	10.825	6.487	18.867	0.488	19	0.2775
	24	13.350	6.461	34.826	10.819	6.461	18.851	0.844	19	0.2748
	25	13.441	6.425	34.788	10.800	6.425	18.828	1.199	19	0.2721
	26	13.491	6.383	34.745	10.766	6.383	18.800	1.553	19	0.2693
	27	− 13.498	+ 6.343	34.704	− 10.714	− 6.343	− 18.766	− 1.906	− 19	− 0.2666
	28	13.467	6.312	34.672	10.646	6.312	18.726	2.258	19	0.2639
	29	13.408	6.297	34.655	10.568	6.297	18.680	2.609	19	0.2611
	30	13.336	6.301	34.658	10.484	6.301	18.629	2.958	19	0.2584
	31	13.271	6.327	34.683	10.403	6.327	18.573	3.306	19	0.2556
Apr.	1	− 13.235	+ 6.372	34.726	− 10.335	− 6.372	− 18.511	− 3.652	− 19	− 0.2529
	2	− 13.249	+ 6.427	34.781	− 10.285	− 6.427	− 18.444	− 3.996	− 19	− 0.2502

FOR 0ʰ DYNAMICAL TIME

Date	Nutation in Long.	in Obl.	Obl. of Ecliptic 23°26′	A	B	C	D	E	Fraction of Year τ
	″	″	″	″	″	″	″	(0ˢ0001)	
Apr. 1	−13.235	+ 6.372	34.726	−10.335	− 6.372	−18.511	− 3.652	− 19	−0.2529
2	13.249	6.427	34.781	10.285	6.427	18.444	3.996	19	0.2502
3	13.322	6.481	34.833	10.259	6.481	18.372	4.338	19	0.2474
4	13.446	6.516	34.867	10.254	6.516	18.295	4.678	19	0.2447
5	13.595	6.521	34.870	10.258	6.521	18.213	5.017	20	0.2420
6	−13.729	+ 6.492	34.840	−10.256	− 6.492	−18.127	− 5.354	− 20	−0.2392
7	13.811	6.437	34.783	10.234	6.437	18.035	5.689	20	0.2365
8	13.823	6.370	34.716	10.184	6.370	17.939	6.023	20	0.2337
9	13.767	6.310	34.655	10.107	6.310	17.838	6.355	20	0.2310
10	13.669	6.270	34.613	10.013	6.270	17.732	6.685	20	0.2283
11	−13.558	+ 6.256	34.598	− 9.914	− 6.256	−17.620	− 7.014	− 20	−0.2255
12	13.464	6.267	34.607	9.822	6.267	17.504	7.341	19	0.2228
13	13.409	6.295	34.634	9.745	6.295	17.382	7.665	19	0.2201
14	13.402	6.332	34.670	9.687	6.332	17.255	7.988	19	0.2173
15	13.445	6.370	34.707	9.650	6.370	17.123	8.308	19	0.2146
16	−13.530	+ 6.400	34.735	− 9.629	− 6.400	−16.985	− 8.626	− 20	−0.2118
17	13.646	6.416	34.750	9.620	6.416	16.843	8.941	20	0.2091
18	13.776	6.414	34.747	9.617	6.414	16.695	9.253	20	0.2064
19	13.904	6.394	34.726	9.613	6.394	16.542	9.562	20	0.2036
20	14.014	6.358	34.688	9.601	6.358	16.384	9.868	20	0.2009
21	−14.092	+ 6.309	34.638	− 9.578	− 6.309	−16.221	−10.171	− 20	−0.1982
22	14.129	6.254	34.582	9.538	6.254	16.054	10.470	20	0.1954
23	14.123	6.199	34.526	9.480	6.199	15.881	10.766	20	0.1927
24	14.076	6.152	34.477	9.407	6.152	15.704	11.058	20	0.1899
25	13.999	6.120	34.444	9.321	6.120	15.523	11.346	20	0.1872
26	−13.905	+ 6.106	34.429	− 9.229	− 6.106	−15.337	−11.630	− 20	−0.1845
27	13.814	6.114	34.435	9.138	6.114	15.147	11.911	20	0.1817
28	13.745	6.140	34.460	9.056	6.140	14.952	12.187	20	0.1790
29	13.717	6.180	34.498	8.990	6.180	14.754	12.459	20	0.1762
30	13.741	6.222	34.539	8.944	6.222	14.552	12.727	20	0.1735
May 1	−13.816	+ 6.254	34.570	− 8.919	− 6.254	−14.346	−12.991	− 20	−0.1708
2	13.925	6.263	34.577	8.908	6.263	14.137	13.250	20	0.1680
3	14.038	6.240	34.553	8.898	6.240	13.924	13.506	20	0.1653
4	14.114	6.187	34.499	8.873	6.187	13.708	13.757	20	0.1626
5	14.124	6.114	34.425	8.822	6.114	13.488	14.005	20	0.1598
6	−14.058	+ 6.040	34.350	− 8.741	− 6.040	−13.266	−14.249	− 20	−0.1571
7	13.930	5.982	34.291	8.635	5.982	13.039	14.489	20	0.1543
8	13.773	5.951	34.258	8.518	5.951	12.809	14.725	20	0.1516
9	13.623	5.948	34.254	8.403	5.948	12.576	14.958	20	0.1489
10	13.507	5.968	34.272	8.302	5.968	12.339	15.186	19	0.1461
11	−13.442	+ 6.001	34.304	− 8.221	− 6.001	−12.098	−15.411	− 19	−0.1434
12	13.430	6.037	34.339	8.162	6.037	11.854	15.631	19	0.1407
13	13.466	6.067	34.368	8.121	6.067	11.606	15.846	19	0.1379
14	13.537	6.085	34.385	8.095	6.085	11.355	16.057	20	0.1352
15	13.627	6.086	34.384	8.076	6.086	11.100	16.264	20	0.1324
16	−13.719	+ 6.069	34.366	− 8.057	− 6.069	−10.842	−16.465	− 20	−0.1297
17	−13.796	+ 6.035	34.331	− 8.033	− 6.035	−10.580	−16.662	− 20	−0.1270

FOR 0ʰ DYNAMICAL TIME

Date	Nutation in Long.	in Obl.	Obl. of Ecliptic 23°26′	A	B	C	D	E	Fraction of Year τ
								(0ˢ0001)	
May 17	− 13.796	+ 6.035	34.331	− 8.033	− 6.035	− 10.580	− 16.662	− 20	−0.1270
18	13.845	5.988	34.283	7.998	5.988	10.316	16.853	20	0.1242
19	13.854	5.934	34.227	7.947	5.934	10.048	17.040	20	0.1215
20	13.820	5.879	34.171	7.878	5.879	9.778	17.221	20	0.1188
21	13.744	5.831	34.121	7.793	5.831	9.504	17.397	20	0.1160
22	− 13.634	+ 5.796	34.085	− 7.694	− 5.796	− 9.228	− 17.567	− 20	−0.1133
23	13.505	5.780	34.067	7.588	5.780	8.950	17.732	19	0.1105
24	13.375	5.785	34.071	7.482	5.785	8.669	17.891	19	0.1078
25	13.265	5.810	34.095	7.383	5.810	8.386	18.045	19	0.1051
26	13.193	5.849	34.133	7.299	5.849	8.101	18.193	19	0.1023
27	− 13.169	+ 5.894	34.177	− 7.235	− 5.894	− 7.814	− 18.336	− 19	−0.0996
28	13.196	5.933	34.215	7.191	5.933	7.525	18.473	19	0.0969
29	13.262	5.954	34.234	7.162	5.954	7.235	18.604	19	0.0941
30	13.341	5.949	34.228	7.139	5.949	6.943	18.730	19	0.0914
31	13.401	5.914	34.191	7.108	5.914	6.650	18.851	19	0.0886
June 1	− 13.408	+ 5.856	34.132	− 7.056	− 5.856	− 6.355	− 18.966	− 19	−0.0859
2	13.343	5.789	34.064	6.975	5.789	6.060	19.077	19	0.0832
3	13.208	5.731	34.005	6.866	5.731	5.763	19.182	19	0.0804
4	13.025	5.695	33.967	6.739	5.695	5.464	19.283	19	0.0777
5	12.831	5.689	33.960	6.607	5.689	5.164	19.378	19	0.0749
6	− 12.660	+ 5.711	33.981	− 6.484	− 5.711	− 4.863	− 19.469	− 18	−0.0722
7	12.538	5.752	34.020	6.380	5.752	4.560	19.554	18	0.0695
8	12.474	5.800	34.068	6.300	5.800	4.256	19.634	18	0.0667
9	12.464	5.846	34.112	6.241	5.846	3.950	19.709	18	0.0640
10	12.497	5.880	34.145	6.199	5.880	3.643	19.779	18	0.0613
11	− 12.556	+ 5.899	34.162	− 6.168	− 5.899	− 3.335	− 19.842	− 18	−0.0585
12	12.623	5.899	34.161	6.140	5.899	3.026	19.901	18	0.0558
13	12.680	5.882	34.143	6.108	5.882	2.715	19.953	18	0.0530
14	12.714	5.850	34.110	6.066	5.850	2.403	20.000	18	0.0503
15	12.711	5.810	34.068	6.010	5.810	2.091	20.041	18	0.0476
16	− 12.666	+ 5.767	34.024	− 5.937	− 5.767	− 1.778	− 20.075	− 18	−0.0448
17	12.578	5.729	33.985	5.847	5.729	1.464	20.104	18	0.0421
18	12.454	5.704	33.959	5.743	5.704	1.150	20.127	18	0.0394
19	12.307	5.697	33.950	5.630	5.697	0.836	20.144	18	0.0366
20	12.155	5.711	33.963	5.514	5.711	0.521	20.155	18	0.0339
21	− 12.019	+ 5.747	33.998	− 5.406	− 5.747	− 0.206	− 20.159	− 17	−0.0311
22	11.921	5.799	34.048	5.311	5.799	+ 0.108	20.158	17	0.0284
23	11.871	5.859	34.107	5.237	5.859	0.422	20.150	17	0.0257
24	11.875	5.914	34.161	5.184	5.914	0.736	20.137	17	0.0229
25	11.921	5.955	34.201	5.147	5.955	1.049	20.118	17	0.0202
26	− 11.989	+ 5.971	34.216	− 5.119	− 5.971	+ 1.361	− 20.092	− 17	−0.0175
27	12.047	5.961	34.204	5.087	5.961	1.673	20.062	17	0.0147
28	12.066	5.926	34.168	5.040	5.926	1.983	20.025	17	0.0120
29	12.023	5.879	34.119	4.968	5.879	2.292	19.984	17	0.0092
30	11.911	5.833	34.073	4.869	5.833	2.601	19.937	17	0.0065
July 1	− 11.745	+ 5.805	34.043	− 4.748	− 5.805	+ 2.908	− 19.885	− 17	−0.0038
2	− 11.551	+ 5.803	34.040	− 4.616	− 5.803	+ 3.215	− 19.828	− 17	−0.0010

FOR 0ʰ DYNAMICAL TIME

Date		Nutation in Long.	in Obl.	Obl. of Ecliptic 23°26′	A	B	C	D	E	Fraction of Year τ
		″	″	″	″	″	″	″	(0ˢ0001)	
July	1	−11.745	+ 5.805	34.043	− 4.748	− 5.805	+ 2.908	−19.885	− 17	−0.0038
	2	11.551	5.803	34.040	4.616	5.803	3.215	19.828	17	−0.0010
	3	11.366	5.830	34.066	4.487	5.830	3.521	19.766	16	+0.0017
	4	11.219	5.881	34.115	4.374	5.881	3.826	19.699	16	0.0044
	5	11.129	5.946	34.178	4.283	5.946	4.130	19.627	16	0.0072
	6	−11.099	+ 6.011	34.243	− 4.216	− 6.011	+ 4.433	−19.549	− 16	+0.0099
	7	11.120	6.068	34.298	4.170	6.068	4.735	19.466	16	0.0127
	8	11.175	6.109	34.338	4.137	6.109	5.037	19.378	16	0.0154
	9	11.246	6.131	34.359	4.110	6.131	5.337	19.284	16	0.0181
	10	11.314	6.135	34.361	4.082	6.135	5.637	19.185	16	0.0209
	11	−11.363	+ 6.123	34.348	− 4.047	− 6.123	+ 5.935	−19.080	− 16	+0.0236
	12	11.380	6.100	34.324	3.999	6.100	6.231	18.970	16	0.0264
	13	11.357	6.073	34.296	3.935	6.073	6.526	18.854	16	0.0291
	14	11.292	6.048	34.270	3.854	6.048	6.820	18.733	16	0.0318
	15	11.189	6.034	34.254	3.758	6.034	7.112	18.606	16	0.0346
	16	−11.057	+ 6.036	34.255	− 3.651	− 6.036	+ 7.401	−18.473	− 16	+0.0373
	17	10.916	6.059	34.277	3.540	6.059	7.689	18.334	16	0.0400
	18	10.785	6.105	34.321	3.433	6.105	7.975	18.190	16	0.0428
	19	10.687	6.168	34.383	3.339	6.168	8.258	18.041	15	0.0455
	20	10.639	6.243	34.456	3.265	6.243	8.539	17.886	15	0.0483
	21	−10.647	+ 6.316	34.528	− 3.214	− 6.316	+ 8.817	−17.725	− 15	+0.0510
	22	10.705	6.375	34.586	3.181	6.375	9.093	17.559	15	0.0537
	23	10.791	6.411	34.620	3.161	6.411	9.365	17.389	16	0.0565
	24	10.875	6.419	34.627	3.139	6.419	9.634	17.213	16	0.0592
	25	10.928	6.402	34.609	3.106	6.402	9.901	17.032	16	0.0619
	26	−10.926	+ 6.370	34.576	− 3.050	− 6.370	+10.164	−16.847	− 16	+0.0647
	27	10.861	6.336	34.541	2.969	6.336	10.424	16.657	16	0.0674
	28	10.740	6.315	34.518	2.866	6.315	10.681	16.463	15	0.0702
	29	10.586	6.316	34.518	2.750	6.316	10.935	16.265	15	0.0729
	30	10.428	6.345	34.546	2.632	6.345	11.186	16.063	15	0.0756
	31	−10.298	+ 6.399	34.598	− 2.526	− 6.399	+11.434	−15.856	− 15	+0.0784
Aug.	1	10.217	6.469	34.667	2.439	6.469	11.679	15.646	15	0.0811
	2	10.196	6.545	34.742	2.375	6.545	11.921	15.431	15	0.0838
	3	10.230	6.615	34.811	2.334	6.615	12.161	15.212	15	0.0866
	4	10.306	6.672	34.866	2.309	6.672	12.397	14.989	15	0.0893
	5	−10.406	+ 6.709	34.903	− 2.294	− 6.709	+12.630	−14.761	− 15	+0.0921
	6	10.509	6.727	34.919	2.280	6.727	12.860	14.529	15	0.0948
	7	10.598	6.728	34.918	2.261	6.728	13.087	14.293	15	0.0975
	8	10.660	6.715	34.904	2.231	6.715	13.311	14.052	15	0.1003
	9	10.684	6.695	34.883	2.186	6.695	13.531	13.808	15	0.1030
	10	−10.668	+ 6.674	34.861	− 2.124	− 6.674	+13.748	−13.558	− 15	+0.1057
	11	10.612	6.661	34.847	2.047	6.661	13.960	13.305	15	0.1085
	12	10.524	6.663	34.847	1.957	6.663	14.170	13.047	15	0.1112
	13	10.420	6.683	34.866	1.861	6.683	14.375	12.785	15	0.1140
	14	10.317	6.725	34.907	1.765	6.725	14.576	12.519	15	0.1167
	15	−10.239	+ 6.788	34.968	− 1.679	− 6.788	+14.773	−12.249	− 15	+0.1194
	16	−10.207	+ 6.864	35.043	− 1.611	− 6.864	+14.966	−11.974	− 15	+0.1222

FOR 0ʰ DYNAMICAL TIME

Date	Nutation in Long.	in Obl.	Obl. of Ecliptic 23°26′	A	B	C	D	E	Fraction of Year τ
	″	″	″	″	″	″	″	(0ˢ0001)	
Aug. 16	− 10.207	+ 6.864	35.043	− 1.611	− 6.864	+ 14.966	− 11.974	− 15	+ 0.1222
17	10.232	6.943	35.121	1.566	6.943	15.155	11.696	15	0.1249
18	10.312	7.011	35.187	1.544	7.011	15.338	11.414	15	0.1277
19	10.430	7.056	35.231	1.536	7.056	15.517	11.128	15	0.1304
20	10.555	7.072	35.246	1.531	7.072	15.692	10.839	15	0.1331
21	− 10.655	+ 7.060	35.233	− 1.515	− 7.060	+ 15.861	− 10.547	− 15	+ 0.1359
22	10.703	7.030	35.201	1.479	7.030	16.026	10.252	15	0.1386
23	10.688	6.994	35.164	1.419	6.994	16.185	9.954	15	0.1413
24	10.616	6.967	35.136	1.335	6.967	16.340	9.654	15	0.1441
25	10.507	6.961	35.129	1.237	6.961	16.491	9.351	15	0.1468
26	− 10.389	+ 6.981	35.147	− 1.135	− 6.981	+ 16.636	− 9.046	− 15	+ 0.1496
27	10.292	7.025	35.190	1.041	7.025	16.778	8.738	15	0.1523
28	10.236	7.087	35.251	0.965	7.087	16.914	8.428	15	0.1550
29	10.236	7.158	35.320	0.910	7.158	17.046	8.116	15	0.1578
30	10.291	7.226	35.387	0.877	7.226	17.174	7.802	15	0.1605
31	− 10.392	+ 7.282	35.441	− 0.862	− 7.282	+ 17.297	− 7.485	− 15	+ 0.1632
Sept. 1	10.522	7.320	35.478	0.859	7.320	17.415	7.166	15	0.1660
2	10.662	7.338	35.495	0.860	7.338	17.529	6.844	15	0.1687
3	10.792	7.336	35.492	0.857	7.336	17.639	6.521	16	0.1715
4	10.898	7.320	35.474	0.844	7.320	17.743	6.195	16	0.1742
5	− 10.969	+ 7.293	35.447	− 0.817	− 7.293	+ 17.843	− 5.867	− 16	+ 0.1769
6	10.999	7.264	35.417	0.774	7.264	17.938	5.536	16	0.1797
7	10.989	7.240	35.391	0.715	7.240	18.028	5.204	16	0.1824
8	10.945	7.227	35.376	0.643	7.227	18.113	4.869	16	0.1851
9	10.879	7.230	35.379	0.562	7.230	18.193	4.532	16	0.1879
10	− 10.807	+ 7.254	35.401	− 0.478	− 7.254	+ 18.268	− 4.194	− 16	+ 0.1906
11	10.749	7.298	35.444	0.400	7.298	18.337	3.853	15	0.1934
12	10.726	7.359	35.504	0.336	7.359	18.401	3.511	15	0.1961
13	10.754	7.428	35.571	0.293	7.428	18.460	3.167	15	0.1988
14	10.840	7.491	35.633	0.272	7.491	18.513	2.821	16	0.2016
15	− 10.973	+ 7.535	35.675	− 0.270	− 7.535	+ 18.560	− 2.475	− 16	+ 0.2043
16	11.126	7.549	35.688	0.276	7.549	18.601	2.127	16	0.2070
17	11.262	7.531	35.669	0.275	7.531	18.636	1.778	16	0.2098
18	11.348	7.489	35.626	0.254	7.489	18.665	1.429	16	0.2125
19	11.367	7.437	35.573	0.207	7.437	18.689	1.079	16	0.2153
20	− 11.323	+ 7.391	35.525	− 0.134	− 7.391	+ 18.707	− 0.729	− 16	+ 0.2180
21	11.234	7.364	35.497	− 0.044	7.364	18.719	0.379	16	0.2207
22	11.131	7.363	35.495	+ 0.051	7.363	18.726	− 0.030	16	0.2235
23	11.044	7.387	35.518	0.141	7.387	18.727	+ 0.320	16	0.2262
24	10.995	7.431	35.560	0.215	7.431	18.723	0.669	16	0.2290
25	− 10.998	+ 7.484	35.612	+ 0.269	− 7.484	+ 18.714	+ 1.018	− 16	+ 0.2317
26	11.055	7.537	35.664	0.301	7.537	18.700	1.367	16	0.2344
27	11.159	7.581	35.706	0.315	7.581	18.681	1.716	16	0.2372
28	11.295	7.608	35.731	0.316	7.608	18.656	2.064	16	0.2399
29	11.445	7.614	35.737	0.311	7.614	18.626	2.412	16	0.2426
30	− 11.589	+ 7.601	35.723	+ 0.308	− 7.601	+ 18.591	+ 2.759	− 17	+ 0.2454
Oct. 1	− 11.712	+ 7.572	35.692	+ 0.314	− 7.572	+ 18.551	+ 3.106	− 17	+ 0.2481

FOR 0ʰ DYNAMICAL TIME

Date	Nutation in Long.	Nutation in Obl.	Obl. of Ecliptic 23°26′	Besselian Day Numbers A	B	C	D	E	Fraction of Year τ
	″	*″*	*″*	*″*	*″*	*″*	*″*	(0⁵0001)	
Oct. 1	−11.712	+ 7.572	35.692	+ 0.314	− 7.572	+18.551	+ 3.106	− 17	+0.2481
2	11.800	7.531	35.649	0.334	7.531	18.506	3.453	17	0.2509
3	11.848	7.485	35.602	0.370	7.485	18.455	3.799	17	0.2536
4	11.855	7.441	35.557	0.422	7.441	18.399	4.145	17	0.2563
5	11.825	7.407	35.522	0.489	7.407	18.338	4.490	17	0.2591
6	−11.770	+ 7.387	35.501	+ 0.566	− 7.387	+18.271	+ 4.835	− 17	+0.2618
7	11.703	7.386	35.499	0.647	7.386	18.199	5.178	17	0.2645
8	11.642	7.405	35.516	0.726	7.405	18.121	5.521	17	0.2673
9	11.606	7.441	35.551	0.795	7.441	18.038	5.863	17	0.2700
10	11.611	7.489	35.598	0.848	7.489	17.949	6.204	17	0.2728
11	−11.669	+ 7.538	35.645	+ 0.880	− 7.538	+17.854	+ 6.543	− 17	+0.2755
12	11.777	7.574	35.680	0.892	7.574	17.754	6.882	17	0.2782
13	11.916	7.584	35.689	0.891	7.584	17.648	7.218	17	0.2810
14	12.055	7.563	35.666	0.891	7.563	17.535	7.553	17	0.2837
15	12.154	7.511	35.613	0.907	7.511	17.418	7.886	18	0.2864
16	−12.184	+ 7.441	35.542	+ 0.950	− 7.441	+17.294	+ 8.216	− 18	+0.2892
17	12.138	7.371	35.471	1.023	7.371	17.165	8.544	17	0.2919
18	12.034	7.318	35.417	1.119	7.318	17.030	8.869	17	0.2947
19	11.903	7.292	35.389	1.226	7.292	16.890	9.191	17	0.2974
20	11.781	7.295	35.391	1.329	7.295	16.745	9.510	17	0.3001
21	−11.696	+ 7.320	35.414	+ 1.418	− 7.320	+16.595	+ 9.826	− 17	+0.3029
22	11.663	7.357	35.450	1.486	7.357	16.440	10.139	17	0.3056
23	11.686	7.396	35.488	1.532	7.396	16.280	10.448	17	0.3084
24	11.757	7.427	35.518	1.559	7.427	16.116	10.755	17	0.3111
25	11.863	7.444	35.533	1.571	7.444	15.947	11.059	17	0.3138
26	−11.985	+ 7.441	35.529	+ 1.577	− 7.441	+15.774	+11.359	− 17	+0.3166
27	12.107	7.419	35.506	1.584	7.419	15.595	11.657	17	0.3193
28	12.209	7.380	35.465	1.598	7.380	15.413	11.951	18	0.3220
29	12.279	7.328	35.412	1.625	7.328	15.226	12.242	18	0.3248
30	12.308	7.269	35.352	1.668	7.269	15.034	12.530	18	0.3275
31	−12.295	+ 7.212	35.294	+ 1.729	− 7.212	+14.838	+12.815	− 18	+0.3303
Nov. 1	12.244	7.163	35.243	1.804	7.163	14.637	13.096	18	0.3330
2	12.163	7.127	35.206	1.891	7.127	14.432	13.374	18	0.3357
3	12.068	7.110	35.187	1.984	7.110	14.222	13.648	17	0.3385
4	11.974	7.112	35.188	2.076	7.112	14.008	13.919	17	0.3412
5	−11.899	+ 7.131	35.206	+ 2.161	− 7.131	+13.789	+14.186	− 17	+0.3439
6	11.858	7.164	35.238	2.232	7.164	13.566	14.449	17	0.3467
7	11.863	7.202	35.274	2.285	7.202	13.338	14.709	17	0.3494
8	11.916	7.233	35.305	2.318	7.233	13.106	14.965	17	0.3522
9	12.006	7.247	35.317	2.337	7.247	12.869	15.216	17	0.3549
10	−12.110	+ 7.232	35.301	+ 2.351	− 7.232	+12.628	+15.463	− 17	+0.3576
11	12.192	7.186	35.254	2.373	7.186	12.382	15.706	18	0.3604
12	12.215	7.116	35.182	2.419	7.116	12.131	15.943	18	0.3631
13	12.160	7.037	35.102	2.496	7.037	11.877	16.176	18	0.3658
14	12.029	6.968	35.031	2.603	6.968	11.618	16.403	17	0.3686
15	−11.851	+ 6.924	34.987	+ 2.728	− 6.924	+11.355	+16.625	− 17	+0.3713
16	−11.666	+ 6.913	34.974	+ 2.857	− 6.913	+11.089	+16.841	− 17	+0.3741

FOR 0ʰ DYNAMICAL TIME

Date	Nutation in Long.	Nutation in Obl.	Obl. of Ecliptic 23°26′	Besselian Day Numbers A	B	C	D	E	Fraction of Year τ
	″	″	″	″	″	″	″	(0.0001)	
Nov. 16	−11.666	+ 6.913	34.974	+ 2.857	− 6.913	+11.089	+16.841	− 17	+0.3741
17	11.511	6.929	34.989	2.973	6.929	10.819	17.052	17	0.3768
18	11.410	6.964	35.022	3.068	6.964	10.546	17.258	16	0.3795
19	11.370	7.004	35.061	3.140	7.004	10.270	17.457	16	0.3823
20	11.384	7.038	35.094	3.189	7.038	9.991	17.652	16	0.3850
21	−11.438	+ 7.058	35.113	+ 3.222	− 7.058	+ 9.710	+17.841	− 16	+0.3877
22	11.515	7.061	35.114	3.246	7.061	9.425	18.024	17	0.3905
23	11.594	7.044	35.096	3.270	7.044	9.138	18.203	17	0.3932
24	11.659	7.010	35.060	3.299	7.010	8.848	18.375	17	0.3960
25	11.694	6.962	35.011	3.340	6.962	8.555	18.543	17	0.3987
26	−11.691	+ 6.907	34.955	+ 3.396	− 6.907	+ 8.260	+18.705	− 17	+0.4014
27	11.645	6.852	34.899	3.469	6.852	7.962	18.861	17	0.4042
28	11.560	6.804	34.849	3.558	6.804	7.662	19.013	17	0.4069
29	11.442	6.769	34.813	3.659	6.769	7.359	19.158	16	0.4097
30	11.307	6.752	34.795	3.768	6.752	7.054	19.299	16	0.4124
Dec. 1	−11.171	+ 6.755	34.797	+ 3.877	− 6.755	+ 6.747	+19.433	− 16	+0.4151
2	11.051	6.776	34.817	3.980	6.776	6.437	19.563	16	0.4179
3	10.964	6.813	34.852	4.069	6.813	6.125	19.686	16	0.4206
4	10.919	6.856	34.894	4.142	6.856	5.811	19.804	16	0.4233
5	10.922	6.896	34.933	4.196	6.896	5.495	19.916	16	0.4261
6	−10.964	+ 6.923	34.959	+ 4.234	− 6.923	+ 5.176	+20.023	− 16	+0.4288
7	11.027	6.928	34.962	4.263	6.928	4.855	20.123	16	0.4316
8	11.084	6.904	34.937	4.296	6.904	4.533	20.217	16	0.4343
9	11.100	6.855	34.887	4.344	6.855	4.208	20.305	16	0.4370
10	11.048	6.790	34.820	4.420	6.790	3.881	20.386	16	0.4398
11	−10.918	+ 6.727	34.756	+ 4.526	− 6.727	+ 3.553	+20.460	− 16	+0.4425
12	10.723	6.682	34.710	4.659	6.682	3.223	20.528	15	0.4452
13	10.499	6.668	34.694	4.803	6.668	2.892	20.589	15	0.4480
14	10.287	6.687	34.712	4.942	6.687	2.560	20.642	15	0.4507
15	10.122	6.731	34.755	5.062	6.731	2.227	20.689	15	0.4535
16	−10.023	+ 6.787	34.810	+ 5.157	− 6.787	+ 1.894	+20.729	− 14	+0.4562
17	9.987	6.841	34.862	5.226	6.841	1.561	20.763	14	0.4589
18	10.002	6.883	34.903	5.275	6.883	1.227	20.790	14	0.4617
19	10.048	6.907	34.926	5.312	6.907	0.893	20.810	14	0.4644
20	10.104	6.912	34.929	5.344	6.912	0.560	20.824	15	0.4671
21	−10.150	+ 6.898	34.914	+ 5.381	− 6.898	+ 0.226	+20.831	− 15	+0.4699
22	10.172	6.869	34.884	5.427	6.869	− 0.107	20.832	15	0.4726
23	10.159	6.832	34.846	5.487	6.832	0.441	20.827	15	0.4754
24	10.105	6.793	34.805	5.563	6.793	0.774	20.816	15	0.4781
25	10.011	6.760	34.771	5.655	6.760	1.106	20.798	14	0.4808
26	− 9.884	+ 6.738	34.748	+ 5.761	− 6.738	− 1.438	+20.774	− 14	+0.4836
27	9.735	6.734	34.743	5.875	6.734	1.770	20.745	14	0.4863
28	9.582	6.751	34.758	5.991	6.751	2.101	20.709	14	0.4890
29	9.444	6.787	34.792	6.101	6.787	2.432	20.667	14	0.4918
30	9.337	6.839	34.843	6.198	6.839	2.762	20.619	13	0.4945
31	− 9.275	+ 6.900	34.903	+ 6.278	− 6.900	− 3.092	+20.565	− 13	+0.4973
32	− 9.261	+ 6.959	34.962	+ 6.338	− 6.959	− 3.420	+20.505	− 13	+0.5000

J FOR NORTHERN DECLINATIONS
FOR 0ʰ TDT AND EQUINOX J1985·5

Right Ascension

Date		0^h 12^h	1^h 13^h	2^h 14^h	3^h 15^h	4^h 16^h	5^h 17^h	6^h 18^h	7^h 19^h	8^h 20^h	9^h 21^h	10^h 22^h	11^h 23^h	12^h 24^h
Jan.	−5	− 1	− 1	− 1	0	0	+ 1	+ 1	+ 1	+ 1	0	0	− 1	− 1
	5	− 2	− 2	− 2	− 1	0	+ 1	+ 2	+ 2	+ 2	+ 1	0	− 1	− 2
	15	− 2	− 3	− 3	− 2	− 1	0	+ 2	+ 3	+ 3	+ 2	+ 1	0	− 2
	25	− 2	− 4	− 4	− 4	− 3	0	+ 2	+ 4	+ 4	+ 4	+ 3	0	− 2
Feb.	4	− 1	− 4	− 5	− 6	− 4	− 2	+ 1	+ 4	+ 5	+ 6	+ 4	+ 2	− 1
	14	0	− 3	− 6	− 7	− 6	− 4	0	+ 3	+ 6	+ 7	+ 6	+ 4	0
	24	+ 2	− 2	− 6	− 9	− 9	− 6	− 2	+ 2	+ 6	+ 9	+ 9	+ 6	+ 2
Mar.	6	+ 5	− 1	− 6	− 9	− 10	− 9	− 5	+ 1	+ 6	+ 9	+ 10	+ 9	+ 5
	16	+ 7	+ 2	− 4	− 9	− 11	− 11	− 7	− 2	+ 4	+ 9	+ 11	+ 11	+ 7
	26	+ 10	+ 5	− 2	− 8	− 12	− 13	− 10	− 5	+ 2	+ 8	+ 12	+ 13	+ 10
Apr.	5	+ 12	+ 8	+ 1	− 6	− 11	− 14	− 12	− 8	− 1	+ 6	+ 11	+ 14	+ 12
	15	+ 14	+ 10	+ 4	− 4	− 10	− 14	− 14	− 10	− 4	+ 4	+ 10	+ 14	+ 14
	25	+ 14	+ 12	+ 7	− 1	− 8	− 13	− 14	− 12	− 7	+ 1	+ 8	+ 13	+ 14
May	5	+ 14	+ 14	+ 9	+ 2	− 5	− 11	− 14	− 14	− 9	− 2	+ 5	+ 11	+ 14
	15	+ 14	+ 14	+ 11	+ 5	− 3	− 9	− 14	− 14	− 11	− 5	+ 3	+ 9	+ 14
	25	+ 12	+ 14	+ 12	+ 7	0	− 7	− 12	− 14	− 12	− 7	0	+ 7	+ 12
June	4	+ 9	+ 13	+ 12	+ 9	+ 3	− 4	− 9	− 13	− 12	− 9	− 3	+ 4	+ 9
	14	+ 7	+ 11	+ 12	+ 10	+ 5	− 1	− 7	− 11	− 12	− 10	− 5	+ 1	+ 7
	24	+ 4	+ 9	+ 11	+ 10	+ 6	+ 1	− 4	− 9	− 11	− 10	− 6	− 1	+ 4
July	4	+ 2	+ 6	+ 9	+ 9	+ 7	+ 3	− 2	− 6	− 9	− 9	− 7	− 3	+ 2
	14	− 1	+ 4	+ 7	+ 8	+ 7	+ 5	+ 1	− 4	− 7	− 8	− 7	− 5	− 1
	24	− 2	+ 1	+ 5	+ 7	+ 7	+ 5	+ 2	− 1	− 5	− 7	− 7	− 5	− 2
Aug.	3	− 3	0	+ 2	+ 4	+ 5	+ 5	+ 3	0	− 2	− 4	− 5	− 5	− 3
	13	− 4	− 2	0	+ 3	+ 4	+ 4	+ 4	+ 2	0	− 3	− 4	− 4	− 4
	23	− 3	− 3	− 1	+ 1	+ 2	+ 3	+ 3	+ 3	+ 1	− 1	− 2	− 3	− 3
Sept.	2	− 3	− 3	− 2	− 1	+ 1	+ 2	+ 3	+ 3	+ 2	+ 1	− 1	− 2	− 3
	12	− 1	− 2	− 2	− 2	− 1	0	+ 1	+ 2	+ 2	+ 2	+ 1	0	− 1
	22	0	− 1	− 2	− 2	− 2	− 1	0	+ 1	+ 2	+ 2	+ 2	+ 1	0
Oct.	2	+ 1	0	− 1	− 2	− 2	− 2	− 1	0	+ 1	+ 2	+ 2	+ 2	+ 1
	12	+ 3	+ 2	+ 1	− 1	− 2	− 3	− 3	− 2	− 1	+ 1	+ 2	+ 3	+ 3
	22	+ 3	+ 3	+ 2	+ 1	− 1	− 3	− 3	− 3	− 2	− 1	+ 1	+ 3	+ 3
Nov.	1	+ 4	+ 4	+ 4	+ 3	+ 1	− 2	− 4	− 4	− 4	− 3	− 1	+ 2	+ 4
	11	+ 3	+ 5	+ 6	+ 5	+ 3	0	− 3	− 5	− 6	− 5	− 3	0	+ 3
	21	+ 2	+ 5	+ 7	+ 7	+ 5	+ 2	− 2	− 5	− 7	− 7	− 5	− 2	+ 2
Dec.	1	0	+ 4	+ 8	+ 9	+ 8	+ 4	0	− 4	− 8	− 9	− 8	− 4	0
	11	− 3	+ 3	+ 7	+ 10	+ 10	+ 7	+ 3	− 3	− 7	− 10	− 10	− 7	− 3
	21	− 6	0	+ 6	+ 10	+ 12	+ 10	+ 6	0	− 6	− 10	− 12	− 10	− 6
	31	− 9	− 2	+ 4	+ 10	+ 13	+ 13	+ 9	+ 2	− 4	− 10	− 13	− 13	− 9
	41	−11	− 6	+ 2	+ 9	+ 13	+ 14	+ 11	+ 6	− 2	− 9	− 13	− 14	−11

The second-order day number J is given in this table in units of $0^s \cdot 000\ 01$.
The apparent right ascension of a star is given by:

$$\alpha = \alpha_1 + \tau\mu_\alpha/100 + Aa + Bb + Cc + Dd + E + J\tan^2\delta_1$$

where the position (α_1, δ_1) and centennial proper motion in right ascension (μ_α) are referred to the mean equator and equinox of J1985·5

J' FOR NORTHERN DECLINATIONS
FOR 0ʰ TDT AND EQUINOX J1985·5

Right Ascension

Date		0^h 12^h	1^h 13^h	2^h 14^h	3^h 15^h	4^h 16^h	5^h 17^h	6^h 18^h	7^h 19^h	8^h 20^h	9^h 21^h	10^h 22^h	11^h 23^h	12^h 24^h
Jan.	−5	−1	−1	0	0	0	0	−1	−1	−1	−2	−2	−1	−1
	5	−2	−2	−1	0	0	0	−1	−1	−2	−3	−3	−3	−2
	15	−4	−3	−2	−1	0	0	−1	−1	−3	−4	−4	−5	−4
	25	−6	−5	−4	−2	−1	0	0	−1	−3	−5	−6	−7	−6
Feb.	4	−9	−8	−6	−3	−1	0	0	−1	−3	−5	−7	−8	−9
	14	−11	−10	−8	−6	−3	−1	0	−1	−3	−5	−8	−10	−11
	24	−13	−13	−11	−8	−5	−2	0	0	−2	−5	−8	−11	−13
Mar.	6	−15	−15	−14	−11	−7	−4	−1	0	−1	−4	−8	−12	−15
	16	−15	−17	−17	−14	−10	−6	−2	0	−1	−3	−7	−12	−15
	26	−15	−18	−19	−17	−13	−8	−4	−1	0	−2	−6	−11	−15
Apr.	5	−15	−19	−20	−19	−16	−11	−6	−2	0	−1	−5	−10	−15
	15	−13	−18	−21	−21	−18	−13	−8	−3	0	0	−3	−8	−13
	25	−11	−17	−20	−22	−20	−16	−10	−5	−1	0	−2	−6	−11
May	5	−9	−15	−20	−22	−21	−18	−13	−7	−2	0	−1	−4	−9
	15	−7	−13	−18	−21	−21	−19	−14	−9	−4	−1	0	−3	−7
	25	−5	−10	−15	−19	−21	−19	−16	−11	−5	−2	0	−1	−5
June	4	−3	−7	−12	−17	−19	−19	−16	−12	−7	−3	0	0	−3
	14	−2	−5	−10	−14	−17	−18	−16	−13	−8	−4	−1	0	−2
	24	−1	−3	−7	−11	−15	−16	−16	−13	−9	−5	−2	0	−1
July	4	0	−2	−5	−8	−12	−14	−14	−13	−10	−6	−3	0	0
	14	0	−1	−3	−6	−9	−11	−12	−12	−10	−7	−3	−1	0
	24	0	0	−1	−4	−6	−9	−10	−10	−9	−7	−4	−2	0
Aug.	3	−1	0	0	−2	−4	−6	−7	−8	−8	−6	−4	−2	−1
	13	−1	0	0	−1	−2	−4	−5	−6	−7	−6	−5	−3	−1
	23	−2	−1	0	0	−1	−2	−3	−4	−5	−5	−5	−3	−2
Sept.	2	−3	−1	−1	0	0	−1	−1	−2	−3	−4	−4	−3	−3
	12	−3	−2	−1	−1	0	0	0	−1	−2	−3	−3	−3	−3
	22	−3	−3	−2	−2	−1	0	0	0	−1	−2	−2	−3	−3
Oct.	2	−3	−3	−3	−3	−2	−1	0	0	0	−1	−1	−2	−3
	12	−3	−3	−4	−4	−3	−2	−1	−1	0	0	−1	−1	−3
	22	−2	−3	−5	−5	−5	−4	−3	−2	−1	0	0	−1	−2
Nov.	1	−1	−3	−5	−6	−7	−6	−5	−4	−2	−1	0	0	−1
	11	−1	−2	−4	−7	−8	−9	−8	−6	−4	−2	0	0	−1
	21	0	−2	−4	−7	−9	−11	−11	−9	−7	−4	−2	0	0
Dec.	1	0	−1	−3	−7	−10	−12	−13	−12	−10	−7	−3	−1	0
	11	0	0	−2	−6	−10	−13	−15	−15	−13	−10	−6	−2	0
	21	−1	0	−1	−5	−9	−13	−17	−18	−16	−13	−9	−4	−1
	31	−2	0	−1	−3	−8	−13	−17	−20	−19	−16	−12	−7	−2
	41	−4	−1	0	−2	−7	−12	−17	−21	−21	−19	−15	−9	−4

The second-order day number J' is given in this table in units of 0″·0001.
The apparent declination of a star is given by:

$$\delta = \delta_1 + \tau\mu_\delta/100 + Aa' + Bb' + Cc' + Dd' + J'\tan\delta_1$$

where the declination (δ_1) and centennial proper motion in declination (μ_δ) are referred to the mean equator and equinox of J1985·5

SECOND-ORDER DAY NUMBERS, 1985

J FOR SOUTHERN DECLINATIONS
FOR 0ʰ TDT AND EQUINOX J1985·5

Right Ascension

Date		0^h / 12^h	1^h / 13^h	2^h / 14^h	3^h / 15^h	4^h / 16^h	5^h / 17^h	6^h / 18^h	7^h / 19^h	8^h / 20^h	9^h / 21^h	10^h / 22^h	11^h / 23^h	12^h / 24^h
Jan.	−5	+ 4	+14	+20	+21	+17	+ 7	− 4	−14	−20	−21	−17	− 7	+ 4
	5	0	+10	+17	+20	+17	+10	0	−10	−17	−20	−17	−10	0
	15	− 3	+ 6	+14	+18	+17	+12	+ 3	− 6	−14	−18	−17	−12	− 3
	25	− 5	+ 3	+10	+15	+16	+12	+ 5	− 3	−10	−15	−16	−12	− 5
Feb.	4	− 7	0	+ 6	+11	+13	+12	+ 7	0	− 6	−11	−13	−12	− 7
	14	− 8	− 3	+ 3	+ 8	+11	+11	+ 8	+ 3	− 3	− 8	−11	−11	− 8
	24	− 7	− 4	+ 1	+ 5	+ 8	+ 9	+ 7	+ 4	− 1	− 5	− 8	− 9	− 7
Mar.	6	− 7	− 5	− 1	+ 2	+ 5	+ 7	+ 7	+ 5	+ 1	− 2	− 5	− 7	− 7
	16	− 5	− 4	− 2	0	+ 3	+ 5	+ 5	+ 4	+ 2	0	− 3	− 5	− 5
	26	− 4	− 4	− 3	− 1	+ 1	+ 3	+ 4	+ 4	+ 3	+ 1	− 1	− 3	− 4
Apr.	5	− 2	− 3	− 3	− 2	− 1	+ 1	+ 2	+ 3	+ 3	+ 2	+ 1	− 1	− 2
	15	0	− 1	− 2	− 2	− 1	− 1	0	+ 1	+ 2	+ 2	+ 1	+ 1	0
	25	+ 1	0	− 1	− 1	− 1	− 1	− 1	0	+ 1	+ 1	+ 1	+ 1	+ 1
May	5	+ 1	+ 1	0	0	− 1	− 1	− 1	− 1	0	0	+ 1	+ 1	+ 1
	15	+ 1	+ 1	+ 1	+ 1	0	− 1	− 1	− 1	− 1	− 1	0	+ 1	+ 1
	25	+ 1	+ 2	+ 2	+ 2	+ 1	0	− 1	− 2	− 2	− 2	− 1	0	+ 1
June	4	0	+ 1	+ 2	+ 3	+ 2	+ 1	0	− 1	− 2	− 3	− 2	− 1	0
	14	− 2	0	+ 2	+ 3	+ 3	+ 3	+ 2	0	− 2	− 3	− 3	− 3	− 2
	24	− 3	− 1	+ 1	+ 3	+ 4	+ 4	+ 3	+ 1	− 1	− 3	− 4	− 4	− 3
July	4	− 5	− 3	0	+ 2	+ 4	+ 5	+ 5	+ 3	0	− 2	− 4	− 5	− 5
	14	− 6	− 5	− 2	+ 1	+ 4	+ 6	+ 6	+ 5	+ 2	− 1	− 4	− 6	− 6
	24	− 7	− 7	− 4	− 1	+ 3	+ 6	+ 7	+ 7	+ 4	+ 1	− 3	− 6	− 7
Aug.	3	− 8	− 8	− 7	− 3	+ 1	+ 5	+ 8	+ 8	+ 7	+ 3	− 1	− 5	− 8
	13	− 7	− 9	− 8	− 5	− 1	+ 4	+ 7	+ 9	+ 8	+ 5	+ 1	− 4	− 7
	23	− 6	− 9	−10	− 8	− 3	+ 2	+ 6	+ 9	+10	+ 8	+ 3	− 2	− 6
Sept.	2	− 5	− 9	−11	− 9	− 6	− 1	+ 5	+ 9	+11	+ 9	+ 6	+ 1	− 5
	12	− 3	− 8	−10	−11	− 8	− 3	+ 3	+ 8	+10	+11	+ 8	+ 3	− 3
	22	0	− 6	−10	−11	− 9	− 5	0	+ 6	+10	+11	+ 9	+ 5	0
Oct.	2	+ 3	− 3	− 8	−11	−11	− 8	− 3	+ 3	+ 8	+11	+11	+ 8	+ 3
	12	+ 5	− 1	− 6	−10	−11	− 9	− 5	+ 1	+ 6	+10	+11	+ 9	+ 5
	22	+ 7	+ 2	− 4	− 8	−10	−10	− 7	− 2	+ 4	+ 8	+10	+10	+ 7
Nov.	1	+ 8	+ 4	− 1	− 6	− 9	−10	− 8	− 4	+ 1	+ 6	+ 9	+10	+ 8
	11	+ 8	+ 6	+ 1	− 3	− 7	− 9	− 8	− 6	− 1	+ 3	+ 7	+ 9	+ 8
	21	+ 8	+ 6	+ 3	− 1	− 5	− 7	− 8	− 6	− 3	+ 1	+ 5	+ 7	+ 8
Dec.	1	+ 7	+ 6	+ 4	+ 1	− 3	− 5	− 7	− 6	− 4	− 1	+ 3	+ 5	+ 7
	11	+ 5	+ 6	+ 5	+ 2	− 1	− 3	− 5	− 6	− 5	− 2	+ 1	+ 3	+ 5
	21	+ 4	+ 5	+ 4	+ 3	+ 1	− 2	− 4	− 5	− 4	− 3	− 1	+ 2	+ 4
	31	+ 2	+ 3	+ 4	+ 3	+ 2	0	− 2	− 3	− 4	− 3	− 2	0	+ 2
	41	0	+ 1	+ 2	+ 3	+ 2	+ 1	0	− 1	− 2	− 3	− 2	− 1	0

The second-order day number J is given in this table in units of $0^s\cdot000\,01$. The apparent right ascension of a star is given by:

$$\alpha = \alpha_1 + \tau\mu_\alpha/100 + Aa + Bb + Cc + Dd + E + J\tan^2\delta_1$$

where the position (α_1, δ_1) and centennial proper motion in right ascension (μ_α) are referred to the mean equator and equinox of J1985·5

J′ FOR SOUTHERN DECLINATIONS
FOR 0ʰ TDT AND EQUINOX J1985·5

Right Ascension

Date		0ʰ 12ʰ	1ʰ 13ʰ	2ʰ 14ʰ	3ʰ 15ʰ	4ʰ 16ʰ	5ʰ 17ʰ	6ʰ 18ʰ	7ʰ 19ʰ	8ʰ 20ʰ	9ʰ 21ʰ	10ʰ 22ʰ	11ʰ 23ʰ	12ʰ 24ʰ
Jan.	−5	0	− 4	−11	−19	−27	−32	−32	−29	−22	−13	− 6	− 1	0
	5	0	− 2	− 7	−15	−23	−28	−30	−28	−23	−15	− 8	− 2	0
	15	0	− 1	− 5	−11	−18	−24	−27	−26	−22	−16	− 9	− 3	0
	25	− 1	0	− 3	− 8	−14	−19	−23	−23	−21	−16	−10	− 4	− 1
Feb.	4	− 2	0	− 1	− 5	−10	−15	−19	−20	−19	−15	−10	− 5	− 2
	14	− 2	0	0	− 3	− 6	−11	−15	−17	−17	−14	−10	− 6	− 2
	24	− 3	− 1	0	− 1	− 4	− 7	−11	−13	−14	−12	−10	− 6	− 3
Mar.	6	− 3	− 1	0	0	− 2	− 4	− 7	− 9	−10	−10	− 9	− 6	− 3
	16	− 4	− 2	0	0	− 1	− 2	− 4	− 6	− 7	− 8	− 7	− 6	− 4
	26	− 4	− 2	− 1	0	0	− 1	− 2	− 4	− 5	− 6	− 6	− 5	− 4
Apr.	5	− 3	− 2	− 1	− 1	0	0	− 1	− 2	− 3	− 3	− 4	− 4	− 3
	15	− 3	− 2	− 2	− 1	0	0	0	0	− 1	− 2	− 2	− 3	− 3
	25	− 2	− 2	− 2	− 2	− 1	0	0	0	0	− 1	− 1	− 2	− 2
May	5	− 1	− 2	− 2	− 2	− 2	− 1	− 1	0	0	0	0	− 1	− 1
	15	− 1	− 1	− 2	− 2	− 2	− 2	− 2	− 1	− 1	0	0	0	− 1
	25	0	− 1	− 1	− 2	− 3	− 3	− 3	− 2	− 2	− 1	0	0	0
June	4	0	0	− 1	− 2	− 3	− 4	− 4	− 4	− 3	− 2	− 1	0	0
	14	0	0	0	− 1	− 3	− 4	− 5	− 5	− 5	− 4	− 2	− 1	0
	24	− 1	0	0	− 1	− 2	− 4	− 5	− 6	− 6	− 6	− 4	− 3	− 1
July	4	− 2	− 1	0	0	− 2	− 4	− 6	− 7	− 8	− 8	− 6	− 4	− 2
	14	− 4	− 2	0	0	− 1	− 3	− 5	− 8	− 9	− 9	− 8	− 6	− 4
	24	− 6	− 3	− 1	0	0	− 2	− 5	− 8	−10	−11	−11	− 9	− 6
Aug.	3	− 9	− 5	− 2	0	0	− 1	− 4	− 7	−10	−12	−12	−11	− 9
	13	−11	− 7	− 4	− 1	0	− 1	− 3	− 6	−10	−12	−14	−13	−11
	23	−13	−10	− 6	− 3	0	0	− 2	− 5	− 9	−12	−14	−15	−13
Sept.	2	−15	−12	− 8	− 4	− 1	0	− 1	− 4	− 8	−12	−15	−16	−15
	12	−16	−14	−10	− 6	− 2	0	0	− 2	− 6	−10	−14	−16	−16
	22	−16	−15	−12	− 8	− 4	− 1	0	− 1	− 4	− 8	−12	−15	−16
Oct.	2	−16	−16	−14	−10	− 6	− 2	0	0	− 3	− 6	−11	−14	−16
	12	−16	−16	−15	−12	− 8	− 4	− 1	0	− 1	− 5	− 9	−13	−16
	22	−14	−15	−15	−13	− 9	− 5	− 2	0	0	− 3	− 6	−10	−14
Nov.	1	−12	−14	−15	−13	−10	− 7	− 3	− 1	0	− 1	− 4	− 8	−12
	11	− 9	−12	−14	−13	−11	− 8	− 4	− 1	0	0	− 3	− 6	− 9
	21	− 7	−10	−12	−12	−11	− 8	− 5	− 2	0	0	− 1	− 4	− 7
Dec.	1	− 4	− 7	− 9	−10	−10	− 8	− 6	− 3	− 1	0	0	− 2	− 4
	11	− 3	− 5	− 7	− 8	− 9	− 8	− 6	− 4	− 2	0	0	− 1	− 3
	21	− 1	− 3	− 5	− 6	− 7	− 7	− 6	− 4	− 2	− 1	0	0	− 1
	31	0	− 1	− 3	− 4	− 5	− 5	− 5	− 4	− 3	− 1	0	0	0
	41	0	0	− 1	− 2	− 3	− 4	− 4	− 4	− 3	− 2	− 1	0	0

The second-order day number J' is given in this table in units of $0''\cdot0001$.
The apparent declination of a star is given by:

$$\delta = \delta_1 + \tau\mu_\delta/100 + Aa' + Bb' + Cc' + Dd' + J'\tan\delta_1$$

where the declination (δ_1) and centennial proper motion in declination (μ_δ) are referred to the mean equator and equinox of J1985·5

Planetary reduction

Data and formulae are provided for the precise computation for an object within the solar system of apparent geocentric right ascension and declination at an epoch in terrestrial dynamical time, from a barycentric ephemeris in rectangular coordinates and barycentric dynamical time referred to the standard equator and equinox of J2000·0. The stages in the reduction may be summarised as follows:

1. Convert from terrestrial dynamical time TDT (proper time) to barycentric dynamical time TDB (coordinate time).

2. Calculate the geocentric rectangular coordinates of the planet from barycentric ephemerides of the planet and the Earth for the standard equator and equinox of J2000·0 and coordinate time argument TDB, allowing for light time calculated from heliocentric coordinates.

3. Calculate the direction of the planet relative to the natural frame (i.e. the geocentric inertial frame that is instantaneously stationary in the space time reference frame of the solar system), allowing for light deflection due to solar gravitation.

4. Calculate the direction of the planet relative to the geocentric proper frame by applying the correction for the Earth's orbital velocity about the barycentre (i.e. annual aberration). The resulting direction is for the standard equator and equinox of J2000·0.

5. Apply precession and nutation to convert to the true equator and equinox of date.

6. Convert to spherical coordinates.

Formulae and method for planetary reduction

Step 1. The apparent place is required for a time in TDT whilst the barycentric ephemeris is referred to TDB. For calculating an apparent place the following approximate formulae are sufficient for converting from TDT to TDB:

$$\text{TDB} = \text{TDT} + 0^s\text{·}001\,658 \sin g + 0^s\text{·}000\,014 \sin 2g$$

where $g = 357°\text{·}53 + 0°\text{·}985\,6003\,(\text{JD} - 245\,1545\text{·}0)$
and JD = Julian date to two decimals of a day.

Step 2. Obtain the Earth's barycentric position $\mathbf{E}_B(t)$ in au and velocity $\dot{\mathbf{E}}_B(t)$ in au/d, at coordinate time $t = \text{TDB}$ referred to the equator and equinox of J2000·0.

Using an ephemeris, obtain the barycentric position of the planet $\mathbf{Q}_B$ in au at time $(t - \tau)$ for the equator and equinox of J2000·0 where τ is the light time, so that light emitted by the planet at the event $\mathbf{Q}_B(t - \tau)$ arrives at the Earth at the event $\mathbf{E}_B(t)$.

The light time equation is solved iteratively using the heliocentric position of the Earth $(\mathbf{E})$ and the planet $(\mathbf{Q})$, starting with the approximation $\tau = 0$, as follows:

Form **P**, the vector from the Earth to the planet from the equation:

$$\mathbf{P} = \mathbf{Q}_B(t - \tau) - \mathbf{E}_B(t)$$

Form **E** and **Q** from the equations: $\mathbf{E} = \mathbf{E}_B(t) - \mathbf{S}_B(t)$
$$\mathbf{Q} = \mathbf{Q}_B(t - \tau) - \mathbf{S}_B(t - \tau)$$

where $\mathbf{S}_B$ is the barycentric position of the Sun.

Calculate τ from: $\quad c\tau = P + (2\mu/c^2) \ln\left[(E + P + Q)/(E - P + Q)\right]$

where the light time (τ) includes the effect of gravitational retardation due to the Sun, and

$$\mu = GM_0 \qquad\qquad c = \text{velocity of light} = 173\text{·}1446\text{ au}/\text{d}$$
$$G = \text{the gravitational constant} \qquad \mu/c^2 = 9\text{·}87 \times 10^{-9}\text{ au}$$
$$M_0 = \text{mass of Sun} \qquad\qquad P = |\mathbf{P}|, \quad Q = |\mathbf{Q}|, \quad E = |\mathbf{E}|$$

where | | means calculate the square root of the sum of the squares of the components.

Formulae and method for planetary reduction (continued)

After convergence, form unit vectors $\mathbf{p}$, $\mathbf{q}$, $\mathbf{e}$ by dividing $\mathbf{P}$, $\mathbf{Q}$, $\mathbf{E}$ by P, Q, E respectively.

Step 3. Calculate the geocentric direction $(\mathbf{p}_1)$ of the planet, corrected for light deflection in the natural frame, from:

$$\mathbf{p}_1 = \mathbf{p} + (2\mu/c^2 E)((\mathbf{p} \cdot \mathbf{q})\mathbf{e} - (\mathbf{e} \cdot \mathbf{p})\mathbf{q})/(1 + \mathbf{q} \cdot \mathbf{e})$$

where the dot indicates a scalar product. (The scalar product of two vectors is the sum of the products of their corresponding components in the same reference frame.)
The vector $\mathbf{p}_1$ is a unit vector to order μ/c^2.

Step 4. Calculate the proper direction of the planet $(\mathbf{p}_2)$ in the geocentric inertial frame that is moving with the instantaneous velocity $(\mathbf{V})$ of the Earth relative to the natural frame from:

$$\mathbf{p}_2 = (\beta^{-1}\mathbf{p}_1 + (1 + (\mathbf{p}_1 \cdot \mathbf{V})/(1 + \beta^{-1}))\mathbf{V})/(1 + \mathbf{p}_1 \cdot \mathbf{V})$$

where $\mathbf{V} = \dot{\mathbf{E}}_B/c = 0.005\,7755\,\dot{\mathbf{E}}_B$ and $\beta = (1 - V^2)^{-1/2}$; the velocity $(\mathbf{V})$ is expressed in units of the velocity of light and is equal to the Earth's velocity in the barycentric frame to order V^2.

Step 5. Apply precession and nutation to the proper direction $(\mathbf{p}_2)$ by multiplying by the rotation matrix $\mathbf{R}$ given on the odd pages B43 to B57 to obtain the apparent direction $\mathbf{p}_3$ from:

$$\mathbf{p}_3 = \mathbf{R}\,\mathbf{p}_2$$

using row by column multiplication.

Step 6. Convert to spherical coordinates α, δ using: $\alpha = \tan^{-1}(\eta/\xi)$, $\delta = \sin^{-1}\zeta$

where $\mathbf{p}_3 = (\xi, \eta, \zeta)$ and the quadrant of α is determined by the signs of ξ and η.

Example of planetary reduction

Calculate the apparent place of Venus on 1985 December 25 at 0^h TDT:

Step 1. From page B11, JD = 244 6424·5,
hence $g = 350°\cdot76$ and TDB $-$ TDT $= -3\cdot1 \times 10^{-9}$ days.
The difference between TDB and TDT may be neglected in this example.

Step 2. Tabular values, taken from the JPL DE200/LE200 barycentric ephemeris, referred to J2000·0, which are required for the calculation, are as follows:

Vector	Julian date (TDB)	x	y	z
			Rectangular components	
$\mathbf{E}_B$	244 6424·5	$-0\cdot059\,783\,634$	$+0\cdot907\,830\,417$	$+0\cdot393\,570\,447$
$\dot{\mathbf{E}}_B$	244 6424·5	$-0\cdot017\,454\,820$	$-0\cdot000\,985\,189$	$-0\cdot000\,427\,614$
$\mathbf{Q}_B$	244 6422·5	$-0\cdot181\,638\,118$	$-0\cdot638\,821\,667$	$-0\cdot276\,196\,996$
	244 6423·5	$-0\cdot162\,113\,711$	$-0\cdot642\,757\,422$	$-0\cdot279\,203\,416$
	244 6424·5	$-0\cdot142\,465\,977$	$-0\cdot646\,191\,124$	$-0\cdot281\,991\,799$
	244 6425·5	$-0\cdot122\,710\,149$	$-0\cdot649\,120\,354$	$-0\cdot284\,560\,092$
	244 6426·5	$-0\cdot102\,861\,528$	$-0\cdot651\,543\,082$	$-0\cdot286\,906\,414$
$\mathbf{S}_B$	244 6423·5	$-0\cdot002\,506\,638$	$+0\cdot007\,049\,784$	$+0\cdot003\,002\,028$
	244 6424·5	$-0\cdot002\,512\,350$	$+0\cdot007\,044\,759$	$+0\cdot003\,000\,029$
	244 6425·5	$-0\cdot002\,518\,053$	$+0\cdot007\,039\,726$	$+0\cdot002\,998\,029$

Example of planetary reduction (continued)

Hence on JD 244 6424·5,
$$E = (-0·057\,271\,284, \quad +0·900\,785\,658, \quad +0·390\,570\,418) \qquad E = 0·983\,483\,631$$

The first iteration, with $\tau = 0$, gives:

$$P = (-0·082\,682\,343, \; -1·554\,021\,541, \; -0·675\,562\,246) \qquad P = 1·696\,526\,943$$
$$Q = (-0·139\,953\,627, \; -0·653\,235\,883, \; -0·284\,991\,828) \qquad Q = 0·726\,308\,804$$
$$\tau = +0^{\mathrm{d}}·009\,798\,32$$

The second iteration, with $\tau = 0^{\mathrm{d}}·009\,798\,32$, using Stirling's central-difference formula up to δ^4 to interpolate Q_B, and up to δ^2 to interpolate S_B, gives:

$$P = (-0·082\,875\,407, \; -1·553\,990\,340, \; -0·675\,535\,989) \qquad P = 1·696\,497\,328$$
$$Q = (-0·140\,146\,747, \; -0·653\,204\,731, \; -0·284\,965\,591) \qquad Q = 0·726\,307\,731$$
$$\tau = 0^{\mathrm{d}}·009\,798\,15 \qquad \text{A third and final iteration yields:}$$

$$P = (-0·082\,875\,404, \; -1·553\,990\,341, \; -0·675\,535\,989) \qquad P = 1·696\,497\,328$$
$$Q = (-0·140\,146\,744, \; -0·653\,204\,732, \; -0·284\,965\,591) \qquad Q = 0·726\,307\,731$$
$$\tau = 0^{\mathrm{d}}·009\,798\,15$$

Hence the unit vectors are:

$$p = (-0·048\,850\,890, \; -0·915\,999\,286, \; -0·398\,194\,550)$$
$$q = (-0·192\,957\,803, \; -0·899\,349\,827, \; -0·392\,348\,283)$$
$$e = (-0·058\,233\,083, \; +0·915\,913\,218, \; +0·397\,129\,556)$$

Step 3. Calculate the scalar products:

$$p \cdot q = +0·989\,460\,907, \quad e \cdot p = -0·994\,265\,941, \quad q \cdot e = -0·968\,302\,966 \qquad \text{then}$$

$$(2\mu/c^2 E)((p \cdot q)e - (e \cdot p)q)/(1 + q \cdot e) = (-0·000\,000\,158, \; +0·000\,000\,008, \; +0·000\,000\,002)$$

and $p_1 = (-0·048\,851\,048, \; -0·915\,999\,278, \; -0·398\,194\,548)$

Step 4. Take $\dot{E}_B$ from the table in *Step* 2 and calculate:

$$V = 0·005\,7755\; \dot{E}_B = (-0·000\,100\,811, \; -0·000\,005\,690, \; -0·000\,002\,470)$$

Then $V = 0·000\,101\,001$, $\beta = 1·000\,000\,005$ and $\beta^{-1} = 0·999\,999\,995$

Calculate the scalar product $p_1 \cdot V = +0·000\,011\,120$

Then $1 + (p_1 \cdot V)/(1 + \beta^{-1}) = 1·000\,005\,560$

Hence $p_2 = (-0·048\,951\,314, \; -0·915\,994\,777, \; -0·398\,192\,587)$

Step 5. From page B57, the precession and nutation matrix R is given by:

$$R = \begin{bmatrix} +0·999\,993\,99 & +0·003\,179\,32 & +0·001\,381\,61 \\ -0·003\,179\,27 & +0·999\,994\,95 & -0·000\,034\,97 \\ -0·001\,381\,72 & +0·000\,030\,58 & +0·999\,999\,04 \end{bmatrix}$$

Hence $p_3 = R\,p_2 = (-0·052\,413\,41, \; -0·915\,820\,59, \; -0·398\,152\,58)$

Step 6. Converting to spherical coordinates

$$\alpha = 17^{\mathrm{h}}\,46^{\mathrm{m}}\,53^{\mathrm{s}}·87 \qquad \delta = -23° \,27'\, 45''·9$$

The geometric distance between the Earth and Venus at time $t = \mathrm{JD}\,244\,6424·5$ is the value of $P = 1·696\,526\,943$ au in the first iteration in *Step* 2, where $\tau = 0$. The light path distance between the Earth at time t and Venus at time $(t - \tau)$ is the value of $P = 1·696\,497\,328$ au in the final iteration in *Step* 2, where $\tau = 0^{\mathrm{d}}·009\,798\,15$.

Solar reduction

The method for solar reduction is identical to the method for planetary reduction, except for the following differences:

In *Step* 2 set $\mathbf{Q_B} = \mathbf{S_B}$ and hence $\mathbf{P} = \mathbf{S_B}(t - \tau) - \mathbf{E_B}(t)$. Calculate the light time (τ) by iteration from $\tau = P/c$ and form the unit vector $\mathbf{p}$ only.

In *Step* 3 set $\mathbf{p_1} = \mathbf{p}$ since there is no light deflection from the centre of the Sun's disk.

Stellar reduction

The method for planetary reduction may be applied with some modification to the calculation of the apparent places of stars.

The barycentric direction of a star at epoch TDB is calculated from its right ascension, declination and space motion for the standard equator and equinox of J2000·0 on the FK5 system. A concise method of conversion from B1950·0 on the FK4 system to J2000·0 on the FK5 system is given on page x.

The main modifications to the planetary reduction in the stellar case are: in *Step* 1, the distinction between TDB and TDT is not significant; in *Step* 2, the space motion of the star is included but light time is ignored; in *Step* 3, the relativity term for light deflection is modified to the asymptotic case where the star is assumed to be at infinity.

Formulae and method for stellar reduction

The steps in the stellar reduction are as follows:

Step 1. Set TDB = TDT

Step 2. Obtain the Earth's barycentric position $\mathbf{E_B}$ in au and velocity $\dot{\mathbf{E}}_\mathbf{B}$ in au/d, at coordinate time $t = $ TDB referred to the equator and equinox of J2000·0.

The barycentric direction ($\mathbf{q}$) of a star at epoch J2000·0, referred to the standard equator and equinox of J2000·0, is given by:

$$\mathbf{q} = (\cos \alpha_0 \cos \delta_0, \sin \alpha_0 \cos \delta_0, \sin \delta_0)$$

where α_0 and δ_0 are the right ascension and declination for the equator, equinox and epoch of J2000·0.

The space motion vector $\mathbf{m} = (m_x, m_y, m_z)$ of the star expressed in radians per century, is given by:

$$m_x = -\mu_\alpha \cos \delta_0 \sin \alpha_0 - \mu_\delta \sin \delta_0 \cos \alpha_0 + v\pi \cos \delta_0 \cos \alpha_0$$
$$m_y = \mu_\alpha \cos \delta_0 \cos \alpha_0 - \mu_\delta \sin \delta_0 \sin \alpha_0 + v\pi \cos \delta_0 \sin \alpha_0$$
$$m_z = \mu_\delta \cos \delta_0 + v\pi \sin \delta_0$$

where these expressions take into account radial velocity (v) in au/century (1 km/s = 21·095 au/century), measured positively away from the Earth, as well as proper motion (μ_α, μ_δ) in right ascension and declination in radians/century, and π is the parallax in radians.

Calculate $\mathbf{P}$, the geocentric vector of the star at the required epoch, from:

$$\mathbf{P} = \mathbf{q} + T\mathbf{m} - \pi \mathbf{E_B}$$

where $T = (\text{JD} - 245\,1545·0)/36\,525$, which is the interval in Julian centuries from J2000·0, and JD is the Julian date to one decimal of a day.

Form the heliocentric position of the Earth ($\mathbf{E}$) from:

$$\mathbf{E} = \mathbf{E_B} - \mathbf{S_B}$$

where $\mathbf{S_B}$ is the barycentric position of the Sun at time t.

Form the geocentric direction ($\mathbf{p}$) of the star and the unit vector ($\mathbf{e}$) from $\mathbf{p} = \mathbf{P}/|\mathbf{P}|$ and $\mathbf{e} = \mathbf{E}/|\mathbf{E}|$.

Formulae and method for stellar reduction (continued)

Step 3. Calculate the geocentric direction $(\mathbf{p}_1)$ of the star, corrected for light deflection in the natural frame, from:

$$\mathbf{p}_1 = \mathbf{p} + (2\mu/c^2 E)(\mathbf{e} - (\mathbf{p} \cdot \mathbf{e})\mathbf{p})/(1 + \mathbf{p} \cdot \mathbf{e})$$

where the dot indicates a scalar product, $\mu/c^2 = 9.87 \times 10^{-9}$ au and $E = |\mathbf{E}|$. Note that this expression is derived from the planetary case by substituting $\mathbf{q} = \mathbf{p}$ in the small term which allows for light deflection.
The vector $\mathbf{p}_1$ is a unit vector to order μ/c^2.

Step 4. Calculate the proper direction $(\mathbf{p}_2)$ in the geocentric inertial frame, that is moving with the instantaneous velocity $(\mathbf{V})$ of the Earth relative to the natural frame, from:

$$\mathbf{p}_2 = (\beta^{-1}\mathbf{p}_1 + (1 + (\mathbf{p}_1 \cdot \mathbf{V})/(1 + \beta^{-1}))\mathbf{V})/(1 + \mathbf{p}_1 \cdot \mathbf{V})$$

where $\mathbf{V} = \dot{\mathbf{E}}_B/c = 0.005\,7755\,\dot{\mathbf{E}}_B$ and $\beta = (1 - V^2)^{-1/2}$; the velocity $(\mathbf{V})$ is expressed in units of velocity of light and is equal to the Earth's velocity in the barycentric frame to order V^2.

Step 5. Apply precession and nutation to the proper direction $(\mathbf{p}_2)$ by multiplying by the rotation matrix $(\mathbf{R})$, given on the odd pages B43 to B57, to obtain the apparent direction $(\mathbf{p}_3)$ from:

$$\mathbf{p}_3 = \mathbf{R}\,\mathbf{p}_2$$

using row by column multiplication.

Step 6. Convert to spherical coordinates (α, δ) using: $\alpha = \tan^{-1}(\eta/\xi)$, $\qquad \delta = \sin^{-1}\zeta$

where $\mathbf{p}_3 = (\xi, \eta, \zeta)$ and the quadrant of α is determined by the signs of ξ and η.

Example of stellar reduction

Calculate the apparent position of a fictitious star on 1985 January 1 at 0^h TDT. The mean right ascension (α_0), declination (δ_0), centennial proper motions (μ_α, μ_δ), parallax (π) and radial velocity (v) of the star at the standard equator and equinox of J2000·0 are given by:

$\alpha_0 = 14^h\ 39^m\ 36^s \cdot 087 \qquad \delta_0 = -60° \ 50'\ 07'' \cdot 14 \qquad \pi = 0'' \cdot 752 = 3.6458 \times 10^{-6}$ rad
$\mu_\alpha = -49.486$ s/cy $\qquad \mu_\delta = +69.60''$/cy $\qquad v = -22.2$ km/s
$\quad = -0.003\,598\,723$ rad/cy, $\quad = +0.000\,337\,430$ rad/cy, $\quad v\pi = -0.001\,707\,357$ rad/cy

Step 1. TDB = TDT = JD244 6066·5

Step 2. Tabular values of $\mathbf{E}_B$, $\dot{\mathbf{E}}_B$ and $\mathbf{S}_B$, taken from the JPL DE200/LE200 barycentric ephemeris referred to J2000·0, are:

Vector	Julian date (TDB)	Rectangular components		
		x	y	z
$\mathbf{E}_B$	244 6066·5	−0·183 155 600	+0·894 657 308	+0·387 794 234
$\dot{\mathbf{E}}_B$	244 6066·5	−0·017 189 116	−0·003 005 754	−0·001 303 727
$\mathbf{S}_B$	244 6066·5	−0·000 011 556	+0·008 348 696	+0·003 494 610

From the positional data, calculate:

$$\mathbf{q} = (-0.373\,854\,098,\ -0.312\,594\,565,\ -0.873\,222\,624)$$
$$\mathbf{m} = (-0.000\,712\,685,\ +0.001\,690\,102,\ +0.001\,655\,339)$$

Form $\mathbf{P} = \mathbf{q} + T\mathbf{m} - \pi\mathbf{E}_B = (-0.373\,746\,533,\ -0.312\,851\,330,\ -0.873\,472\,328)$
where $T = (244\,6066·5 - 245\,1545·0)/36\,525 = -0.149\,993\,155$ and form
$\mathbf{E} = \mathbf{E}_B - \mathbf{S}_B = (-0.183\,144\,044,\ +0.886\,308\,612,\ +0.384\,299\,624)$, $E = 0.983\,245\,085$

Example of stellar reduction (continued)
Hence the unit vectors are:

$$\mathbf{p} = (-0.373\,650\,081,\; -0.312\,770\,594,\; -0.873\,246\,914)$$
$$\mathbf{e} = (-0.186\,264\,896,\; +0.901\,411\,688,\; +0.390\,848\,253)$$

Step 3. Calculate the scalar product $\mathbf{p} \cdot \mathbf{e} = -0.553\,644\,206$ then

$$(2\mu/c^2 E)(\mathbf{e} - (\mathbf{p} \cdot \mathbf{e})\,\mathbf{p})/(1 + \mathbf{p} \cdot \mathbf{e}) = (-0.000\,000\,018,\; +0.000\,000\,033,\; -0.000\,000\,004)$$

and $\mathbf{p}_1 = (-0.373\,650\,099,\; -0.312\,770\,561,\; -0.873\,246\,918)$

Step 4.

Calculate $\mathbf{V} = 0.005\,7755\;\dot{\mathbf{E}}_B = (-0.000\,099\,276,\; -0.000\,017\,360,\; -0.000\,007\,530)$

where $\dot{\mathbf{E}}_B$ is taken from the table in *Step* 2.

Then $V = 0.000\,101\,063$, $\beta = 1.000\,000\,005$ and $\beta^{-1} = 0.999\,999\,995$

Calculate the scalar product $\mathbf{p}_1 \cdot \mathbf{V} = +0.000\,049\,099$

Then $1 + (\mathbf{p}_1 \cdot \mathbf{V})/(1 + \beta^{-1}) = 1.000\,024\,550$

Hence $\mathbf{p}_2 = (-0.373\,731\,025,\; -0.312\,772\,563,\; -0.873\,211\,569)$

Step 5. From page B43, the precession and nutation matrix $\mathbf{R}$ is given by:

$$\mathbf{R} = \begin{bmatrix} +0.999\,993\,07 & +0.003\,414\,65 & +0.001\,483\,87 \\ -0.003\,414\,62 & +0.999\,994\,17 & -0.000\,025\,88 \\ -0.001\,483\,95 & +0.000\,020\,81 & +0.999\,998\,90 \end{bmatrix}$$

Hence $\mathbf{p}_3 = \mathbf{R}\,\mathbf{p}_2 = (-0.376\,092\,18,\; -0.311\,471\,99,\; -0.872\,662\,52)$

Step 6. Converting to spherical coordinates:

$$\alpha = 14^{\text{h}}\,38^{\text{m}}\,31^{\text{s}}.409 \qquad \delta = -60°\,46'\,10''.31$$

Reduction for polar motion

Polar motion is described by x and y, the coordinates of the celestial ephemeris pole with respect to the adopted origin; x and y are measured in seconds of arc from the origin along the meridians at longitudes $0°$ and $270°$. Current values for the reduction of observations are published by the International Polar Motion Service and the Bureau International de l'Heure.

In the calculation of apparent place, the direction $\mathbf{p}_3$ is for the true equator and equinox with the z-axis pointing towards the celestial ephemeris pole. The direction $\mathbf{p}_4$, which is relative to the conventional terrestrial reference system in which the z-axis is in the direction of the adopted mean position of the pole, is calculated from:

$$\mathbf{p}_4 = \mathbf{R}_2(-x)\,\mathbf{R}_1(-y)\,\mathbf{R}_3(\text{GAST})\,\mathbf{p}_3$$

where GAST is the Greenwich apparent sidereal time at the corresponding instant of UT, and

$$\mathbf{R}_1(\theta) = \begin{bmatrix} 1 & 0 & 0 \\ 0 & \cos\theta & \sin\theta \\ 0 & -\sin\theta & \cos\theta \end{bmatrix} \qquad \mathbf{R}_2(\theta) = \begin{bmatrix} \cos\theta & 0 & -\sin\theta \\ 0 & 1 & 0 \\ \sin\theta & 0 & \cos\theta \end{bmatrix}$$

$$\mathbf{R}_3(\theta) = \begin{bmatrix} \cos\theta & \sin\theta & 0 \\ -\sin\theta & \cos\theta & 0 \\ 0 & 0 & 1 \end{bmatrix}$$

are the standard matrices that produce rotations through an angle θ about the x, y and z-axes, respectively.

ORIGIN AT SOLAR SYSTEM BARYCENTER

MEAN EQUATOR AND EQUINOX J2000.0

Date 0ʰT.D.B.	X	Y	Z	$\dot{X}$	$\dot{Y}$	$\dot{Z}$
Jan. 0	−0.165 938 194	+0.897 525 270	+0.389 038 177	−1724 4821	− 272 9981	− 118 4073
1	.183 155 600	.894 657 308	.387 794 234	1718 9116	300 5754	130 3727
2	.200 314 690	.891 514 151	.386 430 900	1712 8203	328 0360	142 2848
3	.217 410 294	.888 097 000	.384 948 725	1706 2154	355 3733	154 1405
4	.234 437 313	.884 407 116	.383 348 288	1699 1047	382 5815	165 9369
5	−0.251 390 727	+0.880 445 814	+0.381 630 192	−1691 4957	− 409 6564	− 177 6720
6	.268 265 590	.876 214 443	.379 795 056	1683 3956	436 5949	189 3446
7	.285 057 022	.871 714 374	.377 843 509	1674 8103	463 3958	200 9543
8	.301 760 192	.866 946 986	.375 776 179	1665 7437	490 0588	212 5014
9	.318 370 296	.861 913 656	.373 593 687	1656 1970	516 5844	223 9868
10	−0.334 882 527	+0.856 615 757	+0.371 296 645	−1646 1687	− 542 9724	− 235 4114
11	.351 292 049	.851 054 671	.368 885 660	1635 6542	569 2212	246 7756
12	.367 593 969	.845 231 808	.366 361 336	1624 6472	595 3270	258 0789
13	.383 783 326	.839 148 629	.363 724 291	1613 1401	621 2832	269 3194
14	.399 855 081	.832 806 676	.360 975 167	1601 1257	647 0801	280 4939
15	−0.415 804 126	+0.826 207 598	+0.358 114 648	−1588 5973	− 672 7058	− 291 5978
16	.431 625 297	.819 353 178	.355 143 465	1575 5503	698 1459	302 6253
17	.447 313 394	.812 245 351	.352 062 418	1561 9822	723 3847	313 5697
18	.462 863 206	.804 886 212	.348 872 374	1547 8934	748 4052	324 4233
19	.478 269 537	.797 278 031	.345 574 281	1533 2871	773 1904	335 1784
20	−0.493 527 241	+0.789 423 245	+0.342 169 161	−1518 1692	− 797 7234	− 345 8271
21	.508 631 244	.781 324 455	.338 658 119	1502 5483	821 9889	356 3618
22	.523 576 566	.772 984 406	.335 042 329	1486 4351	845 9727	366 7757
23	.538 358 345	.764 405 979	.331 323 029	1469 8415	869 6629	377 0627
24	.552 971 837	.755 592 163	.327 501 516	1452 7800	893 0490	387 2175
25	−0.567 412 426	+0.746 546 041	+0.323 579 133	−1435 2631	− 916 1225	− 397 2359
26	.581 675 623	.737 270 779	.319 557 265	1417 3034	938 8761	407 1141
27	.595 757 057	.727 769 608	.315 437 329	1398 9127	961 3033	416 8488
28	.609 652 479	.718 045 820	.311 220 776	1380 1027	983 3984	426 4373
29	.623 357 753	.708 102 763	.306 909 079	1360 8851	1005 1564	435 8770
30	−0.636 868 859	+0.697 943 831	+0.302 503 739	−1341 2711	−1026 5726	− 445 1656
31	.650 181 893	.687 572 462	.298 006 276	1321 2725	1047 6433	454 3014
Feb. 1	.663 293 066	.676 992 128	.293 418 226	1300 9011	1068 3654	463 2827
2	.676 198 711	.666 206 321	.288 741 138	1280 1686	1088 7376	472 1090
3	.688 895 272	.655 218 543	.283 976 562	1259 0862	1108 7597	480 7804
4	−0.701 379 303	+0.644 032 288	+0.279 126 044	−1237 6640	−1128 4336	− 489 2977
5	.713 647 444	.632 651 021	.274 191 114	1215 9094	1147 7625	497 6632
6	.725 696 399	.621 078 175	.269 173 279	1193 8271	1166 7502	505 8791
7	.737 522 897	.609 317 143	.264 074 021	1171 4178	1185 4000	513 9482
8	.749 123 656	.597 371 297	.258 894 799	1148 6788	1203 7129	521 8721
9	−0.760 495 359	+0.585 244 014	+0.253 637 062	−1125 6055	−1221 6867	− 529 6511
10	.771 634 634	.572 938 712	.248 302 265	1102 1927	1239 3156	537 2836
11	.782 538 066	.560 458 883	.242 891 889	1078 4362	1256 5902	544 7663
12	.793 202 207	.547 808 127	.237 407 454	1054 3344	1273 4988	552 0944
13	.803 623 608	.534 990 171	.231 850 535	1029 8886	1290 0281	559 2622
14	−0.813 798 847	+0.522 008 876	+0.226 222 765	−1005 1030	−1306 1643	− 566 2635
15	−0.823 724 558	+0.508 868 239	+0.220 525 841	− 979 9845	−1321 8941	− 573 0920

$$\dot{X},\ \dot{Y},\ \dot{Z} \text{ ARE IN UNITS OF } 10^{-9} \text{A.U. PER DAY}$$

MATRIX ELEMENTS FOR CONVERSION FROM
MEAN EQUINOX OF J2000.0 TO TRUE EQUINOX OF DATE

Julian Date	$R_{11}-1$	R_{12}	R_{13}	R_{21}	$R_{22}-1$	R_{23}	R_{31}	R_{32}	$R_{33}-1$
244									
6065.5	− 693	+341 511	+148 407	−341 507	− 583	−2595	−148 415	+2088	−110
6066.5	693	341 465	148 387	341 462	583	2588	148 395	2081	110
6067.5	693	341 405	148 361	341 401	583	2575	148 369	2069	110
6068.5	693	341 326	148 327	341 322	583	2560	148 335	2054	110
6069.5	692	341 226	148 284	341 222	582	2547	148 291	2041	110
6070.5	− 692	+341 107	+148 232	−341 103	− 582	−2538	−148 240	+2033	−110
6071.5	691	340 974	148 174	340 971	581	2539	148 182	2034	110
6072.5	691	340 838	148 115	340 834	581	2551	148 123	2047	110
6073.5	690	340 709	148 059	340 705	580	2576	148 067	2071	110
6074.5	690	340 598	148 011	340 595	580	2609	148 019	2105	110
6075.5	− 689	+340 514	+147 975	−340 511	− 580	−2645	−147 983	+2142	−110
6076.5	689	340 457	147 950	340 453	580	2679	147 958	2176	109
6077.5	689	340 420	147 933	340 416	579	2704	147 942	2201	109
6078.5	689	340 390	147 921	340 387	579	2717	147 929	2213	109
6079.5	689	340 355	147 905	340 352	579	2716	147 914	2212	109
6080.5	− 688	+340 303	+147 882	−340 299	− 579	−2705	−147 891	+2202	−109
6081.5	688	340 225	147 849	340 221	579	2689	147 857	2186	109
6082.5	688	340 121	147 804	340 118	578	2676	147 812	2173	109
6083.5	687	339 998	147 750	339 995	578	2669	147 759	2167	109
6084.5	687	339 866	147 693	339 863	578	2674	147 701	2172	109
6085.5	− 686	+339 738	+147 637	−339 734	− 577	−2691	−147 645	+2189	−109
6086.5	686	339 622	147 587	339 619	577	2718	147 596	2216	109
6087.5	685	339 528	147 546	339 525	576	2751	147 555	2250	109
6088.5	685	339 458	147 516	339 454	576	2786	147 524	2285	109
6089.5	685	339 409	147 494	339 405	576	2818	147 503	2318	109
6090.5	− 685	+339 376	+147 480	−339 372	− 576	−2845	−147 489	+2344	−109
6091.5	685	339 352	147 470	339 348	576	2863	147 479	2362	109
6092.5	684	339 330	147 460	339 326	576	2872	147 469	2372	109
6093.5	684	339 302	147 448	339 299	576	2874	147 457	2374	109
6094.5	684	339 263	147 431	339 259	576	2869	147 440	2369	109
6095.5	− 684	+339 206	+147 406	−339 202	− 575	−2860	−147 415	+2360	−109
6096.5	684	339 130	147 373	339 127	575	2851	147 382	2352	109
6097.5	683	339 035	147 332	339 032	575	2846	147 341	2346	109
6098.5	683	338 924	147 284	338 921	574	2848	147 293	2349	109
6099.5	682	338 805	147 232	338 801	574	2860	147 241	2361	108
6100.5	− 682	+338 688	+147 181	−338 684	− 574	−2884	−147 190	+2386	−108
6101.5	681	338 585	147 137	338 581	573	2919	147 146	2421	108
6102.5	681	338 507	147 103	338 503	573	2960	147 112	2462	108
6103.5	681	338 458	147 081	338 454	573	3000	147 091	2502	108
6104.5	681	338 434	147 071	338 430	573	3032	147 080	2534	108
6105.5	− 681	+338 423	+147 066	−338 419	− 573	−3051	−147 075	+2553	−108
6106.5	681	338 410	147 060	338 405	573	3056	147 070	2558	108
6107.5	681	338 380	147 047	338 376	573	3048	147 057	2550	108
6108.5	680	338 327	147 024	338 322	572	3034	147 033	2537	108
6109.5	680	338 247	146 989	338 243	572	3021	146 999	2523	108
6110.5	− 680	+338 148	+146 946	−338 144	− 572	−3013	−146 956	+2517	−108
6111.5	− 679	+338 038	+146 898	−338 034	− 571	−3016	−146 908	+2520	−108

VALUES IN UNITS OF 10^{-8}.

ORIGIN AT SOLAR SYSTEM BARYCENTER

MEAN EQUATOR AND EQUINOX J2000.0

Date 0ʰ T.D.B.	X	Y	Z	$\dot{X}$	$\dot{Y}$	$\dot{Z}$
Feb. 15	−0.823 724 558	+0.508 868 239	+0.220 525 841	− 979 9845	−1321 8941	− 573 0920
16	.833 397 457	.495 572 391	.214 761 522	954 5424	1337 2046	579 7414
17	.842 814 365	.482 125 584	.208 931 629	928 7882	1352 0842	586 2061
18	.851 972 223	.468 532 178	.203 038 034	902 7346	1366 5226	592 4808
19	.860 868 107	.454 796 632	.197 082 662	876 3959	1380 5110	598 5608
20	−0.869 499 240	+0.440 923 483	+0.191 067 479	− 849 7868	−1394 0421	− 604 4425
21	.877 862 994	.426 917 333	.184 994 485	822 9228	1407 1102	610 1225
22	.885 956 897	.412 782 837	.178 865 710	795 8191	1419 7110	615 5985
23	.893 778 628	.398 524 680	.172 683 201	768 4908	1431 8416	620 8687
24	.901 326 014	.384 147 578	.166 449 026	740 9526	1443 5000	625 9319
25	−0.908 597 027	+0.369 656 258	+0.160 165 257	− 713 2187	−1454 6850	− 630 7872
26	.915 589 781	.355 055 458	.153 833 976	685 3029	1465 3961	635 4342
27	.922 302 526	.340 349 916	.147 457 267	657 2190	1475 6334	639 8729
28	.928 733 647	.325 544 366	.141 037 212	628 9805	1485 3979	644 1034
Mar. 1	.934 881 664	.310 643 529	.134 575 891	600 6006	1494 6912	648 1264
2	−0.940 745 230	+0.295 652 102	+0.128 075 370	− 572 0925	−1503 5164	− 651 9434
3	.946 323 127	.280 574 747	.121 537 703	543 4686	1511 8778	655 5564
4	.951 614 254	.265 416 072	.114 964 913	514 7401	1519 7816	658 9684
5	.956 617 610	.250 180 617	.108 358 991	485 9157	1527 2351	662 1834
6	.961 332 267	.234 872 844	.101 721 886	457 0008	1534 2465	665 2059
7	−0.965 757 329	+0.219 497 134	+0.095 055 500	− 427 9966	−1540 8234	− 668 0403
8	.969 891 893	.204 057 807	.088 361 694	398 9006	1546 9706	670 6902
9	.973 735 018	.188 559 150	.081 642 305	369 7079	1552 6893	673 1573
10	.977 285 711	.173 005 461	.074 899 159	340 4133	1557 9760	675 4410
11	.980 542 934	.157 401 095	.068 134 104	311 0137	1562 8232	677 5387
12	−0.983 505 636	+0.141 750 495	+0.061 349 019	− 281 5095	−1567 2209	− 679 4460
13	.986 172 790	.126 058 210	.054 545 835	251 9051	1571 1584	681 1579
14	.988 543 430	.110 328 897	.047 726 530	222 2084	1574 6251	682 6693
15	.990 616 686	.094 567 309	.040 893 134	192 4302	1577 6120	683 9754
16	.992 391 804	.078 778 282	.034 047 719	162 5831	1580 1115	685 0724
17	−0.993 868 163	+0.062 966 722	+0.027 192 395	− 132 6808	−1582 1179	− 685 9567
18	.995 045 285	.047 137 584	.020 329 302	102 7379	1583 6266	686 6259
19	.995 922 837	.031 295 860	.013 460 602	72 7695	1584 6346	687 0777
20	.996 500 640	+ .015 446 566	+ .006 588 476	42 7907	1585 1403	687 3110
21	.996 778 666	− .000 405 271	− .000 284 886	− 12 8168	1585 1433	687 3248
22	−0.996 757 043	−0.016 254 626	−0.007 157 289	+ 17 1369	−1584 6441	− 687 1191
23	.996 436 045	.032 096 485	.014 026 538	47 0556	1583 6446	686 6942
24	.995 816 096	.047 925 860	.020 890 445	76 9248	1582 1476	686 0509
25	.994 897 762	.063 737 791	.027 746 833	106 7303	1580 1567	685 1906
26	.993 681 747	.079 527 362	.034 593 541	136 4587	1577 6762	684 1151
27	−0.992 168 887	−0.095 289 699	−0.041 428 424	+ 166 0970	−1574 7111	− 682 8263
28	.990 360 148	.111 019 988	.048 249 365	195 6326	1571 2673	681 3270
29	.988 256 618	.126 713 472	.055 054 271	225 0533	1567 3514	679 6198
30	.985 859 503	.142 365 466	.061 841 081	254 3478	1562 9708	677 7085
31	.983 170 119	.157 971 369	.068 607 773	283 5053	1558 1344	675 5969
Apr. 1	−0.980 189 884	−0.173 526 668	−0.075 352 368	+ 312 5168	−1552 8521	− 673 2901
2	−0.976 920 294	−0.189 026 961	−0.082 072 942	+ 341 3755	−1547 1349	− 670 7936

$\dot{X}, \dot{Y}, \dot{Z}$ ARE IN UNITS OF 10⁻⁹ A.U. PER DAY

MATRIX ELEMENTS FOR CONVERSION FROM
MEAN EQUINOX OF J2000.0 TO TRUE EQUINOX OF DATE

Julian Date	$R_{11}-1$	R_{12}	R_{13}	R_{21}	$R_{22}-1$	R_{23}	R_{31}	R_{32}	$R_{33}-1$
244									
6111.5	− 679	+338 038	+146 898	−338 034	− 571	−3016	−146 908	+2520	−108
6112.5	679	337 928	146 851	337 924	571	3031	146 860	2534	108
6113.5	678	337 830	146 808	337 826	571	3055	146 818	2559	108
6114.5	678	337 751	146 774	337 747	570	3086	146 784	2591	108
6115.5	678	337 694	146 749	337 689	570	3120	146 759	2625	108
6116.5	− 678	+337 658	+146 734	−337 654	− 570	−3153	−146 744	+2657	−108
6117.5	678	337 641	146 726	337 637	570	3180	146 736	2684	108
6118.5	678	337 635	146 723	337 630	570	3199	146 733	2704	108
6119.5	678	337 633	146 722	337 628	570	3210	146 732	2714	108
6120.5	678	337 626	146 720	337 622	570	3211	146 730	2716	108
6121.5	− 678	+337 610	+146 713	−337 606	− 570	−3206	−146 722	+2710	−108
6122.5	677	337 578	146 699	337 574	570	3195	146 709	2700	108
6123.5	677	337 528	146 677	337 524	570	3183	146 687	2688	108
6124.5	677	337 459	146 647	337 455	569	3173	146 657	2678	108
6125.5	677	337 373	146 610	337 369	569	3168	146 620	2674	108
6126.5	− 676	+337 277	+146 568	−337 272	− 569	−3172	−146 577	+2678	−107
6127.5	676	337 177	146 524	337 172	568	3187	146 534	2693	107
6128.5	675	337 085	146 484	337 080	568	3213	146 494	2719	107
6129.5	675	337 012	146 453	337 007	568	3247	146 463	2754	107
6130.5	675	336 966	146 433	336 962	568	3284	146 443	2790	107
6131.5	− 675	+336 948	+146 425	−336 943	− 568	−3316	−146 435	+2822	−107
6132.5	675	336 949	146 425	336 945	568	3335	146 436	2842	107
6133.5	675	336 954	146 427	336 950	568	3339	146 438	2846	107
6134.5	675	336 946	146 424	336 942	568	3328	146 434	2835	107
6135.5	675	336 913	146 409	336 908	568	3308	146 420	2815	107
6136.5	− 674	+336 851	+146 382	−336 846	− 567	−3286	−146 392	+2793	−107
6137.5	674	336 765	146 345	336 760	567	3269	146 355	2776	107
6138.5	674	336 666	146 302	336 662	567	3263	146 312	2770	107
6139.5	673	336 566	146 259	336 562	566	3267	146 269	2775	107
6140.5	673	336 476	146 219	336 471	566	3283	146 230	2790	107
6141.5	− 673	+336 403	+146 188	−336 398	− 566	−3305	−146 198	+2813	−107
6142.5	672	336 351	146 165	336 347	566	3331	146 176	2840	107
6143.5	672	336 321	146 152	336 317	566	3357	146 163	2865	107
6144.5	672	336 309	146 147	336 305	566	3377	146 157	2886	107
6145.5	672	336 310	146 147	336 305	566	3391	146 158	2899	107
6146.5	− 672	+336 315	+146 150	−336 311	− 566	−3395	−146 160	+2903	−107
6147.5	672	336 319	146 151	336 314	566	3391	146 161	2899	107
6148.5	672	336 313	146 148	336 308	566	3378	146 159	2887	107
6149.5	672	336 292	146 139	336 287	566	3361	146 150	2869	107
6150.5	672	336 253	146 122	336 249	565	3340	146 133	2849	107
6151.5	− 672	+336 195	+146 097	−336 191	− 565	−3321	−146 107	+2829	−107
6152.5	672	336 120	146 065	336 116	565	3306	146 075	2815	107
6153.5	671	336 032	146 026	336 028	565	3298	146 037	2807	107
6154.5	671	335 939	145 986	335 935	564	3300	145 996	2810	107
6155.5	670	335 849	145 947	335 845	564	3312	145 957	2822	107
6156.5	− 670	+335 772	+145 913	−335 768	− 564	−3334	−145 924	+2844	−107
6157.5	− 670	+335 717	+145 889	−335 712	− 564	−3361	−145 900	+2871	−106

VALUES IN UNITS OF 10^{-8}

ORIGIN AT SOLAR SYSTEM BARYCENTER

MEAN EQUATOR AND EQUINOX J2000.0

Date 0ʰ T.D.B.	X	Y	Z	$\dot{X}$	$\dot{Y}$	$\dot{Z}$
Apr. 1	−0.980 189 884	−0.173 526 668	−0.075 352 368	+ 312 5168	−1552 8521	− 673 2901
2	.976 920 294	.189 026 961	.082 072 942	341 3755	1547 1349	670 7936
3	.973 362 896	.204 467 956	.088 767 627	370 0779	1540 9944	668 1133
4	.969 519 256	.219 845 473	.095 434 615	398 6244	1534 4411	665 2552
5	.965 390 915	.235 155 430	.102 072 154	427 0190	1527 4832	662 2241
6	−0.960 979 361	−0.250 393 803	−0.108 678 531	+ 455 2683	−1520 1247	− 659 0230
7	.956 286 010	.265 556 587	.115 252 050	483 3792	1512 3648	655 6525
8	.951 312 225	.280 639 743	.121 791 009	511 3557	1504 1981	652 1105
9	.946 059 343	.295 639 166	.128 293 678	539 1980	1495 6168	648 3936
10	.940 528 727	.310 550 668	.134 758 283	566 9013	1486 6124	644 4973
11	−0.934 721 809	−0.325 369 980	−0.141 183 013	+ 594 4568	−1477 1778	− 640 4177
12	.928 640 123	.340 092 771	.147 566 016	621 8528	1467 3075	636 1516
13	.922 285 329	.354 714 668	.153 905 416	649 0762	1456 9986	631 6967
14	.915 659 221	.369 231 277	.160 199 317	676 1132	1446 2500	627 0518
15	.908 763 732	.383 638 205	.166 445 816	702 9501	1435 0624	622 2163
16	−0.901 600 932	−0.397 931 069	−0.172 643 008	+ 729 5732	−1423 4378	− 617 1905
17	.894 173 026	.412 105 513	.178 788 994	755 9689	1411 3790	611 9752
18	.886 482 354	.426 157 216	.184 881 884	782 1243	1398 8902	606 5715
19	.878 531 385	.440 081 899	.190 919 802	808 0263	1385 9761	600 9812
20	.870 322 715	.453 875 339	.196 900 893	833 6623	1372 6424	595 2064
21	−0.861 859 066	−0.467 533 371	−0.202 823 323	+ 859 0201	−1358 8957	− 589 2496
22	.853 143 279	.481 051 901	.208 685 288	884 0881	1344 7434	583 1139
23	.844 178 309	.494 426 913	.214 485 016	908 8549	1330 1935	576 8028
24	.834 967 220	.507 654 477	.220 220 772	933 3101	1315 2552	570 3201
25	.825 513 177	.520 730 755	.225 890 860	957 4441	1299 9380	563 6701
26	−0.815 819 439	−0.533 652 010	−0.231 493 632	+ 981 2480	−1284 2524	− 556 8576
27	.805 889 345	.546 414 612	.237 027 488	1004 7138	1268 2094	549 8877
28	.795 726 310	.559 015 046	.242 490 881	1027 8352	1251 8209	542 7661
29	.785 333 806	.571 449 920	.247 882 324	1050 6071	1235 0995	535 4988
30	.774 715 341	.583 715 970	.253 200 392	1073 0271	1218 0583	528 0923
May 1	−0.763 874 438	−0.595 810 063	−0.258 443 729	+1095 0952	−1200 7102	− 520 5534
2	.752 814 598	.607 729 190	.263 611 041	1116 8152	1183 0669	512 8884
3	.741 539 271	.619 470 449	.268 701 093	1138 1938	1165 1378	505 1024
4	.730 051 830	.631 031 011	.273 712 696	1159 2397	1146 9280	497 1988
5	.718 355 558	.642 408 077	.278 644 682	1179 9614	1128 4384	489 1788
6	−0.706 453 662	−0.653 598 834	−0.283 495 880	+1200 3651	−1109 6653	− 481 0410
7	.694 349 311	.664 600 418	.288 265 098	1220 4523	1090 6027	472 7823
8	.682 045 681	.675 409 901	.292 951 111	1240 2199	1071 2441	464 3992
9	.669 546 005	.686 024 296	.297 552 657	1259 6600	1051 5844	455 8884
10	.656 853 607	.696 440 576	.302 068 447	1278 7623	1031 6209	447 2478
11	−0.643 971 925	−0.706 655 701	−0.306 497 176	+1297 5148	−1011 3537	− 438 4762
12	.630 904 517	.716 666 644	.310 837 536	1315 9056	990 7850	429 5739
13	.617 655 059	.726 470 409	.315 088 222	1333 9228	969 9189	420 5419
14	.604 227 343	.736 064 049	.319 247 948	1351 5554	948 7608	411 3819
15	.590 625 268	.745 444 673	.323 315 442	1368 7929	927 3169	402 0962
16	−0.576 852 834	−0.754 609 457	−0.327 289 461	+1385 6254	− 905 5941	− 392 6873
17	−0.562 914 142	−0.763 555 650	−0.331 168 788	+1402 0431	− 883 5999	− 383 1583

$\dot{X}, \dot{Y}, \dot{Z}$ ARE IN UNITS OF 10^{-9} A.U. PER DAY

MATRIX ELEMENTS FOR CONVERSION FROM
MEAN EQUINOX OF J2000.0 TO TRUE EQUINOX OF DATE

Julian Date	$R_{11}-1$	R_{12}	R_{13}	R_{21}	$R_{22}-1$	R_{23}	R_{31}	R_{32}	$R_{33}-1$
244									
6156.5	− 670	+335 772	+145 913	− 335 768	− 564	−3334	− 145 924	+2844	−107
6157.5	670	335 717	145 889	335 712	564	3361	145 900	2871	106
6158.5	670	335 688	145 877	335 683	563	3387	145 887	2897	106
6159.5	670	335 682	145 874	335 677	563	3404	145 885	2914	106
6160.5	670	335 687	145 876	335 682	563	3406	145 887	2917	106
6161.5	− 670	+335 685	+145 875	− 335 681	− 563	−3392	− 145 886	+2903	−106
6162.5	670	335 661	145 865	335 656	563	3365	145 875	2876	106
6163.5	670	335 605	145 840	335 600	563	3333	145 851	2844	106
6164.5	669	335 519	145 803	335 515	563	3304	145 813	2815	106
6165.5	669	335 414	145 757	335 409	563	3284	145 768	2795	106
6166.5	− 668	+335 303	+145 710	− 335 299	− 562	−3277	− 145 720	+2789	−106
6167.5	668	335 201	145 665	335 196	562	3282	145 675	2794	106
6168.5	668	335 115	145 628	335 110	562	3296	145 638	2808	106
6169.5	667	335 050	145 600	335 046	561	3314	145 610	2826	106
6170.5	667	335 008	145 581	335 004	561	3332	145 592	2844	106
6171.5	− 667	+334 985	+145 571	− 334 981	− 561	−3347	− 145 582	+2859	−106
6172.5	667	334 975	145 567	334 971	561	3354	145 577	2867	106
6173.5	667	334 972	145 565	334 967	561	3354	145 576	2866	106
6174.5	667	334 968	145 563	334 963	561	3344	145 574	2856	106
6175.5	667	334 955	145 558	334 951	561	3326	145 568	2839	106
6176.5	− 667	+334 929	+145 546	− 334 924	− 561	−3302	− 145 557	+2815	−106
6177.5	667	334 884	145 527	334 880	561	3276	145 537	2788	106
6178.5	666	334 820	145 499	334 816	561	3249	145 509	2762	106
6179.5	666	334 738	145 464	334 734	560	3226	145 474	2739	106
6180.5	666	334 642	145 422	334 638	560	3210	145 432	2724	106
6181.5	− 665	+334 539	+145 377	− 334 535	− 560	−3204	− 145 387	+2717	−106
6182.5	665	334 438	145 333	334 433	559	3207	145 343	2721	106
6183.5	664	334 346	145 293	334 342	559	3220	145 303	2734	106
6184.5	664	334 272	145 261	334 268	559	3239	145 271	2753	106
6185.5	664	334 222	145 239	334 217	559	3259	145 249	2774	106
6186.5	− 664	+334 194	+145 227	− 334 189	− 558	−3275	− 145 237	+2789	−106
6187.5	664	334 181	145 222	334 177	558	3279	145 232	2794	106
6188.5	664	334 170	145 217	334 166	558	3268	145 227	2782	106
6189.5	664	334 143	145 205	334 138	558	3242	145 215	2757	105
6190.5	663	334 086	145 180	334 082	558	3207	145 190	2722	105
6191.5	− 663	+333 995	+145 141	− 333 991	− 558	−3171	− 145 151	+2686	−105
6192.5	663	333 877	145 090	333 873	557	3142	145 099	2658	105
6193.5	662	333 746	145 033	333 742	557	3127	145 042	2643	105
6194.5	662	333 618	144 977	333 614	557	3125	144 987	2642	105
6195.5	661	333 506	144 928	333 501	556	3135	144 938	2652	105
6196.5	− 661	+333 415	+144 889	− 333 411	− 556	−3151	− 144 899	+2668	−105
6197.5	661	333 349	144 860	333 344	556	3168	144 870	2685	105
6198.5	660	333 303	144 840	333 299	556	3183	144 850	2700	105
6199.5	660	333 274	144 827	333 270	555	3191	144 837	2709	105
6200.5	660	333 253	144 818	333 249	555	3192	144 828	2709	105
6201.5	− 660	+333 232	+144 809	− 333 228	− 555	−3184	− 144 819	+2701	−105
6202.5	− 660	+333 206	+144 798	− 333 201	− 555	−3167	− 144 807	+2685	−105

VALUES IN UNITS OF 10^{-8}.

ORIGIN AT SOLAR SYSTEM BARYCENTER

MEAN EQUATOR AND EQUINOX J2000.0

Date 0ʰT.D.B.	X	Y	Z	$\dot{X}$	$\dot{Y}$	$\dot{Z}$
May 17	−0.562 914 142	−0.763 555 650	−0.331 168 788	+1402 0431	− 883 5999	− 383 1583
18	.548 813 385	.772 280 577	.334 952 237	1418 0370	861 3425	373 5123
19	.534 554 846	.780 781 653	.338 638 656	1433 5979	838 8310	363 7530
20	.520 142 897	.789 056 382	.342 226 934	1448 7176	816 0750	353 8846
21	.505 581 991	.797 102 372	.345 716 001	1463 3881	793 0851	343 9117
22	−0.490 876 656	−0.804 917 342	−0.349 104 836	+1477 6024	− 769 8727	− 333 8393
23	.476 031 484	.812 499 125	.352 392 472	1491 3546	746 4500	323 6728
24	.461 051 121	.819 845 683	.355 577 998	1504 6399	722 8298	313 4182
25	.445 940 254	.826 955 106	.358 660 563	1517 4551	699 0253	303 0817
26	.430 703 592	.833 825 621	.361 639 381	1529 7986	675 0503	292 6700
27	−0.415 345 853	−0.840 455 589	−0.364 513 733	+1541 6708	− 650 9183	− 282 1896
28	.399 871 739	.846 843 508	.367 282 967	1553 0743	626 6427	271 6473
29	.384 285 913	.852 988 006	.369 946 495	1564 0141	602 2361	261 0496
30	.368 592 976	.858 887 829	.372 503 794	1574 4978	577 7093	250 4023
31	.352 797 446	.864 541 819	.374 954 391	1584 5348	553 0705	239 7099
June 1	−0.336 903 734	−0.869 948 882	−0.377 297 851	+1594 1358	− 528 3245	− 228 9753
2	.320 916 151	.875 107 953	.379 533 760	1603 3107	503 4720	218 1994
3	.304 838 915	.880 017 958	.381 661 698	1612 0670	478 5104	207 3810
4	.288 676 194	.884 677 782	.383 681 230	1620 4080	453 4349	196 5175
5	.272 432 143	.889 086 260	.385 591 888	1628 3323	428 2405	185 6060
6	−0.256 110 954	−0.893 242 183	−0.387 393 179	+1635 8344	− 402 9235	− 174 6436
7	.239 716 889	.897 144 317	.389 084 586	1642 9061	377 4827	163 6289
8	.223 254 299	.900 791 431	.390 665 582	1649 5378	351 9200	152 5615
9	.206 727 631	.904 182 323	.392 135 644	1655 7201	326 2393	141 4424
10	.190 141 425	.907 315 843	.393 494 264	1661 4440	300 4466	130 2735
11	−0.173 500 306	−0.910 190 905	−0.394 740 956	+1666 7014	− 274 5489	− 119 0573
12	.156 808 976	.912 806 499	.395 875 262	1671 4850	248 5543	107 7968
13	.140 072 206	.915 161 697	.396 896 756	1675 7885	222 4712	96 4955
14	.123 294 827	.917 255 659	.397 805 048	1679 6057	196 3086	85 1569
15	.106 481 732	.919 087 634	.398 599 783	1682 9309	170 0757	73 7849
16	−0.089 637 867	−0.920 656 973	−0.399 280 649	+1685 7589	− 143 7828	− 62 3838
17	.072 768 228	.921 963 125	.399 847 378	1688 0847	117 4404	50 9582
18	.055 877 861	.923 005 655	.400 299 748	1689 9040	91 0604	39 5131
19	.038 971 848	.923 784 249	.400 637 593	1691 2134	64 6552	28 0542
20	.022 055 301	.924 298 721	.400 860 807	1692 0107	38 2383	16 5877
21	−0.005 133 342	−0.924 549 023	−0.400 969 344	+1692 2957	− 11 8237	− 5 1201
22	+ .011 788 909	.924 535 250	.400 963 228	1692 0697	+ 14 5745	+ 6 3417
23	.028 706 362	.924 257 636	.400 842 552	1691 3367	40 9420	17 7909
24	.045 613 972	.923 716 556	.400 607 475	1690 1023	67 2656	29 2207
25	.062 506 764	.922 912 511	.400 258 223	1688 3747	93 5330	40 6249
26	+0.079 379 855	−0.921 846 119	−0.399 795 081	+1686 1637	+ 119 7335	+ 51 9979
27	.096 228 465	.920 518 091	.399 218 384	1683 4807	145 8590	63 3352
28	.113 047 936	.918 929 210	.398 528 506	1680 3379	171 9036	74 6336
29	.129 833 730	.917 080 297	.397 725 847	1676 7472	197 8649	85 8915
30	.146 581 424	.914 972 189	.396 810 811	1672 7194	223 7431	97 1089
July 1	+0.163 286 688	−0.912 605 702	−0.395 783 799	+1668 2623	+ 249 5411	+ 108 2872
2	+0.179 945 254	−0.909 981 621	−0.394 645 189	+1663 3803	+ 275 2629	+ 119 4288

$\dot{X}, \dot{Y}, \dot{Z}$ ARE IN UNITS OF 10⁻⁹A.U. PER DAY

MATRIX ELEMENTS FOR CONVERSION FROM
MEAN EQUINOX OF J2000.0 TO TRUE EQUINOX OF DATE

Julian Date	$R_{11}-1$	R_{12}	R_{13}	R_{21}	$R_{22}-1$	R_{23}	R_{31}	R_{32}	$R_{33}-1$
244									
6202.5	− 660	+333 206	+144 798	−333 201	− 555	−3167	−144 807	+2685	−105
6203.5	660	333 166	144 780	333 162	555	3144	144 790	2662	105
6204.5	660	333 109	144 756	333 105	555	3118	144 765	2636	105
6205.5	659	333 033	144 723	333 029	555	3091	144 732	2609	105
6206.5	659	332 938	144 681	332 933	554	3068	144 691	2586	105
6207.5	− 658	+332 827	+144 633	−332 823	− 554	−3050	−144 643	+2569	−105
6208.5	658	332 709	144 582	332 705	554	3043	144 591	2561	105
6209.5	658	332 590	144 530	332 586	553	3045	144 540	2564	105
6210.5	657	332 480	144 482	332 476	553	3057	144 492	2576	104
6211.5	657	332 386	144 442	332 382	552	3076	144 451	2596	104
6212.5	− 656	+332 315	+144 411	−332 310	− 552	−3098	−144 420	+2618	−104
6213.5	656	332 265	144 389	332 261	552	3116	144 399	2637	104
6214.5	656	332 233	144 375	332 229	552	3127	144 385	2647	104
6215.5	656	332 207	144 364	332 203	552	3124	144 374	2644	104
6216.5	656	332 173	144 349	332 168	552	3107	144 358	2627	104
6217.5	− 656	+332 115	+144 324	−332 111	− 552	−3079	−144 333	+2599	−104
6218.5	655	332 025	144 285	332 021	551	3046	144 294	2567	104
6219.5	655	331 903	144 232	331 899	551	3018	144 241	2539	104
6220.5	654	331 761	144 170	331 757	550	3000	144 179	2522	104
6221.5	654	331 613	144 106	331 609	550	2997	144 115	2519	104
6222.5	− 653	+331 476	+144 047	−331 472	− 549	−3007	−144 056	+2530	−104
6223.5	653	331 360	143 996	331 356	549	3027	144 006	2550	104
6224.5	652	331 270	143 957	331 266	549	3051	143 967	2574	104
6225.5	652	331 205	143 929	331 201	549	3073	143 938	2596	104
6226.5	652	331 158	143 908	331 154	548	3089	143 918	2613	104
6227.5	− 652	+331 123	+143 893	−331 119	− 548	−3098	−143 903	+2622	−104
6228.5	652	331 092	143 880	331 088	548	3098	143 889	2622	104
6229.5	651	331 056	143 864	331 052	548	3090	143 874	2613	104
6230.5	651	331 010	143 844	331 006	548	3074	143 853	2598	104
6231.5	651	330 947	143 817	330 943	548	3055	143 826	2579	103
6232.5	− 651	+330 866	+143 781	−330 862	− 547	−3034	−143 791	+2558	−103
6233.5	650	330 766	143 738	330 762	547	3015	143 747	2540	103
6234.5	650	330 650	143 687	330 646	547	3003	143 697	2528	103
6235.5	649	330 523	143 632	330 519	546	2999	143 641	2525	103
6236.5	649	330 394	143 576	330 390	546	3006	143 586	2532	103
6237.5	− 648	+330 273	+143 524	−330 269	− 545	−3023	−143 533	+2549	−103
6238.5	648	330 167	143 478	330 163	545	3048	143 487	2575	103
6239.5	648	330 084	143 442	330 080	545	3077	143 451	2604	103
6240.5	647	330 025	143 416	330 021	545	3104	143 426	2631	103
6241.5	647	329 984	143 398	329 980	544	3124	143 408	2650	103
6242.5	− 647	+329 953	+143 385	−329 949	− 544	−3132	−143 394	+2658	−103
6243.5	647	329 918	143 369	329 913	544	3126	143 379	2653	103
6244.5	647	329 865	143 346	329 861	544	3110	143 356	2637	103
6245.5	646	329 784	143 312	329 780	544	3086	143 321	2614	103
6246.5	646	329 674	143 264	329 670	543	3064	143 273	2592	103
6247.5	− 646	+329 538	+143 205	−329 534	− 543	−3050	−143 214	+2578	−103
6248.5	− 645	+329 391	+143 141	−329 387	− 543	−3049	−143 150	+2578	−103

VALUES IN UNITS OF 10^{-8}

ORIGIN AT SOLAR SYSTEM BARYCENTER

MEAN EQUATOR AND EQUINOX J2000.0

Date 0ʰT.D.B.	X	Y	Z	$\dot{X}$	$\dot{Y}$	$\dot{Z}$
July 1	+0.163 286 688	−0.912 605 702	−0.395 783 799	+1668 2623	+ 249 5411	+ 108 2872
2	.179 945 254	.909 981 621	.394 645 189	1663 3803	275 2629	119 4288
3	.196 552 879	.907 100 685	.393 395 336	1658 0737	300 9125	130 5364
4	.213 105 304	.903 963 603	.392 034 568	1652 3396	326 4924	141 6120
5	.229 598 227	.900 571 067	.390 563 198	1646 1724	352 0031	152 6569
6	+0.246 027 287	−0.896 923 780	−0.388 981 532	+1639 5656	+ 377 4421	+ 163 6711
7	.262 388 052	.893 022 480	.387 289 882	1632 5126	402 8048	174 6533
8	.278 676 032	.888 867 960	.385 488 579	1625 0076	428 0849	185 6014
9	.294 886 680	.884 461 083	.383 577 977	1617 0454	453 2747	196 5125
10	.311 015 405	.879 802 794	.381 558 463	1608 6223	478 3659	207 3833
11	+0.327 057 580	−0.874 894 123	−0.379 430 457	+1599 7351	+ 503 3496	+ 218 2103
12	.343 008 551	.869 736 191	.377 194 417	1590 3812	528 2167	228 9895
13	.358 863 641	.864 330 210	.374 850 839	1580 5585	552 9576	239 7171
14	.374 618 152	.858 677 492	.372 400 261	1570 2651	577 5625	250 3887
15	.390 267 369	.852 779 450	.369 843 266	1559 4996	602 0204	260 9997
16	+0.405 806 567	−0.846 637 612	−0.367 180 487	+1548 2611	+ 626 3199	+ 271 5448
17	.421 231 014	.840 253 623	.364 412 608	1536 5497	650 4483	282 0184
18	.436 535 990	.833 629 262	.361 540 378	1524 3671	674 3921	292 4142
19	.451 716 798	.826 766 443	.358 564 606	1511 7170	698 1373	302 7254
20	.466 768 792	.819 667 225	.355 486 175	1498 6055	721 6697	312 9450
21	+0.481 687 399	−0.812 333 804	−0.352 306 035	+1485 0414	+ 744 9757	+ 323 0663
22	.496 468 149	.804 768 505	.349 025 199	1471 0361	768 0435	333 0830
23	.511 106 694	.796 973 761	.345 644 741	1456 6028	790 8631	342 9899
24	.525 598 827	.788 952 096	.342 165 781	1441 7560	813 4270	352 7829
25	.539 940 486	.780 706 088	.338 589 471	1426 5105	835 7309	362 4594
26	+0.554 127 756	−0.772 238 352	−0.334 916 985	+1410 8806	+ 857 7726	+ 372 0182
27	.568 156 859	.763 551 508	.331 149 500	1394 8789	879 5529	381 4593
28	.582 024 131	.754 648 159	.327 288 187	1378 5162	901 0740	390 7840
29	.595 726 006	.745 530 879	.323 334 201	1361 8004	922 3398	399 9944
30	.609 258 978	.736 202 202	.319 288 672	1344 7361	943 3541	409 0929
31	+0.622 619 574	−0.726 664 622	−0.315 152 707	+1327 3253	+ 964 1206	+ 418 0821
Aug. 1	.635 804 326	.716 920 609	.310 927 388	1309 5669	984 6412	426 9638
2	.648 809 746	.706 972 618	.306 613 787	1291 4586	1004 9160	435 7388
3	.661 632 319	.696 823 116	.302 212 967	1272 9968	1024 9428	444 4073
4	.674 268 492	.686 474 602	.297 725 999	1254 1781	1044 7176	452 9681
5	+0.686 714 681	−0.675 929 624	−0.293 153 971	+1234 9998	+1064 2345	+ 461 4191
6	.698 967 282	.665 190 795	.288 497 991	1215 4600	1083 4866	469 7579
7	.711 022 674	.654 260 801	.283 759 198	1195 5579	1102 4663	477 9812
8	.722 877 233	.643 142 405	.278 938 762	1175 2936	1121 1655	486 0859
9	.734 527 341	.631 838 453	.274 037 888	1154 6677	1139 5759	494 0682
10	+0.745 969 385	−0.620 351 877	−0.269 057 817	+1133 6813	+1157 6890	+ 501 9247
11	.757 199 771	.608 685 695	.263 999 828	1112 3361	1175 4956	509 6512
12	.768 214 917	.596 843 018	.258 865 240	1090 6337	1192 9863	517 2436
13	.779 011 263	.584 827 058	.253 655 418	1068 5768	1210 1505	524 6971
14	.789 585 281	.572 641 134	.248 371 778	1046 1686	1226 9769	532 0064
15	+0.799 933 481	−0.560 288 687	−0.243 015 790	+1023 4143	+1243 4531	+ 539 1656
16	+0.810 052 436	−0.547 773 284	−0.237 588 988	+1000 3211	+1259 5660	+ 546 1682

$\dot{X}, \dot{Y}, \dot{Z}$ ARE IN UNITS OF 10^{-9}A.U. PER DAY

MATRIX ELEMENTS FOR CONVERSION FROM
MEAN EQUINOX OF J2000.0 TO TRUE EQUINOX OF DATE

Julian Date	$R_{11}-1$	R_{12}	R_{13}	R_{21}	$R_{22}-1$	R_{23}	R_{31}	R_{32}	$R_{33}-1$
244									
6247.5	− 646	+ 329 538	+ 143 205	− 329 534	− 543	− 3050	− 143 214	+ 2578	− 103
6248.5	645	329 391	143 141	329 387	543	3049	143 150	2578	103
6249.5	644	329 247	143 078	329 243	542	3062	143 088	2591	102
6250.5	644	329 121	143 024	329 117	542	3087	143 033	2616	102
6251.5	643	329 020	142 980	329 015	541	3118	142 989	2647	102
6252.5	− 643	+ 328 945	+ 142 947	− 328 941	− 541	− 3149	− 142 957	+ 2679	− 102
6253.5	643	328 893	142 925	328 889	541	3177	142 934	2707	102
6254.5	643	328 856	142 909	328 852	541	3197	142 918	2727	102
6255.5	643	328 827	142 896	328 822	541	3207	142 905	2737	102
6256.5	643	328 796	142 882	328 791	541	3209	142 892	2739	102
6257.5	− 642	+ 328 756	+ 142 865	− 328 752	− 540	− 3203	− 142 875	+ 2734	− 102
6258.5	642	328 703	142 842	328 698	540	3192	142 851	2723	102
6259.5	642	328 631	142 811	328 627	540	3179	142 820	2710	102
6260.5	642	328 541	142 772	328 537	540	3167	142 781	2698	102
6261.5	641	328 434	142 725	328 430	539	3160	142 735	2691	102
6262.5	− 641	+ 328 314	+ 142 673	− 328 310	− 539	− 3161	− 142 683	+ 2692	− 102
6263.5	640	328 190	142 619	328 186	539	3172	142 629	2704	102
6264.5	640	328 071	142 567	328 066	538	3193	142 577	2726	102
6265.5	639	327 966	142 522	327 962	538	3224	142 532	2757	102
6266.5	639	327 883	142 486	327 879	538	3260	142 496	2793	102
6267.5	− 639	+ 327 826	+ 142 461	− 327 822	− 537	− 3295	− 142 471	+ 2828	− 102
6268.5	639	327 790	142 445	327 786	537	3324	142 456	2857	102
6269.5	639	327 767	142 435	327 763	537	3341	142 446	2874	102
6270.5	639	327 743	142 425	327 739	537	3345	142 435	2878	101
6271.5	638	327 706	142 409	327 701	537	3337	142 419	2870	101
6272.5	− 638	+ 327 644	+ 142 382	− 327 639	− 537	− 3322	− 142 392	+ 2855	− 101
6273.5	638	327 554	142 343	327 549	537	3305	142 353	2839	101
6274.5	637	327 439	142 293	327 434	536	3294	142 303	2829	101
6275.5	637	327 309	142 236	327 304	536	3295	142 246	2829	101
6276.5	636	327 177	142 179	327 173	535	3309	142 189	2843	101
6277.5	− 636	+ 327 058	+ 142 127	− 327 054	− 535	− 3335	− 142 138	+ 2870	− 101
6278.5	635	326 961	142 085	326 957	535	3369	142 096	2904	101
6279.5	635	326 890	142 055	326 886	534	3405	142 065	2941	101
6280.5	635	326 844	142 035	326 840	534	3439	142 045	2975	101
6281.5	635	326 817	142 023	326 812	534	3467	142 033	3002	101
6282.5	− 635	+ 326 800	+ 142 015	− 326 795	− 534	− 3485	− 142 026	+ 3021	− 101
6283.5	635	326 785	142 009	326 780	534	3494	142 019	3029	101
6284.5	635	326 763	141 999	326 759	534	3494	142 010	3030	101
6285.5	635	326 729	141 985	326 725	534	3487	141 995	3023	101
6286.5	634	326 679	141 963	326 675	534	3478	141 973	3014	101
6287.5	− 634	+ 326 610	+ 141 933	− 326 606	− 533	− 3468	− 141 943	+ 3004	− 101
6288.5	634	326 524	141 895	326 520	533	3461	141 906	2998	101
6289.5	633	326 424	141 852	326 420	533	3462	141 862	2999	101
6290.5	633	326 316	141 805	326 312	532	3471	141 816	3009	101
6291.5	633	326 210	141 759	326 205	532	3492	141 769	3029	101
6292.5	− 632	+ 326 114	+ 141 717	− 326 109	− 532	− 3522	− 141 728	+ 3060	− 100
6293.5	− 632	+ 326 038	+ 141 684	− 326 033	− 532	− 3559	− 141 695	+ 3097	− 100

VALUES IN UNITS OF 10^{-8}

ORIGIN AT SOLAR SYSTEM BARYCENTER

MEAN EQUATOR AND EQUINOX J2000.0

Date 0ʰT.D.B.	X	Y	Z	$\dot{X}$	$\dot{Y}$	$\dot{Z}$
Aug. 16	+0.810 052 436	−0.547 773 284	−0.237 588 988	+1000 3211	+1259 5660	+ 546 1682
17	.819 938 808	.535 098 622	.232 092 970	976 8995	1275 3026	553 0077
18	.829 589 376	.522 268 524	.226 529 398	953 1629	1290 6513	559 6779
19	.839 001 069	.509 286 921	.220 899 993	929 1275	1305 6024	566 1736
20	.848 170 989	.496 157 824	.215 206 521	904 8113	1320 1494	572 4908
21	+0.857 096 421	−0.482 885 292	−0.209 450 778	+ 880 2329	+1334 2892	+ 578 6277
22	.865 774 831	.469 473 397	.203 634 569	855 4097	1348 0221	584 5839
23	.874 203 852	.455 926 198	.197 759 697	830 3574	1361 3508	590 3606
24	.882 381 260	.442 247 714	.191 827 948	805 0889	1374 2798	595 9599
25	.890 304 943	.428 441 916	.185 841 081	779 6142	1386 8145	601 3848
26	+0.897 972 880	−0.414 512 721	−0.179 800 824	+ 753 9405	+1398 9602	+ 606 6382
27	.905 383 107	.400 463 993	.173 708 879	728 0728	1410 7217	611 7231
28	.912 533 698	.386 299 555	.167 566 916	702 0135	1422 1029	616 6421
29	.919 422 743	.372 023 196	.161 376 585	675 7638	1433 1060	621 3970
30	.926 048 338	.357 638 692	.155 139 519	649 3234	1443 7317	625 9890
31	+0.932 408 575	−0.343 149 822	−0.148 857 346	+ 622 6920	+1453 9790	+ 630 4184
Sept. 1	.938 501 539	.328 560 383	.142 531 695	595 8690	1463 8450	634 6845
2	.944 325 317	.313 874 206	.136 164 204	568 8547	1473 3258	638 7861
3	.949 877 998	.299 095 168	.129 756 528	541 6499	1482 4163	642 7212
4	.955 157 686	.284 227 200	.123 310 343	514 2565	1491 1108	646 4875
5	+0.960 162 508	−0.269 274 292	−0.116 827 349	+ 486 6773	+1499 4032	+ 650 0825
6	.964 890 623	.254 240 497	.110 309 274	458 9156	1507 2871	653 5033
7	.969 340 225	.239 129 934	.103 757 872	430 9754	1514 7559	656 7471
8	.973 509 550	.223 946 786	.097 174 931	402 8610	1521 8027	659 8108
9	.977 396 881	.208 695 311	.090 562 268	374 5774	1528 4201	662 6909
10	+0.981 000 551	−0.193 379 841	−0.083 921 737	+ 346 1297	+1534 6002	+ 665 3837
11	.984 318 950	.178 004 795	.077 255 233	317 5244	1540 3339	667 8848
12	.987 350 540	.162 574 684	.070 564 696	288 7693	1545 6114	670 1894
13	.990 093 872	.147 094 123	.063 852 119	259 8748	1550 4222	672 2919
14	.992 547 616	.131 567 830	.057 119 549	230 8543	1554 7560	674 1870
15	+0.994 710 593	−0.116 000 622	−0.050 369 088	+ 201 7246	+1558 6040	+ 675 8695
16	.996 581 812	.100 397 390	.043 602 880	172 5060	1561 9601	677 3357
17	.998 160 488	.084 763 068	.036 823 102	143 2199	1564 8220	678 5837
18	0.999 446 056	.069 102 591	.030 031 933	113 8878	1567 1919	679 6138
19	1.000 438 155	.053 420 851	.023 231 544	84 5290	1569 0757	680 4285
20	+1.001 136 601	−0.037 722 670	−0.016 424 069	+ 55 1595	+1570 4816	+ 681 0316
21	1.001 541 350	.022 012 781	.009 611 602	+ 25 7914	1571 4188	681 4278
22	1.001 652 463	− .006 295 826	− .002 796 188	− 3 5667	1571 8964	681 6218
23	1.001 470 070	+ .009 423 641	+ .004 020 174	32 9089	1571 9223	681 6179
24	1.000 994 352	.025 141 137	.010 835 525	62 2310	1571 5032	681 4201
25	+1.000 225 525	+0.040 852 239	+0.017 647 940	− 91 5305	+1570 6442	+ 681 0314
26	0.999 163 824	.056 552 567	.024 455 525	120 8055	1569 3489	680 4542
27	.997 809 502	.072 237 771	.031 256 402	150 0544	1567 6197	679 6902
28	.996 162 826	.087 903 517	.038 048 710	179 2760	1565 4574	678 7404
29	.994 224 079	.103 545 474	.044 830 592	208 4684	1562 8618	677 6051
30	+0.991 993 561	+0.119 159 305	+0.051 600 193	− 237 6297	+1559 8317	+ 676 2842
Oct. 1	+0.989 471 598	+0.134 740 653	+0.058 355 654	− 266 7570	+1556 3650	+ 674 7769

$\dot{X}$, $\dot{Y}$, $\dot{Z}$ ARE IN UNITS OF 10^{-9} A.U. PER DAY

MATRIX ELEMENTS FOR CONVERSION FROM
MEAN EQUINOX OF J2000.0 TO TRUE EQUINOX OF DATE

Julian Date	$R_{11}-1$	R_{12}	R_{13}	R_{21}	$R_{22}-1$	R_{23}	R_{31}	R_{32}	$R_{33}-1$
244									
6293.5	− 632	+326 038	+141 684	−326 033	− 532	−3559	−141 695	+3097	−100
6294.5	632	325 988	141 662	325 983	531	3597	141 673	3135	100
6295.5	632	325 963	141 651	325 958	531	3630	141 662	3168	100
6296.5	632	325 954	141 648	325 949	531	3652	141 659	3190	100
6297.5	632	325 948	141 645	325 944	531	3660	141 656	3198	100
6298.5	− 631	+325 931	+141 638	−325 927	− 531	−3654	−141 649	+3192	−100
6299.5	631	325 892	141 620	325 887	531	3639	141 631	3177	100
6300.5	631	325 824	141 591	325 819	531	3621	141 602	3160	100
6301.5	631	325 730	141 550	325 726	531	3608	141 561	3147	100
6302.5	630	325 621	141 503	325 616	530	3605	141 514	3144	100
6303.5	− 630	+325 507	+141 453	−325 502	− 530	−3614	−141 464	+3154	−100
6304.5	629	325 403	141 408	325 398	529	3636	141 419	3176	100
6305.5	629	325 317	141 371	325 312	529	3666	141 382	3206	100
6306.5	629	325 255	141 344	325 250	529	3700	141 355	3240	100
6307.5	629	325 219	141 328	325 214	529	3733	141 339	3273	100
6308.5	− 629	+325 202	+141 321	−325 197	− 529	−3760	−141 332	+3300	−100
6309.5	629	325 199	141 319	325 194	529	3779	141 331	3319	100
6310.5	629	325 200	141 320	325 195	529	3787	141 331	3328	100
6311.5	629	325 197	141 318	325 192	529	3787	141 330	3327	100
6312.5	629	325 183	141 312	325 178	529	3778	141 324	3319	100
6313.5	− 628	+325 153	+141 299	−325 148	− 529	−3766	−141 311	+3306	−100
6314.5	628	325 105	141 278	325 100	529	3752	141 290	3292	100
6315.5	628	325 039	141 250	325 034	528	3740	141 261	3280	100
6316.5	628	324 959	141 215	324 954	528	3733	141 226	3274	100
6317.5	627	324 868	141 175	324 863	528	3735	141 187	3276	100
6318.5	− 627	+324 775	+141 135	−324 770	− 527	−3746	−141 146	+3288	−100
6319.5	627	324 688	141 097	324 683	527	3767	141 109	3309	100
6320.5	626	324 616	141 066	324 611	527	3797	141 078	3339	100
6321.5	626	324 568	141 045	324 563	527	3830	141 057	3372	100
6322.5	626	324 545	141 035	324 539	527	3861	141 047	3403	100
6323.5	− 626	+324 542	+141 034	−324 537	− 527	−3882	−141 046	+3424	−100
6324.5	626	324 549	141 037	324 544	527	3889	141 049	3431	100
6325.5	626	324 548	141 036	324 543	527	3880	141 048	3422	100
6326.5	626	324 526	141 026	324 521	527	3860	141 038	3402	100
6327.5	626	324 473	141 004	324 468	526	3834	141 015	3377	99
6328.5	− 626	+324 392	+140 968	−324 387	− 526	−3812	−140 980	+3355	− 99
6329.5	625	324 291	140 925	324 286	526	3799	140 936	3342	99
6330.5	625	324 184	140 878	324 179	526	3798	140 890	3341	99
6331.5	624	324 084	140 835	324 079	525	3810	140 846	3353	99
6332.5	624	324 001	140 799	323 996	525	3831	140 810	3374	99
6333.5	− 624	+323 941	+140 773	−323 936	− 525	−3856	−140 784	+3400	− 99
6334.5	624	323 906	140 757	323 900	525	3882	140 769	3426	99
6335.5	624	323 890	140 750	323 885	525	3903	140 762	3447	99
6336.5	624	323 890	140 750	323 885	525	3916	140 762	3460	99
6337.5	624	323 895	140 752	323 890	525	3920	140 764	3464	99
6338.5	− 624	+323 898	+140 754	−323 893	− 525	−3913	−140 766	+3457	− 99
6339.5	− 624	+323 892	+140 751	−323 886	− 525	−3899	−140 763	+3443	− 99

VALUES IN UNITS OF 10^{-8}

POSITION AND VELOCITY OF THE EARTH, 1985

ORIGIN AT SOLAR SYSTEM BARYCENTER

MEAN EQUATOR AND EQUINOX J2000.0

Date 0ʰT.D.B.	X	Y	Z	$\dot{X}$	$\dot{Y}$	$\dot{Z}$
Oct. 1	+0.989 471 598	+0.134 740 653	+0.058 355 654	− 266 7570	+1556 3650	+ 674 7769
2	.986 658 546	.150 285 141	.065 095 107	295 8469	1552 4591	673 0823
3	.983 554 800	.165 788 360	.071 816 670	324 8950	1548 1108	671 1989
4	.980 160 802	.181 245 871	.078 518 450	353 8963	1543 3169	669 1252
5	.976 477 049	.196 653 200	.085 198 535	382 8452	1538 0737	666 8596
6	+0.972 504 093	+0.212 005 836	+0.091 854 997	− 411 7357	+1532 3776	+ 664 4003
7	.968 242 553	.227 299 228	.098 485 887	440 5609	1526 2244	661 7450
8	.963 693 115	.242 528 784	.105 089 236	469 3138	1519 6095	658 8915
9	.958 856 546	.257 689 862	.111 663 047	497 9860	1512 5277	655 8369
10	.953 733 697	.272 777 763	.118 205 294	526 5678	1504 9731	652 5780
11	+0.948 325 531	+0.287 787 728	+0.124 713 914	− 555 0473	+1496 9393	+ 649 1111
12	.942 633 142	.302 714 932	.131 186 811	583 4096	1488 4203	645 4325
13	.936 657 792	.317 554 500	.137 621 848	611 6362	1479 4114	641 5390
14	.930 400 941	.332 301 521	.144 016 868	639 7058	1469 9110	637 4288
15	.923 864 276	.346 951 091	.150 369 702	667 5953	1459 9220	633 1021
16	+0.917 049 710	+0.361 498 358	+0.156 678 197	− 695 2823	+1449 4521	+ 628 5618
17	.909 959 370	.375 938 568	.162 940 244	722 7474	1438 5129	623 8133
18	.902 595 551	.390 267 098	.169 153 790	749 9759	1427 1186	618 8631
19	.894 960 675	.404 479 471	.175 316 857	776 9576	1415 2837	613 7184
20	.887 057 241	.418 571 349	.181 427 534	803 6867	1403 0216	608 3863
21	+0.878 887 795	+0.432 538 516	+0.187 483 978	− 830 1598	+1390 3435	+ 602 8726
22	.870 454 905	.446 376 863	.193 484 398	856 3752	1377 2588	597 1824
23	.861 761 154	.460 082 361	.199 427 051	882 3317	1363 7747	591 3197
24	.852 809 138	.473 651 046	.205 310 228	908 0282	1349 8972	585 2877
25	.843 601 461	.487 079 010	.211 132 250	933 4636	1335 6310	579 0891
26	+0.834 140 742	+0.500 362 382	+0.216 891 461	− 958 6363	+1320 9797	+ 572 7258
27	.824 429 617	.513 497 329	.222 586 224	983 5444	1305 9461	566 1996
28	.814 470 742	.526 480 039	.228 214 913	1008 1858	1290 5327	559 5115
29	.804 266 798	.539 306 721	.233 775 917	1032 5577	1274 7407	552 6624
30	.793 820 497	.551 973 596	.239 267 627	1056 6568	1258 5714	545 6528
31	+0.783 134 586	+0.564 476 894	+0.244 688 439	−1080 4791	+1242 0254	+ 538 4829
Nov. 1	.772 211 853	.576 812 848	.250 036 750	1104 0202	1225 1027	531 1526
2	.761 055 138	.588 977 693	.255 310 955	1127 2747	1207 8036	523 6616
3	.749 667 335	.600 967 665	.260 509 446	1150 2367	1190 1278	516 0097
4	.738 051 400	.612 778 992	.265 630 610	1172 8997	1172 0749	508 1962
5	+0.726 210 361	+0.624 407 903	+0.270 672 828	−1195 2564	+1153 6442	+ 500 2202
6	.714 147 322	.635 850 614	.275 634 470	1217 2983	1134 8347	492 0809
7	.701 865 476	.647 103 329	.280 513 896	1239 0158	1115 6450	483 7768
8	.689 368 126	.658 162 242	.285 309 451	1260 3972	1096 0738	475 3064
9	.676 658 700	.669 023 531	.290 019 465	1281 4283	1076 1202	466 6684
10	+0.663 740 784	+0.679 683 373	+0.294 642 257	−1302 0921	+1055 7848	+ 457 8618
11	.650 618 148	.690 137 966	.299 176 141	1322 3688	1035 0713	448 8873
12	.637 294 768	.700 383 563	.303 619 450	1342 2374	1013 9873	439 7473
13	.623 774 827	.710 416 519	.307 970 553	1361 6778	992 5456	430 4471
14	.610 062 696	.720 233 338	.312 227 883	1380 6732	970 7629	420 9942
15	+0.596 162 887	+0.729 830 704	+0.316 389 959	−1399 2118	+ 948 6584	+ 411 3977
16	+0.582 080 004	+0.739 205 496	+0.320 455 391	−1417 2875	+ 926 2512	+ 401 6671

$\dot{X}, \dot{Y}, \dot{Z}$ ARE IN UNITS OF 10^{-9} A.U. PER DAY

MATRIX ELEMENTS FOR CONVERSION FROM
MEAN EQUINOX OF J2000.0 TO TRUE EQUINOX OF DATE

Julian Date	$R_{11}-1$	R_{12}	R_{13}	R_{21}	$R_{22}-1$	R_{23}	R_{31}	R_{32}	$R_{33}-1$
244									
6339.5	− 624	+323 892	+140 751	−323 886	− 525	−3899	−140 763	+3443	− 99
6340.5	624	323 870	140 741	323 865	525	3879	140 753	3423	99
6341.5	623	323 830	140 724	323 825	524	3857	140 735	3401	99
6342.5	623	323 772	140 698	323 767	524	3835	140 710	3380	99
6343.5	623	323 697	140 666	323 692	524	3819	140 678	3363	99
6344.5	− 623	+323 611	+140 629	−323 606	− 524	−3809	−140 640	+3354	− 99
6345.5	622	323 520	140 589	323 515	523	3808	140 601	3354	99
6346.5	622	323 432	140 551	323 427	523	3817	140 563	3363	99
6347.5	622	323 355	140 517	323 350	523	3835	140 529	3381	99
6348.5	621	323 296	140 492	323 291	523	3858	140 504	3404	99
6349.5	− 621	+323 260	+140 476	−323 255	− 523	−3881	−140 488	+3427	− 99
6350.5	621	323 247	140 471	323 242	523	3899	140 482	3445	99
6351.5	621	323 248	140 471	323 243	523	3904	140 483	3450	99
6352.5	621	323 248	140 471	323 243	523	3894	140 483	3439	99
6353.5	621	323 231	140 463	323 226	522	3868	140 475	3414	99
6354.5	− 621	+323 183	+140 443	−323 178	− 522	−3834	−140 454	+3381	− 99
6355.5	621	323 102	140 407	323 097	522	3801	140 419	3347	99
6356.5	620	322 994	140 361	322 989	522	3775	140 372	3321	99
6357.5	620	322 875	140 309	322 870	521	3762	140 320	3309	99
6358.5	619	322 759	140 259	322 754	521	3763	140 270	3310	98
6359.5	− 619	+322 660	+140 216	−322 655	− 521	−3775	−140 227	+3322	− 98
6360.5	619	322 584	140 183	322 579	520	3793	140 194	3341	98
6361.5	618	322 533	140 160	322 528	520	3812	140 172	3360	98
6362.5	618	322 504	140 147	322 499	520	3827	140 159	3375	98
6363.5	618	322 489	140 141	322 484	520	3835	140 153	3383	98
6364.5	− 618	+322 483	+140 138	−322 478	− 520	−3834	−140 150	+3382	− 98
6365.5	618	322 476	140 135	322 471	520	3823	140 147	3371	98
6366.5	618	322 460	140 128	322 455	520	3804	140 140	3352	98
6367.5	618	322 430	140 115	322 425	520	3778	140 127	3327	98
6368.5	618	322 382	140 094	322 377	520	3750	140 106	3298	98
6369.5	− 618	+322 315	+140 065	−322 310	− 519	−3722	−140 076	+3271	− 98
6370.5	617	322 230	140 028	322 226	519	3698	140 040	3247	98
6371.5	617	322 133	139 986	322 129	519	3681	139 997	3230	98
6372.5	616	322 030	139 941	322 025	519	3672	139 952	3221	98
6373.5	616	321 927	139 897	321 922	518	3673	139 908	3223	98
6374.5	− 616	+321 832	+139 855	−321 827	− 518	−3682	−139 867	+3232	− 98
6375.5	615	321 753	139 821	321 748	518	3698	139 832	3248	98
6376.5	615	321 694	139 795	321 689	517	3716	139 807	3267	98
6377.5	615	321 656	139 779	321 651	517	3732	139 790	3282	98
6378.5	615	321 635	139 770	321 630	517	3738	139 781	3289	98
6379.5	− 615	+321 620	+139 763	−321 615	− 517	−3731	−139 775	+3281	− 98
6380.5	615	321 595	139 752	321 590	517	3709	139 764	3259	98
6381.5	615	321 544	139 730	321 540	517	3675	139 741	3225	98
6382.5	614	321 459	139 693	321 454	517	3636	139 704	3187	98
6383.5	614	321 339	139 641	321 334	516	3602	139 652	3154	98
6384.5	− 613	+321 199	+139 580	−321 194	− 516	−3581	−139 591	+3133	− 97
6385.5	− 613	+321 055	+139 518	−321 051	− 515	−3575	−139 529	+3127	− 97

VALUES IN UNITS OF 10^{-8}

ORIGIN AT SOLAR SYSTEM BARYCENTER

MEAN EQUATOR AND EQUINOX J2000.0

Date 0ʰT.D.B.	X	Y	Z	$\dot{X}$	$\dot{Y}$	$\dot{Z}$
Nov. 16	+0.582 080 004	+0.739 205 496	+0.320 455 391	−1417 2875	+ 926 2512	+ 401 6671
17	.567 818 685	.748 354 778	.324 422 884	1434 8988	903 5589	391 8112
18	.553 383 572	.757 275 773	.328 291 222	1452 0468	880 5961	381 8374
19	.538 779 285	.765 965 838	.332 059 260	1468 7340	857 3747	371 7521
20	.524 010 420	.774 422 437	.335 725 908	1484 9629	833 9043	361 5601
21	+0.509 081 548	+0.782 643 122	+0.339 290 121	−1500 7356	+ 810 1931	+ 351 2656
22	.493 997 223	.790 625 519	.342 750 891	1516 0536	786 2479	340 8720
23	.478 761 988	.798 367 320	.346 107 241	1530 9178	762 0748	330 3823
24	.463 380 378	.805 866 274	.349 358 225	1545 3287	737 6795	319 7991
25	.447 856 925	.813 120 187	.352 502 920	1559 2862	713 0672	309 1249
26	+0.432 196 165	+0.820 126 912	+0.355 540 426	−1572 7902	+ 688 2426	+ 298 3616
27	.416 402 635	.826 884 346	.358 469 862	1585 8400	663 2099	287 5112
28	.400 480 883	.833 390 429	.361 290 365	1598 4345	637 9728	276 5751
29	.384 435 469	.839 643 132	.364 001 082	1610 5720	612 5345	265 5544
30	.368 270 974	.845 640 459	.366 601 174	1622 2502	586 8980	254 4501
Dec. 1	+0.351 992 007	+0.851 380 439	+0.369 089 807	−1633 4657	+ 561 0657	+ 243 2629
2	.335 603 214	.856 861 129	.371 466 157	1644 2146	535 0402	231 9933
3	.319 109 287	.862 080 607	.373 729 400	1654 4917	508 8237	220 6417
4	.302 514 974	.867 036 974	.375 878 720	1664 2907	482 4185	209 2085
5	.285 825 092	.871 728 357	.377 913 299	1673 6039	455 8272	197 6939
6	+0.269 044 545	+0.876 152 907	+0.379 832 328	−1682 4222	+ 429 0526	+ 186 0983
7	.252 178 336	.880 308 810	.381 634 998	1690 7342	402 0985	174 4225
8	.235 231 593	.884 194 298	.383 320 515	1698 5267	374 9706	162 6679
9	.218 209 583	.887 807 669	.384 888 103	1705 7850	347 6769	150 8373
10	.201 117 726	.891 147 323	.386 337 022	1712 4934	320 2294	138 9353
11	+0.183 961 595	+0.894 211 797	+0.387 666 592	−1718 6377	+ 292 6439	+ 126 9686
12	.166 746 890	.896 999 806	.388 876 209	1724 2067	264 9401	114 9462
13	.149 479 400	.899 510 276	.389 965 365	1729 1943	237 1395	102 8783
14	.132 164 945	.901 742 346	.390 933 659	1733 5999	209 2637	90 7755
15	.114 809 328	.903 695 366	.391 780 791	1737 4277	181 3324	78 6474
16	+0.097 418 294	+0.905 368 864	+0.392 506 552	−1740 6847	+ 153 3620	+ 66 5026
17	.079 997 509	.906 762 519	.393 110 810	1743 3791	125 3657	54 3478
18	.062 552 560	.907 876 128	.393 593 492	1745 5191	97 3542	42 1882
19	.045 088 952	.908 709 582	.393 954 573	1747 1119	69 3362	30 0282
20	.027 612 125	.909 262 855	.394 194 068	1748 1638	41 3193	17 8715
21	+0.010 127 462	+0.909 535 995	+0.394 312 024	−1748 6802	+ 13 3105	+ 5 7211
22	− .007 359 710	.909 529 115	.394 308 520	1748 6660	− 14 6837	− 6 4200
23	.024 844 104	.909 242 391	.394 183 663	1748 1255	42 6572	18 5491
24	.042 320 479	.908 676 060	.393 937 587	1747 0629	70 6040	30 6636
25	.059 783 634	.907 830 417	.393 570 447	1745 4820	98 5189	42 7614
26	−0.077 228 404	+0.906 705 805	+0.393 082 422	−1743 3864	− 126 3970	− 54 8405
27	.094 649 657	.905 302 613	.392 473 704	1740 7792	154 2343	66 8996
28	.112 042 290	.903 621 268	.391 744 501	1737 6625	182 0270	78 9373
29	.129 401 214	.901 662 231	.390 895 031	1734 0378	209 7722	90 9530
30	.146 721 352	.899 425 992	.389 925 517	1729 9049	237 4669	102 9459
31	−0.163 997 614	+0.896 913 071	+0.388 836 190	−1725 2625	− 265 1081	− 114 9155
32	−0.181 224 894	+0.894 124 018	+0.387 627 287	−1720 1078	− 292 6927	− 126 8612

$\dot{X}, \dot{Y}, \dot{Z}$ ARE IN UNITS OF 10^{-9} A.U. PER DAY

MATRIX ELEMENTS FOR CONVERSION FROM
MEAN EQUINOX OF J2000.0 TO TRUE EQUINOX OF DATE

Julian Date	$R_{11}-1$	R_{12}	R_{13}	R_{21}	$R_{22}-1$	R_{23}	R_{31}	R_{32}	$R_{33}-1$
244									
6385.5	− 613	+321 055	+139 518	−321 051	− 515	−3575	−139 529	+3127	− 97
6386.5	612	320 925	139 462	320 921	515	3583	139 472	3136	97
6387.5	612	320 819	139 415	320 814	515	3600	139 426	3153	97
6388.5	612	320 740	139 381	320 735	514	3619	139 392	3172	97
6389.5	611	320 685	139 357	320 680	514	3635	139 368	3189	97
6390.5	− 611	+320 648	+139 341	−320 643	− 514	−3645	−139 352	+3199	− 97
6391.5	611	320 621	139 329	320 616	514	3647	139 340	3200	97
6392.5	611	320 595	139 318	320 590	514	3638	139 329	3192	97
6393.5	611	320 562	139 304	320 557	514	3622	139 315	3175	97
6394.5	611	320 517	139 284	320 512	514	3598	139 295	3152	97
6395.5	− 610	+320 454	+139 257	−320 450	− 514	−3572	−139 267	+3125	− 97
6396.5	610	320 373	139 221	320 368	513	3545	139 232	3099	97
6397.5	610	320 273	139 178	320 269	513	3521	139 189	3076	97
6398.5	609	320 160	139 129	320 155	513	3504	139 139	3059	97
6399.5	609	320 038	139 076	320 034	512	3496	139 087	3051	97
6400.5	− 608	+319 917	+139 023	−319 912	− 512	−3497	−139 034	+3052	− 97
6401.5	608	319 802	138 974	319 798	511	3508	138 984	3063	97
6402.5	608	319 702	138 930	319 698	511	3525	138 941	3081	97
6403.5	607	319 621	138 895	319 617	511	3546	138 906	3102	97
6404.5	607	319 561	138 869	319 556	511	3565	138 880	3121	96
6405.5	− 607	+319 519	+138 850	−319 514	− 511	−3578	−138 861	+3135	− 96
6406.5	607	319 486	138 836	319 481	510	3580	138 847	3137	96
6407.5	607	319 450	138 820	319 445	510	3569	138 831	3126	96
6408.5	606	319 396	138 797	319 391	510	3545	138 808	3102	96
6409.5	606	319 311	138 760	319 307	510	3514	138 771	3070	96
6410.5	− 606	+319 192	+138 709	−319 188	− 509	−3483	−138 719	+3040	− 96
6411.5	605	319 044	138 644	319 040	509	3461	138 655	3018	96
6412.5	604	318 883	138 575	318 879	508	3454	138 585	3012	96
6413.5	604	318 728	138 507	318 723	508	3463	138 517	3021	96
6414.5	603	318 593	138 449	318 589	508	3484	138 459	3043	96
6415.5	− 603	+318 488	+138 403	−318 483	− 507	−3511	−138 413	+3070	− 96
6416.5	603	318 411	138 369	318 406	507	3537	138 380	3096	96
6417.5	602	318 356	138 346	318 352	507	3557	138 356	3117	96
6418.5	602	318 315	138 328	318 311	507	3569	138 339	3129	96
6419.5	602	318 279	138 312	318 274	507	3571	138 323	3131	96
6420.5	− 602	+318 238	+138 294	−318 234	− 506	−3564	−138 305	+3124	− 96
6421.5	602	318 187	138 272	318 182	506	3550	138 283	3110	96
6422.5	602	318 120	138 243	318 115	506	3532	138 253	3092	96
6423.5	601	318 035	138 206	318 030	506	3513	138 216	3074	96
6424.5	601	317 932	138 161	317 927	505	3497	138 172	3058	96
6425.5	− 600	+317 814	+138 110	−317 809	− 505	−3486	−138 120	+3047	− 95
6426.5	600	317 687	138 055	317 682	505	3484	138 065	3046	95
6427.5	599	317 557	137 999	317 553	504	3492	138 009	3054	95
6428.5	599	317 434	137 945	317 430	504	3509	137 956	3071	95
6429.5	599	317 326	137 898	317 321	504	3534	137 909	3097	95
6430.5	− 598	+317 237	+137 860	−317 232	− 503	−3564	−137 870	+3126	− 95
6431.5	− 598	+317 170	+137 830	−317 165	− 503	−3593	−137 841	+3155	− 95

VALUES IN UNITS OF 10^{-8}

Reduction for diurnal parallax and diurnal aberration

The computation of diurnal parallax and aberration due to the displacement of the observer from the centre of the Earth requires a knowledge of the geocentric coordinates (ρ, geocentric distance in units of the Earth's equatorial radius, and ϕ', geocentric latitude, see page K5) of the place of observation and the local sidereal time (θ_0) of the observation (see page B6).

For bodies whose equatorial horizontal parallax (π) normally amounts to only a few seconds of arc the corrections for diurnal parallax in right ascension and declination (in the sense geocentric place *minus* topocentric place) are given by:

$$\Delta\alpha = \pi(\rho \cos \phi' \sin h \sec \delta)$$
$$\Delta\delta = \pi(\rho \sin \phi' \cos \delta - \rho \cos \phi' \cos h \sin \delta)$$

where h is the local hour angle ($\theta_0 - \alpha$) and π may be calculated from $8''{\cdot}794$ divided by the geocentric distance of the body (in au). For the Moon (and other very close bodies) more precise formulae are required (see page D3).

The corrections for diurnal aberration in right ascension and declination (in the sense apparent place *minus* mean place) are given by:

$$\Delta\alpha = 0^s{\cdot}0213 \, \rho \cos \phi' \cos h \sec \delta \qquad \Delta\delta = 0''{\cdot}319 \, \rho \cos \phi' \sin h \sin \delta$$

For a body at transit the local hour angle (h) is zero and so $\Delta\delta$ is zero, but

$$\Delta\alpha = \pm 0^s{\cdot}0213 \, \rho \cos \phi' \sec \delta$$

where the plus and minus signs are used for the upper and lower transits, respectively; this may be regarded as a correction to the time of transit.

Alternatively, the effects may be computed in rectangular coordinates using the following expressions for the geocentric coordinates and velocity components of the observer with respect to the celestial equatorial reference frame:

$$\text{position: } (a\rho \cos \phi' \cos \theta_0, \; a\rho \cos \phi' \sin \theta_0, \; a\rho \sin \phi')$$
$$\text{velocity: } (-a\omega\rho \cos \phi' \sin \theta_0, \; a\omega\rho \cos \phi' \cos \theta_0, \; 0)$$

where θ_0 is the local sidereal time (mean or apparent as appropriate), a is the equatorial radius of the Earth and ω the angular velocity of the Earth.

$$\theta_0 = \text{Greenwich sidereal time} + \text{east longitude}$$
$$a\omega = 0{\cdot}464 \text{ km/s} = 0{\cdot}268 \times 10^{-3} \text{ au/d} \qquad c = 2{\cdot}998 \times 10^5 \text{ km/s} = 173{\cdot}14 \text{ au/d}$$
$$a\omega/c = 1{\cdot}55 \times 10^{-6} \text{ rad} = 0''{\cdot}319 = 0^s{\cdot}0213$$

These geocentric position and velocity vectors of the observer are added to the barycentric position and velocity of the Earth's centre, respectively, to obtain the corresponding barycentric vectors of the observer.

Conversion to altitude and azimuth

It is convenient to use the local hour angle (h) as an intermediary in the conversion from the apparent right ascension (α) and declination (δ) to the azimuth (A) and altitude (a). The local apparent sidereal time (θ_0) corresponding to the UT of the observation must be determined first (see page B6). The formulae are:

$$\theta_0 = \text{GMST} + \lambda + \text{equation of equinoxes}$$
$$h = \theta_0 - \alpha$$
$$\cos a \sin A = -\cos \delta \sin h$$
$$\cos a \cos A = \sin \delta \cos \phi - \cos \delta \cos h \sin \phi$$
$$\sin a = \sin \delta \sin \phi + \cos \delta \cos h \cos \phi$$

where azimuth (A) is measured from the north through east in the plane of the horizon, altitude (a) is measured perpendicular to the horizon, and λ, ϕ are the astronomical values of the east longitude and latitude of the place of observation. The plane of

Conversion to altitude and azimuth (continued)

the horizon is defined to be perpendicular to the apparent direction of gravity. Zenith distance is given by $z = 90° - a$.

For most purposes the values of the geodetic longitude and latitude may be used but in some cases the effects of local gravity anomalies and polar motion must be included. For full precision, the values of α, δ must be corrected for diurnal parallax and diurnal aberration. The inverse formulae are:

$$\cos \delta \sin h = -\cos a \sin A$$
$$\cos \delta \cos h = \sin a \cos \phi - \cos a \cos A \sin \phi$$
$$\sin \delta = \sin a \sin \phi + \cos a \cos A \cos \phi$$

Correction for refraction

For most astronomical purposes the effect of refraction in the Earth's atmosphere is to decrease the zenith distance (computed by the formulae of the previous section) by an amount R that depends on the zenith distance and on the meteorological conditions at the site. A simple expression for R for zenith distances less than 75° (altitudes greater than 15°) is:

$$R = 0°\!\cdot\!004\ 52\ P \tan z / (273 + T)$$
$$= 0°\!\cdot\!004\ 52\ P / ((273 + T) \tan a)$$

where T is the temperature (°C) and P is the barometric pressure (millibars). This formula is usually accurate to about $0'\!\cdot\!1$ for altitudes above 15°, but the error increases rapidly at lower altitudes, especially in abnormal meteorological conditions. For altitudes below 15° use the approximate formula:

$$R = P(0\!\cdot\!1594 + 0\!\cdot\!0196\ a + 0\!\cdot\!000\,02\ a^2)/[(273 + T)(1 + 0\!\cdot\!505\ a + 0\!\cdot\!0845\ a^2)]$$

where the altitude (a) is in degrees.

DETERMINATION OF LATITUDE AND AZIMUTH

Use of the Polaris Table

The table on pages B60–B63 gives data for obtaining latitude from an observed altitude of Polaris (suitably corrected for instrumental errors and refraction) and the azimuth of this star (measured from north, positive to the east and negative to the west), for all hour angles and northern latitudes. The six tabulated quantities, each given to a precision of $0'\!\cdot\!1$, are a_0, a_1, a_2, referring to the correction to altitude, and b_0, b_1, b_2, to the azimuth.

$$\text{latitude} = \text{corrected observed altitude} + a_0 + a_1 + a_2$$
$$\text{azimuth} = (b_0 + b_1 + b_2) \sec (\text{latitude})$$

The table is to be entered with the local sidereal time of observation (LST), and gives the values of a_0, b_0 directly; interpolation, with maximum differences of $0'\!\cdot\!7$, can be done mentally. In the same vertical column, the values of a_1, b_1 are found with the latitude, and those of a_2, b_2 with the date, as argument. Thus all six quantities can, if desired, be extracted together. The errors due to the adoption of a mean value of the local sidereal time for each of the subsidiary tables have been reduced to a minimum, and the total error is not likely to exceed $0'\!\cdot\!2$. Interpolation between columns should not be attempted.

The observed altitude must be corrected for refraction before being used to determine the astronomical latitude of the place of observation. Both the latitude and the azimuth so obtained are affected by local gravity anomalies.

See page B64 for formulae and coefficients for Polaris and σ Octantis.

POLARIS TABLE, 1985

LST	0ʰ a_0	b_0	1ʰ a_0	b_0	2ʰ a_0	b_0	3ʰ a_0	b_0	4ʰ a_0	b_0	5ʰ a_0	b_0
m	′	′	′	′	′	′	′	′	′	′	′	′
0	−39·8	+27·0	−45·4	+15·7	−47·9	+ 3·2	−47·1	− 9·5	−43·0	−21·5	−35·9	−32·0
3	40·1	26·5	45·6	15·1	47·9	2·6	46·9	10·1	42·7	22·1	35·5	32·5
6	40·5	26·0	45·8	14·5	48·0	1·9	46·8	10·8	42·4	22·7	35·1	33·0
9	40·8	25·4	46·0	13·9	48·0	1·3	46·7	11·4	42·1	23·2	34·6	33·4
12	41·1	24·9	46·2	13·2	48·0	+ 0·6	46·5	12·0	41·8	23·8	34·2	33·9
15	−41·5	+24·3	−46·3	+12·6	−48·0	0·0	−46·3	−12·6	−41·5	−24·3	−33·7	−34·3
18	41·8	23·8	46·5	12·0	48·0	− 0·6	46·2	13·2	41·1	24·9	33·3	34·8
21	42·1	23·2	46·7	11·4	48·0	1·3	46·0	13·9	40·8	25·4	32·8	35·2
24	42·4	22·7	46·8	10·8	48·0	1·9	45·8	14·5	40·5	26·0	32·4	35·6
27	42·7	22·1	46·9	10·1	47·9	2·6	45·6	15·1	40·1	26·5	31·9	36·1
30	−43·0	+21·5	−47·1	+ 9·5	−47·9	− 3·2	−45·4	−15·7	−39·8	−27·0	−31·4	−36·5
33	43·3	21·0	47·2	8·9	47·8	3·8	45·2	16·3	39·4	27·6	30·9	36·9
36	43·5	20·4	47·3	8·3	47·8	4·5	45·0	16·9	39·1	28·1	30·5	37·3
39	43·8	19·8	47·4	7·6	47·7	5·1	44·8	17·5	38·7	28·6	30·0	37·7
42	44·0	19·2	47·5	7·0	47·7	5·7	44·5	18·1	38·3	29·1	29·5	38·1
45	−44·3	+18·7	−47·6	+ 6·4	−47·6	− 6·4	−44·3	−18·7	−37·9	−29·6	−29·0	−38·5
48	44·5	18·1	47·7	5·7	47·5	7·0	44·0	19·2	37·5	30·1	28·5	38·8
51	44·8	17·5	47·7	5·1	47·4	7·6	43·8	19·8	37·1	30·6	28·0	39·2
54	45·0	16·9	47·8	4·5	47·3	8·3	43·5	20·4	36·7	31·1	27·4	39·6
57	45·2	16·3	47·8	3·8	47·2	8·9	43·3	21·0	36·3	31·6	26·9	39·9
60	−45·4	+15·7	−47·9	+ 3·2	−47·1	− 9·5	−43·0	−21·5	−35·9	−32·0	−26·4	−40·3

Lat.	a_1	b_1	a_1	b_1	a_1	b_1	a_1	b_1	a_1	b_1	a_1	b_1
°												
0	−·1	−·3	·0	−·2	·0	+·1	·0	+·2	−·1	+·4	−·2	+·4
10	−·1	−·3	·0	−·1	·0	·0	·0	+·2	−·1	+·3	−·2	+·3
20	−·1	−·2	·0	−·1	·0	·0	·0	+·2	−·1	+·3	−·2	+·3
30	·0	−·2	·0	−·1	·0	·0	·0	+·1	−·1	+·2	−·1	+·2
40	·0	−·1	·0	·0	·0	·0	·0	+·1	·0	+·1	−·1	+·1
45	·0	−·1	·0	·0	·0	·0	·0	·0	·0	+·1	·0	+·1
50	·0	·0	·0	·0	·0	·0	·0	·0	·0	·0	·0	·0
55	·0	+·1	·0	·0	·0	·0	·0	·0	·0	−·1	·0	−·1
60	·0	+·1	·0	+·1	·0	·0	·0	−·1	+·1	−·2	+·1	−·2
62	·0	+·2	·0	+·1	·0	·0	·0	−·1	+·1	−·2	+·1	−·2
64	+·1	+·2	·0	+·1	·0	·0	·0	−·2	+·1	−·3	+·2	−·3
66	+·1	+·3	·0	+·1	·0	·0	·0	−·2	+·1	−·3	+·2	−·4

Month	a_2	b_2	a_2	b_2	a_2	b_2	a_2	b_2	a_2	b_2	a_2	b_2
Jan.	+·2	+·2	+·1	+·2	+·1	+·2	·0	+·3	·0	+·3	−·1	+·2
Feb.	+·1	·0	+·1	+·1	+·1	+·1	+·1	+·1	·0	+·1	·0	+·1
Mar.	·0	·0	·0	·0	·0	·0	·0	·0	·0	·0	+·1	·0
Apr.	−·1	·0	−·1	−·1	−·1	−·1	−·1	−·1	·0	−·1	·0	−·1
May	−·2	+·1	−·3	·0	−·2	−·1	−·2	−·1	−·2	−·2	−·1	−·2
June	−·3	+·2	−·3	+·1	−·3	·0	−·3	−·1	−·3	−·2	−·3	−·2
July	−·2	+·3	−·3	+·3	−·4	+·2	−·4	+·1	−·4	·0	−·4	−·1
Aug.	−·1	+·5	−·2	+·4	−·3	+·3	−·4	+·2	−·5	+·1	−·5	·0
Sept.	+·1	+·5	−·1	+·5	−·2	+·5	−·3	+·4	−·4	+·3	−·5	+·2
Oct.	+·2	+·6	+·1	+·6	−·1	+·6	−·2	+·6	−·4	+·5	−·5	+·4
Nov.	+·4	+·5	+·3	+·6	+·1	+·6	·0	+·6	−·2	+·6	−·4	+·5
Dec.	+·5	+·4	+·4	+·5	+·3	+·6	+·1	+·6	·0	+·6	−·2	+·6

Latitude = Corrected observed altitude of *Polaris* + a_0 + a_1 + a_2

Azimuth of *Polaris* = $(b_0 + b_1 + b_2)$ sec (latitude)

LST	6^h a_0	b_0	7^h a_0	b_0	8^h a_0	b_0	9^h a_0	b_0	10^h a_0	b_0	11^h a_0	b_0
m												
0	−26·4	−40·3	−15·1	−45·7	− 2·7	−47·9	+ 9·7	−46·9	+21·6	−42·7	+31·9	−35·7
3	25·9	40·6	14·5	45·9	2·1	48·0	10·4	46·8	22·1	42·4	32·3	35·3
6	25·3	41·0	13·9	46·1	1·5	48·0	11·0	46·6	22·7	42·2	32·8	34·8
9	24·8	41·3	13·3	46·2	0·9	48·0	11·6	46·5	23·2	41·8	33·3	34·4
12	24·2	41·6	12·7	46·4	− 0·2	48·0	12·2	46·3	23·8	41·5	33·7	34·0
15	−23·7	−41·9	−12·1	−46·6	+ 0·4	−48·0	+12·8	−46·2	+24·3	−41·2	+34·1	−33·5
18	23·1	42·2	11·4	46·7	1·0	48·0	13·4	46·0	24·8	40·9	34·6	33·1
21	22·6	42·5	10·8	46·9	1·7	48·0	14·0	45·8	25·4	40·6	35·0	32·6
24	22·0	42·8	10·2	47·0	2·3	47·9	14·6	45·6	25·9	40·2	35·4	32·2
27	21·5	43·1	9·6	47·1	2·9	47·9	15·2	45·4	26·4	39·9	35·8	31·7
30	−20·9	−43·4	− 9·0	−47·2	+ 3·5	−47·8	+15·8	−45·2	+26·9	−39·5	+36·3	−31·3
33	20·3	43·6	8·4	47·3	4·2	47·8	16·4	45·0	27·5	39·2	36·7	30·8
36	19·8	43·9	7·7	47·4	4·8	47·7	17·0	44·8	28·0	38·8	37·1	30·3
39	19·2	44·1	7·1	47·5	5·4	47·7	17·5	44·5	28·5	38·5	37·5	29·8
42	18·6	44·4	6·5	47·6	6·0	47·6	18·1	44·3	29·0	38·1	37·8	29·3
45	−18·0	−44·6	− 5·9	−47·7	+ 6·7	−47·5	+18·7	−44·1	+29·5	−37·7	+38·2	−28·8
48	17·4	44·9	5·2	47·8	7·3	47·4	19·3	43·8	30·0	37·3	38·6	28·3
51	16·9	45·1	4·6	47·8	7·9	47·3	19·9	43·6	30·4	36·9	39·0	27·8
54	16·3	45·3	4·0	47·9	8·5	47·2	20·4	43·3	30·9	36·5	39·3	27·3
57	15·7	45·5	3·4	47·9	9·1	47·1	21·0	43·0	31·4	36·1	39·7	26·8
60	−15·1	−45·7	− 2·7	−47·9	+ 9·7	−46·9	+21·6	−42·7	+31·9	−35·7	+40·0	−26·3

Lat.	a_1	b_1	a_1	b_1	a_1	b_1	a_1	b_1	a_1	b_1	a_1	b_1
°												
0	− ·3	+ ·3	− ·4	+ ·2	− ·4	− ·1	− ·4	− ·2	− ·3	− ·4	− ·2	− ·4
10	− ·3	+ ·3	− ·3	+ ·1	− ·3	·0	− ·3	− ·2	− ·2	− ·3	− ·1	− ·3
20	− ·2	+ ·2	− ·3	+ ·1	− ·3	·0	− ·2	− ·2	− ·2	− ·3	− ·1	− ·3
30	− ·2	+ ·2	− ·2	+ ·1	− ·2	·0	− ·2	− ·1	− ·1	− ·2	− ·1	− ·2
40	− ·1	+ ·1	− ·1	·0	− ·1	·0	− ·1	− ·1	− ·1	− ·1	− ·1	− ·1
45	− ·1	+ ·1	− ·1	·0	− ·1	·0	− ·1	·0	·0	− ·1	·0	− ·1
50	·0	·0	·0	·0	·0	·0	·0	·0	·0	·0	·0	·0
55	+ ·1	− ·1	+ ·1	·0	+ ·1	·0	+ ·1	·0	+ ·1	+ ·1	·0	+ ·1
60	+ ·1	− ·1	+ ·2	− ·1	+ ·2	·0	+ ·2	+ ·1	+ ·1	+ ·2	+ ·1	+ ·2
62	+ ·2	− ·2	+ ·2	− ·1	+ ·2	·0	+ ·2	+ ·1	+ ·2	+ ·2	+ ·1	+ ·2
64	+ ·2	− ·2	+ ·3	− ·1	+ ·3	·0	+ ·3	+ ·2	+ ·2	+ ·3	+ ·1	+ ·3
66	+ ·3	− ·3	+ ·3	− ·1	+ ·4	·0	+ ·3	+ ·2	+ ·2	+ ·3	+ ·2	+ ·4

Month	a_2	b_2	a_2	b_2	a_2	b_2	a_2	b_2	a_2	b_2	a_2	b_2
Jan.	− ·2	+ ·2	− ·2	+ ·1	− ·2	+ ·1	− ·3	·0	− ·3	·0	− ·2	− ·1
Feb.	·0	+ ·1	− ·1	+ ·1	− ·1	+ ·1	− ·1	+ ·1	− ·1	·0	− ·1	·0
Mar.	·0	·0	·0	·0	·0	·0	·0	·0	·0	·0	·0	+ ·1
Apr.	·0	− ·1	+ ·1	− ·1	+ ·1	− ·1	+ ·1	− ·1	+ ·1	·0	+ ·1	·0
May	− ·1	− ·2	·0	− ·3	+ ·1	− ·2	+ ·1	− ·2	+ ·2	− ·2	+ ·2	− ·1
June	− ·2	− ·3	− ·1	− ·3	·0	− ·3	+ ·1	− ·3	+ ·2	− ·3	+ ·2	− ·3
July	− ·3	− ·2	− ·3	− ·3	− ·2	− ·4	− ·1	− ·4	·0	− ·4	+ ·1	− ·4
Aug.	− ·5	− ·1	− ·4	− ·2	− ·3	− ·3	− ·2	− ·4	− ·1	− ·5	·0	− ·5
Sept.	− ·5	+ ·1	− ·5	− ·1	− ·5	− ·2	− ·4	− ·3	− ·3	− ·4	− ·2	− ·5
Oct.	− ·6	+ ·2	− ·6	+ ·1	− ·6	− ·1	− ·6	− ·2	− ·5	− ·4	− ·4	− ·5
Nov.	− ·5	+ ·4	− ·6	+ ·3	− ·6	+ ·1	− ·6	·0	− ·6	− ·2	− ·5	− ·4
Dec.	− ·4	+ ·5	− ·5	+ ·4	− ·6	+ ·3	− ·6	+ ·1	− ·6	·0	− ·6	− ·2

Latitude = Corrected observed altitude of *Polaris* + $a_0 + a_1 + a_2$

Azimuth of *Polaris* = $(b_0 + b_1 + b_2)$ sec (latitude)

POLARIS TABLE, 1985

LST	12ʰ a_0	12ʰ b_0	13ʰ a_0	13ʰ b_0	14ʰ a_0	14ʰ b_0	15ʰ a_0	15ʰ b_0	16ʰ a_0	16ʰ b_0	17ʰ a_0	17ʰ b_0
m 0	+40·0	−26·3	+45·5	−15·2	+47·9	− 3·1	+47·1	+ 9·2	+43·1	+20·9	+36·3	+31·3
3	40·4	25·8	45·7	14·6	47·9	2·5	47·0	9·8	42·9	21·5	35·8	31·7
6	40·7	25·3	45·9	14·0	48·0	1·9	46·8	10·4	42·6	22·0	35·4	32·2
9	41·0	24·7	46·1	13·4	48·0	1·2	46·7	11·0	42·3	22·6	35·0	32·6
12	41·4	24·2	46·2	12·8	48·0	− 0·6	46·5	11·6	42·0	23·1	34·6	33·1
15	+41·7	−23·7	+46·4	−12·2	+48·0	0·0	+46·4	+12·2	+41·7	+23·7	+34·1	+33·5
18	42·0	23·1	46·5	11·6	48·0	+ 0·6	46·2	12·8	41·4	24·2	33·7	34·0
21	42·3	22·6	46·7	11·0	48·0	1·2	46·1	13·4	41·0	24·7	33·3	34·4
24	42·6	22·0	46·8	10·4	48·0	1·9	45·9	14·0	40·7	25·3	32·8	34·8
27	42·9	21·5	47·0	9·8	47·9	2·5	45·7	14·6	40·4	25·8	32·3	35·3
30	+43·1	−20·9	+47·1	− 9·2	+47·9	+ 3·1	+45·5	+15·2	+40·0	+26·3	+31·9	+35·7
33	43·4	20·4	47·2	8·6	47·9	3·7	45·3	15·8	39·7	26·8	31·4	36·1
36	43·7	19·8	47·3	8·0	47·8	4·3	45·1	16·4	39·3	27·3	30·9	36·5
39	43·9	19·2	47·4	7·4	47·7	4·9	44·9	16·9	39·0	27·8	30·4	36·9
42	44·2	18·7	47·5	6·8	47·7	5·5	44·6	17·5	38·6	28·3	30·0	37·3
45	+44·4	−18·1	+47·6	− 6·2	+47·6	+ 6·2	+44·4	+18·1	+38·2	+28·8	+29·5	+37·7
48	44·6	17·5	47·7	5·5	47·5	6·8	44·2	18·7	37·8	29·3	29·0	38·1
51	44·9	16·9	47·7	4·9	47·4	7·4	43·9	19·2	37·5	29·8	28·5	38·5
54	45·1	16·4	47·8	4·3	47·3	8·0	43·7	19·8	37·1	30·3	28·0	38·8
57	45·3	15·8	47·9	3·7	47·2	8·6	43·4	20·4	36·7	30·8	27·5	39·2
60	+45·5	−15·2	+47·9	− 3·1	+47·1	+ 9·2	+43·1	+20·9	+36·3	+31·3	+26·9	+39·5

Lat.	a_1	b_1	a_1	b_1	a_1	b_1	a_1	b_1	a_1	b_1	a_1	b_1
0°	− ·1	− ·3	·0	− ·2	·0	+ ·1	·0	+ ·2	− ·1	+ ·4	− ·2	+ ·4
10	− ·1	− ·3	·0	− ·1	·0	·0	·0	+ ·2	− ·1	+ ·3	− ·2	+ ·3
20	− ·1	− ·2	·0	− ·1	·0	·0	·0	+ ·2	− ·1	+ ·3	− ·2	+ ·3
30	·0	− ·2	·0	− ·1	·0	·0	·0	+ ·1	− ·1	+ ·2	− ·1	+ ·2
40	·0	− ·1	·0	·0	·0	·0	·0	+ ·1	·0	+ ·1	− ·1	+ ·1
45	·0	− ·1	·0	·0	·0	·0	·0	·0	·0	+ ·1	·0	+ ·1
50	·0	·0	·0	·0	·0	·0	·0	·0	·0	·0	·0	·0
55	·0	+ ·1	·0	·0	·0	·0	·0	·0	·0	− ·1	·0	− ·1
60	·0	+ ·1	·0	+ ·1	·0	·0	·0	− ·1	+ ·1	− ·2	+ ·1	− ·2
62	·0	+ ·2	·0	+ ·1	·0	·0	·0	− ·1	+ ·1	− ·2	+ ·1	− ·2
64	+ ·1	+ ·2	·0	+ ·1	·0	·0	·0	− ·2	+ ·1	− ·3	+ ·2	− ·3
66	+ ·1	+ ·3	·0	+ ·1	·0	·0	·0	− ·2	+ ·1	− ·3	+ ·2	− ·4

Month	a_2	b_2	a_2	b_2	a_2	b_2	a_2	b_2	a_2	b_2	a_2	b_2
Jan.	− ·2	− ·2	− ·1	− ·2	− ·1	− ·2	·0	− ·3	·0	− ·3	+ ·1	− ·2
Feb.	− ·1	·0	− ·1	− ·1	− ·1	− ·1	− ·1	− ·1	·0	− ·1	·0	− ·1
Mar.	·0	·0	·0	·0	·0	·0	·0	·0	·0	·0	− ·1	·0
Apr.	+ ·1	·0	+ ·1	+ ·1	+ ·1	+ ·1	+ ·1	+ ·1	·0	+ ·1	·0	+ ·1
May	+ ·2	− ·1	+ ·3	·0	+ ·2	+ ·1	+ ·2	+ ·1	+ ·2	+ ·2	+ ·1	+ ·2
June	+ ·3	− ·2	+ ·3	− ·1	+ ·3	·0	+ ·3	+ ·1	+ ·3	+ ·2	+ ·3	+ ·2
July	+ ·2	− ·3	+ ·3	− ·3	+ ·4	− ·2	+ ·4	− ·1	+ ·4	·0	+ ·4	+ ·1
Aug.	+ ·1	− ·5	+ ·2	− ·4	+ ·3	− ·3	+ ·4	− ·2	+ ·5	− ·1	+ ·5	·0
Sept.	− ·1	− ·5	+ ·1	− ·5	+ ·2	− ·5	+ ·3	− ·4	+ ·4	− ·3	+ ·5	− ·2
Oct.	− ·2	− ·6	− ·1	− ·6	+ ·1	− ·6	+ ·2	− ·6	+ ·4	− ·5	+ ·5	− ·4
Nov.	− ·4	− ·5	− ·3	− ·6	− ·1	− ·6	·0	− ·6	+ ·2	− ·6	+ ·4	− ·5
Dec.	− ·5	− ·4	− ·4	− ·5	− ·3	− ·6	− ·1	− ·6	·0	− ·6	+ ·2	− ·6

Latitude = Corrected observed altitude of *Polaris* + a_0 + a_1 + a_2

Azimuth of *Polaris* = $(b_0 + b_1 + b_2)$ sec (latitude)

LST	18h a_0	18h b_0	19h a_0	19h b_0	20h a_0	20h b_0	21h a_0	21h b_0	22h a_0	22h b_0	23h a_0	23h b_0
m												
0	+26·9	+39·5	+15·8	+45·2	+ 3·5	+47·8	− 9·0	+47·2	−20·9	+43·4	−31·4	+36·5
3	26·4	39·9	15·2	45·4	2·9	47·9	9·6	47·1	21·5	43·1	31·9	36·1
6	25·9	40·2	14·6	45·6	2·3	47·9	10·2	47·0	22·0	42·8	32·4	35·6
9	25·4	40·6	14·0	45·8	1·7	48·0	10·8	46·9	22·6	42·5	32·8	35·2
12	24·8	40·9	13·4	46·0	1·0	48·0	11·4	46·7	23·1	42·2	33·3	34·8
15	+24·3	+41·2	+12·8	+46·2	+ 0·4	+48·0	−12·1	+46·6	−23·7	+41·9	−33·7	+34·3
18	23·8	41·5	12·2	46·3	− 0·2	48·0	12·7	46·4	24·2	41·6	34·2	33·9
21	23·2	41·8	11·6	46·5	0·9	48·0	13·3	46·2	24·8	41·3	34·6	33·4
24	22·7	42·2	11·0	46·6	1·5	48·0	13·9	46·1	25·3	41·0	35·1	33·0
27	22·1	42·4	10·4	46·8	2·1	48·0	14·5	45·9	25·9	40·6	35·5	32·5
30	+21·6	+42·7	+ 9·7	+46·9	− 2·7	+47·9	−15·1	+45·7	−26·4	+40·3	−35·9	+32·0
33	21·0	43·0	9·1	47·1	3·4	47·9	15·7	45·5	26·9	39·9	36·3	31·6
36	20·4	43·3	8·5	47·2	4·0	47·9	16·3	45·3	27·4	39·6	36·7	31·1
39	19·9	43·6	7·9	47·3	4·6	47·8	16·9	45·1	28·0	39·2	37·1	30·6
42	19·3	43·8	7·3	47·4	5·2	47·8	17·4	44·9	28·5	38·8	37·5	30·1
45	+18·7	+44·1	+ 6·7	+47·5	− 5·9	+47·7	−18·0	+44·6	−29·0	+38·5	−37·9	+29·6
48	18·1	44·3	6·0	47·6	6·5	47·6	18·6	44·4	29·5	38·1	38·3	29·1
51	17·5	44·5	5·4	47·7	7·1	47·5	19·2	44·1	30·0	37·7	38·7	28·6
54	17·0	44·8	4·8	47·7	7·7	47·4	19·8	43·9	30·5	37·3	39·1	28·1
57	16·4	45·0	4·2	47·8	8·4	47·3	20·3	43·6	30·9	36·9	39·4	27·6
60	+15·8	+45·2	+ 3·5	+47·8	− 9·0	+47·2	−20·9	+43·4	−31·4	+36·5	−39·8	+27·0

Lat.	a_1	b_1	a_1	b_1	a_1	b_1	a_1	b_1	a_1	b_1	a_1	b_1
°												
0	− ·3	+ ·3	− ·4	+ ·2	− ·4	− ·1	− ·4	− ·2	− ·3	− ·4	− ·2	− ·4
10	− ·3	+ ·3	− ·3	+ ·1	− ·3	·0	− ·3	− ·2	− ·2	− ·3	− ·1	− ·3
20	− ·2	+ ·2	− ·3	+ ·1	− ·3	·0	− ·2	− ·2	− ·2	− ·3	− ·1	− ·3
30	− ·2	+ ·2	− ·2	+ ·1	− ·2	·0	− ·2	− ·1	− ·1	− ·2	− ·1	− ·2
40	− ·1	+ ·1	− ·1	·0	− ·1	·0	− ·1	− ·1	− ·1	− ·1	− ·1	− ·1
45	− ·1	+ ·1	− ·1	·0	− ·1	·0	− ·1	·0	·0	− ·1	·0	− ·1
50	·0	·0	·0	·0	·0	·0	·0	·0	·0	·0	·0	·0
55	+ ·1	− ·1	+ ·1	·0	+ ·1	·0	+ ·1	·0	+ ·1	+ ·1	·0	+ ·1
60	+ ·1	− ·1	+ ·2	− ·1	+ ·2	·0	+ ·2	+ ·1	+ ·1	+ ·2	+ ·1	+ ·2
62	+ ·2	− ·2	+ ·2	− ·1	+ ·2	·0	+ ·2	+ ·1	+ ·2	+ ·2	+ ·1	+ ·2
64	+ ·2	− ·2	+ ·3	− ·1	+ ·3	·0	+ ·3	+ ·2	+ ·2	+ ·3	+ ·1	+ ·3
66	+ ·3	− ·3	+ ·3	− ·1	+ ·4	·0	+ ·3	+ ·2	+ ·2	+ ·3	+ ·2	+ ·4

Month	a_2	b_2	a_2	b_2	a_2	b_2	a_2	b_2	a_2	b_2	a_2	b_2
Jan.	+ ·2	− ·2	+ ·2	− ·1	+ ·2	− ·1	+ ·3	·0	+ ·3	·0	+ ·2	+ ·1
Feb.	·0	− ·1	+ ·1	− ·1	+ ·1	− ·1	+ ·1	− ·1	+ ·1	·0	+ ·1	·0
Mar.	·0	·0	·0	·0	·0	·0	·0	·0	·0	·0	·0	− ·1
Apr.	·0	+ ·1	− ·1	+ ·1	− ·1	+ ·1	− ·1	+ ·1	− ·1	·0	− ·1	·0
May	+ ·1	+ ·2	·0	+ ·3	− ·1	+ ·2	− ·1	+ ·2	− ·2	+ ·2	− ·2	+ ·1
June	+ ·2	+ ·3	+ ·1	+ ·3	·0	+ ·3	− ·1	+ ·3	− ·2	+ ·3	− ·2	+ ·3
July	+ ·3	+ ·2	+ ·3	+ ·3	+ ·2	+ ·4	+ ·1	+ ·4	·0	+ ·4	− ·1	+ ·4
Aug.	+ ·5	+ ·1	+ ·4	+ ·2	+ ·3	+ ·3	+ ·2	+ ·4	+ ·1	+ ·5	·0	+ ·5
Sept.	+ ·5	− ·1	+ ·5	+ ·1	+ ·5	+ ·2	+ ·4	+ ·3	+ ·3	+ ·4	+ ·2	+ ·5
Oct.	+ ·6	− ·2	+ ·6	− ·1	+ ·6	+ ·1	+ ·6	+ ·2	+ ·5	+ ·4	+ ·4	+ ·5
Nov.	+ ·5	− ·4	+ ·6	− ·3	+ ·6	− ·1	+ ·6	·0	+ ·6	+ ·2	+ ·5	+ ·4
Dec.	+ ·4	− ·5	+ ·5	− ·4	+ ·6	− ·3	+ ·6	− ·1	+ ·6	·0	+ ·6	+ ·2

Latitude = Corrected observed altitude of *Polaris* + a_0 + a_1 + a_2

Azimuth of *Polaris* = $(b_0 + b_1 + b_2)$ sec (latitude)

Pole Star formulae

The formulae below provide a method for obtaining latitude from the observed altitude of one of the pole stars, *Polaris* or σ Octantis, and an assumed *east* longitude of the observer λ. In addition, the azimuth of a pole star may be calculated from an assumed *east* longitude λ and the observed altitude a, or from λ and an assumed latitude ϕ. An error of $0°\cdot002$ in a or $0°\cdot1$ in λ will produce an error of about $0°\cdot002$ in the calculated latitude. Likewise an error of $0°\cdot03$ in λ, a or ϕ will produce an error of about $0°\cdot002$ in the calculated azimuth for latitudes below $70°$.

Step 1. Calculate the Greenwich hour angle GHA and polar distance p, in degrees, from expressions of the form:

$$\text{GHA} = a_0 + a_1 L + a_2 \sin L + a_3 \cos L + 15 t$$
$$p = a_0 + a_1 L + a_2 \sin L + a_3 \cos L$$

where
$$L = 0°\cdot985\,65\,d$$
$$d = \text{day of year (from pages B2–B3)} + t/24$$

and where the coefficients a_0, a_1, a_2, a_3 are given in the table below, t is the universal time in hours, d is the interval in days from 1985 January 0 at 0^h UT to the time of observation, and the quantity L is in degrees. In the above formulae d is required to two decimals of a day, L to two decimals of a degree and t to three decimals of an hour.

Step 2. Calculate the local hour angle LHA from:

$$\text{LHA} = \text{GHA} + \lambda \quad \text{(add or subtract multiples of } 360°\text{)}$$

where λ is the assumed longitude measured east from the Greenwich meridian.

Form the quantities:
$$S = p \sin (\text{LHA}) \qquad C = p \cos (\text{LHA})$$

Step 3. The latitude of the place of observation, in degrees, is given by:

$$\text{latitude} = a - C + 0\cdot0087\,S^2 \tan a$$

where a is the observed altitude of the pole star after correction for instrument error and atmospheric refraction.

Step 4. The azimuth of the pole star, in degrees, is given by:

$$\text{azimuth of } Polaris = -S/\cos a$$
$$\text{azimuth of } \sigma \text{ Octantis} = 180° + S/\cos a$$

where azimuth is measured eastwards around the horizon from north.

In step 4, if a has not been observed, use the quantity:

$$a = \phi + C - 0\cdot0087\,S^2 \tan \phi$$

where ϕ is an assumed latitude, taken to be positive in either hemisphere.

POLE STAR COEFFICIENTS FOR 1985

| | *Polaris* | | σ Octantis | |
	GHA	p	GHA	p
a_0	$65°\cdot67$	$0°\cdot8037$	$145°\cdot93$	$0°\cdot9819$
a_1	$0\cdot999\,35$	$-0\cdot0000\,135$	$0\cdot999\,22$	$0\cdot0000\,094$
a_2	$0\cdot34$	$-0\cdot0019$	$0\cdot17$	$0\cdot0042$
a_3	$-0\cdot17$	$-0\cdot0051$	$0\cdot27$	$-0\cdot0033$

CONTENTS OF SECTION C

NOTES AND FORMULAE

Mean orbital elements of the Sun

Mean orbital elements of the Sun are given by the following expressions; the angular elements are referred to the mean equinox and ecliptic of date. The time argument (d) is the interval in days from 1985 January 0 at 0^h TDT. These expressions are intended for use during 1985 only.

d = JD − 244 6065·5 = day of year (from B2–B3) + fraction of day from 0^h TDT.

Geometric mean longitude: $L = 279°\!\cdot\!611\,371 + 0°\!\cdot\!985\,647\,36\,d$

Mean longitude of perigee: $\Gamma = 282°\!\cdot\!680\,403 + 0°\!\cdot\!000\,047\,07\,d$

Mean anomaly: $g = 356°\!\cdot\!930\,969 + 0°\!\cdot\!985\,600\,28\,d$

Eccentricity: $e = 0\!\cdot\!016\,715\,42 - 0\!\cdot\!000\,000\,0012\,d$

Obliquity of the ecliptic with respect to the mean equator of date
    $\varepsilon = 23°\!\cdot\!441\,242 - 0°\!\cdot\!000\,000\,36\,d$

The position of the ecliptic of date with respect to the ecliptic of the standard epoch is given by the formulae on page B18.

Accurate osculating elements of the Earth/Moon barycentre are given on pages E3 and E4.

Lengths of principal years

The lengths of the principal years at 1985·0 as derived from the Sun's mean motion are:

		d	d h m s
tropical year	(equinox to equinox)	365·242 191	365 05 48 45·3
sidereal year	(fixed star to fixed star)	365·256 363	365 06 09 09·8
anomalistic year	(perigee to perigee)	365·259 635	365 06 13 52·5
eclipse year	(node to node)	346·620 071	346 14 52 54·1

NOTES AND FORMULAE

Apparent ecliptic coordinates of the Sun

The apparent longitude may be computed from the geometric longitude tabulated on pages C4–C18 using:

apparent longitude = tabulated longitude + nutation in longitude $(\Delta\psi) - 20''\!\cdot\!496/R$

where $\Delta\psi$ is tabulated on pages B24–B31 and R is the true distance; the tabulated longitude is the geometric longitude with respect to the mean equinox of date. The apparent latitude is equal to the geometric latitude to the precision of tabulation.

Time of transit of the Sun

The quantity tabulated as "Ephemeris Transit" on pages C5–C19 is the TDT of transit of the Sun over the ephemeris meridian, which is at the longitude $1\!\cdot\!002\,738\,\Delta T$ east of the prime (Greenwich) meridian; in this expression ΔT is the difference TDT − UT. The TDT of transit of the Sun over a local meridian is obtained by interpolation where the first differences are about 24 hours. The interpolation factor p is given by:

$$p = -\lambda + 1\!\cdot\!002\,738\,\Delta T$$

where λ is the *east* longitude and the right-hand side is expressed in days. (Divide longitude in degrees by 360 and ΔT in seconds by 86 400.) During 1985 it is expected that ΔT will be about 55 seconds, so that the second term is about $+0\!\cdot\!000\,64$ days.

The UT of transit is obtained by subtracting ΔT from the TDT of transit obtained by interpolation.

Equation of time

The equation of time is defined so that:

local mean solar time = local apparent solar time − equation of time.

To obtain the equation of time to a precision of about 1 second it is sufficient to use:

equation of time at 12^h UT = 12^h − tabulated value of TDT of ephemeris transit.

Alternatively it may be calculated for any instant during 1985 in seconds of time to a precision of about 3 seconds directly from the expression:

equation of time = $- 105\!\cdot\!3 \sin L + 596\!\cdot\!2 \sin 2L + 4\!\cdot\!3 \sin 3L - 12\!\cdot\!7 \sin 4L$
$\qquad\qquad\qquad -429\!\cdot\!2 \cos L - 2\!\cdot\!1 \cos 2L + 19\!\cdot\!3 \cos 3L$

where L is the mean longitude of the Sun, given by:

$$L = 279°\!\cdot\!606 + 0°\!\cdot\!985\,647\,d$$

and where d is the interval in days from 1985 January 0 at 0^h UT, given by:

$$d = \text{day of year (from B2–B3)} + \text{fraction of day from } 0^h \text{ UT}$$

Geocentric rectangular coordinates of the Sun

The geocentric equatorial rectangular coordinates of the Sun are given, in au, on pages C20–C23 and are referred to the mean equator and equinox of J2000·0. The x-axis is directed towards the equinox, the y-axis towards the point on the equator at right ascension 6^h, and the z-axis towards the north pole of the equator.

These geocentric rectangular coordinates (x, y, z) may be used to convert an object's heliocentric rectangular coordinates (x_0, y_0, z_0) to the corresponding geometric geocentric rectangular coordinates (ξ_0, η_0, ζ_0) by means of the formulae:

$$\xi_0 = x_0 + x \qquad \eta_0 = y_0 + y \qquad \zeta_0 = z_0 + z$$

See pages B36–B39 for a rigorous method of forming an apparent place of an object in the solar system.

NOTES AND FORMULAE

Elements of the rotation of the Sun

The mean elements of the rotation of the Sun during 1985 are given by:
Longitude of the ascending node of the solar equator:

    on the ecliptic of date, 75°·55   on the mean equator of date, 16°·10

Inclination of the solar equator:

    on the ecliptic of date, 7°·25   on the mean equator of date, 26°·15

The mean position of the pole of the solar equator is:

    right ascension, 286°·10   declination, 63°·85

Sidereal period of rotation of the prime meridian is 25·38 days.
Mean synodic period of rotation of the prime meridian is 27·2753 days.

During 1985 the prime meridian first passes through the ascending node of the solar equator on the ecliptic on 1985 January $21^d 4^h$, and first coincides with the central meridian on 1985 January $24^d 15^h$.

Heliographic coordinates

The values of P (position angle of the northern extremity of the axis of rotation, measured eastwards from the north point of the disk), B_0 and L_0 (the heliographic latitude and longitude of the central point of the disk) are for 0^h UT; they may be interpolated linearly. The H.P. and semi-diameter are given for 0^h TDT, but may be regarded as being for 0^h UT.

If ρ_1, θ are the observed angular distance and position angle of a sunspot from the centre of the disk of the Sun as seen from the Earth, and ρ is the heliocentric angular distance of the spot on the solar surface from the centre of the Sun's disk, then

$$\sin(\rho + \rho_1) = \rho_1 / S$$

where S is the semi-diameter of the Sun. The position angle is measured from the north point of the disk towards the east.

The formulae for the computation of the heliographic coordinates (L, B) of a sunspot (or other feature on the surface of the Sun) from (ρ, θ) are as follows:

$$\sin B = \sin B_0 \cos \rho + \cos B_0 \sin \rho \cos(P - \theta)$$
$$\cos B \sin(L - L_0) = \sin \rho \sin(P - \theta)$$
$$\cos B \cos(L - L_0) = \cos \rho \cos B_0 - \sin B_0 \sin \rho \cos(P - \theta)$$

where L is measured positive to the north of the solar equator and B is measured from 0° to 360° in the direction of rotation of the Sun, i.e. westwards on the apparent disk as seen from the Earth.

SYNODIC ROTATION NUMBERS, 1985

Number	Date of Commencement	Number	Date of Commencement	Number	Date of Commencement
1757	1984 Dec. 28·28	1762	1985 May 13·81	1767	1985 Sept. 26·93
1758	1985 Jan. 24·62	1763	June 10·02	1768	Oct. 24·22
1759	Feb. 20·96	1764	July 7·21	1769	Nov. 20·52
1760	Mar. 20·28	1765	Aug. 3·42	1770	1985 Dec. 17·84
1761	Apr. 16·57	1766	Aug. 30·66	1771	1986 Jan. 14·17

At the date of commencement of each synodic rotation period the value of L_0 is zero; that is, the prime meridian passes through the central point of the disk.

SUN, 1985

FOR 0ʰ DYNAMICAL TIME

Date		Julian Date	Ecliptic Long. for Mean Equinox of Date	Ecliptic Lat.	Apparent Right Ascension	Apparent Declination	True Geocentric Distance
		244	° ′ ″	″	h m s	° ′ ″	
Jan.	0	6065.5	279 30 21.94	−0.60	18 41 19.98	−23 06 09.7	0.983 2644
	1	6066.5	280 31 31.29	−0.49	18 45 45.10	23 01 33.9	.983 2451
	2	6067.5	281 32 40.47	−0.37	18 50 09.90	22 56 30.6	.983 2313
	3	6068.5	282 33 49.45	−0.25	18 54 34.34	22 50 59.8	.983 2234
	4	6069.5	283 34 58.23	−0.12	18 58 58.39	22 45 01.7	.983 2213
	5	6070.5	284 36 06.79	+0.01	19 03 22.04	−22 38 36.7	0.983 2255
	6	6071.5	285 37 15.16	+0.12	19 07 45.25	22 31 44.7	.983 2360
	7	6072.5	286 38 23.35	+0.22	19 12 08.00	22 24 26.2	.983 2530
	8	6073.5	287 39 31.37	+0.29	19 16 30.26	22 16 41.2	.983 2766
	9	6074.5	288 40 39.27	+0.33	19 20 52.01	22 08 30.0	.983 3066
	10	6075.5	289 41 47.07	+0.34	19 25 13.23	−21 59 52.8	0.983 3432
	11	6076.5	290 42 54.80	+0.32	19 29 33.91	21 50 49.9	.983 3860
	12	6077.5	291 44 02.48	+0.26	19 33 54.01	21 41 21.4	.983 4348
	13	6078.5	292 45 10.10	+0.18	19 38 13.52	21 31 27.7	.983 4893
	14	6079.5	293 46 17.66	+0.07	19 42 32.43	21 21 09.0	.983 5493
	15	6080.5	294 47 25.13	−0.05	19 46 50.72	−21 10 25.6	0.983 6143
	16	6081.5	295 48 32.45	−0.19	19 51 08.37	20 59 17.7	.983 6839
	17	6082.5	296 49 39.57	−0.32	19 55 25.35	20 47 45.7	.983 7579
	18	6083.5	297 50 46.40	−0.45	19 59 41.65	20 35 49.9	.983 8359
	19	6084.5	298 51 52.86	−0.57	20 03 57.25	20 23 30.6	.983 9177
	20	6085.5	299 52 58.85	−0.67	20 08 12.13	−20 10 48.3	0.984 0032
	21	6086.5	300 54 04.27	−0.74	20 12 26.26	19 57 43.1	.984 0923
	22	6087.5	301 55 09.02	−0.79	20 16 39.63	19 44 15.6	.984 1848
	23	6088.5	302 56 13.01	−0.81	20 20 52.23	19 30 26.1	.984 2809
	24	6089.5	303 57 16.14	−0.80	20 25 04.03	19 16 14.9	.984 3806
	25	6090.5	304 58 18.34	−0.76	20 29 15.03	−19 01 42.4	0.984 4840
	26	6091.5	305 59 19.54	−0.70	20 33 25.23	18 46 48.9	.984 5913
	27	6092.5	307 00 19.66	−0.61	20 37 34.60	18 31 35.0	.984 7025
	28	6093.5	308 01 18.65	−0.51	20 41 43.15	18 16 01.0	.984 8180
	29	6094.5	309 02 16.46	−0.39	20 45 50.87	18 00 07.2	.984 9378
	30	6095.5	310 03 13.05	−0.26	20 49 57.76	−17 43 54.2	0.985 0621
	31	6096.5	311 04 08.39	−0.14	20 54 03.82	17 27 22.2	.985 1912
Feb.	1	6097.5	312 05 02.44	−0.01	20 58 09.04	17 10 31.7	.985 3253
	2	6098.5	313 05 55.20	+0.10	21 02 13.43	16 53 23.2	.985 4644
	3	6099.5	314 06 46.66	+0.20	21 06 16.99	16 35 57.0	.985 6090
	4	6100.5	315 07 36.84	+0.28	21 10 19.73	−16 18 13.6	0.985 7590
	5	6101.5	316 08 25.75	+0.32	21 14 21.65	16 00 13.3	.985 9147
	6	6102.5	317 09 13.43	+0.34	21 18 22.74	15 41 56.6	.986 0761
	7	6103.5	318 09 59.92	+0.33	21 22 23.04	15 23 23.8	.986 2432
	8	6104.5	319 10 45.29	+0.28	21 26 22.53	15 04 35.4	.986 4160
	9	6105.5	320 11 29.55	+0.20	21 30 21.25	−14 45 31.7	0.986 5942
	10	6106.5	321 12 12.76	+0.10	21 34 19.19	14 26 13.0	.986 7775
	11	6107.5	322 12 54.92	−0.02	21 38 16.38	14 06 39.8	.986 9655
	12	6108.5	323 13 36.03	−0.15	21 42 12.82	13 46 52.4	.987 1580
	13	6109.5	324 14 16.07	−0.29	21 46 08.52	13 26 51.3	.987 3544
	14	6110.5	325 14 55.01	−0.41	21 50 03.50	−13 06 37.0	0.987 5544
	15	6111.5	326 15 32.80	−0.53	21 53 57.76	−12 46 09.7	0.987 7576

FOR 0ʰ DYNAMICAL TIME

Date		Position Angle of Axis P	Heliographic		H. P.	Semi-Diameter	Ephemeris Transit
			Latitude B_0	Longitude L_0			
		°	°	°	″	′ ″	h m s
Jan.	0	+ 2.46	− 2.86	324.34	8.94	16 17.54	12 03 09.79
	1	1.97	2.97	311.17	8.94	16 17.56	12 03 38.20
	2	1.49	3.09	298.00	8.94	16 17.57	12 04 06.28
	3	1.01	3.20	284.83	8.94	16 17.58	12 04 33.98
	4	0.52	3.31	271.66	8.94	16 17.58	12 05 01.28
	5	+ 0.04	− 3.43	258.49	8.94	16 17.58	12 05 28.16
	6	− 0.44	3.54	245.32	8.94	16 17.57	12 05 54.58
	7	0.93	3.65	232.15	8.94	16 17.55	12 06 20.53
	8	1.41	3.75	218.98	8.94	16 17.53	12 06 45.98
	9	1.89	3.86	205.81	8.94	16 17.50	12 07 10.91
	10	− 2.37	− 3.97	192.64	8.94	16 17.46	12 07 35.31
	11	2.84	4.07	179.47	8.94	16 17.42	12 07 59.14
	12	3.32	4.18	166.31	8.94	16 17.37	12 08 22.40
	13	3.79	4.28	153.14	8.94	16 17.32	12 08 45.07
	14	4.26	4.38	139.97	8.94	16 17.26	12 09 07.12
	15	− 4.73	− 4.48	126.80	8.94	16 17.19	12 09 28.54
	16	5.20	4.58	113.64	8.94	16 17.12	12 09 49.30
	17	5.66	4.67	100.47	8.94	16 17.05	12 10 09.38
	18	6.12	4.77	87.30	8.94	16 16.97	12 10 28.77
	19	6.58	4.86	74.13	8.94	16 16.89	12 10 47.45
	20	− 7.04	− 4.96	60.97	8.94	16 16.81	12 11 05.39
	21	7.49	5.05	47.80	8.94	16 16.72	12 11 22.58
	22	7.94	5.14	34.64	8.94	16 16.63	12 11 39.00
	23	8.38	5.22	21.47	8.93	16 16.53	12 11 54.64
	24	8.82	5.31	8.30	8.93	16 16.43	12 12 09.49
	25	− 9.26	− 5.39	355.14	8.93	16 16.33	12 12 23.53
	26	9.70	5.48	341.97	8.93	16 16.22	12 12 36.75
	27	10.13	5.56	328.80	8.93	16 16.11	12 12 49.16
	28	10.55	5.63	315.64	8.93	16 16.00	12 13 00.74
	29	10.97	5.71	302.47	8.93	16 15.88	12 13 11.49
	30	− 11.39	− 5.79	289.31	8.93	16 15.76	12 13 21.40
	31	11.80	5.86	276.14	8.93	16 15.63	12 13 30.48
Feb.	1	12.21	5.93	262.97	8.93	16 15.50	12 13 38.72
	2	12.62	6.00	249.81	8.92	16 15.36	12 13 46.12
	3	13.02	6.07	236.64	8.92	16 15.21	12 13 52.70
	4	− 13.41	− 6.14	223.47	8.92	16 15.07	12 13 58.46
	5	13.80	6.20	210.30	8.92	16 14.91	12 14 03.39
	6	14.19	6.26	197.14	8.92	16 14.75	12 14 07.52
	7	14.57	6.32	183.97	8.92	16 14.59	12 14 10.85
	8	14.94	6.38	170.80	8.92	16 14.42	12 14 13.40
	9	− 15.31	− 6.44	157.64	8.91	16 14.24	12 14 15.17
	10	15.67	6.49	144.47	8.91	16 14.06	12 14 16.18
	11	16.03	6.54	131.30	8.91	16 13.87	12 14 16.43
	12	16.39	6.59	118.13	8.91	16 13.68	12 14 15.94
	13	16.74	6.64	104.97	8.91	16 13.49	12 14 14.72
	14	− 17.08	− 6.68	91.80	8.90	16 13.29	12 14 12.77
	15	− 17.42	− 6.73	78.63	8.90	16 13.09	12 14 10.10

SUN, 1985

FOR 0ʰ DYNAMICAL TIME

Date		Julian Date	Ecliptic Long. for Mean Equinox of Date	Ecliptic Lat.	Apparent Right Ascension	Apparent Declination	True Geocentric Distance
		244	° ′ ″	″	h m s	° ′ ″	
Feb.	15	6111.5	326 15 32.80	−0.53	21 53 57.76	−12 46 09.7	0.987 7576
	16	6112.5	327 16 09.36	−0.62	21 57 51.30	12 25 30.0	.987 9637
	17	6113.5	328 16 44.64	−0.69	22 01 44.15	12 04 38.2	.988 1724
	18	6114.5	329 17 18.55	−0.74	22 05 36.29	11 43 34.8	.988 3835
	19	6115.5	330 17 51.02	−0.76	22 09 27.74	11 22 20.3	.988 5969
	20	6116.5	331 18 21.96	−0.75	22 13 18.52	−11 00 55.1	0.988 8125
	21	6117.5	332 18 51.30	−0.71	22 17 08.63	10 39 19.5	.989 0301
	22	6118.5	333 19 18.95	−0.64	22 20 58.09	10 17 34.1	.989 2497
	23	6119.5	334 19 44.86	−0.56	22 24 46.91	9 55 39.1	.989 4715
	24	6120.5	335 20 08.95	−0.45	22 28 35.10	9 33 35.2	.989 6954
	25	6121.5	336 20 31.17	−0.34	22 32 22.68	− 9 11 22.6	0.989 9215
	26	6122.5	337 20 51.47	−0.21	22 36 09.66	8 49 01.8	.990 1499
	27	6123.5	338 21 09.79	−0.08	22 39 56.06	8 26 33.3	.990 3808
	28	6124.5	339 21 26.11	+0.04	22 43 41.91	8 03 57.4	.990 6142
Mar.	1	6125.5	340 21 40.40	+0.16	22 47 27.20	7 41 14.5	.990 8505
	2	6126.5	341 21 52.62	+0.26	22 51 11.97	− 7 18 25.1	0.991 0896
	3	6127.5	342 22 02.78	+0.34	22 54 56.23	6 55 29.6	.991 3320
	4	6128.5	343 22 10.88	+0.39	22 58 39.99	6 32 28.4	.991 5776
	5	6129.5	344 22 16.93	+0.41	23 02 23.29	6 09 21.8	.991 8269
	6	6130.5	345 22 20.99	+0.41	23 06 06.13	5 46 10.2	.992 0798
	7	6131.5	346 22 23.09	+0.36	23 09 48.54	− 5 22 54.1	0.992 3365
	8	6132.5	347 22 23.30	+0.29	23 13 30.56	4 59 33.7	.992 5970
	9	6133.5	348 22 21.70	+0.19	23 17 12.19	4 36 09.3	.992 8613
	10	6134.5	349 22 18.34	+0.07	23 20 53.48	4 12 41.4	.993 1290
	11	6135.5	350 22 13.29	−0.06	23 24 34.44	3 49 10.2	.993 3999
	12	6136.5	351 22 06.57	−0.20	23 28 15.11	− 3 25 36.1	0.993 6736
	13	6137.5	352 21 58.21	−0.33	23 31 55.49	3 01 59.5	.993 9497
	14	6138.5	353 21 48.19	−0.45	23 35 35.62	2 38 20.7	.994 2277
	15	6139.5	354 21 36.52	−0.54	23 39 15.50	2 14 40.2	.994 5073
	16	6140.5	355 21 23.15	−0.62	23 42 55.16	1 50 58.2	.994 7881
	17	6141.5	356 21 08.05	−0.67	23 46 34.62	− 1 27 15.2	0.995 0697
	18	6142.5	357 20 51.17	−0.69	23 50 13.88	1 03 31.6	.995 3519
	19	6143.5	358 20 32.46	−0.68	23 53 52.97	0 39 47.7	.995 6343
	20	6144.5	359 20 11.86	−0.64	23 57 31.91	− 0 16 03.9	.995 9169
	21	6145.5	0 19 49.32	−0.58	0 01 10.71	+ 0 07 39.3	.996 1994
	22	6146.5	1 19 24.78	−0.50	0 04 49.40	+ 0 31 21.6	0.996 4817
	23	6147.5	2 18 58.19	−0.39	0 08 27.98	0 55 02.7	.996 7637
	24	6148.5	3 18 29.49	−0.28	0 12 06.49	1 18 42.1	.997 0454
	25	6149.5	4 17 58.64	−0.15	0 15 44.94	1 42 19.5	.997 3269
	26	6150.5	5 17 25.58	−0.02	0 19 23.34	2 05 54.4	.997 6080
	27	6151.5	6 16 50.28	+0.10	0 23 01.72	+ 2 29 26.6	0.997 8890
	28	6152.5	7 16 12.70	+0.22	0 26 40.09	2 52 55.7	.998 1698
	29	6153.5	8 15 32.82	+0.32	0 30 18.47	3 16 21.2	.998 4507
	30	6154.5	9 14 50.61	+0.40	0 33 56.88	3 39 42.8	.998 7317
	31	6155.5	10 14 06.06	+0.46	0 37 35.34	4 03 00.2	.999 0131
Apr.	1	6156.5	11 13 19.18	+0.49	0 41 13.86	+ 4 26 12.9	0.999 2950
	2	6157.5	12 12 29.98	+0.48	0 44 52.46	+ 4 49 20.7	0.999 5778

FOR 0ʰ DYNAMICAL TIME

Date	Position Angle of Axis P	Heliographic Latitude B_0	Heliographic Longitude L_0	H. P.	Semi-Diameter	Ephemeris Transit
	°	°	°	″	′ ″	h m s
Feb. 15	−17.42	−6.73	78.63	8.90	16 13.09	12 14 10.10
16	17.75	6.77	65.46	8.90	16 12.89	12 14 06.72
17	18.07	6.81	52.29	8.90	16 12.68	12 14 02.65
18	18.39	6.85	39.13	8.90	16 12.48	12 13 57.88
19	18.71	6.88	25.96	8.90	16 12.27	12 13 52.43
20	−19.02	−6.91	12.79	8.89	16 12.05	12 13 46.32
21	19.32	6.94	359.62	8.89	16 11.84	12 13 39.55
22	19.62	6.97	346.45	8.89	16 11.63	12 13 32.13
23	19.91	7.00	333.28	8.89	16 11.41	12 13 24.08
24	20.19	7.02	320.11	8.89	16 11.19	12 13 15.41
25	−20.47	−7.05	306.94	8.88	16 10.97	12 13 06.13
26	20.74	7.07	293.77	8.88	16 10.74	12 12 56.27
27	21.01	7.08	280.59	8.88	16 10.52	12 12 45.83
28	21.27	7.10	267.42	8.88	16 10.29	12 12 34.84
Mar. 1	21.52	7.11	254.25	8.88	16 10.06	12 12 23.31
2	−21.77	−7.12	241.08	8.87	16 09.82	12 12 11.26
3	22.01	7.13	227.90	8.87	16 09.58	12 11 58.70
4	22.25	7.14	214.73	8.87	16 09.34	12 11 45.67
5	22.47	7.14	201.55	8.87	16 09.10	12 11 32.17
6	22.70	7.15	188.38	8.86	16 08.85	12 11 18.25
7	−22.91	−7.15	175.20	8.86	16 08.60	12 11 03.91
8	23.12	7.14	162.02	8.86	16 08.35	12 10 49.18
9	23.32	7.14	148.85	8.86	16 08.09	12 10 34.09
10	23.52	7.13	135.67	8.85	16 07.83	12 10 18.67
11	23.71	7.12	122.49	8.85	16 07.57	12 10 02.93
12	−23.89	−7.11	109.31	8.85	16 07.30	12 09 46.90
13	24.07	7.10	96.13	8.85	16 07.03	12 09 30.59
14	24.24	7.08	82.95	8.85	16 06.76	12 09 14.04
15	24.40	7.07	69.77	8.84	16 06.49	12 08 57.25
16	24.55	7.05	56.59	8.84	16 06.22	12 08 40.24
17	−24.70	−7.03	43.41	8.84	16 05.94	12 08 23.04
18	24.85	7.00	30.23	8.84	16 05.67	12 08 05.67
19	24.98	6.98	17.05	8.83	16 05.39	12 07 48.13
20	25.11	6.95	3.86	8.83	16 05.12	12 07 30.45
21	25.23	6.92	350.68	8.83	16 04.85	12 07 12.65
22	−25.35	−6.89	337.50	8.83	16 04.57	12 06 54.74
23	25.46	6.85	324.31	8.82	16 04.30	12 06 36.74
24	25.56	6.82	311.12	8.82	16 04.03	12 06 18.67
25	25.65	6.78	297.94	8.82	16 03.76	12 06 00.55
26	25.74	6.74	284.75	8.82	16 03.48	12 05 42.39
27	−25.82	−6.70	271.56	8.81	16 03.21	12 05 24.21
28	25.89	6.65	258.37	8.81	16 02.94	12 05 06.03
29	25.96	6.61	245.18	8.81	16 02.67	12 04 47.87
30	26.02	6.56	231.99	8.81	16 02.40	12 04 29.75
31	26.07	6.51	218.80	8.80	16 02.13	12 04 11.68
Apr. 1	−26.11	−6.46	205.61	8.80	16 01.86	12 03 53.68
2	−26.15	−6.40	192.42	8.80	16 01.59	12 03 35.79

SUN, 1985

FOR 0ʰ DYNAMICAL TIME

Date		Julian Date	Ecliptic Long. for Mean Equinox of Date	Ecliptic Lat.	Apparent Right Ascension	Apparent Declination	True Geocentric Distance
		244	° ′ ″	″	h m s	° ′ ″	
Apr.	1	6156.5	11 13 19.18	+0.49	0 41 13.86	+ 4 26 12.9	0.999 2950
	2	6157.5	12 12 29.98	+0.48	0 44 52.46	4 49 20.7	.999 5778
	3	6158.5	13 11 38.49	+0.45	0 48 31.17	5 12 23.2	0.999 8615
	4	6159.5	14 10 44.78	+0.38	0 52 10.01	5 35 20.0	1.000 1465
	5	6160.5	15 09 48.89	+0.28	0 55 48.99	5 58 10.9	.000 4328
	6	6161.5	16 08 50.93	+0.15	0 59 28.16	+ 6 20 55.5	1.000 7205
	7	6162.5	17 07 50.98	+0.02	1 03 07.52	6 43 33.6	.001 0095
	8	6163.5	18 06 49.12	−0.13	1 06 47.12	7 06 04.9	.001 2996
	9	6164.5	19 05 45.43	−0.27	1 10 26.96	7 28 29.0	.001 5905
	10	6165.5	20 04 39.97	−0.40	1 14 07.06	7 50 45.7	.001 8818
	11	6166.5	21 03 32.78	−0.51	1 17 47.46	+ 8 12 54.6	1.002 1732
	12	6167.5	22 02 23.87	−0.60	1 21 28.15	8 34 55.4	.002 4641
	13	6168.5	23 01 13.25	−0.65	1 25 09.16	8 56 47.8	.002 7543
	14	6169.5	24 00 00.92	−0.69	1 28 50.49	9 18 31.3	.003 0434
	15	6170.5	24 58 46.87	−0.69	1 32 32.18	9 40 05.6	.003 3310
	16	6171.5	25 57 31.06	−0.66	1 36 14.22	+10 01 30.4	1.003 6168
	17	6172.5	26 56 13.48	−0.60	1 39 56.63	10 22 45.4	.003 9006
	18	6173.5	27 54 54.09	−0.53	1 43 39.44	10 43 50.1	.004 1821
	19	6174.5	28 53 32.86	−0.43	1 47 22.64	11 04 44.2	.004 4612
	20	6175.5	29 52 09.75	−0.32	1 51 06.25	11 25 27.5	.004 7377
	21	6176.5	30 50 44.74	−0.20	1 54 50.28	+11 45 59.4	1.005 0115
	22	6177.5	31 49 17.77	−0.07	1 58 34.75	12 06 19.8	.005 2825
	23	6178.5	32 47 48.82	+0.06	2 02 19.66	12 26 28.2	.005 5507
	24	6179.5	33 46 17.85	+0.17	2 06 05.03	12 46 24.2	.005 8161
	25	6180.5	34 44 44.84	+0.28	2 09 50.85	13 06 07.6	.006 0788
	26	6181.5	35 43 09.75	+0.36	2 13 37.15	+13 25 38.0	1.006 3388
	27	6182.5	36 41 32.57	+0.42	2 17 23.92	13 44 55.1	.006 5963
	28	6183.5	37 39 53.29	+0.46	2 21 11.17	14 03 58.5	.006 8515
	29	6184.5	38 38 11.90	+0.46	2 24 58.90	14 22 47.8	.007 1045
	30	6185.5	39 36 28.43	+0.43	2 28 47.14	14 41 22.8	.007 3556
May	1	6186.5	40 34 42.88	+0.37	2 32 35.88	+14 59 43.1	1.007 6050
	2	6187.5	41 32 55.31	+0.28	2 36 25.14	15 17 48.4	.007 8531
	3	6188.5	42 31 05.79	+0.16	2 40 14.93	15 35 38.4	.008 1000
	4	6189.5	43 29 14.39	+0.03	2 44 05.25	15 53 12.9	.008 3459
	5	6190.5	44 27 21.22	−0.12	2 47 56.13	16 10 31.6	.008 5909
	6	6191.5	45 25 26.37	−0.26	2 51 47.58	+16 27 34.3	1.008 8350
	7	6192.5	46 23 29.95	−0.40	2 55 39.60	16 44 20.5	.009 0779
	8	6193.5	47 21 32.04	−0.52	2 59 32.19	17 00 50.2	.009 3195
	9	6194.5	48 19 32.73	−0.62	3 03 25.37	17 17 03.0	.009 5594
	10	6195.5	49 17 32.06	−0.69	3 07 19.13	17 32 58.5	.009 7973
	11	6196.5	50 15 30.08	−0.73	3 11 13.48	+17 48 36.5	1.010 0327
	12	6197.5	51 13 26.81	−0.74	3 15 08.42	18 03 56.7	.010 2654
	13	6198.5	52 11 22.27	−0.72	3 19 03.94	18 18 58.8	.010 4949
	14	6199.5	53 09 16.47	−0.67	3 23 00.06	18 33 42.5	.010 7210
	15	6200.5	54 07 09.40	−0.60	3 26 56.76	18 48 07.5	.010 9434
	16	6201.5	55 05 01.07	−0.51	3 30 54.04	+19 02 13.5	1.011 1619
	17	6202.5	56 02 51.45	−0.40	3 34 51.90	+19 16 00.2	1.011 3761

FOR 0ʰ DYNAMICAL TIME

Date	Position Angle of Axis P	Heliographic		H. P.	Semi-Diameter	Ephemeris Transit
		Latitude B_0	Longitude L_0			
	°	°	°	"	′ "	h m s
Apr. 1	−26.11	−6.46	205.61	8.80	16 01.86	12 03 53.68
2	26.15	6.40	192.42	8.80	16 01.59	12 03 35.79
3	26.18	6.35	179.22	8.80	16 01.31	12 03 18.01
4	26.20	6.29	166.03	8.79	16 01.04	12 03 00.37
5	26.22	6.23	152.83	8.79	16 00.76	12 02 42.90
6	−26.23	−6.17	139.63	8.79	16 00.49	12 02 25.62
7	26.23	6.11	126.44	8.79	16 00.21	12 02 08.55
8	26.22	6.04	113.24	8.78	15 59.93	12 01 51.71
9	26.21	5.98	100.04	8.78	15 59.65	12 01 35.13
10	26.19	5.91	86.84	8.78	15 59.37	12 01 18.82
11	−26.16	−5.84	73.64	8.78	15 59.10	12 01 02.80
12	26.13	5.77	60.44	8.77	15 58.82	12 00 47.09
13	26.08	5.69	47.24	8.77	15 58.54	12 00 31.71
14	26.03	5.62	34.03	8.77	15 58.26	12 00 16.66
15	25.98	5.54	20.83	8.76	15 57.99	12 00 01.97
16	−25.91	−5.46	7.63	8.76	15 57.72	11 59 47.65
17	25.84	5.38	354.42	8.76	15 57.45	11 59 33.71
18	25.76	5.30	341.22	8.76	15 57.18	11 59 20.17
19	25.68	5.22	328.01	8.76	15 56.91	11 59 07.03
20	25.58	5.14	314.80	8.75	15 56.65	11 58 54.30
21	−25.48	−5.05	301.59	8.75	15 56.39	11 58 42.00
22	25.37	4.96	288.38	8.75	15 56.13	11 58 30.14
23	25.26	4.88	275.18	8.75	15 55.87	11 58 18.72
24	25.14	4.79	261.96	8.74	15 55.62	11 58 07.76
25	25.00	4.70	248.75	8.74	15 55.37	11 57 57.26
26	−24.87	−4.60	235.54	8.74	15 55.13	11 57 47.23
27	24.72	4.51	222.33	8.74	15 54.88	11 57 37.67
28	24.57	4.42	209.12	8.73	15 54.64	11 57 28.61
29	24.41	4.32	195.90	8.73	15 54.40	11 57 20.04
30	24.24	4.22	182.69	8.73	15 54.16	11 57 11.97
May 1	−24.07	−4.12	169.47	8.73	15 53.93	11 57 04.42
2	23.89	4.03	156.25	8.73	15 53.69	11 56 57.39
3	23.70	3.92	143.03	8.72	15 53.46	11 56 50.90
4	23.51	3.82	129.82	8.72	15 53.22	11 56 44.95
5	23.30	3.72	116.60	8.72	15 52.99	11 56 39.55
6	−23.10	−3.62	103.38	8.72	15 52.76	11 56 34.72
7	22.88	3.51	90.16	8.72	15 52.53	11 56 30.46
8	22.66	3.41	76.93	8.71	15 52.30	11 56 26.78
9	22.43	3.30	63.71	8.71	15 52.08	11 56 23.69
10	22.19	3.19	50.49	8.71	15 51.85	11 56 21.18
11	−21.94	−3.09	37.27	8.71	15 51.63	11 56 19.26
12	21.69	2.98	24.04	8.70	15 51.41	11 56 17.94
13	21.44	2.87	10.82	8.70	15 51.20	11 56 17.20
14	21.17	2.76	357.60	8.70	15 50.98	11 56 17.05
15	20.90	2.65	344.37	8.70	15 50.78	11 56 17.49
16	−20.62	−2.53	331.15	8.70	15 50.57	11 56 18.51
17	−20.34	−2.42	317.92	8.70	15 50.37	11 56 20.11

FOR 0ʰ DYNAMICAL TIME

Date	Julian Date	Ecliptic Long. for Mean Equinox of Date	Ecliptic Lat.	Apparent Right Ascension	Apparent Declination	True Geocentric Distance
	244	° ′ ″	″	h m s	° ′ ″	
May 17	6202.5	56 02 51.45	−0.40	3 34 51.90	+19 16 00.2	1.011 3761
18	6203.5	57 00 40.54	−0.28	3 38 50.33	19 29 27.3	.011 5860
19	6204.5	57 58 28.31	−0.15	3 42 49.32	19 42 34.6	.011 7913
20	6205.5	58 56 14.75	−0.03	3 46 48.88	19 55 21.7	.011 9919
21	6206.5	59 53 59.82	+0.09	3 50 48.98	20 07 48.5	.012 1878
22	6207.5	60 51 43.50	+0.20	3 54 49.61	+20 19 54.6	1.012 3788
23	6208.5	61 49 25.77	+0.29	3 58 50.77	20 31 39.8	.012 5651
24	6209.5	62 47 06.60	+0.36	4 02 52.44	20 43 03.8	.012 7466
25	6210.5	63 44 45.96	+0.41	4 06 54.60	20 54 06.4	.012 9234
26	6211.5	64 42 23.86	+0.42	4 10 57.24	21 04 47.4	.013 0958
27	6212.5	65 40 00.28	+0.40	4 15 00.34	+21 15 06.4	1.013 2639
28	6213.5	66 37 35.22	+0.36	4 19 03.90	21 25 03.4	.013 4279
29	6214.5	67 35 08.70	+0.28	4 23 07.89	21 34 38.0	.013 5882
30	6215.5	68 32 40.77	+0.17	4 27 12.31	21 43 50.0	.013 7451
31	6216.5	69 30 11.46	+0.05	4 31 17.15	21 52 39.4	.013 8988
June 1	6217.5	70 27 40.86	−0.09	4 35 22.39	+22 01 05.9	1.014 0495
2	6218.5	71 25 09.06	−0.23	4 39 28.03	22 09 09.3	.014 1976
3	6219.5	72 22 36.15	−0.37	4 43 34.05	22 16 49.7	.014 3432
4	6220.5	73 20 02.24	−0.49	4 47 40.44	22 24 06.7	.014 4861
5	6221.5	74 17 27.45	−0.60	4 51 47.19	22 31 00.3	.014 6264
6	6222.5	75 14 51.87	−0.68	4 55 54.28	+22 37 30.3	1.014 7638
7	6223.5	76 12 15.58	−0.73	5 00 01.69	22 43 36.6	.014 8982
8	6224.5	77 09 38.65	−0.75	5 04 09.41	22 49 19.1	.015 0290
9	6225.5	78 07 01.14	−0.73	5 08 17.41	22 54 37.6	.015 1562
10	6226.5	79 04 23.09	−0.69	5 12 25.69	22 59 31.9	.015 2794
11	6227.5	80 01 44.53	−0.63	5 16 34.21	+23 04 02.0	1.015 3982
12	6228.5	80 59 05.49	−0.54	5 20 42.97	23 08 07.8	.015 5124
13	6229.5	81 56 25.98	−0.44	5 24 51.93	23 11 49.1	.015 6218
14	6230.5	82 53 46.01	−0.32	5 29 01.08	23 15 05.9	.015 7261
15	6231.5	83 51 05.58	−0.19	5 33 10.39	23 17 58.1	.015 8250
16	6232.5	84 48 24.70	−0.07	5 37 19.83	+23 20 25.7	1.015 9185
17	6233.5	85 45 43.35	+0.05	5 41 29.38	23 22 28.5	.016 0062
18	6234.5	86 43 01.51	+0.17	5 45 39.02	23 24 06.6	.016 0882
19	6235.5	87 40 19.17	+0.26	5 49 48.71	23 25 19.8	.016 1642
20	6236.5	88 37 36.31	+0.34	5 53 58.43	23 26 08.3	.016 2343
21	6237.5	89 34 52.89	+0.39	5 58 08.15	+23 26 31.9	1.016 2985
22	6238.5	90 32 08.90	+0.41	6 02 17.83	23 26 30.7	.016 3568
23	6239.5	91 29 24.31	+0.40	6 06 27.45	23 26 04.6	.016 4094
24	6240.5	92 26 39.11	+0.36	6 10 36.98	23 25 13.8	.016 4564
25	6241.5	93 23 53.29	+0.30	6 14 46.40	23 23 58.1	.016 4982
26	6242.5	94 21 06.85	+0.20	6 18 55.68	+23 22 17.7	1.016 5349
27	6243.5	95 18 19.83	+0.09	6 23 04.80	23 20 12.6	.016 5670
28	6244.5	96 15 32.26	−0.04	6 27 13.74	23 17 42.8	.016 5948
29	6245.5	97 12 44.19	−0.17	6 31 22.48	23 14 48.5	.016 6186
30	6246.5	98 09 55.71	−0.31	6 35 31.00	23 11 29.8	.016 6387
July 1	6247.5	99 07 06.90	−0.43	6 39 39.29	+23 07 46.8	1.016 6553
2	6248.5	100 04 17.87	−0.54	6 43 47.32	+23 03 39.6	1.016 6686

FOR 0ʰ DYNAMICAL TIME

Date		Position Angle of Axis P	Heliographic		H. P.	Semi-Diameter	Ephemeris Transit
			Latitude B_0	Longitude L_0			
		°	°	°	″	′ ″	h m s
May	17	−20.34	−2.42	317.92	8.70	15 50.37	11 56 20.11
	18	20.05	2.31	304.69	8.69	15 50.17	11 56 22.27
	19	19.75	2.19	291.47	8.69	15 49.98	11 56 24.99
	20	19.45	2.08	278.24	8.69	15 49.79	11 56 28.26
	21	19.14	1.97	265.01	8.69	15 49.61	11 56 32.07
	22	−18.83	−1.85	251.78	8.69	15 49.43	11 56 36.40
	23	18.51	1.73	238.55	8.69	15 49.25	11 56 41.25
	24	18.18	1.62	225.32	8.68	15 49.08	11 56 46.60
	25	17.85	1.50	212.09	8.68	15 48.92	11 56 52.44
	26	17.51	1.38	198.86	8.68	15 48.76	11 56 58.75
	27	−17.17	−1.27	185.63	8.68	15 48.60	11 57 05.53
	28	16.82	1.15	172.40	8.68	15 48.44	11 57 12.75
	29	16.46	1.03	159.17	8.68	15 48.29	11 57 20.41
	30	16.10	0.91	145.93	8.67	15 48.15	11 57 28.48
	31	15.74	0.79	132.70	8.67	15 48.00	11 57 36.97
June	1	−15.37	−0.68	119.47	8.67	15 47.86	11 57 45.86
	2	14.99	0.56	106.23	8.67	15 47.72	11 57 55.13
	3	14.61	0.44	93.00	8.67	15 47.59	11 58 04.78
	4	14.23	0.32	79.76	8.67	15 47.45	11 58 14.79
	5	13.84	0.20	66.53	8.67	15 47.32	11 58 25.14
	6	−13.45	−0.08	53.29	8.67	15 47.20	11 58 35.83
	7	13.05	+0.04	40.06	8.67	15 47.07	11 58 46.83
	8	12.65	0.16	26.82	8.66	15 46.95	11 58 58.14
	9	12.24	0.28	13.59	8.66	15 46.83	11 59 09.73
	10	11.84	0.39	0.35	8.66	15 46.71	11 59 21.58
	11	−11.42	+0.51	347.12	8.66	15 46.60	11 59 33.67
	12	11.01	0.63	333.88	8.66	15 46.50	11 59 45.98
	13	10.59	0.75	320.64	8.66	15 46.40	11 59 58.49
	14	10.16	0.87	307.41	8.66	15 46.30	12 00 11.17
	15	9.74	0.99	294.17	8.66	15 46.21	12 00 23.99
	16	− 9.31	+1.10	280.93	8.66	15 46.12	12 00 36.94
	17	8.88	1.22	267.70	8.66	15 46.04	12 00 49.98
	18	8.44	1.34	254.46	8.65	15 45.96	12 01 03.09
	19	8.01	1.45	241.23	8.65	15 45.89	12 01 16.24
	20	7.57	1.57	227.99	8.65	15 45.83	12 01 29.39
	21	− 7.13	+1.69	214.75	8.65	15 45.77	12 01 42.53
	22	6.69	1.80	201.52	8.65	15 45.71	12 01 55.63
	23	6.24	1.92	188.28	8.65	15 45.66	12 02 08.65
	24	5.80	2.03	175.04	8.65	15 45.62	12 02 21.58
	25	5.35	2.14	161.81	8.65	15 45.58	12 02 34.38
	26	− 4.90	+2.26	148.57	8.65	15 45.55	12 02 47.03
	27	4.45	2.37	135.33	8.65	15 45.52	12 02 59.51
	28	4.00	2.48	122.10	8.65	15 45.49	12 03 11.80
	29	3.55	2.59	108.86	8.65	15 45.47	12 03 23.88
	30	3.10	2.70	95.62	8.65	15 45.45	12 03 35.72
July	1	− 2.64	+2.81	82.39	8.65	15 45.43	12 03 47.32
	2	− 2.19	+2.92	69.15	8.65	15 45.42	12 03 58.65

SUN, 1985

FOR 0ʰ DYNAMICAL TIME

Date		Julian Date	Ecliptic Long. for Mean Equinox of Date	Ecliptic Lat.	Apparent Right Ascension	Apparent Declination	True Geocentric Distance
		244	° ′ ″	″	h m s	° ′ ″	
July	1	6247.5	99 07 06.90	−0.43	6 39 39.29	+23 07 46.8	1.016 6553
	2	6248.5	100 04 17.87	−0.54	6 43 47.32	23 03 39.6	.016 6686
	3	6249.5	101 01 28.71	−0.62	6 47 55.07	22 59 08.2	.016 6786
	4	6250.5	101 58 39.54	−0.67	6 52 02.53	22 54 12.9	.016 6853
	5	6251.5	102 55 50.44	−0.70	6 56 09.68	22 48 53.7	.016 6887
	6	6252.5	103 53 01.52	−0.69	7 00 16.51	+22 43 10.8	1.016 6884
	7	6253.5	104 50 12.84	−0.66	7 04 23.00	22 37 04.2	.016 6843
	8	6254.5	105 47 24.46	−0.60	7 08 29.12	22 30 34.0	.016 6762
	9	6255.5	106 44 36.44	−0.52	7 12 34.88	22 23 40.6	.016 6638
	10	6256.5	107 41 48.82	−0.42	7 16 40.25	22 16 23.9	.016 6469
	11	6257.5	108 39 01.64	−0.30	7 20 45.21	+22 08 44.1	1.016 6252
	12	6258.5	109 36 14.92	−0.18	7 24 49.76	22 00 41.4	.016 5986
	13	6259.5	110 33 28.68	−0.06	7 28 53.86	21 52 16.1	.016 5667
	14	6260.5	111 30 42.93	+0.07	7 32 57.52	21 43 28.2	.016 5295
	15	6261.5	112 27 57.68	+0.18	7 37 00.71	21 34 18.0	.016 4866
	16	6262.5	113 25 12.92	+0.28	7 41 03.41	+21 24 45.8	1.016 4380
	17	6263.5	114 22 28.63	+0.36	7 45 05.60	21 14 51.6	.016 3835
	18	6264.5	115 19 44.80	+0.41	7 49 07.28	21 04 35.8	.016 3230
	19	6265.5	116 17 01.41	+0.44	7 53 08.42	20 53 58.6	.016 2564
	20	6266.5	117 14 18.41	+0.43	7 57 09.01	20 43 00.2	.016 1838
	21	6267.5	118 11 35.78	+0.40	8 01 09.03	+20 31 40.9	1.016 1052
	22	6268.5	119 08 53.48	+0.34	8 05 08.46	20 20 00.9	.016 0209
	23	6269.5	120 06 11.50	+0.25	8 09 07.31	20 08 00.5	.015 9311
	24	6270.5	121 03 29.82	+0.14	8 13 05.56	19 55 39.9	.015 8360
	25	6271.5	122 00 48.45	+0.02	8 17 03.20	19 42 59.4	.015 7361
	26	6272.5	122 58 07.42	−0.11	8 21 00.23	+19 29 59.2	1.015 6316
	27	6273.5	123 55 26.75	−0.24	8 24 56.65	19 16 39.8	.015 5230
	28	6274.5	124 52 46.51	−0.36	8 28 52.46	19 03 01.3	.015 4107
	29	6275.5	125 50 06.77	−0.46	8 32 47.65	18 49 04.0	.015 2948
	30	6276.5	126 47 27.60	−0.55	8 36 42.23	18 34 48.3	.015 1758
	31	6277.5	127 44 49.11	−0.60	8 40 36.19	+18 20 14.3	1.015 0538
Aug.	1	6278.5	128 42 11.39	−0.63	8 44 29.53	18 05 22.4	.014 9288
	2	6279.5	129 39 34.54	−0.63	8 48 22.27	17 50 12.9	.014 8009
	3	6280.5	130 36 58.63	−0.60	8 52 14.40	17 34 46.0	.014 6701
	4	6281.5	131 34 23.77	−0.54	8 56 05.93	17 19 01.9	.014 5363
	5	6282.5	132 31 50.02	−0.46	8 59 56.87	+17 03 01.0	1.014 3994
	6	6283.5	133 29 17.44	−0.37	9 03 47.22	16 46 43.4	.014 2591
	7	6284.5	134 26 46.09	−0.25	9 07 37.00	16 30 09.6	.014 1154
	8	6285.5	135 24 16.02	−0.13	9 11 26.20	16 13 19.7	.013 9679
	9	6286.5	136 21 47.27	−0.01	9 15 14.83	15 56 14.1	.013 8167
	10	6287.5	137 19 19.86	+0.11	9 19 02.90	+15 38 53.1	1.013 6614
	11	6288.5	138 16 53.83	+0.22	9 22 50.41	15 21 16.9	.013 5018
	12	6289.5	139 14 29.18	+0.32	9 26 37.38	15 03 25.9	.013 3379
	13	6290.5	140 12 05.92	+0.40	9 30 23.80	14 45 20.4	.013 1693
	14	6291.5	141 09 44.05	+0.46	9 34 09.68	14 27 00.7	.012 9959
	15	6292.5	142 07 23.55	+0.49	9 37 55.02	+14 08 27.2	1.012 8175
	16	6293.5	143 05 04.38	+0.49	9 41 39.83	+13 49 40.1	1.012 6341

FOR 0ʰ DYNAMICAL TIME

Date		Position Angle of Axis P	Heliographic		H. P.	Semi-Diameter	Ephemeris Transit
			Latitude B_0	Longitude L_0			
		°	°	°	″	′ ″	h m s
July	1	− 2.64	+2.81	82.39	8.65	15 45.43	12 03 47.32
	2	2.19	2.92	69.15	8.65	15 45.42	12 03 58.65
	3	1.74	3.03	55.91	8.65	15 45.41	12 04 09.69
	4	1.28	3.13	42.68	8.65	15 45.41	12 04 20.43
	5	0.83	3.24	29.44	8.65	15 45.40	12 04 30.87
	6	− 0.38	+3.35	16.21	8.65	15 45.40	12 04 40.97
	7	+ 0.07	3.45	2.97	8.65	15 45.41	12 04 50.72
	8	0.52	3.55	349.74	8.65	15 45.41	12 05 00.11
	9	0.98	3.66	336.50	8.65	15 45.43	12 05 09.13
	10	1.43	3.76	323.27	8.65	15 45.44	12 05 17.74
	11	+ 1.87	+3.86	310.03	8.65	15 45.46	12 05 25.95
	12	2.32	3.96	296.80	8.65	15 45.49	12 05 33.72
	13	2.77	4.06	283.57	8.65	15 45.52	12 05 41.04
	14	3.21	4.15	270.33	8.65	15 45.55	12 05 47.91
	15	3.66	4.25	257.10	8.65	15 45.59	12 05 54.29
	16	+ 4.10	+4.34	243.87	8.65	15 45.64	12 06 00.17
	17	4.54	4.44	230.64	8.65	15 45.69	12 06 05.55
	18	4.98	4.53	217.40	8.65	15 45.74	12 06 10.39
	19	5.41	4.62	204.17	8.65	15 45.80	12 06 14.69
	20	5.85	4.71	190.94	8.65	15 45.87	12 06 18.44
	21	+ 6.28	+4.80	177.71	8.65	15 45.95	12 06 21.61
	22	6.71	4.89	164.48	8.66	15 46.02	12 06 24.20
	23	7.13	4.98	151.25	8.66	15 46.11	12 06 26.19
	24	7.56	5.06	138.02	8.66	15 46.20	12 06 27.58
	25	7.98	5.14	124.79	8.66	15 46.29	12 06 28.37
	26	+ 8.40	+5.23	111.56	8.66	15 46.39	12 06 28.54
	27	8.81	5.31	98.34	8.66	15 46.49	12 06 28.09
	28	9.22	5.39	85.11	8.66	15 46.59	12 06 27.02
	29	9.63	5.46	71.88	8.66	15 46.70	12 06 25.34
	30	10.03	5.54	58.65	8.66	15 46.81	12 06 23.04
	31	+10.44	+5.61	45.43	8.66	15 46.93	12 06 20.12
Aug.	1	10.83	5.69	32.20	8.66	15 47.04	12 06 16.60
	2	11.23	5.76	18.97	8.67	15 47.16	12 06 12.48
	3	11.62	5.83	5.75	8.67	15 47.28	12 06 07.75
	4	12.01	5.90	352.52	8.67	15 47.41	12 06 02.43
	5	+12.39	+5.96	339.30	8.67	15 47.54	12 05 56.53
	6	12.77	6.03	326.08	8.67	15 47.67	12 05 50.04
	7	13.15	6.09	312.85	8.67	15 47.80	12 05 42.97
	8	13.52	6.15	299.63	8.67	15 47.94	12 05 35.34
	9	13.89	6.21	286.41	8.67	15 48.08	12 05 27.13
	10	+14.25	+6.27	273.19	8.68	15 48.23	12 05 18.37
	11	14.61	6.33	259.97	8.68	15 48.38	12 05 09.04
	12	14.96	6.38	246.74	8.68	15 48.53	12 04 59.17
	13	15.31	6.44	233.53	8.68	15 48.69	12 04 48.76
	14	15.66	6.49	220.31	8.68	15 48.85	12 04 37.81
	15	+16.00	+6.54	207.09	8.68	15 49.02	12 04 26.32
	16	+16.34	+6.58	193.87	8.68	15 49.19	12 04 14.31

SUN, 1985

FOR 0ʰ DYNAMICAL TIME

Date		Julian Date	Ecliptic Long. for Mean Equinox of Date	Ecliptic Lat.	Apparent Right Ascension	Apparent Declination	True Geocentric Distance
		244	° ′ ″	″	h m s	° ′ ″	
Aug.	16	6293.5	143 05 04.38	+0.49	9 41 39.83	+13 49 40.1	1.012 6341
	17	6294.5	144 02 46.53	+0.46	9 45 24.11	13 30 39.8	.012 4456
	18	6295.5	145 00 29.93	+0.40	9 49 07.87	13 11 26.6	.012 2520
	19	6296.5	145 58 14.54	+0.32	9 52 51.12	12 52 01.0	.012 0534
	20	6297.5	146 56 00.32	+0.21	9 56 33.86	12 32 23.1	.011 8501
	21	6298.5	147 53 47.24	+0.08	10 00 16.11	+12 12 33.3	1.011 6423
	22	6299.5	148 51 35.28	−0.05	10 03 57.88	11 52 32.0	.011 4303
	23	6300.5	149 49 24.43	−0.18	10 07 39.17	11 32 19.5	.011 2145
	24	6301.5	150 47 14.72	−0.30	10 11 20.01	11 11 56.1	.010 9955
	25	6302.5	151 45 06.16	−0.41	10 15 00.41	10 51 22.3	.010 7734
	26	6303.5	152 42 58.81	−0.49	10 18 40.37	+10 30 38.2	1.010 5489
	27	6304.5	153 40 52.74	−0.55	10 22 19.92	10 09 44.3	.010 3220
	28	6305.5	154 38 48.00	−0.58	10 25 59.08	9 48 40.9	.010 0932
	29	6306.5	155 36 44.68	−0.58	10 29 37.86	9 27 28.2	.009 8627
	30	6307.5	156 34 42.86	−0.56	10 33 16.27	9 06 06.5	.009 6305
	31	6308.5	157 32 42.62	−0.50	10 36 54.35	+ 8 44 36.2	1.009 3969
Sept.	1	6309.5	158 30 44.03	−0.42	10 40 32.11	8 22 57.5	.009 1617
	2	6310.5	159 28 47.17	−0.32	10 44 09.57	8 01 10.7	.008 9251
	3	6311.5	160 26 52.10	−0.21	10 47 46.75	7 39 16.1	.008 6869
	4	6312.5	161 24 58.88	−0.09	10 51 23.68	7 17 14.1	.008 4471
	5	6313.5	162 23 07.56	+0.04	10 55 00.38	+ 6 55 04.8	1.008 2055
	6	6314.5	163 21 18.20	+0.16	10 58 36.85	6 32 48.7	.007 9621
	7	6315.5	164 19 30.82	+0.28	11 02 13.13	6 10 26.0	.007 7166
	8	6316.5	165 17 45.45	+0.38	11 05 49.23	5 47 57.0	.007 4690
	9	6317.5	166 16 02.12	+0.46	11 09 25.17	5 25 22.2	.007 2190
	10	6318.5	167 14 20.84	+0.53	11 13 00.97	+ 5 02 41.7	1.006 9665
	11	6319.5	168 12 41.62	+0.56	11 16 36.64	4 39 56.0	.006 7113
	12	6320.5	169 11 04.43	+0.57	11 20 12.20	4 17 05.3	.006 4532
	13	6321.5	170 09 29.26	+0.54	11 23 47.67	3 54 10.1	.006 1919
	14	6322.5	171 07 56.07	+0.48	11 27 23.05	3 31 10.7	.005 9275
	15	6323.5	172 06 24.80	+0.40	11 30 58.37	+ 3 08 07.3	1.005 6597
	16	6324.5	173 04 55.39	+0.29	11 34 33.65	2 45 00.5	.005 3887
	17	6325.5	174 03 27.78	+0.16	11 38 08.90	2 21 50.5	.005 1145
	18	6326.5	175 02 01.90	+0.03	11 41 44.13	1 58 37.7	.004 8374
	19	6327.5	176 00 37.71	−0.11	11 45 19.38	1 35 22.5	.004 5577
	20	6328.5	176 59 15.17	−0.24	11 48 54.65	+ 1 12 05.2	1.004 2758
	21	6329.5	177 57 54.26	−0.35	11 52 29.96	0 48 46.2	.003 9920
	22	6330.5	178 56 34.98	−0.45	11 56 05.33	0 25 25.9	.003 7068
	23	6331.5	179 55 17.37	−0.51	11 59 40.78	+ 0 02 04.5	.003 4207
	24	6332.5	180 54 01.43	−0.55	12 03 16.32	− 0 21 17.5	.003 1339
	25	6333.5	181 52 47.23	−0.55	12 06 51.99	− 0 44 39.9	1.002 8469
	26	6334.5	182 51 34.80	−0.53	12 10 27.81	1 08 02.2	.002 5599
	27	6335.5	183 50 24.21	−0.48	12 14 03.79	1 31 24.3	.002 2731
	28	6336.5	184 49 15.51	−0.40	12 17 39.97	1 54 45.7	.001 9869
	29	6337.5	185 48 08.77	−0.30	12 21 16.36	2 18 06.1	.001 7011
	30	6338.5	186 47 04.04	−0.19	12 24 53.00	− 2 41 25.3	1.001 4161
Oct.	1	6339.5	187 46 01.38	−0.06	12 28 29.90	− 3 04 42.8	1.001 1318

FOR 0ʰ DYNAMICAL TIME

Date	Position Angle of Axis P	Heliographic		H. P.	Semi-Diameter	Ephemeris Transit
		Latitude B_0	Longitude L_0			
	°	°	°	″	′ ″	h m s
Aug. 16	+16.34	+6.58	193.87	8.68	15 49.19	12 04 14.31
17	16.67	6.63	180.65	8.69	15 49.36	12 04 01.78
18	17.00	6.67	167.44	8.69	15 49.55	12 03 48.73
19	17.32	6.72	154.22	8.69	15 49.73	12 03 35.18
20	17.64	6.76	141.00	8.69	15 49.92	12 03 21.13
21	+17.95	+6.79	127.79	8.69	15 50.12	12 03 06.58
22	18.26	6.83	114.57	8.69	15 50.32	12 02 51.56
23	18.56	6.87	101.36	8.70	15 50.52	12 02 36.07
24	18.86	6.90	88.14	8.70	15 50.73	12 02 20.13
25	19.15	6.93	74.93	8.70	15 50.94	12 02 03.75
26	+19.44	+6.96	61.72	8.70	15 51.15	12 01 46.95
27	19.72	6.98	48.50	8.70	15 51.36	12 01 29.74
28	20.00	7.01	35.29	8.71	15 51.58	12 01 12.15
29	20.27	7.03	22.08	8.71	15 51.79	12 00 54.19
30	20.53	7.05	8.87	8.71	15 52.01	12 00 35.89
31	+20.79	+7.07	355.66	8.71	15 52.23	12 00 17.26
Sept. 1	21.05	7.09	342.45	8.71	15 52.45	11 59 58.32
2	21.30	7.10	329.24	8.72	15 52.68	11 59 39.10
3	21.54	7.11	316.03	8.72	15 52.90	11 59 19.61
4	21.78	7.12	302.82	8.72	15 53.13	11 58 59.87
5	+22.01	+7.13	289.61	8.72	15 53.36	11 58 39.91
6	22.24	7.14	276.41	8.72	15 53.59	11 58 19.74
7	22.46	7.14	263.20	8.73	15 53.82	11 57 59.38
8	22.68	7.15	249.99	8.73	15 54.05	11 57 38.84
9	22.89	7.15	236.79	8.73	15 54.29	11 57 18.15
10	+23.09	+7.14	223.58	8.73	15 54.53	11 56 57.33
11	23.29	7.14	210.38	8.74	15 54.77	11 56 36.39
12	23.48	7.13	197.18	8.74	15 55.02	11 56 15.35
13	23.67	7.13	183.97	8.74	15 55.27	11 55 54.22
14	23.85	7.12	170.77	8.74	15 55.52	11 55 33.03
15	+24.02	+7.10	157.57	8.74	15 55.77	11 55 11.79
16	24.19	7.09	144.37	8.75	15 56.03	11 54 50.50
17	24.35	7.07	131.16	8.75	15 56.29	11 54 29.20
18	24.50	7.05	117.96	8.75	15 56.55	11 54 07.90
19	24.65	7.03	104.76	8.75	15 56.82	11 53 46.60
20	+24.79	+7.01	91.56	8.76	15 57.09	11 53 25.33
21	24.93	6.99	78.36	8.76	15 57.36	11 53 04.12
22	25.06	6.96	65.16	8.76	15 57.63	11 52 42.97
23	25.18	6.93	51.96	8.76	15 57.90	11 52 21.91
24	25.30	6.90	38.76	8.77	15 58.18	11 52 00.96
25	+25.41	+6.87	25.57	8.77	15 58.45	11 51 40.15
26	25.51	6.83	12.37	8.77	15 58.73	11 51 19.50
27	25.61	6.80	359.17	8.77	15 59.00	11 50 59.03
28	25.70	6.76	345.97	8.78	15 59.27	11 50 38.77
29	25.78	6.72	332.78	8.78	15 59.55	11 50 18.73
30	+25.86	+6.67	319.58	8.78	15 59.82	11 49 58.96
Oct. 1	+25.92	+6.63	306.38	8.78	16 00.09	11 49 39.45

SUN, 1985

FOR 0ʰ DYNAMICAL TIME

Date		Julian Date	Ecliptic Long. for Mean Equinox of Date	Ecliptic Lat.	Apparent Right Ascension	Apparent Declination	True Geocentric Distance
		244	° ′ ″	″	h m s	° ′ ″	
Oct.	1	6339.5	187 46 01.38	−0.06	12 28 29.90	− 3 04 42.8	1.001 1318
	2	6340.5	188 45 00.83	+0.06	12 32 07.09	3 27 58.5	.000 8482
	3	6341.5	189 44 02.46	+0.19	12 35 44.60	3 51 11.9	.000 5654
	4	6342.5	190 43 06.29	+0.31	12 39 22.44	4 14 22.8	.000 2831
	5	6343.5	191 42 12.38	+0.42	12 43 00.64	4 37 30.7	1.000 0014
	6	6344.5	192 41 20.74	+0.51	12 46 39.22	− 5 00 35.4	0.999 7202
	7	6345.5	193 40 31.40	+0.58	12 50 18.20	5 23 36.4	.999 4393
	8	6346.5	194 39 44.37	+0.63	12 53 57.59	5 46 33.5	.999 1585
	9	6347.5	195 38 59.67	+0.64	12 57 37.43	6 09 26.2	.998 8777
	10	6348.5	196 38 17.29	+0.62	13 01 17.71	6 32 14.2	.998 5966
	11	6349.5	197 37 37.20	+0.57	13 04 58.48	− 6 54 57.1	0.998 3151
	12	6350.5	198 36 59.37	+0.49	13 08 39.73	7 17 34.5	.998 0330
	13	6351.5	199 36 23.74	+0.39	13 12 21.49	7 40 06.0	.997 7500
	14	6352.5	200 35 50.25	+0.26	13 16 03.77	8 02 31.2	.997 4661
	15	6353.5	201 35 18.81	+0.12	13 19 46.59	8 24 49.8	.997 1813
	16	6354.5	202 34 49.33	−0.03	13 23 29.96	− 8 47 01.2	0.996 8956
	17	6355.5	203 34 21.74	−0.17	13 27 13.91	9 09 05.1	.996 6093
	18	6356.5	204 33 55.95	−0.29	13 30 58.43	9 31 01.0	.996 3228
	19	6357.5	205 33 31.92	−0.39	13 34 43.55	9 52 48.6	.996 0363
	20	6358.5	206 33 09.61	−0.47	13 38 29.26	10 14 27.5	.995 7504
	21	6359.5	207 32 49.00	−0.52	13 42 15.60	−10 35 57.2	0.995 4654
	22	6360.5	208 32 30.09	−0.53	13 46 02.57	10 57 17.3	.995 1817
	23	6361.5	209 32 12.88	−0.52	13 49 50.19	11 18 27.5	.994 8997
	24	6362.5	210 31 57.41	−0.47	13 53 38.48	11 39 27.3	.994 6198
	25	6363.5	211 31 43.69	−0.40	13 57 27.45	12 00 16.4	.994 3421
	26	6364.5	212 31 31.75	−0.30	14 01 17.12	−12 20 54.5	0.994 0671
	27	6365.5	213 31 21.64	−0.19	14 05 07.51	12 41 21.0	.993 7948
	28	6366.5	214 31 13.38	−0.07	14 08 58.64	13 01 35.8	.993 5255
	29	6367.5	215 31 07.01	+0.06	14 12 50.52	13 21 38.3	.993 2593
	30	6368.5	216 31 02.57	+0.19	14 16 43.17	13 41 28.3	.992 9962
	31	6369.5	217 31 00.10	+0.32	14 20 36.60	−14 01 05.3	0.992 7364
Nov.	1	6370.5	218 30 59.63	+0.43	14 24 30.82	14 20 29.0	.992 4798
	2	6371.5	219 31 01.18	+0.53	14 28 25.85	14 39 38.9	.992 2264
	3	6372.5	220 31 04.79	+0.61	14 32 21.69	14 58 34.7	.991 9761
	4	6373.5	221 31 10.48	+0.66	14 36 18.37	15 17 16.0	.991 7288
	5	6374.5	222 31 18.25	+0.68	14 40 15.87	−15 35 42.4	0.991 4844
	6	6375.5	223 31 28.11	+0.67	14 44 14.22	15 53 53.5	.991 2428
	7	6376.5	224 31 40.07	+0.63	14 48 13.42	16 11 48.8	.991 0037
	8	6377.5	225 31 54.10	+0.56	14 52 13.48	16 29 27.9	.990 7669
	9	6378.5	226 32 10.17	+0.47	14 56 14.39	16 46 50.5	.990 5322
	10	6379.5	227 32 28.24	+0.34	15 00 16.16	−17 03 56.1	0.990 2993
	11	6380.5	228 32 48.23	+0.21	15 04 18.80	17 20 44.3	.990 0680
	12	6381.5	229 33 10.06	+0.06	15 08 22.30	17 37 14.7	.989 8382
	13	6382.5	230 33 33.62	−0.09	15 12 26.66	17 53 26.8	.989 6097
	14	6383.5	231 33 58.81	−0.22	15 16 31.87	18 09 20.3	.989 3828
	15	6384.5	232 34 25.53	−0.34	15 20 37.93	−18 24 54.7	0.989 1575
	16	6385.5	233 34 53.68	−0.43	15 24 44.82	−18 40 09.5	0.988 9341

FOR 0ʰ DYNAMICAL TIME

Date		Position Angle of Axis P	Heliographic		H. P.	Semi-Diameter	Ephemeris Transit
			Latitude B_0	Longitude L_0			
		°	°	°	″	′ ″	h m s
Oct.	1	+25.92	+6.63	306.38	8.78	16 00.09	11 49 39.45
	2	25.99	6.58	293.19	8.79	16 00.37	11 49 20.25
	3	26.04	6.53	279.99	8.79	16 00.64	11 49 01.37
	4	26.09	6.48	266.80	8.79	16 00.91	11 48 42.84
	5	26.13	6.43	253.60	8.79	16 01.18	11 48 24.67
	6	+26.16	+6.38	240.41	8.80	16 01.45	11 48 06.89
	7	26.19	6.32	227.21	8.80	16 01.72	11 47 49.51
	8	26.21	6.26	214.02	8.80	16 01.99	11 47 32.56
	9	26.22	6.20	200.83	8.80	16 02.26	11 47 16.06
	10	26.23	6.14	187.64	8.81	16 02.53	11 47 00.03
	11	+26.23	+6.07	174.44	8.81	16 02.80	11 46 44.48
	12	26.22	6.01	161.25	8.81	16 03.07	11 46 29.43
	13	26.20	5.94	148.06	8.81	16 03.35	11 46 14.90
	14	26.17	5.87	134.87	8.82	16 03.62	11 46 00.90
	15	26.14	5.80	121.68	8.82	16 03.90	11 45 47.45
	16	+26.10	+5.73	108.49	8.82	16 04.17	11 45 34.55
	17	26.06	5.65	95.30	8.82	16 04.45	11 45 22.22
	18	26.00	5.57	82.11	8.83	16 04.73	11 45 10.47
	19	25.94	5.50	68.92	8.83	16 05.00	11 44 59.31
	20	25.87	5.42	55.73	8.83	16 05.28	11 44 48.77
	21	+25.79	+5.33	42.54	8.83	16 05.56	11 44 38.86
	22	25.71	5.25	29.35	8.84	16 05.83	11 44 29.59
	23	25.62	5.17	16.16	8.84	16 06.11	11 44 20.98
	24	25.51	5.08	2.97	8.84	16 06.38	11 44 13.05
	25	25.41	4.99	349.79	8.84	16 06.65	11 44 05.81
	26	+25.29	+4.90	336.60	8.85	16 06.92	11 43 59.29
	27	25.17	4.81	323.41	8.85	16 07.18	11 43 53.49
	28	25.04	4.72	310.22	8.85	16 07.44	11 43 48.43
	29	24.90	4.62	297.04	8.85	16 07.70	11 43 44.13
	30	24.75	4.53	283.85	8.86	16 07.96	11 43 40.61
	31	+24.59	+4.43	270.66	8.86	16 08.21	11 43 37.87
Nov.	1	24.43	4.33	257.48	8.86	16 08.46	11 43 35.92
	2	24.26	4.23	244.29	8.86	16 08.71	11 43 34.79
	3	24.08	4.13	231.10	8.87	16 08.95	11 43 34.48
	4	23.89	4.03	217.92	8.87	16 09.20	11 43 35.00
	5	+23.70	+3.92	204.73	8.87	16 09.44	11 43 36.35
	6	23.50	3.82	191.55	8.87	16 09.67	11 43 38.56
	7	23.29	3.71	178.36	8.87	16 09.91	11 43 41.62
	8	23.07	3.61	165.18	8.88	16 10.14	11 43 45.54
	9	22.85	3.50	151.99	8.88	16 10.37	11 43 50.33
	10	+22.61	+3.39	138.81	8.88	16 10.60	11 43 55.97
	11	22.37	3.28	125.63	8.88	16 10.82	11 44 02.48
	12	22.12	3.17	112.44	8.88	16 11.05	11 44 09.85
	13	21.87	3.05	99.26	8.89	16 11.27	11 44 18.07
	14	21.60	2.94	86.08	8.89	16 11.49	11 44 27.13
	15	+21.33	+2.82	72.90	8.89	16 11.72	11 44 37.03
	16	+21.05	+2.71	59.71	8.89	16 11.94	11 44 47.76

SUN, 1985

FOR 0ʰ DYNAMICAL TIME

Date	Julian Date	Ecliptic Long. for Mean Equinox of Date	Ecliptic Lat.	Apparent Right Ascension	Apparent Declination	True Geocentric Distance
	244	° ′ ″	″	h m s	° ′ ″	
Nov. 16	6385.5	233 34 53.68	−0.43	15 24 44.82	−18 40 09.5	0.988 9341
17	6386.5	234 35 23.18	−0.49	15 28 52.53	18 55 04.5	.988 7130
18	6387.5	235 35 53.98	−0.52	15 33 01.06	19 09 39.2	.988 4946
19	6388.5	236 36 26.04	−0.51	15 37 10.39	19 23 53.1	.988 2792
20	6389.5	237 36 59.34	−0.47	15 41 20.53	19 37 46.0	.988 0672
21	6390.5	238 37 33.85	−0.41	15 45 31.46	−19 51 17.5	0.987 8590
22	6391.5	239 38 09.57	−0.32	15 49 43.18	20 04 27.2	.987 6548
23	6392.5	240 38 46.50	−0.22	15 53 55.67	20 17 14.7	.987 4550
24	6393.5	241 39 24.65	−0.10	15 58 08.94	20 29 39.8	.987 2598
25	6394.5	242 40 04.03	+0.03	16 02 22.97	20 41 42.1	.987 0693
26	6395.5	243 40 44.66	+0.16	16 06 37.76	−20 53 21.3	0.986 8838
27	6396.5	244 41 26.55	+0.29	16 10 53.28	21 04 37.1	.986 7034
28	6397.5	245 42 09.72	+0.40	16 15 09.53	21 15 29.2	.986 5283
29	6398.5	246 42 54.19	+0.50	16 19 26.50	21 25 57.3	.986 3584
30	6399.5	247 43 39.99	+0.58	16 23 44.16	21 36 01.1	.986 1939
Dec. 1	6400.5	248 44 27.13	+0.64	16 28 02.50	−21 45 40.2	0.986 0346
2	6401.5	249 45 15.62	+0.67	16 32 21.51	21 54 54.5	.985 8805
3	6402.5	250 46 05.49	+0.67	16 36 41.16	22 03 43.7	.985 7316
4	6403.5	251 46 56.73	+0.64	16 41 01.42	22 12 07.4	.985 5876
5	6404.5	252 47 49.35	+0.58	16 45 22.29	22 20 05.4	.985 4483
6	6405.5	253 48 43.33	+0.49	16 49 43.74	−22 27 37.4	0.985 3136
7	6406.5	254 49 38.66	+0.38	16 54 05.75	22 34 43.2	.985 1832
8	6407.5	255 50 35.28	+0.25	16 58 28.28	22 41 22.6	.985 0567
9	6408.5	256 51 33.14	+0.11	17 02 51.32	22 47 35.2	.984 9340
10	6409.5	257 52 32.17	−0.04	17 07 14.83	22 53 21.0	.984 8146
11	6410.5	258 53 32.25	−0.18	17 11 38.78	−22 58 39.7	0.984 6985
12	6411.5	259 54 33.29	−0.30	17 16 03.13	23 03 31.1	.984 5855
13	6412.5	260 55 35.17	−0.40	17 20 27.86	23 07 55.0	.984 4756
14	6413.5	261 56 37.76	−0.47	17 24 52.90	23 11 51.4	.984 3689
15	6414.5	262 57 40.96	−0.51	17 29 18.24	23 15 20.0	.984 2656
16	6415.5	263 58 44.68	−0.51	17 33 43.82	−23 18 20.8	0.984 1659
17	6416.5	264 59 48.84	−0.48	17 38 09.61	23 20 53.5	.984 0703
18	6417.5	266 00 53.38	−0.43	17 42 35.58	23 22 58.2	.983 9790
19	6418.5	267 01 58.26	−0.35	17 47 01.70	23 24 34.7	.983 8923
20	6419.5	268 03 03.45	−0.25	17 51 27.93	23 25 43.0	.983 8105
21	6420.5	269 04 08.90	−0.13	17 55 54.25	−23 26 23.0	0.983 7338
22	6421.5	270 05 14.62	−0.01	18 00 20.61	23 26 34.8	.983 6626
23	6422.5	271 06 20.58	+0.12	18 04 46.99	23 26 18.3	.983 5971
24	6423.5	272 07 26.78	+0.24	18 09 13.36	23 25 33.6	.983 5373
25	6424.5	273 08 33.22	+0.35	18 13 39.68	23 24 20.7	.983 4836
26	6425.5	274 09 39.90	+0.45	18 18 05.92	−23 22 39.5	0.983 4361
27	6426.5	275 10 46.83	+0.54	18 22 32.05	23 20 30.3	.983 3948
28	6427.5	276 11 54.03	+0.60	18 26 58.05	23 17 53.0	.983 3598
29	6428.5	277 13 01.51	+0.63	18 31 23.87	23 14 47.7	.983 3312
30	6429.5	278 14 09.29	+0.63	18 35 49.50	23 11 14.5	.983 3089
31	6430.5	279 15 17.39	+0.61	18 40 14.89	−23 07 13.5	0.983 2929
32	6431.5	280 16 25.81	+0.55	18 44 40.02	−23 02 44.8	0.983 2829

FOR 0ʰ DYNAMICAL TIME

Date		Position Angle of Axis P	Heliographic		H. P.	Semi-Diameter	Ephemeris Transit
			Latitude B_0	Longitude L_0			
		°	°	°	"	′ "	h m s
Nov.	16	+21.05	+2.71	59.71	8.89	16 11.94	11 44 47.76
	17	20.77	2.59	46.53	8.89	16 12.15	11 44 59.31
	18	20.47	2.47	33.35	8.90	16 12.37	11 45 11.67
	19	20.17	2.36	20.17	8.90	16 12.58	11 45 24.85
	20	19.86	2.24	6.99	8.90	16 12.79	11 45 38.82
	21	+19.55	+2.12	353.81	8.90	16 12.99	11 45 53.59
	22	19.23	2.00	340.63	8.90	16 13.19	11 46 09.14
	23	18.90	1.88	327.45	8.91	16 13.39	11 46 25.47
	24	18.56	1.75	314.26	8.91	16 13.58	11 46 42.57
	25	18.22	1.63	301.08	8.91	16 13.77	11 47 00.42
	26	+17.87	+1.51	287.90	8.91	16 13.95	11 47 19.02
	27	17.51	1.39	274.72	8.91	16 14.13	11 47 38.35
	28	17.15	1.26	261.54	8.91	16 14.31	11 47 58.40
	29	16.78	1.14	248.36	8.92	16 14.47	11 48 19.15
	30	16.41	1.01	235.19	8.92	16 14.64	11 48 40.59
Dec.	1	+16.03	+0.89	222.01	8.92	16 14.79	11 49 02.70
	2	15.64	0.76	208.83	8.92	16 14.95	11 49 25.47
	3	15.25	0.64	195.65	8.92	16 15.09	11 49 48.87
	4	14.85	0.51	182.47	8.92	16 15.24	11 50 12.89
	5	14.45	0.39	169.29	8.92	16 15.37	11 50 37.50
	6	+14.04	+0.26	156.12	8.93	16 15.51	11 51 02.68
	7	13.62	0.13	142.94	8.93	16 15.64	11 51 28.40
	8	13.20	+0.01	129.76	8.93	16 15.76	11 51 54.64
	9	12.78	−0.12	116.59	8.93	16 15.88	11 52 21.37
	10	12.35	0.24	103.41	8.93	16 16.00	11 52 48.55
	11	+11.91	−0.37	90.24	8.93	16 16.12	11 53 16.16
	12	11.47	0.50	77.06	8.93	16 16.23	11 53 44.14
	13	11.03	0.62	63.88	8.93	16 16.34	11 54 12.47
	14	10.59	0.75	50.71	8.93	16 16.44	11 54 41.10
	15	10.14	0.88	37.54	8.93	16 16.55	11 55 10.01
	16	+ 9.68	−1.00	24.36	8.94	16 16.64	11 55 39.15
	17	9.22	1.13	11.19	8.94	16 16.74	11 56 08.49
	18	8.76	1.25	358.01	8.94	16 16.83	11 56 37.99
	19	8.30	1.38	344.84	8.94	16 16.92	11 57 07.63
	20	7.83	1.50	331.67	8.94	16 17.00	11 57 37.36
	21	+ 7.37	−1.62	318.49	8.94	16 17.07	11 58 07.16
	22	6.89	1.75	305.32	8.94	16 17.14	11 58 36.99
	23	6.42	1.87	292.15	8.94	16 17.21	11 59 06.83
	24	5.94	1.99	278.97	8.94	16 17.27	11 59 36.62
	25	5.47	2.11	265.80	8.94	16 17.32	12 00 06.36
	26	+ 4.99	−2.23	252.63	8.94	16 17.37	12 00 36.00
	27	4.51	2.35	239.46	8.94	16 17.41	12 01 05.51
	28	4.03	2.47	226.28	8.94	16 17.44	12 01 34.87
	29	3.54	2.59	213.11	8.94	16 17.47	12 02 04.05
	30	3.06	2.71	199.94	8.94	16 17.50	12 02 33.01
	31	+ 2.58	−2.83	186.77	8.94	16 17.51	12 03 01.72
	32	+ 2.09	−2.94	173.60	8.94	16 17.52	12 03 30.17

SUN, 1985

GEOCENTRIC RECTANGULAR COORDINATES
MEAN EQUATOR AND EQUINOX OF J2000·0

Date 0ʰ TDT		x	y	z	Date 0ʰ TDT		x	y	z
Jan.	0	+0·165 9345	−0·889 1745	−0·385 5429	Feb.	15	+0·823 3621	−0·500 6217	−0·217 0662
	1	·183 1440	·886 3086	·384 2996		16	·833 0273	·487 3283	·211 3027
	2	·200 2953	·883 1676	·382 9370		17	·842 4365	·473 8840	·205 4737
	3	·217 3830	·879 7525	·381 4555		18	·851 5866	·460 2930	·199 5810
	4	·234 4021	·876 0647	·379 8558		19	·860 4748	·446 5599	·193 6265
	5	+0·251 3477	−0·872 1056	−0·378 1384		20	+0·869 0982	−0·432 6893	−0·187 6122
	6	·268 2147	·867 8763	·376 3040		21	·877 4543	·418 6856	·181 5400
	7	·284 9982	·863 3784	·374 3532		22	·885 5405	·404 5536	·175 4121
	8	·301 6935	·858 6132	·372 2866		23	·893 3545	·390 2980	·169 2305
	9	·318 2958	·853 5820	·370 1048		24	·900 8942	·375 9234	·162 9972
	10	+0·334 8002	−0·848 2862	−0·367 8085		25	+0·908 1576	−0·361 4346	−0·156 7143
	11	·351 2018	·842 7273	·365 3982		26	·915 1426	·346 8363	·150 3839
	12	·367 4959	·836 9066	·362 8746		27	·921 8477	·332 1333	·144 0081
	13	·383 6774	·830 8256	·360 2383		28	·928 2711	·317 3303	·137 5890
	14	·399 7414	·824 4859	·357 4900	Mar.	1	·934 4115	·302 4320	·131 1285
	15	+0·415 6826	−0·817 8890	−0·354 6302		2	+0·940 2674	−0·287 4431	−0·124 6289
	16	·431 4959	·811 0368	·351 6598		3	·945 8376	·272 3684	·118 0922
	17	·447 1762	·803 9312	·348 5795		4	·951 1211	·257 2123	·111 5203
	18	·462 7182	·796 5743	·345 3902		5	·956 1168	·241 9794	·104 9153
	19	·478 1167	·788 9683	·342 0928		6	·960 8238	·226 6742	·098 2791
	20	+0·493 3666	−0·781 1158	−0·338 6885		7	+0·965 2412	−0·211 3011	−0·091 6136
	21	·508 4628	·773 0192	·335 1782		8	·969 3681	·195 8644	·084 9208
	22	·523 4003	·764 6814	·331 5632		9	·973 2036	·180 3683	·078 2023
	23	·538 1743	·756 1053	·327 8447		10	·976 7466	·164 8173	·071 4601
	24	·552 7800	·747 2937	·324 0239		11	·979 9962	·149 2155	·064 6960
	25	+0·567 2128	−0·738 2499	−0·320 1023		12	+0·982 9513	−0·133 5676	−0·057 9118
	26	·581 4682	·728 9769	·316 0812		13	·985 6108	·117 8780	·051 1096
	27	·595 5418	·719 4780	·311 9621		14	·987 9738	·102 1513	·044 2912
	28	·609 4295	·709 7566	·307 7463		15	·990 0394	·086 3924	·037 4588
	29	·623 1270	·699 8158	·303 4354		16	·991 8069	·070 6060	·030 6143
	30	+0·636 6303	−0·689 6592	−0·299 0309		17	+0·993 2756	−0·054 7971	−0·023 7599
	31	·649 9356	·679 2901	·294 5342		18	·994 4451	·038 9707	·016 8978
Feb.	1	·663 0390	·668 7121	·289 9470		19	·995 3150	·023 1317	·010 0301
	2	·675 9369	·657 9287	·285 2707		20	·995 8852	−0·007 2851	−0·003 1589
	3	·688 6257	·646 9432	·280 5069		21	·996 1556	+0·008 5640	+0·003 7135
	4	+0·701 1019	−0·635 7593	−0·275 6572		22	+0·996 1264	+0·024 4107	+0·010 5849
	5	·713 3623	·624 3804	·270 7231		23	·995 7978	·040 2498	·017 4532
	6	·725 4035	·612 8100	·265 7061		24	·995 1702	·056 0764	·024 3161
	7	·737 2223	·601 0513	·260 6077		25	·994 2443	·071 8856	·031 1715
	8	·748 8153	·589 1078	·255 4293		26	·993 0207	·087 6724	·038 0172
	9	+0·760 1793	−0·576 9830	−0·250 1724		27	+0·991 5002	+0·103 4320	+0·044 8511
	10	·771 3108	·564 6801	·244 8384		28	·989 6839	·119 1595	·051 6711
	11	·782 2065	·552 2026	·239 4289		29	·987 5727	·134 8502	·058 4750
	12	·792 8629	·539 5543	·233 9453		30	·985 1680	·150 4994	·065 2608
	13	·803 2766	·526 7388	·228 3892		31	·982 4710	·166 1025	·072 0265
	14	+0·813 4441	−0·513 7599	−0·222 7623	Apr.	1	+0·979 4832	+0·181 6550	+0·078 7700
	15	+0·823 3621	−0·500 6217	−0·217 0662		2	+0·976 2060	+0·197 1524	+0·085 4896

GEOCENTRIC RECTANGULAR COORDINATES
MEAN EQUATOR AND EQUINOX OF J2000·0

Date 0ʰ TDT	x	y	z	Date 0ʰ TDT	x	y	z
Apr. 1	+0·979 4832	+0·181 6550	+0·078 7700	**May** 17	+0·561 8618	+0·771 5434	+0·334 5351
2	·976 2060	·197 1524	·085 4896	18	·547 7536	·780 2650	·338 3173
3	·972 6410	·212 5906	·092 1833	19	·533 4877	·788 7628	·342 0025
4	·968 7898	·227 9653	·098 8492	20	·519 0683	·797 0342	·345 5896
5	·964 6539	·243 2724	·105 4857	21	·504 5000	·805 0769	·349 0774
6	+0·960 2348	+0·258 5079	+0·112 0911	22	+0·489 7873	+0·812 8885	+0·352 4650
7	·955 5338	·273 6678	·118 6636	23	·474 9347	·820 4669	·355 7514
8	·950 5525	·288 7480	·125 2015	24	·459 9470	·827 8101	·358 9356
9	·945 2920	·303 7446	·131 7031	25	·444 8288	·834 9161	·362 0169
10	·939 7538	·318 6532	·138 1667	26	·429 5847	·841 7833	·364 9945
11	+0·933 9394	+0·333 4696	+0·144 5903	27	+0·414 2196	+0·848 4098	+0·367 8676
12	·927 8501	·348 1894	·150 9723	28	·398 7382	·854 7943	·370 6355
13	·921 4878	·362 8084	·157 3106	29	·383 1450	·860 9354	·373 2978
14	·914 8541	·377 3221	·163 6034	30	·367 4447	·866 8318	·375 8538
15	·907 9511	·391 7260	·169 8489	31	·351 6418	·872 4824	·378 3031
16	+0·900 7807	+0·406 0159	+0·176 0450	**June** 1	+0·335 7408	+0·877 8860	+0·380 6453
17	·893 3453	·420 1874	·182 1899	2	·319 7459	·883 0416	·382 8799
18	·885 6470	·434 2361	·188 2817	3	·303 6613	·887 9481	·385 0065
19	·877 6885	·448 1578	·194 3185	4	·287 4913	·892 6044	·387 0248
20	·869 4723	·461 9483	·200 2985	5	·271 2399	·897 0094	·388 9341
21	+0·861 0011	+0·475 6033	+0·206 2199	6	+0·254 9115	+0·901 1619	+0·390 7341
22	·852 2778	·489 1188	·212 0807	7	·238 5101	·905 0605	·392 4242
23	·843 3053	·502 4907	·217 8793	8	·222 0402	·908 7041	·394 0038
24	·834 0867	·515 7153	·223 6140	9	·205 5063	·912 0914	·395 4726
25	·824 6252	·528 7885	·229 2829	10	·188 9128	·915 2214	·396 8299
26	+0·814 9239	+0·541 7067	+0·234 8846	11	+0·172 2644	+0·918 0929	+0·398 0752
27	·804 9863	·554 4662	·240 4173	12	·155 5658	·920 7049	·399 2082
28	·794 8158	·567 0635	·245 8796	13	·138 8218	·923 0566	·400 2283
29	·784 4158	·579 4953	·251 2699	14	·122 0372	·925 1469	·401 1353
30	·773 7898	·591 7583	·256 5868	15	·105 2169	·926 9753	·401 9286
May 1	+0·762 9414	+0·603 8492	+0·261 8290	16	+0·088 3658	+0·928 5411	+0·402 6082
2	·751 8741	·615 7652	·266 9952	17	·071 4889	·929 8436	·403 1735
3	·740 5912	·627 5033	·272 0841	18	·054 5913	·930 8825	·403 6245
4	·729 0963	·639 0607	·277 0945	19	·037 6781	·931 6575	·403 9610
5	·717 3926	·650 4346	·282 0253	20	·020 7543	·932 1683	·404 1828
6	+0·705 4832	+0·661 6222	+0·286 8754	21	+0·003 8252	+0·932 4149	+0·404 2900
7	·693 3714	·672 6206	·291 6434	22	−0·013 1043	·932 3975	·404 2825
8	·681 0603	·683 4269	·296 3283	23	·030 0289	·932 1162	·404 1604
9	·668 5532	·694 0381	·300 9286	24	·046 9437	·931 5715	·403 9239
10	·655 8533	·704 4512	·305 4432	25	·063 8436	·930 7637	·403 5733
11	+0·642 9642	+0·714 6631	+0·309 8708	26	−0·080 7239	+0·929 6936	+0·403 1088
12	·629 8893	·724 6708	·314 2099	27	·097 5797	·928 3619	·402 5306
13	·616 6324	·734 4713	·318 4594	28	·114 4063	·926 7693	·401 8394
14	·603 1973	·744 0617	·322 6179	29	·131 1992	·924 9166	·401 0353
15	·589 5878	·753 4390	·326 6842	30	·147 9540	·922 8048	·400 1188
16	+0·575 8079	+0·762 6005	+0·330 6570	**July** 1	−0·164 6664	+0·920 4346	+0·399 0904
17	+0·561 8618	+0·771 5434	+0·334 5351	2	−0·181 3321	+0·917 8067	+0·397 9503

SUN, 1985

GEOCENTRIC RECTANGULAR COORDINATES
MEAN EQUATOR AND EQUINOX OF J2000·0

Date 0ʰ TDT		x	y	z	Date 0ʰ TDT		x	y	z
July	1	−0·164 6664	+0·920 4346	+0·399 0904	Aug.	16	−0·811 7511	+0·555 4197	+0·240 8255
	2	·181 3321	·917 8067	·397 9503		17	·821 6442	·542 7409	·235 3279
	3	·197 9469	·914 9220	·396 6991		18	·831 3015	·529 9066	·229 7627
	4	·214 5064	·911 7811	·395 3369		19	·840 7199	·516 9208	·224 1317
	5	·231 0064	·908 3848	·393 8640		20	·849 8966	·503 7876	·218 4366
	6	−0·247 4425	+0·904 7337	+0·392 2809		21	−0·858 8287	+0·490 5108	+0·212 6792
	7	·263 8104	·900 8286	·390 5878		22	·867 5138	·477 0947	·206 8614
	8	·280 1054	·896 6703	·388 7851		23	·875 9495	·463 5433	·200 9849
	9	·296 3232	·892 2596	·386 8730		24	·884 1336	·449 8606	·195 0515
	10	·312 4589	·887 5975	·384 8520		25	·892 0639	·436 0506	·189 0630
	11	−0·328 5082	+0·882 6849	+0·382 7225		26	−0·899 7385	+0·422 1172	+0·183 0211
	12	·344 4662	·877 5232	·380 4850		27	·907 1554	·408 0642	·176 9275
	13	·360 3283	·872 1133	·378 1400		28	·914 3126	·393 8955	·170 7839
	14	·376 0898	·866 4567	·375 6879		29	·921 2083	·379 6149	·164 5919
	15	·391 7461	·860 5548	·373 1294		30	·927 8405	·365 2262	·158 3532
	16	−0·407 2923	+0·854 4091	+0·370 4652		31	−0·934 2073	+0·350 7331	+0·152 0693
	17	·422 7237	·848 0212	·367 6958	Sept.	1	·940 3069	·336 1393	·145 7420
	18	·438 0357	·841 3929	·364 8221		2	·946 1372	·321 4489	·139 3729
	19	·453 2235	·834 5261	·361 8448		3	·951 6965	·306 6656	·132 9635
	20	·468 2824	·827 4230	·358 7649		4	·956 9827	·291 7933	·126 5157
	21	−0·483 2080	+0·820 0856	+0·355 5832		5	−0·961 9941	+0·276 8361	+0·120 0310
	22	·497 9957	·812 5164	·352 3009		6	·966 7288	·261 7980	·113 5112
	23	·512 6412	·804 7177	·348 9189		7	·971 1849	·246 6831	·106 9582
	24	·527 1403	·796 6921	·345 4384		8	·975 3608	·231 4957	·100 3735
	25	·541 4889	·788 4421	·341 8606		9	·979 2547	·216 2399	·093 7592
	26	−0·555 6831	+0·779 9704	+0·338 1865		10	−0·982 8649	+0·200 9201	+0·087 1170
	27	·569 7191	·771 2795	·334 4175		11	·986 1898	·185 5407	·080 4488
	28	·583 5933	·762 3722	·330 5547		12	·989 2279	·170 1063	·073 7566
	29	·597 3020	·753 2509	·326 5991		13	·991 9777	·154 6214	·067 0423
	30	·610 8419	·743 9182	·322 5521		14	·994 4379	·139 0907	·060 3080
	31	−0·624 2094	+0·734 3766	+0·318 4146		15	−0·996 6074	+0·123 5192	+0·053 5559
Aug.	1	·637 4010	·724 6285	·314 1877		16	0·998 4851	·107 9116	·046 7879
	2	·650 4133	·714 6765	·309 8725		17	1·000 0702	·092 2729	·040 0065
	3	·663 2427	·704 5229	·305 4701		18	·001 3622	·076 6080	·033 2136
	4	·675 8857	·694 1704	·300 9816		19	·002 3608	·060 9219	·026 4115
	5	−0·688 3388	+0·683 6213	+0·296 4080		20	−1·003 0657	+0·045 2193	+0·019 6023
	6	·700 5982	·672 8784	·291 7505		21	·003 4769	·029 5050	·012 7881
	7	·712 6604	·661 9443	·287 0101		22	·003 5944	+0·013 7837	+0·005 9710
	8	·724 5218	·650 8219	·282 1881		23	·003 4184	−0·001 9402	−0·000 8471
	9	·736 1787	·639 5138	·277 2856		24	·002 9491	·017 6621	·007 6642
	10	−0·747 6275	+0·628 0231	+0·272 3039		25	−1·002 1867	−0·033 3776	−0·014 4783
	11	·758 8647	·616 3528	·267 2444		26	1·001 1314	·049 0824	·021 2877
	12	·769 8866	·604 5060	·262 1082		27	0·999 7835	·064 7720	·028 0903
	13	·780 6897	·592 4859	·256 8968		28	·998 1432	·080 4422	·034 8843
	14	·791 2705	·580 2959	·251 6115		29	·996 2108	·096 0886	·041 6679
	15	−0·801 6255	+0·567 9393	+0·246 2539		30	−0·993 9866	−0·111 7069	−0·048 4393
	16	−0·811 7511	+0·555 4197	+0·240 8255	Oct.	1	−0·991 4710	−0·127 2927	−0·055 1965

GEOCENTRIC RECTANGULAR COORDINATES
MEAN EQUATOR AND EQUINOX OF J2000·0

Date 0ʰ TDT	x	y	z	Date 0ʰ TDT	x	y	z
Oct. 1	−0·991 4710	−0·127 2927	−0·055 1965	Nov. 16	−0·584 3639	−0·731 9698	−0·317 3797
2	·988 6643	·142 8416	·061 9377	17	·570 1086	·741 1238	·321 3491
3	·985 5669	·158 3493	·068 6610	18	·555 6794	·750 0496	·325 2193
4	·982 1793	·173 8113	·075 3645	19	·541 0811	·758 7444	·328 9892
5	·978 5018	·189 2231	·082 0464	20	·526 3183	·767 2058	·332 6577
6	−0·974 5352	−0·204 5803	−0·088 7046	21	−0·511 3954	−0·775 4313	−0·336 2239
7	·970 2800	·219 8782	·095 3373	22	·496 3170	·783 4185	·339 6865
8	·965 7369	·235 1122	·101 9424	23	·481 0877	·791 1651	·343 0448
9	·960 9066	·250 2778	·108 5179	24	·465 7121	·798 6689	·346 2977
10	·955 7900	·265 3702	·115 0620	25	·450 1946	·805 9276	·349 4443
11	−0·950 3881	−0·280 3847	−0·121 5724	26	−0·434 5397	−0·812 9392	−0·352 4837
12	·944 7020	·295 3165	·128 0470	27	·418 7521	·819 7015	·355 4150
13	·938 7330	·310 1606	·134 4839	28	·402 8363	·826 2124	·358 2375
14	·932 4824	·324 9121	·140 8807	29	·386 7968	·832 4699	·360 9501
15	·925 9520	·339 5662	·147 2353	30	·370 6382	·838 4721	·363 5521
16	−0·919 1436	−0·354 1181	−0·153 5456	Dec. 1	−0·354 3651	−0·844 2170	−0·366 0427
17	·912 0595	·368 5628	·159 8094	2	·337 9822	·849 7025	·368 4210
18	·904 7019	·382 8959	·166 0247	3	·321 4942	·854 9269	·370 6861
19	·897 0733	·397 1129	·172 1896	4	·304 9058	·859 8881	·372 8374
20	·889 1761	·411 2093	·178 3021	5	·288 2217	·864 5844	·374 8739
21	−0·881 0128	−0·425 1811	−0·184 3603	6	−0·271 4470	−0·869 0138	−0·376 7949
22	·872 5861	·439 0240	·190 3626	7	·254 5867	·873 1747	·378 5995
23	·863 8986	·452 7341	·196 3070	8	·237 6458	·877 0650	·380 2869
24	·854 9528	·466 3074	·202 1920	9	·220 6296	·880 6833	·381 8565
25	·845 7513	·479 7400	·208 0158	10	·203 5436	·884 0279	·383 3073
26	−0·836 2967	−0·493 0280	−0·213 7769	11	−0·186 3933	−0·887 0973	−0·384 6389
27	·826 5918	·506 1676	·219 4735	12	·169 1844	·889 8903	·385 8504
28	·816 6390	·519 1549	·225 1040	13	·151 9227	·892 4057	·386 9416
29	·806 4412	·531 9863	·230 6668	14	·134 6140	·894 6427	·387 9118
30	·796 0011	·544 6578	·236 1603	15	·117 2642	·896 6007	·388 7609
31	−0·785 3213	−0·557 1657	−0·241 5830	16	−0·099 8790	−0·898 2791	−0·389 4887
Nov. 1	·774 4047	·569 5064	·246 9331	17	·082 4639	·899 6778	·390 0949
2	·763 2541	·581 6759	·252 2092	18	·065 0248	·900 7963	·390 5795
3	·751 8724	·593 6705	·257 4095	19	·047 5669	·901 6348	·390 9426
4	·740 2626	·605 4865	·262 5325	20	·030 0958	·902 1930	·391 1841
5	−0·728 4277	−0·617 1201	−0·267 5766	21	−0·012 6169	−0·902 4712	−0·391 3040
6	·716 3707	·628 5675	·272 5401	22	+0·004 8645	·902 4693	·391 3025
7	·704 0949	·639 8250	·277 4214	23	·022 3432	·902 1876	·391 1796
8	·691 6037	·650 8886	·282 2188	24	·039 8138	·901 6263	·390 9356
9	·678 9003	·661 7546	·286 9306	25	·057 2713	·900 7857	·390 5704
10	−0·665 9885	−0·672 4192	−0·291 5553	26	+0·074 7104	−0·899 6661	−0·390 0844
11	·652 8719	·682 8785	·296 0910	27	·092 1259	·898 2679	·389 4777
12	·639 5545	·693 1288	·300 5362	28	·109 5129	·896 5916	·388 7505
13	·626 0406	·703 1665	·304 8892	29	·126 8661	·894 6376	·387 9030
14	·612 3345	·712 9881	·309 1484	30	·144 1806	·892 4065	·386 9355
15	−0·598 4407	−0·722 5902	−0·313 3124	31	+0·161 4512	−0·889 8986	−0·385 8482
16	−0·584 3639	−0·731 9698	−0·317 3797	32	+0·178 6728	−0·887 1146	−0·384 6413

NOTES AND FORMULAE

Low-precision formulae for the Sun's coordinates and the equation of time

The following formulae give the apparent coordinates of the Sun to a precision of $0°\cdot01$ and the equation of time to a precision of $0^m\cdot1$ between 1950 and 2050; on this page the time-argument, n, is the number of days from J2000·0.

$n = \text{JD} - 245\ 1545\cdot0 = -5479\cdot5 + \text{day of year (B2–B3)} + \text{fraction of day from } 0^h \text{ UT.}$

Mean longitude of Sun, corrected for aberration: $L = 280°\cdot460 + 0°\cdot985\ 6474\ n$

Mean anomaly: $g = 357°\cdot528 + 0°\cdot985\ 6003\ n$

Put L and g in the range $0°$ to $360°$ by adding multiples of $360°$.

Ecliptic longitude: $\lambda = L + 1°\cdot915 \sin g + 0°\cdot020 \sin 2g$

Ecliptic latitude: $\beta = 0°$

Obliquity of ecliptic: $\varepsilon = 23°\cdot439 - 0°\cdot000\ 0004\ n$

Right ascension (in same quadrant as λ): $\alpha = \tan^{-1}(\cos \varepsilon \tan \lambda)$

Declination: $\delta = \sin^{-1}(\sin \varepsilon \sin \lambda)$

Distance of Sun from Earth, in au: $R = 1\cdot000\ 14 - 0\cdot016\ 71 \cos g - 0\cdot000\ 14 \cos 2g$

Equatorial rectangular coordinates of the Sun, in au:
$$x = R \cos \lambda, \qquad y = R \cos \varepsilon \sin \lambda, \qquad z = R \sin \varepsilon \sin \lambda$$

Equation of time (apparent time minus mean time):
$$E, \text{ in minutes of time} = (L - \alpha), \text{ in degrees, multiplied by 4.}$$

Horizontal parallax: $0°\cdot0024$

Semi-diameter: $0°\cdot2666/R$

Light-time: $0^d\cdot0058$

CONTENTS OF SECTION D

PHASES OF THE MOON

Lunation	New Moon	First Quarter	Full Moon	Last Quarter
	d h m	d h m	d h m	d h m
767			Jan. 7 02 16	Jan. 13 23 27
768	Jan. 21 02 28	Jan. 29 03 29	Feb. 5 15 19	Feb. 12 07 57
769	Feb. 19 18 43	Feb. 27 23 41	Mar. 7 02 13	Mar. 13 17 34
770	Mar. 21 11 59	Mar. 29 16 11	Apr. 5 11 32	Apr. 12 04 41
771	Apr. 20 05 22	Apr. 28 04 25	May 4 19 53	May 11 17 34
772	May 19 21 41	May 27 12 56	June 3 03 50	June 10 08 19
773	June 18 11 58	June 25 18 53	July 2 12 08	July 10 00 49
774	July 17 23 56	July 24 23 39	July 31 21 41	Aug. 8 18 29
775	Aug. 16 10 06	Aug. 23 04 36	Aug. 30 09 27	Sept. 7 12 16
776	Sept. 14 19 20	Sept. 21 11 03	Sept. 29 00 08	Oct. 7 05 04
777	Oct. 14 04 33	Oct. 20 20 13	Oct. 28 17 38	Nov. 5 20 07
778	Nov. 12 14 20	Nov. 19 09 04	Nov. 27 12 42	Dec. 5 09 01
779	Dec. 12 00 54	Dec. 19 01 58	Dec. 27 07 30	

MOON AT PERIGEE

d h	d h	d h
Jan. 12 03	June 1 13	Oct. 15 01
Feb. 8 04	June 29 09	Nov. 12 13
Mar. 8 08	July 25 18	Dec. 11 01
Apr. 5 18	Aug. 20 04	
May 4 05	Sept. 16 19	

MOON AT APOGEE

d h	d h	d h
Jan. 27 10	June 13 14	Oct. 29 22
Feb. 24 04	July 11 08	Nov. 25 22
Mar. 23 15	Aug. 8 02	Dec. 23 07
Apr. 19 17	Sept. 4 21	
May 17 00	Oct. 2 13	

NOTES AND FORMULAE

Mean elements of the orbit of the Moon

The following expressions for the mean elements of the Moon are based on the fundamental arguments used in the IAU (1980) Theory of Nutation. The angular elements are referred to the mean equinox and ecliptic of date. The time argument (d) is the interval in days from 1985 January 0 at 0^h TDT. These expressions are intended for use during 1985 only.

$$d = \text{JD} - 244\ 6065 \cdot 5 = \text{day of year (from B2–B3)} + \text{fraction of day from } 0^h \text{ TDT}$$

Mean longitude of the Moon, measured in the ecliptic to the mean ascending node and then along the mean orbit:

$$L' = 18° \cdot 251\ 907 + 13° \cdot 176\ 396\ 49\ d$$

Mean longitude of the lunar perigee, measured as for L':

$$\Gamma' = 192° \cdot 917\ 585 + 0° \cdot 111\ 403\ 61\ d$$

Mean longitude of the mean ascending node of the lunar orbit on the ecliptic:

$$\Omega = 55° \cdot 204\ 723 - 0° \cdot 052\ 953\ 78\ d$$

Mean elongation of the Moon from the Sun:

$$D = L' - L = 98° \cdot 640\ 536 + 12° \cdot 190\ 749\ 13\ d$$

Mean inclination of the lunar orbit to the ecliptic: $5° \cdot 145\ 3964$

Mean elements of the rotation of the Moon

The following expressions give the mean elements of the mean equator of the Moon, referred to the true equator of the Earth, during 1985 to a precision of about $0° \cdot 001$; the time-argument d is as defined above for the orbital elements.
Inclination of the mean equator of the Moon to the true equator of the Earth:

$$i = 22° \cdot 5964 - 0° \cdot 001\ 224\ d + 0° \cdot 000\ 000\ 454\ d^2$$

Arc of the mean equator of the Moon from its ascending node on the true equator of the Earth to its ascending node on the ecliptic of date:

$$\Delta = 238° \cdot 2372 - 0° \cdot 054\ 760\ d - 0° \cdot 000\ 001\ 296\ d^2$$

Arc of the true equator of the Earth from the true equinox of date to the ascending node of the mean equator of the Moon:

$$\Omega' = -3° \cdot 2986 + 0° \cdot 001\ 978\ d + 0 \cdot 000\ 001\ 396\ d^2$$

The inclination (I) of the mean lunar equator to the ecliptic: $1° \ 32' \ 32'' \cdot 7$

The ascending node of the mean lunar equator on the ecliptic is at the descending node of the mean lunar orbit on the ecliptic, that is at longitude $\Omega + 180°$.

Lengths of mean months

The lengths of the mean months at 1985·0, as derived from the mean orbital elements are:

		d	d	h	m	s
synodic month	(new moon to new moon)	29·530 589	29	12	44	02·9
tropical month	(equinox to equinox)	27·321 582	27	07	43	04·7
sidereal month	(fixed star to fixed star)	27·321 662	27	07	43	11·6
anomalistic month	(perigee to perigee)	27·554 550	27	13	18	33·1
draconic month	(node to node)	27·212 221	27	05	05	35·9

NOTES AND FORMULAE

Geocentric coordinates

The apparent longitude (λ) and latitude (β) of the Moon given on pages D6–D20 are referred to the ecliptic of date: the apparent right ascension (α) and declination (δ) are referred to the true equator of date. These coordinates are primarily intended for planning purposes. The true distance (r) is expressed in Earth-radii and is derived, as is the semi-diameter (s), from the horizontal parallax (π).

The following maximum errors of the tabular values, which may result if Bessel's second-order interpolation formula is used, are as follows:

λ	β	α	δ	r	π	s
$\pm 0°{\cdot}02$	$\pm 0°{\cdot}02$	$\pm 2^{s}{\cdot}4$	$\pm 24''$	$\pm 0{\cdot}002$	$\pm 0''{\cdot}07$	$\pm 0''{\cdot}02$

More precise values of right ascension, declination and horizontal parallax may be obtained by using the polynomial coefficients given on pages D23–D45. Precise values of true distance and semi-diameter may be obtained from the parallax using:

$$r = 6\ 378{\cdot}137 / \sin \pi \text{ km} \qquad \sin s = 0{\cdot}2725 \sin \pi$$

The tabulated values are all referred to the centre of the Earth, and may differ from the topocentric values by up to about 1 degree in angle and 2 per cent in distance.

Time of transit of the Moon

The TDT of upper (or lower) transit of the Moon over a local meridian may be obtained by interpolation in the tabulation of the time of upper (or lower) transit over the ephemeris meridian given on pages D6–D20, where the first differences are about 25 hours. The interpolation factor p is given by:

$$p = -\lambda + 1{\cdot}002\ 738\ \Delta T$$

where λ is the *east* longitude and the right-hand side is expressed in days. (Divide longitude in degrees by 360 and ΔT in seconds by 86 400). During 1985 it is expected that ΔT will be about 55 seconds, so that the second term is about $+0{\cdot}000\ 64$ days. In general, second-order differences are sufficient to give times to a few seconds, but higher-order differences must be taken into account if a precision of better than 1 second is required. The UT of transit is obtained by subtracting ΔT from the TDT of transit, which is obtained by interpolation.

Topocentric coordinates

The topocentric equatorial rectangular coordinates of the Moon (x', y', z'), referred to the true equinox of date, are equal to the geocentric equatorial rectangular coordinates of the Moon *minus* the geocentric equatorial rectangular coordinates of the observer. Hence, the topocentric right ascension (α'), declination (δ') and distance (r') of the Moon may be calculated from the formulae:

$$\begin{aligned}
x' &= r' \cos \delta' \cos \alpha' = r \cos \delta \cos \alpha - \rho \cos \varphi' \cos \theta_0 \\
y' &= r' \cos \delta' \sin \alpha' = r \cos \delta \sin \alpha - \rho \cos \varphi' \sin \theta_0 \\
z' &= r' \sin \delta' \qquad\quad\ \ = r \sin \delta \qquad\quad - \rho \sin \varphi'
\end{aligned}$$

where θ_0 is the local apparent sidereal time (see pages B6, B7) and ρ and φ' are the geocentric distance and latitude of the observer.

Then $\qquad r'^2 = x'^2 + y'^2 + z'^2, \qquad \alpha' = \tan^{-1}(y'/x'), \qquad \delta' = \sin^{-1}(z'/r')$

The topocentric hour angle (h') may be calculated from $h' = \theta_0 - \alpha'$.

Physical ephemeris

See page D4 for notes on the physical ephemeris of the Moon on pages D7–D21.

NOTES AND FORMULAE

Appearance of the Moon

The quantities tabulated in the ephemeris for physical observations of the Moon on odd pages D7–D21 represent the geocentric aspect and illumination of the Moon's disk. For most purposes it is sufficient to regard the instant of tabulation as 0^h universal time. The age is the number of days elapsed since the previous new Moon; the fraction illuminated (or phase) is the ratio of the illuminated area to the total area of the lunar disk; it is also the fraction of the diameter illuminated perpendicular to the line of cusps. These quantities indicate the general aspect of the Moon, while the precise times of the four principal phases are given on pages A1 and D1; they are the times when the apparent longitudes of the Moon and Sun differ by 0°, 90°, 180° and 270°.

The position angle of the bright limb is measured anticlockwise around the disk from the north point (of the hour circle through the centre of the apparent disk) to the mid-point of the bright limb. Before full moon the morning terminator is visible and the position angle of the northern cusp is 90° greater than the position angle of the bright limb; after full moon the evening terminator is visible and the position angle of the northern cusp is 90° less than the position angle of the bright limb.

The brightness of the Moon is determined largely by the fraction illuminated, but it also depends on the distance of the Moon, on the nature of the part of the lunar surface that is illuminated, and on other factors. The integrated visual magnitude of the full Moon at mean distance is about $-12 \cdot 7$. The crescent Moon is not normally visible to the naked eye when the phase is less than $0 \cdot 01$, but much depends on the conditions of observation.

Selenographic coordinates

The positions of points on the Moon's surface are specified by a system of selenographic coordinates, in which latitude is measured positively to the north from the equator of the pole of rotation, and longitude is measured positively to the east on the selenocentric celestial sphere from the lunar meridian through the mean centre of the apparent disk. Selenographic longitudes are measured positive to the west (towards Mare Crisium) on the apparent disk: this sign convention implies that the longitudes of the Sun and of the terminators are decreasing functions of time, and so for some purposes it is convenient to use colongitude which is 90° (or 450°) minus longitude.

The tabulated values of the Earth's selenographic longitude and latitude specify the sub-terrestrial point on the Moon's surface (that is, the centre of the apparent disk). The position angle of the axis of rotation is measured anticlockwise from the north point, and specifies the orientation of the lunar meridian through the sub-terrestrial point, which is the pole of the great circle that corresponds to the limb of the Moon.

The tabulated values of the Sun's selenographic colongitude and latitude specify the sub-solar point on the Moon's surface (that is at the pole of the great circle that bounds the illuminated hemisphere). The following relations hold approximately:

longitude of morning terminator = 360° − colongitude of Sun
longitude of evening terminator = 180° (or 540°) − colongitude of Sun

The altitude (a) of the Sun above the lunar horizon at a point at selenographic longitude and latitude (l, b) may be calculated from:

$$\sin a = \sin b_0 \sin b + \cos b_0 \cos b \sin (c_0 + l)$$

where (c_0, b_0) are the Sun's colongitude and latitude at the time.

NOTES AND FORMULAE

Librations of the Moon

On average the same hemisphere of the Moon is always turned to the Earth but there is a periodic oscillation or libration of the apparent position of the lunar surface that allows about 59 per cent of the surface to be seen from the Earth. The libration is due partly to a physical libration, which is an oscillation of the actual rotational motion about its mean rotation, but mainly to the much larger geocentric optical libration, which results from the non-uniformity of the revolution of the Moon around the centre of the Earth. Both of these effects are taken into account in the computation of the Earth's selenographic longitude (l) and latitude (b) and of the position angle (C) of the axis of rotation. The contributions due to the physical libration are tabulated separately. There is a further contribution to the optical libration due to the difference between the viewpoints of the observer on the surface of the Earth and of the hypothetical observer at the centre of the Earth. These topocentric optical librations may be as much as 1° and have important effects on the apparent contour of the limb.

When the libration in longitude, that is the selenographic longitude of the Earth, is positive the mean centre of the disk is displaced eastwards on the celestial sphere, exposing to view a region on the west limb. When the libration in latitude, or selenographic latitude of the Earth, is positive the mean centre of the disk is displaced towards the south, and a region on the north limb is exposed to view. In a similar way the selenographic coordinates of the Sun show which regions of the lunar surface are illuminated.

Differential corrections to be applied to the tabular geocentric librations to form the topocentric librations may be computed from the following formulae:

$$\Delta l = -\pi' \sin (Q - C) \sec b$$
$$\Delta b = +\pi' \cos (Q - C)$$
$$\Delta C = +\sin (b + \Delta b)\, \Delta l - \pi' \sin Q \tan \delta$$

where Q is the geocentric parallactic angle of the Moon and π' is the topocentric horizontal parallax. The latter is obtained from the geocentric horizontal parallax (π), which is tabulated on even pages D6–D20 by using:

$$\pi' = \pi (\sin z + 0.0084 \sin 2z)$$

where z is the geocentric zenith distance of the Moon. The values of z and Q may be calculated from the geocentric right ascension (α) and declination (δ) of the Moon by using:

$$\sin z \sin Q = \cos \phi \sin h$$
$$\sin z \cos Q = \cos \delta \sin \phi - \sin \delta \cos \phi \cos h$$
$$\cos z = \sin \delta \sin \phi + \cos \delta \cos \phi \cos h$$

where ϕ is the geocentric latitude of the observer and h is the local hour angle of the Moon, given by:

$$h = \text{local apparent sidereal time} - \alpha$$

Second differences must be taken into account in the interpolation of the tabular geocentric librations to the time of observation.

MOON, 1985

FOR 0^h DYNAMICAL TIME

Date	Apparent Long.	Lat.	Apparent R. A.	Dec.	True Dist.	Horiz. Parallax	Semi-diameter	Eph. Transits for date Upper	Lower
	°	°	h m s	° ′ ″		′ ″	′ ″	h	h
Jan. 0	17.84	−3.24	1 10 45.5	+ 4 00 03	63.369	54 15.14	14 46.97	19.0550	06.7198
1	29.69	−2.34	1 53 49.0	+ 9 10 13	63.167	54 25.51	14 49.79	19.7483	07.3970
2	41.66	−1.34	2 38 35.6	+14 03 42	62.781	54 45.61	14 55.27	20.4870	08.1109
3	53.82	−0.25	3 26 01.0	+18 29 03	62.242	55 14.07	15 03.03	21.2858	08.8782
4	66.24	+0.86	4 16 48.8	+22 12 03	61.594	55 48.92	15 12.52	22.1525	09.7106
5	78.97	+1.96	5 11 17.2	+24 56 11	60.890	56 27.66	15 23.08	23.0815	10.6101
6	92.03	+2.98	6 09 03.8	+26 24 26	60.183	57 07.43	15 33.91	. . .	11.5633
7	105.44	+3.86	7 08 58.3	+26 23 10	59.526	57 45.30	15 44.23	00.0514	12.5415
8	119.14	+4.54	8 09 17.4	+24 46 26	58.959	58 18.59	15 53.30	01.0290	13.5100
9	133.10	+4.97	9 08 20.2	+21 38 28	58.513	58 45.31	16 00.58	01.9816	14.4418
10	147.23	+5.09	10 05 03.1	+17 12 40	58.198	59 04.36	16 05.77	02.8899	15.3260
11	161.46	+4.91	10 59 12.7	+11 48 04	58.014	59 15.60	16 08.83	03.7512	16.1673
12	175.71	+4.42	11 51 17.6	+ 5 45 39	57.947	59 19.70	16 09.95	04.5765	16.9811
13	189.92	+3.66	12 42 12.6	− 0 33 48	57.980	59 17.70	16 09.41	05.3839	17.7876
14	204.06	+2.68	13 33 03.7	− 6 50 22	58.094	59 10.73	16 07.51	06.1948	18.6081
15	218.10	+1.54	14 24 57.1	−12 44 46	58.276	58 59.62	16 04.48	07.0298	19.4616
16	232.03	+0.33	15 18 48.4	−17 57 44	58.521	58 44.77	16 00.43	07.9048	20.3599
17	245.85	−0.90	16 15 08.3	−22 10 16	58.830	58 26.27	15 55.39	08.8265	21.3029
18	259.54	−2.06	17 13 47.6	−25 05 05	59.206	58 04.00	15 49.33	09.7866	22.2740
19	273.09	−3.09	18 13 48.5	−26 29 41	59.652	57 37.98	15 42.23	10.7610	23.2431
20	286.47	−3.93	19 13 35.3	−26 19 40	60.163	57 08.57	15 34.22	11.7163	. . .
21	299.65	−4.55	20 11 26.7	−24 40 16	60.729	56 36.66	15 25.53	12.6231	00.1771
22	312.59	−4.92	21 06 10.1	−21 44 34	61.324	56 03.70	15 16.55	13.4657	01.0528
23	325.28	−5.03	21 57 18.6	−17 49 45	61.915	55 31.54	15 07.79	14.2435	01.8622
24	337.72	−4.90	22 45 05.9	−13 13 12	62.464	55 02.30	14 59.82	14.9666	02.6110
25	349.93	−4.55	23 30 11.9	− 8 10 20	62.925	54 38.09	14 53.22	15.6505	03.3123
26	1.94	−4.00	0 13 29.4	− 2 53 56	63.258	54 20.85	14 48.52	16.3130	03.9832
27	13.81	−3.28	0 55 56.7	+ 2 25 30	63.426	54 12.17	14 46.16	16.9726	04.6420
28	25.62	−2.42	1 38 33.3	+ 7 38 48	63.406	54 13.24	14 46.45	17.6478	05.3071
29	37.45	−1.46	2 22 19.1	+12 36 58	63.183	54 24.71	14 49.58	18.3569	05.9970
30	49.38	−0.42	3 08 12.0	+17 10 03	62.761	54 46.66	14 55.56	19.1168	06.7295
31	61.52	+0.65	3 57 03.0	+21 06 05	62.160	55 18.46	15 04.22	19.9404	07.5201
Feb. 1	73.95	+1.71	4 49 27.3	+24 10 37	61.415	55 58.71	15 15.19	20.8317	08.3778
2	86.74	+2.72	5 45 29.4	+26 07 19	60.578	56 45.13	15 27.83	21.7808	09.3003
3	99.95	+3.62	6 44 29.5	+26 40 27	59.711	57 34.55	15 41.30	22.7623	10.2696
4	113.58	+4.33	7 45 04.3	+25 38 59	58.884	58 23.08	15 54.52	23.7426	11.2546
5	127.63	+4.81	8 45 29.9	+23 00 44	58.163	59 06.47	16 06.35	. . .	12.2228
6	142.01	+5.00	9 44 19.4	+18 54 05	57.607	59 40.74	16 15.68	00.6931	13.1524
7	156.61	+4.87	10 40 49.9	+13 36 18	57.252	60 02.91	16 21.72	01.6004	14.0380
8	171.32	+4.42	11 35 06.1	+ 7 30 01	57.115	60 11.59	16 24.09	02.4666	14.8884
9	185.99	+3.67	12 27 48.0	+ 0 59 34	57.185	60 07.18	16 22.89	03.3055	15.7205
10	200.52	+2.69	13 19 53.7	− 5 31 18	57.433	59 51.61	16 18.64	04.1359	16.5541
11	214.85	+1.56	14 12 25.7	−11 40 28	57.818	59 27.69	16 12.13	04.9775	17.4080
12	228.94	+0.34	15 06 18.8	−17 07 38	58.295	58 58.44	16 04.16	05.8470	18.2953
13	242.77	−0.87	16 02 07.1	−21 34 23	58.827	58 26.48	15 55.45	06.7532	19.2198
14	256.37	−2.02	16 59 51.6	−24 45 01	59.381	57 53.76	15 46.53	07.6933	20.1711
15	269.74	−3.03	17 58 51.3	−26 28 15	59.938	57 21.47	15 37.74	08.6500	21.1263

EPHEMERIS FOR PHYSICAL OBSERVATIONS

FOR 0^h DYNAMICAL TIME

Date		Age	The Earth's Selenographic		Physical Libration	The Sun's Selenographic		Position Angle of		Fraction Illuminated
			Longitude	Latitude	Lg. Lt. P.A.	Colong.	Lat.	Axis	Bright Limb	
		d	°	°	(0°.001)	°	°	°	°	
Jan.	0	8.5	−0.338	+4.226	− 9 +47 +16	8.93	−1.07	338.935	247.21	0.57
	1	9.5	1.677	3.053	11 46 15	21.08	1.09	340.918	248.69	0.67
	2	10.5	2.914	1.740	12 45 13	33.22	1.10	343.672	251.38	0.75
	3	11.5	3.966	+0.331	13 44 12	45.36	1.11	347.217	255.44	0.83
	4	12.5	4.759	−1.119	15 43 11	57.50	1.13	351.554	261.16	0.90
	5	13.5	−5.236	−2.545	−15 +42 +11	69.63	−1.15	356.604	269.26	0.95
	6	14.5	5.365	3.871	16 41 11	81.76	1.16	2.145	283.05	0.99
	7	15.5	5.141	5.014	17 40 11	93.88	1.18	7.781	349.58	1.00
	8	16.5	4.594	5.894	17 39 11	106.01	1.20	13.002	81.04	0.99
	9	17.5	3.783	6.437	17 39 12	118.13	1.22	17.329	96.22	0.95
	10	18.5	−2.788	−6.595	−17 +39 +12	130.26	−1.24	20.443	103.91	0.90
	11	19.5	1.700	6.345	17 39 13	142.40	1.26	22.228	108.67	0.82
	12	20.5	−0.601	5.699	16 40 14	154.54	1.28	22.711	111.34	0.72
	13	21.5	+0.444	4.701	16 41 15	166.68	1.30	21.985	112.24	0.61
	14	22.5	1.395	3.418	15 42 16	178.83	1.32	20.145	111.48	0.50
	15	23.5	+2.233	−1.934	−14 +43 +17	190.99	−1.34	17.259	109.09	0.39
	16	24.5	2.955	−0.344	14 45 18	203.16	1.36	13.387	105.07	0.28
	17	25.5	3.562	+1.255	13 46 19	215.34	1.38	8.630	99.39	0.19
	18	26.5	4.050	2.766	12 47 20	227.52	1.40	3.196	91.97	0.11
	19	27.5	4.407	4.105	12 48 21	239.70	1.42	357.443	82.25	0.05
	20	28.5	+4.608	+5.200	−12 +49 +21	251.89	−1.44	351.845	66.72	0.01
	21	29.5	4.622	6.001	12 49 22	264.08	1.45	346.874	2.84	0.00
	22	0.9	4.416	6.477	13 49 22	276.27	1.47	342.865	277.59	0.01
	23	1.9	3.966	6.623	13 49 21	288.46	1.48	339.966	261.95	0.04
	24	2.9	3.262	6.450	14 49 21	300.65	1.49	338.171	255.06	0.09
	25	3.9	+2.318	+5.985	−16 +48 +20	312.83	−1.49	337.390	251.23	0.15
	26	4.9	+1.166	5.261	17 48 19	325.01	1.50	337.514	249.24	0.22
	27	5.9	−0.138	4.318	18 47 17	337.19	1.50	338.455	248.66	0.30
	28	6.9	1.521	3.196	20 46 16	349.36	1.50	340.160	249.31	0.39
	29	7.9	2.896	1.936	21 45 15	1.52	1.50	342.612	251.16	0.49
	30	8.9	−4.169	+0.582	−23 +44 +14	13.68	−1.50	345.824	254.20	0.58
	31	9.9	5.242	−0.818	24 42 13	25.83	1.50	349.808	258.51	0.68
Feb.	1	10.9	6.021	2.209	25 41 12	37.98	1.50	354.533	264.14	0.76
	2	11.9	6.426	3.526	26 40 12	50.12	1.50	359.860	271.15	0.85
	3	12.9	6.403	4.695	26 39 12	62.25	1.51	5.487	279.72	0.91
	4	13.9	−5.931	−5.633	−26 +38 +12	74.39	−1.51	10.952	291.01	0.96
	5	14.9	5.038	6.259	26 37 13	86.52	1.51	15.733	314.60	0.99
	6	15.9	3.798	6.506	26 37 13	98.65	1.51	19.400	63.65	1.00
	7	16.9	2.330	6.332	26 37 14	110.78	1.51	21.721	97.80	0.97
	8	17.9	−0.773	5.738	25 37 15	122.91	1.51	22.653	106.38	0.92
	9	18.9	+0.737	−4.762	−24 +38 +16	135.04	−1.51	22.273	109.75	0.85
	10	19.9	2.091	3.482	23 39 17	147.19	1.51	20.696	110.39	0.76
	11	20.9	3.219	1.995	22 40 18	159.34	1.52	18.025	108.99	0.65
	12	21.9	4.092	−0.406	21 42 19	171.49	1.52	14.351	105.84	0.54
	13	22.9	4.713	+1.181	21 43 20	183.66	1.53	9.788	101.16	0.43
	14	23.9	+5.102	+2.677	−20 +45 +21	195.83	−1.53	4.533	95.15	0.32
	15	24.9	+5.286	+4.001	−19 +46 +21	208.01	−1.54	358.900	88.11	0.23

MOON, 1985

FOR 0ʰ DYNAMICAL TIME

Date	Apparent Long.	Apparent Lat.	Apparent R. A.	Apparent Dec.	True Dist.	Horiz. Parallax	Semi- diameter	Eph. Transits for date Upper	Eph. Transits for date Lower
	°	°	h m s	° ′ ″		′ ″	′ ″	h	h
Feb. 15	269.74	−3.03	17 58 51.3	−26 28 15	59.938	57 21.47	15 37.74	08.6500	21.1263
16	282.92	−3.86	18 57 49.8	−26 39 27	60.487	56 50.24	15 29.23	09.5963	22.0568
17	295.91	−4.48	19 55 18.7	−25 21 55	61.022	56 20.30	15 21.07	10.5050	22.9391
18	308.72	−4.86	20 50 07.7	−22 46 04	61.541	55 51.82	15 13.31	11.3581	23.7619
19	321.35	−5.00	21 41 42.7	−19 06 46	62.036	55 25.04	15 06.01	12.1509	. . .
20	333.79	−4.89	22 30 06.8	−14 40 16	62.498	55 00.49	14 59.33	12.8892	00.5262
21	346.05	−4.56	23 15 49.3	− 9 42 04	62.908	54 38.99	14 53.47	13.5854	01.2416
22	358.14	−4.02	23 59 35.0	− 4 25 51	63.242	54 21.63	14 48.74	14.2548	01.9224
23	10.08	−3.31	0 42 15.1	+ 0 56 36	63.475	54 09.69	14 45.49	14.9142	02.5847
24	21.91	−2.47	1 24 43.7	+ 6 14 58	63.576	54 04.53	14 44.08	15.5803	03.2453
25	33.69	−1.51	2 07 55.1	+11 19 37	63.519	54 07.40	14 44.86	16.2698	03.9211
26	45.50	−0.49	2 52 42.9	+16 00 49	63.286	54 19.37	14 48.12	16.9989	04.6285
27	57.40	+0.56	3 39 56.1	+20 07 45	62.867	54 41.13	14 54.05	17.7812	05.3827
28	69.49	+1.61	4 30 13.4	+23 28 00	62.264	55 12.87	15 02.70	18.6248	06.1952
Mar. 1	81.87	+2.60	5 23 52.6	+25 47 27	61.500	55 54.06	15 13.92	19.5281	07.0696
2	94.61	+3.50	6 20 38.3	+26 51 31	60.610	56 43.28	15 27.33	20.4765	07.9981
3	107.79	+4.24	7 19 36.4	+26 27 42	59.651	57 37.99	15 42.24	21.4444	08.9598
4	121.46	+4.77	8 19 24.0	+24 29 13	58.693	58 34.50	15 57.63	22.4041	09.9268
5	135.60	+5.03	9 18 36.9	+20 57 43	57.812	59 28.01	16 12.21	23.3359	10.8742
6	150.17	+4.98	10 16 17.8	+16 04 08	57.089	60 13.23	16 24.53	. . .	11.7891
7	165.06	+4.59	11 12 11.0	+10 07 13	56.589	60 45.14	16 33.23	00.2343	12.6729
8	180.12	+3.89	12 06 38.7	+ 3 30 55	56.357	61 00.19	16 37.33	01.1065	13.5372
9	195.20	+2.90	13 00 27.9	− 3 18 17	56.404	60 57.11	16 36.49	01.9675	14.3995
10	210.12	+1.73	13 54 35.0	− 9 53 43	56.712	60 37.24	16 31.08	02.8354	15.2773
11	224.79	+0.46	14 49 51.8	−15 50 12	57.235	60 03.99	16 22.02	03.7265	16.1840
12	239.12	−0.82	15 46 51.0	−20 45 34	57.912	59 21.88	16 10.54	04.6500	17.1238
13	253.08	−2.01	16 45 32.3	−24 21 57	58.676	58 35.51	15 57.91	05.6038	18.0876
14	266.69	−3.06	17 45 14.6	−26 27 37	59.467	57 48.72	15 45.16	06.5719	19.0533
15	279.97	−3.92	18 44 43.0	−26 58 27	60.238	57 04.32	15 33.06	07.5283	19.9935
16	292.96	−4.55	19 42 32.4	−25 58 28	60.955	56 24.04	15 22.09	08.4463	20.8850
17	305.71	−4.95	20 37 36.0	−23 38 20	61.598	55 48.70	15 12.46	09.3084	21.7164
18	318.24	−5.10	21 29 22.8	−20 12 32	62.159	55 18.49	15 04.23	10.1093	22.4883
19	330.59	−5.01	22 17 57.1	−15 56 36	62.635	54 53.27	14 57.36	10.8545	23.2098
20	342.78	−4.69	23 03 48.4	−11 05 20	63.027	54 32.79	14 51.78	11.5559	23.8946
21	354.84	−4.16	23 47 40.0	− 5 52 05	63.335	54 16.89	14 47.44	12.2281	. . .
22	6.78	−3.45	0 30 21.3	− 0 28 43	63.554	54 05.62	14 44.38	12.8869	00.5582
23	18.63	−2.60	1 12 43.3	+ 4 53 58	63.678	53 59.33	14 42.66	13.5481	01.2162
24	30.43	−1.63	1 55 36.7	+10 05 40	63.692	53 58.59	14 42.46	14.2273	01.8845
25	42.21	−0.60	2 39 50.2	+14 56 06	63.582	54 04.21	14 43.99	14.9389	02.5781
26	54.03	+0.47	3 26 08.4	+19 14 19	63.331	54 17.07	14 47.50	15.6955	03.3109
27	65.95	+1.53	4 15 06.4	+22 48 28	62.927	54 37.99	14 53.19	16.5052	04.0934
28	78.05	+2.54	5 07 01.9	+25 25 45	62.364	55 07.56	15 01.25	17.3689	04.9306
29	90.40	+3.45	6 01 46.8	+26 53 14	61.649	55 45.94	15 11.71	18.2769	05.8183
30	103.08	+4.22	6 58 41.3	+26 59 33	60.801	56 32.58	15 24.42	19.2104	06.7419
31	116.17	+4.79	7 56 40.7	+25 37 17	59.859	57 25.98	15 38.97	20.1462	07.6793
Apr. 1	129.72	+5.13	8 54 34.4	+22 45 05	58.878	58 23.43	15 54.62	21.0659	08.6089
2	143.75	+5.17	9 51 29.2	+18 28 40	57.928	59 20.88	16 10.27	21.9613	09.5166

EPHEMERIS FOR PHYSICAL OBSERVATIONS

FOR 0ʰ DYNAMICAL TIME

Date		Age	The Earth's Selenographic		Physical Libration	The Sun's Selenographic		Position Angle of		Frac-tion Illumi-nated
			Longitude	Latitude	Lg. Lt. P.A.	Colong.	Lat.	Axis	Bright Limb	
		d	°	°	(0°.001)	°	°	°	°	
Feb.	15	24.9	+5.286	+4.001	−19 +46 +21	208.01	−1.54	358.900	88.11	0.23
	16	25.9	5.287	5.092	19 47 22	220.19	1.55	353.318	80.34	0.14
	17	26.9	5.116	5.904	19 47 22	232.38	1.55	348.231	71.88	0.08
	18	27.9	4.776	6.405	20 48 22	244.58	1.56	343.991	61.61	0.03
	19	28.9	4.259	6.586	21 48 22	256.78	1.56	340.791	41.82	0.01
	20	0.2	+3.557	+6.451	−22 +47 +21	268.98	−1.56	338.673	311.26	0.00
	21	1.2	2.665	6.019	23 47 20	281.17	1.56	337.580	264.94	0.02
	22	2.2	1.590	5.321	24 47 19	293.37	1.55	337.420	255.12	0.05
	23	3.2	+0.355	4.397	26 46 18	305.57	1.55	338.100	251.53	0.10
	24	4.2	−0.999	3.290	28 45 17	317.76	1.54	339.554	250.54	0.16
	25	5.2	−2.416	+2.047	−29 +44 +16	329.95	−1.53	341.750	251.24	0.23
	26	6.2	3.822	+0.714	31 43 15	342.14	1.52	344.682	253.33	0.32
	27	7.2	5.129	−0.662	32 42 14	354.32	1.51	348.354	256.69	0.41
	28	8.2	6.244	2.028	33 41 14	6.49	1.49	352.747	261.26	0.50
Mar.	1	9.2	7.069	3.330	34 40 13	18.66	1.48	357.769	266.95	0.60
	2	10.2	−7.513	−4.504	−35 +39 +13	30.82	−1.46	3.205	273.56	0.70
	3	11.2	7.501	5.479	35 38 13	42.97	1.45	8.687	280.82	0.79
	4	12.2	6.992	6.179	35 37 14	55.12	1.43	13.741	288.48	0.87
	5	13.2	5.990	6.529	35 36 14	67.27	1.41	17.903	296.80	0.94
	6	14.2	4.557	6.470	34 36 15	79.41	1.40	20.836	308.77	0.98
	7	15.2	−2.807	−5.974	−33 +36 +16	91.55	−1.38	22.384	7.12	1.00
	8	16.2	−0.900	5.057	32 36 17	103.70	1.36	22.543	96.83	0.99
	9	17.2	+0.995	3.783	31 37 18	115.84	1.34	21.391	106.89	0.95
	10	18.2	2.726	2.257	30 38 19	127.99	1.33	19.027	108.44	0.88
	11	19.2	4.180	−0.601	28 39 20	140.14	1.31	15.555	106.74	0.79
	12	20.2	+5.295	+1.060	−27 +40 +21	152.30	−1.30	11.106	102.95	0.69
	13	21.2	6.052	2.620	26 41 22	164.47	1.29	5.888	97.63	0.58
	14	22.2	6.466	3.994	25 42 23	176.64	1.28	0.231	91.29	0.47
	15	23.2	6.567	5.119	25 43 24	188.82	1.27	354.567	84.47	0.37
	16	24.2	6.395	5.955	24 44 24	201.02	1.26	349.347	77.68	0.27
	17	25.2	+5.987	+6.478	−25 +44 +24	213.21	−1.26	344.927	71.27	0.18
	18	26.2	5.374	6.682	25 45 23	225.41	1.25	341.510	65.33	0.11
	19	27.2	4.579	6.571	26 45 22	237.62	1.24	339.153	59.46	0.06
	20	28.2	3.622	6.162	28 44 21	249.83	1.23	337.814	51.85	0.02
	21	29.2	2.520	5.483	29 44 20	262.04	1.22	337.411	29.47	0.00
	22	0.5	+1.290	+4.568	−31 +44 +19	274.26	−1.21	337.860	278.91	0.00
	23	1.5	−0.043	3.462	32 43 18	286.47	1.20	339.093	256.56	0.02
	24	2.5	1.444	2.212	34 42 17	298.69	1.18	341.073	252.79	0.06
	25	3.5	2.869	+0.868	35 41 17	310.90	1.16	343.786	253.01	0.11
	26	4.5	4.259	−0.519	37 40 16	323.10	1.14	347.227	255.26	0.17
	27	5.5	−5.547	−1.895	−38 +39 +15	335.31	−1.12	351.375	258.98	0.25
	28	6.5	6.654	3.206	39 38 15	347.51	1.09	356.152	263.88	0.34
	29	7.5	7.495	4.395	40 37 14	359.70	1.07	1.379	269.70	0.43
	30	8.5	7.988	5.401	41 37 14	11.89	1.04	6.754	276.08	0.53
	31	9.5	8.057	6.160	41 36 15	24.07	1.01	11.873	282.59	0.64
Apr.	1	10.5	−7.652	−6.605	−41 +35 +15	36.24	−0.99	16.304	288.78	0.74
	2	11.5	−6.754	−6.675	−40 +35 +15	48.41	−0.96	19.695	294.34	0.83

356-293 O - 84 - 13 : QL 3

MOON, 1985

FOR 0ʰ DYNAMICAL TIME

Date	Apparent Long.	Lat.	Apparent R. A.	Dec.	True Dist.	Horiz. Parallax	Semi-diameter	Eph. Transits for date Upper	Lower
	°	°	h m s	° ′ ″		′ ″	′ ″	h	h
Apr. 1	129.72	+5.13	8 54 34.4	+22 45 05	58.878	58 23.43	15 54.62	21.0659	08.6089
2	143.75	+5.17	9 51 29.2	+18 28 40	57.928	59 20.88	16 10.27	21.9613	09.5166
3	158.25	+4.89	10 47 05.1	+13 00 37	57.090	60 13.13	16 24.51	22.8360	10.4006
4	173.14	+4.28	11 41 36.7	+ 6 39 24	56.445	60 54.42	16 35.76	23.7029	11.2694
5	188.29	+3.36	12 35 45.0	− 0 11 40	56.060	61 19.53	16 42.60	. . .	12.1387
6	203.54	+2.20	13 30 24.7	− 7 05 47	55.976	61 25.05	16 44.10	00.5792	13.0265
7	218.72	+0.88	14 26 30.3	−13 34 23	56.200	61 10.38	16 40.10	01.4825	13.9484
8	233.68	−0.48	15 24 40.0	−19 09 32	56.702	60 37.87	16 31.25	02.4248	14.9111
9	248.29	−1.78	16 24 57.0	−23 27 02	57.425	59 52.09	16 18.78	03.4060	15.9068
10	262.50	−2.94	17 26 36.9	−26 09 44	58.293	58 58.61	16 04.20	04.4099	16.9113
11	276.28	−3.89	18 28 12.3	−27 10 28	59.227	58 02.75	15 48.98	05.4065	17.8916
12	289.65	−4.59	19 28 00.8	−26 32 46	60.158	57 08.86	15 34.30	06.3631	18.8187
13	302.63	−5.04	20 24 41.8	−24 28 41	61.028	56 19.98	15 20.98	07.2570	19.6776
14	315.30	−5.23	21 17 38.6	−21 14 37	61.797	55 37.93	15 09.53	08.0810	20.4683
15	327.69	−5.17	22 06 56.7	−17 07 34	62.441	55 03.47	15 00.14	08.8410	21.2010
16	339.87	−4.88	22 53 10.9	−12 22 55	62.952	54 36.69	14 52.84	09.5502	21.8908
17	351.89	−4.37	23 37 10.0	− 7 13 54	63.329	54 17.19	14 47.53	10.2249	22.5547
18	3.80	−3.68	0 19 47.9	− 1 52 01	63.579	54 04.37	14 44.04	10.8822	23.2094
19	15.64	−2.83	1 01 58.8	+ 3 32 22	63.712	53 57.61	14 42.19	11.5385	23.8713
20	27.43	−1.87	1 44 35.0	+ 8 49 07	63.736	53 56.39	14 41.86	12.2097	. . .
21	39.23	−0.82	2 28 25.6	+13 47 48	63.655	54 00.47	14 42.97	12.9105	00.5556
22	51.07	+0.27	3 14 14.3	+18 17 11	63.472	54 09.83	14 45.52	13.6530	01.2759
23	62.97	+1.35	4 02 34.7	+22 05 01	63.183	54 24.72	14 49.58	14.4454	02.0427
24	75.00	+2.39	4 53 42.8	+24 58 23	62.782	54 45.58	14 55.26	15.2886	02.8610
25	87.20	+3.33	5 47 28.9	+26 44 40	62.264	55 12.88	15 02.70	16.1738	03.7269
26	99.62	+4.14	6 43 13.9	+27 13 09	61.630	55 46.96	15 11.99	17.0834	04.6269
27	112.33	+4.76	7 39 55.9	+26 17 08	60.887	56 27.80	15 23.11	17.9957	05.5405
28	125.38	+5.16	8 36 27.7	+23 55 20	60.056	57 14.71	15 35.90	18.8923	06.4467
29	138.82	+5.29	9 31 59.2	+20 12 16	59.171	58 06.10	15 49.90	19.7649	07.3317
30	152.68	+5.12	10 26 11.5	+15 17 37	58.283	58 59.18	16 04.36	20.6161	08.1926
May 1	166.96	+4.64	11 19 19.1	+ 9 25 20	57.459	59 49.97	16 18.20	21.4579	09.0371
2	181.62	+3.85	12 12 03.2	+ 2 53 14	56.771	60 33.48	16 30.05	22.3082	09.8807
3	196.57	+2.78	13 05 21.7	− 3 56 55	56.291	61 04.44	16 38.49	23.1874	10.7430
4	211.71	+1.50	14 00 17.8	−10 39 25	56.078	61 18.40	16 42.29	. . .	11.6436
5	226.87	+0.12	14 57 45.2	−16 45 42	56.161	61 12.94	16 40.80	00.1130	12.5963
6	241.90	−1.26	15 58 07.6	−21 46 43	56.539	60 48.38	16 34.11	01.0931	13.6016
7	256.67	−2.53	17 00 57.3	−25 17 34	57.175	60 07.81	16 23.06	02.1185	14.6394
8	271.06	−3.61	18 04 45.7	−27 02 48	58.005	59 16.16	16 08.98	03.1591	15.6721
9	285.02	−4.44	19 07 27.2	−27 00 14	58.952	58 19.05	15 53.43	04.1733	16.6587
10	298.54	−4.99	20 07 06.0	−25 20 15	59.934	57 21.70	15 37.80	05.1255	17.5723
11	311.62	−5.26	21 02 36.8	−22 21 01	60.879	56 28.26	15 23.24	05.9989	18.4060
12	324.32	−5.27	21 53 51.6	−18 22 32	61.729	55 41.60	15 10.53	06.7952	19.1684
13	336.70	−5.02	22 41 23.8	−13 42 53	62.443	55 03.41	15 00.12	07.5278	19.8759
14	348.83	−4.56	23 26 07.4	− 8 36 52	62.996	54 34.38	14 52.21	08.2150	20.5476
15	0.77	−3.90	0 09 03.3	− 3 16 25	63.381	54 14.48	14 46.79	08.8761	21.2027
16	12.61	−3.09	0 51 12.5	+ 2 08 20	63.602	54 03.19	14 43.71	09.5297	21.8592
17	24.40	−2.14	1 33 33.2	+ 7 27 55	63.671	53 59.67	14 42.75	10.1934	22.5341

EPHEMERIS FOR PHYSICAL OBSERVATIONS

FOR 0ʰ DYNAMICAL TIME

Date	Age	The Earth's Selenographic		Physical Libration	The Sun's Selenographic		Position Angle of		Fraction Illuminated
		Longitude	Latitude	Lg.　Lt.　P.A.	Colong.	Lat.	Axis	Bright Limb	
	d	°	°	(0°001)	°	°	°	°	
Apr. 1	10.5	−7.652	−6.605	−41 +35 +15	36.24	−0.99	16.304	288.78	0.74
2	11.5	6.754	6.675	40　35　15	48.41	0.96	19.695	294.34	0.83
3	12.5	5.394	6.325	39　34　16	60.58	0.92	21.825	299.25	0.91
4	13.5	3.658	5.543	38　34　17	72.74	0.89	22.608	304.42	0.97
5	14.5	−1.678	4.359	37　35　18	84.89	0.86	22.051	319.17	1.00
6	15.5	+0.382	−2.854	−35 +35 +20	97.05	−0.83	20.203	95.10	1.00
7	16.5	2.355	−1.150	33　36　21	109.21	0.80	17.130	106.39	0.97
8	17.5	4.096	+0.614	32　37　22	121.37	0.77	12.929	105.12	0.91
9	18.5	5.501	2.303	30　38　23	133.54	0.74	7.787	100.77	0.83
10	19.5	6.512	3.805	29　39　24	145.71	0.72	2.037	94.85	0.73
11	20.5	+7.110	+5.041	−27 +39 +25	157.90	−0.70	356.152	88.22	0.63
12	21.5	7.309	5.965	27　40　25	170.08	0.68	350.647	81.59	0.52
13	22.5	7.145	6.555	27　40　25	182.28	0.66	345.934	75.51	0.42
14	23.5	6.663	6.809	27　40　25	194.48	0.64	342.245	70.30	0.32
15	24.5	5.915	6.739	28　41　24	206.69	0.63	339.642	66.09	0.23
16	25.5	+4.949	+6.365	−28 +40 +23	218.91	−0.61	338.077	62.83	0.16
17	26.5	3.813	5.715	30　40　22	231.13	0.60	337.460	60.40	0.09
18	27.5	2.551	4.823	31　40　21	243.36	0.58	337.701	58.43	0.04
19	28.5	+1.201	3.730	33　39　20	255.58	0.57	338.732	55.57	0.01
20	29.5	−0.197	2.481	34　39　19	267.81	0.55	340.515	31.49	0.00
21	0.8	−1.606	+1.127	−36 +38 +18	280.04	−0.53	343.036	257.03	0.01
22	1.8	2.983	−0.280	37　37　17	292.27	0.51	346.292	253.96	0.03
23	2.8	4.285	1.683	38　36　16	304.50	0.48	350.266	256.43	0.07
24	3.8	5.460	3.025	40　36　16	316.73	0.46	354.885	260.76	0.12
25	4.8	6.454	4.248	41　35　16	328.95	0.43	359.986	266.20	0.20
26	5.8	−7.208	−5.293	−41 +34 +15	341.17	−0.40	5.289	272.27	0.28
27	6.8	7.661	6.104	42　33　15	353.38	0.37	10.419	278.49	0.38
28	7.8	7.760	6.622	42　33　16	5.59	0.34	14.976	284.39	0.48
29	8.8	7.459	6.798	41　33　16	17.79	0.30	18.625	289.56	0.59
30	9.8	6.739	6.587	41　32　16	29.98	0.27	21.141	293.67	0.70
May 1	10.8	−5.607	−5.967	−40 +33 +17	42.17	−0.23	22.419	296.55	0.80
2	11.8	4.110	4.944	38　33　18	54.35	0.19	22.429	298.05	0.88
3	12.8	2.335	3.565	36　34　19	66.53	0.15	21.181	298.16	0.95
4	13.8	−0.404	1.919	35　34　20	78.70	0.11	18.689	297.33	0.99
5	14.8	+1.543	−0.133	33　35　22	90.88	0.08	14.982	103.63	1.00
6	15.8	+3.360	+1.651	−31 +36 +23	103.05	−0.04	10.163	105.89	0.98
7	16.8	4.920	3.295	29　36　24	115.23	0.00	4.486	100.15	0.93
8	17.8	6.127	4.689	27　37　25	127.41	+0.03	358.412	93.29	0.86
9	18.8	6.920	5.761	26　37　26	139.60	0.05	352.527	86.26	0.77
10	19.8	7.281	6.476	25　37　26	151.79	0.08	347.362	79.75	0.68
11	20.8	+7.221	+6.829	−24 +37 +26	163.99	+0.10	343.246	74.20	0.58
12	21.8	6.780	6.835	25　37　26	176.20	0.12	340.282	69.81	0.47
13	22.8	6.014	6.521	25　36　25	188.41	0.14	338.426	66.61	0.38
14	23.8	4.986	5.921	26　36　24	200.63	0.16	337.566	64.56	0.29
15	24.8	3.767	5.072	27　36　23	212.86	0.17	337.592	63.62	0.20
16	25.8	+2.422	+4.015	−28 +35 +22	225.09	+0.19	338.420	63.77	0.13
17	26.8	+1.016	+2.792	−29 +34 +20	237.33	+0.21	340.004	65.10	0.07

MOON, 1985

FOR 0ʰ DYNAMICAL TIME

Date	Apparent Long.	Lat.	Apparent R. A.	Dec.	True Dist.	Horiz. Parallax	Semi-diameter	Eph. Transits for date Upper	Lower
	°	°	h m s	° ′ ″		′ ″	′ ″	h	h
May 17	24.40	−2.14	1 33 33.2	+ 7 27 55	63.671	53 59.67	14 42.75	10.1934	22.5341
18	36.19	−1.11	2 16 59.7	+12 32 35	63.607	54 02.96	14 43.65	10.8834	23.2428
19	48.04	−0.02	3 02 20.5	+17 11 27	63.428	54 12.10	14 46.14	11.6139	23.9975
20	59.99	+1.08	3 50 13.8	+21 12 14	63.152	54 26.29	14 50.01	12.3945	. . .
21	72.06	+2.14	4 40 59.5	+24 21 29	62.794	54 44.91	14 55.08	13.2281	00.8049
22	84.29	+3.11	5 34 30.3	+26 25 42	62.363	55 07.62	15 01.27	14.1070	01.6628
23	96.70	+3.96	6 30 06.0	+27 13 20	61.864	55 34.28	15 08.53	15.0130	02.5581
24	109.34	+4.62	7 26 39.3	+26 37 11	61.301	56 04.92	15 16.88	15.9221	03.4687
25	122.21	+5.07	8 22 55.3	+24 36 08	60.678	56 39.50	15 26.30	16.8130	04.3708
26	135.36	+5.26	9 17 55.7	+21 15 13	60.003	57 17.75	15 36.72	17.6739	05.2474
27	148.80	+5.18	10 11 15.9	+16 44 22	59.294	57 58.86	15 47.93	18.5057	06.0930
28	162.55	+4.80	11 03 07.2	+11 16 43	58.579	58 41.29	15 59.49	19.3190	06.9136
29	176.62	+4.12	11 54 09.8	+ 5 07 38	57.901	59 22.55	16 10.73	20.1318	07.7242
30	190.99	+3.18	12 45 23.1	− 1 25 14	57.311	59 59.24	16 20.72	20.9656	08.5446
31	205.61	+2.02	13 37 56.0	− 8 01 21	56.866	60 27.38	16 28.39	21.8422	09.3972
June 1	220.42	+0.71	14 32 55.7	−14 16 37	56.621	60 43.09	16 32.67	22.7785	10.3022
2	235.31	−0.66	15 31 11.2	−19 43 53	56.616	60 43.43	16 32.76	23.7785	11.2711
3	250.15	−1.97	16 32 49.5	−23 55 31	56.867	60 27.31	16 28.37	. . .	12.2977
4	264.82	−3.14	17 36 52.9	−26 28 40	57.364	59 55.87	16 19.80	00.8243	13.3524
5	279.21	−4.08	18 41 20.4	−27 11 39	58.068	59 12.30	16 07.93	01.8760	14.3891
6	293.22	−4.75	19 43 48.1	−26 07 32	58.917	58 21.12	15 53.99	02.8868	15.3656
7	306.81	−5.13	20 42 26.5	−23 31 55	59.838	57 27.19	15 39.30	03.8233	16.2596
8	319.98	−5.22	21 36 31.9	−19 46 22	60.758	56 34.98	15 25.07	04.6749	17.0709
9	332.74	−5.05	22 26 18.8	−15 12 20	61.610	55 48.05	15 12.28	05.4496	17.8134
10	345.15	−4.64	23 12 36.9	−10 07 48	62.339	55 08.91	15 01.62	06.1649	18.5067
11	357.29	−4.04	23 56 29.7	− 4 46 50	62.906	54 39.05	14 53.48	06.8414	19.1715
12	9.23	−3.26	0 39 03.5	+ 0 39 33	63.291	54 19.11	14 48.05	07.4996	19.8280
13	21.06	−2.36	1 21 22.5	+ 6 01 58	63.488	54 09.03	14 45.30	08.1592	20.4952
14	32.85	−1.35	2 04 27.0	+11 11 23	63.503	54 08.22	14 45.09	08.8384	21.1907
15	44.68	−0.29	2 49 12.7	+15 57 58	63.357	54 15.71	14 47.12	09.5538	21.9294
16	56.61	+0.79	3 36 26.1	+20 10 15	63.076	54 30.22	14 51.08	10.3186	22.7220
17	68.70	+1.85	4 26 37.8	+23 35 01	62.691	54 50.35	14 56.56	11.1396	23.5707
18	80.97	+2.84	5 19 51.2	+25 58 03	62.230	55 14.67	15 03.19	12.0135	. . .
19	93.47	+3.71	6 15 34.1	+27 06 07	61.724	55 41.87	15 10.60	12.9242	00.4657
20	106.20	+4.41	7 12 38.8	+26 49 56	61.194	56 10.84	15 18.49	13.8462	01.3855
21	119.16	+4.89	8 09 40.4	+25 06 44	60.655	56 40.76	15 26.65	14.7531	02.3030
22	132.34	+5.13	9 05 24.7	+22 01 07	60.120	57 11.07	15 34.90	15.6270	03.1948
23	145.74	+5.09	9 59 11.7	+17 43 46	59.593	57 41.38	15 43.16	16.4634	04.0497
24	159.34	+4.77	10 51 01.2	+12 29 05	59.083	58 11.28	15 51.31	17.2700	04.8696
25	173.14	+4.17	11 41 27.0	+ 6 33 10	58.598	58 40.15	15 59.17	18.0628	05.6669
26	187.13	+3.32	12 31 25.4	+ 0 13 05	58.156	59 06.92	16 06.47	18.8628	06.4605
27	201.29	+2.25	13 22 04.7	− 6 13 02	57.781	59 29.96	16 12.74	19.6928	07.2727
28	215.60	+1.03	14 14 36.5	−12 24 59	57.504	59 47.15	16 17.43	20.5735	08.1257
29	230.03	−0.26	15 10 03.0	−18 00 00	57.360	59 56.15	16 19.88	21.5185	09.0377
30	244.52	−1.54	16 08 58.8	−22 33 21	57.381	59 54.85	16 19.53	22.5249	10.0151
July 1	258.99	−2.71	17 11 06.2	−25 41 10	57.587	59 41.97	16 16.02	23.5669	11.0439
2	273.35	−3.70	18 15 00.4	−27 05 59	57.983	59 17.51	16 09.35	. . .	12.0879

EPHEMERIS FOR PHYSICAL OBSERVATIONS

FOR 0ʰ DYNAMICAL TIME

Date		Age	The Earth's Selenographic		Physical Libration	The Sun's Selenographic		Position Angle of		Fraction Illuminated
			Longitude	Latitude	Lg. Lt. P.A.	Colong.	Lat.	Axis	Bright Limb	
		d	°	°	(0°.001)	°	°	°	°	
May	17	26.8	+1.016	+2.792	−29+34+20	237.33	+0.21	340.004	65.10	0.07
	18	27.8	−0.394	1.452	31 34 19	249.57	0.22	342.327	67.89	0.03
	19	28.8	1.756	+0.046	32 33 18	261.81	0.24	345.395	73.73	0.01
	20	0.1	3.024	−1.372	33 32 18	274.06	0.26	349.200	212.11	0.00
	21	1.1	4.158	2.740	34 32 17	286.30	0.28	353.692	252.45	0.01
	22	2.1	−5.123	−4.000	−35+31+17	298.54	+0.31	358.723	260.33	0.04
	23	3.1	5.885	5.089	36 30 16	310.78	0.33	4.024	267.35	0.09
	24	4.1	6.417	5.948	36 30 16	323.02	0.36	9.223	274.11	0.16
	25	5.1	6.692	6.525	36 29 16	335.25	0.39	13.914	280.39	0.24
	26	6.1	6.687	6.773	36 29 16	347.48	0.41	17.755	285.84	0.34
	27	7.1	−6.385	−6.658	−35+29+17	359.70	+0.45	20.525	290.19	0.44
	28	8.1	5.776	6.161	34 30 17	11.92	0.48	22.125	293.27	0.55
	29	9.1	4.865	5.286	33 30 18	24.12	0.51	22.536	294.92	0.66
	30	10.1	3.672	4.062	32 31 18	36.33	0.55	21.767	295.02	0.77
	31	11.1	2.243	2.553	30 32 19	48.52	0.59	19.824	293.34	0.86
June	1	12.1	−0.647	−0.855	−28+33+20	60.71	+0.63	16.700	289.43	0.93
	2	13.1	+1.024	+0.911	26 34 22	72.90	0.66	12.415	281.64	0.98
	3	14.1	2.656	2.611	24 34 23	85.08	0.70	7.102	236.88	1.00
	4	15.1	4.132	4.119	22 35 24	97.27	0.73	1.102	107.37	0.99
	5	16.1	5.342	5.335	20 35 25	109.46	0.76	354.974	94.60	0.95
	6	17.1	+6.198	+6.198	−19+35+26	121.65	+0.79	349.343	86.00	0.89
	7	18.1	6.647	6.683	18 35 26	133.84	0.81	344.686	79.13	0.82
	8	19.1	6.673	6.796	17 34 26	146.04	0.83	341.224	73.79	0.73
	9	20.1	6.294	6.567	17 34 26	158.25	0.85	338.955	69.89	0.63
	10	21.1	5.557	6.033	17 33 25	170.47	0.87	337.770	67.32	0.54
	11	22.1	+4.530	+5.239	−18+33+24	182.69	+0.88	337.532	65.98	0.44
	12	23.1	3.292	4.229	19 32 23	194.91	0.90	338.130	65.80	0.34
	13	24.1	1.926	3.050	20 31 22	207.14	0.91	339.495	66.77	0.26
	14	25.1	+0.514	1.747	21 30 21	219.38	0.92	341.601	68.95	0.18
	15	26.1	−0.866	+0.367	22 30 20	231.62	0.93	344.449	72.53	0.11
	16	27.1	−2.144	−1.038	−23+29+19	243.87	+0.94	348.048	77.99	0.06
	17	28.1	3.264	2.410	23 28 18	256.12	0.95	352.371	86.93	0.02
	18	29.1	4.182	3.689	24 27 18	268.37	0.97	357.307	112.27	0.00
	19	0.5	4.867	4.812	24 27 17	280.62	0.98	2.618	239.12	0.00
	20	1.5	5.307	5.715	25 26 17	292.87	1.00	7.935	263.52	0.02
	21	2.5	−5.501	−6.341	−25+26+17	305.12	+1.02	12.829	273.82	0.07
	22	3.5	5.460	6.643	24 26 17	317.37	1.04	16.917	281.09	0.13
	23	4.5	5.200	6.587	24 26 17	329.61	1.06	19.948	286.54	0.21
	24	5.5	4.740	6.161	23 26 17	341.84	1.08	21.813	290.38	0.31
	25	6.5	4.096	5.372	22 27 18	354.07	1.10	22.507	292.67	0.41
	26	7.5	−3.283	−4.253	−20+28+18	6.30	+1.13	22.062	293.41	0.53
	27	8.5	2.314	2.861	19 29 18	18.51	1.16	20.506	292.54	0.64
	28	9.5	−1.207	−1.274	17 30 19	30.72	1.18	17.843	289.92	0.75
	29	10.5	+0.007	+0.406	15 31 20	42.92	1.21	14.070	285.35	0.84
	30	11.5	1.283	2.067	13 32 21	55.12	1.24	9.242	278.37	0.92
July	1	12.5	+2.553	+3.592	−11+33+22	67.31	+1.27	3.570	267.49	0.97
	2	13.5	+3.730	+4.877	− 9+34+23	79.50	+1.30	357.490	239.78	1.00

FOR 0ʰ DYNAMICAL TIME

Date	Apparent Long.	Lat.	Apparent R. A.	Dec.	True Dist.	Horiz. Parallax	Semi-diameter	Eph. Transits for date Upper	Lower
	°	°	h m s	° ′ ″		′ ″	′ ″	h	h
July 1	258.99	−2.71	17 11 06.2	−25 41 10	57.587	59 41.97	16 16.02	23.5669	11.0439
2	273.35	−3.70	18 15 00.4	−27 05 59	57.983	59 17.51	16 09.35	. . .	12.0879
3	287.50	−4.45	19 18 26.3	−26 42 22	58.552	58 42.93	15 59.93	00.6009	13.1005
4	301.37	−4.91	20 19 09.4	−24 38 49	59.258	58 00.96	15 48.50	01.5829	14.0455
5	314.88	−5.09	21 15 46.0	−21 14 03	60.048	57 15.13	15 36.01	02.4873	14.9084
6	328.02	−4.99	22 07 57.5	−16 50 28	60.862	56 29.18	15 23.49	03.3102	15.6944
7	340.78	−4.64	22 56 14.4	−11 48 55	61.637	55 46.57	15 11.88	04.0634	16.4196
8	353.21	−4.08	23 41 33.0	− 6 26 29	62.316	55 10.14	15 01.95	04.7657	17.1042
9	5.36	−3.34	0 24 58.4	− 0 56 25	62.851	54 41.96	14 54.28	05.4378	17.7688
10	17.31	−2.47	1 07 36.4	+ 4 30 46	63.209	54 23.37	14 49.21	06.1000	18.4335
11	29.14	−1.50	1 50 30.8	+ 9 45 58	63.372	54 14.98	14 46.93	06.7718	19.1170
12	40.95	−0.47	2 34 41.3	+14 40 03	63.337	54 16.76	14 47.41	07.4714	19.8368
13	52.81	+0.59	3 21 01.3	+19 02 48	63.117	54 28.11	14 50.50	08.2148	20.6067
14	64.82	+1.63	4 10 12.3	+22 42 11	62.737	54 47.92	14 55.90	09.0133	21.4346
15	77.04	+2.61	5 02 33.5	+25 24 30	62.232	55 14.61	15 03.17	09.8699	22.3176
16	89.52	+3.49	5 57 50.2	+26 55 37	61.644	55 46.22	15 11.78	10.7752	23.2396
17	102.28	+4.21	6 55 07.9	+27 03 46	61.018	56 20.56	15 21.14	11.7072	. . .
18	115.34	+4.73	7 53 02.5	+25 42 49	60.395	56 55.39	15 30.63	12.6369	00.1741
19	128.68	+5.00	8 50 07.2	+22 54 35	59.813	57 28.65	15 39.69	13.5398	01.0928
20	142.27	+5.00	9 45 21.4	+18 48 33	59.297	57 58.67	15 47.87	14.4037	01.9769
21	156.05	+4.71	10 38 26.1	+13 39 51	58.863	58 24.34	15 54.87	15.2302	02.8210
22	169.97	+4.14	11 29 41.2	+ 7 46 27	58.516	58 45.11	16 00.53	16.0316	03.6329
23	183.99	+3.31	12 19 54.7	+ 1 27 16	58.255	59 00.88	16 04.82	16.8268	04.4287
24	198.07	+2.29	13 10 09.7	− 4 58 30	58.077	59 11.78	16 07.79	17.6373	05.2287
25	212.19	+1.11	14 01 35.5	−11 11 17	57.977	59 17.87	16 09.45	18.4845	06.0551
26	226.32	−0.13	14 55 16.4	−16 50 31	57.958	59 19.04	16 09.77	19.3850	06.9273
27	240.46	−1.36	15 51 57.7	−21 34 35	58.026	59 14.86	16 08.63	20.3443	07.8576
28	254.57	−2.50	16 51 45.5	−25 02 06	58.192	59 04.76	16 05.88	21.3498	08.8429
29	268.62	−3.49	17 53 49.6	−26 55 22	58.464	58 48.22	16 01.37	22.3692	09.8604
30	282.56	−4.26	18 56 24.7	−27 05 05	58.850	58 25.11	15 55.08	23.3613	10.8712
31	296.34	−4.77	19 57 24.2	−25 33 43	59.344	57 55.94	15 47.13	. . .	11.8361
Aug. 1	309.89	−4.99	20 55 08.0	−22 34 40	59.930	57 21.94	15 37.86	00.2930	12.7310
2	323.17	−4.95	21 48 51.0	−18 27 49	60.579	56 45.04	15 27.81	01.1501	13.5512
3	336.14	−4.64	22 38 40.5	−13 34 16	61.252	56 07.63	15 17.62	01.9359	14.3062
4	348.80	−4.11	23 25 17.9	− 8 12 56	61.901	55 32.29	15 07.99	02.6644	15.0129
5	1.16	−3.40	0 09 40.2	− 2 39 22	62.479	55 01.50	14 59.60	03.3541	15.6904
6	13.28	−2.54	0 52 49.4	+ 2 54 00	62.938	54 37.41	14 53.04	04.0242	16.3580
7	25.21	−1.58	1 35 47.1	+ 8 16 50	63.240	54 21.73	14 48.77	04.6940	17.0344
8	37.04	−0.56	2 19 32.5	+13 19 48	63.359	54 15.65	14 47.11	05.3815	17.7373
9	48.85	+0.48	3 05 00.5	+17 53 18	63.278	54 19.78	14 48.23	06.1036	18.4820
10	60.73	+1.51	3 52 57.7	+21 46 37	63.000	54 34.16	14 52.15	06.8740	19.2801
11	72.77	+2.48	4 43 54.6	+24 47 25	62.541	54 58.21	14 58.70	07.7007	20.1351
12	85.06	+3.36	5 37 54.8	+26 42 16	61.932	55 30.67	15 07.55	08.5820	21.0390
13	97.66	+4.09	6 34 25.4	+27 18 26	61.216	56 09.61	15 18.16	09.5034	21.9716
14	110.62	+4.64	7 32 18.7	+26 26 50	60.449	56 52.39	15 29.81	10.4402	22.9058
15	123.94	+4.96	8 30 10.0	+24 04 58	59.688	57 35.88	15 41.66	11.3656	23.8177
16	137.63	+5.00	9 26 46.6	+20 18 22	58.991	58 16.69	15 52.78	12.2607	. . .

EPHEMERIS FOR PHYSICAL OBSERVATIONS

FOR 0ʰ DYNAMICAL TIME

Date		Age	The Earth's Selenographic		Physical Libration	The Sun's Selenographic		Position Angle of		Fraction Illuminated
			Longitude	Latitude	Lg. Lt. P.A.	Colong.	Lat.	Axis	Bright Limb	
		d	°	°	(0°.001)	°	°	°	°	
July	1	12.5	+2.553	+3.592	−11 +33 +22	67.31	+1.27	3.570	267.49	0.97
	2	13.5	3.730	4.877	9 34 23	79.50	1.30	357.490	239.78	1.00
	3	14.5	4.722	5.843	8 34 24	91.69	1.32	351.601	116.61	1.00
	4	15.5	5.440	6.443	6 34 25	103.88	1.34	346.479	90.50	0.97
	5	16.5	5.815	6.666	6 33 25	116.08	1.36	342.484	80.57	0.92
	6	17.5	+5.812	+6.527	− 5 +33 +25	128.28	+1.37	339.722	74.48	0.86
	7	18.5	5.428	6.065	5 32 25	140.48	1.38	338.124	70.56	0.78
	8	19.5	4.694	5.325	5 31 24	152.69	1.39	337.553	68.27	0.69
	9	20.5	3.668	4.360	6 30 24	164.90	1.40	337.875	67.33	0.60
	10	21.5	2.427	3.219	7 29 23	177.12	1.40	338.994	67.62	0.50
	11	22.5	+1.060	+1.951	− 7 +29 +22	189.34	+1.40	340.860	69.08	0.41
	12	23.5	−0.340	+0.605	8 28 21	201.57	1.41	343.463	71.72	0.32
	13	24.5	1.682	−0.772	9 27 20	213.81	1.41	346.812	75.63	0.23
	14	25.5	2.880	2.128	9 26 19	226.05	1.41	350.899	80.96	0.16
	15	26.5	3.861	3.406	10 25 19	238.30	1.41	355.658	87.99	0.09
	16	27.5	−4.569	−4.546	−10 +24 +18	250.54	+1.41	0.902	97.60	0.04
	17	28.5	4.974	5.484	10 23 18	262.79	1.42	6.303	114.36	0.01
	18	0.0	5.067	6.156	10 23 18	275.05	1.42	11.426	191.18	0.00
	19	1.0	4.870	6.508	10 22 18	287.30	1.43	15.840	264.07	0.01
	20	2.0	4.424	6.501	9 22 18	299.55	1.43	19.224	278.86	0.05
	21	3.0	−3.788	−6.118	− 8 +23 +18	311.79	+1.44	21.421	285.95	0.11
	22	4.0	3.019	5.367	7 23 18	324.04	1.45	22.408	289.93	0.19
	23	5.0	2.170	4.288	6 24 18	336.27	1.46	22.231	291.77	0.28
	24	6.0	1.279	2.943	4 25 19	348.50	1.47	20.945	291.78	0.39
	25	7.0	−0.367	−1.412	− 2 27 19	0.73	1.48	18.583	290.08	0.50
	26	8.0	+0.556	+0.209	0 +28 +20	12.94	+1.50	15.160	286.65	0.62
	27	9.0	1.479	1.818	+ 1 29 20	25.15	1.52	10.716	281.50	0.72
	28	10.0	2.390	3.313	3 31 21	37.35	1.53	5.398	274.63	0.82
	29	11.0	3.256	4.600	5 31 22	49.55	1.55	359.534	266.03	0.90
	30	12.0	4.033	5.602	6 32 23	61.74	1.56	353.636	255.05	0.95
	31	13.0	+4.658	+6.265	+ 7 +32 +24	73.93	+1.57	348.269	236.33	0.99
Aug.	1	14.0	5.067	6.564	8 32 24	86.12	1.58	343.874	150.46	1.00
	2	15.0	5.203	6.499	8 32 24	98.31	1.59	340.659	90.12	0.98
	3	16.0	5.026	6.099	9 31 24	110.50	1.59	338.633	77.64	0.95
	4	17.0	4.526	5.405	8 30 24	122.69	1.59	337.691	72.17	0.90
	5	18.0	+3.720	+4.470	+ 8 +29 +23	134.89	+1.59	337.698	69.52	0.83
	6	19.0	2.650	3.350	7 29 23	147.09	1.58	338.544	68.67	0.75
	7	20.0	1.385	2.099	6 28 22	159.29	1.58	340.157	69.22	0.67
	8	21.0	+0.005	+0.767	6 27 21	171.50	1.57	342.506	71.04	0.57
	9	22.0	−1.396	−0.594	5 26 21	183.72	1.56	345.588	74.05	0.48
	10	23.0	−2.722	−1.937	+ 4 +25 +20	195.94	+1.55	349.402	78.27	0.39
	11	24.0	3.877	3.210	4 24 20	208.17	1.54	353.908	83.67	0.29
	12	25.0	4.776	4.359	3 23 19	220.40	1.53	358.976	90.22	0.21
	13	26.0	5.349	5.324	3 22 19	232.64	1.52	4.343	97.87	0.13
	14	27.0	5.551	6.044	3 21 19	244.88	1.51	9.617	106.81	0.07
	15	28.0	−5.368	−6.457	+ 3 +21 +19	257.12	+1.50	14.351	118.83	0.03
	16	29.0	−4.826	−6.515	+ 4 +20 +19	269.37	+1.49	18.160	150.65	0.00

MOON, 1985

FOR 0ʰ DYNAMICAL TIME

Date	Apparent Long.	Lat.	Apparent R. A.	Dec.	True Dist.	Horiz. Parallax	Semi-diameter	Eph. Transits for date Upper	Lower
	°	°	h m s	° ′ ″		′ ″	′ ″	h	h
Aug. 16	137.63	+5.00	9 26 46.6	+20 18 22	58.991	58 16.69	15 52.78	12.2607	. . .
17	151.61	+4.75	10 21 29.9	+15 19 55	58.408	58 51.61	16 02.30	13.1197	00.6946
18	165.81	+4.20	11 14 21.9	+ 9 27 38	57.973	59 18.11	16 09.52	13.9491	01.5373
19	180.15	+3.38	12 05 56.8	+ 3 02 18	57.704	59 34.72	16 14.04	14.7642	02.3573
20	194.54	+2.34	12 57 09.6	− 3 34 12	57.599	59 41.22	16 15.81	15.5844	03.1724
21	208.89	+1.16	13 49 03.7	− 9 59 50	57.643	59 38.48	16 15.07	16.4298	04.0027
22	223.15	−0.10	14 42 40.3	−15 52 41	57.811	59 28.08	16 12.23	17.3173	04.8675
23	237.30	−1.33	15 38 45.1	−20 51 15	58.076	59 11.80	16 07.80	18.2550	05.7799
24	251.30	−2.48	16 37 31.1	−24 35 27	58.413	58 51.29	16 02.21	19.2362	06.7413
25	265.17	−3.46	17 38 23.3	−26 48 55	58.805	58 27.76	15 55.80	20.2366	07.7361
26	278.89	−4.24	18 39 57.3	−27 22 22	59.241	58 01.98	15 48.77	21.2212	08.7331
27	292.44	−4.76	19 40 23.3	−26 16 19	59.713	57 34.40	15 41.26	22.1576	09.6969
28	305.81	−5.02	20 38 05.7	−23 40 59	60.220	57 05.37	15 33.35	23.0278	10.6014
29	318.97	−5.01	21 32 12.3	−19 53 16	60.753	56 35.31	15 25.16	23.8302	11.4371
30	331.91	−4.73	22 22 38.8	−15 12 29	61.301	56 04.94	15 16.89	. . .	12.2087
31	344.61	−4.22	23 09 55.7	− 9 57 13	61.846	55 35.29	15 08.81	00.5745	12.9297
Sept. 1	357.07	−3.52	23 54 51.7	− 4 23 48	62.361	55 07.74	15 01.30	01.2765	13.6171
2	9.30	−2.67	0 38 22.7	+ 1 14 00	62.815	54 43.85	14 54.79	01.9537	14.2885
3	21.33	−1.70	1 21 25.7	+ 6 44 30	63.172	54 25.28	14 49.73	02.6238	14.9615
4	33.22	−0.67	2 04 56.1	+11 57 17	63.398	54 13.61	14 46.55	03.3039	15.6528
5	45.02	+0.38	2 49 45.6	+16 42 25	63.464	54 10.23	14 45.63	04.0100	16.3773
6	56.81	+1.42	3 36 39.8	+20 49 35	63.348	54 16.21	14 47.26	04.7560	17.1472
7	68.68	+2.40	4 26 11.7	+24 07 33	63.038	54 32.19	14 51.62	05.5514	17.9689
8	80.72	+3.30	5 18 34.2	+26 24 15	62.540	54 58.28	14 58.72	06.3990	18.8403
9	93.00	+4.06	6 13 30.7	+27 27 45	61.872	55 33.90	15 08.43	07.2910	19.7485
10	105.62	+4.64	7 10 13.4	+27 08 10	61.070	56 17.68	15 20.36	08.2098	20.6720
11	118.64	+5.01	8 07 32.5	+25 20 11	60.186	57 07.27	15 33.87	09.1322	21.5881
12	132.08	+5.12	9 04 19.0	+22 04 56	59.286	57 59.34	15 48.06	10.0379	22.4807
13	145.95	+4.93	9 59 46.5	+17 30 33	58.439	58 49.72	16 01.78	10.9164	23.3454
14	160.20	+4.44	10 53 43.8	+11 51 23	57.719	59 33.79	16 13.79	11.7690	. . .
15	174.75	+3.66	11 46 32.6	+ 5 26 40	57.184	60 07.21	16 22.89	12.6067	00.1888
16	189.49	+2.62	12 38 58.8	− 1 20 59	56.876	60 26.76	16 28.22	13.4467	01.0252
17	204.28	+1.40	13 32 00.3	− 8 06 49	56.809	60 31.06	16 29.39	14.3078	01.8734
18	219.01	+0.09	14 26 35.8	−14 25 13	56.970	60 20.77	16 26.59	15.2071	02.7519
19	233.58	−1.22	15 23 29.6	−19 51 07	57.325	59 58.33	16 20.48	16.1533	03.6743
20	247.93	−2.43	16 22 54.4	−24 01 52	57.826	59 27.16	16 11.98	17.1412	04.6430
21	262.01	−3.47	17 24 15.8	−26 39 54	58.421	58 50.85	16 02.09	18.1482	05.6443
22	275.81	−4.29	18 26 11.1	−27 35 51	59.061	58 12.54	15 51.65	19.1405	06.6484
23	289.35	−4.85	19 26 52.7	−26 50 31	59.711	57 34.56	15 41.30	20.0857	07.6205
24	302.63	−5.14	20 24 47.4	−24 34 09	60.342	56 58.40	15 31.45	20.9649	08.5340
25	315.67	−5.15	21 19 04.6	−21 03 05	60.941	56 24.82	15 22.30	21.7754	09.3783
26	328.49	−4.91	22 09 40.2	−16 35 43	61.498	55 54.15	15 13.94	22.5261	10.1574
27	341.09	−4.42	22 57 04.2	−11 29 45	62.010	55 26.46	15 06.40	23.2322	10.8837
28	353.50	−3.74	23 42 04.4	− 6 00 56	62.472	55 01.87	14 59.70	23.9108	11.5739
29	5.72	−2.89	0 25 35.3	− 0 22 59	62.876	54 40.64	14 53.92	. . .	12.2451
30	17.78	−1.92	1 08 31.7	+ 5 12 00	63.210	54 23.28	14 49.19	00.5788	12.9141
Oct. 1	29.71	−0.88	1 51 46.5	+10 32 56	63.458	54 10.56	14 45.72	01.2528	13.5969

EPHEMERIS FOR PHYSICAL OBSERVATIONS

FOR 0ʰ DYNAMICAL TIME

Date		Age	The Earth's Selenographic		Physical Libration	The Sun's Selenographic		Position Angle of		Fraction Illuminated
			Longitude	Latitude	Lg. Lt. P.A.	Colong.	Lat.	Axis	Bright Limb	
		d	°	°	(0°.001)	°	°	°	°	
Aug.	16	29.0	−4.826	−6.515	+ 4 +20 +19	269.37	+1.49	18.160	150.65	0.00
	17	0.6	3.984	6.187	5 20 19	281.61	1.48	20.804	259.38	0.01
	18	1.6	2.928	5.472	6 20 19	293.86	1.47	22.198	282.12	0.03
	19	2.6	1.758	4.405	8 21 19	306.10	1.47	22.363	288.52	0.09
	20	3.6	−0.563	3.053	9 22 20	318.34	1.46	21.357	290.56	0.16
	21	4.6	+0.584	−1.507	+11 +23 +20	330.57	+1.46	19.237	290.07	0.26
	22	5.6	1.635	+0.127	13 24 20	342.79	1.46	16.041	287.59	0.37
	23	6.6	2.568	1.744	15 26 21	355.01	1.46	11.826	283.36	0.48
	24	7.6	3.375	3.241	16 27 22	7.22	1.46	6.727	277.60	0.59
	25	8.6	4.054	4.533	18 28 22	19.42	1.46	1.033	270.65	0.70
	26	9.6	+4.600	+5.549	+19 +29 +23	31.61	+1.46	355.195	262.94	0.80
	27	10.6	4.998	6.240	20 29 23	43.80	1.46	349.741	254.84	0.88
	28	11.6	5.224	6.581	20 30 23	55.99	1.46	345.119	246.25	0.94
	29	12.6	5.249	6.566	21 29 23	68.17	1.45	341.588	235.11	0.98
	30	13.6	5.045	6.212	20 29 23	80.35	1.45	339.213	203.33	1.00
	31	14.6	+4.589	+5.556	+20 +28 +23	92.53	+1.44	337.931	97.76	0.99
Sept.	1	15.6	3.878	4.644	19 28 23	104.71	1.43	337.629	76.88	0.97
	2	16.6	2.923	3.533	18 27 22	116.89	1.41	338.197	71.52	0.93
	3	17.6	1.759	2.279	17 26 22	129.08	1.40	339.554	70.06	0.88
	4	18.6	+0.439	+0.939	16 25 21	141.27	1.38	341.656	70.64	0.81
	5	19.6	−0.970	−0.433	+15 +24 +21	153.46	+1.36	344.487	72.73	0.73
	6	20.6	2.385	1.787	14 24 21	165.65	1.34	348.040	76.11	0.64
	7	21.6	3.718	3.072	13 23 20	177.86	1.32	352.282	80.65	0.55
	8	22.6	4.874	4.238	13 22 20	190.06	1.29	357.117	86.20	0.45
	9	23.6	5.763	5.234	12 21 20	202.28	1.27	2.338	92.57	0.36
	10	24.6	−6.306	−6.004	+12 +20 +20	214.49	+1.25	7.619	99.42	0.26
	11	25.6	6.441	6.491	12 20 20	226.72	1.23	12.550	106.43	0.18
	12	26.6	6.140	6.640	12 19 20	238.94	1.21	16.731	113.45	0.10
	13	27.6	5.410	6.409	13 19 20	251.17	1.18	19.857	121.05	0.05
	14	28.6	4.305	5.779	14 19 20	263.41	1.16	21.765	134.35	0.01
	15	0.2	−2.917	−4.763	+15 +19 +20	275.64	+1.14	22.412	239.41	0.00
	16	1.2	−1.364	3.417	17 19 21	287.87	1.12	21.821	284.29	0.02
	17	2.2	+0.228	1.833	19 20 21	300.10	1.10	20.035	289.09	0.07
	18	3.2	1.746	−0.130	20 21 21	312.33	1.09	17.094	288.52	0.14
	19	4.2	3.103	+1.568	22 22 22	324.55	1.07	13.057	285.32	0.23
	20	5.2	+4.242	+3.144	+24 +23 +23	336.76	+1.06	8.063	280.26	0.34
	21	6.2	5.135	4.500	25 24 23	348.97	1.04	2.400	273.91	0.45
	22	7.2	5.771	5.569	26 25 24	1.17	1.03	356.520	266.88	0.56
	23	8.2	6.154	6.304	27 25 24	13.36	1.02	350.952	259.80	0.67
	24	9.2	6.291	6.686	28 26 24	25.54	1.00	346.152	253.19	0.76
	25	10.2	+6.192	+6.712	+28 +26 +24	37.72	+0.99	342.394	247.32	0.85
	26	11.2	5.863	6.401	27 26 23	49.90	0.97	339.764	242.14	0.91
	27	12.2	5.313	5.782	26 25 23	62.07	0.96	338.216	236.98	0.96
	28	13.2	4.551	4.899	25 25 23	74.24	0.94	337.651	228.52	0.99
	29	14.2	3.590	3.802	24 24 22	86.40	0.92	337.967	158.12	1.00
	30	15.2	+2.454	+2.548	+23 +23 +22	98.57	+0.89	339.085	77.43	0.99
Oct.	1	16.2	+1.173	+1.194	+21 +23 +21	110.73	+0.87	340.957	71.60	0.96

MOON, 1985

FOR 0^h DYNAMICAL TIME

Date	Apparent Long.	Lat.	Apparent R. A.	Dec.	True Dist.	Horiz. Parallax	Semi-diameter	Eph. Transits for date Upper	Lower
	°	°	h m s	° ′ ″		′ ″	′ ″	h	h
Oct. 1	29.71	−0.88	1 51 46.5	+10 32 56	63.458	54 10.56	14 45.72	01.2528	13.5969
2	41.53	+0.20	2 36 08.7	+15 29 07	63.596	54 03.48	14 43.79	01.9479	14.3075
3	53.31	+1.27	3 22 20.4	+19 49 48	63.603	54 03.12	14 43.69	02.6771	15.0576
4	65.10	+2.28	4 10 52.8	+23 23 47	63.458	54 10.57	14 45.72	03.4499	15.8540
5	76.97	+3.21	5 01 59.0	+25 59 39	63.143	54 26.77	14 50.14	04.2697	16.6961
6	88.99	+4.00	5 55 27.4	+27 26 25	62.652	54 52.36	14 57.11	05.1318	17.5747
7	101.24	+4.63	6 50 39.5	+27 34 54	61.991	55 27.47	15 06.68	06.0224	18.4725
8	113.81	+5.06	7 46 37.3	+26 19 32	61.181	56 11.56	15 18.69	06.9224	19.3698
9	126.76	+5.25	8 42 20.6	+23 39 36	60.259	57 03.11	15 32.73	07.8132	20.2514
10	140.14	+5.16	9 37 06.3	+19 39 44	59.283	57 59.46	15 48.09	08.6838	21.1109
11	153.99	+4.78	10 30 40.5	+14 29 45	58.324	58 56.70	16 03.68	09.5333	21.9526
12	168.28	+4.09	11 23 20.4	+ 8 24 01	57.462	59 49.79	16 18.15	10.3704	22.7891
13	182.95	+3.12	12 15 47.6	+ 1 41 22	56.776	60 33.18	16 29.97	11.2109	23.6384
14	197.91	+1.92	13 08 59.6	− 5 15 10	56.332	61 01.76	16 37.76	12.0742	. . .
15	213.01	+0.57	14 03 58.1	−11 58 47	56.174	61 12.11	16 40.58	12.9791	00.5204
16	228.09	−0.82	15 01 34.1	−18 00 28	56.308	61 03.33	16 38.18	13.9381	01.4515
17	243.03	−2.14	16 02 08.1	−22 51 45	56.711	60 37.33	16 31.10	14.9491	02.4380
18	257.69	−3.29	17 05 07.9	−26 09 00	57.328	59 58.13	16 20.42	15.9900	03.4680
19	272.01	−4.21	18 09 02.0	−27 38 20	58.093	59 10.76	16 07.51	17.0219	04.5098
20	285.94	−4.86	19 11 44.8	−27 18 42	58.934	58 20.12	15 53.72	18.0051	05.5216
21	299.49	−5.21	20 11 23.8	−25 21 07	59.785	57 30.26	15 40.13	18.9151	06.4700
22	312.67	−5.28	21 06 57.6	−22 03 51	60.597	56 44.03	15 27.54	19.7468	07.3404
23	325.53	−5.08	21 58 21.2	−17 47 05	61.334	56 03.12	15 16.39	20.5100	08.1361
24	338.11	−4.63	22 46 09.0	−12 49 21	61.976	55 28.29	15 06.90	21.2214	08.8710
25	350.46	−3.98	23 31 14.8	− 7 26 21	62.514	54 59.62	14 59.09	21.8997	09.5635
26	2.62	−3.16	0 14 38.3	− 1 51 20	62.949	54 36.86	14 52.89	22.5634	10.2323
27	14.64	−2.20	0 57 18.5	+ 3 44 11	63.283	54 19.56	14 48.17	23.2298	10.8953
28	26.54	−1.16	1 40 10.9	+ 9 09 26	63.520	54 07.39	14 44.86	23.9146	11.5690
29	38.38	−0.07	2 24 05.8	+14 13 44	63.661	54 00.17	14 42.89	. . .	12.2683
30	50.17	+1.01	3 09 46.0	+18 45 57	63.704	53 58.02	14 42.31	00.6313	13.0048
31	61.97	+2.06	3 57 42.6	+22 34 25	63.639	54 01.31	14 43.20	01.3896	13.7859
Nov. 1	73.81	+3.02	4 48 08.1	+25 27 16	63.456	54 10.66	14 45.75	02.1934	14.6113
2	85.73	+3.85	5 40 50.1	+27 13 23	63.142	54 26.81	14 50.15	03.0383	15.4724
3	97.80	+4.53	6 35 09.5	+27 43 53	62.688	54 50.49	14 56.60	03.9112	16.3523
4	110.07	+5.01	7 30 08.0	+26 53 37	62.089	55 22.25	15 05.25	04.7931	17.2314
5	122.60	+5.26	8 24 45.9	+24 42 10	61.351	56 02.18	15 16.13	05.6653	18.0938
6	135.45	+5.27	9 18 20.1	+21 13 43	60.496	56 49.71	15 29.08	06.5161	18.9325
7	148.70	+5.00	10 10 36.6	+16 36 20	59.561	57 43.27	15 43.68	07.3436	19.7507
8	162.37	+4.44	11 01 52.1	+11 01 07	58.600	58 40.05	15 59.15	08.1555	20.5602
9	176.48	+3.60	11 52 48.3	+ 4 42 06	57.684	59 35.92	16 14.37	08.9673	21.3793
10	191.01	+2.51	12 44 25.0	− 2 03 03	56.895	60 25.57	16 27.90	09.7992	22.2298
11	205.90	+1.22	13 37 51.1	− 8 52 09	56.310	61 03.22	16 38.16	10.6737	23.1333
12	221.04	−0.17	14 34 13.2	−15 18 04	55.995	61 23.81	16 43.76	11.6102	. . .
13	236.27	−1.56	15 34 15.5	−20 49 56	55.988	61 24.27	16 43.89	12.6171	00.1050
14	251.43	−2.83	16 37 52.2	−24 57 11	56.291	61 04.46	16 38.49	13.6812	01.1439
15	266.38	−3.88	17 43 43.7	−27 16 17	56.868	60 27.24	16 28.35	14.7636	02.2233
16	280.97	−4.66	18 49 26.3	−27 37 45	57.657	59 37.62	16 14.83	15.8125	03.2953

EPHEMERIS FOR PHYSICAL OBSERVATIONS

FOR 0ʰ DYNAMICAL TIME

Date		Age	The Earth's Selenographic		Physical Libration			The Sun's Selenographic		Position Angle of		Fraction Illuminated
			Longitude	Latitude	Lg.	Lt.	P.A.	Colong.	Lat.	Axis	Bright Limb	
		d	°	°	(0°.001)			°	°	°	°	
Oct.	1	16.2	+1.173	+1.194	+21	+23	+21	110.73	+0.87	340.957	71.60	0.96
	2	17.2	−0.209	−0.202	20	22	21	122.90	0.84	343.563	71.69	0.92
	3	18.2	1.639	1.584	18	21	20	135.07	0.81	346.890	74.04	0.86
	4	19.2	3.054	2.901	17	20	20	147.25	0.79	350.910	77.85	0.79
	5	20.2	4.381	4.101	16	20	20	159.43	0.76	355.536	82.80	0.71
	6	21.2	−5.541	−5.137	+15	+19	+20	171.61	+0.73	0.592	88.57	0.62
	7	22.2	6.453	5.960	14	18	20	183.80	0.70	5.795	94.82	0.52
	8	23.2	7.040	6.520	13	18	20	195.99	0.67	10.783	101.14	0.42
	9	24.2	7.233	6.769	13	17	20	208.19	0.64	15.181	107.09	0.32
	10	25.2	6.988	6.663	13	17	20	220.40	0.61	18.676	112.33	0.23
	11	26.2	−6.286	−6.172	+14	+17	+20	232.61	+0.58	21.065	116.66	0.14
	12	27.2	5.153	5.286	15	17	21	244.82	0.55	22.252	120.14	0.07
	13	28.2	3.653	4.032	16	18	21	257.04	0.52	22.209	123.74	0.02
	14	29.2	1.893	2.480	18	18	21	269.25	0.49	20.934	147.92	0.00
	15	0.8	−0.007	−0.738	19	19	22	281.47	0.46	18.432	287.12	0.01
	16	1.8	+1.863	+1.057	+21	+20	+22	293.69	+0.44	14.721	287.94	0.05
	17	2.8	3.585	2.763	23	20	23	305.90	0.41	9.897	283.89	0.11
	18	3.8	5.054	4.259	25	21	24	318.11	0.38	4.226	277.89	0.20
	19	4.8	6.196	5.452	26	21	24	330.31	0.36	358.175	270.93	0.30
	20	5.8	6.973	6.289	27	22	25	342.50	0.34	352.337	263.84	0.41
	21	6.8	+7.376	+6.749	+27	+22	+25	354.69	+0.32	347.236	257.31	0.52
	22	7.8	7.421	6.838	27	22	25	6.87	0.29	343.193	251.76	0.62
	23	8.8	7.139	6.579	27	21	24	19.04	0.27	340.304	247.38	0.72
	24	9.8	6.567	6.007	26	21	24	31.21	0.25	338.520	244.20	0.80
	25	10.8	5.750	5.164	25	20	23	43.37	0.23	337.732	242.14	0.88
	26	11.8	+4.730	+4.100	+23	+20	+23	55.53	+0.20	337.831	241.10	0.93
	27	12.8	3.551	2.866	22	19	22	67.68	0.17	338.735	240.89	0.97
	28	13.8	2.252	1.519	20	18	21	79.83	0.15	340.395	240.63	1.00
	29	14.8	+0.875	+0.114	18	18	21	91.98	0.12	342.794	72.71	1.00
	30	15.8	−0.539	−1.290	16	17	20	104.13	0.09	345.923	70.23	0.99
	31	16.8	−1.949	−2.639	+14	+17	+20	116.28	+0.06	349.761	73.81	0.96
Nov.	1	17.8	3.308	3.878	13	16	20	128.44	+0.03	354.231	78.69	0.91
	2	18.8	4.565	4.958	11	16	20	140.59	0.00	359.172	84.41	0.85
	3	19.8	5.667	5.830	10	15	20	152.75	−0.03	4.318	90.59	0.77
	4	20.8	6.555	6.452	9	15	20	164.92	0.06	9.324	96.84	0.68
	5	21.8	−7.169	−6.781	+ 8	+15	+20	177.09	−0.09	13.834	102.73	0.59
	6	22.8	7.450	6.783	8	14	20	189.26	0.13	17.548	107.89	0.48
	7	23.8	7.350	6.429	8	15	20	201.44	0.16	20.266	112.04	0.38
	8	24.8	6.834	5.705	8	15	20	213.63	0.19	21.883	114.96	0.28
	9	25.8	5.891	4.617	9	15	20	225.82	0.22	22.353	116.49	0.18
	10	26.8	−4.547	−3.204	+10	+16	+20	238.01	−0.25	21.653	116.38	0.10
	11	27.8	2.864	−1.542	11	17	21	250.21	0.28	19.751	114.16	0.04
	12	28.8	−0.946	+0.255	13	18	21	262.42	0.31	16.607	107.00	0.01
	13	0.4	+1.071	2.045	15	18	22	274.62	0.34	12.225	298.83	0.00
	14	1.4	3.035	3.683	16	19	23	286.82	0.37	6.759	285.79	0.03
	15	2.4	+4.795	+5.045	+18	+19	+24	299.02	−0.40	0.610	277.39	0.09
	16	3.4	+6.225	+6.045	+19	+19	+24	311.22	−0.42	354.412	269.37	0.16

FOR 0^h DYNAMICAL TIME

Date	Apparent Long.	Apparent Lat.	Apparent R. A.	Apparent Dec.	True Dist.	Horiz. Parallax	Semi-diameter	Eph. Transits for date Upper	Eph. Transits for date Lower
	°	°	h m s	° ′ ″		′ ″	′ ″	h	h
Nov.16	280.97	−4.66	18 49 26.3	−27 37 45	57.657	59 37.62	16 14.83	15.8125	03.2953
17	295.13	−5.12	19 52 26.8	−26 08 40	58.578	58 41.37	15 59.51	16.7869	04.3106
18	308.83	−5.28	20 51 03.5	−23 08 22	59.549	57 43.95	15 43.86	17.6711	05.2403
19	322.08	−5.14	21 44 48.8	−19 00 36	60.497	56 49.65	15 29.07	18.4711	06.0807
20	334.92	−4.75	22 34 12.6	−14 07 31	61.365	56 01.44	15 15.93	19.2048	06.8449
21	347.42	−4.14	23 20 13.9	− 8 47 08	62.112	55 21.02	15 04.92	19.8935	07.5534
22	359.64	−3.36	0 04 00.8	− 3 13 33	62.715	54 49.06	14 56.21	20.5585	08.2277
23	11.65	−2.44	0 46 40.2	+ 2 21 53	63.168	54 25.48	14 49.79	21.2193	08.8883
24	23.53	−1.42	1 29 14.7	+ 7 49 08	63.473	54 09.76	14 45.50	21.8939	09.5539
25	35.34	−0.35	2 12 40.9	+12 58 21	63.643	54 01.11	14 43.15	22.5977	10.2413
26	47.13	+0.73	2 57 47.7	+17 39 02	63.690	53 58.70	14 42.49	23.3428	10.9645
27	58.94	+1.78	3 45 11.9	+21 39 35	63.629	54 01.79	14 43.33	. . .	11.7329
28	70.81	+2.76	4 35 11.5	+24 47 41	63.471	54 09.87	14 45.53	00.1351	12.5487
29	82.77	+3.62	5 27 37.5	+26 51 15	63.222	54 22.69	14 49.03	00.9723	13.4042
30	94.85	+4.32	6 21 50.4	+27 40 20	62.883	54 40.29	14 53.82	01.8418	14.2823
Dec. 1	107.07	+4.84	7 16 46.7	+27 09 06	62.451	55 02.94	14 59.99	02.7230	15.1609
2	119.48	+5.14	8 11 17.2	+25 17 08	61.925	55 31.02	15 07.64	03.5940	16.0204
3	132.09	+5.20	9 04 29.2	+22 09 20	61.303	56 04.83	15 16.86	04.4392	16.8501
4	144.96	+5.00	9 56 01.0	+17 54 27	60.591	56 44.36	15 27.63	05.2535	17.6506
5	158.13	+4.54	10 46 04.1	+12 43 37	59.807	57 28.99	15 39.78	06.0427	18.4321
6	171.63	+3.81	11 35 17.8	+ 6 49 29	58.982	58 17.22	15 52.93	06.8209	19.2119
7	185.49	+2.85	12 24 41.0	+ 0 26 19	58.164	59 06.45	16 06.34	07.6079	20.0120
8	199.73	+1.69	13 15 25.1	− 6 08 56	57.412	59 52.88	16 18.99	08.4271	20.8565
9	214.32	+0.40	14 08 46.4	−12 35 10	56.797	60 31.79	16 29.59	09.3027	21.7681
10	229.19	−0.95	15 05 52.3	−18 26 14	56.387	60 58.21	16 36.79	10.2539	22.7602
11	244.26	−2.24	16 07 17.5	−23 12 02	56.236	61 08.02	16 39.46	11.2852	23.8251
12	259.36	−3.38	17 12 30.5	−26 23 02	56.374	60 59.06	16 37.02	12.3741	. . .
13	274.35	−4.27	18 19 34.4	−27 38 27	56.796	60 31.86	16 29.61	13.4707	00.9252
14	289.06	−4.86	19 25 36.0	−26 54 03	57.465	59 49.57	16 18.09	14.5179	02.0035
15	303.39	−5.13	20 27 59.0	−24 23 14	58.317	58 57.12	16 03.80	15.4779	03.0099
16	317.25	−5.09	21 25 22.4	−20 30 22	59.273	58 00.07	15 48.25	16.3424	03.9216
17	330.63	−4.76	22 17 45.4	−15 41 47	60.251	57 03.56	15 32.86	17.1239	04.7423
18	343.56	−4.20	23 05 57.4	−10 20 12	61.179	56 11.66	15 18.72	17.8439	05.4901
19	356.09	−3.45	23 51 08.5	− 4 43 05	61.995	55 27.24	15 06.61	18.5257	06.1882
20	8.30	−2.56	0 34 32.1	+ 0 56 29	62.660	54 51.95	14 57.00	19.1915	06.8593
21	20.28	−1.57	1 17 18.1	+ 6 28 09	63.149	54 26.46	14 50.05	19.8614	07.5247
22	32.12	−0.53	2 00 30.2	+11 42 42	63.455	54 10.70	14 45.76	20.5536	08.2037
23	43.89	+0.53	2 45 05.0	+16 30 42	63.585	54 04.04	14 43.94	21.2830	08.9128
24	55.68	+1.56	3 31 48.5	+20 41 39	63.557	54 05.50	14 44.34	22.0599	09.6651
25	67.54	+2.53	4 21 10.1	+24 03 44	63.393	54 13.88	14 46.63	22.8863	10.4672
26	79.52	+3.39	5 13 12.8	+26 24 29	63.120	54 27.94	14 50.46	23.7538	11.3159
27	91.65	+4.11	6 07 26.4	+27 32 30	62.764	54 46.48	14 55.51	. . .	12.1971
28	103.96	+4.65	7 02 49.1	+27 19 57	62.346	55 08.51	15 01.51	00.6428	13.0877
29	116.45	+4.97	7 58 03.9	+25 44 39	61.882	55 33.33	15 08.27	01.5288	13.9636
30	129.13	+5.06	8 52 02.9	+22 50 49	61.382	56 00.52	15 15.68	02.3903	14.8080
31	142.00	+4.89	9 44 08.5	+18 47 53	60.850	56 29.90	15 23.69	03.2164	15.6160
32	155.06	+4.47	10 34 19.3	+13 48 24	60.289	57 01.42	15 32.27	04.0081	16.3941

EPHEMERIS FOR PHYSICAL OBSERVATIONS

FOR 0ʰ DYNAMICAL TIME

Date		Age	The Earth's Selenographic		Physical Libration	The Sun's Selenographic		Position Angle of		Fraction Illuminated
			Longitude	Latitude	Lg. Lt. P.A.	Colong.	Lat.	Axis	Bright Limb	
		d	°	°	(0°.001)	°	°	°	°	
Nov.	16	3.4	+6.225	+6.045	+19 +19 +24	311.22	−0.42	354.412	269.37	0.16
	17	4.4	7.242	6.642	19 19 25	323.41	0.45	348.825	262.04	0.26
	18	5.4	7.804	6.837	20 18 25	335.59	0.47	344.303	255.85	0.36
	19	6.4	7.913	6.656	19 18 25	347.76	0.50	341.013	251.02	0.46
	20	7.4	7.605	6.144	19 17 24	359.93	0.52	338.913	247.58	0.56
	21	8.4	+6.937	+5.350	+18 +17 +24	12.10	−0.55	337.873	245.46	0.66
	22	9.4	5.979	4.329	16 16 23	24.25	0.57	337.755	244.58	0.75
	23	10.4	4.804	3.134	15 15 22	36.40	0.59	338.455	244.93	0.83
	24	11.4	3.483	1.817	13 14 22	48.55	0.62	339.914	246.59	0.89
	25	12.4	2.082	+0.432	11 14 21	60.69	0.64	342.110	249.86	0.94
	26	13.4	+0.658	−0.967	+ 9 +13 +21	72.83	−0.67	345.042	255.95	0.98
	27	14.4	−0.740	2.324	7 12 20	84.97	0.69	348.700	274.39	1.00
	28	15.4	2.069	3.585	5 12 20	97.11	0.72	353.031	53.50	1.00
	29	16.4	3.295	4.697	3 11 20	109.24	0.75	357.893	74.43	0.98
	30	17.4	4.388	5.608	+ 2 11 20	121.38	0.77	3.032	83.81	0.94
Dec.	1	18.4	−5.320	−6.274	0 +11 +20	133.52	−0.80	8.103	91.45	0.89
	2	19.4	6.064	6.657	− 1 10 20	145.66	0.82	12.738	98.16	0.82
	3	20.4	6.589	6.725	1 10 20	157.81	0.84	16.627	103.90	0.74
	4	21.4	6.862	6.458	2 11 19	169.96	0.87	19.567	108.51	0.65
	5	22.4	6.848	5.849	2 11 19	182.12	0.89	21.465	111.87	0.54
	6	23.4	−6.515	−4.903	− 2 +12 +19	194.29	−0.92	22.289	113.88	0.43
	7	24.4	5.835	3.649	− 1 13 19	206.46	0.94	22.033	114.41	0.32
	8	25.4	4.799	2.139	0 14 19	218.63	0.96	20.673	113.26	0.22
	9	26.4	3.424	−0.456	+ 1 15 20	230.82	0.99	18.154	110.11	0.13
	10	27.4	−1.762	+1.289	2 16 20	243.00	1.01	14.418	104.17	0.06
	11	28.4	+0.092	+2.965	+ 4 +17 +21	255.19	−1.04	9.485	92.32	0.02
	12	29.4	2.006	4.437	5 17 22	267.39	1.06	3.584	13.79	0.00
	13	1.0	3.822	5.590	6 18 22	279.58	1.08	357.240	285.38	0.02
	14	2.0	5.387	6.350	7 17 23	291.77	1.11	351.174	271.02	0.06
	15	3.0	6.572	6.687	8 17 23	303.96	1.13	346.025	262.08	0.12
	16	4.0	+7.298	+6.617	+ 8 +16 +24	316.14	−1.15	342.135	255.61	0.20
	17	5.0	7.536	6.182	8 15 24	328.32	1.17	339.546	251.04	0.30
	18	6.0	7.304	5.443	7 14 23	340.49	1.18	338.134	248.10	0.39
	19	7.0	6.660	4.461	6 13 23	352.65	1.20	337.731	246.59	0.49
	20	8.0	5.682	3.298	4 12 22	4.81	1.22	338.198	246.35	0.59
	21	9.0	+4.461	+2.012	+ 3 +11 +22	16.96	−1.24	339.445	247.33	0.68
	22	10.0	3.089	+0.656	+ 1 11 21	29.11	1.25	341.432	249.54	0.77
	23	11.0	1.653	−0.718	− 1 10 21	41.25	1.27	344.151	253.09	0.84
	24	12.0	+0.232	2.061	3 9 20	53.39	1.28	347.602	258.23	0.90
	25	13.0	−1.107	3.319	4 8 20	65.52	1.30	351.758	265.67	0.95
	26	14.0	−2.315	−4.441	− 6 + 8 +20	77.65	−1.31	356.510	278.13	0.98
	27	15.0	3.355	5.374	8 7 20	89.78	1.33	1.637	320.12	1.00
	28	16.0	4.208	6.070	9 7 20	101.91	1.34	6.805	65.50	0.99
	29	17.0	4.865	6.486	10 7 19	114.04	1.35	11.623	87.40	0.97
	30	18.0	5.329	6.590	11 7 19	126.17	1.36	15.742	97.43	0.93
	31	19.0	−5.603	−6.364	−12 + 7 +19	138.30	−1.38	18.927	104.07	0.87
	32	20.0	−5.690	−5.804	−12 + 7 +19	150.44	−1.39	21.069	108.66	0.79

NOTES AND FORMULAE

Use of the polynomial coefficients for the lunar coordinates

On pages D23–D45 for each day of the year, the apparent right ascension (α) and declination (δ) of the Moon are represented by economised polynomials of the fifth degree, and the horizontal parallax (π) is represented by an economised polynomial of the fourth degree. The formulae to be evaluated are of the form:

$$a_0 + a_1 p + a_2 p^2 + a_3 p^3 + a_4 p^4 + a_5 p^5$$

where a_5 is zero for the parallax.

The time-interval from 0^h TDT is expressed as a fraction of a day to form the interpolation factor p, where $0 \leqslant p < 1$, and the polynomial is evaluated directly, or by re-expressing it in the nested form:

$$((((a_5 p + a_4) p + a_3) p + a_2) p + a_1) p + a_0$$

to avoid the separate formation of the powers of p. Alternatively this nested form for α and δ may be written as:

$$b_{n+1} = b_n p + a_{5-n}, \text{ for } n = 1 \text{ to } 5,$$

where $b_1 = a_5$ and b_6 is the required value. For the parallax a_5 is zero, so that:

$$b_{n+1} = b_n p + a_{4-n}, \text{ for } n = 1 \text{ to } 4,$$

where $b_1 = a_4$ and b_5 is the required value.

The polynomial coefficients are expressed in decimals of a degree, even for α, and the signs are given on the right-hand sides of the coefficients to facilitate their use with small calculators. Subtract $360°$ from α if it exceeds $360°$. In order to obtain the full precision of the ephemeris the interpolating factor p must be evaluated to 8 decimal places (10^{-3} s); estimates of the precision of unrounded interpolated values are:

RA	Dec	HP
$\pm 0^s{\cdot}0003$	$\pm 0''{\cdot}003$	$\pm 0''{\cdot}0003$

Particular care must be taken to ensure that the coefficients are entered with the correct signs.

Example. To calculate the apparent right ascension (α) the declination (δ) and the horizontal parallax (π) for the Moon on 1985 January 21^d 13^h 23^m $48^s{\cdot}32$ UT, using an assumed value of $\Delta T = 55^s$.

$$\text{TDT} = 13^h\ 24^m\ 43^s{\cdot}32, \text{ hence } p = 0{\cdot}558\ 834\ 72$$

	right ascension	declination	horizontal parallax
b_1	$-0{\cdot}000\ 2792$	$+0{\cdot}000\ 5645$	$+0{\cdot}000\ 004\ 03$
b_2	$+0{\cdot}008\ 8379$	$-0{\cdot}002\ 3549$	$+0{\cdot}000\ 081\ 75$
b_3	$-0{\cdot}030\ 4032$	$-0{\cdot}046\ 4027$	$-0{\cdot}000\ 106\ 76$
b_4	$-0{\cdot}416\ 9972$	$+0{\cdot}612\ 5313$	$-0{\cdot}009\ 147\ 49$
b_5	$+13{\cdot}874\ 3285$	$+2{\cdot}679\ 1970$	$\pi = 0{\cdot}938\ 404\ 28$
b_6	$\alpha = 310{\cdot}614\ 6480$	$\delta = -23{\cdot}173\ 8190$	
	$= 20^h\ 42^m\ 27^s{\cdot}516$	$= -23°\ 10'\ 25''{\cdot}75$	$= 56'\ 18''{\cdot}255$

DAILY POLYNOMIAL COEFFICIENTS (in degrees)

	Apparent Right Ascension	Apparent Declination	Horizontal Parallax	Apparent Right Ascension	Apparent Declination	Horizontal Parallax
	January 0			**January 8**		
a_0	17.6897 319+	4.0009 608+	0.9042 0495+	122.3223 356+	24.7737 980+	0.9718 3015+
a_1	10.6333 093+	5.2531 769+	0.0014 4333+	14.9813 183+	2.3984 366−	0.0084 0847+
a_2	887 416+	587 987−	14 6377+	1657 978−	7667 969−	9 2407−
a_3	428 462+	244 118−	2035−	620 303−	263 589+	7425−
a_4	1 618−	6 181−	724−	78 157+	68 095+	1165+
a_5	926−	1 635−		4 341+	5 684−	
	January 1			**January 9**		
a_0	28.4543 746+	9.1701 455+	0.9070 8447+	137.0840 755+	21.6411 645+	0.9792 5195+
a_1	10.9382 188+	5.0590 548+	0.0042 8088+	14.4970 559+	3.8285 576−	0.0063 8426+
a_2	2153 866+	1373 815+	13 5933+	3006 875−	6525 679−	10 7715−
a_3	411 834+	284 873−	4934−	269 015−	479 168+	2667−
a_4	5 940−	14 596−	717−	97 527+	38 237+	1079+
a_5	2 459−	1 108−		3 991−	5 506−	
	January 2			**January 10**		
a_0	39.6483 235+	14.0617 611+	0.9126 6816+	151.2628 960+	17.2112 291+	0.9845 4319+
a_1	11.4889 339+	4.6924 392+	0.0068 2282+	13.8519 887+	4.9773 980−	0.0041 9317+
a_2	3329 132+	2327 152−	11 6843+	3269 014−	4913 851−	10 9346−
a_3	362 224+	353 568−	7821−	79 760+	578 406+	1718+
a_4	18 179−	20 564−	675−	75 270+	10 384+	732+
a_5	4 675−	182+		6 289−	3 091−	
	January 3			**January 11**		
a_0	51.5041 075+	18.4840 901+	0.9205 7445+	164.8028 573+	11.8010 159+	0.9876 6739+
a_1	12.2538 169+	4.1128 066+	0.0088 9804+	13.2490 782+	5.7840 360−	0.0020 8706+
a_2	4259 837+	3509 491+	8 9373+	2641 123−	3147 194−	9 9949−
a_3	241 998+	432 604−	1 0554−	318 580+	590 385+	4659+
a_4	42 462−	20 132−	547−	43 135+	4 741−	255+
a_5	6 143−	2 590+		5 064−	723−	
	January 4			**January 12**		
a_0	64.2032 473+	22.2009 329+	0.9302 5521+	177.8234 884+	5.7607 526+	0.9888 0409+
a_1	13.1583 301+	3.2743 727+	0.0103 4697+	12.8311 516+	6.2386 156−	0.0002 3802+
a_2	4669 261+	4902 185−	5 4507+	1477 175−	1411 639−	8 4580−
a_3	12 289+	485 536−	1 2788−	441 276+	564 996+	5641+
a_4	75 624−	7 113−	293−	18 113+	7 870−	184−
a_5	3 615−	5 590+		3 653−	660+	
	January 5			**January 13**		
a_0	77.8218 083+	24.9363 811+	0.9410 1645+	190.5524 962+	0.5632 484−	0.9882 5088+
a_1	14.0638 211+	2.1482 258+	0.0110 4174+	12.6735 183−	6.3542 623−	0.0012 9176−
a_2	4215 904+	6345 382−	1 4507+	81 127−	242 807+	6 8848−
a_3	321 446+	457 406−	1 3996−	477 261+	540 266+	4836+
a_4	95 903−	22 160+	95+	405+	4 079−	456−
a_5	5 029+	6 895+		3 546−	915+	
	January 6			**January 14**		
a_0	92.2659 879+	26.4072 336+	0.9520 6425+	203.2653 138+	6.8395 198−	0.9863 1444+
a_1	14.7747 317+	0.7542 353+	0.0109 1580+	12.7988 589+	6.1447 960−	0.0025 4192−
a_2	2726 715+	7515 433−	2 6767−	1317 661+	1848 365+	5 7091−
a_3	649 727−	301 491−	1 3621−	442 738+	532 575+	2939+
a_4	68 786−	58 491+	556−	17 006−	1 012+	503−
a_5	14 228+	3 985+		4 766−	9+	
	January 7			**January 15**		
a_0	107.2429 626+	26.3860 241+	0.9625 8173+	216.2380 355+	12.7461 198−	0.9832 2598+
a_1	15.1047 558+	0.8139 159−	0.0099 9407+	13.1860 263+	5.6149 439−	0.0036 1572−
a_2	507 801+	8029 069−	6 4172−	2496 090+	3452 315+	5 1244−
a_3	782 809−	30 901−	1 1356−	326 440+	535 533+	868+
a_4	7 345+	78 664+	962+	41 409−	1 490+	342−
a_5	13 835+	1 795−		5 960−	2 034−	

Formula: Quantity $= a_0 + a_1 p + a_2 p^2 + a_3 p^3 + a_4 p^4 + a_5 p^5$

where p is the fraction of a day from 0^h TDT.

MOON, 1985

DAILY POLYNOMIAL COEFFICIENTS (in degrees)

	Apparent Right Ascension	Apparent Declination	Horizontal Parallax	Apparent Right Ascension	Apparent Declination	Horizontal Parallax
	January 16			**January 24**		
a_0	229.7015 779+	17.9623 333−	0.9791 0308+	341.2745 306+	13.2199 429−	0.9173 0563+
a_1	13.7636 351+	4.7642 449−	0.0046 2826−	11.5773 617+	4.8675 829−	0.0075 1898−
a_2	3167 046+	5047 496+	5 0601−	3382 945−	2173 154+	7 0053+
a_3	102 391+	519 755+	530−	341 035+	391 674−	9656+
a_4	73 276−	8 790−	42−	19 843+	20 199+	312−
a_5	4 075−	4 516−		2 622−	690−	
	January 17			**January 25**		
a_0	243.7844 216+	22.1711 836−	0.9739 6310+	352.5494 234+	8.1722 610−	0.9105 8061+
a_1	14.3964 223+	3.6045 937−	0.0056 5786−	11.0097 111+	5.1924 454+	0.0058 4075−
a_2	2993 478+	6508 698+	5 2341−	2266 970−	1112 385+	9 7103+
a_3	227 161−	439 000+	693−	395 083+	318 179−	8390+
a_4	95 937−	32 547−	293+	7 018+	16 494+	453−
a_5	3 442+	5 388−		1 072−	1 357−	
	January 18			**January 26**		
a_0	258.4482 263+	25.0848 011−	0.9677 7782+	3.3725 405+	2.8988 813−	0.9057 9026+
a_1	14.8903 263+	2.1868 638−	0.0067 1375−	10.6771 144+	5.3253 876+	0.0036 6510−
a_2	1770 957+	7576 303+	5 2584−	1050 294−	243 220+	11 9526+
a_3	571 398−	256 559+	516−	412 845+	265 929−	6571+
a_4	77 572+	61 098−	555+	1 941+	9 572+	551−
a_5	12 665+	2 547−		376−	1 617−	
	January 19			**January 27**		
a_0	273.4520 180+	26.4947 433−	0.9605 4894+	13.9860 665+	2.4250 308+	0.9033 8062+
a_1	15.0484 036+	0.6203 422−	0.0077 2772−	10.5914 975+	5.2972 729+	0.0010 9949−
a_2	281 370−	7953 903+	4 7672−	196 161−	513 328−	13 5905+
a_3	754 301−	10 345−	2792+	416 783+	243 847−	4367+
a_4	9 645−	73 989−	666+	330+	1 388+	636−
a_5	14 000+	2 739+		494−	1 673−	
	January 20			**January 28**		
a_0	288.3972 900+	26.3278 546−	0.9523 7907+	24.6388 420+	7.6465 578+	0.9036 7748+
a_1	14.7689 723+	0.9391 127+	0.0085 7074−	10.7556 485+	5.1211 724+	0.0017 2418+
a_2	2461 822−	7506 545+	3 5321−	1443 587+	1253 292−	14 5159+
a_3	657 346−	276 977−	5508+	412 609+	254 920−	1829+
a_4	62 637+	58 758−	602+	1 840−	7 124−	733−
a_5	5 824+	6 136−		1 446−	1 508−	
	January 21			**January 29**		
a_0	302.8611 915+	24.6710 472−	0.9435 1622+	35.5797 814+	12.6160 457+	0.9068 6421+
a_1	14.1073 610+	2.3368 932+	0.0090 8783−	11.1666 872+	4.7904 350+	0.0046 5291+
a_2	4000 068−	6384 628+	1 5245−	2655 939+	2075 925+	14 6212+
a_3	353 421−	450 867−	7950+	389 745+	298 115−	1096−
a_4	89 939+	26 704−	403+	8 817−	14 963−	851−
a_5	2 792−	5 645+		3 253−	871−	
	January 22			**January 30**		
a_0	316.5419 182+	21.7428 839−	0.9343 5947+	47.0498 300+	17.1674 933+	0.9129 5976+
a_1	13.2358 967+	3.4706 966+	0.0091 3811−	11.8096 425+	4.2793 966+	0.0075 1021+
a_2	4548 980−	4928 288+	1 0942+	3739 695+	3068 831−	13 7777+
a_3	23 410−	502 657−	9570+	320 764+	365 762−	4505−
a_4	73 572+	1 785+	141+	25 295−	19 799−	976−
a_5	5 821−	3 100+		5 363−	681+	
	January 23			**January 31**		
a_0	329.3273 511+	17.8291 358−	0.9254 2788+	59.2624 526+	21.1015 189+	0.9217 9293+
a_1	12.3455 973+	4.3078 182+	0.0086 2655−	12.6410 113+	3.5483 259+	0.0100 9156+
a_2	4236 144−	3461 969+	4 0419+	4496 365+	4278 162−	11 8384+
a_3	213 237+	465 881−	1 0122+	165 874+	436 601−	8435−
a_4	43 448+	16 924+	112−	53 574−	16 810−	1056−
a_5	4 719−	735+		5 672−	3 368+	

Formula: Quantity = $a_0 + a_1 p + a_2 p^2 + a_3 p^3 + a_4 p^4 + a_5 p^5$

where p is the fraction of a day from 0^h TDT.

DAILY POLYNOMIAL COEFFICIENTS (in degrees)

	Apparent Right Ascension	Apparent Declination	Horizontal Parallax		Apparent Right Ascension	Apparent Declination	Horizontal Parallax
	February 1				**February 9**		
a_0	72.3637 631 +	24.1770 243 +	0.9329 7341 +		186.9500 794 +	0.9928 944 +	1.0019 9438 +
a_1	13.5657 864 +	2.5566 763 +	0.0121 6392 +		13.0554 245 +	6.5749 725 −	0.0028 9230 −
a_2	4615 429 +	5655 093 −	8 6762 +		760 777 −	23 382 −	15 6264 −
a_3	102 306 −	468 578 −	1 2718 −		440 980 +	640 469 +	1 2234 +
a_4	84 598 −	396 +	1003 −		6 538 +	12 680 −	610 +
a_5	857 −	6 207 +			3 960 −	75 −	
	February 2				**February 10**		
a_0	86.3723 162 +	26.1219 938 +	0.9458 6775 +		199.9737 821 +	5.5216 449 −	0.9976 6788 +
a_1	14.4239 231 +	1.2883 464 +	0.0134 7747 +		13.0361 981 +	6.3926 176 −	0.0056 2619 −
a_2	3792 207 +	6996 153 −	4 2685 +		561 832 +	1821 270 +	11 6148 −
a_3	443 841 −	404 776 −	1 6821 −		427 350 +	589 080 +	1 4609 +
a_4	89 818 −	33 026 +	711 −		12 928 −	12 561 −	192 −
a_5	8 853 +	6 568 +			4 306 −	68 +	
	February 3				**February 11**		
a_0	101.1229 795 +	26.6742 068 +	0.9595 9675 +		213.1071 750 +	11.6744 768 −	0.9910 2437 +
a_1	15.0177 183 +	0.2158 268 −	0.0137 9806 +		13.2694 447 +	5.8566 312 −	0.0075 1862 −
a_2	2010 811 +	7946 422 −	1 1856 −		1723 194 +	3513 892 +	7 3636 −
a_3	711 200 −	209 161 −	1 9762 −		332 264 +	538 952 +	1 3732 +
a_4	41 940 −	67 412 +	113 −		34 779 −	11 767 −	711 −
a_5	15 077 +	2 726 +			4 931 −	914 −	
	February 4				**February 12**		
a_0	116.2679 726 +	25.6498 355 +	0.9730 7751 +		226.5781 945 +	17.1270 917 +	0.9828 9961 +
a_1	15.1972 777 +	1.8395 381 −	0.0129 6355 +		13.6973 874 +	4.9973 329 −	0.0086 0787 −
a_2	223 074 −	8142 218 −	7 1558 −		2461 785 +	5051 023 +	3 6766 −
a_3	730 706 −	84 661 +	2 0265 −		144 673 +	481 808 +	1 0786 +
a_4	37 636 +	80 742 +	731 +		60 849 −	16 238 −	896 −
a_5	10 482 +	2 773 −			3 610 −	2 577 −	
	February 5				**February 13**		
a_0	131.3746 840 +	23.0123 385 +	0.9851 3015 +		240.5297 818 +	21.5730 230 −	0.9740 2297 +
a_1	14.9537 354 +	3.4116 767 +	0.0109 5372 +		14.2070 077 +	3.8503 704 −	0.0090 5550 −
a_2	2084 595 −	7431 734 −	12 7704 −		2494 341 +	6373 162 +	9761 −
a_3	480 880 −	378 189 +	1 7292 −		131 735 −	390 569 +	7131 +
a_4	89 835 +	65 351 +	1587 +		80 687 −	29 760 −	814 −
a_5	547 +	5 721 −			1 752 +	3 555 −	
	February 6				**February 14**		
a_0	146.0809 100 +	18.9012 701 +	0.9946 4978 +		254.9651 567 +	24.7503 518 −	0.9649 3304 +
a_1	14.4287 530 +	4.7612 870 −	0.0079 4443 +		14.6349 649 +	2.4722 471 −	0.0090 6935 −
a_2	2983 139 −	5962 429 −	16 9898 −		1632 568 +	7330 603 +	6826 +
a_3	119 572 −	582 587 +	1 0789 −		432 842 −	236 772 +	3842 +
a_4	89 958 +	35 691 +	2115 +		71 630 −	48 653 −	569 −
a_5	5 474 −	5 260 −			9 162 +	2 202 −	
	February 7				**February 15**		
a_0	160.2078 404 +	13.6050 419 +	1.0008 0848 +		269.7138 474 +	26.4709 467 −	0.9559 6468 +
a_1	13.8294 988 +	5.7673 483 +	0.0043 0749 +		14.8075 579 +	0.9556 528 −	0.0088 4034 −
a_2	2857 099 −	4053 150 −	18 9590 −		3 675 −	7726 928 +	1 5033 +
a_3	185 030 +	673 889 +	2132 −		626 255 −	22 089 +	1561 +
a_4	60 948 +	9 195 +	2071 +		22 664 −	60 083 −	263 −
a_5	6 139 −	3 236 −			11 878 +	1 261 +	
	February 8				**February 16**		
a_0	173.7756 132 +	7.5003 635 +	1.0032 1946 +		284.4573 337 +	26.6575 801 +	0.9472 8766 +
a_1	13.3348 992 +	6.3737 492 −	0.0005 3464 +		14.6158 142 +	0.5729 601 +	0.0085 0335 −
a_2	1997 753 −	2008 631 −	18 3743 −		1899 306 −	7445 425 +	1 8229 +
a_3	368 161 +	679 440 +	6293 +		600 889 −	203 977 −	526 +
a_4	30 044 +	6 736 −	1477 +		39 160 +	52 961 −	25 +
a_5	4 782 −	1 272 −			6 856 +	4 190 +	

Formula: $\text{Quantity} = a_0 + a_1 p + a_2 p^2 + a_3 p^3 + a_4 p^4 + a_5 p^5$

where p is the fraction of a day from 0^{h} TDT.

MOON, 1985

DAILY POLYNOMIAL COEFFICIENTS (in degrees)

February 17

	Apparent Right Ascension	Apparent Declination	Horizontal Parallax
a_0	298.8277 301 +	25.3653 523 +	0.9389 7211 +
a_1	14.0747 704 +	1.9817 631 +	0.0081 2197 −
a_2	3398 558 −	6557 781 +	2 0024 +
a_3	379 804 −	373 657 −	656 +
a_4	72 747 +	30 951 +	240 +
a_5	469 −	4 596 +	

February 18

	Apparent Right Ascension	Apparent Declination	Horizontal Parallax
a_0	312.5318 922 +	22.7678 122 −	0.9310 5934 +
a_1	13.3099 778 +	3.1711 381 +	0.0076 9218 −
a_2	4106 461 −	5297 118 +	2 3469 +
a_3	95 752 +	452 326 −	1651 +
a_4	68 469 +	7 567 −	353 +
a_5	4 304 −	3 111 +	

February 19

	Apparent Right Ascension	Apparent Declination	Horizontal Parallax
a_0	325.4280 651 +	19.1126 406 +	0.9236 2189 +
a_1	12.4851 953 +	4.0933 904 +	0.0071 5913 −
a_2	4026 127 −	3925 823 +	3 0543 +
a_3	135 004 +	452 512 −	3095 +
a_4	45 773 +	7 845 +	360 +
a_5	4 323 −	1 317 +	

February 20

	Apparent Right Ascension	Apparent Declination	Horizontal Parallax
a_0	337.5282 930 +	14.6710 031 −	0.9168 0274 +
a_1	11.7366 202 +	4.7465 962 +	0.0064 4100 −
a_2	3389 757 −	2628 483 +	4 1966 +
a_3	275 708 +	408 707 −	4559 +
a_4	23 908 +	14 156 +	282 +
a_5	2 807 −	37 +	

February 21

	Apparent Right Ascension	Apparent Declination	Horizontal Parallax
a_0	348.9556 183 +	9.7010 100 +	0.9108 2981 +
a_1	11.1495 421 +	5.1553 608 +	0.0054 5361 −
a_2	2447 249 −	1487 635 +	5 7297 +
a_3	344 081 +	352 141 −	5701 +
a_4	10 021 +	14 133 +	150 +
a_5	1 375 −	686 −	

February 22

	Apparent Right Ascension	Apparent Declination	Horizontal Parallax
a_0	359.8957 082 +	4.4307 550 −	0.9060 0767 +
a_1	10.7666 384 +	5.3525 553 +	0.0041 3066 −
a_2	1368 608 −	509 128 +	7 5250 +
a_3	370 876 +	302 694 −	6304 +
a_4	3 363 +	10 576 +	6 −
a_5	561 −	1 058 −	

February 23

	Apparent Right Ascension	Apparent Declination	Horizontal Parallax
a_0	10.5628 536 +	0.9433 954 +	0.9026 9249 +
a_1	10.6052 447 +	5.3672 736 +	0.0024 3677 −
a_2	241 385 −	346 100 −	9 4077 +
a_3	378 802 +	271 084 −	6281 +
a_4	765 +	5 193 +	166 −
a_5	411 −	1 239 −	

February 24

	Apparent Right Ascension	Apparent Declination	Horizontal Parallax
a_0	21.1818 754 +	6.2493 460 +	0.9012 5763 +
a_1	10.6707 082 +	5.2181 860 +	0.0003 7346 −
a_2	895 524 +	1140 606 −	11 1871 +
a_3	377 452 +	262 712 −	5617 +
a_4	1 077 −	1 111 −	327 −
a_5	923 −	1 257 −	

February 25

	Apparent Right Ascension	Apparent Declination	Horizontal Parallax
a_0	31.9796 812 +	11.3269 634 +	0.9020 5578 +
a_1	10.9621 549 +	4.9101 785 +	0.0020 1938 +
a_2	2012 210 +	1948 012 −	12 6704 +
a_3	363 231 +	279 564 −	4313 +
a_4	5 484 −	7 584 −	499 −
a_5	2 109 −	989 −	

February 26

	Apparent Right Ascension	Apparent Declination	Horizontal Parallax
a_0	43.1786 210 +	16.0135 271 +	0.9053 8034 +
a_1	11.4703 162 +	4.4331 802 +	0.0046 6290 +
a_2	3047 896 +	2842 141 −	13 6586 +
a_3	319 276 +	319 294 −	2326 +
a_4	16 034 −	12 842 −	697 −
a_5	3 742 −	161 −	

February 27

	Apparent Right Ascension	Apparent Declination	Horizontal Parallax
a_0	54.9836 767 +	20.1292 635 +	0.9114 2539 +
a_1	12.1673 923 +	3.7637 485 +	0.0074 3654 +
a_2	3871 981 +	3878 741 −	13 9312 +
a_3	217 191 +	371 305 −	451 −
a_4	35 449 −	14 025 −	927 −
a_5	4 740 −	1 502 +	

February 28

	Apparent Right Ascension	Apparent Declination	Horizontal Parallax
a_0	67.5559 673 +	23.4667 551 +	0.9202 4126 +
a_1	12.9903 985 +	2.8717 523 +	0.0101 7215 +
a_2	4263 196 +	5061 802 −	13 2318 +
a_3	29 148 +	411 089 −	4163 −
a_4	60 896 −	6 611 −	1174 −
a_5	2 855 −	3 784 +	

March 1

	Apparent Right Ascension	Apparent Declination	Horizontal Parallax
a_0	80.9692 251 +	25.7909 358 +	0.9316 8322 +
a_1	13.8260 034 +	1.7353 150 +	0.0126 4664 +
a_2	3956 470 +	6296 792 −	11 2725 +
a_3	239 420 −	398 817 −	8891 −
a_4	76 822 −	12 987 +	1373 −
a_5	3 394 +	5 372 +	

March 2

	Apparent Right Ascension	Apparent Declination	Horizontal Parallax
a_0	95.1595 907 +	26.8585 258 +	0.9453 5447 +
a_1	14.5164 475 +	0.3641 914 +	0.0145 7944 +
a_2	2811 359 +	7361 418 −	7 7810 +
a_3	508 809 −	293 687 −	1 4465 −
a_4	58 817 −	41 094 +	1395 −
a_5	10 554 +	4 454 +	

March 3

	Apparent Right Ascension	Apparent Declination	Horizontal Parallax
a_0	109.9014 670 +	26.4617 615 +	0.9605 5342 +
a_1	14.9078 282 +	1.1775 377 −	0.0156 4582 +
a_2	1038 064 +	7951 289 −	2 6151 +
a_3	638 014 −	86 687 −	2 0186 −
a_4	2 559 −	63 983 +	1066 −
a_5	11 517 +	1 052 +	

March 4

	Apparent Right Ascension	Apparent Declination	Horizontal Parallax
a_0	124.8501 960 +	24.4869 296 +	0.9762 4824 +
a_1	14.9287 643 +	2.7676 866 +	0.0155 2055 +
a_2	775 915 −	7817 011 −	4 0546 −
a_3	536 600 −	177 813 +	2 4613 −
a_4	56 853 +	68 705 +	248 −
a_5	5 137 +	2 375 −	

Formula: Quantity $= a_0 + a_1 p + a_2 p^2 + a_3 p^3 + a_4 p^4 + a_5 p^5$

where p is the fraction of a day from 0^h TDT.

DAILY POLYNOMIAL COEFFICIENTS (in degrees)

March 5

	Apparent Right Ascension	Apparent Declination	Horizontal Parallax
a_0	139.6539 077+	20.9619 561+	0.9911 1473+
a_1	14.6379 025+	4.2514 524−	0.0139 6127+
a_2	1993 416−	6895 210−	11 5487−
a_3	261 868−	427 958+	2 5702−
a_4	81 330+	56 013+	1001+
a_5	2 013−	3 922−	

March 6

	Apparent Right Ascension	Apparent Declination	Horizontal Parallax
a_0	154.0742 135+	16.0689 877+	1.0036 7413+
a_1	14.1921 808+	5.4816 627−	0.0109 2055+
a_2	2311 440−	5314 532−	18 6188−
a_3	41 419+	612 785+	2 1627−
a_4	69 458+	36 006+	2306+
a_5	5 220−	3 882−	

March 7

	Apparent Right Ascension	Apparent Declination	Horizontal Parallax
a_0	168.0458 159+	10.1203 627+	1.0125 3959+
a_1	13.7674 912+	6.3482 713−	0.0066 4035+
a_2	1822 762−	3298 966−	23 6994−
a_3	266 921+	718 372+	1 2146−
a_4	42 581+	16 509+	3090+
a_5	5 324−	3 216−	

March 8

	Apparent Right Ascension	Apparent Declination	Horizontal Parallax
a_0	181.6614 488+	3.5153 613+	1.0167 1944+
a_1	13.4973 864+	6.7875 564−	0.0016 5986+
a_2	819 747−	1076 942−	25 4939−
a_3	384 266+	752 711+	531+
a_4	16 039+	470+	2940+
a_5	4 822−	2 421−	

March 9

	Apparent Right Ascension	Apparent Declination	Horizontal Parallax
a_0	195.1164 088+	3.3048 133−	1.0158 6461+
a_1	13.4527 214+	6.7781 534−	0.0033 0529−
a_2	381 087+	1159 833+	23 6010−
a_3	400 130+	730 710+	1 2495+
a_4	7 860−	11 430+	1944+
a_5	4 961−	1 837−	

March 10

	Apparent Right Ascension	Apparent Declination	Horizontal Parallax
a_0	208.6459 698+	9.8952 392−	1.0103 4360+
a_1	13.6433 531+	6.3324 645−	0.0075 7286−
a_2	1484 641+	3265 067+	18 7266−
a_3	318 993+	666 605+	2 0283+
a_4	33 027−	20 277−	612+
a_5	5 201−	1 865−	

March 11

	Apparent Right Ascension	Apparent Declination	Horizontal Parallax
a_0	222.4658 635+	15.8367 507−	1.0011 0703+
a_1	14.0201 703+	5.4885 136−	0.0106 8527−
a_2	2191 239+	5124 588+	12 3091−
a_3	135 954+	566 523+	2 2602+
a_4	60 423−	29 479−	513+
a_5	3 463−	2 462−	

March 12

	Apparent Right Ascension	Apparent Declination	Horizontal Parallax
a_0	236.7123 645+	20.7593 474−	0.9894 1173+
a_1	14.4733 100+	4.3066 621−	0.0124 8964−
a_2	2201 689+	6622 588+	5 8565−
a_3	137 171+	423 956+	2 0384+
a_4	79 367−	42 285−	1156−
a_5	2 105+	2 578−	

March 13

	Apparent Right Ascension	Apparent Declination	Horizontal Parallax
a_0	251.3844 002+	24.3658 414−	0.9765 2872+
a_1	14.8418 105+	2.8731 587−	0.0130 9571−
a_2	1335 094+	7614 848+	4404−
a_3	429 624−	230 020+	1 5631+
a_4	68 338−	56 016−	1330−
a_5	9 232+	882−	

March 14

	Apparent Right Ascension	Apparent Declination	Horizontal Parallax
a_0	266.3108 472+	26.4602 032−	0.9635 3198+
a_1	14.9572 256+	1.3040 272−	0.0127 6809−
a_2	271 047−	7959 971+	3 4553+
a_3	609 452−	1 129−	1 0239+
a_4	19 067−	60 572−	1188−
a_5	11 423+	2 211+	

March 15

	Apparent Right Ascension	Apparent Declination	Horizontal Parallax
a_0	281.1792 586+	26.9741 822−	0.9511 9993+
a_1	14.7182 598+	0.2645 077+	0.0118 1741−
a_2	2099 268−	7615 390+	5 8232+
a_3	574 314−	220 089−	5458+
a_4	40 240+	48 656−	893−
a_5	6 282+	4 356+	

March 16

	Apparent Right Ascension	Apparent Declination	Horizontal Parallax
a_0	295.6348 124+	25.9745 742−	0.9400 1050+
a_1	14.1453 414+	1.7042 748+	0.0105 2473−
a_2	3518 068−	6706 880+	6 9355+
a_3	354 476−	371 235−	1887+
a_4	70 871+	25 980−	556−
a_5	715−	4 156+	

March 17

	Apparent Right Ascension	Apparent Declination	Horizontal Parallax
a_0	309.3999 150+	23.6389 174−	0.9301 9263+
a_1	13.3633 719+	2.9259 643+	0.0091 0326−
a_2	4163 697−	5478 884+	7 1775+
a_3	80 222−	434 518−	325−
a_4	65 446+	4 967−	243−
a_5	4 241−	2 511+	

March 18

	Apparent Right Ascension	Apparent Declination	Horizontal Parallax
a_0	322.3450 154+	20.2087 621−	0.9218 0144+
a_1	12.5306 236+	3.8906 525+	0.0076 8723−
a_2	4054 268−	4170 603+	6 9421+
a_3	139 119+	430 214−	1277−
a_4	43 147+	7 364+	14+
a_5	4 180−	878+	

March 19

	Apparent Right Ascension	Apparent Declination	Horizontal Parallax
a_0	334.4880 208+	15.9432 466−	0.9147 9579+
a_1	11.7766 763+	4.5990 922+	0.0063 3654−
a_2	3419 868−	2932 880+	6 5733+
a_3	270 729+	392 565−	1195−
a_4	22 019+	11 464+	199+
a_5	2 719+	128−	

March 20

	Apparent Right Ascension	Apparent Declination	Horizontal Parallax
a_0	345.9517 133+	11.0889 893−	0.9091 0660+
a_1	11.1813 713+	5.0724 199+	0.0050 4977−
a_2	2502 741+	1822 661+	6 3374+
a_3	332 406+	348 258+	372−
a_4	8 562+	10 632+	304+
a_5	1 360−	588−	

Formula: Quantity $= a_0 + a_1 p + a_2 p^2 + a_3 p^3 + a_4 p^4 + a_5 p^5$
where p is the fraction of a day from 0^h TDT.

MOON, 1985

DAILY POLYNOMIAL COEFFICIENTS (in degrees)

	Apparent Right Ascension	Apparent Declination	Horizontal Parallax		Apparent Right Ascension	Apparent Declination	Horizontal Parallax
	March 21				**March 29**		
a_0	356.9167 712+	5.8681 246−	0.9046 8989+		90.4448 692+	26.8870 933+	0.9294 2711+
a_1	10.7832 904+	5.3364 337+	0.0037 8127−		13.9950 021+	0.8091 340+	0.0118 5356+
a_2	1467 731−	835 787+	6 4092+		2748 100+	6790 902−	11 5841+
a_3	353 511+	311 707−	870+		383 970−	278 497−	4281−
a_4	1 960+	7 596+	330+		50 822−	28 125+	1276−
a_5	584−	759−			7 329+	3 254+	
	March 22				**March 30**		
a_0	7.5887 772+	0.4785 991−	0.9015 6155+		104.6719 349+	26.9924 253+	0.9423 8351+
a_1	10.5962 898+	5.4127 380+	0.0024 6011−		14.4127 689+	0.6197 204−	0.0139 9090+
a_2	401 259−	61 357−	6 8668+		1364 853+	7425 040−	9 5267+
a_3	355 619+	288 941−	2211+		512 883−	134 477−	9425−
a_4	782−	3 746+	284+		11 981−	44 820+	1532−
a_5	403−	811−			9 295+	1 441+	
	March 23				**March 31**		
a_0	18.1803 845+	4.8994 024+	0.8998 1307+		119.1696 322+	25.6213 793+	0.9572 1751+
a_1	10.6222 089+	5.3148 769+	0.0010 0902−		14.5317 258+	2.1264 252−	0.0155 5215+
a_2	656 890+	913 831−	7 6976+		152 485−	7545 176−	5 7792+
a_3	348 245+	282 050−	3365+		469 801−	58 092+	1 5659−
a_4	2 639−	378−	180+		36 266+	51 760+	1565−
a_5	771−	783−			5 765+	541−	
	March 24				**April 1**		
a_0	28.9027 659+	10.0945 752+	0.8996 0925+		133.6433 324+	22.7513 675+	0.9731 7535+
a_1	10.8566 184+	5.0469 533+	0.0006 3864+		14.3776 708+	3.5976 006−	0.0161 7554+
a_2	1678 096+	1770 098−	8 8104+		1286 697−	7065 819−	1557+
a_3	329 479+	291 270−	4097+		270 218−	259 176+	2 2094−
a_4	6 362−	4 416−	30+		64 803+	48 574+	1157−
a_5	1 642−	587−			202+	1 454−	
	March 25				**April 2**		
a_0	39.9593 414+	14.9348 914+	0.9011 7021+		147.8718 122+	18.4778 145+	0.9891 3396+
a_1	11.2877 143+	4.6034 936+	0.0025 2486+		14.0652 841+	4.9143 091−	0.0154 9748+
a_2	2611 929+	2676 303−	10 0520+		1706 703−	6011 397−	7 1353−
a_3	286 950+	314 478−	4230+		11 057+	438 860+	2 6922−
a_4	14 607−	7 555−	156−		64 557+	41 189+	147−
a_5	2 808−	43−			3 369−	1 530−	
	March 26				**April 3**		
a_0	51.5352 020+	19.2385 472+	0.9047 4101+		161.7714 391+	13.0102 177+	1.0036 4724+
a_1	11.8889 371+	3.9708 477+	0.0046 5593+		13.7447 631+	5.9692 201−	0.0132 5684+
a_2	3356 968+	3665 529−	11 2203+		1386 348−	4462 947−	15 2534−
a_3	200 065+	344 510−	3617+		212 795+	588 200+	2 7613−
a_4	29 151−	8 008−	380−		46 937+	33 755+	1366+
a_5	3 519−	1 014+			4 474−	1 707−	
	March 27				**April 4**		
a_0	63.7765 754+	22.8076 917+	0.9105 5134+		175.4030 931+	6.6567 277+	1.0151 1628+
a_1	12.6069 319+	3.1316 945+	0.0069 9331+		13.5478 692+	6.6727 017−	0.0094 3246+
a_2	3746 885+	4736 977−	12 0691+		511 098−	2512 849−	22 6718−
a_3	49 018+	365 575−	2111+		355 582+	705 764+	2 2032−
a_4	47 926−	3 011−	646−		24 544+	25 434+	2874+
a_5	2 307−	2 459+			4 784−	2 390−	
	March 28				**April 5**		
a_0	76.7580 742+	25.4290 758+	0.9187 6619+		188.9373 868+	0.1943 780−	1.0220 8998+
a_1	13.3506 948+	2.0746 529+	0.0094 4459+		13.5597 491+	6.9545 645−	0.0043 5227+
a_2	3583 120+	5827 128−	12 3049+		655 100+	266 834−	27 5334−
a_3	163 337−	352 422−	463−		405 428+	783 059+	1 0196−
a_4	60 694−	9 641+	953−		861+	13 554+	3650+
a_5	1 912+	3 554+			5 619−	3 344−	

Formula: Quantity $= a_0 + a_1 p + a_2 p^2 + a_3 p^3 + a_4 p^4 + a_5 p^5$

where p is the fraction of a day from 0^h TDT.

DAILY POLYNOMIAL COEFFICIENTS (in degrees)

April 6

	Apparent Right Ascension	Apparent Declination	Horizontal Parallax
a_0	202.6027 127+	7.0962 990−	1.0236 2346+
a_1	13.8099 308+	6.7692 649−	0.0013 1407−
a_2	1820 294+	2130 236+	28 4140−
a_3	352 104+	803 292+	4784+
a_4	27 550−	3 162−	3257+
a_5	6 703−	4 286−	

April 7

	Apparent Right Ascension	Apparent Declination	Horizontal Parallax
a_0	216.6264 580+	13.5729 559−	1.0195 4838+
a_1	14.2652 509+	6.1056 387−	0.0067 2299−
a_2	2644 017+	4478 258+	25 0656−
a_3	175 640+	747 401+	1 8013+
a_4	62 769−	24 769−	1922+
a_5	5 563−	4 981−	

April 8

	Apparent Right Ascension	Apparent Declination	Horizontal Parallax
a_0	231.1668 415+	19.1590 037−	1.0105 1816+
a_1	14.8188 650+	4.9981 643−	0.0111 1886−
a_2	2738 323+	6521 926+	18 5571−
a_3	127 286−	598 854+	2 5661+
a_4	93 118−	50 456+	340+
a_5	972+	4 484−	

April 9

	Apparent Right Ascension	Apparent Declination	Horizontal Parallax
a_0	246.2375 955+	23.4505 840−	0.9978 0359+
a_1	15.2915 934+	3.5365 440−	0.0140 4696−
a_2	1807 482+	7970 744+	10 6924−
a_3	484 519−	353 978+	2 6837+
a_4	88 160−	74 033−	868−
a_5	10 928+	1 395−	

April 10

	Apparent Right Ascension	Apparent Declination	Horizontal Parallax
a_0	261.6537 622+	26.1621 986−	0.9829 4708+
a_1	15.4779 385+	1.8665 072−	0.0154 1514−
a_2	65 145−	8574 521+	3 1808−
a_3	725 724−	46 616+	2 3173+
a_4	29 183−	81 068−	1467−
a_5	14 884+	3 457+	

April 11

	Apparent Right Ascension	Apparent Declination	Horizontal Parallax
a_0	277.0511 839+	27.1743 531+	0.9674 3091+
a_1	15.2429 538+	0.1683 133−	0.0154 1486−
a_2	2268 102−	8262 744+	2 8880+
a_3	697 266−	241 393−	1 7175+
a_4	48 586+	62 312−	1552−
a_5	8 175+	6 446+	

April 12

	Apparent Right Ascension	Apparent Declination	Horizontal Parallax
a_0	292.0032 770+	26.5461 178−	0.9524 6107+
a_1	14.6036 649+	1.3901 153+	0.0143 8415−
a_2	3986 808−	7229 353+	7 1154+
a_3	426 513−	426 566−	1 0903+
a_4	88 308+	28 731−	1339−
a_5	1 349−	5 673+	

April 13

	Apparent Right Ascension	Apparent Declination	Horizontal Parallax
a_0	306.1743 056+	24.4780 296−	0.9388 8410+
a_1	13.7129 925+	2.6993 572+	0.0126 8757−
a_2	4750 385−	5834 030+	9 5927+
a_3	89 394−	486 291−	5529+
a_4	78 937+	156−	1010−
a_5	5 776−	2 939+	

April 14

	Apparent Right Ascension	Apparent Declination	Horizontal Parallax
a_0	319.4106 363+	21.2436 202−	0.9272 0100+
a_1	12.7647 846+	3.7216 805+	0.0106 4355−
a_2	4602 912−	4403 550+	10 6558+
a_3	168 785+	458 888−	1495+
a_4	48 698+	14 102+	673−
a_5	5 293−	569+	

April 15

	Apparent Right Ascension	Apparent Declination	Horizontal Parallax
a_0	331.7363 488+	17.1260 063+	0.9176 3125+
a_1	11.9116 730+	4.4706 481+	0.0084 9445−
a_2	3857 328−	3117 122+	10 7100+
a_3	311 825+	397 525−	1181−
a_4	22 071+	16 492+	372−
a_5	3 201−	681−	

April 16

	Apparent Right Ascension	Apparent Declination	Horizontal Parallax
a_0	343.2953 584+	12.3818 174−	0.9101 9228+
a_1	11.2409 845+	4.9810 708+	0.0064 0273−
a_2	2821 414−	2016 645+	10 1406+
a_3	369 097+	338 614−	2651−
a_4	6 316+	12 814+	121−
a_5	1 469−	1 086−	

April 17

	Apparent Right Ascension	Apparent Declination	Horizontal Parallax
a_0	354.2915 960+	7.2317 708+	0.9047 7590+
a_1	10.7892 240+	5.2873 982+	0.0044 5897−
a_2	1690 881−	1066 804+	9 2788+
a_3	380 214+	298 216−	3118−
a_4	757−	7 257+	77+
a_5	548−	1 072−	

April 18

	Apparent Right Ascension	Apparent Declination	Horizontal Parallax
a_0	4.9496 228+	1.8668 953+	0.9012 1440+
a_1	10.5645 354+	5.4136 611+	0.0026 9365−
a_2	560 242−	204 963+	8 3942+
a_3	371 828+	279 813−	2791−
a_4	3 304−	1 830+	221+
a_5	344−	903−	

April 19

	Apparent Right Ascension	Apparent Declination	Horizontal Parallax
a_0	15.4949 520+	3.5393 736+	0.8993 3447+
a_1	10.5625 411+	5.3709 907+	0.0010 8969−
a_2	531 989+	632 537−	7 6921+
a_3	354 964+	281 374−	1887−
a_4	4 869−	2 745−	304+
a_5	718−	660−	

April 20

	Apparent Right Ascension	Apparent Declination	Horizontal Parallax
a_0	26.1456 295+	8.8186 327+	0.8989 9816+
a_1	10.7731 199+	5.1586 435+	0.0004 0429+
a_2	1560 486+	1499 749−	7 3090+
a_3	327 821+	298 734−	648−
a_4	8 348−	6 144−	322+
a_5	1 565−	291−	

April 21

	Apparent Right Ascension	Apparent Declination	Horizontal Parallax
a_0	37.1065 889+	13.7967 845+	0.9001 3009+
a_1	11.1794 409+	4.7664 714+	0.0018 5952+
a_2	2478 199+	2435 746−	7 3059+
a_3	278 181+	325 848−	661+
a_4	16 236−	7 754−	270+
a_5	2 629−	337+	

Formula: Quantity $= a_0 + a_1 p + a_2 p^2 + a_3 p^3 + a_4 p^4 + a_5 p^5$

where p is the fraction of a day from 0^h TDT.

DAILY POLYNOMIAL COEFFICIENTS (in degrees)

	Apparent Right Ascension	Apparent Declination	Horizontal Parallax	Apparent Right Ascension	Apparent Declination	Horizontal Parallax
	°	°	°	°	°	°
	April 22			**April 30**		
a_0	48.5597 813 +	18.2863 548 +	0.9027 2950 +	156.5480 533 +	15.2936 368 +	0.9831 0614 +
a_1	11.7507 255 +	4.1786 360 +	0.0033 5133 +	13.3959 547 +	5.4354 351 −	0.0146 3877 +
a_2	3188 951 +	3456 467 −	7 6623 +	1395 648 +	4829 572 −	3 0608 −
a_3	186 668 +	352 927 −	1762 +	209 346 +	442 290 +	2 1638 −
a_4	29 895 −	6 227 −	150 +	47 406 +	25 938 +	889 −
a_5	3 170 −	1 315 +		3 604 −	250 +	
	April 23			**May 1**		
a_0	60.6447 621 +	22.0835 603 +	0.9068 6617 +	169.8297 581 +	9.4220 923 +	0.9972 1357 +
a_1	12.4309 745 +	3.3796 326 +	0.0049 4263 +	13.1967 892 +	6.2581 625 −	0.0133 4181 +
a_2	3537 713 +	4539 458 −	8 2748 +	519 217 −	3344 499 −	10 0517 −
a_3	36 179 +	364 043 −	2381 +	362 770 +	548 492 +	2 5370 −
a_4	46 842 −	371 +	35 −	29 403 +	27 684 +	205 +
a_5	1 868 −	2 446 +		3 815 −	179 +	
	April 24			**May 2**		
a_0	73.4282 549 +	24.9731 245 +	0.9126 5974 +	183.0134 615 +	2.8871 154 +	1.0092 9857 +
a_1	13.1297 049 +	2.3639 003 +	0.0066 6762 +	13.2116 294 +	6.7513 529 −	0.0105 7854 +
a_2	3346 365 +	5604 842 −	8 9602 +	707 423 +	1531 043 −	17 4943 −
a_3	167 586 −	337 777 −	2258 +	441 614 +	660 277 +	2 4605 −
a_4	57 228 −	12 998 +	280 −	10 794 +	29 109 +	1684 +
a_5	2 101 +	3 038 +		4 867 −	1 099 −	
	April 25			**May 3**		
a_0	86.8703 252 +	26.7443 665 +	0.9202 4316 +	196.3405 873 +	3.9485 130 +	1.0178 9848 +
a_1	13.7268 673 +	1.1483 162 +	0.0085 1620 +	13.4874 800 +	6.8483 869 −	0.0064 0898 +
a_2	2521 302 +	6509 716 −	9 4601 +	2048 393 −	613 518 +	23 8253 −
a_3	372 786 −	255 831 −	1152 +	434 832 +	764 348 +	1 7703 −
a_4	46 347 −	28 798 +	579 −	13 255 −	24 021 +	2998 +
a_5	6 929 +	2 302 +		7 158 −	3 473 −	
	April 26			**May 4**		
a_0	100.8081 022 +	27.2192 380 +	0.9297 1110 +	210.0743 485 +	10.6570 585 −	1.0217 7789 +
a_1	14.1042 193 +	0.2177 084 +	0.0104 1965 +	14.0187 258 +	6.4885 103 −	0.0012 3294 +
a_2	1194 422 +	7081 371 −	9 4482 +	3201 597 +	3015 970 +	27 3224 −
a_3	488 000 −	118 675 −	1156 −	309 427 +	824 030 +	5366 −
a_4	9 744 −	40 540 +	914 −	50 210 −	6 708 +	3488 +
a_5	8 536 +	428 +		8 768 −	6 398 −	
	April 27			**May 5**		
a_0	114.9828 429 +	26.2856 218 +	0.9410 5487 +	224.4382 789 +	16.7615 379 −	1.0202 5980 +
a_1	14.1970 706 +	1.6531 569 −	0.0122 3805 +	14.7274 103 +	5.6386 253 −	0.0042 5284 −
a_2	242 472 −	7189 936 −	8 5430 +	3740 407 +	5464 193 +	26 8581 −
a_3	443 392 −	46 857 +	4826 −	23 436 +	785 849 +	8919 +
a_4	34 452 +	42 259 +	1241 −	97 636 −	26 200 −	2876 +
a_5	5 325 +	1 180 −		4 651 −	8 300 −	
	April 28			**May 6**		
a_0	129.1153 048 +	23.9222 648 +	0.9540 8655 +	239.5318 447 +	21.7786 092 +	1.0134 3909 +
a_1	14.0319 962 +	3.0607 737 −	0.0137 5220 +	15.4411 568 +	4.3246 598 −	0.0092 4179 −
a_2	1312 738 −	6807 691 −	6 3438 +	3177 978 +	7581 223 −	22 4989 −
a_3	255 111 −	203 950 +	9848 −	406 408 −	599 312 +	2 0563 +
a_4	60 795 +	35 773 +	1462 −	123 725 −	69 895 −	1501 +
a_5	405 +	1 409 −		8 151 +	6 222 −	
	April 29			**May 7**		
a_0	142.9966 361 +	20.2045 534 +	0.9683 6003 +	255.2386 013 +	25.2928 272 −	1.0021 6804 +
a_1	13.7174 322 +	4.3475 214 −	0.0146 6697 +	15.9094 287 +	2.6596 828 −	0.0130 6466 −
a_2	1709 425 −	5995 321 −	2 5141 +	1298 495 +	8897 360 +	15 4741 −
a_3	9 698 −	333 411 +	1 5816 −	813 522 −	261 521 +	2 6495 +
a_4	61 688 +	28 526 +	1411 −	78 894 −	102 478 −	36 +
a_5	2 714 −	568 −		19 750 +	898 +	

Formula: Quantity = $a_0 + a_1 p + a_2 p^2 + a_3 p^3 + a_4 p^4 + a_5 p^5$

where p is the fraction of a day from 0^h TDT.

DAILY POLYNOMIAL COEFFICIENTS (in degrees)

	Apparent Right Ascension	Apparent Declination	Horizontal Parallax		Apparent Right Ascension	Apparent Declination	Horizontal Parallax
	May 8				**May 16**		
a_0	271.1906 131+	27.0467 799−	0.9878 2126+		12.8022 380+	2.1387 506+	0.9008 8638+
a_1	15.9033 842+	0.8422 889−	0.0153 6330−		10.5229 815+	5.3957 491+	0.0020 1440−
a_2	1416 936−	9076 264+	7 5364−		245 224+	426 732−	10 8100+
a_3	933 721−	135 483−	2 6457+		392 804+	260 828−	4409−
a_4	26 925+	96 374−	1004−		6 140−	2 837−	61−
a_5	15 784+	7 942+			576−	1 059−	
	May 9				**May 17**		
a_0	286.8632 025+	27.0038 338−	0.9719 5884+		23.3883 506+	7.4653 542+	0.8999 0829+
a_1	15.3585 270+	0.8977 421+	0.0161 1713−		10.6871 223+	5.2304 908+	0.0000 1292+
a_2	3898 645−	8171 389+	2164−		1381 052+	1236 845−	9 4559+
a_3	675 972−	440 846−	2 2270+		361 962+	282 458−	4642−
a_4	106 308+	53 929−	1473−		8 855−	8 245−	93+
a_5	1 599+	9 061+			1 487−	544−	
	May 10				**May 18**		
a_0	301.7750 585+	25.3375 243−	0.9560 2804+		34.2487 402+	12.5430 358+	0.9008 2131+
a_1	14.4193 193+	2.3827 209+	0.0155 5128−		11.0676 347+	4.8948 153+	0.0017 6856+
a_2	5273 305−	6616 026+	5 5798+		2398 933+	2139 159−	8 1227+
a_3	239 919−	567 947−	1 6270+		310 951+	320 397−	4259−
a_4	110 284+	7 670−	1498−		16 294−	11 145−	213+
a_5	7 324−	5 417+			2 744−	280+	
	May 11				**May 19**		
a_0	315.6533 515+	22.3502 208−	0.9411 8247+		45.5854 595+	17.1908 090+	0.9033 6167+
a_1	13.3331 339+	3.5351 778+	0.0140 0716−		11.6328 162+	4.3665 482+	0.0032 7385+
a_2	5404 979−	4920 251+	9 5685+		3206 503+	3164 443−	6 9752+
a_3	127 576+	546 733−	1 0231+		217 872+	361 458−	3389−
a_4	71 076+	18 864+	1284−		30 503−	9 928−	288+
a_5	7 750−	1 445+			3 595−	1 518+	
	May 12				**May 20**		
a_0	328.4650 777+	18.3756 604−	0.9282 2163+		57.5573 034+	21.2039 261+	0.9073 0203+
a_1	12.3149 696+	4.3634 735+	0.0118 3788−		12.3254 814+	3.6220 116+	0.0045 7875+
a_2	4673 366−	3407 573+	11 8766+		3640 973+	4293 202−	6 1316+
a_3	336 023+	458 154−	5088+		60 580+	385 187−	2214−
a_4	31 904+	25 331+	990−		49 677−	2 306−	299+
a_5	4 791−	812−			2 515−	2 935+	
	May 13				**May 21**		
a_0	340.3490 242+	13.7147 933−	0.9176 1240+		70.2477 209+	24.3581 618+	0.9124 7478+
a_1	11.4914 722+	4.9172 668+	0.0093 4949−		13.0507 265+	2.6483 612+	0.0057 5060+
a_2	3521 737−	2176 900+	12 8183+		3499 298+	5433 172−	5 6445+
a_3	417 263+	365 431−	1140+		160 852−	364 660−	992−
a_4	8 338+	20 807+	702−		63 578−	12 879+	232+
a_5	2 136−	1 599−			1 734+	3 672+	
	May 14				**May 22**		
a_0	351.5306 693+	8.6144 587−	0.9095 4912+		83.6261 076+	26.4283 949+	0.9187 8222+
a_1	10.9145 726+	5.2505 409+	0.0067 7972−		13.6777 726+	1.4593 154+	0.0068 5902+
a_2	2241 228−	1189 429+	12 7467+		2652 636+	6413 039−	5 4812+
a_3	430 105+	298 227−	1656−		394 661−	277 005−	38−
a_4	1 920−	12 608+	452+		54 682−	32 053+	80+
a_5	687−	1 644−			7 423+	2 674+	
	May 15				**May 23**		
a_0	2.2638 688+	3.2737 012−	0.9040 2298+		97.5249 518+	27.2221 787+	0.9261 8978+
a_1	10.5942 474+	5.4031 801+	0.0042 9816−		14.0717 428+	0.1077 617+	0.0079 5734+
a_2	969 270−	353 937+	11 9851+		1215 109+	7024 943−	5 5108+
a_3	415 810+	264 105−	3454−		537 921−	123 495−	306+
a_4	5 065−	4 296+	241−		15 296−	45 768+	150−
a_5	257−	1 412−			9 681+	110+	

Formula: Quantity = $a_0 + a_1 p + a_2 p^2 + a_3 p^3 + a_4 p^4 + a_5 p^5$
where p is the fraction of a day from 0^h TDT.

MOON, 1985

DAILY POLYNOMIAL COEFFICIENTS (in degrees)

	Apparent Right Ascension	Apparent Declination	Horizontal Parallax	Apparent Right Ascension	Apparent Declination	Horizontal Parallax
	May 24			**June 1**		
	°	°	°	°	°	°
a_0	111.6638 520+	26.6196 843+	0.9346 9976+	218.2320 331+	14.2770 377−	1.0119 6954+
a_1	14.1521 068+	1.3159 162−	0.0090 6268+	14.1335 193+	5.9327 772−	0.0023 2883+
a_2	393 356−	7119 803−	5 5035+	4151 791+	3994 894+	21 5483−
a_3	504 233−	59 380+	281−	241 967+	787 263+	1 0430−
a_4	35 000+	45 771+	440−	73 170−	9 134+	2548+
a_5	6 177+	2 181−		9 651−	7 648−	
	May 25			**June 2**		
a_0	125.7303 175+	24.6020 848+	0.9443 0558+	232.7966 461+	19.7314 507−	1.0120 6471+
a_1	13.9392 474+	2.7048 452−	0.0101 3734+	15.0023 839+	4.8977 925−	0.0021 9168−
a_2	1634 344−	6688 959−	5 1453+	4341 433+	6334 766+	23 1438−
a_3	305 661+	220 391+	2044−	142 276−	746 015+	26+
a_4	65 579+	34 042+	752−	126 443−	30 770−	2701+
a_5	498+	2 619−		1 270−	10 131+	
	May 26			**June 3**		
a_0	139.4821 720+	21.2535 252+	0.9549 2948+	248.2061 744+	23.9252 553−	1.0075 8591+
a_1	13.5471 569+	3.9642 109−	0.0110 7497+	15.7767 946+	3.4244 038−	0.0067 1151−
a_2	2153 082−	5849 777−	4 0724+	3143 093+	8286 415+	21 5347−
a_3	40 387−	331 020+	5082−	651 270−	523 962+	1 1049+
a_4	66 681+	20 548+	1020−	133 893−	84 689−	2071+
a_5	2 979−	1 445−		15 920+	6 153−	
	May 27			**June 4**		
a_0	152.8163 522+	16.7393 489+	0.9663 5066+	264.2203 541+	26.4777 055−	0.9988 5213+
a_1	13.1296 063+	5.0273 616−	0.0116 9613+	16.1644 437+	1.6468 732−	0.0106 0411−
a_2	1904 095−	4747 857−	1 9320+	546 271+	9288 507+	17 0111−
a_3	196 113+	399 657+	9232−	1023 426−	129 158+	1 9406+
a_4	50 864+	13 425+	1140−	46 168−	116 383−	974+
a_5	3 628−	124+		23 851+	3 719+	
	May 28			**June 5**		
a_0	165.7798 838+	11.2785 223+	0.9781 3627+	280.3348 508+	27.1940 786−	0.9867 5070+
a_1	12.8261 527+	5.8516 027−	0.0117 5991+	15.9601 153+	0.2048 895+	0.0133 8522−
a_2	1046 882−	3467 036−	1 5162−	2561 617−	9015 314+	10 6386−
a_3	363 484+	455 179+	1 3906−	976 185−	295 321−	2 3232+
a_4	32 631+	14 423+	974−	79 324+	94 676−	118−
a_5	3 213−	1 140+		11 570+	10 595+	
	May 29			**June 6**		
a_0	178.5406 384+	5.1272 901+	0.9895 9577+	295.9502 752+	26.1255 979−	0.9725 3276+
a_1	12.7372 669+	6.4021 174−	0.0110 0046+	15.1924 335+	1.8867 817+	0.0148 2077−
a_2	207 288+	2003 485−	6 2546−	4898 961−	7667 655+	3 7632−
a_3	461 693+	524 240+	1 7943−	552 164−	568 642−	2 2627+
a_4	17 051+	20 648+	404−	134 130+	38 840−	874−
a_5	3 499−	1 111+		4 458−	9 367+	
	May 30			**June 7**		
a_0	191.3461 586+	1.4205 759−	0.9997 8731+	310.6105 633+	23.5318 623−	0.9575 5319+
a_1	12.9223 010+	6.6367 294−	0.0091 9502+	14.0984 087+	3.2388 618−	0.0149 2965−
a_2	1659 773+	295 665−	11 8500−	5795 942−	5822 393+	2 4894+
a_3	493 758+	617 101+	1 9665−	63 499−	633 160−	1 9007+
a_4	247+	26 872+	566+	107 139+	8 242+	1217−
a_5	5 478−	313−		9 819−	4 301+	
	May 31			**June 8**		
a_0	204.4832 895+	8.0225 058−	1.0076 0634+	324.1327 598+	19.7728 230−	0.9430 5038+
a_1	13.3997 392+	6.5001 436−	0.0062 5769+	12.9581 188+	4.2188 349+	0.0139 1029−
a_2	3087 743+	1713 845+	17 3756−	5442 051−	4015 237+	7 4600+
a_3	438 136+	719 660+	1 7392−	268 101+	559 493−	1 4059+
a_4	27 087−	26 019+	1698+	56 396+	28 822+	1244−
a_5	8 748−	3 407−		7 423−	308+	

Formula: Quantity = $a_0 + a_1 p + a_2 p^2 + a_3 p^3 + a_4 p^4 + a_5 p^5$

where p is the fraction of a day from 0^h TDT.

DAILY POLYNOMIAL COEFFICIENTS (in degrees)

June 9

	Apparent Right Ascension	Apparent Declination	Horizontal Parallax
a_0	336.5783 810+	15.2055 008−	0.9300 1425+
a_1	11.9689 901+	4.8657 147+	0.0120 4628−
a_2	4373 575−	2512 651+	10 9357+
a_3	421 566+	442 219−	9049+
a_4	19 513+	29 584+	1099−
a_5	3 730−	1 531−	

June 10

	Apparent Right Ascension	Apparent Declination	Horizontal Parallax
a_0	348.1537 485+	10.1299 376−	0.9191 4103+
a_1	11.2266 878+	5.2466 468+	0.0096 3165−
a_2	3029 025−	1348 130+	12 9971+
a_3	463 724+	339 484−	4646+
a_4	1 439+	21 543+	897−
a_5	1 326−	2 002−	

June 11

	Apparent Right Ascension	Apparent Declination	Horizontal Parallax
a_0	359.1239 174+	4.7804 721−	0.9108 4658+
a_1	10.7599 137+	5.4220 437+	0.0069 2873−
a_2	1642 425−	438 886+	13 8586+
a_3	456 812+	273 287+	1064+
a_4	4 758−	11 378+	702−
a_5	329−	1 903−	

June 12

	Apparent Right Ascension	Apparent Declination	Horizontal Parallax
a_0	9.7647 611+	0.6590 790+	0.9053 0734+
a_1	10.5664 044+	5.4314 349+	0.0041 5315−
a_2	303 792−	331 752−	13 7622+
a_3	434 483+	246 630+	1734−
a_4	6 107−	1 783+	532−
a_5	350−	1 604−	

June 13

	Apparent Right Ascension	Apparent Declination	Horizontal Parallax
a_0	20.3435 889+	6.0326 936+	0.9025 0775+
a_1	10.6333 723+	5.2910 075+	0.0014 7401−
a_2	959 541+	1076 999−	12 9273+
a_3	406 089+	255 261−	3858−
a_4	7 625−	6 348−	385−
a_5	1 150−	1 145−	

June 14

	Apparent Right Ascension	Apparent Declination	Horizontal Parallax
a_0	31.1126 467+	11.1897 258+	0.9022 8405+
a_1	10.9434 807+	4.9959 188−	0.0009 8032+
a_2	2120 569+	1892 350−	11 5433+
a_3	363 282+	291 636−	5398−
a_4	13 250−	12 278−	245−
a_5	2 552−	359−	

June 15

	Apparent Right Ascension	Apparent Declination	Horizontal Parallax
a_0	42.3029 323+	15.9659 824+	0.9043 6227+
a_1	11.4700 016+	4.5248 690+	0.0031 1724+
a_2	3105 347+	2844 558−	9 7815+
a_3	283 969+	343 553−	6381−
a_4	26 288−	14 354−	100−
a_5	3 986−	982+	

June 16

	Apparent Right Ascension	Apparent Declination	Horizontal Parallax
a_0	54.1088 381+	20.1707 031+	0.9083 9285+
a_1	12.1637 536+	3.8476 432+	0.0048 7812+
a_2	3759 491+	3951 540−	7 8121+
a_3	139 079+	390 075−	6780−
a_4	47 346−	9 587−	53+
a_5	3 909−	2 845+	

June 17

	Apparent Right Ascension	Apparent Declination	Horizontal Parallax
a_0	66.6573 230+	23.5835 106+	0.9139 8491+
a_1	12.9364 863+	2.9379 021+	0.0062 3926+
a_2	3853 289+	5150 780−	5 8143+
a_3	87 244−	399 100−	6563−
a_4	68 675−	5 035+	198+
a_5	254−	4 414+	

June 18

	Apparent Right Ascension	Apparent Declination	Horizontal Parallax
a_0	79.9635 209+	25.9673 697+	0.9207 4195+
a_1	13.6533 814+	1.7922 370+	0.0072 1316+
a_2	3176 869+	6273 576−	3 9676+
a_3	360 652−	335 008−	5753−
a_4	70 545−	28 151+	307+
a_5	6 578+	4 129+	

June 19

	Apparent Right Ascension	Apparent Declination	Horizontal Parallax
a_0	93.8921 273+	27.1019 763+	0.9282 9741+
a_1	14.1556 357+	0.4503 413+	0.0078 4638+
a_2	1737 732+	7068 280−	2 4269+
a_3	574 505−	182 704−	4498−
a_4	35 417−	49 640+	343+
a_5	11 247+	1 314+	

June 20

	Apparent Right Ascension	Apparent Declination	Horizontal Parallax
a_0	108.1616 688+	26.8323 146+	0.9363 4494+
a_1	14.3222 848+	0.9976 167−	0.0082 1058+
a_2	85 410−	7305 456−	1 2815+
a_3	605 056−	27 029+	3091−
a_4	23 716+	55 879+	280+
a_5	8 802+	2 191−	

June 21

	Apparent Right Ascension	Apparent Declination	Horizontal Parallax
a_0	122.4181 587+	25.1122 241+	0.9446 5556+
a_1	14.1375 657+	2.4293 448−	0.0083 8538+
a_2	1670 225−	6911 157−	5171+
a_3	425 982−	227 722+	1939−
a_4	68 037+	43 845+	112+
a_5	1 965+	3 769−	

June 22

	Apparent Right Ascension	Apparent Declination	Horizontal Parallax
a_0	136.3531 039+	22.0185 434+	0.9530 7439+
a_1	13.7039 176+	3.7276 050−	0.0084 3513+
a_2	2520 548−	6002 709−	49−
a_3	137 077−	365 851+	1472−
a_4	76 211+	24 271+	134−
a_5	3 060−	2 951−	

June 23

	Apparent Right Ascension	Apparent Declination	Horizontal Parallax
a_0	149.7985 740+	17.7293 846+	0.9614 9297+
a_1	13.1876 375+	4.8101 565−	0.0083 8462+
a_2	2505 328−	4789 048−	5354−
a_3	136 400+	434 468+	2014−
a_4	59 534+	9 439+	403−
a_5	4 269−	1 106+	

June 24

	Apparent Right Ascension	Apparent Declination	Horizontal Parallax
a_0	162.7548 451+	12.4846 034+	0.9697 9987+
a_1	12.7491 716+	5.6344 014−	0.0082 0098+
a_2	1781 681−	3440 029−	1 3880−
a_3	332 237+	462 089+	3660−
a_4	37 824+	4 185+	614−
a_5	3 500−	503+	

Formula: Quantity $= a_0 + a_1 p + a_2 p^2 + a_3 p^3 + a_4 p^4 + a_5 p^5$

where p is the fraction of a day from 0^h TDT.

DAILY POLYNOMIAL COEFFICIENTS (in degrees)

June 25

	Apparent Right Ascension	Apparent Declination	Horizontal Parallax
a_0	175.3625 046+	6.5528 767+	0.9778 1931+
a_1	12.5058 864+	6.1818 541−	0.0077 8897+
a_2	592 992−	2023 560−	2 8564−
a_3	448 836+	484 340+	6181−
a_4	20 658+	7 097+	673−
a_5	2 925−	1 337+	

July 3

	Apparent Right Ascension	Apparent Declination	Horizontal Parallax
a_0	289.6094 878+	26.7060 674−	0.9785 9082+
a_1	15.5995 536+	1.2676 443+	0.0107 8285−
a_2	3486 528−	8400 512+	10 3638−
a_3	825 245−	421 295−	1 5488+
a_4	110 334+	74 913−	580+
a_5	4 366+	10 440+	

June 26

	Apparent Right Ascension	Apparent Declination	Horizontal Parallax
a_0	187.8557 488+	0.2179 441+	0.9852 5409+
a_1	12.5287 387+	6.4377 569−	0.0070 0527+
a_2	848 306+	514 507−	5 1092−
a_3	501 700+	525 972+	8961−
a_4	6 705+	14 295+	496−
a_5	3 803−	1 138+	

July 4

	Apparent Right Ascension	Apparent Declination	Horizontal Parallax
a_0	304.7893 340+	24.6469 488−	0.9669 3227+
a_1	14.7009 775+	2.7966 097+	0.0123 6778−
a_2	5257 266−	6791 822+	5 3902−
a_3	347 139−	618 044−	1 7770+
a_4	127 572+	20 799−	95−
a_5	7 652−	7 598+	

June 27

	Apparent Right Ascension	Apparent Declination	Horizontal Parallax
a_0	200.5197 783+	6.2171 231−	0.9916 5388+
a_1	12.8496 877+	6.3765 819−	0.0056 9473+
a_2	2355 681+	1160 665+	8 0808−
a_3	488 964+	593 570+	1 1027−
a_4	11 745−	20 695+	46−
a_5	6 472−	488−	

July 5

	Apparent Right Ascension	Apparent Declination	Horizontal Parallax
a_0	318.9418 629+	21.2342 814−	0.9542 0222+
a_1	13.5925 832+	3.9650 350+	0.0129 1657−
a_2	5610 288−	4888 837+	1317−
a_3	85 603+	627 942−	1 7314+
a_4	85 845+	16 927+	586−
a_5	9 096−	2 857+	

June 28

	Apparent Right Ascension	Apparent Declination	Horizontal Parallax
a_0	213.6521 088+	12.4162 608+	0.9964 2980+
a_1	13.4595 762+	5.9583 479−	0.0037 4589+
a_2	3687 266+	3060 774+	11 3963−
a_3	375 685+	669 493+	1 1253−
a_4	44 812−	18 992+	610+
a_5	9 393−	3 902−	

July 6

	Apparent Right Ascension	Apparent Declination	Horizontal Parallax
a_0	331.9896 525+	16.8411 786−	0.9414 3976+
a_1	12.5260 002+	4.7626 153−	0.0124 4698−
a_2	4929 476−	3135 014+	4 7027+
a_3	339 860+	533 517−	1 4898+
a_4	39 700+	30 346+	842−
a_5	5 761−	321−	

June 29

	Apparent Right Ascension	Apparent Declination	Horizontal Parallax
a_0	227.5125 595+	18.0000 729−	0.9989 2965+
a_1	14.2871 163+	5.1397 039−	0.0011 5349+
a_2	4450 982+	5144 161+	14 3852−
a_3	103 912+	704 057+	8775−
a_4	95 379−	692−	1282+
a_5	7 320−	8 157−	

July 7

	Apparent Right Ascension	Apparent Declination	Horizontal Parallax
a_0	344.0600 850+	11.8154 111−	0.9296 0360+
a_1	11.6550 661+	5.2415 391+	0.0110 9323+
a_2	3729 250−	1713 234+	8 6645+
a_3	442 894+	416 155−	1 1480+
a_4	11 349+	28 128+	909−
a_5	2 563−	1 678−	

June 30

	Apparent Right Ascension	Apparent Declination	Horizontal Parallax
a_0	242.2448 953+	22.5558 399−	0.9985 6969+
a_1	15.1666 890+	3.9040 106−	0.0019 3545−
a_2	4116 611+	7170 279+	16 2353−
a_3	343 559−	619 174+	3529−
a_4	136 389−	43 816−	1710+
a_5	5 339+	9 337−	

July 8

	Apparent Right Ascension	Apparent Declination	Horizontal Parallax
a_0	355.3873 941+	6.4415 192−	0.9194 8253+
a_1	11.0453 446+	5.4697 510+	0.0090 5229−
a_2	2358 033−	616 709−	11 5646+
a_3	463 698+	320 624−	7823+
a_4	941−	19 445+	865−
a_5	806−	2 003−	

July 1

	Apparent Right Ascension	Apparent Declination	Horizontal Parallax
a_0	257.7757 845+	25.6862 206−	0.9949 9253+
a_1	15.8350 743+	2.3063 910−	0.0052 1987−
a_2	2321 385+	8671 104−	16 2680−
a_3	827 262−	353 960+	3464+
a_4	106 910−	93 509−	1704+
a_5	20 920+	3 318−	

July 9

	Apparent Right Ascension	Apparent Declination	Horizontal Parallax
a_0	6.2431 306+	0.9404 154−	0.9116 5628+
a_1	10.7120 688+	5.5036 827+	0.0065 3928−
a_2	980 597−	248 539−	13 3952+
a_3	452 181+	262 815−	4360+
a_4	4 595−	9 306+	780−
a_5	296−	1 903−	

July 2

	Apparent Right Ascension	Apparent Declination	Horizontal Parallax
a_0	273.7516 723+	27.0997 879−	0.9881 9754+
a_1	16.0188 682+	0.5050 340−	0.0083 0133−
a_2	591 403−	9138 825+	14 2199−
a_3	1046 025−	47 949−	1 0396+
a_4	6 592+	109 594−	1264+
a_5	20 309+	6 262+	

July 10

	Apparent Right Ascension	Apparent Declination	Horizontal Parallax
a_0	16.9018 687+	4.5128 722+	0.9064 9232+
a_1	10.6496 172+	5.3779 017+	0.0037 6065−
a_2	345 449+	1000 195−	14 2377−
a_3	430 597+	244 448−	1244+
a_4	5 791−	307−	697−
a_5	720−	1 611−	

Formula: Quantity = $a_0 + a_1 p + a_2 p^2 + a_3 p^3 + a_4 p^4 + a_5 p^5$

where p is the fraction of a day from 0^h TDT.

DAILY POLYNOMIAL COEFFICIENTS (in degrees)

	Apparent Right Ascension	Apparent Declination	Horizontal Parallax		Apparent Right Ascension	Apparent Declination	Horizontal Parallax
	July 11				**July 19**		
a_0	27.6284 393+	9.7661 177+	0.9041 6092+		132.5300 325+	22.9096 444+	0.9579 5900+
a_1	10.8452 083+	5.1036 004+	0.0009 0365−		14.0676 345+	3.4879 936−	0.0088 5406+
a_2	1595 319+	1751 525−	14 1949+		2377 959−	6520 557−	4 5626−
a_3	399 541+	261 466−	1539−		286 663−	361 975+	6562−
a_4	9 163−	8 535−	630−		81 005+	38 971+	695+
a_5	1 918−	1 066−			1 604−	4 142−	
	July 12				**July 20**		
a_0	38.6720 255+	14.6674 589+	0.9046 5506+		146.3391 449+	18.8092 756+	0.9662 9813+
a_1	11.2795 083+	4.6709 100+	0.0018 6396+		13.5376 404+	4.6699 934+	0.0077 7251+
a_2	2719 775+	2597 836−	13 3571+		2768 236−	5242 287−	6 1162−
a_3	342 758+	305 642−	4060−		19 552+	477 208+	3724−
a_4	18 753−	14 156−	571−		71 116+	17 821+	632+
a_5	3 591−	12−			4 591−	2 740−	
	July 13				**July 21**		
a_0	50.2555 528+	19.0466 043+	0.9078 0842+		159.6085 694+	13.6642 825+	0.9734 2810+
a_1	11.9169 930+	4.0539 840+	0.0043 9072+		13.0160 098+	5.5695 276−	0.0064 6284+
a_2	3599 509+	3599 865−	11 7988+		2328 928−	3731 114−	6 8613−
a_3	231 280+	361 343−	6354−		258 217+	522 135+	1155−
a_4	37 404−	14 536−	496−		47 319+	4 225+	408+
a_5	4 648−	1 779+			4 294−	919−	
	July 14				**July 22**		
a_0	62.5514 194+	22.7031 918+	0.9133 1053+		172.4218 106+	7.7741 876+	0.9791 9733+
a_1	12.6889 952+	3.2206 858+	0.0065 4004+		12.6444 709+	6.1578 778−	0.0050 7225+
a_2	4022 180+	4753 314+	9 5992+		1313 303−	2148 498−	6 9725−
a_3	36 289+	400 447−	8355−		405 096+	530 621+	487+
a_4	62 377−	5 618−	375−		25 935+	57−	100+
a_5	2 850−	3 976+			3 284−	417+	
	July 15				**July 23**		
a_0	75.6397 387+	25.4083 374+	0.9207 2319+		184.9777 259+	1.4545 581+	0.9835 7820+
a_1	13.4779 489+	2.1496 310+	0.0081 9423+		12.5120 711+	6.4282 049−	0.0036 9635+
a_2	3728 033+	5948 485−	6 8737+		24 821+	552 746−	6 7751−
a_3	238 205−	382 529−	9877−		475 992+	534 868+	861+
a_4	78 292−	15 080+	187−		10 040+	2 430+	183−
a_5	3 322+	5 146+			3 258−	948+	
	July 16				**July 24**		
a_0	89.4591 734+	26.9268 896+	0.9295 0415+		197.5405 564+	4.9750 967−	0.9866 0381+
a_1	14.1224 459+	0.8537 785+	0.0092 6518+		12.6622 177+	6.3768 481−	0.0023 5979+
a_2	2577 013+	6953 948−	3 8065+		1480 524+	1076 006+	6 6317−
a_3	514 194−	271 665−	1 0640−		482 666+	553 750+	74+
a_4	60 709−	42 089+	67+		5 682+	7 712+	340−
a_5	10 505+	3 565+			4 821−	411+	
	July 17				**July 25**		
a_0	103.7828 810+	27.0626 723+	0.9390 4426+		210.3980 428+	11.1881 570−	0.9882 9777+
a_1	14.4645 609+	0.5998 967−	0.0097 0996+		13.0984 362+	5.9922 340−	0.0010 2201+
a_2	775 717+	7480 695−	6634+		2846 192+	2787 741+	6 8127−
a_3	651 378−	69 838−	1 0370−		410 341+	587 555+	1351−
a_4	4 731−	60 345+	348+		29 872+	10 438+	309−
a_5	11 617+	321−			7 311−	1 565−	
	July 18				**July 26**		
a_0	118.2605 644+	25.7137 247+	0.9487 2034+		223.8184 140+	16.8419 741−	0.9886 2190+
a_1	14.4282 002+	2.0930 132+	0.0095 4547+		13.7751 728+	5.2550 304−	0.0003 9348−
a_2	1090 374−	7331 471−	2 2315−		3824 571+	4597 436+	7 3970−
a_3	557 555−	166 499+	8950−		217 717+	611 778+	2643−
a_4	55 205+	57 864+	584+		68 412−	2 967+	89−
a_5	5 403+	3 561−			7 597−	4 863−	

Formula: Quantity $= a_0 + a_1 p + a_2 p^2 + a_3 p^3 + a_4 p^4 + a_5 p^5$

where p is the fraction of a day from 0^h TDT.

MOON, 1985

DAILY POLYNOMIAL COEFFICIENTS (in degrees)

July 27

	Apparent Right Ascension	Apparent Declination	Horizontal Parallax
a_0	237.9902 146+	21.5762 727−	0.9874 6140+
a_1	14.5742 468+	4.1532 571−	0.0019 5576−
a_2	3990 720+	6401 804+	8 2330−
a_3	127 785−	573 604+	3025−
a_4	110 207−	22 331−	257+
a_5	569−	7 485−	

July 28

	Apparent Right Ascension	Apparent Declination	Horizontal Parallax
a_0	252.9396 773+	25.0349 706−	0.9846 5466+
a_1	15.2897 029+	2.7134 878−	0.0036 8282−
a_2	2940 318+	7913 432+	8 9754−
a_3	566 815+	410 538+	1980−
a_4	113 840−	62 191−	614+
a_5	12 963+	5 657−	

July 29

	Apparent Right Ascension	Apparent Declination	Horizontal Parallax
a_0	268.4566 428+	26.9228 462−	0.9800 6065+
a_1	15.6686 746+	1.0353 371−	0.0055 1269−
a_2	687 301+	8715 154+	9 1935−
a_3	888 966−	109 052+	533+
a_4	43 052−	91 716−	853+
a_5	19 635+	1 242+	

July 30

	Apparent Right Ascension	Apparent Declination	Horizontal Parallax
a_0	284.1028 094+	27.0848 102−	0.9736 4247+
a_1	15.5320 322+	0.7043 506+	0.0073 0123−
a_2	2040 836−	8504 685+	8 5206−
a_3	869 608+	241 943−	4019+
a_4	60 244+	83 730−	886+
a_5	10 793+	7 400+	

July 31

	Apparent Right Ascension	Apparent Declination	Horizontal Parallax
a_0	299.3509 011+	25.5618 183−	0.9655 3823+
a_1	14.8924 628+	2.3029 134+	0.0088 4932−
a_2	4180 511−	7350 806+	6 7890−
a_3	528 021−	502 457−	7623+
a_4	112 466+	44 416−	706+
a_5	2 500−	7 979+	

August 1

	Apparent Right Ascension	Apparent Declination	Horizontal Parallax
a_0	313.7835 272+	22.5777 137−	0.9560 9329+
a_1	13.9417 844+	3.6085 572+	0.0099 5020−
a_2	5113 331−	5656 829+	4 0887−
a_3	104 468−	602 107−	1 0473+
a_4	97 221+	3 852+	385+
a_5	7 812+	4 760+	

August 2

	Apparent Right Ascension	Apparent Declination	Horizontal Parallax
a_0	327.2124 725+	18.4635 935−	0.9458 4280+
a_1	12.9227 609+	4.5601 264+	0.0104 3835−
a_2	4921 792−	3874 930+	7268−
a_3	206 841+	571 839−	1 2006+
a_4	56 476+	19 491+	31+
a_5	6 609−	1 413+	

August 3

	Apparent Right Ascension	Apparent Declination	Horizontal Parallax
a_0	339.6687 250+	13.5710 676+	0.9354 5213+
a_1	12.0197 440+	5.1720 612+	0.0102 2232−
a_2	4028 517−	2290 400+	2 8841+
a_3	368 312+	480 926+	1 2101+
a_4	23 398+	25 964+	268−
a_5	3 669−	597−	

August 4

	Apparent Right Ascension	Apparent Declination	Horizontal Parallax
a_0	351.3244 215+	8.2155 223−	0.9256 3656+
a_1	11.3320 615+	5.4959 494+	0.0092 9318−
a_2	2819 828−	997 376+	6 3476+
a_3	426 469+	383 560−	1 0999+
a_4	5 483+	22 601+	470−
a_5	1 509−	1 464−	

August 5

	Apparent Right Ascension	Apparent Declination	Horizontal Parallax
a_0	2.4175 446+	2.6560 776−	0.9170 8344+
a_1	10.8974 767+	5.5886 647+	0.0077 1249−
a_2	1522 563−	32 374−	9 3619+
a_3	433 893+	307 950−	9095+
a_4	1 678−	15 083+	581−
a_5	523−	1 708−	

August 6

	Apparent Right Ascension	Apparent Declination	Horizontal Parallax
a_0	13.2059 342+	2.8998 922+	0.9103 9228+
a_1	10.7221 993+	5.4949 840+	0.0055 9050−
a_2	236 150−	882 830−	11 7402+
a_3	421 966+	264 669−	6759+
a_4	4 005−	6 425+	633−
a_5	503−	1 654−	

August 7

	Apparent Right Ascension	Apparent Declination	Horizontal Parallax
a_0	23.9462 641+	8.2806 035−	0.9060 3706+
a_1	10.7997 043+	5.2407 611+	0.0030 6502−
a_2	1000 708+	1654 844−	13 3871+
a_3	400 466+	255 335−	4226+
a_4	6 280−	1 975−	662−
a_5	1 271−	1 371−	

August 8

	Apparent Right Ascension	Apparent Declination	Horizontal Parallax
a_0	34.8853 307+	13.3300 120+	0.9043 4638+
a_1	11.1168 365+	4.8317 169+	0.0002 8730−
a_2	2151 724+	2446 448−	14 2565+
a_3	361 833+	276 562−	1581+
a_4	12 504−	9 054−	696−
a_5	2 664−	721−	

August 9

	Apparent Right Ascension	Apparent Declination	Horizontal Parallax
a_0	46.2520 062+	17.8884 504+	0.9054 9358+
a_1	11.6493 965+	4.2554 783+	0.0025 8358+
a_2	3135 515+	3337 713−	14 3115+
a_3	284 389+	319 239−	1200−
a_4	26 101−	12 975−	746−
a_5	4 088−	552+	

August 10

	Apparent Right Ascension	Apparent Declination	Horizontal Parallax
a_0	58.2403 742+	21.7769 911+	0.9094 8885+
a_1	12.3493 321+	3.4872 520+	0.0053 8005+
a_2	3791 016+	4367 799−	13 5025+
a_3	139 247+	364 502−	4187−
a_4	47 699−	10 444−	797−
a_5	3 948−	2 502+	

August 11

	Apparent Right Ascension	Apparent Declination	Horizontal Parallax
a_0	70.9775 678+	24.7902 189+	0.9161 6931+
a_1	13.1282 600+	2.5014 170+	0.0079 2304+
a_2	3882 807+	5498 911−	11 7676+
a_3	88 807−	380 196−	7396−
a_4	69 263−	2 355+	814−
a_5	149−	4 406+	

Formula: Quantity = $a_0 + a_1 p + a_2 p^2 + a_3 p^3 + a_4 p^4 + a_5 p^5$

where p is the fraction of a day from 0^h TDT.

DAILY POLYNOMIAL COEFFICIENTS (in degrees)

	Apparent Right Ascension °	Apparent Declination °	Horizontal Parallax °		Apparent Right Ascension °	Apparent Declination °	Horizontal Parallax °
	August 12				**August 20**		
a_0	84.4782 866+	26.7044 014+	0.9251 8702+		194.2899 180+	3.5700 588−	0.9947 8409+
a_1	13.8504 074+	1.2907 214+	0.0100 2211+		12.8443 112+	6.5790 619−	0.0004 6143+
a_2	3199 231+	6581 160−	9 0629+		864 927+	907 274+	12 9285−
a_3	363 439−	326 604−	1 0693−		452 675+	611 758+	6465+
a_4	70 572−	25 400+	737−		2 683−	942−	541+
a_5	6 804+	4 649+			4 429−	192−	
	August 13				**August 21**		
a_0	98.6058 965+	27.3073 513+	0.9360 0111+		207.2652 782+	9.9973 309−	0.9940 2272+
a_1	14.3564 002+	0.1110 098−	0.0114 8438+		13.1498 098+	6.2145 536−	0.0019 0871−
a_2	1753 850+	7361 939−	5 4202+		2162 556+	2735 061+	10 6818−
a_3	575 163−	179 870−	1 3700−		396 722+	605 513+	8595+
a_4	34 212−	49 621+	502−		24 822−	1 368−	17−
a_5	11 384+	2 252+			6 125−	1 144−	
	August 14				**August 22**		
a_0	113.0778 826+	26.4473 480+	0.9478 8550+		220.6679 211+	15.8780 783−	0.9911 3161+
a_1	14.5266 255+	1.6163 880−	0.0121 3733+		13.6883 462+	5.4870 090−	0.0037 8793−
a_2	62 662−	7581 310−	1 0225+		3142 327+	4532 010+	8 1256−
a_3	599 649−	39 138+	1 5766+		236 113+	587 413+	8455−
a_4	25 636+	60 788+	76−		56 823−	6 715−	405−
a_5	8 681+	1 302−			6 431−	3 227−	
	August 15				**August 23**		
a_0	127.5417 087+	24.0826 914+	0.9599 6667+		234.6877 858+	20.8541 391−	0.9866 1161+
a_1	14.3487 855+	3.0972 469+	0.0118 6581+		14.3617 066+	4.4086 848−	0.0051 7566−
a_2	1620 954−	7112 313−	3 7351+		3444 997+	6221 620+	5 8370−
a_3	414 205−	268 026+	1 6098−		52 574−	527 193+	6756+
a_4	69 292+	53 384+	495+		91 833−	23 336−	554−
a_5	1 678+	3 465−			1 510−	5 223−	
	August 16				**August 24**		
a_0	141.6940 752+	20.3060 075+	0.9713 0294+		249.3794 005+	24.5907 986−	0.9809 1429+
a_1	13.9288 829+	4.4196 811−	0.0106 5567+		14.9974 575+	3.0181 483−	0.0061 6255−
a_2	2431 296−	6022 685−	8 2499−		2721 002+	7610 717+	4 1403−
a_3	123 176−	446 857+	1 4086−		429 137−	382 073+	4481+
a_4	75 985+	35 361+	1066+		100 602−	51 058−	484−
a_5	3 369−	3 497−			8 967+	4 514−	
	August 17				**August 25**		
a_0	155.3747 726+	15.3319 299+	0.9810 0342+		264.5968 809+	26.8152 251−	0.9743 7768+
a_1	13.4343 791+	5.4777 642−	0.0086 2580+		15.3771 670+	1.4040 580−	0.0068 7555−
a_2	2378 805−	4504 944−	11 8247−		920 180+	8405 280+	3 0797−
a_3	146 307+	553 943+	9725−		737 997−	135 245+	2514+
a_4	57 790+	17 696+	1435+		51 949−	74 814−	268−
a_5	4 611−	2 389−			16 111+	9+	
	August 18				**August 26**		
a_0	168.5912 198+	9.4605 963+	0.9883 6386+		279.9886 825+	27.3727 111−	0.9672 1662+
a_1	13.0233 212+	6.2066 847−	0.0060 2659+		15.3270 749+	0.2876 561+	0.0074 2679−
a_2	1639 310−	2760 808−	13 8808−		1443 728−	8362 344+	2 4779−
a_3	331 688+	601 532+	3860−		787 226−	161 128−	1440+
a_4	34 421+	5 863+	1448+		33 306+	73 911−	2+
a_5	3 981−	1 166−			11 408+	4 999+	
	August 19				**August 27**		
a_0	181.4868 228+	3.0384 537+	0.9929 7824+		295.0971 334+	26.2718 246−	0.9595 5645+
a_1	12.8067 436+	6.5766 234−	0.0031 9260+		14.8211 761+	1.8847 232+	0.0078 7909−
a_2	477 496−	932 652−	14 1806−		3491 516−	7485 732+	2 0375−
a_3	429 771+	613 803+	2031+		545 884−	405 920−	1469+
a_4	14 839+	282+	1100+		90 167+	47 180−	239+
a_5	3 598−	324−			644+	6 438+	

Formula: Quantity = $a_0 + a_1 p + a_2 p^2 + a_3 p^3 + a_4 p^4 + a_5 p^5$

where p is the fraction of a day from 0^h TDT.

DAILY POLYNOMIAL COEFFICIENTS (in degrees)

	Apparent Right Ascension	Apparent Declination	Horizontal Parallax	Apparent Right Ascension	Apparent Declination	Horizontal Parallax
	August 28			**September 5**		
a_0	309.5236 506+	23.6831 944−	0.9514 9070+	42.4402 021+	16.7069 205+	0.9028 4212+
a_1	13.9954 894+	3.2444 386+	0.0082 3291−	11.4377 008+	4.4655 437+	0.0003 2023+
a_2	4582 151−	6049 386+	1 4486−	2615 326+	3157 676+	13 0430+
a_3	182 490−	531 267−	2463+	285 203+	296 635−	4149+
a_4	90 467+	14 195−	383+	19 477−	7 459−	553−
a_5	5 764−	4 578+		3 075−	32−	
	August 29			**September 6**		
a_0	323.0511 461+	19.8879 055−	0.9431 4140+	54.1657 007+	20.8262 839+	0.9045 0261+
a_1	13.0576 161+	4.2915 439+	0.0084 3339−	12.0369 985+	3.7420 199+	0.0030 3118+
a_2	4644 745−	4416 170+	4790−	3323 215+	4092 691−	13 9514+
a_3	121 439+	543 732−	4034+	176 373+	326 026−	1945+
a_4	59 774+	8 526+	408+	35 545+	7 846−	695−
a_5	6 093−	2 004+		3 444−	1 294+	
	August 30			**September 7**		
a_0	335.6617 998+	15.2080 648−	0.9347 0453+	66.5487 591+	24.1257 770+	0.9089 4142+
a_1	12.1859 643+	5.0160 685+	0.0083 9183−	12.7386 158+	2.8231 846+	0.0058 5199+
a_2	3982 779−	2856 102+	9735+	3604 422+	5104 896−	14 1124+
a_3	300 809+	490 644−	5695+	956+	343 571−	830−
a_4	28 939+	18 120+	326+	54 097−	1 346−	862−
a_5	3 919−	200+		1 426−	2 872+	
	August 31			**September 8**		
a_0	347.4820 691+	9.9536 186−	0.9264 7026+	79.6423 603+	26.4042 675+	0.9161 8772+
a_1	11.4892 697+	5.4474 422+	0.0080 1321−	13.4374 405+	1.7000 327+	0.0086 1507+
a_2	2945 880−	1494 834+	2 8733+	3268 295+	6114 891−	13 3407+
a_3	378 548+	416 719−	7016+	226 874−	319 754−	4283−
a_4	9 594+	18 800+	177+	62 212−	13 536+	1037−
a_5	1 890−	734−		3 527+	3 753+	
	September 1			**September 9**		
a_0	358.7153 760+	4.3965 582−	0.9188 1631+	93.3780 744+	27.4625 647+	0.9260 8366+
a_1	11.0165 518+	5.6285 460+	0.0072 2101−	13.9999 215+	0.3884 185+	0.0111 1322+
a_2	1771 536−	350 111+	5 0786+	2249 798+	6955 293−	11 4296+
a_3	398 682+	349 091−	7723+	437 680−	228 550−	8461−
a_4	473+	14 955+	3+	43 631−	33 072+	1165−
a_5	765−	1 130−		8 509+	2 936+	
	September 2			**September 10**		
a_0	9.5946 131+	1.2334 721+	0.9121 8042+	107.5556 956+	27.1361 997+	0.9382 4359+
a_1	10.7816 562+	5.5992 573+	0.0059 7348−	14.3053 795+	1.0565 107−	0.0130 9870+
a_2	580 273−	618 759−	7 3922+	760 393+	7413 109−	8 1934+
a_3	393 082+	300 647−	7729+	526 910−	68 156−	1 3188+
a_4	3 096−	9 191+	161−	1 312+	48 043+	1144−
a_5	494−	1 246−		8 870+	712+	
	September 3			**September 11**		
a_0	20.3571 914+	6.7415 833+	0.9070 2183+	121.8854 415+	25.3364 379+	0.9520 1831+
a_1	10.7820 407+	5.3883 648+	0.0042 6965−	14.3043 395+	2.5400 086−	0.0142 9593+
a_2	575 484+	1478 038−	9 6094+	723 600−	7322 255−	3 5602+
a_3	375 515+	276 299−	7075+	435 528−	129 977+	1 7872+
a_4	5 367−	2 846+	303−	46 885+	51 208+	845−
a_5	921−	1 165−		4 222+	1 317−	
	September 4			**September 12**		
a_0	31.2337 031+	11.9546 825+	0.9037 8084+	136.0789 788+	22.0821 907+	0.9664 8311+
a_1	11.0071 835+	5.0104 237+	0.0021 4764−	14.0498 197+	3.9456 427−	0.0144 3797+
a_2	1660 628+	2301 539−	11 5461+	1706 780−	6638 314−	2 2873−
a_3	344 275+	276 359−	5859+	208 741−	321 163+	2 1372−
a_4	9 845−	3 143−	428−	67 212+	44 129+	178−
a_5	1 903−	816−		1 038−	2 103−	

Formula: Quantity $= a_0 + a_1 p + a_2 p^2 + a_3 p^3 + a_4 p^4 + a_5 p^5$

where p is the fraction of a day from 0^h TDT.

DAILY POLYNOMIAL COEFFICIENTS (in degrees)

	Apparent Right Ascension	Apparent Declination	Horizontal Parallax		Apparent Right Ascension	Apparent Declination	Horizontal Parallax
	September 13				**September 21**		
a_0	149.9438 637 +	17.5090 356 +	0.9804 7687 +		261.0659 341 +	26.6651 179 −	0.9807 9235 +
a_1	13.6722 039 +	5.1603 561 −	0.0133 3222 +		15.4808 183 +	1.7956 166 −	0.0104 9161 −
a_2	1940 306 −	5431 096 −	8 7752 −		751 868 +	8580 840 +	2 6845 −
a_3	48 184 +	476 683 +	2 2151 −		723 140 −	126 794 +	1 2882 +
a_4	60 750 +	33 457 +	801 +		50 194 −	77 282 −	1034 −
a_5	3 664 −	2 009 −			15 754 +	1 069 +	
	September 14				**September 22**		
a_0	163.4325 641 +	11.8563 831 +	0.9927 1807 +		276.5461 812 +	27.5975 925 −	0.9701 5077 +
a_1	13.3210 657 +	6.0911 916 −	0.0109 4470 +		15.4020 439 +	0.0717 842 −	0.0106 8344 −
a_2	1467 988 −	3820 379 −	14 9091 −		1560 544 −	8508 359 +	5623 +
a_3	254 269 +	590 547 +	1 8895 −		768 916 −	169 240 −	8675 +
a_4	41 829 +	23 484 +	1813 +		33 097 +	70 936 −	945 −
a_5	4 058 −	1 780 −			11 071 +	5 368 +	
	September 15				**September 23**		
a_0	176.6360 351 +	5.4443 786 +	1.0020 0104 +		291.7196 958 +	26.8420 216 −	0.9596 0087 +
a_1	13.1184 513 +	6.6695 998 −	0.0074 6864 +		14.8780 226 +	1.5534 260 +	0.0103 4851 −
a_2	494 785 −	1925 615 −	19 4707 −		3558 040 −	7628 932 +	2 6059 +
a_3	380 974 +	666 725 +	1 1457 −		531 634 −	398 839 +	4865 +
a_4	21 641 +	14 686 +	2442 +		88 250 +	42 485 −	696 −
a_5	4 040 −	1 712 −			592 +	6 114 +	
	September 16				**September 24**		
a_0	189.7448 655 +	1.3498 129 +	1.0074 3246 +		306.1976 351 +	24.5692 233 −	0.9495 5464 +
a_1	13.1404 225 +	6.8496 872 −	0.0033 2861 +		14.0425 131 +	2.9456 216 +	0.0097 0923 −
a_2	737 632 +	145 585 +	21 4442 −		4617 940 −	6238 734 +	3 6573 +
a_3	426 666 +	708 258 +	1450 −		176 329 −	508 807 −	2078 +
a_4	1 803 +	6 281 +	2385 +		88 374 +	11 305 −	391 −
a_5	4 841 −	1 865 −			5 640 −	3 981 +	
	September 17				**September 25**		
a_0	203.0014 140 +	8.1136 742 −	1.0086 2599 +		319.7689 947 +	21.0513 413 −	0.9402 2801 +
a_1	13.4142 477 +	6.6065 139 −	0.0009 0824 −		13.0985 553 +	4.0381 922 +	0.0089 3107 −
a_2	1980 019 +	2289 438 +	20 4699 −		4673 360 −	4684 254 +	4 0549 +
a_3	384 635 +	714 359 +	8256 +		120 470 +	515 628 −	527 +
a_4	22 445 −	2 749 −	1675 +		58 351 +	8 323 +	104 −
a_5	6 347 −	2 488 −			5 984 −	1 505 +	
	September 18				**September 26**		
a_0	216.6492 478 +	14.4203 320 −	1.0057 7006 +		332.4174 977 +	16.5953 037 −	0.9317 0666 +
a_1	13.9134 905 +	5.9366 633 −	0.0046 8755 −		12.2203 749 +	4.8244 344 +	0.0081 0842 −
a_2	2935 569 +	4391 182 +	17 0196 −		4021 747 −	3202 288 +	4 1578 +
a_3	231 442 +	677 765 +	1 4983 +		295 203 −	468 187 −	137 +
a_4	55 552 −	14 954 −	656 +		28 069 +	15 395 +	123 +
a_5	6 425 −	3 757 −			3 885 −	34 −	
	September 19				**September 27**		
a_0	230.8732 417 +	19.8519 718 −	0.9995 3693 +		344.2676 367 +	11.4959 232 −	0.9240 1662 +
a_1	14.5446 095 +	4.8629 586 −	0.0076 1579 −		11.5138 738 +	5.3305 759 +	0.0072 6781 −
a_2	3231 925 +	6297 116 +	12 1596 −		3006 549 −	1889 705 +	4 2771 +
a_3	52 040 −	579 846 +	1 7522 +		369 767 +	407 340 −	658 +
a_4	90 441 −	34 208 −	263 −		8 885 +	14 922 +	265 +
a_5	1 391 −	4 777 −			1 910 −	686 −	
	September 20				**September 28**		
a_0	245.7266 566 +	24.0311 327 −	0.9908 7777 +		355.5185 298 +	6.0156 872 −	0.9171 8575 +
a_1	15.1385 222 +	3.4456 517 −	0.0095 3262 −		11.0260 945 +	5.5919 403 +	0.0063 8204 −
a_2	2519 088 +	7783 441 +	7 0786 −		1863 000 −	750 329 +	4 6349 +
a_3	421 947 −	396 084 +	1 6343 +		386 858 +	354 624 −	1745 +
a_4	98 495 −	59 467 −	838 −		354 −	11 345 +	316 +
a_5	8 906 +	3 393 −			797 −	862 −	

Formula: Quantity = $a_0 + a_1 p + a_2 p^2 + a_3 p^3 + a_4 p^4 + a_5 p^5$

where p is the fraction of a day from 0^h TDT.

DAILY POLYNOMIAL COEFFICIENTS (in degrees)

September 29

	Apparent Right Ascension	Apparent Declination	Horizontal Parallax
a_0	6.3968 950+	0.3831 281−	0.9112 8781+
a_1	10.7690 121+	5.6397 261+	0.0053 9004−
a_2	712 498−	254 103−	5 3473+
a_3	377 643+	317 855−	3033+
a_4	4 107−	6 965+	287+
a_5	490−	846−	

September 30

	Apparent Right Ascension	Apparent Declination	Horizontal Parallax
a_0	17.1319 619+	5.2000 141+	0.9064 6570+
a_1	10.7379 175+	5.4959 120+	0.0042 1808−
a_2	390 908+	1174 354−	6 4269+
a_3	356 129+	298 392−	4199+
a_4	6 392−	2 664+	197+
a_5	802−	730−	

October 1

	Apparent Right Ascension	Apparent Declination	Horizontal Parallax
a_0	27.9438 638+	10.5488 449+	0.9029 3427+
a_1	10.9199 793+	5.1722 246+	0.0027 9884−
a_2	1412 926+	2060 865−	7 8010+
a_3	322 090+	294 877−	4998+
a_4	10 320−	1 097−	68+
a_5	1 566−	459−	

October 2

	Apparent Right Ascension	Apparent Declination	Horizontal Parallax
a_0	39.0361 560+	15.4853 397+	0.9009 6619+
a_1	11.2942 794+	4.6709 210+	0.0010 8598−
a_2	2301 588+	2956 692−	9 3365+
a_3	264 639+	303 532−	5277+
a_4	18 270−	3 552−	85−
a_5	2 453−	92+	

October 3

	Apparent Right Ascension	Apparent Declination	Horizontal Parallax
a_0	50.5849 859+	19.8298 924+	0.9008 6578+
a_1	11.8254 542+	3.9871 493+	0.0009 3624+
a_2	2961 269+	3887 702−	10 8633+
a_3	166 905+	316 301−	4944+
a_4	31 078−	3 239−	256−
a_5	2 707−	990+	

October 4

	Apparent Right Ascension	Apparent Declination	Horizontal Parallax
a_0	62.7198 790+	23.3964 165+	0.9029 3524+
a_1	12.4539 967+	3.1139 191+	0.0032 4699+
a_2	3248 295+	4846 141−	12 1869+
a_3	16 433+	318 775−	3930+
a_4	45 614−	1 734+	451−
a_5	1 183−	2 024+	

October 5

	Apparent Right Ascension	Apparent Declination	Horizontal Parallax
a_0	75.4956 689+	25.9942 197+	0.9074 3570+
a_1	13.0897 530+	2.0507 645+	0.0057 8421+
a_2	3011 961+	5771 773−	13 0878+
a_3	175 711−	291 291−	2137+
a_4	52 323−	12 195+	681−
a_5	2 554+	2 583+	

October 6

	Apparent Right Ascension	Apparent Declination	Horizontal Parallax
a_0	88.8640 699+	27.4401 557+	0.9145 4323+
a_1	13.6197 839+	0.8151 919+	0.0084 3863+
a_2	2196 492+	6546 568−	13 3118+
a_3	357 204−	216 985−	576−
a_4	39 035−	25 602+	949−
a_5	6 596+	2 046+	

October 7

	Apparent Right Ascension	Apparent Declination	Horizontal Parallax
a_0	102.6645 387+	27.5817 571+	0.9242 9779+
a_1	13.9396 059+	0.5479 551−	0.0110 4574+
a_2	956 862+	7023 428−	12 5607+
a_3	446 864−	94 917−	4376−
a_4	4 343−	36 001+	1233−
a_5	7 538+	626+	

October 8

	Apparent Right Ascension	Apparent Declination	Horizontal Parallax
a_0	116.6554 639+	26.3256 302+	0.9365 4350+
a_1	13.9989 477+	1.9664 038−	0.0133 7726−
a_2	334 246−	7085 958−	10 5014+
a_3	390 554−	54 666+	9345−
a_4	34 516+	38 814+	1458−
a_5	4 478+	574−	

October 9

	Apparent Right Ascension	Apparent Declination	Horizontal Parallax
a_0	130.5858 309+	23.6599 212+	0.9508 6289+
a_1	13.8309 726+	3.3519 573−	0.0151 3885+
a_2	1254 092−	6694 874−	6 8231+
a_3	210 125−	204 049+	1 5271−
a_4	56 585+	35 542+	1479−
a_5	220+	776−	

October 10

	Apparent Right Ascension	Apparent Declination	Horizontal Parallax
a_0	144.2760 623+	19.6623 579+	0.9665 1655+
a_1	13.5398 573+	4.6158 881−	0.0159 8610+
a_2	1542 912−	5877 241−	1 3666+
a_3	16 849+	338 706+	2 1346+
a_4	56 727+	31 591+	1098−
a_5	2 442−	311−	

October 11

	Apparent Right Ascension	Apparent Declination	Horizontal Parallax
a_0	157.6687 418+	14.4957 444+	0.9824 1488+
a_1	13.2577 984+	5.6772 432−	0.0155 7502+
a_2	1176 517−	4674 642−	5 6670−
a_3	218 797+	462 098+	2 5919−
a_4	43 942+	30 307+	168−
a_5	3 289−	53−	

October 12

	Apparent Right Ascension	Apparent Declination	Horizontal Parallax
a_0	170.8348 336+	8.4002 723+	0.9971 6233+
a_1	13.1040 661+	6.4614 463−	0.0136 5725+
a_2	289 360−	3106 972−	13 5011−
a_3	361 412+	582 494+	2 6691−
a_4	27 560+	30 435+	1222+
a_5	3 682−	576−	

October 13

	Apparent Right Ascension	Apparent Declination	Horizontal Parallax
a_0	183.9484 927+	1.6893 640+	1.0092 1481+
a_1	13.1637 993+	6.8962 082−	0.0102 0526−
a_2	923 471+	1182 587−	20 7322−
a_3	434 089+	697 697+	2 1701−
a_4	9 595+	27 885+	2624+
a_5	4 933−	1 923−	

October 14

	Apparent Right Ascension	Apparent Declination	Horizontal Parallax
a_0	197.2485 143+	5.2527 370−	1.0171 5608+
a_1	13.4800 894+	6.9132 264−	0.0055 1290−
a_2	2233 998+	1058 619−	25 6454−
a_3	421 807+	788 873+	1 0904−
a_4	14 874−	18 499+	3379+
a_5	7 289−	3 876−	

Formula: Quantity $= a_0 + a_1 p + a_2 p^2 + a_3 p^3 + a_4 p^4 + a_5 p^5$

where p is the fraction of a day from 0^h TDT.

DAILY POLYNOMIAL COEFFICIENTS (in degrees)

	Apparent Right Ascension	Apparent Declination	Horizontal Parallax
October 15			
a_0	210.9919 679+	11.9797 519+	1.0200 2918+
a_1	14.0438 361+	6.4593 819+	0.0001 9204+
a_2	3337 079+	3497 476+	26 8983−
a_3	288 754+	822 827+	2961+
a_4	52 647−	857−	3077+
a_5	8 649−	6 113−	
October 16			
a_0	225.3922 576+	18.0078 006−	1.0175 9176+
a_1	14.7725 003+	5.5164 395−	0.0049 7562−
a_2	3800 428+	5899 569+	24 2001−
a_3	5 482−	757 550+	1 5466−
a_4	99 545−	32 206−	1890+
a_5	3 955−	7 468−	
October 17			
a_0	240.5339 024+	22.8624 955−	1.0103 6968+
a_1	15.4891 601+	4.1258 743−	0.0092 7606−
a_2	3146 804+	7904 025+	18 4710−
a_3	435 903−	555 362+	2 3007+
a_4	121 789−	71 508−	430+
a_5	9 062+	5 301−	
October 18			
a_0	256.2828 800+	26.1501 121−	0.9994 8089+
a_1	15.9435 771+	2.4097 071−	0.0122 6293−
a_2	1199 613+	9087 875+	11 3466−
a_3	826 651−	220 046+	2 4568+
a_4	71 995−	99 266−	723−
a_5	19 753+	1 322+	
October 19			
a_0	272.2585 291+	27.6388 214−	0.9863 2173+
a_1	15.9165 771+	0.5651 565−	0.0138 2426−
a_2	1513 836−	9165 868+	4 4293−
a_3	919 765−	160 289−	2 1494+
a_4	33 493+	91 071−	1326−
a_5	14 775+	7 601+	
October 20			
a_0	287.9365 730+	27.3117 669−	0.9722 5622+
a_1	15.3586 499+	1.1873 036+	0.0141 1841−
a_2	3924 422−	8214 940+	1 2194+
a_3	645 755−	448 063−	1 6060+
a_4	107 362+	50 597−	1440−
a_5	772+	8 358+	
October 21			
a_0	302.8490 186+	25.3519 995−	0.9584 0596+
a_1	14.4233 608+	2.6798 091+	0.0134 5036−
a_2	5210 371−	6650 863+	5 1791+
a_3	213 371−	568 762−	1 0234+
a_4	107 248+	8 020−	1252−
a_5	7 446−	4 916+	
October 22			
a_0	316.7399 855+	22.0642 906−	0.9455 6334+
a_1	13.3564 512+	3.8385 992+	0.0121 5759−
a_2	5281 816−	4945 539+	7 5082+
a_3	140 952+	553 739−	5207+
a_4	67 624+	16 020+	932+
a_5	7 537−	1 323+	

	Apparent Right Ascension	Apparent Declination	Horizontal Parallax
October 23			
a_0	329.5883 590+	17.7847 772−	0.9341 9931+
a_1	12.3656 580+	4.6686 524+	0.0105 3704−
a_2	4528 644−	3393 566+	8 5215+
a_3	337 710+	477 599−	1482+
a_4	29 606+	21 935+	591−
a_5	4 605−	661−	
October 24			
a_0	341.5374 236+	12.8224 008−	0.9245 2333+
a_1	11.5707 847+	5.2125 282+	0.0088 1192−
a_2	3383 885−	2085 699+	8 6212+
a_3	411 534+	396 866−	867−
a_4	6 980+	18 207+	281−
a_5	2 081−	1 304−	
October 25			
a_0	352.8114 631+	7.4392 990−	0.9165 6206+
a_1	11.0192 211+	5.5172 389+	0.0071 2491−
a_2	2128 160−	991 269+	8 2007+
a_3	419 418+	337 082−	1970−
a_4	3 014−	11 500+	25−
a_5	750−	1 282−	
October 26			
a_0	3.6594 337+	1.8556 196−	0.9102 3727+
a_1	10.7178 347+	5.6183 275+	0.0055 4487−
a_2	895 455−	36 190+	7 6005+
a_3	400 064+	303 755−	2049−
a_4	6 489−	5 014+	166+
a_5	396−	1 019−	
October 27			
a_0	14.3270 410+	3.7363 508+	0.9054 3361+
a_1	10.6559 692+	5.5359 355+	0.0040 7960−
a_2	261 861+	855 193−	7 0891+
a_3	369 950+	293 687−	1362−
a_4	8 299−	139−	287+
a_5	726−	669−	
October 28			
a_0	25.0452 887+	9.1573 175+	0.9020 5217+
a_1	10.8156 428+	5.2764 011+	0.0026 9116−
a_2	1314 658+	1743 799−	6 8540+
a_3	329 038+	300 672−	192−
a_4	11 854−	3 574−	335+
a_5	1 508−	213−	
October 29			
a_0	36.0239 650+	14.2288 929+	0.9000 4784+
a_1	11.1717 894+	4.8359 045+	0.0013 1269−
a_2	2215 540+	2669 409+	6 9968+
a_3	266 045+	316 715−	1170+
a_4	19 532−	4 763+	312+
a_5	2 388−	442+	
October 30			
a_0	47.4417 208+	18.7657 529+	0.8994 4965+
a_1	11.6857 036+	4.2053 252+	0.0001 3427+
a_2	2872 508+	3643 724−	7 5324+
a_3	163 940+	330 837−	2438+
a_4	32 023−	2 641−	225+
a_5	2 599−	1 321+	

Formula: Quantity = $a_0 + a_1 p + a_2 p^2 + a_3 p^3 + a_4 p^4 + a_5 p^5$

where p is the fraction of a day from 0^h TDT.

MOON, 1985

DAILY POLYNOMIAL COEFFICIENTS (in degrees)

October 31

	Apparent Right Ascension	Apparent Declination	Horizontal Parallax
a_0	59.4276 070+	22.5734 900+	0.9003 6379+
a_1	12.2952 802+	3.3769 344+	0.0017 2290+
a_2	3146 046+	4638 860−	8 3944+
a_3	10 781+	327 715−	3355+
a_4	45 996−	4 062+	83+
a_5	1 028−	2 170+	

November 1

	Apparent Right Ascension	Apparent Declination	Horizontal Parallax
a_0	72.0338 674+	25.4543 902+	0.9029 6051+
a_1	12.9088 154+	2.3535 580+	0.0035 0576+
a_2	2892 013+	5575 877−	9 4447+
a_3	181 381−	289 661−	3702+
a_4	51 885−	15 302+	108−
a_5	2 674+	2 382+	

November 2

	Apparent Right Ascension	Apparent Declination	Horizontal Parallax
a_0	85.2088 250+	27.2231 628+	0.9074 4666+
a_1	13.4133 911+	1.1587 951+	0.0055 0141+
a_2	2063 371+	6329 163−	10 4827+
a_3	360 014−	205 168−	3283+
a_4	37 964−	27 676+	347−
a_5	6 558+	1 454+	

November 3

	Apparent Right Ascension	Apparent Declination	Horizontal Parallax
a_0	98.7894 112+	27.7314 378+	0.9140 2570+
a_1	13.7061 554+	0.1567 924−	0.0076 8258+
a_2	821 354+	6764 061−	11 2505+
a_3	445 852−	80 858−	1911+
a_4	3 506−	35 018+	635−
a_5	7 353+	205−	

November 4

	Apparent Right Ascension	Apparent Declination	Horizontal Parallax
a_0	112.5335 015+	26.8936 347+	0.9228 4610+
a_1	13.7389 411+	1.5199 588−	0.0099 6465+
a_2	463 565−	6798 642−	11 4329+
a_3	388 035−	56 500+	616−
a_4	34 338+	33 556+	966−
a_5	4 321+	1 373−	

November 5

	Apparent Right Ascension	Apparent Declination	Horizontal Parallax
a_0	126.1911 483+	24.7026 800+	0.9339 3822+
a_1	13.5457 082+	2.8500 011−	0.0121 9412+
a_2	1378 501−	6441 607−	10 6582+
a_3	209 777−	177 051+	4486−
a_4	55 577+	26 175+	1308−
a_5	256+	1 256−	

November 6

	Apparent Right Ascension	Apparent Declination	Horizontal Parallax
a_0	139.5836 120+	21.2287 152+	0.9471 4022+
a_1	13.2294 306+	4.0753 641−	0.0141 3886+
a_2	1671 965−	5765 995−	8 5201+
a_3	13 679+	269 793+	9764−
a_4	55 889+	19 689+	1569−
a_5	2 155−	174−	

November 7

	Apparent Right Ascension	Apparent Declination	Horizontal Parallax
a_0	152.6525 873+	16.6056 824+	0.9620 1776+
a_1	12.9204 187+	5.1398 353−	0.0154 8713+
a_2	1317 239−	4840 196−	4 6495+
a_3	215 325+	347 480+	1 6156+
a_4	44 518+	18 976+	1578−
a_5	2 712−	1 012+	

November 8

	Apparent Right Ascension	Apparent Declination	Horizontal Parallax
a_0	165.4669 952+	11.0185 743+	0.9777 9250+
a_1	12.7380 196+	5.9955 337−	0.0158 6912+
a_2	431 277−	3673 719−	1 1293−
a_3	366 223+	433 797+	2 2658−
a_4	31 002+	24 450+	1108−
a_5	2 746−	1 544+	

November 9

	Apparent Right Ascension	Apparent Declination	Horizontal Parallax
a_0	178.2013 350+	4.7016 477+	0.9933 1104+
a_1	12.7726 578+	6.5895 874−	0.0149 1909+
a_2	826 020+	2210 097−	8 5572−
a_3	462 177+	546 639+	2 7294−
a_4	17 842+	32 777+	6−
a_5	3 717−	880+	

November 10

	Apparent Right Ascension	Apparent Declination	Horizontal Parallax
a_0	191.1042 251+	2.0509 197−	1.0071 0142+
a_1	13.0817 900+	6.8540 671−	0.0123 8855+
a_2	2282 534+	364 607−	16 6999−
a_3	494 709+	685 217+	2 7406−
a_4	15+	37 924+	1586+
a_5	6 576−	1 392−	

November 11

	Apparent Right Ascension	Apparent Declination	Horizontal Parallax
a_0	204.4630 832+	8.8692 727−	1.0175 6179+
a_1	13.6834 234+	6.7069 547−	0.0082 8991+
a_2	3700 949+	1904 764+	23 9240−
a_3	426 791+	820 671+	2 0910−
a_4	33 075−	31 636+	3097+
a_5	10 573−	5 403−	

November 12

	Apparent Right Ascension	Apparent Declination	Horizontal Parallax
a_0	218.5549 158+	15.3010 607−	1.0232 8117+
a_1	14.5331 348+	6.0698 532−	0.0030 0185+
a_2	4676 622+	4502 524+	28 3188−
a_3	189 040+	890 554+	8153−
a_4	89 416−	4 382+	3767+
a_5	10 541−	10 070−	

November 13

	Apparent Right Ascension	Apparent Declination	Horizontal Parallax
a_0	233.5646 210+	20.8321 748−	1.0234 0727+
a_1	15.4841 483+	4.9054 653−	0.0027 5564−
a_2	4600 959+	7099 413+	28 5217−
a_3	266 819−	806 780+	7297−
a_4	148 199−	48 513−	3210+
a_5	1 877+	11 384−	

November 14

	Apparent Right Ascension	Apparent Declination	Horizontal Parallax
a_0	249.4675 510+	24.9530 106−	1.0179 0452+
a_1	16.2659 754+	3.2686 381−	0.0081 1259−
a_2	2930 233+	9114 318+	24 4514−
a_3	829 858−	502 887+	2 0313+
a_4	137 759−	109 084−	1748+
a_5	22 084+	4 415−	

November 15

	Apparent Right Ascension	Apparent Declination	Horizontal Parallax
a_0	265.9319 967+	27.2712 781−	1.0075 6739+
a_1	16.5590 072+	1.3407 365−	0.0123 2360−
a_2	163 489−	9924 379+	17 3584+
a_3	1158 165−	28 875+	2 7235+
a_4	16 261−	130 786−	131+
a_5	25 653+	7 301+	

Formula: Quantity $= a_0 + a_1 p + a_2 p^2 + a_3 p^3 + a_4 p^4 + a_5 p^5$

where p is the fraction of a day from 0^h TDT.

DAILY POLYNOMIAL COEFFICIENTS (in degrees)

	Apparent Right Ascension	Apparent Declination	Horizontal Parallax		Apparent Right Ascension	Apparent Declination	Horizontal Parallax
	November 16				November 24		
a_0	282.3597 778+	27.6290 376−	0.9937 8159+		22.3111 008+	7.8188 405+	0.9027 1078+
a_1	16.1851 621+	0.6041 438+	0.0149 7312−		10.7145 190+	5.3319 361+	0.0033 4610−
a_2	3478 381−	9299 908+	9 1458−		1090 660+	1497 088−	9 8309+
a_3	976 492−	418 236−	2 7557+		370 632+	278 426−	4014−
a_4	116 477+	90 011−	1035−		12 262−	5 580−	39+
a_5	7 402+	12 561+			1 387−	558−	
	November 17				November 25		
a_0	298.1118 404+	26.1444 714−	0.9781 5912+		33.1703 841+	12.9726 114+	0.9003 0802+
a_1	15.2468 125+	2.3089 271+	0.0160 1705−		11.0382 414+	4.9464 806+	0.0014 9877−
a_2	5635 751−	7631 101+	1 5163−		2115 101+	2371 453−	8 6551+
a_3	445 621−	654 599−	2 3224+		307 069+	305 824−	3842−
a_4	148 060+	24 774−	1565−		19 257−	8 520+	195+
a_5	8 528−	8 874+			2 511−	308+	
	November 18				November 26		
a_0	312.7644 689+	23.1394 841−	0.9622 0703+		44.4486 657+	17.6505 431+	0.8996 3829+
a_1	14.0409 328+	3.6332 886+	0.0156 8624−		11.5444 233+	4.3771 901+	0.0001 2478+
a_2	6170 215−	5607 335+	4 5109+		2895 568+	3336 988−	7 6224+
a_3	59 651+	668 285−	1 6842+		204 600+	336 153−	3046−
a_4	100 801+	19 129+	1594−		32 326−	7 106−	300+
a_5	10 999−	2 986+			3 112−	1 477+	
	November 19				November 27		
a_0	326.2033 255+	19.0100 792+	0.9471 2436+		56.2995 619+	21.6598 562+	0.9004 9784+
a_1	12.8596 103+	4.5634 102+	0.0143 4261−		12.1704 321+	3.6068 444+	0.0015 6988+
a_2	5496 593−	3746 939+	8 6142+		3284 120+	4373 296−	6 8899+
a_3	355 043+	564 040−	1 0411+		44 934+	349 127−	1825−
a_4	44 892+	32 898+	1352−		49 002−	372+	345+
a_5	6 995−	645−			1 833−	2 678+	
	November 20				November 28		
a_0	338.5525 705+	14.1251 539−	0.9337 3376+		68.7978 159+	24.7947 632+	0.9027 4192+
a_1	11.8812 681+	5.1564 208+	0.0123 6152−		12.8202 235+	2.6289 350+	0.0029 0694+
a_2	4231 993−	2245 639+	10 9367+		3106 414+	5391 601−	6 5487+
a_3	466 908+	439 683−	4994−		167 133−	320 628−	421−
a_4	10 500+	28 930+	1017−		59 238−	14 252+	319+
a_5	3 086−	1 931−			2 159+	3 127+	
	November 21				November 29		
a_0	350.0580 715+	8.7854 377−	0.9225 0568+		81.9062 595+	26.8542 131+	0.9063 0271+
a_1	11.1776 015+	5.4842 497+	0.0100 6506−		13.3687 562+	1.4616 895+	0.0042 1682+
a_2	2799 041−	1080 804+	11 8347+		2271 224+	6236 604−	6 6105+
a_3	479 303+	343 343−	935+		379 789−	232 984−	879+
a_4	4 281−	18 958+	688−		48 059−	30 569+	216+
a_5	957−	2 011−			7 031+	2 027+	
	November 22				November 30		
a_0	1.0031 752+	3.2257 472−	0.9136 2656+		95.4600 564+	27.6722 034+	0.9111 9154+
a_1	10.7593 939+	5.6039 855+	0.0076 9760−		13.6933 581+	0.1577 119+	0.0055 7397+
a_2	1396 339−	144 387+	11 7111+		914 088+	6731 842−	6 9985+
a_3	453 018−	287 429−	1803−		500 848−	91 743−	1768−
a_4	8 658−	8 785+	400−		10 917−	40 920+	38+
a_5	274−	1 663−			8 630+	288−	
	November 23				December 1		
a_0	11.6673 438+	2.3646 463+	0.9070 7803+		109.1945 098+	27.1516 201+	0.9174 8341+
a_1	10.6124 311+	5.5493 175+	0.0054 2549−		13.7258 657+	1.1999 575−	0.0070 2821+
a_2	91 944−	681 829−	10 9374+		567 451−	6764 506−	7 5437+
a_3	415 507+	268 631−	3391−		460 028−	67 974+	1940+
a_4	9 779−	404+	159−		33 745+	38 963+	211−
a_5	526−	1 177−			5 369+	2 200−	

Formula: Quantity = $a_0 + a_1 p + a_2 p^2 + a_3 p^3 + a_4 p^4 + a_5 p^5$
where p is the fraction of a day from 0^h TDT.

DAILY POLYNOMIAL COEFFICIENTS (in degrees)

December 2

	Apparent Right Ascension	Apparent Declination	Horizontal Parallax
a_0	122.8215 389+	25.2856 857+	0.9252 8327+
a_1	13.4905 440+	2.5179 814−	0.0085 8671+
a_2	1691 432−	6348 905−	7 9895+
a_3	274 118−	201 664+	1113+
a_4	60 254+	27 251+	518−
a_5	465+	2 459−	

December 3

	Apparent Right Ascension	Apparent Declination	Horizontal Parallax
a_0	136.1215 998+	22.1554 594+	0.9346 7487+
a_1	13.0943 528+	3.7175 909+	0.0101 9726+
a_2	2147 798−	5605 048−	8 0016+
a_3	30 152−	286 717+	955−
a_4	61 364+	14 593+	862−
a_5	2 469−	1 307+	

December 4

	Apparent Right Ascension	Apparent Declination	Horizontal Parallax
a_0	149.0040 471+	17.9073 640+	0.9456 5412+
a_1	12.6790 581+	4.7473 998−	0.0117 3445+
a_2	1894 887−	4670 399−	7 1878+
a_3	190 317+	332 931+	4420−
a_4	48 194+	8 087+	1192−
a_5	2 924−	288+	

December 5

	Apparent Right Ascension	Apparent Declination	Horizontal Parallax
a_0	161.5171 753+	12.7270 550+	0.9580 5123+
a_1	12.3749 923+	5.5782 197−	0.0129 9172+
a_2	1064 035−	3620 160−	5 1404+
a_3	354 149+	368 914+	9245−
a_4	33 451+	9 767+	1407−
a_5	2 365−	1 595+	

December 6

	Apparent Right Ascension	Apparent Declination	Horizontal Parallax
a_0	173.8242 877+	6.8248 470+	0.9714 5047+
a_1	12.2806 280+	6.1868 722−	0.0136 8609+
a_2	175 524+	2438 799−	1 5245+
a_3	464 281+	424 280+	1 4994−
a_4	22 059+	18 134+	1347−
a_5	2 363−	2 205+	

December 7

	Apparent Right Ascension	Apparent Declination	Horizontal Parallax
a_0	186.1708 657+	0.4385 568+	0.9851 2560+
a_1	12.4626 567+	6.5389 927−	0.0134 8718+
a_2	1677 200+	1035 007−	3 7656−
a_3	527 829+	518 512+	2 0557−
a_4	11 101+	29 806+	825−
a_5	4 139−	1 637+	

December 8

	Apparent Right Ascension	Apparent Declination	Horizontal Parallax
a_0	198.8547 216+	6.1489 410−	0.9980 2241+
a_1	12.9588 116+	6.5777 025−	0.0120 8427+
a_2	3286 019+	715 893−	10 3943−
a_3	528 425+	652 592+	2 4022−
a_4	8 731−	39 024+	246+
a_5	8 345−	920−	

December 9

	Apparent Right Ascension	Apparent Declination	Horizontal Parallax
a_0	212.1932 699+	12.5859 846−	1.0088 2951+
a_1	13.7668 731+	6.2236 028−	0.0092 9458+
a_2	4735 299+	2898 774+	17 4093−
a_3	407 509+	796 453+	2 3082−
a_4	51 414−	35 523+	1673+
a_5	13 042−	6 163−	

December 10

	Apparent Right Ascension	Apparent Declination	Horizontal Parallax
a_0	226.4679 781+	18.4371 288−	1.0161 6908+
a_1	14.8091 031+	5.3937 912−	0.0051 8727+
a_2	5518 074+	5439 568+	23 2922−
a_3	73 578+	873 413+	1 6225−
a_4	122 352−	4 216+	2918+
a_5	9 933−	12 460−	

December 11

	Apparent Right Ascension	Apparent Declination	Horizontal Parallax
a_0	241.8230 178+	23.2004 464−	1.0188 9408+
a_1	15.8809 057+	4.0483 978−	0.0001 5901+
a_2	4904 433+	7959 906+	26 3951−
a_3	503 951−	765 543+	4218−
a_4	178 583−	62 222−	3360+
a_5	9 845+	13 063−	

December 12

	Apparent Right Ascension	Apparent Declination	Horizontal Parallax
a_0	258.1270 981+	26.3838 280−	1.0164 0500+
a_1	16.6441 199+	2.2581 621−	0.0051 1199−
a_2	2420 477+	9751 966+	25 6633−
a_3	1108 574−	392 152+	9538+
a_4	122 741−	131 803−	2746+
a_5	30 990+	2 130−	

December 13

	Apparent Right Ascension	Apparent Declination	Horizontal Parallax
a_0	274.8932 335+	27.6409 715−	1.0088 4952+
a_1	16.7620 338+	0.2438 943−	0.0098 4857−
a_2	1329 903−	1.0116 653+	21 1946−
a_3	1293 457−	148 851−	2 0655+
a_4	45 607+	139 998−	1414+
a_5	23 749+	11 501+	

December 14

	Apparent Right Ascension	Apparent Declination	Horizontal Parallax
a_0	291.3998 669+	26.9009 352−	0.9971 0217+
a_1	16.1381 069+	1.6845 354+	0.0134 1133−
a_2	4699 208−	8945 887+	14 1932−
a_3	886 951−	592 155−	2 6237+
a_4	163 783+	77 143−	4+
a_5	827−	14 180+	

December 15

	Apparent Right Ascension	Apparent Declination	Horizontal Parallax
a_0	306.9956 532+	24.3873 228−	0.9825 3391+
a_1	14.9972 655+	3.2722 925+	0.0154 6282−
a_2	6386 748−	6848 597−	6 3509−
a_3	247 310−	762 338−	2 6077+
a_4	151 983+	4 666−	993−
a_5	12 997−	7 897+	

December 16

	Apparent Right Ascension	Apparent Declination	Horizontal Parallax
a_0	321.3434 115+	20.5060 813−	0.9666 8684+
a_1	13.7000 191+	4.4153 853+	0.0159 9051−
a_2	6347 269−	4612 386+	8619+
a_3	231 478−	705 687−	2 1939+
a_4	83 564+	33 651+	1444−
a_5	11 029−	1 539+	

December 17

	Apparent Right Ascension	Apparent Declination	Horizontal Parallax
a_0	334.4391 050+	15.6965 072−	0.9509 8746+
a_1	12.5279 256+	5.1403 821+	0.0152 1779−
a_2	5261 738−	2712 424+	6 5758−
a_3	458 458+	557 577−	1 6058+
a_4	28 553+	40 074+	1472−
a_5	5 666−	1 620−	

Formula: Quantity $= a_0 + a_1 p + a_2 p^2 + a_3 p^3 + a_4 p^4 + a_5 p^5$

where p is the fraction of a day from 0^h TDT.

DAILY POLYNOMIAL COEFFICIENTS (in degrees)

	Apparent Right Ascension	Apparent Declination	Horizontal Parallax		Apparent Right Ascension	Apparent Declination	Horizontal Parallax
	December 18				**December 26**		
a_0	346.4889 914+	10.3367 951−	0.9365 7310+		78.3032 179+	26.4079 427+	0.9077 5992+
a_1	11.6217 080+	5.5308 123−	0.0134 7983−		13.3170 680+	1.7679 039+	0.0045 7801+
a_2	3771 584−	1263 836+	10 5156+		2785 222+	6085 061−	6 2101+
a_3	518 138+	414 008−	1 0124+		332 750−	285 880−	5197−
a_4	1 108+	31 316+	1274−		62 862−	25 471+	285+
a_5	2 020−	2 464−			5 987+	3 403+	
	December 19				**December 27**		
a_0	357.7852 636+	4.7181 149−	0.9242 3333+		91.8598 457+	27.5416 399+	0.9129 0982+
a_1	11.0222 677+	5.6706 715+	0.0111 2396−		13.7521 407+	0.4770 149+	0.0056 7555+
a_2	2230 634−	185 027+	12 7967+		1469 935+	6755 750−	4 8244+
a_3	503 301+	313 313−	5021+		522 215−	151 312−	4034−
a_4	8 344−	18 752+	1003−		31 056−	43 152+	355+
a_5	463−	2 314−			9 828+	1 028+	
	December 20				**December 28**		
a_0	8.6339 174+	0.9413 719+	0.9144 2922+		105.7046 357+	27.3323 665+	0.9190 3102+
a_1	10.7235 624+	5.6200 272+	0.0084 5411−		13.8819 527+	0.9017 574−	0.0065 3361+
a_2	775 376−	665 562−	13 7092+		184 435−	6940 533−	3 8267+
a_3	465 411+	261 185−	1018+		549 293−	29 934+	2585−
a_4	10 279−	7 088+	742−		20 466+	48 027+	344+
a_5	291−	1 856−			7 798+	1 890−	
	December 21				**December 29**		
a_0	19.3254 263+	6.4692 476+	0.9073 4879+		119.5160 419+	25.7441 630+	0.9259 2489+
a_1	10.7038 525+	5.4104 672+	0.0057 1142−		13.6923 566+	2.2626 193−	0.0072 3519+
a_2	556 298+	1425 166−	13 5764+		1631 506−	6581 588−	3 2541+
a_3	420 979+	251 039−	1938−		392 666−	202 355+	1177−
a_4	11 499−	2 283−	517−		59 771+	37 709+	234+
a_5	999−	1 257−			2 071+	3 264−	
	December 22				**December 30**		
a_0	30.1257 568+	11.7117 403+	0.9029 7045+		133.0121 654+	22.8470 651+	0.9334 7605+
a_1	10.9363 058+	5.0485 817+	0.0030 7498−		13.2731 944+	3.5047 778−	0.0078 6006+
a_2	1740 262+	2204 575−	12 6906+		2430 371−	5780 994−	3 0347+
a_3	364 278+	272 241−	3999−		135 400−	320 883+	213−
a_4	16 405−	8 729−	325−		68 782+	20 758+	26+
a_5	2 251−	411−			2 317−	2 647−	
	December 23				**December 31**		
a_0	41.2706 510+	16.5117 265+	0.9011 2130+		146.0354 291+	18.7980 873+	0.9416 3771+
a_1	11.3859 528+	4.5222 991+	0.0006 6983−		12.7728 530+	4.5577 304−	0.0084 6167+
a_2	2712 103+	3077 810−	11 3012+		2447 237−	4720 287−	2 9777+
a_3	275 486+	310 527−	5296−		115 820+	378 343+	90−
a_4	27 956−	10 993−	153−		55 977+	7 394+	258−
a_5	3 426−	855+			3 500−	1 057−	
	December 24				**December 32**		
a_0	52.9522 245+	20.6941 781+	0.9015 2712+		158.5803 880+	13.8067 961+	0.9503 9366+
a_1	11.9981 244+	3.8096 114+	0.0014 2545+		12.3387 928+	5.3858 543−	0.0090 4417+
a_2	3336 407+	4066 808−	9 6261+		1798 991−	3551 440−	2 7859+
a_3	129 592+	345 022−	5903−		305 071+	398 252+	1122−
a_4	46 101−	6 794−	10+		38 065+	2 270+	574−
a_5	3 153−	2 473+			2 814−	506+	
	December 25						
a_0	65.2920 233+	24.0621 744+	0.9038 5625+				
a_1	12.6842 705+	2.8912 635+	0.0031 7400+				
a_2	3416 824+	5117 856−	7 8661+				
a_3	84 414−	346 771−	5856−				
a_4	63 352−	5 940+	162+				
a_5	182+	3 734+					

Formula: Quantity = $a_0 + a_1 p + a_2 p^2 + a_3 p^3 + a_4 p^4 + a_5 p^5$

where p is the fraction of a day from 0^h TDT.

NOTES AND FORMULAE

Low-precision formulae for geocentric coordinates of the Moon

The following formulae give approximate geocentric coordinates of the Moon. The errors will rarely exceed $0°\cdot3$ in ecliptic longitude (λ), $0°\cdot2$ in ecliptic latitude (β), $0°\cdot003$ in horizontal parallax (π), $0°\cdot001$ in semidiameter (SD), $0\cdot2$ Earth radii in distance (r), $0°\cdot3$ in right ascension (α) and $0°\cdot2$ in declination (δ).

On this page the time argument T is the number of Julian centuries from J2000·0.

$$T = (\text{JD} - 245\,1545\cdot0)/36\,525 = (-5479\cdot5 + \text{day of year} + \text{UT}/24)/36\,525$$

where day of year is given on pages B2–B3 and UT is the universal time in hours.

$$
\begin{aligned}
\lambda = \ & 218°\cdot32 + 481\,267°\cdot883\,T \\
& + 6°\cdot29 \sin(134°\cdot9 + 477\,198°\cdot85\,T) - 1°\cdot27 \sin(259°\cdot2 - 413\,335°\cdot38\,T) \\
& + 0°\cdot66 \sin(235°\cdot7 + 890\,534°\cdot23\,T) + 0°\cdot21 \sin(269°\cdot9 + 954\,397°\cdot70\,T) \\
& - 0°\cdot19 \sin(357°\cdot5 + 35\,999°\cdot05\,T) - 0°\cdot11 \sin(186°\cdot6 + 966\,404°\cdot05\,T) \\
\beta = \ & +5°\cdot13 \sin(93°\cdot3 + 483\,202°\cdot03\,T) + 0°\cdot28 \sin(228°\cdot2 + 960\,400°\cdot87\,T) \\
& - 0°\cdot28 \sin(318°\cdot3 + 6003°\cdot18\,T) - 0°\cdot17 \sin(217°\cdot6 - 407\,332°\cdot20\,T) \\
\pi = \ & +0°\cdot9508 \\
& + 0°\cdot0518 \cos(134°\cdot9 + 477\,198°\cdot85\,T) + 0°\cdot0095 \cos(259°\cdot2 - 413\,335°\cdot38\,T) \\
& + 0°\cdot0078 \cos(235°\cdot7 + 890\,534°\cdot23\,T) + 0°\cdot0028 \cos(269°\cdot9 + 954\,397°\cdot70\,T) \\
\text{SD} = \ & 0\cdot2725\,\pi \\
r = \ & 1/\sin\pi
\end{aligned}
$$

Form the geocentric direction cosines (l, m, n) from:

$$
\begin{aligned}
l &= \cos\beta \cos\lambda \\
m &= +0\cdot9175 \cos\beta \sin\lambda - 0\cdot3978 \sin\beta \\
n &= +0\cdot3978 \cos\beta \sin\lambda + 0\cdot9175 \sin\beta
\end{aligned}
$$

where $l = \cos\delta \cos\alpha$ $m = \cos\delta \sin\alpha$ $n = \sin\delta$

Then $\alpha = \tan^{-1}(m/l)$ and $\delta = \sin^{-1}(n)$

where the quadrant of α is determined by the signs of l and m, and where α, δ are referred to the mean equator and equinox of date.

Low-precision formulae for topocentric coordinates of the Moon

The following formulae give approximate topocentric values of right ascension (α'), declination (δ'), distance (r'), parallax (π') and semi-diameter (SD′).

Form the geocentric rectangular coordinates (x, y, z) from:

$$
\begin{aligned}
x &= rl = r \cos\delta \cos\alpha \\
y &= rm = r \cos\delta \sin\alpha \\
z &= rn = r \sin\delta
\end{aligned}
$$

Form the topocentric rectangular coordinates (x', y', z') from:

$$
\begin{aligned}
x' &= x - \cos\phi' \cos\theta_0 \\
y' &= y - \cos\phi' \sin\theta_0 \\
z' &= z - \sin\phi'
\end{aligned}
$$

where ϕ' is the observer's latitude and θ_0 is the local sidereal time.

$$\theta_0 = 100°\cdot46 + 36\,000°\cdot77\,T + \lambda' + 15\,\text{UT}$$

where λ' is the observer's east longitude.

Then $r' = (x'^2 + y'^2 + z'^2)^{1/2}$ $\alpha' = \tan^{-1}(y'/x')$ $\delta' = \sin^{-1}(z'/r')$
       $\pi' = \sin^{-1}(1/r')$ SD′ $= 0\cdot2725\,\pi'$

CONTENTS OF SECTION E

Notes

1. Other data, explanatory notes and formulae are given on the following pages:

2. Other data on the planets are given on the following pages:

NOTES AND FORMULAE

Orbital elements

The heliocentric osculating orbital elements for the Earth given on pages E3–E4 refer to the Earth / Moon barycentre. In ecliptic rectangular coordinates, the correction from the Earth / Moon barycentre to the Earth's centre is given by:

(Earth's centre) = (Earth / Moon barycentre) − (0·000 0312 cos L, 0·000 0312 sin L, 0·0)

where $L = 218° + 481\,268° \, T$

with T in Julian centuries from JD 245 1545·0 to 5 decimal places; the coordinates are in au and are referred to the mean equinox and ecliptic of date.

Linear interpolation in the heliocentric osculating orbital elements usually leads to errors of about 1″ or 2″ in the geocentric positions of the Sun and planets: the errors may, however, reach about 7″ for Venus at inferior conjunction and about 3″ for Mars at opposition.

Heliocentric coordinates

The heliocentric ecliptic coordinates of the Earth may be obtained from the geocentric ecliptic coordinates of the Sun given on pages C4–C18 by adding ±180° to the longitude, and reversing the sign of the latitude.

Geocentric coordinates

Precise values of apparent semi-diameter and horizontal parallax may be computed from the formulae and values given on page E43. Values of apparent diameter are tabulated in the ephemerides for physical observations on pages E52 onwards.

Times of transit, rising and setting

Formulae for obtaining the universal times of transit, rising and setting of the planets are given on page E43.

Ephemerides for physical observations

Full descriptions of the quantities tabulated in the ephemerides for physical observations of the planets are given in the Explanation.

The rotation elements and other physical and photometric parameters are tabulated on pages E87 and E88.

HELIOCENTRIC OSCULATING ORBITAL ELEMENTS
REFERRED TO THE MEAN ECLIPTIC AND EQUINOX OF J2000·0

Julian Date 244	Inclination i	Longitude of Asc.Node Ω	Longitude of Perihelion ϖ	Mean Distance a	Daily Motion n	Eccentricity e	Mean Longitude L
MERCURY							
6080·5	7·005 82	48·3500	77·4340	0·387 0986	4·092 340	0·205 6291	209·664 30
6280·5	7·005 78	48·3492	77·4356	0·387 0976	4·092 356	0·205 6361	308·132 23
VENUS							
6080·5	3·394 71	76·7234	131·696	0·723 3260	1·602 151	0·006 7719	67·141 25
6280·5	3·394 75	76·7188	131·562	0·723 3244	1·602 157	0·006 8147	27·563 45
EARTH*							
6080·5	0·002 01	355·4	102·8620	1·000 0182	0·985 582 3	0·016 7734	114·601 75
6280·5	0·001 85	354·9	102·8279	1·000 0219	0·985 576 9	0·016 6912	311·726 08
MARS							
6080·5	1·850 85	49·6039	335·9423	1·523 6375	0·524 060 8	0·093 2983	11·873 28
6280·5	1·850 78	49·6025	335·9859	1·523 7214	0·524 017 5	0·093 3058	116·678 97
JUPITER							
6080·5	1·304 67	100·4671	15·6621	5·202 476	0·083 099 06	0·048 0580	300·342 92
6280·5	1·304 65	100·4667	15·6337	5·202 660	0·083 094 67	0·048 0818	316·963 94
SATURN							
6080·5	2·484 60	113·7121	93·4445	9·563 289	0·033 331 53	0·050 9159	227·251 19
6280·5	2·484 56	113·7135	92·8019	9·557 745	0·033 360 53	0·051 2058	233·950 16
URANUS							
6080·5	0·774 54	74·0564	177·0476	19·293 73	0·011 630 25	0·047 2851	249·248 82
6280·5	0·774 57	74·0564	176·2948	19·278 50	0·011 644 04	0·046 6155	251·634 81
NEPTUNE							
6080·5	1·769 23	131·7997	357·066	30·274 35	0·005 917 021	0·006 8508	272·264 78
6280·5	1·768 81	131·8112	1·952	30·257 04	0·005 922 098	0·007 5190	273·528 64
PLUTO							
6080·5	17·131 28	110·4212	224·4988	39·682 32	0·003 942 834	0·252 7862	217·457 35
6280·5	17·131 48	110·4183	224·5934	39·600 47	0·003 955 064	0·251 2776	218·262 38

HELIOCENTRIC COORDINATES AND VELOCITY COMPONENTS
REFERRED TO THE MEAN EQUATOR AND EQUINOX OF J2000·0

	x	y	z	$\dot{x}$	$\dot{y}$	$\dot{z}$
MERCURY						
6080·5	− 0·320 0095	− 0·289 0390	− 0·121 1825	+0·013 957 85	−0·016 142 77	−0·010 070 62
6280·5	+ 0·169 3419	− 0·355 9908	− 0·207 7172	+0·020 363 14	+0·011 521 57	+0·004 041 31
VENUS						
6080·5	+ 0·288 0931	+ 0·609 6435	+ 0·256 0014	−0·018 608 51	+0·006 856 66	+0·004 262 25
6280·5	+ 0·645 7331	+ 0·313 0627	+ 0·099 9533	−0·009 202 84	+0·016 165 81	+0·007 854 53
EARTH*						
6080·5	− 0·415 7063	+ 0·817 8715	+ 0·354 6235	−0·015 873 68	−0·006 729 98	−0·002 918 13
6280·5	+ 0·663 2717	− 0·704 5336	− 0·305 4775	+0·012 739 99	+0·010 259 21	+0·004 448 34
MARS						
6080·5	+ 1·338 1043	+ 0·427 1086	+ 0·159 6756	−0·003 969 16	+0·013 089 43	+0·006 111 03
6280·5	− 0·888 8462	+ 1·241 8782	+ 0·593 6583	−0·011 221 66	−0·005 934 50	−0·002 418 17
JUPITER						
6080·5	+ 2·171 612	− 4·273 227	− 1·884 618	+0·006 749 785	+0·003 309 002	+0·001 253 925
6280·5	+ 3·406 998	− 3·434 686	− 1·555 282	+0·005 504 353	+0·005 026 155	+0·002 020 327
SATURN						
6080·5	− 6·192 838	− 7·244 279	− 2·725 590	+0·004 061 190	−0·003 173 499	−0·001 485 125
6280·5	− 5·344 798	− 7·833 691	− 3·005 450	+0·004 409 801	−0·002 715 426	−0·001 310 925
URANUS						
6080·5	− 5·093 65	−16·845 43	− 7·305 54	+0·003 768 171	−0·001 110 062	−0·000 539 650
6280·5	− 4·335 94	−17·052 79	− 7·407 11	+0·003 807 513	−0·000 963 315	−0·000 475 940
NEPTUNE						
6080·5	+ 0·789 69	−27·985 65	−11·474 49	+0·003 125 748	+0·000 122 597	−0·000 027 576
6280·5	+ 1·414 55	−27·954 96	−11·477 47	+0·003 122 404	+0·000 184 341	−0·000 002 187
PLUTO						
6080·5	−23·955 91	−17·617 42	+ 1·718 95	+0·001 973 310	−0·002 564 951	−0·001 392 539
6280·5	−23·555 98	−18·126 24	+ 1·440 15	+0·002 025 708	−0·002 522 970	−0·001 395 285

* The values for the Earth refer to the centre of mass of the Earth and Moon (see note on page E2).

  The velocity components are expressed in astronomical units per day.

HELIOCENTRIC OSCULATING ORBITAL ELEMENTS
REFERRED TO THE MEAN ECLIPTIC AND EQUINOX OF DATE

Date	Julian Date 244	Inclination i	Longitude of Asc.Node Ω	Longitude of Perihelion ϖ	Mean Distance a	Daily Motion n	Eccentricity e	Mean Longitude L
MERCURY								
Jan. −25	6040·5	7·0047	48·152	77·224	0·387 099	4·092 34	0·205 630	45·7601
Jan. 15	6080·5	7·0047	48·154	77·225	0·387 099	4·092 34	0·205 629	209·4552
Feb. 24	6120·5	7·0046	48·155	77·228	0·387 099	4·092 34	0·205 625	13·1496
Apr. 5	6160·5	7·0047	48·156	77·230	0·387 100	4·092 32	0·205 628	176·8443
May 15	6200·5	7·0047	48·158	77·232	0·387 097	4·092 36	0·205 636	340·5390
June 24	6240·5	7·0047	48·159	77·233	0·387 098	4·092 36	0·205 638	144·2348
Aug. 3	6280·5	7·0047	48·160	77·234	0·387 098	4·092 36	0·205 636	307·9308
Sept. 12	6320·5	7·0047	48·161	77·236	0·387 097	4·092 36	0·205 636	111·6264
Oct. 22	6360·5	7·0047	48·163	77·237	0·387 097	4·092 36	0·205 635	275·3225
Dec. 1	6400·5	7·0047	48·164	77·238	0·387 098	4·092 36	0·205 632	79·0180
Jan. 10	6440·5	7·0047	48·165	77·239	0·387 098	4·092 35	0·205 630	242·7140
VENUS								
Jan. −25	6040·5	3·3944	76·546	131·52	0·723 324	1·602 16	0·006 768	2·8440
Jan. 15	6080·5	3·3944	76·547	131·49	0·723 326	1·602 15	0·006 772	66·9322
Feb. 24	6120·5	3·3944	76·548	131·41	0·723 334	1·602 12	0·006 780	131·0188
Apr. 5	6160·5	3·3944	76·547	131·37	0·723 341	1·602 10	0·006 795	195·1033
May 15	6200·5	3·3945	76·547	131·27	0·723 333	1·602 13	0·006 803	259·1885
June 24	6240·5	3·3945	76·548	131·31	0·723 331	1·602 14	0·006 808	323·2747
Aug. 3	6280·5	3·3945	76·549	131·36	0·723 324	1·602 16	0·006 815	27·3621
Sept. 12	6320·5	3·3945	76·550	131·32	0·723 329	1·602 14	0·006 820	91·4500
Oct. 22	6360·5	3·3945	76·551	131·28	0·723 332	1·602 13	0·006 824	155·5364
Dec. 1	6400·5	3·3945	76·552	131·23	0·723 328	1·602 14	0·006 823	219·6231
Jan. 10	6440·5	3·3945	76·554	131·26	0·723 332	1·602 13	0·006 818	283·7104
EARTH*								
Jan. −25	6040·5	0·0	—	102·666	1·000 011	0·985 593	0·016 767	74·9681
Jan. 15	6080·5	0·0	—	102·653	1·000 018	0·985 582	0·016 773	114·3928
Feb. 24	6120·5	0·0	—	102·632	1·000 008	0·985 597	0·016 765	153·8178
Apr. 5	6160·5	0·0	—	102·586	0·999 989	0·985 626	0·016 743	193·2457
May 15	6200·5	0·0	—	102·588	0·999 996	0·985 615	0·016 721	232·6745
June 24	6240·5	0·0	—	102·601	1·000 012	0·985 591	0·016 703	272·1008
Aug. 3	6280·5	0·0	—	102·627	1·000 022	0·985 577	0·016 691	311·5247
Sept. 12	6320·5	0·0	—	102·697	1·000 004	0·985 603	0·016 695	350·9486
Oct. 22	6360·5	0·0	—	102·768	0·999 984	0·985 632	0·016 696	30·3748
Dec. 1	6400·5	0·0	—	102·781	0·999 983	0·985 634	0·016 698	69·8021
Jan. 10	6440·5	0·0	—	102·766	0·999 992	0·985 622	0·016 706	109·2284
MARS								
Jan. −25	6040·5	1·8497	49·443	335·728	1·523 663	0·524 048	0·093 318	350·6990
Jan. 15	6080·5	1·8497	49·444	335·733	1·523 638	0·524 061	0·093 298	11·6643
Feb. 24	6120·5	1·8497	49·445	335·738	1·523 636	0·524 062	0·093 291	32·6292
Apr. 5	6160·5	1·8497	49·447	335·744	1·523 647	0·524 056	0·093 293	53·5931
May 15	6200·5	1·8497	49·447	335·755	1·523 670	0·524 044	0·093 301	74·5556
June 24	6240·5	1·8497	49·448	335·770	1·523 698	0·524 029	0·093 305	95·5170
Aug. 3	6280·5	1·8497	49·449	335·785	1·523 721	0·524 017	0·093 306	116·4776
Sept. 12	6320·5	1·8497	49·449	335·796	1·523 737	0·524 009	0·093 302	137·4380
Oct. 22	6360·5	1·8497	49·450	335·803	1·523 733	0·524 011	0·093 307	158·3989
Dec. 1	6400·5	1·8497	49·450	335·810	1·523 716	0·524 020	0·093 317	179·3603
Jan. 10	6440·5	1·8498	49·451	335·820	1·523 686	0·524 036	0·093 333	200·3225

* The values for the Earth refer to the centre of mass of the Earth and Moon (see note on page E2).

FORMULAE

Mean anomaly, $M = L - \varpi$

Argument of perihelion, measured from node, $\omega = \varpi - \Omega$

True anomaly, $v = M + (2e - e^3/4) \sin M + (5e^2/4) \sin 2M + (13e^3/12) \sin 3M + \ldots$ *in radians.*

True distance, $r = a(1 - e^2)/(1 + e \cos v)$

Formulae for the computation of heliocentric rectangular coordinates referred to the ecliptic of date from these elements are:

$$x = r \{\cos(v + \omega) \cos \Omega - \sin(v + \omega) \cos i \sin \Omega\}$$
$$y = r \{\cos(v + \omega) \sin \Omega + \sin(v + \omega) \cos i \cos \Omega\}$$
$$z = r \sin(v + \omega) \sin i$$

HELIOCENTRIC OSCULATING ORBITAL ELEMENTS
REFERRED TO THE MEAN ECLIPTIC AND EQUINOX OF DATE

Date	Julian Date 244	Inclin-ation i	Longitude of Asc.Node Ω	Longitude of Perihelion ϖ	Mean Distance a	Daily Motion n	Eccen-tricity e	Mean Longitude L
JUPITER								
Jan. −25	6040·5	1·3052	100·340	15·428	5·202 58	0·083 096 5	0·048 065	296·8089
Jan. 15	6080·5	1·3052	100·341	15·453	5·202 48	0·083 099 1	0·048 058	300·1339
Feb. 24	6120·5	1·3052	100·342	15·458	5·202 45	0·083 099 7	0·048 050	303·4586
Apr. 5	6160·5	1·3052	100·343	15·442	5·202 52	0·083 098 0	0·048 048	306·7833
May 15	6200·5	1·3052	100·344	15·421	5·202 64	0·083 095 2	0·048 060	310·1093
June 24	6240·5	1·3052	100·344	15·419	5·202 68	0·083 094 1	0·048 073	313·4359
Aug. 3	6280·5	1·3052	100·345	15·432	5·202 66	0·083 094 7	0·048 082	316·7626
Sept. 12	6320·5	1·3052	100·346	15·456	5·202 56	0·083 097 0	0·048 078	320·0886
Oct. 22	6360·5	1·3052	100·347	15·464	5·202 52	0·083 098 0	0·048 071	323·4138
Dec. 1	6400·5	1·3052	100·349	15·465	5·202 52	0·083 098 0	0·048 071	326·7391
Jan. 10	6440·5	1·3052	100·350	15·459	5·202 56	0·083 097 0	0·048 076	330·0646
SATURN								
Jan. −25	6040·5	2·4855	113·541	93·348	9·564 25	0·033 326 5	0·050 872	225·7025
Jan. 15	6080·5	2·4855	113·543	93·235	9·563 29	0·033 331 5	0·050 916	227·0422
Feb. 24	6120·5	2·4855	113·544	93·131	9·562 45	0·033 335 9	0·050 949	228·3825
Apr. 5	6160·5	2·4855	113·545	93·021	9·561 63	0·033 340 2	0·050 978	229·7241
May 15	6200·5	2·4855	113·547	92·884	9·560 53	0·033 346 0	0·051 027	231·0667
June 24	6240·5	2·4855	113·549	92·739	9·559 18	0·033 353 0	0·051 107	232·4083
Aug. 3	6280·5	2·4855	113·550	92·601	9·557 74	0·033 360 5	0·051 206	233·7488
Sept. 12	6320·5	2·4855	113·551	92·485	9·556 40	0·033 367 6	0·051 309	235·0877
Oct. 22	6360·5	2·4855	113·551	92·384	9·555 24	0·033 373 6	0·051 398	236·4271
Dec. 1	6400·5	2·4855	113·551	92·281	9·554 06	0·033 379 8	0·051 490	237·7669
Jan. 10	6440·5	2·4855	113·552	92·177	9·552 82	0·033 386 3	0·051 590	239·1072
URANUS								
Jan. −25	6040·5	0·7742	73·989	176·973	19·296 6	0·011 627 7	0·047 406	248·5631
Jan. 15	6080·5	0·7742	73·989	176·839	19·293 7	0·011 630 3	0·047 285	249·0398
Feb. 24	6120·5	0·7742	73·990	176·730	19·291 3	0·011 632 4	0·047 169	249·5169
Apr. 5	6160·5	0·7742	73·990	176·637	19·289 2	0·011 634 4	0·047 046	249·9953
May 15	6200·5	0·7743	73·991	176·509	19·286 4	0·011 636 9	0·046 899	250·4757
June 24	6240·5	0·7743	73·991	176·320	19·282 7	0·011 640 2	0·046 752	250·9553
Aug. 3	6280·5	0·7742	73·992	176·093	19·278 5	0·011 644 0	0·046 616	251·4335
Sept. 12	6320·5	0·7742	73·992	175·857	19·274 3	0·011 647 8	0·046 504	251·9091
Oct. 22	6360·5	0·7742	73·993	175·652	19·270 7	0·011 651 1	0·046 404	252·3843
Dec. 1	6400·5	0·7742	73·993	175·443	19·267 0	0·011 654 5	0·046 304	252·8600
Jan. 10	6440·5	0·7742	73·994	175·223	19·263 2	0·011 657 9	0·046 201	253·3362
NEPTUNE								
Jan. −25	6040·5	1·7707	131·631	355·83	30·277 7	0·005 916 04	0·006 741	271·8038
Jan. 15	6080·5	1·7707	131·634	356·86	30·274 3	0·005 917 02	0·006 851	272·0558
Feb. 24	6120·5	1·7706	131·637	357·63	30·271 8	0·005 917 76	0·006 962	272·3075
Apr. 5	6160·5	1·7705	131·639	358·20	30·270 0	0·005 918 29	0·007 086	272·5605
May 15	6200·5	1·7704	131·643	358·98	30·267 4	0·005 919 06	0·007 236	272·8166
June 24	6240·5	1·7703	131·647	0·22	30·262 9	0·005 920 38	0·007 383	273·0726
Aug. 3	6280·5	1·7702	131·651	1·75	30·257 0	0·005 922 10	0·007 519	273·3273
Sept. 12	6320·5	1·7701	131·654	3·37	30·250 6	0·005 923 99	0·007 632	273·5788
Oct. 22	6360·5	1·7701	131·656	4·73	30·245 1	0·005 925 61	0·007 738	273·8291
Dec. 1	6400·5	1·7701	131·658	6·06	30·239 5	0·005 927 24	0·007 851	274·0800
Jan. 10	6440·5	1·7700	131·660	7·41	30·233 8	0·005 928 94	0·007 972	274·3313
PLUTO								
Jan. −25	6040·5	17·1321	110·217	224·272	39·696 6	0·003 940 70	0·253 050	217·0867
Jan. 15	6080·5	17·1321	110·218	224·290	39·682 3	0·003 942 83	0·252 786	217·2481
Feb. 24	6120·5	17·1321	110·219	224·309	39·669 1	0·003 944 81	0·252 544	217·4106
Apr. 5	6160·5	17·1321	110·221	224·331	39·655 5	0·003 946 83	0·252 297	217·5748
May 15	6200·5	17·1321	110·223	224·357	39·638 5	0·003 949 38	0·251 986	217·7395
June 24	6240·5	17·1321	110·223	224·378	39·619 5	0·003 952 21	0·251 634	217·9014
Aug. 3	6280·5	17·1323	110·222	224·392	39·600 5	0·003 955 06	0·251 278	218·0608
Sept. 12	6320·5	17·1325	110·221	224·398	39·583 6	0·003 957 59	0·250 958	218·2178
Oct. 22	6360·5	17·1327	110·219	224·405	39·568 7	0·003 959 83	0·250 677	218·3757
Dec. 1	6400·5	17·1329	110·218	224·412	39·553 5	0·003 962 12	0·250 388	218·5338
Jan. 10	6440·5	17·1331	110·217	224·419	39·537 6	0·003 964 50	0·250 088	218·6919

MERCURY, 1985

HELIOCENTRIC POSITIONS FOR 0ʰ DYNAMICAL TIME

MEAN EQUINOX AND ECLIPTIC OF DATE

Date		Longitude	Latitude	Radius Vector	Date		Longitude	Latitude	Radius Vector
		° ′ ″	° ′ ″				° ′ ″	° ′ ″	
Jan.	0	171 52 31.4	+ 5 50 06.0	0.376 7457	Feb.	15	314 44 44.3	− 6 59 32.5	0.416 7161
	1	176 02 58.3	5 32 16.6	.382 5160		16	318 16 09.9	7 00 16.7	.411 7224
	2	180 05 45.5	5 13 18.4	.388 2243		17	321 52 52.6	6 59 23.9	.406 5551
	3	184 01 19.1	4 53 23.7	.393 8443		18	325 35 13.7	6 56 46.9	.401 2302
	4	187 50 04.8	4 32 43.6	.399 3526		19	329 23 35.2	6 52 17.9	.395 7657
	5	191 32 28.3	+ 4 11 27.6	0.404 7281		20	333 18 19.3	− 6 45 48.5	0.390 1820
	6	195 08 54.9	3 49 44.1	.409 9520		21	337 19 48.6	6 37 10.4	.384 5015
	7	198 39 48.9	3 27 40.5	.415 0076		22	341 28 25.6	6 26 15.0	.378 7497
	8	202 05 34.0	3 05 23.1	.419 8800		23	345 44 32.4	6 12 53.6	.372 9544
	9	205 26 32.9	2 42 57.3	.424 5561		24	350 08 30.5	5 56 58.0	.367 1467
	10	208 43 07.5	+ 2 20 27.9	0.429 0241		25	354 40 39.8	− 5 38 20.5	0.361 3607
	11	211 55 38.6	1 57 58.9	.433 2739		26	359 21 18.7	5 16 54.5	.355 6337
	12	215 04 26.0	1 35 33.9	.437 2961		27	4 10 43.0	4 52 34.8	.350 0063
	13	218 09 48.9	1 13 15.8	.441 0829		28	9 09 04.7	4 25 18.6	.344 5222
	14	221 12 05.3	0 51 07.4	.444 6272	Mar.	1	14 16 31.9	3 55 05.5	.339 2280
	15	224 11 32.6	+ 0 29 10.8	0.447 9228		2	19 33 07.0	− 3 21 58.9	0.334 1728
	16	227 08 27.5	+ 0 07 28.0	.450 9643		3	24 58 46.0	2 46 06.1	.329 4075
	17	230 03 05.8	− 0 13 59.2	.453 7469		4	30 33 17.1	2 07 39.7	.324 9843
	18	232 55 42.9	0 35 09.4	.456 2666		5	36 16 19.7	1 26 57.5	.320 9555
	19	235 46 33.4	0 56 01.1	.458 5199		6	42 07 23.8	0 44 23.0	.317 3719
	20	238 35 51.7	− 1 16 33.2	0.460 5038		7	48 05 48.9	− 0 00 25.9	0.314 2819
	21	241 23 51.3	1 36 44.3	.462 2156		8	54 10 43.7	+ 0 44 19.2	.311 7295
	22	244 10 45.7	1 56 33.6	.463 6534		9	60 21 06.6	1 29 12.8	.309 7528
	23	246 56 48.0	2 15 59.9	.464 8153		10	66 35 46.1	2 13 32.6	.308 3826
	24	249 42 10.9	2 35 02.1	.465 7000		11	72 53 22.6	2 56 34.4	.307 6406
	25	252 27 07.0	− 2 53 39.3	0.466 3066		12	79 12 29.9	+ 3 37 35.2	0.307 5390
	26	255 11 48.6	3 11 50.4	.466 6342		13	85 31 37.9	4 15 54.4	.308 0793
	27	257 56 27.9	3 29 34.2	.466 6825		14	91 49 15.5	4 50 56.2	.309 2529
	28	260 41 17.3	3 46 49.7	.466 4515		15	98 03 53.8	5 22 11.3	.311 0408
	29	263 26 29.0	4 03 35.5	.465 9415		16	104 14 08.4	5 49 17.7	.313 4150
	30	266 12 15.0	− 4 19 50.4	0.465 1530		17	110 18 42.7	+ 6 12 01.4	0.316 3395
	31	268 58 47.8	4 35 32.8	.464 0868		18	116 16 29.3	6 30 16.3	.319 7721
Feb.	1	271 46 19.9	4 50 41.1	.462 7444		19	122 06 31.6	6 44 03.4	.323 6656
	2	274 35 03.9	5 05 13.6	.461 1272		20	127 48 04.6	6 53 30.1	.327 9698
	3	277 25 12.8	5 19 08.4	.459 2372		21	133 20 34.9	6 58 48.7	.332 6326
	4	280 16 59.7	− 5 32 23.3	0.457 0769		22	138 43 40.1	+ 7 00 15.5	0.337 6018
	5	283 10 38.2	5 44 55.9	.454 6490		23	143 57 08.0	6 58 09.1	.342 8259
	6	286 06 22.2	5 56 43.7	.451 9570		24	149 00 55.2	6 52 49.5	.348 2551
	7	289 04 26.2	6 07 43.7	.449 0046		25	153 55 06.2	6 44 37.4	.353 8421
	8	292 05 04.9	6 17 52.9	.445 7965		26	158 39 51.5	6 33 53.0	.359 5422
	9	295 08 34.0	− 6 27 07.7	0.442 3377		27	163 15 26.9	+ 6 20 55.7	0.365 3137
	10	298 15 09.2	6 35 24.3	.438 6341		28	167 42 11.8	6 06 03.9	.371 1184
	11	301 25 07.3	6 42 38.5	.434 6925		29	172 00 28.5	5 49 34.4	.376 9212
	12	304 38 45.5	6 48 45.7	.430 5206		30	176 10 41.1	5 31 42.7	.382 6900
	13	307 56 21.9	6 53 40.9	.426 1271		31	180 13 14.9	5 12 42.6	.388 3959
	14	311 18 15.0	− 6 57 18.4	0.421 5219	Apr.	1	184 08 35.7	+ 4 52 46.4	0.394 0128
	15	314 44 44.3	− 6 59 32.5	0.416 7161		2	187 57 09.5	+ 4 32 05.0	0.399 5174

HELIOCENTRIC POSITIONS FOR 0ʰ DYNAMICAL TIME
MEAN EQUINOX AND ECLIPTIC OF DATE

Date	Longitude	Latitude	Radius Vector	Date	Longitude	Latitude	Radius Vector
	° ′ ″	° ′ ″			° ′ ″	° ′ ″	
Apr. 1	184 08 35.7	+ 4 52 46.4	0.394 0128	May 17	325 42 15.4	− 6 56 40.5	0.401 0667
2	187 57 09.5	4 32 05.0	.399 5174	18	329 30 48.0	6 52 07.9	.395 5980
3	191 39 21.9	4 10 48.0	.404 8885	19	333 25 44.1	6 45 34.8	.390 0107
4	195 15 38.0	3 49 03.8	.410 1075	20	337 27 26.0	6 36 52.6	.384 3274
5	198 46 22.4	3 26 59.6	.415 1578	21	341 36 16.3	6 25 52.9	.378 5735
6	202 11 58.5	+ 3 04 41.8	0.420 0245	22	345 52 37.1	− 6 12 26.9	0.372 7771
7	205 32 49.2	2 42 15.9	.424 6945	23	350 16 49.8	5 56 26.5	.366 9692
8	208 49 16.1	2 19 46.4	.429 1561	24	354 49 14.4	5 37 43.9	.361 1840
9	212 01 40.1	1 57 17.5	.433 3992	25	359 30 09.2	5 16 12.7	.355 4591
10	215 10 21.1	1 34 52.6	.437 4145	26	4 19 49.7	4 51 47.7	.349 8351
11	218 15 38.0	+ 1 12 34.8	0.441 1941	27	9 18 28.1	− 4 24 26.0	0.344 3557
12	221 17 49.1	0 50 26.7	.444 7310	28	14 26 12.2	3 54 07.6	.339 0676
13	224 17 11.5	0 28 30.5	.448 0191	29	19 43 04.2	3 20 55.7	.334 0200
14	227 14 02.0	+ 0 06 48.1	.451 0529	30	25 08 59.9	2 44 58.1	.329 2640
15	230 08 36.4	− 0 14 38.6	.453 8277	31	30 43 47.3	2 06 27.2	.324 8517
16	233 01 10.0	− 0 35 48.3	0.456 3395	June 1	36 27 05.5	− 1 25 41.1	0.320 8353
17	235 51 57.5	0 56 39.4	.458 5848	2	42 18 24.2	− 0 43 03.6	.317 2657
18	238 41 13.1	1 17 10.8	.460 5606	3	48 17 02.5	+ 0 00 55.7	.314 1912
19	241 29 10.5	1 37 21.3	.462 2643	4	54 22 08.8	0 45 41.7	.311 6556
20	244 16 03.1	1 57 09.9	.463 6938	5	60 32 41.3	1 30 35.0	.309 6968
21	247 02 04.0	− 2 16 35.4	0.464 8475	6	66 47 28.1	+ 2 14 53.1	0.308 3452
22	249 47 25.8	2 35 36.9	.465 7239	7	73 05 09.4	2 57 51.9	.307 6226
23	252 32 21.2	2 54 13.3	.466 3221	8	79 24 18.8	3 38 48.4	.307 5405
24	255 17 02.4	3 12 23.5	.466 6413	9	85 43 26.1	4 17 02.1	.308 1004
25	258 01 41.9	3 30 06.5	.466 6812	10	92 01 00.3	4 51 57.5	.309 2930
26	260 46 31.6	− 3 47 21.1	0.466 4419	11	98 15 32.4	+ 5 23 05.3	0.311 0994
27	263 31 44.0	4 04 06.0	.465 9235	12	104 25 38.5	5 50 03.8	.313 4911
28	266 17 31.2	4 20 19.9	.465 1265	13	110 30 01.8	6 12 39.3	.316 4321
29	269 04 05.5	4 36 01.2	.464 0521	14	116 27 35.6	6 30 45.9	.319 8798
30	271 51 39.5	4 51 08.5	.462 7013	15	122 17 23.4	6 44 24.8	.323 7869
May 1	274 40 25.8	− 5 05 39.9	0.461 0758	16	127 58 40.8	+ 6 53 43.6	0.328 1031
2	277 30 37.3	5 19 33.4	.459 1776	17	133 30 54.5	6 58 54.8	.332 7763
3	280 22 27.2	5 32 47.0	.457 0091	18	138 53 42.6	7 00 14.7	.337 7545
4	283 16 09.2	5 45 18.3	.454 5732	19	144 06 53.0	6 58 02.0	.342 9859
5	286 11 57.1	5 57 04.7	.451 8732	20	149 10 22.7	6 52 36.8	.348 4211
6	289 10 05.4	− 6 08 03.2	0.448 9129	21	154 04 16.4	+ 6 44 19.6	0.354 0126
7	292 10 49.0	6 18 10.7	.445 6971	22	158 48 44.8	6 33 30.7	.359 7158
8	295 14 23.3	6 27 23.8	.442 2307	23	163 24 03.7	6 20 29.6	.365 4893
9	298 21 04.3	6 35 38.6	.438 5197	24	167 50 32.8	6 05 34.4	.371 2948
10	301 31 08.7	6 42 50.8	.434 5709	25	172 08 34.3	5 49 02.2	.377 0973
11	304 44 53.7	− 6 48 55.9	0.430 3920	26	176 18 32.5	+ 5 31 08.1	0.382 8649
12	308 02 37.4	6 53 48.7	.425 9918	27	180 20 52.6	5 12 06.0	.388 5688
13	311 24 38.5	6 57 23.9	.421 3801	28	184 16 00.5	4 52 08.2	.394 1829
14	314 51 16.4	6 59 35.3	.416 5683	29	188 04 22.2	4 31 25.6	.399 6838
15	318 22 51.2	7 00 16.6	.411 5689	30	191 46 23.2	4 10 07.6	.405 0508
16	321 59 43.8	− 6 59 20.8	0.406 3963	July 1	195 22 28.7	+ 3 48 22.7	0.410 2651
17	325 42 15.4	− 6 56 40.5	0.401 0667	2	198 53 03.2	+ 3 26 18.0	0.415 3102

MERCURY, 1985

HELIOCENTRIC POSITIONS FOR 0ʰ DYNAMICAL TIME

MEAN EQUINOX AND ECLIPTIC OF DATE

Date		Longitude	Latitude	Radius Vector	Date		Longitude	Latitude	Radius Vector
		° ′ ″	° ′ ″				° ′ ″	° ′ ″	
July	1	195 22 28.7	+ 3 48 22.7	0.410 2651	Aug.	16	337 35 16.8	− 6 36 34.1	0.384 1487
	2	198 53 03.2	3 26 18.0	.415 3102		17	341 44 20.8	6 25 29.9	.378 3930
	3	202 18 30.2	3 03 59.8	.420 1712		18	346 00 56.1	6 11 59.2	.372 5957
	4	205 39 12.3	2 41 33.7	.424 8351		19	350 25 23.8	5 55 53.8	.366 7881
	5	208 55 31.4	2 19 04.1	.429 2903		20	354 58 04.1	5 37 06.1	.361 0043
	6	212 07 48.1	+ 1 56 35.3	0.433 5265		21	359 39 15.0	− 5 15 29.5	0.355 2819
	7	215 16 22.5	1 34 10.6	.437 5348		22	4 29 12.2	4 50 59.0	.349 6618
	8	218 21 33.3	1 11 53.1	.441 3071		23	9 28 07.5	4 23 31.8	.344 1876
	9	221 23 38.9	0 49 45.3	.444 8365		24	14 36 08.7	3 53 07.9	.338 9064
	10	224 22 56.3	0 27 49.5	.448 1169		25	19 53 17.8	3 19 50.7	.333 8672
	11	227 19 42.3	+ 0 06 07.6	0.451 1428		26	25 19 30.2	− 2 43 48.0	0.329 1211
	12	230 14 12.7	− 0 15 18.7	.453 9096		27	30 54 33.8	2 05 12.6	.324 7205
	13	233 06 42.8	0 36 27.7	.456 4132		28	36 38 07.6	1 24 22.6	.320 7173
	14	235 57 27.2	0 57 18.3	.458 6502		29	42 29 40.6	− 0 41 42.1	.317 1625
	15	238 46 40.1	1 17 49.0	.460 6176		30	48 28 31.7	+ 0 02 19.1	.314 1042
	16	241 34 35.3	− 1 37 58.9	0.462 3128		31	54 33 49.2	+ 0 47 06.0	0.311 5861
	17	244 21 26.0	1 57 46.7	.463 7338	Sept.	1	60 44 30.7	1 31 58.9	.309 6458
	18	247 07 25.4	2 17 11.5	.464 8789		2	66 59 24.1	2 16 15.1	.308 3137
	19	249 52 46.2	2 36 12.2	.465 7466		3	73 17 09.4	2 59 10.8	.307 6109
	20	252 37 40.9	2 54 47.8	.466 3361		4	79 36 20.0	3 40 02.8	.307 5489
	21	255 22 21.9	− 3 12 57.2	0.466 6467		5	85 55 25.7	+ 4 18 10.8	0.308 1287
	22	258 07 01.5	3 30 39.4	.466 6779		6	92 12 55.4	4 52 59.4	.309 3409
	23	260 51 51.8	3 47 53.0	.466 4298		7	98 27 20.4	5 23 59.7	.311 1660
	24	263 37 05.0	4 04 37.0	.465 9027		8	104 37 16.8	5 50 50.2	.313 5755
	25	266 22 53.5	4 20 49.8	.465 0971		9	110 41 28.3	6 13 17.3	.316 5329
	26	269 09 29.5	− 4 36 30.2	0.464 0140		10	116 38 48.2	+ 6 31 15.5	0.319 9956
	27	271 57 05.5	4 51 36.3	.462 6546		11	122 28 20.6	6 44 46.1	.323 9162
	28	274 45 54.2	5 06 06.6	.461 0206		12	128 09 21.4	6 53 57.0	.328 2443
	29	277 36 08.6	5 19 58.9	.459 1139		13	133 41 17.7	6 59 00.7	.332 9279
	30	280 28 01.8	5 33 11.2	.456 9370		14	139 03 47.8	7 00 13.7	.337 9146
	31	283 21 47.5	− 5 45 41.1	0.454 4927		15	144 16 40.0	+ 6 57 54.7	0.343 1532
Aug.	1	286 17 39.6	5 57 26.0	.451 7845		16	149 19 51.6	6 52 23.8	.348 5938
	2	289 15 52.6	6 08 23.0	.448 8162		17	154 13 27.4	6 44 01.5	.354 1894
	3	292 16 41.2	6 18 28.9	.445 5924		18	158 57 38.4	6 33 08.2	.359 8953
	4	295 20 21.1	6 27 40.2	.442 1183		19	163 32 40.5	6 20 03.3	.365 6703
	5	298 27 08.2	− 6 35 53.1	0.438 3998		20	167 58 53.4	+ 6 05 04.9	0.371 4762
	6	301 37 19.2	6 43 03.3	.434 4437		21	172 16 39.4	5 48 29.8	.377 2780
	7	304 51 11.5	6 49 06.2	.430 2577		22	176 26 22.9	5 30 33.4	.383 0440
	8	308 09 03.0	6 53 56.7	.425 8507		23	180 28 29.2	5 11 29.4	.388 7453
	9	311 31 12.4	6 57 29.3	.421 2327		24	184 23 24.0	4 51 30.1	.394 3562
	10	314 57 59.3	− 6 59 38.0	0.416 4147		25	188 11 33.4	+ 4 30 46.2	0.399 8532
	11	318 29 43.7	7 00 16.4	.411 4097		26	191 53 23.0	4 09 27.2	.405 2156
	12	322 06 46.5	6 59 17.4	.406 2320		27	195 29 17.9	3 47 41.6	.410 4249
	13	325 49 29.1	6 56 33.7	.400 8978		28	198 59 42.4	3 25 36.4	.415 4643
	14	329 38 13.4	6 51 57.5	.395 4251		29	202 25 00.2	3 03 17.9	.420 3193
	15	333 33 21.8	− 6 45 20.4	0.389 8345		30	205 45 33.8	+ 2 40 51.5	0.424 9768
	16	337 35 16.8	− 6 36 34.1	0.384 1487	Oct.	1	209 01 45.0	+ 2 18 22.0	0.429 4253

HELIOCENTRIC POSITIONS FOR 0ʰ DYNAMICAL TIME

MEAN EQUINOX AND ECLIPTIC OF DATE

Date	Longitude	Latitude	Radius Vector	Date	Longitude	Latitude	Radius Vector
	° ′ ″	° ′ ″			° ′ ″	° ′ ″	
Oct. 1	209 01 45.0	+ 2 18 22.0	0.429 4253	Nov. 16	355 06 55.5	− 5 36 28.1	0.360 8242
2	212 13 54.6	1 55 53.2	.433 6545	17	359 48 22.7	5 14 46.1	.355 1045
3	215 22 22.3	1 33 28.7	.437 6555	18	4 38 36.5	4 50 10.1	.349 4883
4	218 27 27.2	1 11 11.4	.441 4203	19	9 37 48.9	4 22 37.3	.344 0197
5	221 29 27.2	0 49 04.0	.444 9419	20	14 46 07.1	3 52 07.9	.338 7453
6	224 28 39.8	+ 0 27 08.5	0.448 2144	21	20 03 33.3	− 3 18 45.4	0.333 7146
7	227 25 21.4	+ 0 05 27.1	.451 2322	22	25 30 02.5	2 42 37.7	.328 9787
8	230 19 47.8	− 0 15 58.6	.453 9908	23	31 05 22.4	2 03 57.8	.324 5898
9	233 12 14.4	0 37 07.1	.456 4861	24	36 49 11.5	1 23 04.0	.320 6000
10	236 02 55.8	0 57 57.1	.458 7147	25	42 40 58.8	− 0 40 20.5	.317 0602
11	238 52 06.1	− 1 18 27.2	0.460 6736	26	48 40 02.7	+ 0 03 42.8	0.314 0183
12	241 39 59.1	1 38 36.4	.462 3603	27	54 45 31.2	0 48 30.4	.311 5178
13	244 26 48.2	1 58 23.5	.463 7727	28	60 56 21.5	1 33 22.8	.309 5962
14	247 12 46.2	2 17 47.6	.464 9091	29	67 11 21.4	2 17 37.1	.308 2836
15	249 58 06.1	2 36 47.5	.465 7682	30	73 29 10.5	3 00 29.6	.307 6008
16	252 43 00.2	− 2 55 22.3	0.466 3489	Dec. 1	79 48 22.1	+ 3 41 17.0	0.307 5589
17	255 27 41.0	3 13 30.9	.466 6507	2	86 07 25.9	4 19 19.3	.308 1587
18	258 12 20.8	3 31 12.2	.466 6733	3	92 24 51.0	4 54 01.2	.309 3904
19	260 57 11.7	3 48 24.9	.466 4165	4	98 39 08.6	5 24 53.9	.311 2343
20	263 42 25.9	4 05 07.9	.465 8806	5	104 48 55.1	5 51 36.3	.313 6614
21	266 28 15.7	− 4 21 19.8	0.465 0663	6	110 52 54.5	+ 6 13 55.1	0.316 6352
22	269 14 53.4	4 36 59.1	.463 9746	7	116 50 00.4	6 31 44.8	.320 1129
23	272 02 31.6	4 52 04.2	.462 6066	8	122 39 17.3	6 45 07.2	.324 0470
24	274 51 22.8	5 06 33.2	.460 9640	9	128 20 01.3	6 54 10.2	.328 3869
25	277 41 40.2	5 20 24.4	.459 0488	10	133 51 40.1	6 59 06.5	.333 0806
26	280 33 36.8	− 5 33 35.4	0.456 8635	11	139 13 52.1	+ 7 00 12.5	0.338 0759
27	283 27 26.2	5 46 03.9	.454 4110	12	144 26 26.1	6 57 47.2	.343 3213
28	286 23 22.6	5 57 47.4	.451 6946	13	149 29 19.5	6 52 10.6	.348 7675
29	289 21 40.2	6 08 42.8	.448 7183	14	154 22 37.4	6 43 43.4	.354 3670
30	292 22 34.0	6 18 47.1	.445 4866	15	159 06 30.9	6 32 45.7	.360 0756
31	295 26 19.6	− 6 27 56.6	0.442 0047	16	163 41 16.1	+ 6 19 37.0	0.365 8520
Nov. 1	298 33 12.9	6 36 07.6	.438 2787	17	168 07 12.8	6 04 35.3	.371 6581
2	301 43 30.6	6 43 15.8	.434 3154	18	172 24 43.4	5 47 57.5	.377 4591
3	304 57 30.1	6 49 16.5	.430 1224	19	176 34 12.2	5 29 58.8	.383 2234
4	308 15 29.4	6 54 04.6	.425 7087	20	180 36 04.6	5 10 52.9	.388 9222
5	311 37 47.3	− 6 57 34.7	0.421 0842	21	184 30 46.4	+ 4 50 52.0	0.394 5297
6	315 04 43.2	6 59 40.6	.416 2603	22	188 18 43.6	4 30 06.9	.400 0227
7	318 36 37.3	7 00 16.1	.411 2497	23	192 00 21.8	4 08 47.0	.405 3805
8	322 13 50.5	6 59 13.9	.406 0669	24	195 36 06.0	3 47 00.6	.410 5846
9	325 56 44.1	6 56 26.8	.400 7281	25	199 06 20.6	3 24 54.9	.415 6184
10	329 45 40.1	− 6 51 46.9	0.395 2515	26	202 31 29.2	+ 3 02 36.1	0.420 4673
11	333 41 00.9	6 45 06.0	.389 6576	27	205 51 54.4	2 40 09.6	.425 1184
12	337 43 09.0	6 36 15.4	.383 9692	28	209 07 57.8	2 17 40.0	.429 5600
13	341 52 26.9	6 25 06.8	.378 2119	29	212 20 00.2	1 55 11.3	.433 7822
14	346 09 16.6	6 11 31.4	.372 4139	30	215 28 21.4	1 32 47.0	.437 7758
15	350 33 59.5	− 5 55 21.0	0.366 6065	31	218 33 20.2	+ 1 10 30.0	0.441 5331
16	355 06 55.5	− 5 36 28.1	0.360 8242	32	221 35 14.9	+ 0 48 22.8	0.445 0470

VENUS, 1985

HELIOCENTRIC POSITIONS FOR 0ʰ DYNAMICAL TIME

MEAN EQUINOX AND ECLIPTIC OF DATE

Date	Longitude	Latitude	Radius Vector	Date	Longitude	Latitude	Radius Vector
	° ′ ″	° ′ ″			° ′ ″	° ′ ″	
Jan. −1	40 34 08.7	− 1 59 44.3	0.723 3752	Apr. 1	189 23 21.1	+ 3 07 43.5	0.720 7119
1	43 46 19.6	1 50 20.5	.723 1014	3	192 37 10.1	3 02 58.8	.720 9489
3	46 58 37.3	1 40 35.6	.722 8281	5	195 50 49.6	2 57 39.5	.721 1934
5	50 11 01.6	1 30 31.4	.722 5563	7	199 04 19.2	2 51 46.7	.721 4446
7	53 23 32.9	1 20 09.7	.722 2868	9	202 17 38.5	2 45 21.6	.721 7017
9	56 36 11.1	− 1 09 32.5	0.722 0204	11	205 30 47.2	+ 2 38 25.5	0.721 9639
11	59 48 56.2	0 58 41.7	.721 7580	13	208 43 45.3	2 30 59.8	.722 2304
13	63 01 48.5	0 47 39.3	.721 5005	15	211 56 32.5	2 23 06.0	.722 5002
15	66 14 47.9	0 36 27.5	.721 2486	17	215 09 08.7	2 14 45.6	.722 7726
17	69 27 54.5	0 25 08.3	.721 0032	19	218 21 34.0	2 06 00.2	.723 0467
19	72 41 08.3	− 0 13 43.9	0.720 7650	21	221 33 48.2	+ 1 56 51.6	0.723 3217
21	75 54 29.4	− 0 02 16.5	.720 5347	23	224 45 51.6	1 47 21.6	.723 5966
23	79 07 57.6	+ 0 09 11.9	.720 3133	25	227 57 44.2	1 37 31.9	.723 8706
25	82 21 33.1	0 20 38.9	.720 1012	27	231 09 26.3	1 27 24.5	.724 1428
27	85 35 15.7	0 32 02.3	.719 8993	29	234 20 57.9	1 17 01.3	.724 4124
29	88 49 05.4	+ 0 43 20.0	0.719 7081	May 1	237 32 19.5	+ 1 06 24.2	0.724 6786
31	92 03 02.1	0 54 29.8	.719 5284	3	240 43 31.4	0 55 35.2	.724 9405
Feb. 2	95 17 05.5	1 05 29.5	.719 3606	5	243 54 33.8	0 44 36.4	.725 1973
4	98 31 15.7	1 16 17.0	.719 2054	7	247 05 27.3	0 33 29.9	.725 4482
6	101 45 32.2	1 26 50.1	.719 0631	9	250 16 12.3	0 22 17.5	.725 6925
8	104 59 54.9	+ 1 37 06.9	0.718 9344	11	253 26 49.1	+ 0 11 01.6	0.725 9294
10	108 14 23.5	1 47 05.2	.718 8195	13	256 37 18.4	− 0 00 16.0	.726 1582
12	111 28 57.7	1 56 43.2	.718 7190	15	259 47 40.6	0 11 33.1	.726 3781
14	114 43 37.1	2 05 58.8	.718 6330	17	262 57 56.4	0 22 47.7	.726 5885
16	117 58 21.3	2 14 50.4	.718 5620	19	266 08 06.1	0 33 57.8	.726 7888
18	121 13 09.9	+ 2 23 16.2	0.718 5060	21	269 18 10.5	− 0 45 01.2	0.726 9783
20	124 28 02.4	2 31 14.4	.718 4654	23	272 28 10.0	0 55 56.1	.727 1565
22	127 42 58.3	2 38 43.5	.718 4402	25	275 38 05.3	1 06 40.4	.727 3229
24	130 57 57.0	2 45 42.1	.718 4305	27	278 47 57.0	1 17 12.2	.727 4769
26	134 12 58.0	2 52 08.8	.718 4364	29	281 57 45.6	1 27 29.6	.727 6180
28	137 28 00.6	+ 2 58 02.3	0.718 4578	31	285 07 31.6	− 1 37 30.9	0.727 7459
Mar. 2	140 43 04.3	3 03 21.4	.718 4947	June 2	288 17 15.8	1 47 14.1	.727 8601
4	143 58 08.4	3 08 05.1	.718 5469	4	291 26 58.6	1 56 37.6	.727 9604
6	147 13 12.2	3 12 12.6	.718 6143	6	294 36 40.5	2 05 39.7	.728 0464
8	150 28 14.9	3 15 42.9	.718 6967	8	297 46 22.1	2 14 18.7	.728 1178
10	153 43 16.0	+ 3 18 35.6	0.718 7938	10	300 56 03.9	− 2 22 33.1	0.728 1745
12	156 58 14.8	3 20 49.9	.718 9053	12	304 05 46.3	2 30 21.4	.728 2162
14	160 13 10.4	3 22 25.5	.719 0309	14	307 15 29.9	2 37 42.3	.728 2429
16	163 28 02.2	3 23 22.2	.719 1700	16	310 25 15.0	2 44 34.4	.728 2545
18	166 42 49.5	3 23 39.7	.719 3224	18	313 35 02.1	2 50 56.4	.728 2508
20	169 57 31.7	+ 3 23 18.2	0.719 4874	20	316 44 51.6	− 2 56 47.3	0.728 2321
22	173 12 08.1	3 22 17.7	.719 6646	22	319 54 43.8	3 02 05.8	.728 1982
24	176 26 38.0	3 20 38.4	.719 8534	24	323 04 39.0	3 06 51.2	.728 1493
26	179 41 00.8	3 18 20.8	.720 0532	26	326 14 37.6	3 11 02.4	.728 0855
28	182 55 15.9	3 15 25.3	.720 2633	28	329 24 39.9	3 14 38.8	.728 0071
30	186 09 22.8	+ 3 11 52.6	0.720 4831	30	332 34 46.1	− 3 17 39.6	0.727 9143
Apr. 1	189 23 21.1	+ 3 07 43.5	0.720 7119	July 2	335 44 56.5	− 3 20 04.2	0.727 8072

HELIOCENTRIC POSITIONS FOR 0ʰ DYNAMICAL TIME
MEAN EQUINOX AND ECLIPTIC OF DATE

Date	Longitude	Latitude	Radius Vector	Date	Longitude	Latitude	Radius Vector
	° ′ ″	° ′ ″			° ′ ″	° ′ ″	
July 2	335 44 56.5	− 3 20 04.2	0.727 8072	Oct. 2	123 20 09.7	+ 2 28 30.8	0.718 4427
4	338 55 11.2	3 21 52.2	.727 6864	4	126 35 05.5	2 36 10.3	.718 4124
6	342 05 30.6	3 23 03.3	.727 5520	6	129 50 04.4	2 43 19.8	.718 3978
8	345 15 54.7	3 23 37.1	.727 4046	8	133 05 05.8	2 49 57.8	.718 3989
10	348 26 23.7	3 23 33.5	.727 2446	10	136 20 09.0	2 56 03.0	.718 4155
12	351 36 57.8	− 3 22 52.5	0.727 0723	12	139 35 13.4	+ 3 01 34.3	0.718 4478
14	354 47 37.1	3 21 34.1	.726 8885	14	142 50 18.4	3 06 30.5	.718 4956
16	357 58 21.8	3 19 38.6	.726 6936	16	146 05 23.3	3 10 50.7	.718 5587
18	1 09 11.9	3 17 06.2	.726 4882	18	149 20 27.5	3 14 34.1	.718 6369
20	4 20 07.5	3 13 57.3	.726 2729	20	152 35 30.1	3 17 40.0	.718 7300
22	7 31 08.8	− 3 10 12.4	0.726 0485	22	155 50 30.6	+ 3 20 07.7	0.718 8377
24	10 42 15.8	3 05 52.3	.725 8155	24	159 05 28.2	3 21 56.9	.718 9596
26	13 53 28.6	3 00 57.5	.725 5746	26	162 20 22.2	3 23 07.2	.719 0953
28	17 04 47.3	2 55 29.0	.725 3267	28	165 35 11.9	3 23 38.4	.719 2444
30	20 16 12.0	2 49 27.7	.725 0725	30	168 49 56.6	3 23 30.4	.719 4064
Aug. 1	23 27 42.8	− 2 42 54.7	0.724 8128	Nov. 1	172 04 35.7	+ 3 22 43.4	0.719 5808
3	26 39 19.7	2 35 51.1	.724 5483	3	175 19 08.5	3 21 17.6	.719 7669
5	29 51 02.9	2 28 18.1	.724 2799	5	178 33 34.3	3 19 13.3	.719 9643
7	33 02 52.4	2 20 17.1	.724 0084	7	181 47 52.7	3 16 30.9	.720 1723
9	36 14 48.4	2 11 49.6	.723 7346	9	185 02 03.0	3 13 11.1	.720 3902
11	39 26 50.8	− 2 02 57.1	0.723 4595	11	188 16 04.7	+ 3 09 14.6	0.720 6173
13	42 38 59.9	1 53 41.1	.723 1838	13	191 29 57.3	3 04 42.2	.720 8528
15	45 51 15.6	1 44 03.4	.722 9085	15	194 43 40.5	2 59 34.8	.721 0961
17	49 03 38.1	1 34 05.7	.722 6343	17	197 57 13.8	2 53 53.6	.721 3464
19	52 16 07.5	1 23 49.9	.722 3622	19	201 10 36.9	2 47 39.6	.721 6027
21	55 28 43.9	− 1 13 17.8	0.722 0930	21	204 23 49.5	+ 2 40 54.1	0.721 8644
23	58 41 27.3	1 02 31.5	.721 8276	23	207 36 51.4	2 33 38.6	.722 1307
25	61 54 17.8	0 51 32.9	.721 5668	25	210 49 42.5	2 25 54.4	.722 4005
27	65 07 15.5	0 40 24.1	.721 3114	27	214 02 22.6	2 17 43.0	.722 6732
29	68 20 20.3	0 29 07.2	.721 0622	29	217 14 51.8	2 09 06.2	.722 9479
31	71 33 32.5	− 0 17 44.3	0.720 8201	Dec. 1	220 27 09.8	+ 2 00 05.5	0.723 2236
Sept. 2	74 46 51.9	− 0 06 17.6	.720 5858	3	223 39 17.0	1 50 42.7	.723 4995
4	78 00 18.6	+ 0 05 10.7	.720 3600	5	226 51 13.3	1 40 59.7	.723 7748
6	81 13 52.5	0 16 38.5	.720 1435	7	230 02 58.9	1 30 58.2	.724 0486
8	84 27 33.7	0 28 03.5	.719 9370	9	233 14 34.1	1 20 40.3	.724 3200
10	87 41 21.9	+ 0 39 23.5	0.719 7412	11	236 25 59.0	+ 1 10 07.8	0.724 5883
12	90 55 17.2	0 50 36.4	.719 5566	13	239 37 14.1	0 59 22.8	.724 8525
14	94 09 19.4	1 01 40.0	.719 3839	15	242 48 19.7	0 48 27.2	.725 1119
16	97 23 28.3	1 12 32.0	.719 2237	17	245 59 16.1	0 37 23.1	.725 3656
18	100 37 43.7	1 23 10.5	.719 0764	19	249 10 03.7	0 26 12.6	.725 6129
20	103 52 05.4	+ 1 33 33.3	0.718 9425	21	252 20 43.2	+ 0 14 57.7	0.725 8530
22	107 06 33.2	1 43 38.4	.718 8225	23	255 31 14.8	+ 0 03 40.4	.726 0852
24	110 21 06.6	1 53 23.7	.718 7168	25	258 41 39.2	− 0 07 37.1	.726 3088
26	113 35 45.4	2 02 47.5	.718 6257	27	261 51 56.9	0 18 52.8	.726 5231
28	116 50 29.1	2 11 47.7	.718 5494	29	265 02 08.4	0 30 04.6	.726 7274
30	120 05 17.4	+ 2 20 22.7	0.718 4884	31	268 12 14.3	− 0 41 10.6	0.726 9211
Oct. 2	123 20 09.7	+ 2 28 30.8	0.718 4427	33	271 22 15.2	− 0 52 08.6	0.727 1037

MARS, 1985

HELIOCENTRIC POSITIONS FOR 0ʰ DYNAMICAL TIME

MEAN EQUINOX AND ECLIPTIC OF DATE

Date	Longitude	Latitude	Radius Vector	Date	Longitude	Latitude	Radius Vector
	° ′ ″	° ′ ″			° ′ ″	° ′ ″	
Jan. −1	8 47 46.7	− 1 12 18.6	1.400 8253	July 2	107 59 39.5	+ 1 34 41.0	1.611 5075
3	11 15 36.7	1 08 37.4	.403 7676	6	109 51 22.5	1 36 30.8	.615 3176
7	13 42 48.1	1 04 49.6	.406 8923	10	111 42 34.6	1 38 14.1	.619 0099
11	16 09 18.8	1 00 55.8	.410 1928	14	113 33 17.0	1 39 50.8	.622 5813
15	18 35 07.1	0 56 56.5	.413 6623	18	115 23 31.0	1 41 20.9	.626 0284
19	21 00 11.2	− 0 52 52.3	1.417 2939	22	117 13 17.6	+ 1 42 44.4	1.629 3484
23	23 24 29.5	0 48 43.7	.421 0802	26	119 02 38.2	1 44 01.3	.632 5384
27	25 48 00.6	0 44 31.4	.425 0137	30	120 51 33.8	1 45 11.7	.635 5955
31	28 10 43.2	0 40 16.0	.429 0868	Aug. 3	122 40 05.7	1 46 15.5	.638 5174
Feb. 4	30 32 36.1	0 35 57.8	.433 2917	7	124 28 15.1	1 47 12.8	.641 3016
8	32 53 38.2	− 0 31 37.6	1.437 6205	11	126 16 03.2	+ 1 48 03.6	1.643 9457
12	35 13 48.7	0 27 15.7	.442 0652	15	128 03 31.2	1 48 47.9	.646 4477
16	37 33 06.7	0 22 52.8	.446 6176	19	129 50 40.2	1 49 25.6	.648 8055
20	39 51 31.5	0 18 29.4	.451 2698	23	131 37 31.6	1 49 57.0	.651 0173
24	42 09 02.6	0 14 05.8	.456 0135	27	133 24 06.4	1 50 21.9	.653 0813
28	44 25 39.6	− 0 09 42.6	1.460 8405	31	135 10 25.8	+ 1 50 40.4	1.654 9959
Mar. 4	46 41 22.0	0 05 20.3	.465 7427	Sept. 4	136 56 31.2	1 50 52.6	.656 7596
8	48 56 09.9	− 0 00 59.3	.470 7120	8	138 42 23.6	1 50 58.4	.658 3711
12	51 10 02.9	+ 0 03 20.1	.475 7404	12	140 28 04.3	1 50 57.9	.659 8292
16	53 23 01.1	0 07 37.4	.480 8198	16	142 13 34.4	1 50 51.1	.661 1327
20	55 35 04.5	+ 0 11 52.3	1.485 9423	20	143 58 55.1	+ 1 50 38.1	1.662 2806
24	57 46 13.4	0 16 04.4	.491 1000	24	145 44 07.8	1 50 18.9	.663 2721
28	59 56 28.0	0 20 13.3	.496 2853	28	147 29 13.4	1 49 53.6	.664 1064
Apr. 1	62 05 48.6	0 24 18.8	.501 4906	Oct. 2	149 14 13.3	1 49 22.1	.664 7830
5	64 14 15.7	0 28 20.6	.506 7084	6	150 59 08.5	1 48 44.5	.665 3012
9	66 21 49.7	+ 0 32 18.3	1.511 9313	10	152 44 00.4	+ 1 48 00.9	1.665 6608
13	68 28 31.2	0 36 11.8	.517 1521	14	154 28 50.1	1 47 11.3	.665 8615
17	70 34 20.7	0 40 00.7	.522 3638	18	156 13 38.7	1 46 15.7	.665 9030
21	72 39 19.1	0 43 44.9	.527 5595	22	157 58 27.5	1 45 14.2	.665 7855
25	74 43 26.9	0 47 24.2	.532 7324	26	159 43 17.7	1 44 06.8	.665 5089
29	76 46 44.9	+ 0 50 58.3	1.537 8761	30	161 28 10.5	+ 1 42 53.5	1.665 0734
May 3	78 49 14.0	0 54 27.1	.542 9841	Nov. 3	163 13 07.0	1 41 34.5	.664 4794
7	80 50 55.1	0 57 50.4	.548 0501	7	164 58 08.4	1 40 09.7	.663 7274
11	82 51 49.0	1 01 08.1	.553 0682	11	166 43 16.0	1 38 39.3	.662 8178
15	84 51 56.7	1 04 20.0	.558 0324	15	168 28 30.9	1 37 03.1	.661 7513
19	86 51 19.1	+ 1 07 26.1	1.562 9371	19	170 13 54.3	+ 1 35 21.4	1.660 5288
23	88 49 57.3	1 10 26.2	.567 7768	23	171 59 27.5	1 33 34.2	.659 1512
27	90 47 52.2	1 13 20.1	.572 5460	27	173 45 11.6	1 31 41.4	.657 6194
31	92 45 04.9	1 16 08.0	.577 2397	Dec. 1	175 31 07.8	1 29 43.2	.655 9348
June 4	94 41 36.5	1 18 49.5	.581 8529	5	177 17 17.3	1 27 39.7	.654 0984
8	96 37 28.0	+ 1 21 24.8	1.586 3807	9	179 03 41.4	+ 1 25 30.8	1.652 1118
12	98 32 40.7	1 23 53.7	.590 8185	13	180 50 21.2	1 23 16.6	.649 9765
16	100 27 15.5	1 26 16.1	.595 1619	17	182 37 18.0	1 20 57.3	.647 6942
20	102 21 13.6	1 28 32.1	.599 4065	21	184 24 32.9	1 18 32.9	.645 2666
24	104 14 36.2	1 30 41.6	.603 5482	25	186 12 07.2	1 16 03.4	.642 6957
28	106 07 24.5	+ 1 32 44.6	1.607 5832	29	188 00 02.0	+ 1 13 29.0	1.639 9836
July 2	107 59 39.5	+ 1 34 41.0	1.611 5075	33	189 48 18.7	+ 1 10 49.6	1.637 1324

HELIOCENTRIC POSITIONS FOR 0ʰ DYNAMICAL TIME
MEAN EQUINOX AND ECLIPTIC OF DATE

Date	Longitude	Latitude	Radius Vector	Date	Longitude	Latitude	Radius Vector
		JUPITER				SATURN	
	° ′ ″	° ′ ″			° ′ ″	° ′ ″	
Jan. −5	293 02 13.5	− 0 17 12.9	5.157 731	Jan. −5	230 28 21.5	+ 2 12 58.6	9.908 769
5	293 52 56.4	0 18 20.4	.154 135	5	230 46 59.6	2 12 36.6	.910 691
15	294 43 43.7	0 19 27.8	.150 548	15	231 05 37.2	2 12 14.3	.912 601
25	295 34 35.1	0 20 35.0	.146 970	25	231 24 14.4	2 11 51.8	.914 499
Feb. 4	296 25 30.9	0 21 42.0	.143 401	Feb. 4	231 42 51.1	2 11 29.1	.916 384
14	297 16 30.8	− 0 22 48.8	5.139 843	14	232 01 27.4	+ 2 11 06.2	9.918 258
24	298 07 35.0	0 23 55.4	.136 296	24	232 20 03.2	2 10 43.0	.920 120
Mar. 6	298 58 43.5	0 25 01.8	.132 760	Mar. 6	232 38 38.6	2 10 19.6	.921 969
16	299 49 56.2	0 26 07.9	.129 238	16	232 57 13.5	2 09 56.0	.923 806
26	300 41 13.1	0 27 13.8	.125 729	26	233 15 48.0	2 09 32.2	.925 630
Apr. 5	301 32 34.3	− 0 28 19.4	5.122 235	Apr. 5	233 34 22.1	+ 2 09 08.2	9.927 442
15	302 23 59.6	0 29 24.8	.118 755	15	233 52 55.8	2 08 43.9	.929 241
25	303 15 29.2	0 30 29.8	.115 292	25	234 11 29.0	2 08 19.4	.931 027
May 5	304 07 03.0	0 31 34.5	.111 844	May 5	234 30 01.8	2 07 54.8	.932 800
15	304 58 41.0	0 32 38.8	.108 415	15	234 48 34.2	2 07 29.9	.934 561
25	305 50 23.1	− 0 33 42.8	5.105 003	25	235 07 06.2	+ 2 07 04.8	9.936 309
June 4	306 42 09.4	0 34 46.4	.101 610	June 4	235 25 37.7	2 06 39.4	.938 043
14	307 33 59.9	0 35 49.7	.098 237	14	235 44 08.8	2 06 13.9	.939 765
24	308 25 54.5	0 36 52.5	.094 884	24	236 02 39.6	2 05 48.2	.941 474
July 4	309 17 53.1	0 37 54.9	.091 552	July 4	236 21 09.9	2 05 22.2	.943 171
14	310 09 55.9	− 0 38 56.9	5.088 243	14	236 39 39.8	+ 2 04 56.1	9.944 854
24	311 02 02.8	0 39 58.4	.084 956	24	236 58 09.2	2 04 29.7	.946 524
Aug. 3	311 54 13.6	0 40 59.4	.081 693	Aug. 3	237 16 38.3	2 04 03.2	.948 181
13	312 46 28.6	0 41 60.0	.078 454	13	237 35 07.0	2 03 36.4	.949 825
23	313 38 47.5	0 42 60.0	.075 241	23	237 53 35.3	2 03 09.4	.951 457
Sept. 2	314 31 10.3	− 0 43 59.5	5.072 053	Sept. 2	238 12 03.2	+ 2 02 42.2	9.953 075
12	315 23 37.2	0 44 58.5	.068 892	12	238 30 30.7	2 02 14.9	.954 681
22	316 16 07.9	0 45 56.9	.065 759	22	238 48 57.8	2 01 47.3	.956 273
Oct. 2	317 08 42.6	0 46 54.8	.062 655	Oct. 2	239 07 24.5	2 01 19.5	.957 853
12	318 01 21.1	0 47 52.0	.059 579	12	239 25 50.9	2 00 51.5	.959 419
22	318 54 03.5	− 0 48 48.7	5.056 534	22	239 44 16.9	+ 2 00 23.3	9.960 972
Nov. 1	319 46 49.7	0 49 44.7	.053 519	Nov. 1	240 02 42.5	1 59 54.9	.962 511
11	320 39 39.7	0 50 40.1	.050 536	11	240 21 07.8	1 59 26.4	.964 038
21	321 32 33.4	0 51 34.9	.047 585	21	240 39 32.6	1 58 57.6	.965 550
Dec. 1	322 25 30.9	0 52 29.0	.044 667	Dec. 1	240 57 57.2	1 58 28.6	.967 050
11	323 18 32.0	− 0 53 22.4	5.041 783	11	241 16 21.3	+ 1 57 59.5	9.968 536
21	324 11 36.8	0 54 15.0	.038 933	21	241 34 45.1	1 57 30.1	.970 008
31	325 04 45.1	0 55 07.0	.036 118	31	241 53 08.6	1 57 00.5	.971 467
41	325 57 57.1	− 0 55 58.3	5.033 339	41	242 11 31.7	+ 1 56 30.8	9.972 912

Date	Longitude	Latitude	Radius Vector	Date	Longitude	Latitude	Radius Vector
		URANUS				NEPTUNE	
Jan. −25	253 48 29.9	+ 0 00 08.8	19.047 54	Jan. −25	271 02 54.3	+ 1 09 07.7	30.257 82
Jan. 15	254 17 11.0	− 0 00 14.4	9.054 78	Jan. 15	271 17 12.7	1 08 47.6	0.256 97
Feb. 24	254 45 50.8	0 00 37.7	9.062 02	Feb. 24	271 31 31.2	1 08 27.5	0.256 11
Apr. 5	255 14 29.1	0 01 00.9	9.069 25	Apr. 5	271 45 49.7	1 08 07.2	0.255 23
May 15	255 43 06.1	0 01 24.0	9.076 48	May 15	272 00 08.1	1 07 46.9	0.254 34
June 24	256 11 41.7	− 0 01 47.2	19.083 71	June 24	272 14 26.6	+ 1 07 26.5	30.253 42
Aug. 3	256 40 15.7	0 02 10.3	9.090 92	Aug. 3	272 28 45.1	1 07 06.1	0.252 49
Sept. 12	257 08 48.3	0 02 33.4	9.098 14	Sept. 12	272 43 03.5	1 06 45.6	0.251 54
Oct. 22	257 37 19.5	0 02 56.4	9.105 35	Oct. 22	272 57 21.9	1 06 25.0	0.250 58
Dec. 1	258 05 49.2	0 03 19.5	9.112 56	Dec. 1	273 11 40.2	1 06 04.3	0.249 61
Dec. 41	258 34 17.5	− 0 03 42.5	19.119 76	Dec. 41	273 25 58.6	+ 1 05 43.6	30.248 62

MERCURY, 1985

GEOCENTRIC COORDINATES FOR 0ʰ DYNAMICAL TIME

Date	Apparent Right Ascension	Apparent Declination	True Geocentric Distance	Date	Apparent Right Ascension	Apparent Declination	True Geocentric Distance
	h m s	° ′ ″			h m s	° ′ ″	
Jan. 0	17 05 11.728	−20 30 04.14	0.941 0154	Feb. 15	21 43 36.643	−15 52 06.17	1.396 4175
1	17 08 33.247	20 42 28.71	.962 2550	16	21 50 31.074	15 15 44.18	.393 9543
2	17 12 14.397	20 55 16.63	0.983 1372	17	21 57 25.979	14 37 57.22	.390 8006
3	17 16 13.196	21 08 16.18	1.003 6071	18	22 04 21.312	13 58 45.93	.386 9256
4	17 20 27.866	21 21 16.86	.023 6214	19	22 11 17.017	13 18 11.15	.382 2961
5	17 24 56.824	−21 34 09.35	1.043 1471	20	22 18 13.023	−12 36 13.97	1.376 8767
6	17 29 38.660	21 46 45.34	.062 1597	21	22 25 09.238	11 52 55.80	.370 6297
7	17 34 32.122	21 58 57.49	.080 6412	22	22 32 05.549	11 08 18.40	.363 5152
8	17 39 36.098	22 10 39.26	.098 5795	23	22 39 01.809	10 22 23.96	.355 4918
9	17 44 49.600	22 21 44.88	.115 9667	24	22 45 57.836	9 35 15.13	.346 5164
10	17 50 11.750	−22 32 09.20	1.132 7986	25	22 52 53.398	− 8 46 55.15	1.336 5455
11	17 55 41.766	22 41 47.65	.149 0740	26	22 59 48.205	7 57 27.95	.325 5356
12	18 01 18.952	22 50 36.17	.164 7938	27	23 06 41.904	7 06 58.20	.313 4442
13	18 07 02.684	22 58 31.14	.179 9606	28	23 13 34.060	6 15 31.46	.300 2312
14	18 12 52.404	23 05 29.33	.194 5785	Mar. 1	23 20 24.151	5 23 14.27	.285 8604
15	18 18 47.607	−23 11 27.86	1.208 6524	2	23 27 11.555	− 4 30 14.26	1.270 3016
16	18 24 47.838	23 16 24.13	.222 1882	3	23 33 55.534	3 36 40.23	.253 5322
17	18 30 52.682	23 20 15.85	.235 1920	4	23 40 35.233	2 42 42.24	.235 5398
18	18 37 01.763	23 23 00.91	.247 6703	5	23 47 09.667	1 48 31.64	.216 3245
19	18 43 14.735	23 24 37.44	.259 6297	6	23 53 37.719	0 54 21.11	.195 9015
20	18 49 31.284	−23 25 03.72	1.271 0767	7	23 59 58.143	− 0 00 24.57	1.174 3029
21	18 55 51.122	23 24 18.20	.282 0178	8	0 06 09.566	+ 0 53 02.87	.151 5798
22	19 02 13.983	23 22 19.47	.292 4590	9	0 12 10.502	1 45 45.07	.127 8034
23	19 08 39.626	23 19 06.22	.302 4063	10	0 17 59.367	2 37 25.07	.103 0653
24	19 15 07.830	23 14 37.28	.311 8647	11	0 23 34.500	3 27 45.33	.077 4775
25	19 21 38.391	−23 08 51.57	1.320 8391	12	0 28 54.193	+ 4 16 27.97	1.051 1704
26	19 28 11.121	23 01 48.10	.329 3335	13	0 33 56.721	5 03 15.15	1.024 2908
27	19 34 45.848	22 53 25.96	.337 3514	14	0 38 40.376	5 47 49.27	0.996 9988
28	19 41 22.415	22 43 44.32	.344 8955	15	0 43 03.502	6 29 53.31	.969 4641
29	19 48 00.673	22 32 42.41	.351 9674	16	0 47 04.532	7 09 11.00	.941 8617
30	19 54 40.491	−22 20 19.53	1.358 5683	17	0 50 42.016	+ 7 45 27.05	0.914 3686
31	20 01 21.742	22 06 35.03	.364 6981	18	0 53 54.655	8 18 27.24	.887 1598
Feb. 1	20 08 04.316	21 51 28.30	.370 3559	19	0 56 41.330	8 47 58.55	.860 4051
2	20 14 48.108	21 34 58.81	.375 5396	20	0 59 01.126	9 13 49.23	.834 2668
3	20 21 33.024	21 17 06.03	.380 2461	21	1 00 53.366	9 35 48.87	.808 8979
4	20 28 18.979	−20 57 49.51	1.384 4710	22	1 02 17.634	+ 9 53 48.50	0.784 4402
5	20 35 05.896	20 37 08.81	.388 2088	23	1 03 13.806	10 07 40.77	.761 0241
6	20 41 53.708	20 15 03.53	.391 4522	24	1 03 42.079	10 17 20.13	.738 7681
7	20 48 42.355	19 51 33.31	.394 1927	25	1 03 42.999	10 22 43.08	.717 7779
8	20 55 31.787	19 26 37.82	.396 4202	26	1 03 17.485	10 23 48.55	.698 1470
9	21 02 21.959	−19 00 16.78	1.398 1228	27	1 02 26.845	+10 20 38.20	0.679 9564
10	21 09 12.835	18 32 29.95	.399 2869	28	1 01 12.790	10 13 16.85	.663 2741
11	21 16 04.380	18 03 17.18	.399 8969	29	0 59 37.422	10 01 52.83	.648 1555
12	21 22 56.563	17 32 38.37	.399 9355	30	0 57 43.222	9 46 38.24	.634 6428
13	21 29 49.355	17 00 33.53	.399 3832	31	0 55 33.006	9 27 49.12	.622 7648
14	21 36 42.725	−16 27 02.73	1.398 2184	Apr. 1	0 53 09.872	+ 9 05 45.41	0.612 5368
15	21 43 36.643	−15 52 06.17	1.396 4175	2	0 50 37.129	+ 8 40 50.73	0.603 9604

Semi-diameter: Dec. 6, 4″; Jan. 15, 3″; Feb. 24, 2″; Apr. 5, 6″

GEOCENTRIC COORDINATES FOR 0ʰ DYNAMICAL TIME

Date	Apparent Right Ascension	Apparent Declination	True Geocentric Distance	Date	Apparent Right Ascension	Apparent Declination	True Geocentric Distance
	h m s	o ′ ″			h m s	o ′ ″	
Apr. 1	0 53 09.872	+ 9 05 45.41	0.612 5368	May 17	2 12 26.621	+10 36 37.62	1.085 7764
2	0 50 37.129	8 40 50.73	.603 9604	18	2 18 31.457	11 14 18.40	.102 0407
3	0 47 58.209	8 13 31.92	.597 0240	19	2 24 45.759	11 52 35.22	.118 1799
4	0 45 16.577	7 44 18.39	.591 7029	20	2 31 09.753	12 31 23.27	.134 1564
5	0 42 35.632	7 13 41.24	.587 9600	21	2 37 43.677	13 10 37.46	.149 9281
6	0 39 58.620	+ 6 42 12.33	0.585 7470	22	2 44 27.780	+13 50 12.30	1.165 4479
7	0 37 28.546	6 10 23.30	.585 0060	23	2 51 22.314	14 30 01.86	.180 6634
8	0 35 08.116	5 38 44.56	.585 6705	24	2 58 27.523	15 09 59.70	.195 5163
9	0 32 59.682	5 07 44.55	.587 6678	25	3 05 43.637	15 49 58.86	.209 9428
10	0 31 05.222	4 37 48.98	.590 9205	26	3 13 10.859	16 29 51.73	.223 8729
11	0 29 26.332	+ 4 09 20.49	0.595 3486	27	3 20 49.351	+17 09 30.07	1.237 2308
12	0 28 04.236	3 42 38.35	.600 8710	28	3 28 39.220	17 48 44.95	.249 9354
13	0 26 59.811	3 17 58.40	.607 4071	29	3 36 40.500	18 27 26.73	.261 9008
14	0 26 13.614	2 55 33.20	.614 8781	30	3 44 53.132	19 05 25.11	.273 0374
15	0 25 45.928	2 35 32.19	.623 2081	31	3 53 16.949	19 42 29.14	.283 2535
16	0 25 36.797	+ 2 18 02.00	0.632 3246	June 1	4 01 51.653	+20 18 27.29	1.292 4569
17	0 25 46.066	2 03 06.82	.642 1596	2	4 10 36.797	20 53 07.65	.300 5575
18	0 26 13.426	1 50 48.71	.652 6494	3	4 19 31.773	21 26 18.03	.307 4700
19	0 26 58.440	1 41 07.98	.663 7350	4	4 28 35.804	21 57 46.20	.313 1163
20	0 28 00.586	1 34 03.48	.675 3622	5	4 37 47.938	22 27 20.20	.317 4292
21	0 29 19.275	+ 1 29 32.94	0.687 4815	6	4 47 07.063	+22 54 48.56	1.320 3550
22	0 30 53.880	1 27 33.21	.700 0478	7	4 56 31.915	23 20 00.72	.321 8555
23	0 32 43.755	1 28 00.47	.713 0203	8	5 06 01.121	23 42 47.14	.321 9107
24	0 34 48.248	1 30 50.43	.726 3624	9	5 15 33.179	24 02 59.68	.320 5190
25	0 37 06.719	1 35 58.48	.740 0410	10	5 25 06.560	24 20 32.06	.317 6980
26	0 39 38.545	+ 1 43 19.82	0.754 0264	11	5 34 39.707	+24 35 19.56	1.313 4830
27	0 42 23.131	1 52 49.54	.768 2920	12	5 44 11.080	24 47 19.31	.307 9260
28	0 45 19.914	2 04 22.72	.782 8141	13	5 53 39.195	24 56 30.28	.301 0927
29	0 48 28.370	2 17 54.46	.797 5712	14	6 03 02.650	25 02 53.13	.293 0602
30	0 51 48.014	2 33 19.95	.812 5440	15	6 12 20.153	25 06 30.13	.283 9137
May 1	0 55 18.404	+ 2 50 34.47	0.827 7151	16	6 21 30.533	+25 07 24.91	1.273 7438
2	0 58 59.143	3 09 33.44	.843 0685	17	6 30 32.755	25 05 42.31	.262 6435
3	1 02 49.877	3 30 12.43	.858 5895	18	6 39 25.917	25 01 28.11	.250 7058
4	1 06 50.295	3 52 27.10	.874 2642	19	6 48 09.252	24 54 48.86	.238 0219
5	1 11 00.129	4 16 13.28	.890 0793	20	6 56 42.118	24 45 51.66	.224 6793
6	1 15 19.149	+ 4 41 26.87	0.906 0221	21	7 05 03.991	+24 34 43.99	1.210 7611
7	1 19 47.165	5 08 03.88	.922 0798	22	7 13 14.451	24 21 33.57	.196 3450
8	1 24 24.024	5 36 00.38	.938 2395	23	7 21 13.172	24 06 28.21	.181 5026
9	1 29 09.609	6 05 12.52	.954 4882	24	7 28 59.910	23 49 35.74	.166 2999
10	1 34 03.842	6 35 36.49	.970 8120	25	7 36 34.488	23 31 03.94	.150 7967
11	1 39 06.683	+ 7 07 08.53	0.987 1963	26	7 43 56.786	+23 11 00.43	1.135 0471
12	1 44 18.127	7 39 44.87	1.003 6256	27	7 51 06.733	22 49 32.70	.119 0997
13	1 49 38.205	8 13 21.76	.020 0826	28	7 58 04.289	22 26 48.04	.102 9982
14	1 55 06.981	8 47 55.40	.036 5485	29	8 04 49.444	22 02 53.55	.086 7812
15	2 00 44.553	9 23 21.92	.053 0023	30	8 11 22.204	21 37 56.12	.070 4834
16	2 06 31.047	+ 9 59 37.36	1.069 4204	July 1	8 17 42.585	+21 12 02.43	1.054 1355
17	2 12 26.621	+10 36 37.62	1.085 7764	2	8 23 50.608	+20 45 18.97	1.037 7647

Semi-diameter: Feb. 24, 2″; Apr. 5, 6″; May 15, 3″; June 24, 3″; Aug. 3, 5″

MERCURY, 1985

GEOCENTRIC COORDINATES FOR 0ʰ DYNAMICAL TIME

Date	Apparent Right Ascension	Apparent Declination	True Geocentric Distance	Date	Apparent Right Ascension	Apparent Declination	True Geocentric Distance
	h m s	o ′ ″			h m s	o ′ ″	
July 1	8 17 42.585	+21 12 02.43	1.054 1355	Aug. 16	9 03 44.928	+12 43 16.44	0.651 7613
2	8 23 50.608	20 45 18.97	.037 7647	17	9 02 05.180	13 05 39.05	.665 4692
3	8 29 46.292	20 17 52.03	.021 3951	18	9 00 49.275	13 27 20.29	.680 7456
4	8 35 29.652	19 49 47.73	1.005 0484	19	8 59 59.386	13 48 01.22	.697 5511
5	8 41 00.692	19 21 12.03	0.988 7436	20	8 59 37.303	14 07 24.01	.715 8339
6	8 46 19.403	+18 52 10.76	0.972 4980	21	8 59 44.425	+14 25 12.03	0.735 5299
7	8 51 25.758	18 22 49.65	.956 3275	22	9 00 21.764	14 41 09.91	.756 5622
8	8 56 19.712	17 53 14.35	.940 2464	23	9 01 29.947	14 55 03.47	.778 8419
9	9 01 01.194	17 23 30.46	.924 2683	24	9 03 09.239	15 06 39.79	.802 2672
10	9 05 30.107	16 53 43.56	.908 4062	25	9 05 19.555	15 15 47.13	.826 7242
11	9 09 46.327	+16 23 59.24	0.892 6726	26	9 08 00.480	+15 22 14.96	0.852 0862
12	9 13 49.698	15 54 23.10	.877 0802	27	9 11 11.292	15 25 53.99	.878 2148
13	9 17 40.034	15 25 00.82	.861 6416	28	9 14 50.978	15 26 36.28	.904 9601
14	9 21 17.115	14 55 58.16	.846 3700	29	9 18 58.259	15 24 15.30	.932 1622
15	9 24 40.688	14 27 20.98	.831 2795	30	9 23 31.609	15 18 46.11	.959 6529
16	9 27 50.463	+13 59 15.31	0.816 3850	31	9 28 29.285	+15 10 05.48	0.987 2581
17	9 30 46.121	13 31 47.32	.801 7026	Sept. 1	9 33 49.356	14 58 12.07	1.014 8008
18	9 33 27.307	13 05 03.36	.787 2502	2	9 39 29.739	14 43 06.48	.042 1050
19	9 35 53.634	12 39 10.02	.773 0475	3	9 45 28.242	14 24 51.33	.068 9991
20	9 38 04.692	12 14 14.08	.759 1161	4	9 51 42.607	14 03 31.26	.095 3205
21	9 40 00.045	+11 50 22.56	0.745 4805	5	9 58 10.563	+13 39 12.82	1.120 9189
22	9 41 39.244	11 27 42.72	.732 1675	6	10 04 49.869	13 12 04.27	.145 6600
23	9 43 01.832	11 06 22.04	.719 2075	7	10 11 38.366	12 42 15.39	.169 4279
24	9 44 07.356	10 46 28.19	.706 6338	8	10 18 34.014	12 09 57.15	.192 1268
25	9 44 55.380	10 28 09.03	.694 4837	9	10 25 34.923	11 35 21.40	.213 6818
26	9 45 25.501	+10 11 32.52	0.682 7981	10	10 32 39.383	+10 58 40.51	1.234 0381
27	9 45 37.368	9 56 46.64	.671 6222	11	10 39 45.874	10 20 07.13	.253 1607
28	9 45 30.709	9 43 59.29	.661 0054	12	10 46 53.073	9 39 53.81	.271 0320
29	9 45 05.350	9 33 18.13	.651 0014	13	10 53 59.852	8 58 12.84	.287 6500
30	9 44 21.257	9 24 50.41	.641 6683	14	11 01 05.271	8 15 16.00	.303 0259
31	9 43 18.559	+ 9 18 42.74	0.633 0684	15	11 08 08.567	+ 7 31 14.45	1.317 1815
Aug. 1	9 41 57.592	9 15 00.85	.625 2678	16	11 15 09.133	6 46 18.65	.330 1470
2	9 40 18.931	9 13 49.32	.618 3362	17	11 22 06.507	6 00 38.26	.341 9587
3	9 38 23.425	9 15 11.26	.612 3465	18	11 29 00.348	5 14 22.18	.352 6575
4	9 36 12.232	9 19 08.03	.607 3736	19	11 35 50.422	4 27 38.51	.362 2868
5	9 33 46.840	+ 9 25 38.96	0.603 4934	20	11 42 36.583	+ 3 40 34.61	1.370 8914
6	9 31 09.085	9 34 41.04	.600 7823	21	11 49 18.761	2 53 17.14	.378 5163
7	9 28 21.154	9 46 08.77	.599 3148	22	11 55 56.945	2 05 52.06	.385 2058
8	9 25 25.575	9 59 54.02	.599 1630	23	12 02 31.177	1 18 24.72	.391 0031
9	9 22 25.189	10 15 46.01	.600 3943	24	12 09 01.534	+ 0 30 59.90	.395 9492
10	9 19 23.103	+10 33 31.41	0.603 0698	25	12 15 28.128	− 0 16 18.05	1.400 0833
11	9 16 22.632	10 52 54.58	.607 2434	26	12 21 51.097	1 03 25.26	.403 4422
12	9 13 27.220	11 13 37.91	.612 9596	27	12 28 10.598	1 50 18.32	.406 0603
13	9 10 40.360	11 35 22.23	.620 2525	28	12 34 26.799	2 36 54.12	.407 9692
14	9 08 05.508	11 57 47.31	.629 1452	29	12 40 39.878	3 23 09.88	.409 1984
15	9 05 45.989	+12 20 32.34	0.639 6486	30	12 46 50.017	− 4 09 03.09	1.409 7747
16	9 03 44.928	+12 43 16.44	0.651 7613	Oct. 1	12 52 57.400	− 4 54 31.46	1.409 7225

Semi-diameter: June 24, 3″; Aug. 3, 5″; Sept. 12, 3″; Oct. 22, 3″

GEOCENTRIC COORDINATES FOR 0ʰ DYNAMICAL TIME

Date	Apparent Right Ascension	Apparent Declination	True Geocentric Distance	Date	Apparent Right Ascension	Apparent Declination	True Geocentric Distance
	h m s	° ′ ″			h m s	° ′ ″	
Oct. 1	12 52 57.400	− 4 54 31.46	1.409 7225	Nov.16	16 51 28.075	−24 52 47.72	0.858 3264
2	12 59 02.211	5 39 32.93	.409 0640	17	16 52 53.238	24 47 09.21	.836 9091
3	13 05 04.631	6 24 05.57	.407 8192	18	16 53 43.500	24 39 11.47	.815 8254
4	13 11 04.838	7 08 07.62	.406 0059	19	16 53 55.732	24 28 46.67	.795 2718
5	13 17 03.002	7 51 37.45	.403 6402	20	16 53 27.089	24 15 46.86	.775 4743
6	13 22 59.288	− 8 34 33.52	1.400 7361	21	16 52 15.260	−24 00 04.55	0.756 6885
7	13 28 53.854	9 16 54.38	.397 3059	22	16 50 18.787	23 41 33.62	.739 1975
8	13 34 46.848	9 58 38.65	.393 3603	23	16 47 37.416	23 20 10.72	.723 3063
9	13 40 38.411	10 39 44.99	.388 9083	24	16 44 12.477	22 55 57.07	.709 3336
10	13 46 28.671	11 20 12.13	.383 9577	25	16 40 07.208	22 29 00.57	.697 5984
11	13 52 17.750	−11 59 58.80	1.378 5147	26	16 35 26.962	−21 59 37.96	0.688 4041
12	13 58 05.755	12 39 03.76	.372 5845	27	16 30 19.222	21 28 16.47	.682 0185
13	14 03 52.783	13 17 25.80	.366 1707	28	16 24 53.341	20 55 34.40	.678 6541
14	14 09 38.919	13 55 03.70	.359 2763	29	16 19 20.018	20 22 20.10	.678 4494
15	14 15 24.234	14 31 56.23	.351 9031	30	16 13 50.539	19 49 29.11	.681 4559
16	14 21 08.781	−15 08 02.16	1.344 0519	Dec. 1	16 08 35.925	−19 17 59.78	0.687 6321
17	14 26 52.596	15 43 20.24	.335 7231	2	16 03 46.113	18 48 48.14	.696 8465
18	14 32 35.696	16 17 49.20	.326 9160	3	15 59 29.322	18 22 43.06	.708 8886
19	14 38 18.081	16 51 27.71	.317 6294	4	15 55 51.690	18 00 22.61	.723 4855
20	14 43 59.726	17 24 14.43	.307 8615	5	15 52 57.186	17 42 12.17	.740 3224
21	14 49 40.588	−17 56 07.99	1.297 6096	6	15 50 47.749	−17 28 24.24	0.759 0626
22	14 55 20.600	18 27 06.96	.286 8707	7	15 49 23.600	17 18 59.71	.779 3661
23	15 00 59.669	18 57 09.87	.275 6413	8	15 48 43.609	17 13 49.93	.800 9040
24	15 06 37.672	19 26 15.22	.263 9173	9	15 48 45.684	17 12 39.17	.823 3691
25	15 12 14.453	19 54 21.46	.251 6945	10	15 49 27.107	17 15 06.91	.846 4828
26	15 17 49.821	−20 21 26.96	1.238 9683	11	15 50 44.824	−17 20 49.99	0.869 9988
27	15 23 23.542	20 47 30.04	.225 7340	12	15 52 35.660	17 29 24.13	.893 7032
28	15 28 55.337	21 12 28.97	.211 9870	13	15 54 56.472	17 40 25.18	.917 4144
29	15 34 24.875	21 36 21.94	.197 7229	14	15 57 44.260	17 53 29.95	.940 9803
30	15 39 51.767	21 59 07.04	.182 9375	15	16 00 56.228	18 08 16.68	.964 2759
31	15 45 15.557	−22 20 42.31	1.167 6274	16	16 04 29.814	−18 24 25.38	0.987 1996
Nov. 1	15 50 35.719	22 41 05.68	.151 7901	17	16 08 22.708	18 41 37.87	1.009 6705
2	15 55 51.644	23 00 15.00	.135 4243	18	16 12 32.842	18 59 37.84	.031 6252
3	16 01 02.629	23 18 07.99	.118 5301	19	16 16 58.379	19 18 10.74	.053 0153
4	16 06 07.871	23 34 42.28	.101 1100	20	16 21 37.697	19 37 03.64	.073 8042
5	16 11 06.449	−23 49 55.36	1.083 1690	21	16 26 29.368	−19 56 05.10	1.093 9661
6	16 15 57.316	24 03 44.59	.064 7154	22	16 31 32.136	20 15 05.03	.113 4830
7	16 20 39.278	24 16 07.15	.045 7615	23	16 36 44.902	20 33 54.52	.132 3439
8	16 25 10.985	24 27 00.06	.026 3249	24	16 42 06.699	20 52 25.71	.150 5433
9	16 29 30.907	24 36 20.12	1.006 4293	25	16 47 36.681	21 10 31.66	.168 0796
10	16 33 37.323	−24 44 03.87	0.986 1058	26	16 53 14.103	−21 28 06.23	1.184 9549
11	16 37 28.303	24 50 07.60	.965 3947	27	16 58 58.311	21 45 03.99	.201 1738
12	16 41 01.691	24 54 27.23	.944 3473	28	17 04 48.727	22 01 20.10	.216 7427
13	16 44 15.096	24 56 58.29	.923 0278	29	17 10 44.842	22 16 50.24	.231 6695
14	16 47 05.894	24 57 35.82	.901 5159	30	17 16 46.202	22 31 30.56	.245 9630
15	16 49 31.235	−24 56 14.33	0.879 9093	31	17 22 52.404	−22 45 17.59	1.259 6327
16	16 51 28.075	−24 52 47.72	0.858 3264	32	17 29 03.089	−22 58 08.21	1.272 6883

Semi-diameter: Sept. 12, 3″; Oct. 22, 3″; Dec. 1, 5″; Jan. 10, 2″

VENUS, 1985

GEOCENTRIC COORDINATES FOR 0^h DYNAMICAL TIME

Date	Apparent Right Ascension	Apparent Declination	True Geocentric Distance	Date	Apparent Right Ascension	Apparent Declination	True Geocentric Distance
	h m s	° ′ ″			h m s	° ′ ″	
Jan. 0	21 52 17.094	− 14 39 00.73	0.850 1130	Feb. 15	0 34 26.538	+ 7 01 56.93	0.512 2540
1	21 56 34.386	14 13 03.38	.842 8866	16	0 36 58.273	7 27 38.98	.505 1026
2	22 00 49.761	13 46 47.92	.835 6465	17	0 39 26.254	7 52 59.92	.497 9823
3	22 05 03.219	13 20 15.19	.828 3930	18	0 41 50.334	8 17 58.60	.490 8954
4	22 09 14.759	12 53 26.01	.821 1269	19	0 44 10.355	8 42 33.82	.483 8441
5	22 13 24.382	− 12 26 21.24	0.813 8486	20	0 46 26.152	+ 9 06 44.34	0.476 8309
6	22 17 32.088	11 59 01.70	.806 5589	21	0 48 37.551	9 30 28.85	.469 8584
7	22 21 37.877	11 31 28.23	.799 2584	22	0 50 44.370	9 53 46.01	.462 9295
8	22 25 41.751	11 03 41.64	.791 9478	23	0 52 46.419	10 16 34.39	.456 0473
9	22 29 43.710	10 35 42.75	.784 6276	24	0 54 43.499	10 38 52.51	.449 2150
10	22 33 43.758	− 10 07 32.34	0.777 2985	25	0 56 35.403	+ 11 00 38.83	0.442 4361
11	22 37 41.899	9 39 11.21	.769 9610	26	0 58 21.918	11 21 51.73	.435 7143
12	22 41 38.138	9 10 40.11	.762 6157	27	1 00 02.823	11 42 29.50	.429 0537
13	22 45 32.478	8 41 59.81	.755 2629	28	1 01 37.889	12 02 30.37	.422 4584
14	22 49 24.924	8 13 11.06	.747 9030	Mar. 1	1 03 06.883	12 21 52.46	.415 9330
15	22 53 15.477	− 7 44 14.63	0.740 5363	2	1 04 29.568	+ 12 40 33.82	0.409 4821
16	22 57 04.137	7 15 11.28	.733 1631	3	1 05 45.702	12 58 32.41	.403 1110
17	23 00 50.897	6 46 01.79	.725 7836	4	1 06 55.045	13 15 46.09	.396 8248
18	23 04 35.751	6 16 46.94	.718 3980	5	1 07 57.357	13 32 12.62	.390 6294
19	23 08 18.684	5 47 27.55	.711 0068	6	1 08 52.402	13 47 49.71	.384 5305
20	23 11 59.683	− 5 18 04.41	0.703 6100	7	1 09 39.956	+ 14 02 34.99	0.378 5345
21	23 15 38.727	4 48 38.34	.696 2083	8	1 10 19.803	14 16 26.04	.372 6477
22	23 19 15.796	4 19 10.15	.688 8019	9	1 10 51.742	14 29 20.38	.366 8769
23	23 22 50.867	3 49 40.67	.681 3916	10	1 11 15.586	14 41 15.50	.361 2287
24	23 26 23.913	3 20 10.73	.673 9778	11	1 11 31.163	14 52 08.82	.355 7101
25	23 29 54.907	− 2 50 41.15	0.666 5613	12	1 11 38.319	+ 15 01 57.68	0.350 3282
26	23 33 23.817	2 21 12.76	.659 1428	13	1 11 36.918	15 10 39.42	.345 0903
27	23 36 50.610	1 51 46.40	.651 7234	14	1 11 26.850	15 18 11.29	.340 0039
28	23 40 15.249	1 22 22.91	.644 3038	15	1 11 08.032	15 24 30.54	.335 0765
29	23 43 37.695	0 53 03.14	.636 8851	16	1 10 40.416	15 29 34.45	.330 3162
30	23 46 57.902	− 0 23 47.94	0.629 4685	17	1 10 03.992	+ 15 33 20.34	0.325 7310
31	23 50 15.825	+ 0 05 21.82	.622 0550	18	1 09 18.793	15 35 45.61	.321 3292
Feb. 1	23 53 31.410	0 34 25.29	.614 6460	19	1 08 24.905	15 36 47.83	.317 1192
2	23 56 44.604	1 03 21.57	.607 2428	20	1 07 22.465	15 36 24.76	.313 1098
3	23 59 55.345	1 32 09.79	.599 8467	21	1 06 11.669	15 34 34.40	.309 3095
4	0 03 03.570	+ 2 00 49.07	0.592 4595	22	1 04 52.778	+ 15 31 15.10	0.305 7272
5	0 06 09.212	2 29 18.49	.585 0826	23	1 03 26.115	15 26 25.59	.302 3715
6	0 09 12.202	2 57 37.19	.577 7176	24	1 01 52.074	15 20 05.04	.299 2512
7	0 12 12.466	3 25 44.27	.570 3665	25	1 00 11.120	15 12 13.17	.296 3748
8	0 15 09.931	3 53 38.86	.563 0307	26	0 58 23.784	15 02 50.30	.293 7505
9	0 18 04.519	+ 4 21 20.10	0.555 7121	27	0 56 30.668	+ 14 51 57.38	0.291 3862
10	0 20 56.147	4 48 47.12	.548 4123	28	0 54 32.438	14 39 36.10	.289 2896
11	0 23 44.729	5 15 59.02	.541 1330	29	0 52 29.823	14 25 48.88	.287 4676
12	0 26 30.167	5 42 54.92	.533 8758	30	0 50 23.606	14 10 38.93	.285 9267
13	0 29 12.358	6 09 33.86	.526 6424	31	0 48 14.616	13 54 10.25	.284 6726
14	0 31 51.189	+ 6 35 54.87	0.519 4345	Apr. 1	0 46 03.725	+ 13 36 27.64	0.283 7105
15	0 34 26.538	+ 7 01 56.93	0.512 2540	2	0 43 51.832	+ 13 17 36.67	0.283 0443

Semi-diameter: Dec. 6, 8″; Jan. 15, 11″; Feb. 24, 19″; Apr. 5, 30″.

GEOCENTRIC COORDINATES FOR 0ʰ DYNAMICAL TIME

Date	Apparent Right Ascension	Apparent Declination	True Geocentric Distance	Date	Apparent Right Ascension	Apparent Declination	True Geocentric Distance
	h m s	° ′ ″			h m s	° ′ ″	
Apr. 1	0 46 03.725	+13 36 27.64	0.283 7105	May 17	0 52 03.130	+ 4 57 57.89	0.490 2736
2	0 43 51.832	13 17 36.67	.283 0443	18	0 54 39.469	5 06 00.29	.497 7898
3	0 41 39.857	12 57 43.64	.282 6775	19	0 57 19.501	5 14 39.77	.505 3513
4	0 39 28.728	12 36 55.51	.282 6121	20	1 00 03.083	5 23 54.75	.512 9552
5	0 37 19.369	12 15 19.83	.282 8494	21	1 02 50.079	5 33 43.68	.520 5990
6	0 35 12.686	+11 53 04.65	0.283 3894	22	1 05 40.361	+ 5 44 05.05	0.528 2803
7	0 33 09.551	11 30 18.31	.284 2308	23	1 08 33.808	5 54 57.37	.535 9966
8	0 31 10.790	11 07 09.35	.285 3713	24	1 11 30.307	6 06 19.20	.543 7460
9	0 29 17.171	10 43 46.34	.286 8077	25	1 14 29.750	6 18 09.12	.551 5264
10	0 27 29.394	10 20 17.72	.288 5354	26	1 17 32.040	6 30 25.75	.559 3358
11	0 25 48.090	+ 9 56 51.70	0.290 5493	27	1 20 37.084	+ 6 43 07.74	0.567 1725
12	0 24 13.816	9 33 36.17	.292 8434	28	1 23 44.799	6 56 13.79	.575 0348
13	0 22 47.055	9 10 38.58	.295 4109	29	1 26 55.109	7 09 42.63	.582 9209
14	0 21 28.216	8 48 05.90	.298 2448	30	1 30 07.943	7 23 33.04	.590 8292
15	0 20 17.636	8 26 04.56	.301 3374	31	1 33 23.239	7 37 43.83	.598 7581
16	0 19 15.583	+ 8 04 40.43	0.304 6807	June 1	1 36 40.939	+ 7 52 13.83	0.606 7059
17	0 18 22.260	7 43 58.76	.308 2664	2	1 40 00.988	8 07 01.89	.614 6710
18	0 17 37.808	7 24 04.22	.312 0862	3	1 43 23.334	8 22 06.88	.622 6515
19	0 17 02.310	7 05 00.85	.316 1315	4	1 46 47.924	8 37 27.65	.630 6458
20	0 16 35.800	6 46 52.13	.320 3937	5	1 50 14.709	8 53 03.06	.638 6519
21	0 16 18.263	+ 6 29 40.96	0.324 8641	6	1 53 43.640	+ 9 08 51.97	0.646 6681
22	0 16 09.643	6 13 29.71	.329 5344	7	1 57 14.670	9 24 53.22	.654 6928
23	0 16 09.849	5 58 20.25	.334 3962	8	2 00 47.755	9 41 05.69	.662 7242
24	0 16 18.758	5 44 14.00	.339 4412	9	2 04 22.855	9 57 28.26	.670 7608
25	0 16 36.220	5 31 11.94	.344 6613	10	2 07 59.929	10 13 59.83	.678 8011
26	0 17 02.064	+ 5 19 14.70	0.350 0489	11	2 11 38.944	+10 30 39.29	0.686 8438
27	0 17 36.102	5 08 22.54	.355 5963	12	2 15 19.865	10 47 25.59	.694 8875
28	0 18 18.130	4 58 35.45	.361 2961	13	2 19 02.660	11 04 17.65	.702 9310
29	0 19 07.939	4 49 53.14	.367 1412	14	2 22 47.300	11 21 14.44	.710 9732
30	0 20 05.308	4 42 15.14	.373 1249	15	2 26 33.758	11 38 14.93	.719 0130
May 1	0 21 10.015	+ 4 35 40.75	0.379 2403	16	2 30 22.007	+11 55 18.10	0.727 0493
2	0 22 21.838	4 30 09.13	.385 4812	17	2 34 12.021	12 12 22.95	.735 0813
3	0 23 40.553	4 25 39.33	.391 8412	18	2 38 03.779	12 29 28.49	.743 1080
4	0 25 05.939	4 22 10.25	.398 3143	19	2 41 57.256	12 46 33.74	.751 1287
5	0 26 37.771	4 19 40.70	.404 8943	20	2 45 52.433	13 03 37.74	.759 1426
6	0 28 15.826	+ 4 18 09.35	0.411 5755	21	2 49 49.290	+13 20 39.53	0.767 1490
7	0 29 59.880	4 17 34.80	.418 3521	22	2 53 47.809	13 37 38.18	.775 1474
8	0 31 49.708	4 17 55.53	.425 2186	23	2 57 47.976	13 54 32.76	.783 1373
9	0 33 45.086	4 19 09.95	.432 1697	24	3 01 49.777	14 11 22.37	.791 1180
10	0 35 45.797	4 21 16.43	.439 2004	25	3 05 53.202	14 28 06.12	.799 0892
11	0 37 51.627	+ 4 24 13.30	0.446 3058	26	3 09 58.244	+14 44 43.15	0.807 0504
12	0 40 02.371	4 27 58.85	.453 4815	27	3 14 04.897	15 01 12.60	.815 0010
13	0 42 17.830	4 32 31.41	.460 7232	28	3 18 13.157	15 17 33.66	.822 9405
14	0 44 37.813	4 37 49.26	.468 0270	29	3 22 23.019	15 33 45.49	.830 8684
15	0 47 02.140	4 43 50.74	.475 3889	30	3 26 34.479	15 49 47.28	.838 7841
16	0 49 30.634	+ 4 50 34.16	0.482 8056	July 1	3 30 47.531	+16 05 38.23	0.846 6868
17	0 52 03.130	+ 4 57 57.89	0.490 2736	2	3 35 02.168	+16 21 17.51	0.854 5756

Semi-diameter: Feb. 24, 19″; Apr. 5, 30″; May 15, 18″; June 24, 11″; Aug. 3, 8″

VENUS, 1985

GEOCENTRIC COORDINATES FOR 0ʰ DYNAMICAL TIME

Date	Apparent Right Ascension	Apparent Declination	True Geocentric Distance	Date	Apparent Right Ascension	Apparent Declination	True Geocentric Distance
	h m s	° ′ ″			h m s	° ′ ″	
July 1	3 30 47.531	+16 05 38.23	0.846 6868	Aug.16	7 07 41.574	+21 31 00.29	1.185 0521
2	3 35 02.168	16 21 17.51	.854 5756	17	7 12 42.073	21 25 58.41	.191 6911
3	3 39 18.379	16 36 44.30	.862 4498	18	7 17 42.612	21 20 21.16	.198 2930
4	3 43 36.156	16 51 57.77	.870 3084	19	7 22 43.143	21 14 08.57	.204 8579
5	3 47 55.488	17 06 57.10	.878 1505	20	7 27 43.621	21 07 20.68	.211 3858
6	3 52 16.362	+17 21 41.45	0.885 9752	21	7 32 44.005	+20 59 57.59	1.217 8767
7	3 56 38.766	17 36 10.01	.893 7816	22	7 37 44.254	20 51 59.41	.224 3308
8	4 01 02.687	17 50 21.97	.901 5688	23	7 42 44.326	20 43 26.28	.230 7479
9	4 05 28.110	18 04 16.52	.909 3360	24	7 47 44.184	20 34 18.39	.237 1283
10	4 09 55.018	18 17 52.90	.917 0824	25	7 52 43.790	20 24 35.90	.243 4718
11	4 14 23.395	+18 31 10.30	0.924 8073	26	7 57 43.106	+20 14 19.04	1.249 7785
12	4 18 53.221	18 44 07.99	.932 5101	27	8 02 42.097	20 03 28.03	.256 0480
13	4 23 24.477	18 56 45.20	.940 1900	28	8 07 40.729	19 52 03.09	.262 2803
14	4 27 57.139	19 09 01.19	.947 8465	29	8 12 38.971	19 40 04.49	.268 4750
15	4 32 31.184	19 20 55.24	.955 4790	30	8 17 36.792	19 27 32.48	.274 6319
16	4 37 06.586	+19 32 26.64	0.963 0869	31	8 22 34.165	+19 14 27.37	1.280 7505
17	4 41 43.317	19 43 34.68	.970 6699	Sept. 1	8 27 31.064	19 00 49.47	.286 8305
18	4 46 21.350	19 54 18.68	.978 2275	2	8 32 27.464	18 46 39.10	.292 8715
19	4 51 00.653	20 04 37.96	.985 7594	3	8 37 23.342	18 31 56.63	.298 8729
20	4 55 41.197	20 14 31.87	0.993 2653	4	8 42 18.676	18 16 42.43	.304 8345
21	5 00 22.951	+20 23 59.77	1.000 7450	5	8 47 13.444	+18 00 56.91	1.310 7556
22	5 05 05.885	20 33 01.03	.008 1984	6	8 52 07.626	17 44 40.50	.316 6360
23	5 09 49.970	20 41 35.06	.015 6253	7	8 57 01.204	17 27 53.63	.322 4752
24	5 14 35.179	20 49 41.28	.023 0257	8	9 01 54.160	17 10 36.78	.328 2728
25	5 19 21.481	20 57 19.15	.030 3993	9	9 06 46.478	16 52 50.41	.334 0284
26	5 24 08.847	+21 04 28.14	1.037 7461	10	9 11 38.142	+16 34 35.03	1.339 7416
27	5 28 57.246	21 11 07.75	.045 0658	11	9 16 29.140	16 15 51.16	.345 4121
28	5 33 46.646	21 17 17.49	.052 3582	12	9 21 19.457	15 56 39.32	.351 0396
29	5 38 37.011	21 22 56.90	.059 6230	13	9 26 09.085	15 37 00.06	.356 6237
30	5 43 28.306	21 28 05.50	.066 8598	14	9 30 58.013	15 16 53.94	.362 1642
31	5 48 20.491	+21 32 42.84	1.074 0680	15	9 35 46.238	+14 56 21.51	1.367 6611
Aug. 1	5 53 13.529	21 36 48.48	.081 2472	16	9 40 33.756	14 35 23.35	.373 1143
2	5 58 07.380	21 40 22.01	.088 3967	17	9 45 20.569	14 14 00.05	.378 5239
3	6 03 02.001	21 43 23.00	.095 5160	18	9 50 06.679	13 52 12.21	.383 8900
4	6 07 57.353	21 45 51.10	.102 6044	19	9 54 52.091	13 30 00.45	.389 2128
5	6 12 53.391	+21 47 45.94	1.109 6614	20	9 59 36.811	+13 07 25.37	1.394 4925
6	6 17 50.071	21 49 07.19	.116 6862	21	10 04 20.848	12 44 27.61	.399 7294
7	6 22 47.347	21 49 54.56	.123 6783	22	10 09 04.211	12 21 07.81	.404 9236
8	6 27 45.173	21 50 07.76	.130 6372	23	10 13 46.909	11 57 26.59	.410 0752
9	6 32 43.500	21 49 46.57	.137 5623	24	10 18 28.958	11 33 24.58	.415 1844
10	6 37 42.279	+21 48 50.76	1.144 4530	25	10 23 10.373	+11 09 02.41	1.420 2510
11	6 42 41.459	21 47 20.14	.151 3090	26	10 27 51.171	10 44 20.71	.425 2752
12	6 47 40.990	21 45 14.56	.158 1298	27	10 32 31.373	10 19 20.12	.430 2568
13	6 52 40.820	21 42 33.87	.164 9148	28	10 37 11.000	9 54 01.25	.435 1957
14	6 57 40.895	21 39 17.98	.171 6637	29	10 41 50.075	9 28 24.76	.440 0917
15	7 02 41.164	+21 35 26.81	1.178 3763	30	10 46 28.622	+ 9 02 31.29	1.444 9447
16	7 07 41.574	+21 31 00.29	1.185 0521	Oct. 1	10 51 06.666	+ 8 36 21.50	1.449 7543

Semi-diameter: June 24, 11″; Aug. 3, 8″; Sept. 12, 6″; Oct. 22, 5″

GEOCENTRIC COORDINATES FOR 0ʰ DYNAMICAL TIME

Date	Apparent Right Ascension	Apparent Declination	True Geocentric Distance	Date	Apparent Right Ascension	Apparent Declination	True Geocentric Distance
	h m s	° ′ ″			h m s	° ′ ″	
Oct. 1	10 51 06.666	+ 8 36 21.50	1.449 7543	Nov.16	14 24 11.018	−12 55 52.24	1.622 4282
2	10 55 44.232	8 09 56.04	.454 5204	17	14 29 01.906	13 21 12.86	.625 1283
3	11 00 21.346	7 43 15.58	.459 2427	18	14 33 53.843	13 46 13.91	.627 7846
4	11 04 58.035	7 16 20.81	.463 9209	19	14 38 46.849	14 10 54.58	.630 3973
5	11 09 34.325	6 49 12.39	.468 5547	20	14 43 40.945	14 35 14.05	.632 9669
6	11 14 10.244	+ 6 21 51.04	1.473 1439	21	14 48 36.153	−14 59 11.55	1.635 4936
7	11 18 45.819	5 54 17.43	.477 6882	22	14 53 32.490	15 22 46.29	.637 9778
8	11 23 21.077	5 26 32.29	.482 1872	23	14 58 29.976	15 45 57.47	.640 4197
9	11 27 56.048	4 58 36.30	.486 6408	24	15 03 28.625	16 08 44.31	.642 8196
10	11 32 30.759	4 30 30.20	.491 0485	25	15 08 28.452	16 31 06.04	.645 1776
11	11 37 05.241	+ 4 02 14.70	1.495 4102	26	15 13 29.467	−16 53 01.89	1.647 4939
12	11 41 39.524	3 33 50.52	.499 7256	27	15 18 31.681	17 14 31.09	.649 7687
13	11 46 13.640	3 05 18.39	.503 9946	28	15 23 35.099	17 35 32.85	.652 0020
14	11 50 47.621	2 36 39.03	.508 2171	29	15 28 39.727	17 56 06.43	.654 1940
15	11 55 21.502	2 07 53.17	.512 3932	30	15 33 45.564	18 16 11.06	.656 3445
16	11 59 55.317	+ 1 39 01.55	1.516 5229	Dec. 1	15 38 52.610	−18 35 45.98	1.658 4537
17	12 04 29.099	1 10 04.89	.520 6066	2	15 44 00.860	18 54 50.43	.660 5214
18	12 09 02.882	0 41 03.96	.524 6446	3	15 49 10.309	19 13 23.68	.662 5476
19	12 13 36.700	+ 0 11 59.49	·.528 6372	4	15 54 20.948	19 31 24.97	.664 5322
20	12 18 10.587	− 0 17 07.78	.532 5847	5	15 59 32.765	19 48 53.57	.666 4751
21	12 22 44.579	− 0 46 17.10	1.536 4874	6	16 04 45.747	−20 05 48.77	1.668 3760
22	12 27 18.713	1 15 27.74	.540 3457	7	16 09 59.878	20 22 09.86	.670 2348
23	12 31 53.029	1 44 38.99	.544 1598	8	16 15 15.141	20 37 56.13	.672 0512
24	12 36 27.565	2 13 50.10	.547 9298	9	16 20 31.512	20 53 06.93	.673 8252
25	12 41 02.362	2 43 00.37	.551 6558	10	16 25 48.968	21 07 41.60	.675 5565
26	12 45 37.460	− 3 12 09.05	1.555 3380	11	16 31 07.477	−21 21 39.50	1.677 2451
27	12 50 12.901	3 41 15.43	.558 9765	12	16 36 27.006	21 35 00.03	.678 8910
28	12 54 48.723	4 10 18.78	.562 5712	13	16 41 47.516	21 47 42.58	.680 4943
29	12 59 24.968	4 39 18.36	.566 1222	14	16 47 08.964	21 59 46.58	.682 0552
30	13 04 01.676	5 08 13.42	.569 6293	15	16 52 31.308	22 11 11.46	.683 5740
31	13 08 38.883	− 5 37 03.23	1.573 0926	16	16 57 54.503	−22 21 56.69	1.685 0512
Nov. 1	13 13 16.630	6 05 47.03	.576 5120	17	17 03 18.506	22 32 01.75	.686 4870
2	13 17 54.953	6 34 24.07	.579 8873	18	17 08 43.271	22 41 26.17	.687 8820
3	13 22 33.888	7 02 53.56	.583 2184	19	17 14 08.753	22 50 09.51	.689 2363
4	13 27 13.471	7 31 14.75	.586 5052	20	17 19 34.903	22 58 11.34	.690 5504
5	13 31 53.737	− 7 59 26.85	1.589 7474	21	17 25 01.671	−23 05 31.30	1.691 8245
6	13 36 34.720	8 27 29.07	.592 9449	22	17 30 29.007	23 12 09.04	.693 0590
7	13 41 16.454	8 55 20.62	.596 0975	23	17 35 56.856	23 18 04.23	.694 2541
8	13 45 58.971	9 23 00.72	.599 2050	24	17 41 25.164	23 23 16.59	.695 4100
9	13 50 42.305	9 50 28.54	.602 2672	25	17 46 53.874	23 27 45.86	.696 5269
10	13 55 26.487	−10 17 43.30	1.605 2838	26	17 52 22.927	−23 31 31.82	1.697 6051
11	14 00 11.549	10 44 44.18	.608 2548	27	17 57 52.263	23 34 34.27	.698 6445
12	14 04 57.521	11 11 30.39	.611 1802	28	18 03 21.823	23 36 53.05	.699 6454
13	14 09 44.429	11 38 01.11	.614 0600	29	18 08 51.544	23 38 28.03	.700 6078
14	14 14 32.300	12 04 15.55	.616 8944	30	18 14 21.365	23 39 19.11	.701 5317
15	14 19 21.156	−12 30 12.86	1.619 6837	31	18 19 51.224	−23 39 26.20	1.702 4170
16	14 24 11.018	−12 55 52.24	1.622 4282	32	18 25 21.057	−23 38 49.27	1.703 2636

Semi-diameter: Sept. 12, 6″; Oct. 22, 5″; Dec. 1, 5″; Jan. 10, 5″

MARS, 1985

GEOCENTRIC COORDINATES FOR 0ʰ DYNAMICAL TIME

Date	Apparent Right Ascension	Apparent Declination	True Geocentric Distance	Date	Apparent Right Ascension	Apparent Declination	True Geocentric Distance
	h m s	° ′ ″			h m s	° ′ ″	
Jan. 0	22 26 25.959	− 10 48 49.92	1.713 3587	Feb. 15	0 34 17.090	+ 3 23 01.08	2.002 0440
1	22 29 18.202	10 31 10.80	.719 5924	16	0 37 00.748	3 41 22.47	.008 2650
2	22 32 10.104	10 13 26.64	.725 8305	17	0 39 44.400	3 59 40.83	.014 4781
3	22 35 01.669	9 55 37.62	.732 0729	18	0 42 28.052	4 17 55.99	.020 6827
4	22 37 52.902	9 37 43.97	.738 3198	19	0 45 11.708	4 36 07.79	.026 8781
5	22 40 43.809	− 9 19 45.87	1.744 5711	20	0 47 55.375	+ 4 54 16.05	2.033 0637
6	22 43 34.394	9 01 43.53	.750 8271	21	0 50 39.060	5 12 20.63	.039 2390
7	22 46 24.662	8 43 37.16	.757 0877	22	0 53 22.768	5 30 21.36	.045 4035
8	22 49 14.619	8 25 26.96	.763 3532	23	0 56 06.507	5 48 18.09	.051 5567
9	22 52 04.270	8 07 13.10	.769 6235	24	0 58 50.282	6 06 10.66	.057 6982
10	22 54 53.623	− 7 48 55.79	1.775 8987	25	1 01 34.100	+ 6 23 58.91	2.063 8277
11	22 57 42.686	7 30 35.19	.782 1787	26	1 04 17.967	6 41 42.69	.069 9447
12	23 00 31.468	7 12 11.46	.788 4633	27	1 07 01.888	6 59 21.84	.076 0491
13	23 03 19.982	6 53 44.77	.794 7523	28	1 09 45.868	7 16 56.22	.082 1406
14	23 06 08.237	6 35 15.27	.801 0454	Mar. 1	1 12 29.913	7 34 25.66	.088 2188
15	23 08 56.244	− 6 16 43.12	1.807 3420	2	1 15 14.027	+ 7 51 50.02	2.094 2838
16	23 11 44.012	5 58 08.51	.813 6417	3	1 17 58.213	8 09 09.13	.100 3353
17	23 14 31.550	5 39 31.59	.819 9439	4	1 20 42.476	8 26 22.83	.106 3734
18	23 17 18.863	5 20 52.57	.826 2480	5	1 23 26.821	8 43 30.99	.112 3978
19	23 20 05.958	5 02 11.62	.832 5534	6	1 26 11.252	9 00 33.44	.118 4087
20	23 22 52.839	− 4 43 28.95	1.838 8595	7	1 28 55.776	+ 9 17 30.04	2.124 4060
21	23 25 39.511	4 24 44.75	.845 1658	8	1 31 40.403	9 34 20.68	.130 3896
22	23 28 25.978	4 05 59.21	.851 4716	9	1 34 25.141	9 51 05.24	.136 3594
23	23 31 12.245	3 47 12.53	.857 7767	10	1 37 10.001	10 07 43.61	.142 3151
24	23 33 58.318	3 28 24.89	.864 0804	11	1 39 54.992	10 24 15.68	.148 2564
25	23 36 44.204	− 3 09 36.48	1.870 3826	12	1 42 40.122	+ 10 40 41.35	2.154 1827
26	23 39 29.910	2 50 47.49	.876 6828	13	1 45 25.398	10 57 00.51	.160 0935
27	23 42 15.441	2 31 58.10	.882 9808	14	1 48 10.823	11 13 13.02	.165 9881
28	23 45 00.806	2 13 08.49	.889 2763	15	1 50 56.402	11 29 18.75	.171 8659
29	23 47 46.010	1 54 18.85	.895 5692	16	1 53 42.138	11 45 17.56	.177 7260
30	23 50 31.062	− 1 35 29.35	1.901 8593	17	1 56 28.036	+ 12 01 09.33	2.183 5680
31	23 53 15.967	1 16 40.18	.908 1464	18	1 59 14.097	12 16 53.91	.189 3909
Feb. 1	23 56 00.734	0 57 51.52	.914 4304	19	2 02 00.327	12 32 31.16	.195 1943
2	23 58 45.367	0 39 03.56	.920 7113	20	2 04 46.729	12 48 00.96	.200 9774
3	0 01 29.874	0 20 16.47	.926 9891	21	2 07 33.307	13 03 23.17	.206 7397
4	0 04 14.261	− 0 01 30.43	1.933 2637	22	2 10 20.064	+ 13 18 37.66	2.212 4805
5	0 06 58.533	+ 0 17 14.37	.939 5352	23	2 13 07.004	13 33 44.30	.218 1993
6	0 09 42.699	0 35 57.77	.945 8036	24	2 15 54.130	13 48 42.96	.223 8958
7	0 12 26.766	0 54 39.60	.952 0687	25	2 18 41.443	14 03 33.53	.229 5693
8	0 15 10.746	1 13 19.72	.958 3307	26	2 21 28.947	14 18 15.87	.235 2195
9	0 17 54.649	+ 1 31 57.98	1.964 5891	27	2 24 16.642	+ 14 32 49.86	2.240 8460
10	0 20 38.488	1 50 34.26	.970 8438	28	2 27 04.529	14 47 15.37	.246 4486
11	0 23 22.274	2 09 08.42	.977 0944	29	2 29 52.609	15 01 32.28	.252 0270
12	0 26 06.019	2 27 40.34	.983 3403	30	2 32 40.881	15 15 40.46	.257 5808
13	0 28 49.732	2 46 09.85	.989 5810	31	2 35 29.346	15 29 39.79	.263 1101
14	0 31 33.420	+ 3 04 36.82	1.995 8158	Apr. 1	2 38 18.002	+ 15 43 30.14	2.268 6146
15	0 34 17.090	+ 3 23 01.08	2.002 0440	2	2 41 06.849	+ 15 57 11.38	2.274 0942

Semi-diameter: Dec. 6, 3″; Jan. 15, 3″; Feb. 24, 2″; Apr. 5, 2″

GEOCENTRIC COORDINATES FOR 0ʰ DYNAMICAL TIME

Date	Apparent Right Ascension	Apparent Declination	True Geocentric Distance	Date	Apparent Right Ascension	Apparent Declination	True Geocentric Distance
	h m s	° ′ ″			h m s	° ′ ″	
Apr. 1	2 38 18.002	+15 43 30.14	2.268 6146	May 17	4 51 03.200	+23 11 24.66	2.489 2192
2	2 41 06.849	15 57 11.38	.274 0942	18	4 53 59.709	23 16 34.66	.493 1637
3	2 43 55.889	16 10 43.40	.279 5490	19	4 56 56.279	23 21 32.18	.497 0650
4	2 46 45.124	16 24 06.07	.284 9790	20	4 59 52.900	23 26 17.20	.500 9228
5	2 49 34.558	16 37 19.30	.290 3840	21	5 02 49.565	23 30 49.69	.504 7365
6	2 52 24.196	+16 50 23.00	2.295 7642	22	5 05 46.262	+23 35 09.64	2.508 5058
7	2 55 14.044	17 03 17.09	.301 1192	23	5 08 42.983	23 39 17.03	.512 2303
8	2 58 04.105	17 16 01.50	.306 4489	24	5 11 39.714	23 43 11.84	.515 9097
9	3 00 54.381	17 28 36.14	.311 7527	25	5 14 36.446	23 46 54.06	.519 5438
10	3 03 44.874	17 41 00.94	.317 0302	26	5 17 33.168	23 50 23.67	.523 1324
11	3 06 35.582	+17 53 15.80	2.322 2808	27	5 20 29.869	+23 53 40.65	2.526 6754
12	3 09 26.506	18 05 20.61	.327 5038	28	5 23 26.540	23 56 44.99	.530 1728
13	3 12 17.643	18 17 15.27	.332 6986	29	5 26 23.173	23 59 36.68	.533 6244
14	3 15 08.993	18 28 59.68	.337 8644	30	5 29 19.760	24 02 15.71	.537 0305
15	3 18 00.555	18 40 33.74	.343 0006	31	5 32 16.296	24 04 42.10	.540 3910
16	3 20 52.329	+18 51 57.35	2.348 1065	June 1	5 35 12.777	+24 06 55.85	2.543 7060
17	3 23 44.312	19 03 10.41	.353 1816	2	5 38 09.196	24 08 57.01	.546 9756
18	3 26 36.505	19 14 12.83	.358 2251	3	5 41 05.546	24 10 45.59	.550 1996
19	3 29 28.906	19 25 04.51	.363 2364	4	5 44 01.821	24 12 21.64	.553 3778
20	3 32 21.512	19 35 45.37	.368 2152	5	5 46 58.011	24 13 45.18	.556 5102
21	3 35 14.321	+19 46 15.33	2.373 1607	6	5 49 54.108	+24 14 56.22	2.559 5961
22	3 38 07.329	19 56 34.29	.378 0726	7	5 52 50.103	24 15 54.78	.562 6352
23	3 41 00.533	20 06 42.17	.382 9504	8	5 55 45.989	24 16 40.87	.565 6269
24	3 43 53.927	20 16 38.89	.387 7937	9	5 58 41.759	24 17 14.51	.568 5706
25	3 46 47.507	20 26 24.38	.392 6022	10	6 01 37.407	24 17 35.72	.571 4658
26	3 49 41.267	+20 35 58.54	2.397 3755	11	6 04 32.924	+24 17 44.51	2.574 3120
27	3 52 35.199	20 45 21.30	.402 1135	12	6 07 28.306	24 17 40.91	.577 1085
28	3 55 29.298	20 54 32.57	.406 8160	13	6 10 23.544	24 17 24.97	.579 8547
29	3 58 23.557	21 03 32.28	.411 4828	14	6 13 18.631	24 16 56.71	.582 5502
30	4 01 17.970	21 12 20.33	.416 1138	15	6 16 13.559	24 16 16.17	.585 1945
May 1	4 04 12.533	+21 20 56.66	2.420 7091	16	6 19 08.320	+24 15 23.41	2.587 7869
2	4 07 07.242	21 29 21.20	.425 2686	17	6 22 02.905	24 14 18.46	.590 3270
3	4 10 02.096	21 37 33.88	.429 7925	18	6 24 57.304	24 13 01.37	.592 8145
4	4 12 57.093	21 45 34.67	.434 2806	19	6 27 51.507	24 11 32.21	.595 2488
5	4 15 52.232	21 53 23.52	.438 7329	20	6 30 45.504	24 09 51.02	.597 6296
6	4 18 47.511	+22 01 00.41	2.443 1493	21	6 33 39.283	+24 07 57.85	2.599 9567
7	4 21 42.925	22 08 25.31	.447 5295	22	6 36 32.834	24 05 52.76	.602 2298
8	4 24 38.469	22 15 38.18	.451 8730	23	6 39 26.147	24 03 35.79	.604 4488
9	4 27 34.136	22 22 38.97	.456 1794	24	6 42 19.213	24 01 07.00	.606 6135
10	4 30 29.920	22 29 27.63	.460 4480	25	6 45 12.024	23 58 26.43	.608 7239
11	4 33 25.816	+22 36 04.12	2.464 6783	26	6 48 04.574	+23 55 34.15	2.610 7802
12	4 36 21.816	22 42 28.38	.468 8696	27	6 50 56.857	23 52 30.21	.612 7823
13	4 39 17.917	22 48 40.35	.473 0212	28	6 53 48.871	23 49 14.69	.614 7304
14	4 42 14.111	22 54 40.01	.477 1326	29	6 56 40.609	23 45 47.65	.616 6246
15	4 45 10.394	23 00 27.30	.481 2031	30	6 59 32.068	23 42 09.20	.618 4650
16	4 48 06.759	+23 06 02.19	2.485 2322	July 1	7 02 23.241	+23 38 19.41	2.620 2516
17	4 51 03.200	+23 11 24.66	2.489 2192	2	7 05 14.125	+23 34 18.37	2.621 9843

Semi-diameter: Feb. 24, 2″; Apr. 5, 2″; May 15, 2″; June 24, 2″; Aug. 3, 2″

MARS, 1985

GEOCENTRIC COORDINATES FOR 0ʰ DYNAMICAL TIME

Date	Apparent Right Ascension	Apparent Declination	True Geocentric Distance	Date	Apparent Right Ascension	Apparent Declination	True Geocentric Distance
	h m s	° ′ ″			h m s	° ′ ″	
July 1	7 02 23.241	+23 38 19.41	2.620 2516	Aug.16	9 07 23.286	+17 42 13.22	2.639 1093
2	7 05 14.125	23 34 18.37	.621 9843	17	9 09 57.549	17 31 09.93	.638 0589
3	7 08 04.711	23 30 06.15	.623 6630	18	9 12 31.436	17 19 59.82	.636 9424
4	7 10 54.994	23 25 42.84	.625 2874	19	9 15 04.949	17 08 43.00	.635 7596
5	7 13 44.970	23 21 08.49	.626 8572	20	9 17 38.090	16 57 19.55	.634 5108
6	7 16 34.635	+23 16 23.18	2.628 3719	21	9 20 10.862	+16 45 49.59	2.633 1961
7	7 19 23.985	23 11 26.96	.629 8312	22	9 22 43.269	16 34 13.23	.631 8156
8	7 22 13.017	23 06 19.91	.631 2344	23	9 25 15.315	16 22 30.57	.630 3698
9	7 25 01.729	23 01 02.09	.632 5812	24	9 27 47.002	16 10 41.75	.628 8588
10	7 27 50.118	22 55 33.60	.633 8709	25	9 30 18.334	15 58 46.86	.627 2829
11	7 30 38.180	+22 49 54.51	2.635 1032	26	9 32 49.311	+15 46 46.03	2.625 6424
12	7 33 25.912	22 44 04.90	.636 2775	27	9 35 19.938	15 34 39.37	.623 9373
13	7 36 13.311	22 38 04.88	.637 3932	28	9 37 50.216	15 22 26.96	.622 1677
14	7 39 00.372	22 31 54.53	.638 4501	29	9 40 20.151	15 10 08.90	.620 3337
15	7 41 47.089	22 25 33.95	.639 4475	30	9 42 49.747	14 57 45.29	.618 4351
16	7 44 33.457	+22 19 03.24	2.640 3851	31	9 45 19.010	+14 45 16.21	2.616 4719
17	7 47 19.469	22 12 22.50	.641 2625	Sept. 1	9 47 47.946	14 32 41.74	.614 4439
18	7 50 05.119	22 05 31.79	.642 0793	2	9 50 16.560	14 20 01.96	.612 3508
19	7 52 50.402	21 58 31.19	.642 8352	3	9 52 44.861	14 07 16.98	.610 1925
20	7 55 35.313	21 51 20.81	.643 5301	4	9 55 12.852	13 54 26.87	.607 9685
21	7 58 19.850	+21 44 00.75	2.644 1638	5	9 57 40.539	+13 41 31.74	2.605 6786
22	8 01 04.007	21 36 31.13	.644 7363	6	10 00 07.927	13 28 31.68	.603 3226
23	8 03 47.781	21 28 52.04	.645 2475	7	10 02 35.021	13 15 26.80	.600 9001
24	8 06 31.171	21 21 03.57	.645 6976	8	10 05 01.823	13 02 17.19	.598 4108
25	8 09 14.176	21 13 05.82	.646 0867	9	10 07 28.338	12 49 02.96	.595 8543
26	8 11 56.797	+21 04 58.89	2.646 4151	10	10 09 54.569	+12 35 44.22	2.593 2305
27	8 14 39.033	20 56 42.89	.646 6828	11	10 12 20.516	12 22 21.09	.590 5390
28	8 17 20.883	20 48 17.94	.646 8900	12	10 14 46.183	12 08 53.66	.587 7795
29	8 20 02.346	20 39 44.14	.647 0369	13	10 17 11.571	11 55 22.04	.584 9519
30	8 22 43.421	20 31 01.61	.647 1234	14	10 19 36.683	11 41 46.35	.582 0559
31	8 25 24.108	+20 22 10.44	2.647 1496	15	10 22 01.522	+11 28 06.68	2.579 0916
Aug. 1	8 28 04.405	20 13 10.73	.647 1152	16	10 24 26.091	11 14 23.14	.576 0590
2	8 30 44.313	20 04 02.57	.647 0202	17	10 26 50.397	11 00 35.81	.572 9583
3	8 33 23.834	19 54 46.04	.646 8641	18	10 29 14.445	10 46 44.81	.569 7897
4	8 36 02.971	19 45 21.23	.646 6467	19	10 31 38.239	10 32 50.23	.566 5537
5	8 38 41.726	+19 35 48.23	2.646 3676	20	10 34 01.784	+10 18 52.20	2.563 2505
6	8 41 20.101	19 26 07.14	.646 0265	21	10 36 25.085	10 04 50.82	.559 8807
7	8 43 58.099	19 16 18.04	.645 6228	22	10 38 48.143	9 50 46.19	.556 4446
8	8 46 35.721	19 06 21.03	.645 1561	23	10 41 10.964	9 36 38.44	.552 9425
9	8 49 12.970	18 56 16.23	.644 6262	24	10 43 33.553	9 22 27.64	.549 3748
10	8 51 49.846	+18 46 03.73	2.644 0324	25	10 45 55.913	+ 9 08 13.90	2.545 7416
11	8 54 26.351	18 35 43.63	.643 3745	26	10 48 18.053	8 53 57.29	.542 0432
12	8 57 02.484	18 25 16.06	.642 6521	27	10 50 39.978	8 39 37.90	.538 2796
13	8 59 38.245	18 14 41.12	.641 8647	28	10 53 01.697	8 25 15.80	.534 4509
14	9 02 13.633	18 03 58.93	.641 0119	29	10 55 23.216	8 10 51.08	.530 5571
15	9 04 48.647	+17 53 09.59	2.640 0936	30	10 57 44.544	+ 7 56 23.81	2.526 5981
16	9 07 23.286	+17 42 13.22	2.639 1093	Oct. 1	11 00 05.688	+ 7 41 54.07	2.522 5740

Semi-diameter: June 24, 2″; Aug. 3, 2″; Sept. 12, 2″; Oct. 22, 2″

GEOCENTRIC COORDINATES FOR 0ʰ DYNAMICAL TIME

Date	Apparent Right Ascension	Apparent Declination	True Geocentric Distance	Date	Apparent Right Ascension	Apparent Declination	True Geocentric Distance
	h m s	° ′ ″			h m s	° ′ ″	
Oct. 1	11 00 05.688	+ 7 41 54.07	2.522 5740	Nov. 16	12 46 25.279	− 3 42 15.84	2.268 0246
2	11 02 26.654	7 27 21.94	.518 4844	17	12 48 43.359	3 56 56.27	.261 0585
3	11 04 47.450	7 12 47.51	.514 3295	18	12 51 01.477	4 11 34.67	.254 0369
4	11 07 08.081	6 58 10.88	.510 1089	19	12 53 19.636	4 26 10.93	.246 9604
5	11 09 28.552	6 43 32.13	.505 8225	20	12 55 37.841	4 40 44.99	.239 8297
6	11 11 48.869	+ 6 28 51.35	2.501 4703	21	12 57 56.099	− 4 55 16.76	2.232 6454
7	11 14 09.035	6 14 08.65	.497 0519	22	13 00 14.417	5 09 46.17	.225 4079
8	11 16 29.055	5 59 24.13	.492 5673	23	13 02 32.801	5 24 13.15	.218 1178
9	11 18 48.931	5 44 37.89	.488 0162	24	13 04 51.257	5 38 37.63	.210 7754
10	11 21 08.668	5 29 50.03	.483 3986	25	13 07 09.790	5 52 59.54	.203 3812
11	11 23 28.269	+ 5 15 00.65	2.478 7143	26	13 09 28.408	− 6 07 18.80	2.195 9356
12	11 25 47.736	5 00 09.86	.473 9633	27	13 11 47.115	6 21 35.34	.188 4388
13	11 28 07.076	4 45 17.75	.469 1456	28	13 14 05.914	6 35 49.08	.180 8911
14	11 30 26.292	4 30 24.42	.464 2613	29	13 16 24.811	6 49 59.95	.173 2929
15	11 32 45.391	4 15 29.97	.459 3107	30	13 18 43.809	7 04 07.85	.165 6442
16	11 35 04.378	+ 4 00 34.48	2.454 2942	Dec. 1	13 21 02.910	− 7 18 12.70	2.157 9454
17	11 37 23.257	3 45 38.07	.449 2123	2	13 23 22.117	7 32 14.40	.150 1965
18	11 39 42.031	3 30 40.85	.444 0656	3	13 25 41.433	7 46 12.87	.142 3979
19	11 42 00.704	3 15 42.92	.438 8546	4	13 28 00.859	8 00 08.00	.134 5496
20	11 44 19.279	3 00 44.39	.433 5799	5	13 30 20.398	8 13 59.71	.126 6519
21	11 46 37.760	+ 2 45 45.35	2.428 2420	6	13 32 40.052	− 8 27 47.89	2.118 7049
22	11 48 56.152	2 30 45.91	.422 8414	7	13 34 59.825	8 41 32.45	.110 7088
23	11 51 14.461	2 15 46.14	.417 3785	8	13 37 19.718	8 55 13.29	.102 6641
24	11 53 32.694	2 00 46.12	.411 8536	9	13 39 39.734	9 08 50.33	.094 5710
25	11 55 50.859	1 45 45.92	.406 2672	10	13 41 59.875	9 22 23.47	.086 4300
26	11 58 08.962	+ 1 30 45.62	2.400 6194	11	13 44 20.141	− 9 35 52.61	2.078 2417
27	12 00 27.013	1 15 45.30	.394 9105	12	13 46 40.531	9 49 17.66	.070 0068
28	12 02 45.017	1 00 45.02	.389 1406	13	13 49 01.043	10 02 38.51	.061 7263
29	12 05 02.982	0 45 44.86	.383 3098	14	13 51 21.674	10 15 55.06	.053 4009
30	12 07 20.915	0 30 44.90	.377 4183	15	13 53 42.423	10 29 07.18	.045 0316
31	12 09 38.822	+ 0 15 45.22	2.371 4661	16	13 56 03.291	− 10 42 14.80	2.036 6194
Nov. 1	12 11 56.709	+ 0 00 45.91	.365 4533	17	13 58 24.281	10 55 17.83	.028 1651
2	12 14 14.579	− 0 14 12.96	.359 3799	18	14 00 45.395	11 08 16.18	.019 6696
3	12 16 32.438	0 29 11.28	.353 2459	19	14 03 06.638	11 21 09.79	.011 1337
4	12 18 50.290	0 44 08.96	.347 0514	20	14 05 28.014	11 33 58.59	2.002 5581
5	12 21 08.139	− 0 59 05.91	2.340 7962	21	14 07 49.526	− 11 46 42.52	1.993 9434
6	12 23 25.987	1 14 02.03	.334 4805	22	14 10 11.178	11 59 21.50	.985 2904
7	12 25 43.838	1 28 57.22	.328 1043	23	14 12 32.973	12 11 55.49	.976 5995
8	12 28 01.696	1 43 51.37	.321 6675	24	14 14 54.914	12 24 24.41	.967 8714
9	12 30 19.564	1 58 44.40	.315 1703	25	14 17 17.003	12 36 48.19	.959 1065
10	12 32 37.448	− 2 13 36.20	2.308 6129	26	14 19 39.241	− 12 49 06.78	1.950 3054
11	12 34 55.351	2 28 26.68	.301 9954	27	14 22 01.629	13 01 20.08	.941 4685
12	12 37 13.278	2 43 15.75	.295 3182	28	14 24 24.168	13 13 28.04	.932 5962
13	12 39 31.232	2 58 03.31	.288 5819	29	14 26 46.857	13 25 30.57	.923 6888
14	12 41 49.217	3 12 49.25	.281 7870	30	14 29 09.698	13 37 27.59	.914 7467
15	12 44 07.232	− 3 27 33.46	2.274 9343	31	14 31 32.688	− 13 49 19.02	1.905 7702
16	12 46 25.279	− 3 42 15.84	2.268 0246	32	14 33 55.828	− 14 01 04.77	1.896 7596

Semi-diameter: Sept. 12, 2″; Oct. 22, 2″; Dec. 1, 2″; Jan. 10, 3″

JUPITER, 1985

GEOCENTRIC COORDINATES FOR 0ʰ DYNAMICAL TIME

Date	Apparent Right Ascension	Apparent Declination	True Geocentric Distance	Date	Apparent Right Ascension	Apparent Declination	True Geocentric Distance
	h m s	° ′ ″			h m s	° ′ ″	
Jan. 0	19 31 56.643	−22 00 51.72	6.114 7699	Feb. 15	20 16 54.439	−20 03 31.36	6.023 1730
1	19 32 55.953	21 58 46.57	.117 5450	16	20 17 50.338	20 00 37.10	.016 3296
2	19 33 55.320	21 56 39.92	.120 1089	17	20 18 46.028	19 57 42.40	.009 2908
3	19 34 54.738	21 54 31.79	.122 4615	18	20 19 41.503	19 54 47.29	6.002 0577
4	19 35 54.201	21 52 22.20	.124 6025	19	20 20 36.756	19 51 51.81	5.994 6315
5	19 36 53.705	−21 50 11.17	6.126 5320	20	20 21 31.780	−19 48 55.98	5.987 0137
6	19 37 53.242	21 47 58.72	.128 2497	21	20 22 26.570	19 45 59.83	.979 2057
7	19 38 52.806	21 45 44.87	.129 7556	22	20 23 21.121	19 43 03.39	.971 2091
8	19 39 52.390	21 43 29.64	.131 0496	23	20 24 15.427	19 40 06.69	.963 0254
9	19 40 51.987	21 41 13.04	.132 1314	24	20 25 09.484	19 37 09.77	.954 6565
10	19 41 51.591	−21 38 55.08	6.133 0008	25	20 26 03.288	−19 34 12.66	5.946 1039
11	19 42 51.196	21 36 35.75	.133 6574	26	20 26 56.833	19 31 15.41	.937 3695
12	19 43 50.799	21 34 15.06	.134 1010	27	20 27 50.115	19 28 18.04	.928 4550
13	19 44 50.398	21 31 53.02	.134 3310	28	20 28 43.129	19 25 20.62	.919 3624
14	19 45 49.999	21 29 29.72	.134 3472	Mar. 1	20 29 35.869	19 22 23.17	.910 0934
15	19 46 49.530	−21 27 06.33	6.134 1489	2	20 30 28.330	−19 19 25.75	5.900 6500
16	19 47 49.053	21 24 39.07	.133 7360	3	20 31 20.504	19 16 28.40	.891 0340
17	19 48 48.590	21 22 11.61	.133 1080	4	20 32 12.387	19 13 31.16	.881 2474
18	19 49 48.088	21 19 43.00	.132 2648	5	20 33 03.971	19 10 34.07	.871 2919
19	19 50 47.544	21 17 13.20	.131 2063	6	20 33 55.251	19 07 37.16	.861 1693
20	19 51 46.949	−21 14 42.21	6.129 9326	7	20 34 46.222	−19 04 40.46	5.850 8813
21	19 52 46.297	21 12 10.05	.128 4436	8	20 35 36.879	19 01 43.99	.840 4295
22	19 53 45.579	21 09 36.75	.126 7398	9	20 36 27.222	18 58 47.76	.829 8155
23	19 54 44.789	21 07 02.31	.124 8215	10	20 37 17.247	18 55 51.81	.819 0406
24	19 55 43.920	21 04 26.76	.122 6892	11	20 38 06.952	18 52 56.17	.808 1064
25	19 56 42.968	−21 01 50.11	6.120 3434	12	20 38 56.331	−18 50 00.90	5.797 0144
26	19 57 41.926	20 59 12.37	.117 7849	13	20 39 45.377	18 47 06.06	.785 7660
27	19 58 40.790	20 56 33.57	.115 0142	14	20 40 34.084	18 44 11.68	.774 3630
28	19 59 39.555	20 53 53.73	.112 0322	15	20 41 22.444	18 41 17.84	.762 8071
29	20 00 38.216	20 51 12.88	.108 8396	16	20 42 10.447	18 38 24.57	.751 1003
30	20 01 36.769	−20 48 31.04	6.105 4373	17	20 42 58.087	−18 35 31.92	5.739 2445
31	20 02 35.209	20 45 48.25	.101 8262	18	20 43 45.355	18 32 39.93	.727 2419
Feb. 1	20 03 33.530	20 43 04.54	.098 0071	19	20 44 32.247	18 29 48.64	.715 0946
2	20 04 31.727	20 40 19.94	.093 9810	20	20 45 18.755	18 26 58.09	.702 8051
3	20 05 29.793	20 37 34.48	.089 7488	21	20 46 04.875	18 24 08.32	.690 3756
4	20 06 27.723	−20 34 48.21	6.085 3115	22	20 46 50.600	−18 21 19.37	5.677 8086
5	20 07 25.509	20 32 01.15	.080 6699	23	20 47 35.927	18 18 31.28	.665 1066
6	20 08 23.145	20 29 13.32	.075 8248	24	20 48 20.850	18 15 44.08	.652 2723
7	20 09 20.625	20 26 24.74	.070 7771	25	20 49 05.364	18 12 57.84	.639 3082
8	20 10 17.946	20 23 35.42	.065 5274	26	20 49 49.464	18 10 12.59	.626 2170
9	20 11 15.105	−20 20 45.38	6.060 0762	27	20 50 33.145	−18 07 28.39	5.613 0015
10	20 12 12.098	20 17 54.62	.054 4243	28	20 51 16.400	18 04 45.29	.599 6643
11	20 13 08.923	20 15 03.18	.048 5720	29	20 51 59.224	18 02 03.33	.586 2082
12	20 14 05.575	20 12 11.09	.042 5201	30	20 52 41.611	17 59 22.58	.572 6359
13	20 15 02.050	20 09 18.40	.036 2691	31	20 53 23.554	17 56 43.07	.558 9502
14	20 15 58.340	−20 06 25.14	6.029 8198	Apr. 1	20 54 05.047	−17 54 04.86	5.545 1539
15	20 16 54.439	−20 03 31.36	6.023 1730	2	20 54 46.082	−17 51 27.99	5.531 2497

Semi-diameter: Dec. 6, 16″; Jan. 15, 16″; Feb. 24, 17″; Apr. 5, 18″

GEOCENTRIC COORDINATES FOR 0ʰ DYNAMICAL TIME

Date	Apparent Right Ascension	Apparent Declination	True Geocentric Distance	Date	Apparent Right Ascension	Apparent Declination	True Geocentric Distance
	h m s	° ′ ″			h m s	° ′ ″	
Apr. 1	20 54 05.047	−17 54 04.86	5.545 1539	May 17	21 16 09.575	−16 28 26.59	4.840 1151
2	20 54 46.082	17 51 27.99	.531 2497	18	21 16 23.523	16 27 37.33	.824 4930
3	20 55 26.656	17 48 52.49	.517 2401	19	21 16 36.755	16 26 51.31	.808 9170
4	20 56 06.762	17 46 18.40	.503 1277	20	21 16 49.267	16 26 08.57	.793 3914
5	20 56 46.399	17 43 45.72	.488 9150	21	21 17 01.056	16 25 29.14	.777 9205
6	20 57 25.563	−17 41 14.50	5.474 6044	22	21 17 12.117	−16 24 53.04	4.762 5087
7	20 58 04.252	17 38 44.77	.460 1982	23	21 17 22.446	16 24 20.31	.747 1602
8	20 58 42.462	17 36 16.58	.445 6986	24	21 17 32.040	16 23 50.98	.731 8793
9	20 59 20.186	17 33 49.98	.431 1081	25	21 17 40.893	16 23 25.07	.716 6705
10	20 59 57.418	17 31 25.04	.416 4290	26	21 17 49.003	16 23 02.59	.701 5380
11	21 00 34.148	−17 29 01.82	5.401 6639	27	21 17 56.368	−16 22 43.56	4.686 4859
12	21 01 10.367	17 26 40.37	.386 8154	28	21 18 02.984	16 22 27.98	.671 5184
13	21 01 46.068	17 24 20.75	.371 8864	29	21 18 08.851	16 22 15.84	.656 6397
14	21 02 21.243	17 22 02.99	.356 8798	30	21 18 13.970	16 22 07.15	.641 8536
15	21 02 55.885	17 19 47.15	.341 7985	31	21 18 18.341	16 22 01.89	.627 1640
16	21 03 29.987	−17 17 33.25	5.326 6457	June 1	21 18 21.966	−16 22 00.06	4.612 5747
17	21 04 03.544	17 15 21.36	.311 4246	2	21 18 24.845	16 22 01.67	.598 0896
18	21 04 36.550	17 13 11.49	.296 1384	3	21 18 26.977	16 22 06.73	.583 7122
19	21 05 08.999	17 11 03.71	.280 7904	4	21 18 28.359	16 22 15.27	.569 4464
20	21 05 40.887	17 08 58.05	.265 3841	5	21 18 28.987	16 22 27.30	.555 2961
21	21 06 12.208	−17 06 54.56	5.249 9230	6	21 18 28.856	−16 22 42.83	4.541 2650
22	21 06 42.957	17 04 53.29	.234 4104	7	21 18 27.965	16 23 01.88	.527 3574
23	21 07 13.129	17 02 54.29	.218 8500	8	21 18 26.311	16 23 24.42	.513 5774
24	21 07 42.717	17 00 57.60	.203 2453	9	21 18 23.894	16 23 50.47	.499 9291
25	21 08 11.715	16 59 03.28	.187 5999	10	21 18 20.713	16 24 19.99	.486 4170
26	21 08 40.117	−16 57 11.38	5.171 9175	11	21 18 16.770	−16 24 52.99	4.473 0455
27	21 09 07.917	16 55 21.95	.156 2015	12	21 18 12.066	16 25 29.44	.459 8189
28	21 09 35.108	16 53 35.03	.140 4556	13	21 18 06.604	16 26 09.32	.446 7417
29	21 10 01.684	16 51 50.66	.124 6834	14	21 18 00.387	16 26 52.62	.433 8184
30	21 10 27.640	16 50 08.87	.108 8883	15	21 17 53.417	16 27 39.32	.421 0535
May 1	21 10 52.971	−16 48 29.71	5.093 0739	16	21 17 45.698	−16 28 29.40	4.408 4515
2	21 11 17.672	16 46 53.18	.077 2435	17	21 17 37.233	16 29 22.85	.396 0167
3	21 11 41.743	16 45 19.30	.061 4003	18	21 17 28.025	16 30 19.63	.383 7538
4	21 12 05.179	16 43 48.11	.045 5476	19	21 17 18.079	16 31 19.74	.371 6671
5	21 12 27.980	16 42 19.64	.029 6886	20	21 17 07.398	16 32 23.13	.359 7610
6	21 12 50.140	−16 40 53.92	5.013 8263	21	21 16 55.987	−16 33 29.79	4.348 0398
7	21 13 11.653	16 39 31.02	4.997 9639	22	21 16 43.850	16 34 39.66	.336 5078
8	21 13 32.511	16 38 10.99	.982 1047	23	21 16 30.994	16 35 52.71	.325 1691
9	21 13 52.705	16 36 53.89	.966 2521	24	21 16 17.426	16 37 08.88	.314 0276
10	21 14 12.229	16 35 39.74	.950 4097	25	21 16 03.154	16 38 28.10	.303 0873
11	21 14 31.073	−16 34 28.61	4.934 5810	26	21 15 48.188	−16 39 50.31	4.292 3518
12	21 14 49.233	16 33 20.50	.918 7698	27	21 15 32.538	16 41 15.45	.281 8249
13	21 15 06.701	16 32 15.47	.902 9800	28	21 15 16.216	16 42 43.44	.271 5098
14	21 15 23.474	16 31 13.53	.887 2156	29	21 14 59.233	16 44 14.23	.261 4101
15	21 15 39.547	16 30 14.72	.871 4806	30	21 14 41.598	16 45 47.76	.251 5290
16	21 15 54.915	−16 29 19.06	4.855 7790	July 1	21 14 23.321	−16 47 23.99	4.241 8697
17	21 16 09.575	−16 28 26.59	4.840 1151	2	21 14 04.408	−16 49 02.87	4.232 4354

Semi-diameter: Feb. 24, 17″; Apr. 5, 18″; May 15, 20″; June 24, 23″; Aug. 3, 24″

JUPITER, 1985

GEOCENTRIC COORDINATES FOR 0^h DYNAMICAL TIME

Date	Apparent Right Ascension	Apparent Declination	True Geocentric Distance	Date	Apparent Right Ascension	Apparent Declination	True Geocentric Distance
	h m s	° ′ ″			h m s	° ′ ″	
July 1	21 14 23.321	−16 47 23.99	4.241 8697	Aug. 16	20 53 02.133	−18 26 12.98	4.084 3040
2	21 14 04.408	16 49 02.87	.232 4354	17	20 52 32.141	18 28 18.71	.087 6614
3	21 13 44.867	16 50 44.36	.223 2294	18	20 52 02.411	18 30 22.80	.091 3083
4	21 13 24.707	16 52 28.38	.214 2549	19	20 51 32.969	18 32 25.17	.095 2429
5	21 13 03.935	16 54 14.88	.205 5153	20	20 51 03.839	18 34 25.71	.099 4634
6	21 12 42.563	−16 56 03.78	4.197 0139	21	20 50 35.045	−18 36 24.34	4.103 9673
7	21 12 20.603	16 57 55.00	.188 7542	22	20 50 06.610	18 38 20.98	.108 7525
8	21 11 58.066	16 59 48.47	.180 7395	23	20 49 38.556	18 40 15.58	.113 8164
9	21 11 34.968	17 01 44.09	.172 9731	24	20 49 10.903	18 42 08.07	.119 1563
10	21 11 11.323	17 03 41.79	.165 4585	25	20 48 43.669	18 43 58.41	.124 7697
11	21 10 47.146	−17 05 41.48	4.158 1988	26	20 48 16.871	−18 45 46.55	4.130 6539
12	21 10 22.453	17 07 43.08	.151 1974	27	20 47 50.524	18 47 32.43	.136 8061
13	21 09 57.260	17 09 46.51	.144 4572	28	20 47 24.644	18 49 16.02	.143 2236
14	21 09 31.583	17 11 51.67	.137 9815	29	20 46 59.247	18 50 57.25	.149 9038
15	21 09 05.440	17 13 58.49	.131 7731	30	20 46 34.350	18 52 36.07	.156 8438
16	21 08 38.846	−17 16 06.89	4.125 8349	31	20 46 09.970	−18 54 12.42	4.164 0409
17	21 08 11.818	17 18 16.77	.120 1697	Sept. 1	20 45 46.123	18 55 46.25	.171 4924
18	21 07 44.376	17 20 28.04	.114 7800	2	20 45 22.826	18 57 17.51	.179 1954
19	21 07 16.535	17 22 40.60	.109 6683	3	20 45 00.096	18 58 46.16	.187 1472
20	21 06 48.315	17 24 54.36	.104 8369	4	20 44 37.950	19 00 12.15	.195 3447
21	21 06 19.737	−17 27 09.20	4.100 2878	5	20 44 16.402	−19 01 35.45	4.203 7849
22	21 05 50.820	17 29 25.00	.096 0229	6	20 43 55.468	19 02 56.02	.212 4649
23	21 05 21.588	17 31 41.65	.092 0438	7	20 43 35.163	19 04 13.84	.221 3814
24	21 04 52.064	17 33 59.02	.088 3518	8	20 43 15.499	19 05 28.88	.230 5312
25	21 04 22.272	17 36 17.01	.084 9483	9	20 42 56.489	19 06 41.12	.239 9110
26	21 03 52.234	−17 38 35.50	4.081 8342	10	20 42 38.146	−19 07 50.52	4.249 5173
27	21 03 21.973	17 40 54.41	.079 0105	11	20 42 20.481	19 08 57.07	.259 3466
28	21 02 51.510	17 43 13.63	.076 4780	12	20 42 03.506	19 10 00.74	.269 3953
29	21 02 20.864	17 45 33.08	.074 2373	13	20 41 47.230	19 11 01.50	.279 6595
30	21 01 50.055	17 47 52.67	.072 2891	14	20 41 31.664	19 11 59.30	.290 1353
31	21 01 19.102	−17 50 12.32	4.070 6340	15	20 41 16.821	−19 12 54.13	4.300 8187
Aug. 1	21 00 48.023	17 52 31.92	.069 2726	16	20 41 02.713	19 13 45.92	.311 7053
2	21 00 16.840	17 54 51.38	.068 2054	17	20 40 49.351	19 14 34.66	.322 7906
3	20 59 45.574	17 57 10.59	.067 4330	18	20 40 36.746	19 15 20.32	.334 0703
4	20 59 14.247	17 59 29.44	.066 9559	19	20 40 24.908	19 16 02.90	.345 5396
5	20 58 42.883	−18 01 47.83	4.066 7744	20	20 40 13.843	−19 16 42.38	4.357 1939
6	20 58 11.505	18 04 05.66	.066 8890	21	20 40 03.556	19 17 18.79	.369 0286
7	20 57 40.136	18 06 22.84	.067 2997	22	20 39 54.050	19 17 52.12	.381 0391
8	20 57 08.802	18 08 39.26	.068 0069	23	20 39 45.327	19 18 22.38	.393 2210
9	20 56 37.524	18 10 54.84	.069 0103	24	20 39 37.389	19 18 49.57	.405 5698
10	20 56 06.328	−18 13 09.48	4.070 3100	25	20 39 30.239	−19 19 13.68	4.418 0812
11	20 55 35.236	18 15 23.10	.071 9057	26	20 39 23.880	19 19 34.71	.430 7508
12	20 55 04.271	18 17 35.62	.073 7969	27	20 39 18.313	19 19 52.64	.443 5744
13	20 54 33.456	18 19 46.95	.075 9832	28	20 39 13.543	19 20 07.47	.456 5479
14	20 54 02.813	18 21 57.02	.078 4637	29	20 39 09.573	19 20 19.19	.469 6670
15	20 53 32.364	−18 24 05.72	4.081 2377	30	20 39 06.405	−19 20 27.80	4.482 9276
16	20 53 02.133	−18 26 12.98	4.084 3040	Oct. 1	20 39 04.042	−19 20 33.31	4.496 3256

Semi-diameter: June 24, 23″; Aug. 3, 24″; Sept. 12, 23″; Oct. 22, 21″

GEOCENTRIC COORDINATES FOR 0^h DYNAMICAL TIME

Date	Apparent Right Ascension	Apparent Declination	True Geocentric Distance	Date	Apparent Right Ascension	Apparent Declination	True Geocentric Distance
	h m s	° ′ ″			h m s	° ′ ″	
Oct. 1	20 39 04.042	−19 20 33.31	4.496 3256	Nov.16	20 51 10.749	−18 30 44.64	5.186 8115
2	20 39 02.487	19 20 35.71	.509 8569	17	20 51 42.824	18 28 32.73	.201 8801
3	20 39 01.740	19 20 35.02	.523 5173	18	20 52 15.478	18 26 18.18	.216 8889
4	20 39 01.804	19 20 31.23	.537 3027	19	20 52 48.701	18 24 00.99	.231 8343
5	20 39 02.677	19 20 24.37	.551 2090	20	20 53 22.484	18 21 41.19	.246 7131
6	20 39 04.361	−19 20 14.43	4.565 2319	21	20 53 56.820	−18 19 18.76	5.261 5221
7	20 39 06.854	19 20 01.44	.579 3673	22	20 54 31.701	18 16 53.72	.276 2583
8	20 39 10.155	19 19 45.39	.593 6109	23	20 55 07.119	18 14 26.09	.290 9186
9	20 39 14.262	19 19 26.29	.607 9584	24	20 55 43.069	18 11 55.87	.305 5001
10	20 39 19.174	19 19 04.15	.622 4055	25	20 56 19.542	18 09 23.07	.320 0000
11	20 39 24.889	−19 18 38.97	4.636 9478	26	20 56 56.532	−18 06 47.72	5.334 4154
12	20 39 31.405	19 18 10.72	.651 5807	27	20 57 34.031	18 04 09.84	.348 7434
13	20 39 38.723	19 17 39.41	.666 2996	28	20 58 12.031	18 01 29.43	.362 9814
14	20 39 46.843	19 17 05.01	.681 0999	29	20 58 50.525	17 58 46.53	.377 1265
15	20 39 55.764	19 16 27.53	.695 9768	30	20 59 29.503	17 56 01.16	.391 1762
16	20 40 05.486	−19 15 46.98	4.710 9253	Dec. 1	21 00 08.957	−17 53 13.32	5.405 1275
17	20 40 16.006	19 15 03.37	.725 9407	2	21 00 48.880	17 50 23.05	.418 9780
18	20 40 27.319	19 14 16.73	.741 0182	3	21 01 29.263	17 47 30.35	.432 7247
19	20 40 39.416	19 13 27.09	.756 1531	4	21 02 10.098	17 44 35.23	.446 3650
20	20 40 52.291	19 12 34.46	.771 3408	5	21 02 51.377	17 41 37.69	.459 8960
21	20 41 05.934	−19 11 38.88	4.786 5769	6	21 03 33.095	−17 38 37.75	5.473 3150
22	20 41 20.340	19 10 40.34	.801 8571	7	21 04 15.244	17 35 35.39	.486 6191
23	20 41 35.502	19 09 38.85	.817 1773	8	21 04 57.821	17 32 30.62	.499 8054
24	20 41 51.413	19 08 34.42	.832 5332	9	21 05 40.821	17 29 23.45	.512 8708
25	20 42 08.068	19 07 27.05	.847 9210	10	21 06 24.237	17 26 13.88	.525 8125
26	20 42 25.462	−19 06 16.76	4.863 3366	11	21 07 08.063	−17 23 01.93	5.538 6273
27	20 42 43.589	19 05 03.54	.878 7762	12	21 07 52.291	17 19 47.65	.551 3124
28	20 43 02.446	19 03 47.41	.894 2360	13	21 08 36.911	17 16 31.06	.563 8647
29	20 43 22.026	19 02 28.38	.909 7121	14	21 09 21.911	17 13 12.20	.576 2817
30	20 43 42.323	19 01 06.46	.925 2009	15	21 10 07.279	17 09 51.10	.588 5605
31	20 44 03.333	−18 59 41.68	4.940 6986	16	21 10 53.008	−17 06 27.77	5.600 6989
Nov. 1	20 44 25.047	18 58 14.05	.956 2014	17	21 11 39.087	17 03 02.22	.612 6945
2	20 44 47.460	18 56 43.59	.971 7058	18	21 12 25.509	16 59 34.48	.624 5452
3	20 45 10.564	18 55 10.31	4.987 2080	19	21 13 12.267	16 56 04.54	.636 2488
4	20 45 34.352	18 53 34.23	5.002 7043	20	21 13 59.356	16 52 32.42	.647 8035
5	20 45 58.817	−18 51 55.36	5.018 1910	21	21 14 46.768	−16 48 58.15	5.659 2072
6	20 46 23.951	18 50 13.70	.033 6644	22	21 15 34.497	16 45 21.74	.670 4582
7	20 46 49.746	18 48 29.28	.049 1207	23	21 16 22.537	16 41 43.21	.681 5546
8	20 47 16.198	18 46 42.08	.064 5561	24	21 17 10.880	16 38 02.58	.692 4947
9	20 47 43.299	18 44 52.09	.079 9667	25	21 17 59.521	16 34 19.89	.703 2768
10	20 48 11.045	−18 42 59.33	5.095 3486	26	21 18 48.451	−16 30 35.15	5.713 8992
11	20 48 39.431	18 41 03.77	.110 6979	27	21 19 37.663	16 26 48.39	.724 3603
12	20 49 08.452	18 39 05.43	.126 0103	28	21 20 27.150	16 22 59.65	.734 6584
13	20 49 38.104	18 37 04.31	.141 2819	29	21 21 16.905	16 19 08.93	.744 7919
14	20 50 08.377	18 35 00.46	.156 5086	30	21 22 06.919	16 15 16.27	.754 7591
15	20 50 39.263	−18 32 53.89	5.171 6864	31	21 22 57.186	−16 11 21.68	5.764 5585
16	20 51 10.749	−18 30 44.64	5.186 8115	32	21 23 47.699	−16 07 25.17	5.774 1883

Semi-diameter: Sept. 12, 23″; Oct. 22, 21″; Dec. 1, 18″; Jan. 10, 17″

SATURN, 1985

GEOCENTRIC COORDINATES FOR 0ʰ DYNAMICAL TIME

Date	Apparent Right Ascension	Apparent Declination	True Geocentric Distance	Date	Apparent Right Ascension	Apparent Declination	True Geocentric Distance
	h m s	o ′ ″			h m s	o ′ ″	
Jan. 0	15 31 12.368	−16 55 10.97	10.581 8903	Feb. 15	15 44 04.397	−17 31 53.30	9.895 2469
1	15 31 35.742	16 56 27.37	.570 0176	16	15 44 12.898	17 32 09.65	.878 5693
2	15 31 58.888	16 57 42.60	.557 9589	17	15 44 20.993	17 32 24.62	.861 8881
3	15 32 21.804	16 58 56.66	.545 7175	18	15 44 28.679	17 32 38.20	.845 2083
4	15 32 44.484	17 00 09.55	.533 2962	19	15 44 35.952	17 32 50.40	.828 5352
5	15 33 06.925	−17 01 21.27	10.520 6981	20	15 44 42.811	−17 33 01.20	9.811 8739
6	15 33 29.120	17 02 31.81	.507 9264	21	15 44 49.255	17 33 10.59	.795 2298
7	15 33 51.065	17 03 41.17	.494 9839	22	15 44 55.284	17 33 18.59	.778 6079
8	15 34 12.753	17 04 49.34	.481 8736	23	15 45 00.898	17 33 25.20	.762 0136
9	15 34 34.179	17 05 56.29	.468 5985	24	15 45 06.096	17 33 30.42	.745 4519
10	15 34 55.336	−17 07 02.01	10.455 1616	25	15 45 10.879	−17 33 34.27	9.728 9280
11	15 35 16.221	17 08 06.48	.441 5657	26	15 45 15.248	17 33 36.75	.712 4471
12	15 35 36.831	17 09 09.68	.427 8140	27	15 45 19.200	17 33 37.88	.696 0142
13	15 35 57.162	17 10 11.60	.413 9094	28	15 45 22.738	17 33 37.68	.679 6342
14	15 36 17.211	17 11 12.25	.399 8552	Mar. 1	15 45 25.859	17 33 36.14	.663 3121
15	15 36 36.976	−17 12 11.63	10.385 6547	2	15 45 28.562	−17 33 33.29	9.647 0529
16	15 36 56.453	17 13 09.73	.371 3114	3	15 45 30.848	17 33 29.13	.630 8613
17	15 37 15.637	17 14 06.57	.356 8289	4	15 45 32.713	17 33 23.65	.614 7421
18	15 37 34.522	17 15 02.13	.342 2109	5	15 45 34.158	17 33 16.87	.598 6999
19	15 37 53.101	17 15 56.41	.327 4615	6	15 45 35.181	17 33 08.76	.582 7393
20	15 38 11.367	−17 16 49.39	10.312 5846	7	15 45 35.782	−17 32 59.32	9.566 8647
21	15 38 29.316	17 17 41.07	.297 5844	8	15 45 35.964	17 32 48.56	.551 0806
22	15 38 46.940	17 18 31.42	.282 4652	9	15 45 35.730	17 32 36.47	.535 3914
23	15 39 04.237	17 19 20.44	.267 2313	10	15 45 35.081	17 32 23.07	.519 8017
24	15 39 21.201	17 20 08.10	.251 8871	11	15 45 34.021	17 32 08.38	.504 3160
25	15 39 37.830	−17 20 54.40	10.236 4369	12	15 45 32.550	−17 31 52.42	9.488 9392
26	15 39 54.122	17 21 39.35	.220 8852	13	15 45 30.668	17 31 35.21	.473 6761
27	15 40 10.074	17 22 22.93	.205 2364	14	15 45 28.373	17 31 16.75	.458 5315
28	15 40 25.682	17 23 05.15	.189 4949	15	15 45 25.665	17 30 57.04	.443 5106
29	15 40 40.946	17 23 46.01	.173 6651	16	15 45 22.543	17 30 36.09	.428 6182
30	15 40 55.862	−17 24 25.53	10.157 7514	17	15 45 19.008	−17 30 13.90	9.413 8596
31	15 41 10.427	17 25 03.69	.141 7583	18	15 45 15.062	17 29 50.47	.399 2396
Feb. 1	15 41 24.638	17 25 40.52	.125 6901	19	15 45 10.706	17 29 25.80	.384 7635
2	15 41 38.491	17 26 16.01	.109 5512	20	15 45 05.944	17 28 59.89	.370 4361
3	15 41 51.982	17 26 50.17	.093 3459	21	15 45 00.778	17 28 32.76	.356 2624
4	15 42 05.107	−17 27 22.98	10.077 0786	22	15 44 55.214	−17 28 04.42	9.342 2473
5	15 42 17.861	17 27 54.45	.060 7533	23	15 44 49.255	17 27 34.89	.328 3956
6	15 42 30.239	17 28 24.56	.044 3744	24	15 44 42.906	17 27 04.18	.314 7121
7	15 42 42.238	17 28 53.29	.027 9459	25	15 44 36.172	17 26 32.32	.301 2013
8	15 42 53.857	17 29 20.63	10.011 4719	26	15 44 29.057	17 25 59.34	.287 8679
9	15 43 05.093	−17 29 46.57	9.994 9567	27	15 44 21.564	−17 25 25.25	9.274 7163
10	15 43 15.946	17 30 11.12	.978 4046	28	15 44 13.698	17 24 50.07	.261 7508
11	15 43 26.416	17 30 34.29	.961 8198	29	15 44 05.463	17 24 13.83	.248 9756
12	15 43 36.499	17 30 56.09	.945 2069	30	15 43 56.863	17 23 36.54	.236 3949
13	15 43 46.193	17 31 16.52	.928 5706	31	15 43 47.899	17 22 58.22	.224 0127
14	15 43 55.494	−17 31 35.59	9.911 9156	Apr. 1	15 43 38.577	−17 22 18.88	9.211 8328
15	15 44 04.397	−17 31 53.30	9.895 2469	2	15 43 28.901	−17 21 38.52	9.199 8589

Semi-diameter: Dec. 6, 8″; Jan. 15, 8″; Feb. 24, 9″; Apr. 5, 9″

GEOCENTRIC COORDINATES FOR 0ʰ DYNAMICAL TIME

Date	Apparent Right Ascension	Apparent Declination	True Geocentric Distance	Date	Apparent Right Ascension	Apparent Declination	True Geocentric Distance
	h m s	o ′ ″			h m s	o ′ ″	
Apr. 1	15 43 38.577	−17 22 18.88	9.211 8328	May 17	15 31 54.998	−16 39 41.58	8.924 5457
2	15 43 28.901	17 21 38.52	.199 8589	18	15 31 36.745	16 38 39.87	.925 0359
3	15 43 18.873	17 20 57.15	.188 0947	19	15 31 18.514	16 37 38.41	.925 8283
4	15 43 08.502	17 20 14.78	.176 5436	20	15 31 00.313	16 36 37.23	.926 9228
5	15 42 57.792	17 19 31.42	.165 2090	21	15 30 42.154	16 35 36.37	.928 3186
6	15 42 46.754	−17 18 47.08	9.154 0943	22	15 30 24.044	−16 34 35.88	8.930 0153
7	15 42 35.393	17 18 01.81	.143 2029	23	15 30 05.993	16 33 35.79	.932 0118
8	15 42 23.716	17 17 15.63	.132 5382	24	15 29 48.010	16 32 36.13	.934 3072
9	15 42 11.729	17 16 28.58	.122 1039	25	15 29 30.101	16 31 36.92	.936 9004
10	15 41 59.434	17 15 40.68	.111 9035	26	15 29 12.275	16 30 38.21	.939 7898
11	15 41 46.835	−17 14 51.94	9.101 9406	27	15 28 54.542	−16 29 40.00	8.942 9741
12	15 41 33.936	17 14 02.37	.092 2189	28	15 28 36.909	16 28 42.32	.946 4516
13	15 41 20.742	17 13 12.00	.082 7421	29	15 28 19.387	16 27 45.20	.950 2204
14	15 41 07.259	17 12 20.82	.073 5135	30	15 28 01.986	16 26 48.66	.954 2788
15	15 40 53.494	17 11 28.85	.064 5369	31	15 27 44.717	16 25 52.75	.958 6248
16	15 40 39.454	−17 10 36.12	9.055 8155	June 1	15 27 27.589	−16 24 57.49	8.963 2565
17	15 40 25.148	17 09 42.64	.047 3526	2	15 27 10.612	16 24 02.94	.968 1719
18	15 40 10.583	17 08 48.44	.039 1513	3	15 26 53.793	16 23 09.14	.973 3692
19	15 39 55.770	17 07 53.56	.031 2149	4	15 26 37.137	16 22 16.11	.978 8464
20	15 39 40.718	17 06 58.01	.023 5461	5	15 26 20.650	16 21 23.88	.984 6019
21	15 39 25.434	−17 06 01.85	9.016 1477	6	15 26 04.337	−16 20 32.47	8.990 6337
22	15 39 09.928	17 05 05.09	.009 0225	7	15 25 48.204	16 19 41.89	8.996 9401
23	15 38 54.209	17 04 07.79	9.002 1728	8	15 25 32.258	16 18 52.16	9.003 5191
24	15 38 38.286	17 03 09.96	8.995 6011	9	15 25 16.507	16 18 03.30	.010 3687
25	15 38 22.165	17 02 11.65	.989 3095	10	15 25 00.960	16 17 15.34	.017 4869
26	15 38 05.855	−17 01 12.89	8.983 3000	11	15 24 45.625	−16 16 28.30	9.024 8713
27	15 37 49.363	17 00 13.70	.977 5744	12	15 24 30.510	16 15 42.22	.032 5196
28	15 37 32.697	16 59 14.11	.972 1346	13	15 24 15.626	16 14 57.12	.040 4293
29	15 37 15.866	16 58 14.13	.966 9818	14	15 24 00.979	16 14 13.05	.048 5978
30	15 36 58.877	16 57 13.80	.962 1177	15	15 23 46.579	16 13 30.03	.057 0224
May 1	15 36 41.739	−16 56 13.12	8.957 5432	16	15 23 32.431	−16 12 48.11	9.065 7001
2	15 36 24.463	16 55 12.12	.953 2596	17	15 23 18.545	16 12 07.31	.074 6279
3	15 36 07.059	16 54 10.83	.949 2677	18	15 23 04.925	16 11 27.66	.083 8028
4	15 35 49.540	16 53 09.28	.945 5686	19	15 22 51.577	16 10 49.20	.093 2215
5	15 35 31.914	16 52 07.53	.942 1631	20	15 22 38.507	16 10 11.94	.102 8805
6	15 35 14.192	−16 51 05.61	8.939 0522	21	15 22 25.720	−16 09 35.89	9.112 7763
7	15 34 56.380	16 50 03.56	.936 2370	22	15 22 13.221	16 09 01.09	.122 9051
8	15 34 38.485	16 49 01.42	.933 7184	23	15 22 01.014	16 08 27.52	.133 2634
9	15 34 20.513	16 47 59.20	.931 4975	24	15 21 49.105	16 07 55.22	.143 8470
10	15 34 02.471	16 46 56.93	.929 5753	25	15 21 37.500	16 07 24.18	.154 6522
11	15 33 44.367	−16 45 54.62	8.927 9527	26	15 21 26.205	−16 06 54.42	9.165 6749
12	15 33 26.210	16 44 52.30	.926 6305	27	15 21 15.228	16 06 25.97	.176 9111
13	15 33 08.011	16 43 49.99	.925 6095	28	15 21 04.574	16 05 58.84	.188 3567
14	15 32 49.779	16 42 47.73	.924 8902	29	15 20 54.250	16 05 33.08	.200 0079
15	15 32 31.526	16 41 45.55	.924 4729	30	15 20 44.258	16 05 08.69	.211 8608
16	15 32 13.262	−16 40 43.49	8.924 3581	July 1	15 20 34.602	−16 04 45.71	9.223 9114
17	15 31 54.998	−16 39 41.58	8.924 5457	2	15 20 25.284	−16 04 24.14	9.236 1562

Semi-diameter: Feb. 24, 9″; Apr. 5, 9″; May 15, 9″; June 24, 9″; Aug. 3, 9″

SATURN, 1985

GEOCENTRIC COORDINATES FOR 0ʰ DYNAMICAL TIME

Date	Apparent Right Ascension	Apparent Declination	True Geocentric Distance	Date	Apparent Right Ascension	Apparent Declination	True Geocentric Distance
	h m s	° ′ ″			h m s	° ′ ″	
July 1	15 20 34.602	−16 04 45.71	9.223 9114	Aug.16	15 19 51.817	−16 13 53.58	9.920 7616
2	15 20 25.284	16 04 24.14	.236 1562	17	15 19 59.933	16 14 40.11	.937 3516
3	15 20 16.303	16 04 03.99	.248 5913	18	15 20 08.423	16 15 27.96	.953 9312
4	15 20 07.663	16 03 45.25	.261 2133	19	15 20 17.286	16 16 17.13	.970 4956
5	15 19 59.364	16 03 27.93	.274 0183	20	15 20 26.522	16 17 07.61	9.987 0403
6	15 19 51.412	−16 03 12.03	9.287 0028	21	15 20 36.131	−16 17 59.38	10.003 5607
7	15 19 43.808	16 02 57.55	.300 1629	22	15 20 46.112	16 18 52.44	.020 0521
8	15 19 36.559	16 02 44.50	.313 4950	23	15 20 56.463	16 19 46.79	.036 5104
9	15 19 29.669	16 02 32.90	.326 9950	24	15 21 07.181	16 20 42.41	.052 9313
10	15 19 23.142	16 02 22.77	.340 6591	25	15 21 18.261	16 21 39.30	.069 3106
11	15 19 16.983	−16 02 14.11	9.354 4831	26	15 21 29.699	−16 22 37.43	10.085 6446
12	15 19 11.195	16 02 06.95	.368 4630	27	15 21 41.490	16 23 36.78	.101 9292
13	15 19 05.781	16 02 01.30	.382 5945	28	15 21 53.630	16 24 37.31	.118 1608
14	15 19 00.745	16 01 57.18	.396 8733	29	15 22 06.116	16 25 39.00	.134 3356
15	15 18 56.089	16 01 54.59	.411 2951	30	15 22 18.944	16 26 41.83	.150 4499
16	15 18 51.813	−16 01 53.56	9.425 8554	31	15 22 32.114	−16 27 45.78	10.166 5000
17	15 18 47.920	16 01 54.08	.440 5496	Sept. 1	15 22 45.625	16 28 50.82	.182 4823
18	15 18 44.410	16 01 56.15	.455 3731	2	15 22 59.474	16 29 56.95	.198 3931
19	15 18 41.284	16 01 59.77	.470 3212	3	15 23 13.661	16 31 04.15	.214 2286
20	15 18 38.541	16 02 04.94	.485 3891	4	15 23 28.184	16 32 12.41	.229 9852
21	15 18 36.184	−16 02 11.63	9.500 5720	5	15 23 43.042	−16 33 21.74	10.245 6590
22	15 18 34.214	16 02 19.85	.515 8649	6	15 23 58.232	16 34 32.11	.261 2462
23	15 18 32.632	16 02 29.59	.531 2630	7	15 24 13.752	16 35 43.51	.276 7432
24	15 18 31.443	16 02 40.86	.546 7614	8	15 24 29.598	16 36 55.93	.292 1459
25	15 18 30.648	16 02 53.65	.562 3555	9	15 24 45.767	16 38 09.37	.307 4507
26	15 18 30.249	−16 03 07.99	9.578 0404	10	15 25 02.255	−16 39 23.79	10.322 6535
27	15 18 30.245	16 03 23.86	.593 8115	11	15 25 19.059	16 40 39.17	.337 7505
28	15 18 30.637	16 03 41.29	.609 6645	12	15 25 36.173	16 41 55.50	.352 7377
29	15 18 31.422	16 04 00.26	.625 5948	13	15 25 53.595	16 43 12.73	.367 6112
30	15 18 32.597	16 04 20.76	.641 5983	14	15 26 11.319	16 44 30.84	.382 3670
31	15 18 34.161	−16 04 42.77	9.657 6707	15	15 26 29.345	−16 45 49.80	10.397 0011
Aug. 1	15 18 36.111	16 05 06.29	.673 8078	16	15 26 47.671	16 47 09.59	.411 5094
2	15 18 38.447	16 05 31.28	.690 0056	17	15 27 06.295	16 48 30.19	.425 8883
3	15 18 41.168	16 05 57.75	.706 2599	18	15 27 25.215	16 49 51.59	.440 1339
4	15 18 44.276	16 06 25.67	.722 5665	19	15 27 44.430	16 51 13.79	.454 2427
5	15 18 47.771	−16 06 55.04	9.738 9213	20	15 28 03.933	−16 52 36.77	10.468 2112
6	15 18 51.655	16 07 25.87	.755 3201	21	15 28 23.720	16 54 00.52	.482 0362
7	15 18 55.928	16 07 58.15	.771 7585	22	15 28 43.785	16 55 25.01	.495 7147
8	15 19 00.590	16 08 31.88	.788 2323	23	15 29 04.122	16 56 50.21	.509 2435
9	15 19 05.642	16 09 07.06	.804 7370	24	15 29 24.724	16 58 16.09	.522 6198
10	15 19 11.084	−16 09 43.70	9.821 2683	25	15 29 45.589	−16 59 42.62	10.535 8409
11	15 19 16.913	16 10 21.78	.837 8218	26	15 30 06.712	17 01 09.77	.548 9038
12	15 19 23.129	16 11 01.30	.854 3928	27	15 30 28.089	17 02 37.51	.561 8058
13	15 19 29.730	16 11 42.26	.870 9770	28	15 30 49.719	17 04 05.82	.574 5443
14	15 19 36.713	16 12 24.64	.887 5696	29	15 31 11.599	17 05 34.69	.587 1165
15	15 19 44.077	−16 13 08.42	9.904 1660	30	15 31 33.727	−17 07 04.10	10.599 5196
16	15 19 51.817	−16 13 53.58	9.920 7616	Oct. 1	15 31 56.101	−17 08 34.03	10.611 7510

Semi-diameter: June 24, 9″; Aug. 3, 9″; Sept. 12, 8″; Oct. 22, 8″

GEOCENTRIC COORDINATES FOR 0ʰ DYNAMICAL TIME

Date	Apparent Right Ascension	Apparent Declination	True Geocentric Distance	Date	Apparent Right Ascension	Apparent Declination	True Geocentric Distance
	h m s	° ′ ″			h m s	° ′ ″	
Oct. 1	15 31 56.101	−17 08 34.03	10.611 7510	Nov.16	15 52 21.236	−18 21 30.68	10.946 6293
2	15 32 18.718	17 10 04.49	.623 8078	17	15 52 50.525	18 23 03.86	.948 2812
3	15 32 41.575	17 11 35.44	.635 6874	18	15 53 19.849	18 24 36.67	.949 6748
4	15 33 04.668	17 13 06.89	.647 3870	19	15 53 49.202	18 26 09.07	.950 8102
5	15 33 27.993	17 14 38.81	.658 9038	20	15 54 18.582	18 27 41.04	.951 6872
6	15 33 51.547	−17 16 11.20	10.670 2350	21	15 54 47.983	−18 29 12.54	10.952 3059
7	15 34 15.324	17 17 44.02	.681 3778	22	15 55 17.400	18 30 43.56	.952 6663
8	15 34 39.320	17 19 17.26	.692 3294	23	15 55 46.828	18 32 14.11	.952 7686
9	15 35 03.530	17 20 50.90	.703 0870	24	15 56 16.266	18 33 44.28	.952 6128
10	15 35 27.950	17 22 24.90	.713 6478	25	15 56 45.717	18 35 14.01	.952 1989
11	15 35 52.574	−17 23 59.23	10.724 0089	26	15 57 15.175	−18 36 43.24	10.951 5272
12	15 36 17.399	17 25 33.87	.734 1674	27	15 57 44.634	18 38 11.95	.950 5977
13	15 36 42.422	17 27 08.78	.744 1206	28	15 58 14.088	18 39 40.16	.949 4105
14	15 37 07.642	17 28 43.95	.753 8656	29	15 58 43.534	18 41 07.85	.947 9658
15	15 37 33.057	17 30 19.36	.763 3998	30	15 59 12.964	18 42 35.02	.946 2638
16	15 37 58.663	−17 31 55.00	10.772 7207	Dec. 1	15 59 42.373	−18 44 01.65	10.944 3045
17	15 38 24.457	17 33 30.88	.781 8260	2	16 00 11.756	18 45 27.73	.942 0881
18	15 38 50.431	17 35 06.97	.790 7134	3	16 00 41.107	18 46 53.25	.939 6148
19	15 39 16.580	17 36 43.26	.799 3811	4	16 01 10.421	18 48 18.18	.936 8847
20	15 39 42.896	17 38 19.72	.807 8272	5	16 01 39.693	18 49 42.49	.933 8981
21	15 40 09.373	−17 39 56.31	10.816 0499	6	16 02 08.918	−18 51 06.18	10.930 6550
22	15 40 36.005	17 41 33.00	.824 0478	7	16 02 38.094	18 52 29.22	.927 1559
23	15 41 02.788	17 43 09.76	.831 8193	8	16 03 07.217	18 53 51.60	.923 4009
24	15 41 29.718	17 44 46.58	.839 3627	9	16 03 36.284	18 55 13.32	.919 3905
25	15 41 56.792	17 46 23.42	.846 6767	10	16 04 05.291	18 56 34.38	.915 1252
26	15 42 24.007	−17 48 00.27	10.853 7597	11	16 04 34.235	−18 57 54.77	10.910 6057
27	15 42 51.360	17 49 37.12	.860 6104	12	16 05 03.107	18 59 14.50	.905 8330
28	15 43 18.849	17 51 13.95	.867 2272	13	16 05 31.900	19 00 33.56	.900 8080
29	15 43 46.470	17 52 50.75	.873 6088	14	16 06 00.605	19 01 51.93	.895 5320
30	15 44 14.220	17 54 27.52	.879 7537	15	16 06 29.216	19 03 09.59	.890 0066
31	15 44 42.094	−17 56 04.24	10.885 6604	16	16 06 57.724	−19 04 26.51	10.884 2332
Nov. 1	15 45 10.089	17 57 40.90	.891 3276	17	16 07 26.126	19 05 42.66	.878 2136
2	15 45 38.199	17 59 17.49	.896 7538	18	16 07 54.418	19 06 58.04	.871 9493
3	15 46 06.420	18 00 53.99	.901 9375	19	16 08 22.595	19 08 12.63	.865 4422
4	15 46 34.746	18 02 30.38	.906 8774	20	16 08 50.655	19 09 26.43	.858 6940
5	15 47 03.172	−18 04 06.65	10.911 5719	21	16 09 18.595	−19 10 39.44	10.851 7064
6	15 47 31.693	18 05 42.75	.916 0196	22	16 09 46.409	19 11 51.64	.844 4812
7	15 48 00.303	18 07 18.68	.920 2191	23	16 10 14.095	19 13 03.05	.837 0202
8	15 48 28.999	18 08 54.40	.924 1690	24	16 10 41.649	19 14 13.67	.829 3252
9	15 48 57.777	18 10 29.89	.927 8679	25	16 11 09.064	19 15 23.48	.821 3980
10	15 49 26.633	−18 12 05.12	10.931 3143	26	16 11 36.337	−19 16 32.50	10.813 2405
11	15 49 55.566	18 13 40.08	.934 5069	27	16 12 03.462	19 17 40.72	.804 8544
12	15 50 24.573	18 15 14.77	.937 4447	28	16 12 30.433	19 18 48.12	.796 2416
13	15 50 53.650	18 16 49.19	.940 1266	29	16 12 57.244	19 19 54.71	.787 4039
14	15 51 22.791	18 18 23.32	.942 5517	30	16 13 23.889	19 21 00.47	.778 3431
15	15 51 51.989	−18 19 57.16	10.944 7194	31	16 13 50.362	−19 22 05.38	10.769 0612
16	15 52 21.236	−18 21 30.68	10.946 6293	32	16 14 16.660	−19 23 09.43	10.759 5598

Semi-diameter: Sept. 12, 8″; Oct. 22, 8″; Dec. 1, 8″; Jan. 10, 8″

GEOCENTRIC COORDINATES FOR 0ʰ DYNAMICAL TIME

Date	Apparent Right Ascension	Apparent Declination	True Geocentric Distance	Date	Apparent Right Ascension	Apparent Declination	True Geocentric Distance
	h m s	° ′ ″			h m s	° ′ ″	
Jan. 0	16 56 12.274	−22 38 03.29	19.944 749	Feb. 15	17 05 18.691	−22 51 23.29	19.394 794
1	16 56 27.024	22 38 26.24	.937 698	16	17 05 26.612	22 51 34.26	.378 946
2	16 56 41.692	22 38 48.97	.930 390	17	17 05 34.326	22 51 44.94	.362 996
3	16 56 56.275	22 39 11.49	.922 826	18	17 05 41.830	22 51 55.35	.346 949
4	16 57 10.770	22 39 33.79	.915 010	19	17 05 49.121	22 52 05.46	.330 811
5	16 57 25.174	−22 39 55.88	19.906 943	20	17 05 56.198	−22 52 15.27	19.314 585
6	16 57 39.483	22 40 17.77	.898 628	21	17 06 03.059	22 52 24.78	.298 278
7	16 57 53.693	22 40 39.46	.890 066	22	17 06 09.704	22 52 33.97	.281 895
8	16 58 07.798	22 41 00.94	.881 261	23	17 06 16.134	22 52 42.85	.265 440
9	16 58 21.795	22 41 22.19	.872 215	24	17 06 22.347	22 52 51.41	.248 918
10	16 58 35.679	−22 41 43.22	19.862 928	25	17 06 28.344	−22 52 59.68	19.232 335
11	16 58 49.448	22 42 04.00	.853 405	26	17 06 34.125	22 53 07.64	.215 696
12	16 59 03.099	22 42 24.51	.843 647	27	17 06 39.688	22 53 15.31	.199 006
13	16 59 16.632	22 42 44.75	.833 655	28	17 06 45.033	22 53 22.69	.182 270
14	16 59 30.046	22 43 04.73	.823 434	Mar. 1	17 06 50.159	22 53 29.80	.165 493
15	16 59 43.339	−22 43 24.44	19.812 984	2	17 06 55.064	−22 53 36.64	19.148 680
16	16 59 56.509	22 43 43.90	.802 309	3	17 06 59.745	22 53 43.21	.131 836
17	17 00 09.554	22 44 03.12	.791 412	4	17 07 04.201	22 53 49.51	.114 965
18	17 00 22.469	22 44 22.09	.780 295	5	17 07 08.429	22 53 55.54	.098 073
19	17 00 35.249	22 44 40.84	.768 961	6	17 07 12.428	22 54 01.27	.081 165
20	17 00 47.889	−22 44 59.34	19.757 415	7	17 07 16.196	−22 54 06.71	19.064 245
21	17 01 00.384	22 45 17.60	.745 658	8	17 07 19.736	22 54 11.83	.047 317
22	17 01 12.730	22 45 35.60	.733 695	9	17 07 23.048	22 54 16.62	.030 386
23	17 01 24.924	22 45 53.32	.721 530	10	17 07 26.135	22 54 21.11	19.013 456
24	17 01 36.963	22 46 10.77	.709 165	11	17 07 28.998	22 54 25.29	18.996 533
25	17 01 48.845	−22 46 27.93	19.696 606	12	17 07 31.637	−22 54 29.18	18.979 622
26	17 02 00.570	22 46 44.79	.683 855	13	17 07 34.050	22 54 32.81	.962 726
27	17 02 12.135	22 47 01.37	.670 917	14	17 07 36.235	22 54 36.16	.945 851
28	17 02 23.539	22 47 17.65	.657 796	15	17 07 38.190	22 54 39.25	.929 002
29	17 02 34.780	22 47 33.65	.644 495	16	17 07 39.913	22 54 42.07	.912 184
30	17 02 45.858	−22 47 49.37	19.631 019	17	17 07 41.402	−22 54 44.61	18.895 403
31	17 02 56.770	22 48 04.81	.617 372	18	17 07 42.656	22 54 46.86	.878 664
Feb. 1	17 03 07.513	22 48 19.98	.603 557	19	17 07 43.675	22 54 48.81	.861 972
2	17 03 18.085	22 48 34.90	.589 579	20	17 07 44.460	22 54 50.47	.845 332
3	17 03 28.483	22 48 49.55	.575 442	21	17 07 45.013	22 54 51.82	.828 750
4	17 03 38.703	−22 49 03.95	19.561 149	22	17 07 45.334	−22 54 52.86	18.812 232
5	17 03 48.740	22 49 18.09	.546 705	23	17 07 45.426	22 54 53.59	.795 781
6	17 03 58.591	22 49 31.95	.532 114	24	17 07 45.290	22 54 54.03	.779 405
7	17 04 08.254	22 49 45.52	.517 379	25	17 07 44.927	22 54 54.17	.763 107
8	17 04 17.727	22 49 58.80	.502 504	26	17 07 44.340	22 54 54.03	.746 893
9	17 04 27.010	−22 50 11.76	19.487 492	27	17 07 43.529	−22 54 53.62	18.730 768
10	17 04 36.103	22 50 24.40	.472 349	28	17 07 42.494	22 54 52.93	.714 737
11	17 04 45.007	22 50 36.75	.457 078	29	17 07 41.237	22 54 51.98	.698 805
12	17 04 53.720	22 50 48.80	.441 682	30	17 07 39.756	22 54 50.77	.682 977
13	17 05 02.241	22 51 00.57	.426 167	31	17 07 38.053	22 54 49.31	.667 258
14	17 05 10.566	−22 51 12.06	19.410 536	Apr. 1	17 07 36.126	−22 54 47.59	18.651 651
15	17 05 18.691	−22 51 23.29	19.394 794	2	17 07 33.977	−22 54 45.60	18.636 163

Semi-diameter: Dec. 6, 2″; Jan. 15, 2″; Feb. 24, 2″; Apr. 5, 2″

GEOCENTRIC COORDINATES FOR 0ʰ DYNAMICAL TIME

Date	Apparent Right Ascension	Apparent Declination	True Geocentric Distance	Date	Apparent Right Ascension	Apparent Declination	True Geocentric Distance
	h m s	° ′ ″			h m s	° ′ ″	
Apr. 1	17 07 36.126	−22 54 47.59	18.651 651	May 17	17 02 42.728	−22 48 53.09	18.127 836
2	17 07 33.977	22 54 45.60	.636 163	18	17 02 32.965	22 48 40.31	.121 998
3	17 07 31.605	22 54 43.33	.620 796	19	17 02 23.118	22 48 27.37	.116 442
4	17 07 29.012	22 54 40.76	.605 556	20	17 02 13.192	22 48 14.28	.111 167
5	17 07 26.203	22 54 37.89	.590 446	21	17 02 03.191	22 48 01.05	.106 176
6	17 07 23.182	−22 54 34.73	18.575 471	22	17 01 53.118	−22 47 47.70	18.101 471
7	17 07 19.953	22 54 31.27	.560 634	23	17 01 42.977	22 47 34.23	.097 053
8	17 07 16.517	22 54 27.54	.545 940	24	17 01 32.771	22 47 20.65	.092 923
9	17 07 12.877	22 54 23.55	.531 394	25	17 01 22.504	22 47 06.96	.089 083
10	17 07 09.032	22 54 19.32	.516 999	26	17 01 12.179	22 46 53.16	.085 532
11	17 07 04.981	−22 54 14.85	18.502 760	27	17 01 01.800	−22 46 39.25	18.082 273
12	17 07 00.723	22 54 10.13	.488 682	28	17 00 51.370	22 46 25.22	.079 306
13	17 06 56.260	22 54 05.17	.474 768	29	17 00 40.896	22 46 11.06	.076 631
14	17 06 51.591	22 53 59.94	.461 025	30	17 00 30.384	22 45 56.79	.074 248
15	17 06 46.720	22 53 54.44	.447 455	31	17 00 19.840	22 45 42.39	.072 158
16	17 06 41.648	−22 53 48.67	18.434 063	June 1	17 00 09.272	−22 45 27.90	18.070 362
17	17 06 36.380	22 53 42.63	.420 855	2	16 59 58.684	22 45 13.32	.068 858
18	17 06 30.917	22 53 36.31	.407 834	3	16 59 48.081	22 44 58.68	.067 648
19	17 06 25.266	22 53 29.71	.395 005	4	16 59 37.465	22 44 44.00	.066 731
20	17 06 19.428	22 53 22.85	.382 371	5	16 59 26.837	22 44 29.28	.066 109
21	17 06 13.408	−22 53 15.73	18.369 938	6	16 59 16.199	−22 44 14.53	18.065 780
22	17 06 07.209	22 53 08.35	.357 708	7	16 59 05.554	22 43 59.73	.065 746
23	17 06 00.834	22 53 00.74	.345 687	8	16 58 54.904	22 43 44.89	.066 007
24	17 05 54.286	22 52 52.89	.333 877	9	16 58 44.255	22 43 30.00	.066 562
25	17 05 47.568	22 52 44.82	.322 283	10	16 58 33.612	22 43 15.06	.067 413
26	17 05 40.681	−22 52 36.54	18.310 908	11	16 58 22.981	−22 43 00.07	18.068 559
27	17 05 33.627	22 52 28.04	.299 756	12	16 58 12.367	22 42 45.05	.070 000
28	17 05 26.409	22 52 19.32	.288 829	13	16 58 01.776	22 42 29.99	.071 735
29	17 05 19.028	22 52 10.39	.278 132	14	16 57 51.214	22 42 14.91	.073 765
30	17 05 11.488	22 52 01.23	.267 666	15	16 57 40.685	22 41 59.83	.076 089
May 1	17 05 03.791	−22 51 51.83	18.257 436	16	16 57 30.196	−22 41 44.76	18.078 706
2	17 04 55.943	22 51 42.20	.247 443	17	16 57 19.751	22 41 29.71	.081 616
3	17 04 47.948	22 51 32.31	.237 690	18	16 57 09.352	22 41 14.70	.084 818
4	17 04 39.815	22 51 22.18	.228 180	19	16 56 59.006	22 40 59.75	.088 310
5	17 04 31.546	22 51 11.84	.218 915	20	16 56 48.713	22 40 44.85	.092 093
6	17 04 23.148	−22 51 01.29	18.209 899	21	16 56 38.478	−22 40 30.02	18.096 163
7	17 04 14.620	22 50 50.55	.201 132	22	16 56 28.304	22 40 15.25	.100 520
8	17 04 05.965	22 50 39.65	.192 619	23	16 56 18.193	22 40 00.54	.105 162
9	17 03 57.184	22 50 28.56	.184 362	24	16 56 08.151	22 39 45.90	.110 087
10	17 03 48.277	22 50 17.30	.176 363	25	16 55 58.182	22 39 31.31	.115 294
11	17 03 39.247	−22 50 05.86	18.168 626	26	16 55 48.292	−22 39 16.78	18.120 780
12	17 03 30.098	22 49 54.22	.161 153	27	16 55 38.487	22 39 02.32	.126 542
13	17 03 20.834	22 49 42.38	.153 946	28	16 55 28.773	22 38 47.93	.132 580
14	17 03 11.460	22 49 30.35	.147 009	29	16 55 19.156	22 38 33.64	.138 890
15	17 03 01.980	22 49 18.12	.140 343	30	16 55 09.639	22 38 19.47	.145 471
16	17 02 52.401	−22 49 05.70	18.133 951	July 1	16 55 00.225	−22 38 05.43	18.152 320
17	17 02 42.728	−22 48 53.09	18.127 836	2	16 54 50.916	−22 37 51.55	18.159 435

Semi-diameter: Feb. 24, 2″; Apr. 5, 2″; May 15, 2″; June 24, 2″; Aug. 3, 2″

URANUS, 1985

GEOCENTRIC COORDINATES FOR 0ʰ DYNAMICAL TIME

Date	Apparent Right Ascension	Apparent Declination	True Geocentric Distance	Date	Apparent Right Ascension	Apparent Declination	True Geocentric Distance
	h m s	° ′ ″			h m s	° ′ ″	
July 1	16 55 00.225	−22 38 05.43	18.152 320	Aug. 16	16 50 29.033	−22 31 15.07	18.708 553
2	16 54 50.916	22 37 51.55	.159 435	17	16 50 27.594	22 31 13.24	.724 529
3	16 54 41.712	22 37 37.82	.166 814	18	16 50 26.369	22 31 11.74	.740 604
4	16 54 32.614	22 37 24.24	.174 454	19	16 50 25.359	22 31 10.59	.756 772
5	16 54 23.625	22 37 10.81	.182 354	20	16 50 24.569	22 31 09.76	.773 027
6	16 54 14.748	−22 36 57.51	18.190 512	21	16 50 24.001	−22 31 09.28	18.789 366
7	16 54 05.987	22 36 44.36	.198 926	22	16 50 23.656	22 31 09.15	.805 782
8	16 53 57.348	22 36 31.35	.207 593	23	16 50 23.537	22 31 09.39	.822 272
9	16 53 48.834	22 36 18.49	.216 510	24	16 50 23.642	22 31 10.01	.838 830
10	16 53 40.451	22 36 05.79	.225 676	25	16 50 23.971	22 31 11.01	.855 451
11	16 53 32.204	−22 35 53.25	18.235 088	26	16 50 24.521	−22 31 12.41	18.872 131
12	16 53 24.096	22 35 40.90	.244 743	27	16 50 25.290	22 31 14.19	.888 865
13	16 53 16.133	22 35 28.74	.254 639	28	16 50 26.276	22 31 16.35	.905 649
14	16 53 08.317	22 35 16.79	.264 772	29	16 50 27.479	22 31 18.87	.922 478
15	16 53 00.651	22 35 05.07	.275 140	30	16 50 28.899	22 31 21.74	.939 348
16	16 52 53.138	−22 34 53.58	18.285 739	31	16 50 30.536	−22 31 24.96	18.956 255
17	16 52 45.781	22 34 42.34	.296 567	Sept. 1	16 50 32.392	22 31 28.52	.973 193
18	16 52 38.580	22 34 31.35	.307 620	2	16 50 34.468	22 31 32.42	18.990 160
19	16 52 31.537	22 34 20.61	.318 894	3	16 50 36.766	22 31 36.67	19.007 149
20	16 52 24.655	22 34 10.12	.330 385	4	16 50 39.285	22 31 41.27	.024 157
21	16 52 17.935	−22 33 59.87	18.342 091	5	16 50 42.028	−22 31 46.22	19.041 180
22	16 52 11.382	22 33 49.86	.354 007	6	16 50 44.994	22 31 51.53	.058 212
23	16 52 05.000	22 33 40.09	.366 128	7	16 50 48.182	22 31 57.21	.075 249
24	16 51 58.793	22 33 30.55	.378 452	8	16 50 51.593	22 32 03.27	.092 286
25	16 51 52.765	22 33 21.27	.390 973	9	16 50 55.225	22 32 09.70	.109 319
26	16 51 46.922	−22 33 12.26	18.403 688	10	16 50 59.076	−22 32 16.51	19.126 342
27	16 51 41.264	22 33 03.53	.416 593	11	16 51 03.145	22 32 23.69	.143 352
28	16 51 35.795	22 32 55.10	.429 684	12	16 51 07.430	22 32 31.23	.160 343
29	16 51 30.513	22 32 46.99	.442 957	13	16 51 11.928	22 32 39.13	.177 310
30	16 51 25.418	22 32 39.20	.456 408	14	16 51 16.641	22 32 47.37	.194 247
31	16 51 20.511	−22 32 31.73	18.470 032	15	16 51 21.566	−22 32 55.93	19.211 151
Aug. 1	16 51 15.791	22 32 24.57	.483 828	16	16 51 26.706	22 33 04.80	.228 016
2	16 51 11.260	22 32 17.70	.497 790	17	16 51 32.063	22 33 13.98	.244 836
3	16 51 06.920	22 32 11.14	.511 915	18	16 51 37.636	22 33 23.49	.261 607
4	16 51 02.773	22 32 04.87	.526 199	19	16 51 43.427	22 33 33.32	.278 324
5	16 50 58.823	−22 31 58.89	18.540 639	20	16 51 49.433	−22 33 43.50	19.294 981
6	16 50 55.072	22 31 53.22	.555 229	21	16 51 55.651	22 33 54.02	.311 575
7	16 50 51.525	22 31 47.85	.569 968	22	16 52 02.078	22 34 04.89	.328 101
8	16 50 48.183	22 31 42.81	.584 850	23	16 52 08.710	22 34 16.10	.344 554
9	16 50 45.050	22 31 38.09	.599 871	24	16 52 15.544	22 34 27.64	.360 930
10	16 50 42.126	−22 31 33.72	18.615 027	25	16 52 22.577	−22 34 39.49	19.377 225
11	16 50 39.413	22 31 29.70	.630 313	26	16 52 29.808	22 34 51.63	.393 434
12	16 50 36.912	22 31 26.03	.645 727	27	16 52 37.236	22 35 04.06	.409 555
13	16 50 34.624	22 31 22.74	.661 262	28	16 52 44.861	22 35 16.76	.425 581
14	16 50 32.548	22 31 19.82	.676 914	29	16 52 52.681	22 35 29.74	.441 511
15	16 50 30.684	−22 31 17.26	18.692 680	30	16 53 00.698	−22 35 42.98	19.457 338
16	16 50 29.033	−22 31 15.07	18.708 553	Oct. 1	16 53 08.911	−22 35 56.50	19.473 060

Semi-diameter: June 24, 2″; Aug. 3, 2″; Sept. 12, 2″; Oct. 22, 2″

GEOCENTRIC COORDINATES FOR 0ʰ DYNAMICAL TIME

Date	Apparent Right Ascension	Apparent Declination	True Geocentric Distance	Date	Apparent Right Ascension	Apparent Declination	True Geocentric Distance
	h m s	° ′ ″			h m s	° ′ ″	
Oct. 1	16 53 08.911	−22 35 56.50	19.473 060	Nov. 16	17 02 22.035	−22 49 58.37	20.015 055
2	16 53 17.318	22 36 10.28	.488 673	17	17 02 36.941	22 50 19.34	.021 665
3	16 53 25.920	22 36 24.35	.504 171	18	17 02 51.920	22 50 40.34	.028 014
4	16 53 34.714	22 36 38.69	.519 552	19	17 03 06.966	22 51 01.34	.034 098
5	16 53 43.699	22 36 53.31	.534 811	20	17 03 22.079	22 51 22.34	.039 918
6	16 53 52.872	−22 37 08.21	19.549 943	21	17 03 37.255	−22 51 43.32	20.045 471
7	16 54 02.231	22 37 23.39	.564 946	22	17 03 52.492	22 52 04.28	.050 757
8	16 54 11.771	22 37 38.85	.579 814	23	17 04 07.790	22 52 25.20	.055 775
9	16 54 21.492	22 37 54.56	.594 543	24	17 04 23.146	22 52 46.10	.060 522
10	16 54 31.389	22 38 10.53	.609 130	25	17 04 38.559	22 53 06.96	.064 999
11	16 54 41.459	−22 38 26.74	19.623 569	26	17 04 54.025	−22 53 27.80	20.069 204
12	16 54 51.703	22 38 43.16	.637 857	27	17 05 09.542	22 53 48.61	.073 135
13	16 55 02.117	22 38 59.78	.651 989	28	17 05 25.107	22 54 09.39	.076 793
14	16 55 12.704	22 39 16.60	.665 962	29	17 05 40.716	22 54 30.16	.080 176
15	16 55 23.463	22 39 33.61	.679 769	30	17 05 56.366	22 54 50.89	.083 283
16	16 55 34.395	−22 39 50.82	19.693 409	Dec. 1	17 06 12.051	−22 55 11.61	20.086 113
17	16 55 45.496	22 40 08.24	.706 876	2	17 06 27.768	22 55 32.28	.088 665
18	16 55 56.762	22 40 25.89	.720 167	3	17 06 43.512	22 55 52.91	.090 939
19	16 56 08.190	22 40 43.76	.733 277	4	17 06 59.280	22 56 13.49	.092 933
20	16 56 19.773	22 41 01.84	.746 205	5	17 07 15.069	22 56 33.99	.094 646
21	16 56 31.507	−22 41 20.11	19.758 946	6	17 07 30.876	−22 56 54.40	20.096 078
22	16 56 43.389	22 41 38.57	.771 497	7	17 07 46.699	22 57 14.73	.097 228
23	16 56 55.415	22 41 57.18	.783 855	8	17 08 02.539	22 57 34.94	.098 095
24	16 57 07.583	22 42 15.95	.796 017	9	17 08 18.400	22 57 55.07	.098 678
25	16 57 19.893	22 42 34.85	.807 980	10	17 08 34.335	22 58 15.40	.098 977
26	16 57 32.343	−22 42 53.89	19.819 741	11	17 08 50.055	−22 58 34.96	20.098 991
27	16 57 44.931	22 43 13.05	.831 297	12	17 09 05.959	22 58 54.79	.098 720
28	16 57 57.656	22 43 32.33	.842 646	13	17 09 21.839	22 59 14.58	.098 164
29	16 58 10.518	22 43 51.74	.853 784	14	17 09 37.707	22 59 34.28	.097 323
30	16 58 23.513	22 44 11.27	.864 709	15	17 09 53.558	22 59 53.89	.096 198
31	16 58 36.640	−22 44 30.94	19.875 417	16	17 10 09.388	−23 00 13.39	20.094 789
Nov. 1	16 58 49.896	22 44 50.73	.885 907	17	17 10 25.195	23 00 32.76	.093 097
2	16 59 03.277	22 45 10.65	.896 174	18	17 10 40.977	23 00 52.00	.091 122
3	16 59 16.780	22 45 30.69	.906 217	19	17 10 56.731	23 01 11.08	.088 866
4	16 59 30.401	22 45 50.86	.916 032	20	17 11 12.456	23 01 30.02	.086 329
5	16 59 44.136	−22 46 11.14	19.925 617	21	17 11 28.150	−23 01 48.81	20.083 513
6	16 59 57.983	22 46 31.51	.934 969	22	17 11 43.811	23 02 07.44	.080 418
7	17 00 11.936	22 46 51.98	.944 085	23	17 11 59.436	23 02 25.94	.077 045
8	17 00 25.994	22 47 12.51	.952 962	24	17 12 15.023	23 02 44.29	.073 395
9	17 00 40.154	22 47 33.09	.961 598	25	17 12 30.569	23 03 02.51	.069 470
10	17 00 54.416	−22 47 53.71	19.969 988	26	17 12 46.069	−23 03 20.60	20.065 271
11	17 01 08.779	22 48 14.36	.978 132	27	17 13 01.520	23 03 38.56	.060 798
12	17 01 23.242	22 48 35.05	.986 026	28	17 13 16.917	23 03 56.39	.056 053
13	17 01 37.803	22 48 55.79	19.993 668	29	17 13 32.257	23 04 14.08	.051 038
14	17 01 52.460	22 49 16.59	20.001 054	30	17 13 47.534	23 04 31.63	.045 752
15	17 02 07.206	−22 49 37.45	20.008 184	31	17 14 02.745	−23 04 49.03	20.040 198
16	17 02 22.035	−22 49 58.37	20.015 055	32	17 14 17.887	−23 05 06.27	20.034 377

Semi-diameter: Sept. 12, 2″; Oct. 22, 2″; Dec. 1, 2″; Jan. 10, 2″

NEPTUNE, 1985

GEOCENTRIC COORDINATES FOR 0ʰ DYNAMICAL TIME

Date	Apparent Right Ascension	Apparent Declination	True Geocentric Distance	Date	Apparent Right Ascension	Apparent Declination	True Geocentric Distance
	h m s	° ′ ″			h m s	° ′ ″	
Jan. 0	18 06 15.505	−22 19 18.66	31.230 365	Feb. 15	18 12 48.640	−22 17 21.11	30.836 305
1	18 06 25.237	22 19 17.31	.227 743	16	18 12 55.222	22 17 17.79	.822 440
2	18 06 34.950	22 19 15.89	.224 833	17	18 13 01.690	22 17 14.48	.808 402
3	18 06 44.641	22 19 14.38	.221 636	18	18 13 08.041	22 17 11.18	.794 195
4	18 06 54.311	22 19 12.81	.218 152	19	18 13 14.272	22 17 07.89	.779 824
5	18 07 03.955	−22 19 11.18	31.214 382	20	18 13 20.382	−22 17 04.60	30.765 293
6	18 07 13.572	22 19 09.50	.210 329	21	18 13 26.370	22 17 01.29	.750 606
7	18 07 23.156	22 19 07.77	.205 994	22	18 13 32.236	22 16 57.97	.735 769
8	18 07 32.706	22 19 06.00	.201 376	23	18 13 37.979	22 16 54.64	.720 785
9	18 07 42.216	22 19 04.19	.196 478	24	18 13 43.600	22 16 51.30	.705 661
10	18 07 51.683	−22 19 02.32	31.191 301	25	18 13 49.098	−22 16 47.95	30.690 399
11	18 08 01.105	22 19 00.39	.185 847	26	18 13 54.473	22 16 44.60	.675 006
12	18 08 10.481	22 18 58.37	.180 115	27	18 13 59.724	22 16 41.26	.659 485
13	18 08 19.811	22 18 56.27	.174 108	28	18 14 04.851	22 16 37.93	.643 842
14	18 08 29.095	22 18 54.08	.167 826	Mar. 1	18 14 09.851	22 16 34.64	.628 081
15	18 08 38.333	−22 18 51.81	31.161 272	2	18 14 14.724	−22 16 31.37	30.612 208
16	18 08 47.523	22 18 49.47	.154 446	3	18 14 19.467	22 16 28.15	.596 227
17	18 08 56.663	22 18 47.08	.147 350	4	18 14 24.077	22 16 24.98	.580 142
18	18 09 05.751	22 18 44.65	.139 987	5	18 14 28.552	22 16 21.85	.563 958
19	18 09 14.781	22 18 42.18	.132 357	6	18 14 32.889	22 16 18.75	.547 681
20	18 09 23.750	−22 18 39.68	31.124 465	7	18 14 37.088	−22 16 15.66	30.531 313
21	18 09 32.653	22 18 37.16	.116 310	8	18 14 41.150	22 16 12.58	.514 860
22	18 09 41.488	22 18 34.59	.107 897	9	18 14 45.076	22 16 09.50	.498 326
23	18 09 50.252	22 18 31.98	.099 228	10	18 14 48.867	22 16 06.42	.481 716
24	18 09 58.942	22 18 29.32	.090 306	11	18 14 52.526	22 16 03.35	.465 034
25	18 10 07.557	−22 18 26.60	31.081 133	12	18 14 56.052	−22 16 00.31	30.448 283
26	18 10 16.097	22 18 23.82	.071 713	13	18 14 59.443	22 15 57.31	.431 470
27	18 10 24.560	22 18 20.98	.062 048	14	18 15 02.696	22 15 54.37	.414 599
28	18 10 32.947	22 18 18.08	.052 143	15	18 15 05.810	22 15 51.49	.397 675
29	18 10 41.255	22 18 15.13	.041 999	16	18 15 08.781	22 15 48.67	.380 702
30	18 10 49.484	−22 18 12.13	31.031 620	17	18 15 11.607	−22 15 45.90	30.363 686
31	18 10 57.632	22 18 09.09	.021 009	18	18 15 14.288	22 15 43.19	.346 632
Feb. 1	18 11 05.698	22 18 06.03	31.010 171	19	18 15 16.822	22 15 40.52	.329 546
2	18 11 13.679	22 18 02.95	30.999 107	20	18 15 19.210	22 15 37.88	.312 432
3	18 11 21.573	22 17 59.86	.987 821	21	18 15 21.452	22 15 35.27	.295 296
4	18 11 29.375	−22 17 56.76	30.976 318	22	18 15 23.548	−22 15 32.69	30.278 144
5	18 11 37.083	22 17 53.66	.964 599	23	18 15 25.501	22 15 30.14	.260 980
6	18 11 44.693	22 17 50.55	.952 669	24	18 15 27.310	22 15 27.62	.243 810
7	18 11 52.202	22 17 47.42	.940 530	25	18 15 28.977	22 15 25.14	.226 639
8	18 11 59.611	22 17 44.25	.928 186	26	18 15 30.502	22 15 22.70	.209 474
9	18 12 06.918	−22 17 41.04	30.915 640	27	18 15 31.884	−22 15 20.32	30.192 318
10	18 12 14.125	22 17 37.78	.902 895	28	18 15 33.125	22 15 18.00	.175 177
11	18 12 21.232	22 17 34.47	.889 954	29	18 15 34.223	22 15 15.75	.158 056
12	18 12 28.239	22 17 31.14	.876 821	30	18 15 35.177	22 15 13.58	.140 961
13	18 12 35.145	22 17 27.79	.863 499	31	18 15 35.986	22 15 11.48	.123 896
14	18 12 41.946	−22 17 24.45	30.849 993	Apr. 1	18 15 36.648	−22 15 09.46	30.106 867
15	18 12 48.640	−22 17 21.11	30.836 305	2	18 15 37.164	−22 15 07.51	30.089 878

Semi-diameter: Dec. 6, 1″; Jan. 15, 1″; Feb. 24, 1″; Apr. 5, 1″

GEOCENTRIC COORDINATES FOR 0ʰ DYNAMICAL TIME

Date	Apparent Right Ascension	Apparent Declination	True Geocentric Distance	Date	Apparent Right Ascension	Apparent Declination	True Geocentric Distance
	h m s	° ′ ″			h m s	° ′ ″	
Apr. 1	18 15 36.648	−22 15 09.46	30.106 867	May 17	18 13 41.884	−22 14 40.76	29.441 880
2	18 15 37.164	22 15 07.51	.089 878	18	18 13 36.657	22 14 41.49	.431 604
3	18 15 37.532	22 15 05.62	.072 934	19	18 13 31.342	22 14 42.26	.421 565
4	18 15 37.752	22 15 03.77	.056 040	20	18 13 25.942	22 14 43.08	.411 767
5	18 15 37.829	22 15 01.96	.039 200	21	18 13 20.459	22 14 43.96	.402 214
6	18 15 37.764	−22 15 00.16	30.022 419	22	18 13 14.894	−22 14 44.90	29.392 907
7	18 15 37.560	22 14 58.41	30.005 701	23	18 13 09.248	22 14 45.91	.383 850
8	18 15 37.220	22 14 56.70	29.989 050	24	18 13 03.524	22 14 46.98	.375 045
9	18 15 36.743	22 14 55.05	.972 472	25	18 12 57.721	22 14 48.13	.366 495
10	18 15 36.129	22 14 53.49	.955 970	26	18 12 51.840	22 14 49.33	.358 202
11	18 15 35.374	−22 14 52.01	29.939 550	27	18 12 45.884	−22 14 50.59	29.350 169
12	18 15 34.477	22 14 50.62	.923 216	28	18 12 39.855	22 14 51.89	.342 397
13	18 15 33.438	22 14 49.31	.906 974	29	18 12 33.755	22 14 53.22	.334 888
14	18 15 32.256	22 14 48.07	.890 828	30	18 12 27.589	22 14 54.56	.327 645
15	18 15 30.931	22 14 46.90	.874 783	31	18 12 21.362	22 14 55.92	.320 669
16	18 15 29.465	−22 14 45.78	29.858 844	June 1	18 12 15.079	−22 14 57.29	29.313 961
17	18 15 27.859	22 14 44.71	.843 017	2	18 12 08.743	22 14 58.69	.307 523
18	18 15 26.116	22 14 43.69	.827 305	3	18 12 02.356	22 15 00.14	.301 356
19	18 15 24.236	22 14 42.71	.811 715	4	18 11 55.919	22 15 01.64	.295 462
20	18 15 22.223	22 14 41.78	.796 250	5	18 11 49.432	22 15 03.22	.289 843
21	18 15 20.078	−22 14 40.91	29.780 917	6	18 11 42.894	−22 15 04.85	29.284 500
22	18 15 17.803	22 14 40.08	.765 719	7	18 11 36.306	22 15 06.54	.279 435
23	18 15 15.399	22 14 39.33	.750 661	8	18 11 29.669	22 15 08.28	.274 649
24	18 15 12.868	22 14 38.64	.735 748	9	18 11 22.987	22 15 10.04	.270 145
25	18 15 10.209	22 14 38.03	.720 984	10	18 11 16.261	22 15 11.83	.265 923
26	18 15 07.424	−22 14 37.50	29.706 374	11	18 11 09.497	−22 15 13.63	29.261 986
27	18 15 04.513	22 14 37.06	.691 922	12	18 11 02.697	22 15 15.45	.258 335
28	18 15 01.474	22 14 36.70	.677 633	13	18 10 55.866	22 15 17.27	.254 970
29	18 14 58.310	22 14 36.42	.663 509	14	18 10 49.007	22 15 19.12	.251 894
30	18 14 55.019	22 14 36.21	.649 556	15	18 10 42.124	22 15 20.98	.249 107
May 1	18 14 51.604	−22 14 36.05	29.635 778	16	18 10 35.220	−22 15 22.87	29.246 611
2	18 14 48.067	22 14 35.93	.622 177	17	18 10 28.298	22 15 24.79	.244 406
3	18 14 44.413	22 14 35.85	.608 757	18	18 10 21.360	22 15 26.75	.242 493
4	18 14 40.645	22 14 35.79	.595 522	19	18 10 14.407	22 15 28.76	.240 873
5	18 14 36.768	22 14 35.77	.582 475	20	18 10 07.442	22 15 30.81	.239 546
6	18 14 32.783	−22 14 35.81	29.569 620	21	18 10 00.465	−22 15 32.91	29.238 513
7	18 14 28.690	22 14 35.92	.556 959	22	18 09 53.479	22 15 35.05	.237 774
8	18 14 24.490	22 14 36.11	.544 497	23	18 09 46.484	22 15 37.23	.237 328
9	18 14 20.180	22 14 36.39	.532 238	24	18 09 39.483	22 15 39.43	.237 175
10	18 14 15.761	22 14 36.75	.520 184	25	18 09 32.480	22 15 41.63	.237 316
11	18 14 11.232	−22 14 37.18	29.508 340	26	18 09 25.479	−22 15 43.84	29.237 750
12	18 14 06.596	22 14 37.67	.496 709	27	18 09 18.486	22 15 46.03	.238 475
13	18 14 01.853	22 14 38.21	.485 295	28	18 09 11.503	22 15 48.23	.239 492
14	18 13 57.008	22 14 38.79	.474 101	29	18 09 04.537	22 15 50.43	.240 800
15	18 13 52.063	22 14 39.41	.463 132	30	18 08 57.589	22 15 52.65	.242 398
16	18 13 47.020	−22 14 40.07	29.452 390	July 1	18 08 50.662	−22 15 54.91	29.244 284
17	18 13 41.884	−22 14 40.76	29.441 880	2	18 08 43.755	−22 15 57.21	29.246 459

Semi-diameter: Feb. 24, 1″; Apr. 5, 1″; May 15, 1″; June 24, 1″; Aug. 3, 1″

NEPTUNE, 1985

GEOCENTRIC COORDINATES FOR 0ʰ DYNAMICAL TIME

Date	Apparent Right Ascension	Apparent Declination	True Geocentric Distance	Date	Apparent Right Ascension	Apparent Declination	True Geocentric Distance
	h m s	° ′ ″			h m s	° ′ ″	
July 1	18 08 50.662	−22 15 54.91	29.244 284	Aug. 16	18 04 30.665	−22 17 54.54	29.618 892
2	18 08 43.755	22 15 57.21	.246 459	17	18 04 27.110	22 17 57.39	.632 385
3	18 08 36.868	22 15 59.55	.248 922	18	18 04 23.671	22 18 00.24	.646 053
4	18 08 30.003	22 16 01.94	.251 672	19	18 04 20.350	22 18 03.07	.659 894
5	18 08 23.159	22 16 04.35	.254 707	20	18 04 17.151	22 18 05.88	.673 901
6	18 08 16.339	−22 16 06.78	29.258 029	21	18 04 14.077	−22 18 08.66	29.688 070
7	18 08 09.546	22 16 09.22	.261 635	22	18 04 11.131	22 18 11.43	.702 397
8	18 08 02.783	22 16 11.66	.265 526	23	18 04 08.316	22 18 14.20	.716 878
9	18 07 56.055	22 16 14.09	.269 700	24	18 04 05.631	22 18 16.97	.731 508
10	18 07 49.366	22 16 16.52	.274 156	25	18 04 03.077	22 18 19.77	.746 281
11	18 07 42.718	−22 16 18.95	29.278 893	26	18 04 00.653	−22 18 22.60	29.761 195
12	18 07 36.116	22 16 21.38	.283 911	27	18 03 58.357	22 18 25.45	.776 245
13	18 07 29.562	22 16 23.82	.289 207	28	18 03 56.188	22 18 28.31	.791 425
14	18 07 23.060	22 16 26.27	.294 781	29	18 03 54.146	22 18 31.19	.806 734
15	18 07 16.612	22 16 28.75	.300 631	30	18 03 52.232	22 18 34.07	.822 165
16	18 07 10.219	−22 16 31.25	29.306 755	31	18 03 50.448	−22 18 36.93	29.837 715
17	18 07 03.883	22 16 33.79	.313 152	Sept. 1	18 03 48.795	22 18 39.77	.853 380
18	18 06 57.605	22 16 36.37	.319 819	2	18 03 47.277	22 18 42.59	.869 155
19	18 06 51.386	22 16 38.97	.326 755	3	18 03 45.894	22 18 45.39	.885 036
20	18 06 45.227	22 16 41.60	.333 957	4	18 03 44.649	22 18 48.17	.901 020
21	18 06 39.130	−22 16 44.24	29.341 423	5	18 03 43.543	−22 18 50.94	29.917 100
22	18 06 33.098	22 16 46.88	.349 151	6	18 03 42.578	22 18 53.70	.933 274
23	18 06 27.134	22 16 49.51	.357 137	7	18 03 41.754	22 18 56.46	.949 537
24	18 06 21.245	22 16 52.12	.365 379	8	18 03 41.072	22 18 59.24	.965 883
25	18 06 15.433	22 16 54.71	.373 875	9	18 03 40.530	22 19 02.02	.982 309
26	18 06 09.702	−22 16 57.30	29.382 620	10	18 03 40.130	−22 19 04.82	29.998 810
27	18 06 04.055	22 16 59.90	.391 612	11	18 03 39.869	22 19 07.63	30.015 381
28	18 05 58.494	22 17 02.51	.400 849	12	18 03 39.748	22 19 10.46	.032 016
29	18 05 53.019	22 17 05.16	.410 327	13	18 03 39.765	22 19 13.29	.048 712
30	18 05 47.630	22 17 07.84	.420 043	14	18 03 39.920	22 19 16.10	.065 462
31	18 05 42.326	−22 17 10.55	29.429 995	15	18 03 40.215	−22 19 18.89	30.082 262
Aug. 1	18 05 37.107	22 17 13.29	.440 180	16	18 03 40.652	22 19 21.64	.099 107
2	18 05 31.975	22 17 16.05	.450 595	17	18 03 41.233	22 19 24.35	.115 990
3	18 05 26.931	22 17 18.80	.461 237	18	18 03 41.962	22 19 27.03	.132 907
4	18 05 21.979	22 17 21.55	.472 104	19	18 03 42.839	22 19 29.68	.149 853
5	18 05 17.122	−22 17 24.28	29.483 193	20	18 03 43.864	−22 19 32.32	30.166 821
6	18 05 12.362	22 17 27.00	.494 500	21	18 03 45.035	22 19 34.96	.183 808
7	18 05 07.704	22 17 29.71	.506 023	22	18 03 46.351	22 19 37.62	.200 808
8	18 05 03.149	22 17 32.42	.517 758	23	18 03 47.809	22 19 40.29	.217 816
9	18 04 58.701	22 17 35.12	.529 703	24	18 03 49.406	22 19 42.96	.234 827
10	18 04 54.361	−22 17 37.83	29.541 854	25	18 03 51.142	−22 19 45.62	30.251 837
11	18 04 50.131	22 17 40.55	.554 207	26	18 03 53.016	22 19 48.26	.268 840
12	18 04 46.013	22 17 43.30	.566 760	27	18 03 55.029	22 19 50.87	.285 834
13	18 04 42.007	22 17 46.07	.579 509	28	18 03 57.180	22 19 53.44	.302 811
14	18 04 38.114	22 17 48.87	.592 450	29	18 03 59.471	22 19 55.97	.319 769
15	18 04 34.333	−22 17 51.69	29.605 579	30	18 04 01.904	−22 19 58.46	30.336 702
16	18 04 30.665	−22 17 54.54	29.618 892	Oct. 1	18 04 04.478	−22 20 00.91	30.353 607

Semi-diameter: June 24, 1″; Aug. 3, 1″; Sept. 12, 1″; Oct. 22, 1″.

GEOCENTRIC COORDINATES FOR 0ʰ DYNAMICAL TIME

Date	Apparent Right Ascension	Apparent Declination	True Geocentric Distance	Date	Apparent Right Ascension	Apparent Declination	True Geocentric Distance
	h m s	° ′ ″			h m s	° ′ ″	
Oct. 1	18 04 04.478	−22 20 00.91	30.353 607	Nov.16	18 08 21.668	−22 21 10.55	31.019 049
2	18 04 07.195	22 20 03.33	.370 477	17	18 08 29.819	22 21 10.73	.029 467
3	18 04 10.055	22 20 05.71	.387 310	18	18 08 38.050	22 21 10.85	.039 651
4	18 04 13.056	22 20 08.07	.404 099	19	18 08 46.356	22 21 10.90	.049 600
5	18 04 16.199	22 20 10.42	.420 841	20	18 08 54.737	22 21 10.87	.059 311
6	18 04 19.483	−22 20 12.75	30.437 530	21	18 09 03.192	−22 21 10.74	31.068 781
7	18 04 22.905	22 20 15.07	.454 162	22	18 09 11.720	22 21 10.53	.078 007
8	18 04 26.465	22 20 17.38	.470 732	23	18 09 20.320	22 21 10.22	.086 987
9	18 04 30.159	22 20 19.68	.487 235	24	18 09 28.991	22 21 09.81	.095 719
10	18 04 33.987	22 20 21.95	.503 666	25	18 09 37.734	22 21 09.31	.104 201
11	18 04 37.947	−22 20 24.20	30.520 020	26	18 09 46.545	−22 21 08.72	31.112 429
12	18 04 42.039	22 20 26.40	.536 293	27	18 09 55.424	22 21 08.05	.120 403
13	18 04 46.263	22 20 28.54	.552 479	28	18 10 04.369	22 21 07.31	.128 120
14	18 04 50.620	22 20 30.61	.568 572	29	18 10 13.377	22 21 06.51	.135 577
15	18 04 55.113	22 20 32.62	.584 569	30	18 10 22.445	22 21 05.64	.142 772
16	18 04 59.743	−22 20 34.56	30.600 463	Dec. 1	18 10 31.571	−22 21 04.71	31.149 705
17	18 05 04.509	22 20 36.47	.616 249	2	18 10 40.749	22 21 03.72	.156 371
18	18 05 09.409	22 20 38.34	.631 924	3	18 10 49.979	22 21 02.67	.162 770
19	18 05 14.438	22 20 40.20	.647 482	4	18 10 59.256	22 21 01.54	.168 898
20	18 05 19.594	22 20 42.05	.662 918	5	18 11 08.578	22 21 00.33	.174 755
21	18 05 24.873	−22 20 43.87	30.678 228	6	18 11 17.945	−22 20 59.03	31.180 338
22	18 05 30.273	22 20 45.65	.693 408	7	18 11 27.354	22 20 57.62	.185 645
23	18 05 35.791	22 20 47.39	.708 455	8	18 11 36.807	22 20 56.10	.190 674
24	18 05 41.427	22 20 49.07	.723 362	9	18 11 46.302	22 20 54.48	.195 422
25	18 05 47.182	22 20 50.69	.738 128	10	18 11 55.841	22 20 52.76	.199 889
26	18 05 53.054	−22 20 52.23	30.752 747	11	18 12 05.421	−22 20 50.95	31.204 072
27	18 05 59.044	22 20 53.71	.767 216	12	18 12 15.039	22 20 49.08	.207 971
28	18 06 05.152	22 20 55.11	.781 530	13	18 12 24.690	22 20 47.16	.211 582
29	18 06 11.377	22 20 56.44	.795 687	14	18 12 34.368	22 20 45.19	.214 906
30	18 06 17.719	22 20 57.72	.809 682	15	18 12 44.069	22 20 43.16	.217 941
31	18 06 24.177	−22 20 58.93	30.823 510	16	18 12 53.788	−22 20 41.06	31.220 687
Nov. 1	18 06 30.748	22 21 00.10	.837 170	17	18 13 03.524	22 20 38.88	.223 143
2	18 06 37.432	22 21 01.22	.850 655	18	18 13 13.275	22 20 36.61	.225 309
3	18 06 44.225	22 21 02.30	.863 963	19	18 13 23.040	22 20 34.24	.227 184
4	18 06 51.125	22 21 03.35	.877 090	20	18 13 32.818	22 20 31.77	.228 768
5	18 06 58.130	−22 21 04.34	30.890 032	21	18 13 42.609	−22 20 29.20	31.230 061
6	18 07 05.236	22 21 05.29	.902 784	22	18 13 52.411	22 20 26.53	.231 063
7	18 07 12.442	22 21 06.18	.915 344	23	18 14 02.224	22 20 23.75	.231 773
8	18 07 19.745	22 21 07.01	.927 707	24	18 14 12.045	22 20 20.81	.232 192
9	18 07 27.146	22 21 07.75	.939 869	25	18 14 21.858	22 20 17.70	.232 319
10	18 07 34.644	−22 21 08.39	30.951 826	26	18 14 31.664	−22 20 14.90	31.232 156
11	18 07 42.240	22 21 08.94	.963 574	27	18 14 41.491	22 20 12.05	.231 701
12	18 07 49.934	22 21 09.39	.975 109	28	18 14 51.317	22 20 09.05	.230 955
13	18 07 57.727	22 21 09.76	.986 428	29	18 15 01.135	22 20 05.96	.229 918
14	18 08 05.617	22 21 10.07	.997 526	30	18 15 10.941	22 20 02.81	.228 591
15	18 08 13.599	−22 21 10.33	31.008 401	31	18 15 20.733	−22 19 59.59	31.226 973
16	18 08 21.668	−22 21 10.55	31.019 049	32	18 15 30.509	−22 19 56.30	31.225 065

Semi-diameter: Sept. 12, 1″; Oct. 22, 1″; Dec. 1, 1″; Jan. 10, 1″

PLUTO, 1985

GEOCENTRIC POSITIONS FOR 0ʰ DYNAMICAL TIME

Date	Astrometric Right Ascension J2000.0	Astrometric Declination J2000.0	True Geocentric Distance	Date	Astrometric Right Ascension J2000.0	Astrometric Declination J2000.0	True Geocentric Distance
	h m s	° ′ ″			h m s	° ′ ″	
Jan. −5	14 30 40.879	+2 34 17.99	30.245 562	July 4	14 22 53.170	+3 39 35.41	29.413 975
0	14 31 08.774	2 34 23.48	.170 776	9	14 22 45.806	3 37 13.27	.489 853
5	14 31 33.945	2 34 50.46	.093 047	14	14 22 41.414	3 34 32.03	.567 568
10	14 31 56.252	2 35 38.44	30.012 936	19	14 22 40.072	3 31 32.57	.646 563
15	14 32 15.569	2 36 46.90	29.930 997	24	14 22 41.830	3 28 15.97	.726 244
20	14 32 31.769	+2 38 15.24	29.847 817	29	14 22 46.695	+3 24 43.52	29.806 021
25	14 32 44.748	2 40 02.61	.764 050	Aug. 3	14 22 54.647	3 20 56.56	.885 351
30	14 32 54.444	2 42 07.85	.680 361	8	14 23 05.663	3 16 56.35	29.963 721
Feb. 4	14 33 00.832	2 44 29.63	.597 395	13	14 23 19.715	3 12 44.17	30.040 600
9	14 33 03.911	2 47 06.52	.515 756	18	14 23 36.754	3 08 21.41	.115 437
14	14 33 03.692	+2 49 57.13	29.436 029	23	14 23 56.701	+3 03 49.68	30.187 672
19	14 33 00.196	2 52 59.92	.358 830	28	14 24 19.441	2 59 10.66	.256 799
24	14 32 53.489	2 56 13.07	.284 788	Sept. 2	14 24 44.853	2 54 25.91	.322 374
Mar. 1	14 32 43.677	2 59 34.59	.214 489	7	14 25 12.816	2 49 36.92	.383 966
6	14 32 30.902	3 03 02.42	.148 459	12	14 25 43.202	2 44 45.22	.441 142
11	14 32 15.320	+3 06 34.60	29.087 160	17	14 26 15.861	+2 39 52.44	30.493 462
16	14 31 57.091	3 10 09.20	29.031 034	22	14 26 50.611	2 35 00.35	.540 525
21	14 31 36.399	3 13 44.14	28.980 530	27	14 27 27.254	2 30 10.65	.582 009
26	14 31 13.472	3 17 17.20	.936 053	Oct. 2	14 28 05.596	2 25 24.86	.617 648
31	14 30 48.565	3 20 46.16	.897 933	7	14 28 45.446	2 20 44.44	.647 186
Apr. 5	14 30 21.950	+3 24 08.95	28.866 412	12	14 29 26.603	+2 16 10.91	30.670 374
10	14 29 53.894	3 27 23.68	.841 668	17	14 30 08.843	2 11 45.87	.686 985
15	14 29 24.661	3 30 28.54	.823 875	22	14 30 51.919	2 07 30.94	.696 869
20	14 28 54.542	3 33 21.64	.813 177	27	14 31 35.583	2 03 27.51	.699 965
25	14 28 23.851	3 36 01.13	.809 642	Nov. 1	14 32 19.605	1 59 36.83	.696 245
30	14 27 52.905	+3 38 25.36	28.813 249	6	14 33 03.751	+1 56 00.11	30.685 696
May 5	14 27 22.013	3 40 32.94	.823 898	11	14 33 47.779	1 52 38.58	.668 327
10	14 26 51.458	3 42 22.74	.841 458	16	14 34 31.426	1 49 33.51	.644 196
15	14 26 21.520	3 43 53.66	.865 795	21	14 35 14.425	1 46 46.01	.613 466
20	14 25 52.493	3 45 04.62	.896 724	26	14 35 56.526	1 44 16.92	.576 361
25	14 25 24.669	+3 45 54.76	28.933 983	Dec. 1	14 36 37.495	+1 42 06.94	30.533 127
30	14 24 58.319	3 46 23.47	28.977 232	6	14 37 17.100	1 40 16.75	.484 023
June 4	14 24 33.684	3 46 30.48	29.026 088	11	14 37 55.104	1 38 47.01	.429 341
9	14 24 10.973	3 46 15.65	.080 179	16	14 38 31.257	1 37 38.29	.369 450
14	14 23 50.397	3 45 38.86	.139 125	21	14 39 05.331	1 36 50.86	.304 804
19	14 23 32.161	+3 44 40.08	29.202 489	26	14 39 37.128	+1 36 24.76	30.235 886
24	14 23 16.450	3 43 19.54	.269 777	31	14 40 06.466	1 36 19.90	.163 179
29	14 23 03.417	+3 41 37.74	29.340 450	36	14 40 33.173	+1 36 36.14	30.087 175

HELIOCENTRIC POSITIONS FOR 0ʰ DYNAMICAL TIME
MEAN EQUINOX AND ECLIPTIC OF DATE

Date	Longitude	Latitude	Radius Vector	Date	Longitude	Latitude	Radius Vector
	° ′ ″	° ′ ″			° ′ ″	° ′ ″	
Jan. −25	212 22 35.9	+16 46 10.3	29.79222	Aug. 3	214 04 46.9	+16 39 42.0	29.75767
Jan. 15	212 39 37.5	+16 45 09.1	.78614	Sept. 12	214 21 48.9	+16 38 32.4	.75237
Feb. 24	212 56 39.2	+16 44 06.5	.78019	Oct. 22	214 38 51.0	+16 37 21.4	.74720
Apr. 5	213 13 41.0	+16 43 02.5	.77437	Dec. 1	214 55 53.0	+16 36 09.0	.74217
May 15	213 30 43.0	+16 41 57.0	.76867	Dec. 41	215 12 55.1	+16 34 55.1	29.73727
June 24	213 47 44.9	+16 40 50.2	29.76311				

NOTES AND FORMULAE

Semi-diameter and parallax

The apparent angular semi-diameter of a planet is given by:

$$\text{apparent S.D.} = \text{S.D. at unit distance} / \text{true distance}$$

where the true distance is given in the daily geocentric ephemeris and the adopted semi-diameter at unit distance is given by:

Mercury	$3''\cdot36$	Jupiter: equatorial	$98''\cdot44$	Uranus	$35''\cdot02$
Venus	$8''\cdot34$	polar	$92''\cdot06$	Neptune	$33''\cdot50$
Mars	$4''\cdot68$	Saturn: equatorial	$82''\cdot73$	Pluto	$2''\cdot07$
		polar	$73''\cdot82$		

The difference in transit times of the limb and centre of a planet in seconds of time is given approximately by:

$$\text{difference in transit time} = (\text{apparent S.D. in seconds of arc}) / 15 \cos \delta$$

where the sidereal motion of the planet is ignored.

The equatorial horizontal parallax of a planet is given by $8''\cdot794\,148$ divided by its true geocentric distance; formulae for the corrections for diurnal parallax are given on page B41.

Time of transit of a planet

The times of transit of the planets that are tabulated on pages E44–E51 are expressed in dynamical time (TDT) and refer to the transits over the ephemeris meridian; for most purposes this may be regarded as giving the universal time (UT) of transit over the Greenwich meridian.

The UT of transit over a local meridian is given by:

$$\text{time of ephemeris transit} - (\lambda / 24) \times \text{first difference}$$

with an error that is usually less than 1 second, where λ is the *east* longitude in hours and the first difference is about 24 hours.

Times of rising and setting

Approximate times of the rising and setting of a planet at a place with latitude φ may be obtained from the time of transit by applying the value of the hour angle h of the point on the horizon at the same declination as the planet; h is given by:

$$\cos h = - \tan \varphi \tan \delta$$

This ignores the sidereal motion of the planet during the interval between transit and rising or setting. Similarly, the time at which a planet reaches a zenith distance z may be obtained by determining the corresponding hour angle h from:

$$\cos h = - \tan \varphi \tan \delta + \sec \varphi \sec \delta \cos z$$

and applying h to the time of transit.

Date	Mercury	Venus	Mars	Jupiter	Saturn	Uranus	Neptune	Pluto
	h m s	h m s	h m s	h m s	h m s	h m s	h m s	h m
Jan. 0	10 26 29	15 14 06	15 47 19	12 51 57	8 51 29	10 16 13	11 26 03	7 51
1	10 26 03	15 14 25	15 46 15	12 49 00	8 47 56	10 12 32	11 22 17	7 47
2	10 25 56	15 14 43	15 45 10	12 46 03	8 44 23	10 08 50	11 18 30	7 43
3	10 26 05	15 14 59	15 44 05	12 43 07	8 40 50	10 05 09	11 14 44	7 39
4	10 26 29	15 15 12	15 42 59	12 40 10	8 37 17	10 01 27	11 10 58	7 35
5	10 27 08	15 15 24	15 41 53	12 37 13	8 33 43	9 57 46	11 07 11	7 31
6	10 27 58	15 15 34	15 40 47	12 34 17	8 30 09	9 54 04	11 03 25	7 28
7	10 29 00	15 15 42	15 39 41	12 31 20	8 26 35	9 50 22	10 59 39	7 24
8	10 30 12	15 15 48	15 38 34	12 28 23	8 23 01	9 46 40	10 55 52	7 20
9	10 31 32	15 15 53	15 37 27	12 25 27	8 19 26	9 42 58	10 52 06	7 16
10	10 33 02	15 15 55	15 36 20	12 22 30	8 15 51	9 39 16	10 48 19	7 12
11	10 34 39	15 15 55	15 35 12	12 19 34	8 12 16	9 35 34	10 44 33	7 08
12	10 36 22	15 15 54	15 34 04	12 16 37	8 08 40	9 31 51	10 40 46	7 04
13	10 38 12	15 15 50	15 32 56	12 13 40	8 05 04	9 28 09	10 36 59	7 01
14	10 40 08	15 15 45	15 31 48	12 10 44	8 01 28	9 24 26	10 33 13	6 57
15	10 42 09	15 15 38	15 30 39	12 07 47	7 57 52	9 20 43	10 29 26	6 53
16	10 44 15	15 15 29	15 29 30	12 04 50	7 54 15	9 17 01	10 25 39	6 49
17	10 46 26	15 15 18	15 28 21	12 01 54	7 50 38	9 13 18	10 21 52	6 45
18	10 48 40	15 15 05	15 27 12	11 58 57	7 47 01	9 09 34	10 18 05	6 41
19	10 50 58	15 14 50	15 26 02	11 56 00	. 7 43 24	9 05 51	10 14 18	6 37
20	10 53 20	15 14 33	15 24 52	11 53 03	7 39 46	9 02 08	10 10 31	6 33
21	10 55 45	15 14 14	15 23 42	11 50 07	7 36 08	8 58 24	10 06 44	6 30
22	10 58 13	15 13 54	15 22 32	11 47 10	7 32 29	8 54 41	10 02 57	6 26
23	11 00 43	15 13 31	15 21 22	11 44 13	7 28 50	8 50 57	9 59 10	6 22
24	11 03 16	15 13 06	15 20 11	11 41 15	7 25 11	8 47 13	9 55 23	6 18
25	11 05 52	15 12 39	15 19 00	11 38 18	7 21 32	8 43 29	9 51 35	6 14
26	11 08 29	15 12 10	15 17 50	11 35 21	7 17 52	8 39 44	9 47 48	6 10
27	11 11 09	15 11 39	15 16 38	11 32 24	7 14 12	8 36 00	9 44 00	6 06
28	11 13 50	15 11 06	15 15 27	11 29 26	7 10 31	8 32 15	9 40 13	6 02
29	11 16 32	15 10 30	15 14 16	11 26 29	7 06 51	8 28 30	9 36 25	5 58
30	11 19 17	15 09 52	15 13 04	11 23 31	7 03 09	8 24 45	9 32 37	5 54
31	11 22 02	15 09 12	15 11 53	11 20 33	6 59 28	8 21 00	9 28 50	5 51
Feb. 1	11 24 49	15 08 30	15 10 41	11 17 35	6 55 46	8 17 15	9 25 02	5 47
2	11 27 37	15 07 45	15 09 29	11 14 37	6 52 04	8 13 30	9 21 14	5 43
3	11 30 27	15 06 58	15 08 17	11 11 39	6 48 21	8 09 44	9 17 25	5 39
4	11 33 17	15 06 08	15 07 05	11 08 41	6 44 38	8 05 58	9 13 37	5 35
5	11 36 08	15 05 15	15 05 52	11 05 42	6 40 55	8 02 12	9 09 49	5 31
6	11 39 00	15 04 20	15 04 40	11 02 44	6 37 11	7 58 26	9 06 01	5 27
7	11 41 53	15 03 22	15 03 27	10 59 45	6 33 27	7 54 40	9 02 12	5 23
8	11 44 46	15 02 21	15 02 15	10 56 46	6 29 43	7 50 53	8 58 24	5 19
9	11 47 41	15 01 17	15 01 02	10 53 47	6 25 58	7 47 06	8 54 35	5 15
10	11 50 36	15 00 11	14 59 50	10 50 47	6 22 13	7 43 19	8 50 46	5 11
11	11 53 31	14 59 01	14 58 37	10 47 48	6 18 27	7 39 32	8 46 57	5 07
12	11 56 28	14 57 48	14 57 24	10 44 48	6 14 41	7 35 45	8 43 08	5 04
13	11 59 25	14 56 31	14 56 11	10 41 49	6 10 55	7 31 58	8 39 19	5 00
14	12 02 22	14 55 11	14 54 58	10 38 49	6 07 08	7 28 10	8 35 30	4 56
15	12 05 20	14 53 48	14 53 46	10 35 48	6 03 21	7 24 22	8 31 41	4 52

Date	Mercury	Venus	Mars	Jupiter	Saturn	Uranus	Neptune	Pluto
	h m s	h m s	h m s	h m s	h m s	h m s	h m s	h m
Feb. 15	12 05 20	14 53 48	14 53 46	10 35 48	6 03 21	7 24 22	8 31 41	4 52
16	12 08 18	14 52 21	14 52 33	10 32 48	5 59 33	7 20 34	8 27 51	4 48
17	12 11 17	14 50 50	14 51 20	10 29 48	5 55 45	7 16 46	8 24 02	4 44
18	12 14 17	14 49 15	14 50 07	10 26 47	5 51 57	7 12 57	8 20 12	4 40
19	12 17 16	14 47 36	14 48 54	10 23 46	5 48 08	7 09 08	8 16 22	4 36
20	12 20 16	14 45 53	14 47 41	10 20 44	5 44 19	7 05 19	8 12 33	4 32
21	12 23 16	14 44 05	14 46 29	10 17 43	5 40 29	7 01 30	8 08 43	4 28
22	12 26 17	14 42 13	14 45 16	10 14 41	5 36 39	6 57 41	8 04 52	4 24
23	12 29 17	14 40 15	14 44 03	10 11 39	5 32 49	6 53 51	8 01 02	4 20
24	12 32 16	14 38 13	14 42 50	10 08 37	5 28 58	6 50 02	7 57 12	4 16
25	12 35 15	14 36 05	14 41 38	10 05 35	5 25 07	6 46 12	7 53 21	4 12
26	12 38 13	14 33 52	14 40 25	10 02 32	5 21 15	6 42 21	7 49 31	4 08
27	12 41 10	14 31 33	14 39 13	9 59 29	5 17 23	6 38 31	7 45 40	4 04
28	12 44 05	14 29 08	14 38 00	9 56 26	5 13 31	6 34 40	7 41 49	4 00
Mar. 1	12 46 58	14 26 37	14 36 48	9 53 22	5 09 38	6 30 49	7 37 58	3 56
2	12 49 47	14 24 00	14 35 35	9 50 18	5 05 44	6 26 58	7 34 07	3 52
3	12 52 33	14 21 15	14 34 23	9 47 14	5 01 51	6 23 07	7 30 16	3 48
4	12 55 13	14 18 24	14 33 11	9 44 10	4 57 56	6 19 15	7 26 24	3 44
5	12 57 48	14 15 26	14 31 59	9 41 05	4 54 02	6 15 24	7 22 33	3 40
6	13 00 16	14 12 21	14 30 47	9 38 00	4 50 07	6 11 32	7 18 41	3 36
7	13 02 35	14 09 08	14 29 35	9 34 55	4 46 12	6 07 39	7 14 50	3 33
8	13 04 45	14 05 47	14 28 23	9 31 49	4 42 16	6 03 47	7 10 58	3 29
9	13 06 43	14 02 18	14 27 12	9 28 43	4 38 20	5 59 54	7 07 06	3 25
10	13 08 28	13 58 41	14 26 00	9 25 37	4 34 23	5 56 01	7 03 13	3 21
11	13 09 59	13 54 56	14 24 49	9 22 30	4 30 26	5 52 08	6 59 21	3 17
12	13 11 13	13 51 02	14 23 37	9 19 23	4 26 28	5 48 15	6 55 29	3 13
13	13 12 08	13 47 00	14 22 26	9 16 16	4 22 31	5 44 21	6 51 36	3 09
14	13 12 44	13 42 49	14 21 15	9 13 09	4 18 32	5 40 28	6 47 43	3 05
15	13 12 59	13 38 29	14 20 04	9 10 01	4 14 34	5 36 34	6 43 51	3 01
16	13 12 51	13 34 01	14 18 54	9 06 52	4 10 35	5 32 39	6 39 58	2 57
17	13 12 18	13 29 24	14 17 43	9 03 44	4 06 35	5 28 45	6 36 04	2 53
18	13 11 20	13 24 38	14 16 33	9 00 35	4 02 35	5 24 50	6 32 11	2 49
19	13 09 56	13 19 44	14 15 23	8 57 25	3 58 35	5 20 55	6 28 18	2 45
20	13 08 04	13 14 41	14 14 13	8 54 16	3 54 34	5 17 00	6 24 24	2 41
21	13 05 45	13 09 31	14 13 03	8 51 05	3 50 33	5 13 05	6 20 30	2 37
22	13 02 57	13 04 12	14 11 53	8 47 55	3 46 31	5 09 09	6 16 37	2 33
23	12 59 42	12 58 46	14 10 44	8 44 44	3 42 30	5 05 13	6 12 43	2 29
24	12 56 00	12 53 13	14 09 35	8 41 33	3 38 27	5 01 17	6 08 48	2 25
25	12 51 50	12 47 33	14 08 25	8 38 21	3 34 25	4 57 21	6 04 54	2 21
26	12 47 16	12 41 48	14 07 17	8 35 09	3 30 22	4 53 24	6 01 00	2 17
27	12 42 17	12 35 57	14 06 08	8 31 56	3 26 18	4 49 27	5 57 05	2 13
28	12 36 56	12 30 01	14 04 59	8 28 43	3 22 14	4 45 30	5 53 10	2 09
29	12 31 15	12 24 01	14 03 51	8 25 30	3 18 10	4 41 33	5 49 16	2 05
30	12 25 17	12 17 59	14 02 43	8 22 16	3 14 06	4 37 36	5 45 21	2 01
31	12 19 05	12 11 53	14 01 35	8 19 01	3 10 01	4 33 38	5 41 25	1 57
Apr. 1	12 12 42	12 05 47	14 00 27	8 15 47	3 05 56	4 29 40	5 37 30	1 52
2	12 06 11	11 59 40	13 59 20	8 12 31	3 01 50	4 25 42	5 33 35	1 48

Date	Mercury	Venus	Mars	Jupiter	Saturn	Uranus	Neptune	Pluto
	h m s	h m s	h m s	h m s	h m s	h m s	h m s	h m
Apr. 1	12 12 42	12 05 47	14 00 27	8 15 47	3 05 56	4 29 40	5 37 30	1 52
2	12 06 11	11 59 40	13 59 20	8 12 31	3 01 50	4 25 42	5 33 35	1 48
3	11 59 35	11 53 33	13 58 12	8 09 16	2 57 44	4 21 44	5 29 39	1 44
4	11 52 59	11 47 28	13 57 05	8 06 00	2 53 38	4 17 45	5 25 43	1 40
5	11 46 25	11 41 25	13 55 58	8 02 43	2 49 31	4 13 47	5 21 48	1 36
6	11 39 56	11 35 25	13 54 52	7 59 26	2 45 24	4 09 48	5 17 52	1 32
7	11 33 35	11 29 28	13 53 45	7 56 08	2 41 17	4 05 49	5 13 55	1 28
8	11 27 25	11 23 37	13 52 39	7 52 50	2 37 10	4 01 49	5 09 59	1 24
9	11 21 28	11 17 51	13 51 33	7 49 32	2 33 02	3 57 50	5 06 03	1 20
10	11 15 46	11 12 11	13 50 27	7 46 13	2 28 54	3 53 50	5 02 06	1 16
11	11 10 19	11 06 37	13 49 21	7 42 53	2 24 45	3 49 50	4 58 10	1 12
12	11 05 10	11 01 11	13 48 16	7 39 33	2 20 36	3 45 50	4 54 13	1 08
13	11 00 18	10 55 53	13 47 10	7 36 13	2 16 27	3 41 49	4 50 16	1 04
14	10 55 45	10 50 42	13 46 05	7 32 51	2 12 18	3 37 49	4 46 19	1 00
15	10 51 30	10 45 40	13 45 01	7 29 30	2 08 08	3 33 48	4 42 21	0 56
16	10 47 33	10 40 46	13 43 56	7 26 08	2 03 58	3 29 47	4 38 24	0 52
17	10 43 54	10 36 01	13 42 52	7 22 45	1 59 48	3 25 46	4 34 26	0 48
18	10 40 34	10 31 25	13 41 47	7 19 22	1 55 38	3 21 44	4 30 29	0 44
19	10 37 30	10 26 58	13 40 43	7 15 58	1 51 27	3 17 43	4 26 31	0 40
20	10 34 43	10 22 39	13 39 40	7 12 34	1 47 16	3 13 41	4 22 33	0 36
21	10 32 13	10 18 30	13 38 36	7 09 09	1 43 05	3 09 39	4 18 35	0 32
22	10 29 58	10 14 29	13 37 33	7 05 43	1 38 54	3 05 37	4 14 37	0 28
23	10 27 58	10 10 37	13 36 29	7 02 17	1 34 42	3 01 35	4 10 38	0 24
24	10 26 12	10 06 54	13 35 26	6 58 51	1 30 31	2 57 32	4 06 40	0 20
25	10 24 40	10 03 19	13 34 24	6 55 23	1 26 19	2 53 30	4 02 41	0 16
26	10 23 21	9 59 52	13 33 21	6 51 55	1 22 06	2 49 27	3 58 43	0 12
27	10 22 14	9 56 33	13 32 18	6 48 27	1 17 54	2 45 24	3 54 44	0 08
28	10 21 20	9 53 22	13 31 16	6 44 58	1 13 42	2 41 21	3 50 45	0 04
29	10 20 36	9 50 19	13 30 14	6 41 28	1 09 29	2 37 18	3 46 46	23 56
30	10 20 04	9 47 23	13 29 12	6 37 58	1 05 16	2 33 14	3 42 47	23 52
May 1	10 19 43	9 44 35	13 28 10	6 34 27	1 01 03	2 29 11	3 38 47	23 48
2	10 19 31	9 41 53	13 27 08	6 30 56	0 56 50	2 25 07	3 34 48	23 44
3	10 19 30	9 39 18	13 26 07	6 27 24	0 52 37	2 21 03	3 30 48	23 40
4	10 19 37	9 36 50	13 25 05	6 23 51	0 48 24	2 16 59	3 26 49	23 35
5	10 19 55	9 34 28	13 24 04	6 20 17	0 44 10	2 12 55	3 22 49	23 31
6	10 20 21	9 32 12	13 23 03	6 16 43	0 39 57	2 08 51	3 18 49	23 27
7	10 20 56	9 30 02	13 22 02	6 13 09	0 35 43	2 04 46	3 14 49	23 23
8	10 21 40	9 27 58	13 21 01	6 09 33	0 31 29	2 00 42	3 10 49	23 19
9	10 22 33	9 25 59	13 20 00	6 05 57	0 27 15	1 56 37	3 06 49	23 15
10	10 23 35	9 24 05	13 18 59	6 02 21	0 23 02	1 52 32	3 02 48	23 11
11	10 24 45	9 22 16	13 17 59	5 58 43	0 18 48	1 48 27	2 58 48	23 07
12	10 26 03	9 20 33	13 16 58	5 55 05	0 14 34	1 44 22	2 54 47	23 03
13	10 27 31	9 18 53	13 15 58	5 51 27	0 10 20	1 40 17	2 50 47	22 59
14	10 29 07	9 17 19	13 14 58	5 47 47	0 06 06	1 36 12	2 46 46	22 55
15	10 30 52	9 15 48	13 13 58	5 44 07	0 01 52	1 32 07	2 42 45	22 51
16	10 32 46	9 14 22	13 12 58	5 40 26	23 53 24	1 28 01	2 38 44	22 47
17	10 34 49	9 12 59	13 11 58	5 36 45	23 49 09	1 23 56	2 34 43	22 43

Second Transits: Pluto, April 28^{d}23^{h}59^m; Saturn, May 15^{d}23^{h}57^{m}38^s.

Date	Mercury	Venus	Mars	Jupiter	Saturn	Uranus	Neptune	Pluto
	h m s	h m s	h m s	h m s	h m s	h m s	h m s	h m
May 17	10 34 49	9 12 59	13 11 58	5 36 45	23 49 09	1 23 56	2 34 43	22 43
18	10 37 02	9 11 41	13 10 58	5 33 03	23 44 55	1 19 50	2 30 42	22 39
19	10 39 24	9 10 25	13 09 58	5 29 20	23 40 41	1 15 44	2 26 41	22 35
20	10 41 56	9 09 14	13 08 58	5 25 36	23 36 27	1 11 39	2 22 40	22 31
21	10 44 39	9 08 06	13 07 58	5 21 52	23 32 14	1 07 33	2 18 38	22 27
22	10 47 31	9 07 01	13 06 58	5 18 07	23 28 00	1 03 27	2 14 37	22 23
23	10 50 34	9 05 59	13 05 58	5 14 21	23 23 46	0 59 21	2 10 35	22 19
24	10 53 48	9 05 00	13 04 59	5 10 34	23 19 32	0 55 15	2 06 34	22 15
25	10 57 13	9 04 04	13 03 59	5 06 47	23 15 18	0 51 09	2 02 32	22 11
26	11 00 50	9 03 11	13 02 59	5 02 59	23 11 05	0 47 02	1 58 30	22 07
27	11 04 37	9 02 20	13 01 59	4 59 10	23 06 51	0 42 56	1 54 28	22 03
28	11 08 37	9 01 32	13 00 59	4 55 21	23 02 38	0 38 50	1 50 26	21 59
29	11 12 47	9 00 47	12 59 59	4 51 31	22 58 25	0 34 44	1 46 24	21 55
30	11 17 10	9 00 04	12 58 59	4 47 40	22 54 12	0 30 37	1 42 22	21 51
31	11 21 43	8 59 24	12 57 59	4 43 48	22 49 59	0 26 31	1 38 20	21 47
June 1	11 26 27	8 58 46	12 56 59	4 39 56	22 45 46	0 22 24	1 34 18	21 43
2	11 31 21	8 58 10	12 55 59	4 36 02	22 41 33	0 18 18	1 30 16	21 39
3	11 36 25	8 57 37	12 54 59	4 32 08	22 37 21	0 14 12	1 26 14	21 35
4	11 41 38	8 57 06	12 53 59	4 28 14	22 33 09	0 10 05	1 22 11	21 31
5	11 46 58	8 56 37	12 52 58	4 24 18	22 28 56	0 05 59	1 18 09	21 27
6	11 52 25	8 56 10	12 51 58	4 20 22	22 24 45	0 01 52	1 14 07	21 23
7	11 57 57	8 55 45	12 50 57	4 16 25	22 20 33	23 53 39	1 10 04	21 19
8	12 03 32	8 55 23	12 49 57	4 12 28	22 16 21	23 49 33	1 06 02	21 15
9	12 09 10	8 55 02	12 48 56	4 08 29	22 12 10	23 45 26	1 01 59	21 11
10	12 14 48	8 54 43	12 47 55	4 04 30	22 07 59	23 41 20	0 57 56	21 07
11	12 20 26	8 54 26	12 46 54	4 00 30	22 03 48	23 37 13	0 53 54	21 03
12	12 26 00	8 54 11	12 45 53	3 56 29	21 59 37	23 33 07	0 49 51	20 59
13	12 31 31	8 53 58	12 44 51	3 52 28	21 55 26	23 29 00	0 45 48	20 55
14	12 36 56	8 53 47	12 43 50	3 48 26	21 51 16	23 24 54	0 41 46	20 51
15	12 42 14	8 53 38	12 42 48	3 44 23	21 47 06	23 20 48	0 37 43	20 47
16	12 47 25	8 53 30	12 41 46	3 40 19	21 42 56	23 16 41	0 33 40	20 43
17	12 52 27	8 53 24	12 40 44	3 36 14	21 38 47	23 12 35	0 29 37	20 39
18	12 57 19	8 53 20	12 39 42	3 32 09	21 34 38	23 08 29	0 25 35	20 35
19	13 02 02	8 53 17	12 38 39	3 28 03	21 30 29	23 04 23	0 21 32	20 31
20	13 06 33	8 53 17	12 37 37	3 23 57	21 26 20	23 00 17	0 17 29	20 27
21	13 10 53	8 53 18	12 36 34	3 19 49	21 22 12	22 56 10	0 13 26	20 23
22	13 15 01	8 53 20	12 35 31	3 15 41	21 18 04	22 52 05	0 09 23	20 19
23	13 18 57	8 53 24	12 34 28	3 11 32	21 13 56	22 47 59	0 05 20	20 15
24	13 22 41	8 53 30	12 33 24	3 07 23	21 09 48	22 43 53	0 01 17	20 11
25	13 26 13	8 53 38	12 32 20	3 03 13	21 05 41	22 39 47	23 53 12	20 07
26	13 29 32	8 53 47	12 31 16	2 59 02	21 01 34	22 35 41	23 49 09	20 03
27	13 32 39	8 53 58	12 30 12	2 54 50	20 57 28	22 31 36	23 45 06	19 59
28	13 35 33	8 54 10	12 29 07	2 50 38	20 53 22	22 27 30	23 41 03	19 55
29	13 38 15	8 54 24	12 28 02	2 46 25	20 49 16	22 23 25	23 37 00	19 51
30	13 40 44	8 54 39	12 26 57	2 42 12	20 45 10	22 19 20	23 32 57	19 47
July 1	13 43 01	8 54 56	12 25 51	2 37 58	20 41 05	22 15 14	23 28 55	19 43
2	13 45 06	8 55 15	12 24 46	2 33 43	20 37 00	22 11 09	23 24 52	19 39

Second Transits: Uranus, June 6^{d}23^{h}57^{m}46^s; Neptune, June 24^{d}23^{h}57^{m}15^s.

Date	Mercury	Venus	Mars	Jupiter	Saturn	Uranus	Neptune	Pluto
	h m s	h m s	h m s	h m s	h m s	h m s	h m s	h m
July 1	13 43 01	8 54 56	12 25 51	2 37 58	20 41 05	22 15 14	23 28 55	19 43
2	13 45 06	8 55 15	12 24 46	2 33 43	20 37 00	22 11 09	23 24 52	19 39
3	13 46 58	8 55 35	12 23 40	2 29 27	20 32 55	22 07 04	23 20 49	19 35
4	13 48 38	8 55 57	12 22 33	2 25 11	20 28 51	22 03 00	23 16 46	19 31
5	13 50 06	8 56 20	12 21 27	2 20 55	20 24 47	21 58 55	23 12 44	19 27
6	13 51 21	8 56 45	12 20 20	2 16 37	20 20 44	21 54 50	23 08 41	19 23
7	13 52 23	8 57 12	12 19 12	2 12 20	20 16 41	21 50 46	23 04 38	19 19
8	13 53 14	8 57 40	12 18 05	2 08 01	20 12 38	21 46 41	23 00 36	19 15
9	13 53 51	8 58 09	12 16 57	2 03 42	20 08 35	21 42 37	22 56 33	19 11
10	13 54 16	8 58 40	12 15 48	1 59 23	20 04 33	21 38 33	22 52 31	19 07
11	13 54 29	8 59 12	12 14 40	1 55 03	20 00 32	21 34 29	22 48 28	19 03
12	13 54 28	8 59 46	12 13 31	1 50 42	19 56 30	21 30 25	22 44 26	19 00
13	13 54 14	9 00 21	12 12 22	1 46 21	19 52 29	21 26 21	22 40 23	18 56
14	13 53 47	9 00 58	12 11 12	1 42 00	19 48 29	21 22 18	22 36 21	18 52
15	13 53 06	9 01 36	12 10 02	1 37 38	19 44 28	21 18 14	22 32 19	18 48
16	13 52 11	9 02 15	12 08 52	1 33 16	19 40 29	21 14 11	22 28 17	18 44
17	13 51 02	9 02 56	12 07 41	1 28 53	19 36 29	21 10 08	22 24 14	18 40
18	13 49 38	9 03 38	12 06 30	1 24 30	19 32 30	21 06 05	22 20 12	18 36
19	13 47 59	9 04 21	12 05 19	1 20 06	19 28 31	21 02 02	22 16 10	18 32
20	13 46 05	9 05 06	12 04 07	1 15 42	19 24 33	20 58 00	22 12 08	18 28
21	13 43 55	9 05 51	12 02 55	1 11 18	19 20 35	20 53 57	22 08 06	18 24
22	13 41 28	9 06 38	12 01 42	1 06 53	19 16 37	20 49 55	22 04 05	18 20
23	13 38 45	9 07 26	12 00 29	1 02 28	19 12 40	20 45 53	22 00 03	18 16
24	13 35 44	9 08 15	11 59 16	0 58 03	19 08 43	20 41 51	21 56 01	18 12
25	13 32 26	9 09 06	11 58 02	0 53 37	19 04 47	20 37 49	21 52 00	18 08
26	13 28 50	9 09 57	11 56 48	0 49 11	19 00 51	20 33 48	21 47 58	18 05
27	13 24 55	9 10 49	11 55 34	0 44 45	18 56 55	20 29 46	21 43 57	18 01
28	13 20 43	9 11 42	11 54 19	0 40 19	18 53 00	20 25 45	21 39 55	17 57
29	13 16 11	9 12 37	11 53 04	0 35 53	18 49 05	20 21 44	21 35 54	17 53
30	13 11 21	9 13 32	11 51 48	0 31 26	18 45 11	20 17 43	21 31 53	17 49
31	13 06 13	9 14 28	11 50 32	0 27 00	18 41 17	20 13 43	21 27 52	17 45
Aug. 1	13 00 47	9 15 24	11 49 16	0 22 33	18 37 23	20 09 42	21 23 51	17 41
2	12 55 04	9 16 22	11 47 59	0 18 06	18 33 30	20 05 42	21 19 50	17 37
3	12 49 05	9 17 20	11 46 42	0 13 39	18 29 37	20 01 42	21 15 49	17 33
4	12 42 51	9 18 20	11 45 24	0 09 12	18 25 45	19 57 42	21 11 48	17 29
5	12 36 24	9 19 19	11 44 06	0 04 45	18 21 52	19 53 42	21 07 47	17 25
6	12 29 46	9 20 20	11 42 48	0 00 18	18 18 01	19 49 43	21 03 47	17 22
7	12 22 59	9 21 21	11 41 29	23 51 23	18 14 09	19 45 44	20 59 46	17 18
8	12 16 06	9 22 22	11 40 10	23 46 56	18 10 18	19 41 45	20 55 46	17 14
9	12 09 10	9 23 24	11 38 51	23 42 30	18 06 28	19 37 46	20 51 46	17 10
10	12 02 13	9 24 27	11 37 31	23 38 03	18 02 38	19 33 47	20 47 46	17 06
11	11 55 21	9 25 30	11 36 11	23 33 36	17 58 48	19 29 49	20 43 46	17 02
12	11 48 34	9 26 33	11 34 50	23 29 09	17 54 58	19 25 50	20 39 46	16 58
13	11 41 58	9 27 36	11 33 29	23 24 43	17 51 09	19 21 52	20 35 46	16 54
14	11 35 35	9 28 40	11 32 08	23 20 17	17 47 21	19 17 55	20 31 46	16 50
15	11 29 29	9 29 44	11 30 47	23 15 51	17 43 32	19 13 57	20 27 47	16 47
16	11 23 43	9 30 48	11 29 25	23 11 25	17 39 44	19 10 00	20 23 47	16 43

Second Transits: Jupiter, August 6d23h55m51s.

Date	Mercury	Venus	Mars	Jupiter	Saturn	Uranus	Neptune	Pluto
	h m s	h m s	h m s	h m s	h m s	h m s	h m s	h m
Aug. 16	11 23 43	9 30 48	11 29 25	23 11 25	17 39 44	19 10 00	20 23 47	16 43
17	11 18 19	9 31 52	11 28 02	23 07 00	17 35 57	19 06 02	20 19 48	16 39
18	11 13 19	9 32 56	11 26 39	23 02 35	17 32 10	19 02 05	20 15 49	16 35
19	11 08 47	9 34 00	11 25 16	22 58 10	17 28 23	18 58 09	20 11 50	16 31
20	11 04 42	9 35 04	11 23 53	22 53 45	17 24 36	18 54 12	20 07 51	16 27
21	11 01 07	9 36 07	11 22 29	22 49 21	17 20 50	18 50 16	20 03 52	16 23
22	10 58 02	9 37 11	11 21 05	22 44 57	17 17 04	18 46 20	19 59 53	16 20
23	10 55 28	9 38 15	11 19 40	22 40 34	17 13 19	18 42 24	19 55 54	16 16
24	10 53 25	9 39 18	11 18 15	22 36 11	17 09 34	18 38 28	19 51 56	16 12
25	10 51 53	9 40 21	11 16 50	22 31 48	17 05 49	18 34 33	19 47 58	16 08
26	10 50 51	9 41 23	11 15 24	22 27 26	17 02 05	18 30 38	19 43 59	16 04
27	10 50 19	9 42 26	11 13 58	22 23 04	16 58 21	18 26 43	19 40 01	16 00
28	10 50 14	9 43 28	11 12 32	22 18 43	16 54 38	18 22 48	19 36 03	15 56
29	10 50 37	9 44 29	11 11 05	22 14 22	16 50 54	18 18 53	19 32 05	15 53
30	10 51 25	9 45 30	11 09 38	22 10 02	16 47 11	18 14 59	19 28 08	15 49
31	10 52 37	9 46 31	11 08 11	22 05 42	16 43 29	18 11 05	19 24 10	15 45
Sept. 1	10 54 10	9 47 31	11 06 43	22 01 23	16 39 47	18 07 11	19 20 13	15 41
2	10 56 02	9 48 31	11 05 15	21 57 05	16 36 05	18 03 17	19 16 15	15 37
3	10 58 12	9 49 30	11 03 47	21 52 47	16 32 23	17 59 24	19 12 18	15 33
4	11 00 37	9 50 29	11 02 18	21 48 29	16 28 42	17 55 31	19 08 21	15 29
5	11 03 14	9 51 27	11 00 49	21 44 13	16 25 01	17 51 38	19 04 24	15 26
6	11 06 01	9 52 24	10 59 20	21 39 57	16 21 21	17 47 45	19 00 28	15 22
7	11 08 57	9 53 21	10 57 50	21 35 41	16 17 40	17 43 52	18 56 31	15 18
8	11 11 59	9 54 17	10 56 21	21 31 26	16 14 00	17 40 00	18 52 34	15 14
9	11 15 06	9 55 13	10 54 51	21 27 12	16 10 21	17 36 08	18 48 38	15 10
10	11 18 15	9 56 08	10 53 20	21 22 58	16 06 41	17 32 16	18 44 42	15 06
11	11 21 26	9 57 02	10 51 50	21 18 45	16 03 02	17 28 24	18 40 46	15 03
12	11 24 37	9 57 55	10 50 19	21 14 33	15 59 24	17 24 33	18 36 50	14 59
13	11 27 47	9 58 48	10 48 47	21 10 22	15 55 45	17 20 41	18 32 54	14 55
14	11 30 56	9 59 40	10 47 16	21 06 11	15 52 07	17 16 50	18 28 58	14 51
15	11 34 02	10 00 32	10 45 44	21 02 01	15 48 30	17 13 00	18 25 03	14 47
16	11 37 05	10 01 22	10 44 12	20 57 52	15 44 52	17 09 09	18 21 08	14 44
17	11 40 04	10 02 12	10 42 40	20 53 43	15 41 15	17 05 18	18 17 12	14 40
18	11 43 00	10 03 02	10 41 08	20 49 35	15 37 38	17 01 28	18 13 17	14 36
19	11 45 52	10 03 50	10 39 35	20 45 28	15 34 01	16 57 38	18 09 22	14 32
20	11 48 40	10 04 38	10 38 02	20 41 22	15 30 25	16 53 48	18 05 28	14 28
21	11 51 24	10 05 25	10 36 28	20 37 17	15 26 49	16 49 59	18 01 33	14 24
22	11 54 04	10 06 12	10 34 55	20 33 12	15 23 13	16 46 09	17 57 38	14 21
23	11 56 40	10 06 58	10 33 21	20 29 08	15 19 38	16 42 20	17 53 44	14 17
24	11 59 12	10 07 43	10 31 47	20 25 05	15 16 02	16 38 31	17 49 50	14 13
25	12 01 40	10 08 28	10 30 13	20 21 03	15 12 27	16 34 43	17 45 56	14 09
26	12 04 05	10 09 12	10 28 39	20 17 01	15 08 53	16 30 54	17 42 02	14 05
27	12 06 27	10 09 55	10 27 04	20 13 00	15 05 18	16 27 06	17 38 08	14 02
28	12 08 45	10 10 38	10 25 29	20 09 00	15 01 44	16 23 17	17 34 14	13 58
29	12 11 00	10 11 20	10 23 54	20 05 01	14 58 10	16 19 29	17 30 21	13 54
30	12 13 13	10 12 02	10 22 19	20 01 03	14 54 36	16 15 42	17 26 28	13 50
Oct. 1	12 15 22	10 12 43	10 20 44	19 57 05	14 51 03	16 11 54	17 22 34	13 46

Date	Mercury	Venus	Mars	Jupiter	Saturn	Uranus	Neptune	Pluto
	h m s	h m s	h m s	h m s	h m s	h m s	h m s	h m
Oct. 1	12 15 22	10 12 43	10 20 44	19 57 05	14 51 03	16 11 54	17 22 34	13 46
2	12 17 30	10 13 24	10 19 08	19 53 08	14 47 30	16 08 07	17 18 41	13 43
3	12 19 34	10 14 05	10 17 32	19 49 12	14 43 57	16 04 19	17 14 48	13 39
4	12 21 37	10 14 45	10 15 56	19 45 17	14 40 24	16 00 32	17 10 55	13 35
5	12 23 38	10 15 24	10 14 20	19 41 23	14 36 51	15 56 46	17 07 03	13 31
6	12 25 37	10 16 03	10 12 44	19 37 29	14 33 19	15 52 59	17 03 10	13 27
7	12 27 34	10 16 42	10 11 08	19 33 36	14 29 47	15 49 12	16 59 18	13 24
8	12 29 30	10 17 21	10 09 31	19 29 45	14 26 15	15 45 26	16 55 25	13 20
9	12 31 25	10 17 59	10 07 55	19 25 53	14 22 43	15 41 40	16 51 33	13 16
10	12 33 18	10 18 37	10 06 18	19 22 03	14 19 12	15 37 54	16 47 41	13 12
11	12 35 10	10 19 15	10 04 41	19 18 13	14 15 40	15 34 08	16 43 49	13 08
12	12 37 01	10 19 53	10 03 04	19 14 25	14 12 09	15 30 23	16 39 58	13 05
13	12 38 51	10 20 30	10 01 27	19 10 37	14 08 38	15 26 37	16 36 06	13 01
14	12 40 40	10 21 08	9 59 50	19 06 49	14 05 08	15 22 52	16 32 15	12 57
15	12 42 29	10 21 45	9 58 12	19 03 03	14 01 37	15 19 07	16 28 23	12 53
16	12 44 17	10 22 22	9 56 35	18 59 17	13 58 07	15 15 22	16 24 32	12 49
17	12 46 04	10 22 59	9 54 57	18 55 33	13 54 37	15 11 37	16 20 41	12 46
18	12 47 50	10 23 37	9 53 19	18 51 49	13 51 07	15 07 53	16 16 50	12 42
19	12 49 35	10 24 14	9 51 42	18 48 05	13 47 37	15 04 08	16 12 59	12 38
20	12 51 20	10 24 51	9 50 04	18 44 23	13 44 07	15 00 24	16 09 09	12 34
21	12 53 04	10 25 29	9 48 26	18 40 41	13 40 38	14 56 40	16 05 18	12 30
22	12 54 47	10 26 07	9 46 48	18 37 00	13 37 08	14 52 56	16 01 27	12 27
23	12 56 29	10 26 44	9 45 09	18 33 20	13 33 39	14 49 12	15 57 37	12 23
24	12 58 10	10 27 23	9 43 31	18 29 40	13 30 10	14 45 28	15 53 47	12 19
25	12 59 50	10 28 01	9 41 53	18 26 01	13 26 41	14 41 44	15 49 57	12 15
26	13 01 28	10 28 40	9 40 15	18 22 23	13 23 13	14 38 01	15 46 07	12 12
27	13 03 04	10 29 19	9 38 36	18 18 46	13 19 44	14 34 18	15 42 17	12 08
28	13 04 38	10 29 58	9 36 58	18 15 10	13 16 15	14 30 35	15 38 27	12 04
29	13 06 10	10 30 38	9 35 19	18 11 34	13 12 47	14 26 52	15 34 38	12 00
30	13 07 39	10 31 18	9 33 41	18 07 58	13 09 19	14 23 09	15 30 48	11 56
31	13 09 04	10 31 59	9 32 02	18 04 24	13 05 51	14 19 26	15 26 59	11 53
Nov. 1	13 10 26	10 32 41	9 30 24	18 00 50	13 02 23	14 15 43	15 23 09	11 49
2	13 11 43	10 33 23	9 28 45	17 57 17	12 58 55	14 12 01	15 19 20	11 45
3	13 12 54	10 34 06	9 27 06	17 53 45	12 55 27	14 08 18	15 15 31	11 41
4	13 13 59	10 34 49	9 25 28	17 50 13	12 51 59	14 04 36	15 11 42	11 37
5	13 14 57	10 35 33	9 23 49	17 46 42	12 48 32	14 00 54	15 07 53	11 34
6	13 15 47	10 36 18	9 22 11	17 43 11	12 45 04	13 57 12	15 04 04	11 30
7	13 16 27	10 37 03	9 20 32	17 39 42	12 41 37	13 53 30	15 00 16	11 26
8	13 16 56	10 37 50	9 18 53	17 36 13	12 38 10	13 49 48	14 56 27	11 22
9	13 17 12	10 38 37	9 17 15	17 32 44	12 34 42	13 46 06	14 52 39	11 19
10	13 17 13	10 39 25	9 15 36	17 29 16	12 31 15	13 42 24	14 48 50	11 15
11	13 16 58	10 40 14	9 13 58	17 25 49	12 27 48	13 38 43	14 45 02	11 11
12	13 16 24	10 41 04	9 12 19	17 22 22	12 24 21	13 35 01	14 41 14	11 07
13	13 15 29	10 41 54	9 10 41	17 18 56	12 20 54	13 31 20	14 37 26	11 03
14	13 14 10	10 42 46	9 09 02	17 15 31	12 17 27	13 27 39	14 33 38	11 00
15	13 12 23	10 43 39	9 07 24	17 12 06	12 14 00	13 23 58	14 29 50	10 56
16	13 10 07	10 44 33	9 05 46	17 08 42	12 10 34	13 20 16	14 26 02	10 52

Date	Mercury	Venus	Mars	Jupiter	Saturn	Uranus	Neptune	Pluto
	h m s	h m s	h m s	h m s	h m s	h m s	h m s	h m
Nov. 16	13 10 07	10 44 33	9 05 46	17 08 42	12 10 34	13 20 16	14 26 02	10 52
17	13 07 17	10 45 28	9 04 07	17 05 19	12 07 07	13 16 35	14 22 14	10 48
18	13 03 51	10 46 24	9 02 29	17 01 56	12 03 40	13 12 54	14 18 26	10 44
19	12 59 45	10 47 20	9 00 51	16 58 33	12 00 13	13 09 13	14 14 39	10 41
20	12 54 58	10 48 19	8 59 12	16 55 11	11 56 47	13 05 33	14 10 51	10 37
21	12 49 27	10 49 18	8 57 34	16 51 50	11 53 20	13 01 52	14 07 04	10 33
22	12 43 12	10 50 18	8 55 56	16 48 29	11 49 54	12 58 11	14 03 16	10 29
23	12 36 12	10 51 20	8 54 18	16 45 09	11 46 27	12 54 31	13 59 29	10 25
24	12 28 32	10 52 22	8 52 40	16 41 49	11 43 00	12 50 50	13 55 42	10 22
25	12 20 14	10 53 26	8 51 02	16 38 30	11 39 34	12 47 09	13 51 55	10 18
26	12 11 25	10 54 31	8 49 24	16 35 11	11 36 07	12 43 29	13 48 08	10 14
27	12 02 14	10 55 37	8 47 47	16 31 53	11 32 40	12 39 48	13 44 21	10 10
28	11 52 50	10 56 45	8 46 09	16 28 35	11 29 14	12 36 08	13 40 34	10 07
29	11 43 25	10 57 54	8 44 32	16 25 18	11 25 47	12 32 28	13 36 47	10 03
30	11 34 08	10 59 03	8 42 54	16 22 01	11 22 21	12 28 47	13 33 00	9 59
Dec. 1	11 25 11	11 00 15	8 41 17	16 18 44	11 18 54	12 25 07	13 29 13	9 55
2	11 16 42	11 01 27	8 39 40	16 15 29	11 15 27	12 21 27	13 25 26	9 51
3	11 08 49	11 02 40	8 38 03	16 12 13	11 12 00	12 17 46	13 21 40	9 48
4	11 01 37	11 03 55	8 36 26	16 08 58	11 08 34	12 14 06	13 17 53	9 44
5	10 55 08	11 05 11	8 34 49	16 05 44	11 05 07	12 10 26	13 14 06	9 40
6	10 49 24	11 06 28	8 33 12	16 02 30	11 01 40	12 06 46	13 10 20	9 36
7	10 44 24	11 07 46	8 31 35	15 59 16	10 58 13	12 03 06	13 06 33	9 32
8	10 40 08	11 09 05	8 29 59	15 56 03	10 54 46	11 59 26	13 02 47	9 29
9	10 36 32	11 10 26	8 28 22	15 52 50	10 51 19	11 55 46	12 59 00	9 25
10	10 33 33	11 11 47	8 26 46	15 49 37	10 47 52	11 52 05	12 55 14	9 21
11	10 31 09	11 13 10	8 25 10	15 46 25	10 44 25	11 48 25	12 51 27	9 17
12	10 29 17	11 14 33	8 23 34	15 43 14	10 40 58	11 44 45	12 47 41	9 13
13	10 27 54	11 15 58	8 21 58	15 40 02	10 37 30	11 41 05	12 43 55	9 09
14	10 26 56	11 17 23	8 20 22	15 36 51	10 34 03	11 37 25	12 40 09	9 06
15	10 26 21	11 18 49	8 18 47	15 33 41	10 30 36	11 33 45	12 36 22	9 02
16	10 26 07	11 20 17	8 17 11	15 30 31	10 27 08	11 30 04	12 32 36	8 58
17	10 26 11	11 21 44	8 15 36	15 27 21	10 23 40	11 26 24	12 28 50	8 54
18	10 26 31	11 23 13	8 14 00	15 24 11	10 20 12	11 22 44	12 25 04	8 50
19	10 27 07	11 24 42	8 12 25	15 21 02	10 16 44	11 19 04	12 21 17	8 47
20	10 27 55	11 26 12	8 10 50	15 17 53	10 13 16	11 15 23	12 17 31	8 43
21	10 28 55	11 27 43	8 09 15	15 14 45	10 09 48	11 11 43	12 13 45	8 39
22	10 30 06	11 29 14	8 07 41	15 11 37	10 06 20	11 08 03	12 09 59	8 35
23	10 31 26	11 30 46	8 06 06	15 08 29	10 02 52	11 04 22	12 06 13	8 31
24	10 32 55	11 32 18	8 04 31	15 05 21	9 59 23	11 00 42	12 02 27	8 27
25	10 34 32	11 33 50	8 02 57	15 02 14	9 55 54	10 57 02	11 58 41	8 24
26	10 36 16	11 35 23	8 01 23	14 59 07	9 52 25	10 53 21	11 54 54	8 20
27	10 38 07	11 36 56	7 59 49	14 56 00	9 48 56	10 49 40	11 51 08	8 16
28	10 40 03	11 38 29	7 58 15	14 52 53	9 45 27	10 46 00	11 47 22	8 12
29	10 42 05	11 40 02	7 56 41	14 49 47	9 41 58	10 42 19	11 43 36	8 08
30	10 44 13	11 41 36	7 55 08	14 46 41	9 38 29	10 38 38	11 39 50	8 04
31	10 46 25	11 43 09	7 53 34	14 43 35	9 34 59	10 34 58	11 36 04	8 01
32	10 48 41	11 44 43	7 52 01	14 40 30	9 31 29	10 31 17	11 32 17	7 57

MERCURY, 1985

EPHEMERIS FOR PHYSICAL OBSERVATIONS
FOR 0ʰ DYNAMICAL TIME

Date		Light-time	Magnitude	Surface Brightness	Diameter	Phase	Phase Angle	Defect of Illumination
		m			″		°	″
Jan.	−1	7.65	− 0.1	+3.2	7.32	0.512	88.7	3.57
	1	8.00	0.2	3.1	6.99	0.571	81.8	3.00
	3	8.35	0.3	3.1	6.70	0.624	75.7	2.52
	5	8.67	0.3	3.1	6.45	0.669	70.3	2.14
	7	8.99	0.3	3.0	6.22	0.708	65.4	1.82
	9	9.28	− 0.3	+3.0	6.03	0.742	61.1	1.56
	11	9.56	0.3	3.0	5.85	0.772	57.1	1.34
	13	9.81	0.3	3.0	5.70	0.798	53.5	1.15
	15	10.05	0.3	3.0	5.57	0.820	50.2	1.00
	17	10.27	0.3	2.9	5.45	0.841	47.1	0.87
	19	10.47	− 0.3	+2.9	5.34	0.859	44.2	0.75
	21	10.66	0.3	2.9	5.25	0.875	41.4	0.66
	23	10.83	0.3	2.8	5.16	0.890	38.8	0.57
	25	10.98	0.4	2.8	5.09	0.903	36.3	0.49
	27	11.12	0.4	2.8	5.03	0.915	33.9	0.43
	29	11.24	− 0.4	+2.7	4.98	0.926	31.5	0.37
	31	11.35	0.5	2.6	4.93	0.937	29.1	0.31
Feb.	2	11.44	0.6	2.6	4.89	0.947	26.7	0.26
	4	11.51	0.6	2.5	4.86	0.956	24.3	0.21
	6	11.57	0.7	2.4	4.83	0.964	21.8	0.17
	8	11.61	− 0.8	+2.3	4.82	0.972	19.2	0.13
	10	11.64	0.9	2.2	4.81	0.979	16.6	0.10
	12	11.64	1.0	2.1	4.80	0.986	13.8	0.07
	14	11.63	1.2	2.0	4.81	0.991	10.9	0.04
	16	11.59	1.3	1.8	4.82	0.995	8.1	0.02
	18	11.53	− 1.5	+1.7	4.85	0.998	5.6	0.01
	20	11.45	1.6	1.6	4.88	0.998	5.1	0.01
	22	11.34	1.6	1.6	4.93	0.996	7.5	0.02
	24	11.20	1.5	1.7	4.99	0.990	11.6	0.05
	26	11.03	1.5	1.8	5.07	0.979	16.7	0.11
	28	10.81	− 1.4	+1.8	5.17	0.962	22.4	0.20
Mar.	2	10.57	1.4	1.9	5.29	0.938	28.9	0.33
	4	10.28	1.3	2.0	5.44	0.904	36.1	0.52
	6	9.95	1.2	2.1	5.62	0.860	43.9	0.79
	8	9.58	1.1	2.2	5.84	0.805	52.4	1.14
	10	9.18	− 1.0	+2.3	6.10	0.740	61.4	1.59
	12	8.74	0.8	2.5	6.40	0.664	70.8	2.15
	14	8.29	0.6	2.7	6.74	0.582	80.5	2.82
	16	7.83	0.4	2.9	7.14	0.497	90.4	3.59
	18	7.38	− 0.1	3.1	7.58	0.411	100.3	4.47
	20	6.94	+ 0.3	+3.4	8.06	0.328	110.1	5.41
	22	6.53	0.8	3.7	8.57	0.251	119.8	6.42
	24	6.15	1.3	4.0	9.10	0.182	129.4	7.44
	26	5.81	2.0	4.3	9.63	0.123	138.9	8.45
	28	5.52	2.7	4.6	10.14	0.075	148.2	9.38
	30	5.28	+ 3.5	+4.8	10.60	0.039	157.3	10.19
Apr.	1	5.09	+ 4.4	...	10.98	0.015	165.9	10.81

EPHEMERIS FOR PHYSICAL OBSERVATIONS
FOR 0ʰ DYNAMICAL TIME

Date		Sub-Earth Point		Sub-Solar Point			North Pole	
		Long.	Lat.	Long.	Dist.	P.A.	Dist.	P.A.
		°	°	°	″	°	″	°
Jan.	−1	101.32	− 5.75	189.97	+ 3.66	101.76	− 3.64	11.91
	1	112.05	5.66	193.79	3.46	100.36	3.48	11.20
	3	122.48	5.57	198.10	3.25	98.89	3.34	10.33
	5	132.67	5.49	202.85	3.04	97.35	3.21	9.34
	7	142.67	5.42	207.98	2.83	95.73	3.10	8.23
	9	152.52	− 5.36	213.45	+ 2.64	94.04	− 3.00	7.03
	11	162.26	5.31	219.20	2.46	92.29	2.91	5.76
	13	171.89	5.26	225.20	2.29	90.48	2.84	4.41
	15	181.45	5.22	231.40	2.14	88.62	2.77	3.01
	17	190.93	5.19	237.77	1.99	86.70	2.71	1.56
	19	200.36	− 5.16	244.28	+ 1.86	84.73	− 2.66	0.08
	21	209.73	5.13	250.90	1.74	82.71	2.61	358.57
	23	219.05	5.10	257.59	1.62	80.65	2.57	357.03
	25	228.33	5.08	264.33	1.51	78.53	2.54	355.49
	27	237.57	5.06	271.09	1.40	76.35	2.50	353.94
	29	246.76	− 5.03	277.85	+ 1.30	74.09	− 2.48	352.39
	31	255.90	5.01	284.58	1.20	71.75	2.45	350.84
Feb.	2	265.00	5.00	291.25	1.10	69.29	2.44	349.32
	4	274.06	4.98	297.84	1.00	66.66	2.42	347.81
	6	283.07	4.96	304.31	0.90	63.78	2.41	346.33
	8	292.03	− 4.95	310.63	+ 0.79	60.52	− 2.40	344.89
	10	300.93	4.93	316.77	0.69	56.63	2.39	343.48
	12	309.79	4.92	322.70	0.57	51.62	2.39	342.13
	14	318.58	4.91	328.36	0.46	44.44	2.40	340.82
	16	327.32	4.91	333.73	0.34	32.34	2.40	339.57
	18	336.00	− 4.90	338.74	+ 0.24	7.73	− 2.42	338.39
	20	344.62	4.90	343.36	0.22	322.78	2.43	337.28
	22	353.19	4.91	347.51	0.32	286.93	2.46	336.25
	24	1.70	4.92	351.16	0.50	270.01	2.49	335.31
	26	10.18	4.95	354.25	0.73	261.21	2.53	334.45
	28	18.63	− 4.98	356.73	+ 0.99	255.84	− 2.58	333.69
Mar.	2	27.07	5.03	358.58	1.28	252.18	2.64	333.04
	4	35.55	5.09	359.80	1.60	249.50	2.71	332.49
	6	44.09	5.18	0.43	1.95	247.44	2.80	332.06
	8	52.74	5.28	0.56	2.31	245.79	2.91	331.72
	10	61.58	− 5.40	0.34	+ 2.68	244.44	− 3.03	331.49
	12	70.66	5.55	359.95	3.02	243.28	3.18	331.35
	14	80.06	5.72	359.58	+ 3.33	242.24	3.36	331.29
	16	89.85	5.90	359.46	− 3.57	241.23	3.55	331.27
	18	100.07	6.10	359.75	3.73	240.18	3.77	331.29
	20	110.79	− 6.31	0.57	− 3.78	239.00	− 4.01	331.31
	22	122.04	6.50	2.00	3.72	237.59	4.26	331.33
	24	133.82	6.68	4.06	3.52	235.82	4.52	331.34
	26	146.14	6.82	6.75	3.16	233.45	4.78	331.32
	28	158.95	6.92	10.03	2.67	230.02	5.03	331.29
	30	172.20	− 6.94	13.86	− 2.04	224.37	− 5.26	331.26
Apr.	1	185.80	− 6.88	18.18	− 1.34	212.64	− 5.45	331.23

MERCURY, 1985

EPHEMERIS FOR PHYSICAL OBSERVATIONS
FOR 0ʰ DYNAMICAL TIME

Date		Light-time	Magnitude	Surface Brightness	Diameter	Phase	Phase Angle	Defect of Illumination
		m			"		°	"
Apr.	1	5.09	+ 4.4	...	10.98	0.015	165.9	10.81
	3	4.97	5.2	...	11.27	0.004	172.5	11.22
	5	4.89	5.1	...	11.44	0.005	171.5	11.38
	7	4.87	4.4	+ 5.0	11.50	0.018	164.8	11.30
	9	4.89	3.6	5.1	11.45	0.039	157.3	11.00
	11	4.95	+ 3.0	+ 5.1	11.30	0.067	150.1	10.55
	13	5.05	2.5	4.9	11.07	0.100	143.2	9.97
	15	5.18	2.0	4.8	10.79	0.135	136.8	9.33
	17	5.34	1.7	4.6	10.47	0.173	130.9	8.66
	19	5.52	1.4	4.5	10.13	0.211	125.3	8.00
	21	5.72	+ 1.2	+ 4.4	9.78	0.249	120.2	7.35
	23	5.93	1.0	4.3	9.43	0.285	115.4	6.74
	25	6.15	0.9	4.2	9.09	0.321	110.9	6.17
	27	6.39	0.7	4.1	8.76	0.356	106.7	5.64
	29	6.63	0.6	4.0	8.43	0.390	102.7	5.15
May	1	6.88	+ 0.5	+ 3.9	8.13	0.423	98.9	4.69
	3	7.14	0.4	3.8	7.83	0.455	95.1	4.27
	5	7.40	0.3	3.7	7.56	0.487	91.5	3.88
	7	7.67	0.2	3.6	7.30	0.519	87.9	3.51
	9	7.94	0.1	3.5	7.05	0.550	84.2	3.17
	11	8.21	+ 0.1	+ 3.4	6.81	0.582	80.6	2.85
	13	8.48	0.0	3.3	6.59	0.614	76.8	2.54
	15	8.76	− 0.1	3.1	6.39	0.648	72.8	2.25
	17	9.03	0.3	3.0	6.20	0.682	68.7	1.97
	19	9.30	0.4	2.9	6.02	0.717	64.3	1.70
	21	9.56	− 0.5	+ 2.8	5.85	0.753	59.6	1.44
	23	9.82	0.7	2.6	5.70	0.790	54.5	1.19
	25	10.06	0.8	2.4	5.56	0.828	49.0	0.96
	27	10.29	1.0	2.3	5.44	0.865	43.1	0.73
	29	10.49	1.2	2.1	5.33	0.901	36.6	0.53
	31	10.67	− 1.4	+ 1.9	5.24	0.934	29.7	0.34
June	2	10.82	1.6	1.7	5.17	0.962	22.3	0.19
	4	10.92	1.9	+ 1.4	5.12	0.984	14.6	0.08
	6	10.98	2.1	...	5.09	0.997	6.7	0.02
	8	10.99	2.3	...	5.09	0.999	3.3	0.00
	10	10.96	− 2.0	+ 1.3	5.10	0.992	10.6	0.04
	12	10.88	1.7	1.5	5.14	0.974	18.5	0.13
	14	10.75	1.5	1.8	5.20	0.949	26.1	0.27
	16	10.59	1.3	2.0	5.28	0.918	33.3	0.43
	18	10.40	1.1	2.2	5.38	0.882	40.1	0.63
	20	10.19	− 0.9	+ 2.4	5.49	0.845	46.4	0.85
	22	9.95	0.7	2.5	5.62	0.807	52.2	1.09
	24	9.70	0.6	2.7	5.77	0.769	57.5	1.33
	26	9.44	0.4	2.8	5.92	0.731	62.5	1.59
	28	9.17	0.3	3.0	6.10	0.695	67.1	1.86
	30	8.90	− 0.2	+ 3.1	6.28	0.660	71.4	2.14
July	2	8.63	− 0.1	+ 3.2	6.48	0.625	75.5	2.43

EPHEMERIS FOR PHYSICAL OBSERVATIONS
FOR 0ʰ DYNAMICAL TIME

Date		Sub-Earth Point		Sub-Solar Point			North Pole	
		Long.	Lat.	Long.	Dist.	P.A.	Dist.	P.A.
		°	°	°	″	°	″	°
Apr.	1	185.80	− 6.88	18.18	− 1.34	212.64	− 5.45	331.23
	3	199.64	6.74	22.93	0.73	177.41	5.59	331.22
	5	213.57	6.50	28.07	0.85	110.77	5.68	331.23
	7	227.48	6.19	33.54	1.51	84.69	5.71	331.26
	9	241.25	5.81	39.30	2.20	75.37	5.69	331.31
	11	254.77	− 5.38	45.30	− 2.82	70.75	− 5.62	331.36
	13	268.00	4.92	51.51	3.31	67.99	5.52	331.40
	15	280.89	4.45	57.88	3.69	66.17	5.38	331.44
	17	293.42	3.97	64.39	3.96	64.88	5.22	331.46
	19	305.61	3.51	71.01	4.13	63.94	5.06	331.46
	21	317.46	− 3.06	77.70	− 4.23	63.22	− 4.89	331.45
	23	329.00	2.63	84.45	4.26	62.68	4.71	331.44
	25	340.25	2.22	91.21	4.24	62.27	4.54	331.42
	27	351.23	1.84	97.97	4.19	61.96	4.38	331.42
	29	1.97	1.48	104.70	4.11	61.76	4.22	331.43
May	1	12.49	− 1.14	111.37	− 4.01	61.64	− 4.06	331.47
	3	22.80	0.82	117.95	3.90	61.61	3.92	331.54
	5	32.92	0.53	124.42	− 3.78	61.66	3.78	331.65
	7	42.86	− 0.25	130.73	+ 3.65	61.81	− 3.65	331.81
	9	52.63	+ 0.01	136.87	3.51	62.04	+ 3.52	332.04
	11	62.23	+ 0.25	142.79	+ 3.36	62.38	+ 3.41	332.33
	13	71.69	0.47	148.45	3.21	62.82	3.30	332.70
	15	80.99	0.68	153.81	3.05	63.37	3.19	333.15
	17	90.14	0.88	158.82	2.89	64.06	3.10	333.70
	19	99.15	1.06	163.43	2.71	64.89	3.01	334.36
	21	108.01	+ 1.24	167.58	+ 2.52	65.87	+ 2.92	335.13
	23	116.72	1.40	171.22	2.32	67.05	2.85	336.03
	25	125.29	1.56	174.29	2.10	68.44	2.78	337.07
	27	133.71	1.71	176.77	1.86	70.10	2.72	338.25
	29	142.00	1.85	178.60	1.59	72.11	2.66	339.58
	31	150.15	+ 2.00	179.82	+ 1.30	74.62	+ 2.62	341.08
June	2	158.20	2.14	180.44	0.98	78.00	2.58	342.74
	4	166.16	2.29	180.56	0.65	83.43	2.56	344.55
	6	174.05	2.44	180.34	0.30	97.68	2.54	346.50
	8	181.91	2.59	179.94	0.14	205.73	2.54	348.56
	10	189.78	+ 2.76	179.58	+ 0.47	245.71	+ 2.55	350.71
	12	197.70	2.94	179.46	0.81	254.07	2.57	352.91
	14	205.69	3.12	179.76	1.14	258.74	2.60	355.13
	16	213.78	3.32	180.59	1.45	262.27	2.64	357.32
	18	222.00	3.54	182.02	1.73	265.27	2.68	359.46
	20	230.35	+ 3.76	184.09	+ 1.99	267.95	+ 2.74	1.53
	22	238.85	4.00	186.79	2.22	270.41	2.80	3.51
	24	247.49	4.26	190.08	2.43	272.68	2.88	5.38
	26	256.28	4.52	193.91	2.63	274.79	2.95	7.13
	28	265.22	4.80	198.24	2.81	276.76	3.04	8.78
	30	274.32	+ 5.09	203.00	+ 2.98	278.60	+ 3.13	10.30
July	2	283.56	+ 5.40	208.14	+ 3.14	280.32	+ 3.23	11.70

MERCURY, 1985

EPHEMERIS FOR PHYSICAL OBSERVATIONS
FOR 0ʰ DYNAMICAL TIME

Date		Light-time	Magnitude	Surface Brightness	Diameter	Phase	Phase Angle	Defect of Illumination
		m			″		°	″
July	2	8.63	− 0.1	+3.2	6.48	0.625	75.5	2.43
	4	8.36	0.0	3.3	6.69	0.592	79.4	2.73
	6	8.09	+ 0.1	3.4	6.92	0.559	83.2	3.05
	8	7.82	0.2	3.5	7.15	0.527	86.9	3.38
	10	7.56	0.3	3.6	7.40	0.495	90.5	3.73
	12	7.30	+ 0.4	+3.7	7.67	0.464	94.2	4.11
	14	7.04	0.5	3.8	7.95	0.431	97.9	4.52
	16	6.79	0.6	3.9	8.24	0.399	101.7	4.95
	18	6.55	0.7	4.0	8.54	0.366	105.6	5.42
	20	6.31	0.8	4.1	8.86	0.331	109.7	5.92
	22	6.09	+ 1.0	+4.2	9.19	0.296	114.0	6.46
	24	5.88	1.2	4.3	9.52	0.261	118.6	7.04
	26	5.68	1.4	4.5	9.85	0.224	123.5	7.64
	28	5.50	1.6	4.6	10.17	0.187	128.7	8.27
	30	5.34	1.9	4.7	10.48	0.150	134.4	8.90
Aug.	1	5.20	+ 2.3	+4.9	10.76	0.115	140.3	9.52
	3	5.09	2.8	5.0	10.98	0.082	146.7	10.08
	5	5.02	3.3	+5.1	11.14	0.053	153.3	10.55
	7	4.98	3.9	. . .	11.22	0.031	159.8	10.88
	9	4.99	4.5	. . .	11.20	0.016	165.6	11.03
	11	5.05	+ 4.8	. . .	11.08	0.010	168.3	10.96
	13	5.16	4.4	. . .	10.84	0.016	165.3	10.67
	15	5.32	3.7	+4.9	10.52	0.034	158.7	10.16
	17	5.53	3.0	4.7	10.11	0.064	150.7	9.46
	19	5.80	2.2	4.5	9.64	0.106	142.0	8.62
	21	6.12	+ 1.6	+4.1	9.15	0.159	133.0	7.69
	23	6.48	1.0	3.8	8.64	0.222	123.7	6.72
	25	6.87	0.5	3.5	8.14	0.294	114.3	5.74
	27	7.30	+ 0.1	3.2	7.66	0.373	104.7	4.80
	29	7.75	− 0.2	3.0	7.22	0.457	94.9	3.92
	31	8.21	− 0.5	+2.8	6.81	0.543	85.1	3.12
Sept.	2	8.67	0.7	2.6	6.46	0.627	75.3	2.41
	4	9.11	0.9	2.4	6.14	0.706	65.7	1.81
	6	9.53	1.0	2.3	5.87	0.776	56.4	1.31
	8	9.91	1.2	2.2	5.64	0.837	47.6	0.92
	10	10.26	− 1.2	+2.0	5.45	0.887	39.3	0.62
	12	10.57	1.3	1.9	5.29	0.925	31.7	0.39
	14	10.84	1.4	1.9	5.16	0.954	24.7	0.24
	16	11.06	1.5	1.8	5.06	0.974	18.4	0.13
	18	11.25	1.5	+1.7	4.97	0.988	12.8	0.06
	20	11.40	− 1.6	. . .	4.91	0.995	8.0	0.02
	22	11.52	1.6	. . .	4.86	0.999	4.4	0.01
	24	11.61	1.6	. . .	4.82	0.999	4.3	0.01
	26	11.67	1.4	+1.7	4.79	0.996	7.1	0.02
	28	11.71	1.2	1.9	4.78	0.992	10.3	0.04
	30	11.72	− 1.1	+2.0	4.77	0.986	13.5	0.07
Oct.	2	11.72	− 0.9	+2.2	4.77	0.979	16.5	0.10

EPHEMERIS FOR PHYSICAL OBSERVATIONS
FOR 0ʰ DYNAMICAL TIME

Date		Sub-Earth Point		Sub-Solar Point			North Pole	
		Long.	Lat.	Long.	Dist.	P.A.	Dist.	P.A.
		°	°	°	″	°	″	°
July	2	283.56	+ 5.40	208.14	+ 3.14	280.32	+ 3.23	11.70
	4	292.96	5.72	213.62	3.29	281.93	3.33	12.99
	6	302.51	6.05	219.38	3.43	283.46	3.44	14.17
	8	312.23	6.40	225.39	+ 3.57	284.90	3.55	15.23
	10	322.12	6.76	231.60	− 3.70	286.27	3.68	16.19
	12	332.18	+ 7.14	237.98	− 3.82	287.59	+ 3.80	17.05
	14	342.44	7.53	244.49	3.94	288.87	3.94	17.80
	16	352.90	7.93	251.11	4.03	290.12	4.08	18.46
	18	3.58	8.35	257.80	4.11	291.37	4.23	19.01
	20	14.50	8.78	264.55	4.17	292.65	4.38	19.47
	22	25.68	+ 9.22	271.31	− 4.19	293.98	+ 4.53	19.82
	24	37.14	9.65	278.07	4.18	295.41	4.69	20.08
	26	48.91	10.09	284.80	4.11	297.00	4.85	20.22
	28	61.01	10.51	291.47	3.97	298.83	5.00	20.26
	30	73.44	10.91	298.05	3.75	301.05	5.15	20.18
Aug.	1	86.23	+11.27	304.52	− 3.43	303.89	+ 5.27	19.99
	3	99.35	11.57	310.83	3.02	307.80	5.38	19.68
	5	112.79	11.78	316.97	2.51	313.70	5.45	19.26
	7	126.47	11.89	322.89	1.94	323.70	5.49	18.74
	9	140.32	11.89	328.54	1.39	343.09	5.48	18.16
	11	154.24	+11.75	333.90	− 1.13	19.21	+ 5.42	17.55
	13	168.09	11.49	338.90	1.37	56.06	5.31	16.95
	15	181.76	11.11	343.50	1.91	76.15	5.16	16.42
	17	195.13	10.64	347.64	2.47	86.49	4.97	16.01
	19	208.10	10.10	351.27	2.97	92.60	4.75	15.77
	21	220.60	+ 9.52	354.34	− 3.34	96.74	+ 4.51	15.71
	23	232.60	8.93	356.80	3.59	99.87	4.27	15.87
	25	244.08	8.34	358.63	3.71	102.46	4.03	16.24
	27	255.03	7.78	359.83	3.71	104.78	3.79	16.81
	29	265.49	7.25	0.44	− 3.60	106.95	3.58	17.57
	31	275.49	+ 6.76	0.56	+ 3.39	109.07	+ 3.38	18.47
Sept.	2	285.09	6.33	0.33	3.12	111.16	3.21	19.48
	4	294.34	5.93	359.93	2.80	113.26	3.05	20.57
	6	303.32	5.58	359.57	2.45	115.39	2.92	21.67
	8	312.09	5.27	359.46	2.08	117.59	2.81	22.76
	10	320.71	+ 5.00	359.76	+ 1.73	119.92	+ 2.72	23.79
	12	329.24	4.76	0.60	1.39	122.49	2.64	24.75
	14	337.73	4.54	2.05	1.08	125.53	2.57	25.61
	16	346.21	4.35	4.13	0.80	129.53	2.52	26.36
	18	354.71	4.17	6.83	0.55	135.66	2.48	27.00
	20	3.25	+ 4.01	10.13	+ 0.34	147.51	+ 2.45	27.54
	22	11.83	3.85	13.97	0.19	178.80	2.42	27.96
	24	20.47	3.71	18.30	0.18	238.79	2.40	28.27
	26	29.18	3.57	23.07	0.29	268.42	2.39	28.48
	28	37.94	3.43	28.22	0.43	279.42	2.38	28.60
	30	46.76	+ 3.30	33.70	+ 0.56	284.75	+ 2.38	28.62
Oct.	2	55.64	+ 3.17	39.46	+ 0.68	287.81	+ 2.38	28.55

MERCURY, 1985

EPHEMERIS FOR PHYSICAL OBSERVATIONS
FOR 0ʰ DYNAMICAL TIME

Date		Light-time	Magnitude	Surface Brightness	Diameter	Phase	Phase Angle	Defect of Illumination
		m			"		°	"
Oct.	2	11.72	− 0.9	+2.2	4.77	0.979	16.5	0.10
	4	11.69	0.8	2.3	4.78	0.972	19.3	0.13
	6	11.65	0.7	2.4	4.80	0.963	22.1	0.18
	8	11.59	0.6	2.5	4.83	0.954	24.7	0.22
	10	11.51	0.5	2.6	4.86	0.944	27.3	0.27
	12	11.42	− 0.5	+2.6	4.90	0.934	29.8	0.32
	14	11.31	0.4	2.7	4.95	0.923	32.2	0.38
	16	11.18	0.4	2.8	5.00	0.911	34.7	0.45
	18	11.04	0.3	2.8	5.07	0.898	37.2	0.52
	20	10.88	0.3	2.9	5.14	0.884	39.8	0.60
	22	10.70	− 0.3	+2.9	5.23	0.869	42.4	0.68
	24	10.51	0.2	2.9	5.32	0.852	45.2	0.79
	26	10.31	0.2	3.0	5.43	0.834	48.1	0.90
	28	10.08	0.2	3.0	5.55	0.813	51.2	1.04
	30	9.84	0.2	3.0	5.68	0.790	54.5	1.19
Nov.	1	9.58	− 0.2	+3.1	5.84	0.764	58.1	1.38
	3	9.30	0.2	3.1	6.01	0.735	62.0	1.59
	5	9.01	0.2	3.1	6.21	0.702	66.2	1.85
	7	8.70	0.2	3.1	6.43	0.663	70.9	2.17
	9	8.37	0.2	3.1	6.68	0.619	76.2	2.54
	11	8.03	− 0.2	+3.2	6.97	0.569	82.1	3.00
	13	7.68	− 0.1	3.2	7.29	0.511	88.7	3.56
	15	7.32	0.0	3.3	7.64	0.446	96.2	4.23
	17	6.96	+ 0.2	3.4	8.04	0.373	104.7	5.04
	19	6.62	0.5	3.6	8.46	0.294	114.4	5.97
	21	6.29	+ 1.0	+3.8	8.89	0.211	125.3	7.01
	23	6.02	1.7	4.1	9.30	0.131	137.5	8.08
	25	5.80	2.7	+4.4	9.64	0.063	151.0	9.04
	27	5.67	4.1	. . .	9.86	0.016	165.5	9.70
	29	5.64	5.4	. . .	9.91	0.001	176.6	9.90
Dec.	1	5.72	+ 3.8	+4.3	9.78	0.021	163.2	9.57
	3	5.90	2.4	4.2	9.49	0.074	148.4	8.78
	5	6.16	1.4	3.9	9.09	0.150	134.4	7.72
	7	6.48	0.7	3.6	8.63	0.239	121.5	6.57
	9	6.85	+ 0.3	3.4	8.17	0.329	110.0	5.48
	11	7.23	0.0	+3.2	7.73	0.416	99.7	4.51
	13	7.63	− 0.2	3.1	7.33	0.495	90.6	3.70
	15	8.02	0.3	3.0	6.98	0.565	82.5	3.03
	17	8.40	0.4	3.0	6.66	0.626	75.4	2.49
	19	8.76	0.4	2.9	6.39	0.678	69.1	2.06
	21	9.10	− 0.4	+2.9	6.15	0.723	63.6	1.71
	23	9.42	0.4	2.9	5.94	0.761	58.6	1.42
	25	9.71	0.4	2.9	5.76	0.793	54.1	1.19
	27	9.99	0.4	2.9	5.60	0.821	50.0	1.00
	29	10.24	0.4	2.8	5.46	0.845	46.3	0.84
	31	10.47	− 0.4	+2.8	5.34	0.866	42.9	0.71
	33	10.69	− 0.4	+2.8	5.23	0.884	39.8	0.61

EPHEMERIS FOR PHYSICAL OBSERVATIONS
FOR 0ʰ DYNAMICAL TIME

Date		Sub-Earth Point		Sub-Solar Point			North Pole	
		Long.	Lat.	Long.	Dist.	P.A.	Dist.	P.A.
		°	°	°	″	°	″	°
Oct.	2	55.64	+ 3.17	39.46	+ 0.68	287.81	+ 2.38	28.55
	4	64.58	3.04	45.47	0.79	289.73	2.39	28.39
	6	73.57	2.91	51.68	0.90	290.99	2.40	28.15
	8	82.62	2.78	58.06	1.01	291.81	2.41	27.84
	10	91.72	2.65	64.58	1.11	292.32	2.43	27.45
	12	100.86	+ 2.52	71.20	+ 1.22	292.59	+ 2.45	26.99
	14	110.06	2.39	77.89	1.32	292.68	2.47	26.46
	16	119.30	2.25	84.64	1.43	292.62	2.50	25.86
	18	128.59	2.12	91.40	1.53	292.42	2.53	25.20
	20	137.92	1.97	98.16	1.65	292.11	2.57	24.47
	22	147.31	+ 1.83	104.89	+ 1.76	291.70	+ 2.61	23.70
	24	156.74	1.68	111.56	1.89	291.20	2.66	22.87
	26	166.23	1.53	118.14	2.02	290.63	2.71	21.99
	28	175.79	1.36	124.60	2.16	289.98	2.77	21.08
	30	185.41	1.20	130.92	2.31	289.27	2.84	20.13
Nov.	1	195.12	+ 1.02	137.05	+ 2.48	288.52	+ 2.92	19.16
	3	204.92	0.84	142.97	2.65	287.73	3.01	18.18
	5	214.84	0.64	148.62	2.84	286.91	3.10	17.20
	7	224.90	0.43	153.97	3.04	286.09	3.22	16.25
	9	235.15	+ 0.21	158.97	3.24	285.28	+ 3.34	15.35
	11	245.62	− 0.04	163.56	+ 3.45	284.51	− 3.48	14.52
	13	256.38	0.30	167.70	+ 3.64	283.79	3.64	13.80
	15	267.50	0.59	171.32	− 3.80	283.15	3.82	13.23
	17	279.07	0.91	174.38	3.89	282.61	4.02	12.87
	19	291.19	1.27	176.83	3.85	282.17	4.23	12.76
	21	303.95	− 1.65	178.65	− 3.63	281.76	− 4.44	12.94
	23	317.41	2.05	179.84	3.14	281.18	4.65	13.45
	25	331.57	2.47	180.44	2.33	279.76	4.82	14.25
	27	346.30	2.87	180.55	1.24	274.09	4.92	15.28
	29	1.35	3.22	180.32	0.29	178.64	4.95	16.41
Dec.	1	16.36	− 3.51	179.92	− 1.41	119.23	− 4.88	17.48
	3	30.98	3.73	179.57	2.49	114.45	4.73	18.36
	5	44.95	3.87	179.46	3.25	112.78	4.53	18.98
	7	58.15	3.95	179.77	3.68	111.74	4.31	19.31
	9	70.61	4.00	180.62	3.84	110.82	4.07	19.37
	11	82.39	− 4.03	182.07	− 3.81	109.87	− 3.86	19.19
	13	93.61	4.05	184.17	− 3.67	108.83	3.66	18.80
	15	104.38	4.06	186.88	+ 3.46	107.69	3.48	18.23
	17	114.80	4.07	190.19	3.22	106.44	3.32	17.51
	19	124.95	4.09	194.04	2.98	105.09	3.19	16.66
	21	134.89	− 4.11	198.37	+ 2.75	103.63	− 3.07	15.70
	23	144.67	4.13	203.15	2.53	102.08	2.96	14.63
	25	154.33	4.15	208.30	2.33	100.44	2.87	13.47
	27	163.90	4.18	213.79	2.15	98.70	2.79	12.24
	29	173.39	4.21	219.55	1.97	96.88	2.72	10.93
	31	182.81	− 4.24	225.57	+ 1.82	94.96	− 2.66	9.56
	33	192.19	− 4.27	231.78	+ 1.67	92.96	− 2.61	8.13

VENUS, 1985

EPHEMERIS FOR PHYSICAL OBSERVATIONS
FOR 0ʰ DYNAMICAL TIME

Date		Light-time	Magnitude	Surface Brightness	Diameter	Phase	Phase Angle	Defect of Illumination
		m			"		°	"
Jan.	−1	7.13	− 4.3	+1.4	19.46	0.618	76.4	7.44
	3	6.89	4.3	1.4	20.14	0.601	78.3	8.03
	7	6.65	4.3	1.4	20.87	0.584	80.3	8.68
	11	6.40	4.3	1.5	21.67	0.566	82.4	9.40
	15	6.16	4.4	1.5	22.53	0.547	84.6	10.20
	19	5.91	− 4.4	+1.5	23.47	0.528	86.8	11.08
	23	5.67	4.4	1.5	24.49	0.507	89.2	12.06
	27	5.42	4.5	1.5	25.60	0.486	91.6	13.16
	31	5.17	4.5	1.6	26.82	0.463	94.2	14.40
Feb.	4	4.93	4.5	1.6	28.16	0.439	97.0	15.79
	8	4.68	− 4.5	+1.6	29.63	0.414	99.9	17.36
	12	4.44	4.6	1.6	31.25	0.387	103.0	19.14
	16	4.20	4.6	1.6	33.03	0.359	106.4	21.17
	20	3.97	4.6	1.7	34.99	0.329	110.0	23.47
	24	3.74	4.6	1.7	37.14	0.297	113.9	26.09
	28	3.51	− 4.6	+1.7	39.49	0.264	118.2	29.07
Mar.	4	3.30	4.6	1.6	42.05	0.229	122.9	32.43
	8	3.10	4.6	1.6	44.77	0.192	128.0	36.17
	12	2.91	4.6	1.5	47.63	0.155	133.7	40.25
	16	2.75	4.5	1.4	50.51	0.118	139.9	44.57
	20	2.60	− 4.4	+1.2	53.29	0.083	146.6	48.89
	24	2.49	4.3	0.9	55.76	0.052	153.7	52.88
	28	2.41	4.2	+0.5	57.68	0.027	160.9	56.10
Apr.	1	2.36	4.1	. . .	58.81	0.013	167.1	58.07
	5	2.35	4.0	. . .	58.99	0.009	169.2	58.47
	9	2.39	− 4.1	. . .	58.18	0.017	165.1	57.20
	13	2.46	4.2	+0.7	56.49	0.035	158.4	54.50
	17	2.56	4.3	1.1	54.13	0.062	151.2	50.78
	21	2.70	4.4	1.3	51.37	0.094	144.2	46.52
	25	2.87	4.5	1.5	48.42	0.130	137.8	42.13
	29	3.05	− 4.5	+1.6	45.45	0.167	131.8	37.88
May	3	3.26	4.5	1.6	42.59	0.203	126.4	33.93
	7	3.48	4.5	1.7	39.89	0.239	121.5	30.36
	11	3.71	4.5	1.7	37.39	0.273	117.0	27.18
	15	3.95	4.5	1.7	35.10	0.306	112.9	24.37
	19	4.20	− 4.5	+1.7	33.02	0.337	109.1	21.91
	23	4.46	4.5	1.7	31.13	0.366	105.6	19.75
	27	4.72	4.4	1.6	29.42	0.393	102.3	17.85
	31	4.98	4.4	1.6	27.87	0.420	99.2	16.17
June	4	5.24	4.4	1.6	26.46	0.445	96.4	14.70
	8	5.51	− 4.3	+1.6	25.18	0.468	93.6	13.39
	12	5.78	4.3	1.6	24.02	0.491	91.0	12.22
	16	6.05	4.3	1.5	22.95	0.513	88.6	11.19
	20	6.31	4.3	1.5	21.98	0.533	86.2	10.26
	24	6.58	4.2	1.5	21.09	0.553	83.9	9.42
	28	6.84	− 4.2	+1.5	20.28	0.572	81.7	8.67
July	2	7.11	− 4.2	+1.4	19.53	0.591	79.5	7.99

EPHEMERIS FOR PHYSICAL OBSERVATIONS
FOR 0ʰ DYNAMICAL TIME

Date	L_s	Sub-Earth Point		Sub-Solar Point				North Pole	
		Long.	Lat.	Long.	Lat.	Dist.	P.A.	Dist.	P.A.
Jan. −1	163.90	142.96	+ 1.21	219.37	+ 0.74	+ 9.46	252.15	+ 9.73	341.68
3	170.31	153.36	0.89	231.70	0.45	9.86	250.99	10.07	340.71
7	176.74	163.71	0.55	244.05	+ 0.15	10.29	249.94	10.44	339.88
11	183.17	173.99	+ 0.18	256.40	− 0.15	10.74	248.99	+10.83	339.17
15	189.61	184.19	− 0.22	268.76	0.44	11.21	248.15	−11.26	338.58
19	196.06	194.31	− 0.65	281.13	− 0.74	+11.71	247.40	−11.73	338.10
23	202.52	204.33	1.11	293.51	1.02	+12.24	246.73	12.24	337.73
27	208.98	214.24	1.59	305.89	1.29	−12.79	246.13	12.80	337.47
31	215.46	224.01	2.10	318.29	1.54	13.37	245.59	13.40	337.29
Feb. 4	221.94	233.63	2.64	330.69	1.78	13.98	245.08	14.07	337.20
8	228.42	243.08	− 3.20	343.10	− 1.99	−14.60	244.59	−14.79	337.17
12	234.91	252.32	3.78	355.52	2.18	15.22	244.09	15.59	337.21
16	241.40	261.33	4.39	7.94	2.34	15.85	243.55	16.47	337.29
20	247.90	270.06	5.01	20.37	2.47	16.44	242.94	17.43	337.40
24	254.40	278.47	5.65	32.80	2.56	16.98	242.19	18.48	337.53
28	260.89	286.50	− 6.29	45.22	− 2.63	−17.41	241.25	−19.63	337.65
Mar. 4	267.39	294.10	6.93	57.65	2.66	17.66	240.04	20.87	337.74
8	273.88	301.18	7.55	70.08	2.66	17.64	238.43	22.19	337.80
12	280.37	307.69	8.13	82.50	2.62	17.22	236.26	23.57	337.80
16	286.86	313.58	8.65	94.92	2.55	16.28	233.26	24.97	337.75
20	293.34	318.80	− 9.06	107.33	− 2.44	−14.67	228.97	−26.31	337.63
24	299.81	323.38	9.31	119.73	2.31	12.34	222.37	27.51	337.48
28	306.28	327.39	9.37	132.13	2.15	9.42	210.93	28.45	337.32
Apr. 1	312.74	330.98	9.19	144.52	1.95	6.55	187.51	29.03	337.18
5	319.19	334.39	8.77	156.89	1.74	5.53	143.62	29.15	337.08
9	325.63	337.88	− 8.14	169.26	− 1.50	− 7.47	106.90	−28.80	337.04
13	332.07	341.71	7.33	181.61	1.25	10.41	89.62	28.01	337.04
17	338.49	346.05	6.43	193.96	0.98	13.05	80.97	26.90	337.07
21	344.90	351.02	5.49	206.29	0.69	15.01	75.97	25.57	337.10
25	351.31	356.63	4.56	218.61	0.40	16.27	72.78	24.13	337.14
29	357.70	2.87	− 3.68	230.93	− 0.11	−16.93	70.62	−22.68	337.17
May 3	4.08	9.68	2.87	243.23	+ 0.19	17.14	69.10	21.27	337.21
7	10.46	17.01	2.14	255.52	0.48	17.01	68.01	19.93	337.27
11	16.83	24.79	1.48	267.81	0.77	16.66	67.25	18.69	337.36
15	23.18	32.95	0.91	280.09	1.05	16.17	66.74	17.55	337.50
19	29.53	41.44	− 0.40	292.36	+ 1.31	−15.60	66.45	−16.51	337.69
23	35.88	50.21	+ 0.03	304.63	1.56	15.00	66.33	+15.57	337.96
27	42.22	59.21	0.40	316.89	1.79	14.37	66.38	14.71	338.30
31	48.55	68.42	0.71	329.15	1.99	13.75	66.59	13.93	338.73
June 4	54.88	77.80	0.98	341.40	2.18	13.15	66.96	13.23	339.26
8	61.20	87.33	+ 1.19	353.66	+ 2.33	−12.57	67.47	+12.59	339.88
12	67.53	97.00	1.36	5.91	2.46	−12.01	68.13	12.00	340.61
16	73.85	106.78	1.48	18.16	2.56	+11.47	68.93	11.47	341.45
20	80.17	116.66	1.58	30.41	2.62	10.97	69.87	10.99	342.39
24	86.49	126.62	1.64	42.67	2.66	10.49	70.95	10.54	343.45
28	92.82	136.66	+ 1.67	54.93	+ 2.66	+10.03	72.16	+10.14	344.61
July 2	99.15	146.77	+ 1.67	67.19	+ 2.63	+ 9.60	73.51	+ 9.76	345.88

VENUS, 1985

EPHEMERIS FOR PHYSICAL OBSERVATIONS
FOR 0ʰ DYNAMICAL TIME

Date		Light-time	Magnitude	Surface Brightness	Diameter	Phase	Phase Angle	Defect of Illumination
		m			″		°	″
July	2	7.11	− 4.2	+1.4	19.53	0.591	79.5	7.99
	6	7.37	4.2	1.4	18.84	0.609	77.4	7.37
	10	7.63	4.1	1.4	18.20	0.626	75.4	6.81
	14	7.88	4.1	1.4	17.61	0.643	73.4	6.29
	18	8.13	4.1	1.4	17.06	0.659	71.5	5.82
	22	8.38	− 4.1	+1.3	16.55	0.675	69.6	5.39
	26	8.63	4.1	1.3	16.08	0.690	67.7	4.99
	30	8.87	4.0	1.3	15.64	0.705	65.8	4.62
Aug.	3	9.11	4.0	1.3	15.23	0.719	64.0	4.28
	7	9.34	4.0	1.2	14.85	0.733	62.2	3.97
	11	9.57	− 4.0	+1.2	14.49	0.747	60.5	3.67
	15	9.80	4.0	1.2	14.16	0.760	58.7	3.40
	19	10.02	4.0	1.2	13.85	0.773	57.0	3.15
	23	10.23	4.0	1.1	13.56	0.785	55.2	2.91
	27	10.45	4.0	1.1	13.29	0.797	53.5	2.69
	31	10.65	− 4.0	+1.1	13.03	0.809	51.8	2.49
Sept.	4	10.85	4.0	1.1	12.79	0.820	50.2	2.30
	8	11.05	4.0	1.1	12.56	0.831	48.5	2.12
	12	11.24	4.0	1.0	12.35	0.842	46.8	1.95
	16	11.42	4.0	1.0	12.15	0.852	45.2	1.79
	20	11.60	− 4.0	+1.0	11.97	0.862	43.6	1.65
	24	11.77	4.0	1.0	11.79	0.872	42.0	1.51
	28	11.94	4.0	1.0	11.63	0.881	40.3	1.38
Oct.	2	12.10	3.9	1.0	11.47	0.890	38.8	1.26
	6	12.25	3.9	0.9	11.33	0.898	37.2	1.15
	10	12.40	− 3.9	+0.9	11.19	0.907	35.6	1.05
	14	12.54	3.9	0.9	11.06	0.914	34.0	0.95
	18	12.68	3.9	0.9	10.94	0.922	32.5	0.86
	22	12.81	3.9	0.9	10.83	0.929	31.0	0.77
	26	12.93	3.9	0.9	10.73	0.935	29.4	0.69
	30	13.05	− 3.9	+0.9	10.63	0.942	27.9	0.62
Nov.	3	13.17	3.9	0.9	10.54	0.948	26.5	0.55
	7	13.27	3.9	0.8	10.45	0.953	25.0	0.49
	11	13.37	3.9	0.8	10.38	0.958	23.5	0.43
	15	13.47	3.9	0.8	10.30	0.963	22.1	0.38
	19	13.56	− 3.9	+0.8	10.23	0.968	20.6	0.33
	23	13.64	3.9	0.8	10.17	0.972	19.2	0.28
	27	13.72	3.9	0.8	10.11	0.976	17.8	0.24
Dec.	1	13.79	3.9	0.8	10.06	0.980	16.4	0.20
	5	13.86	3.9	0.8	10.01	0.983	15.0	0.17
	9	13.92	− 3.9	+0.8	9.97	0.986	13.7	0.14
	13	13.98	3.9	0.8	9.93	0.989	12.3	0.11
	17	14.03	3.9	0.8	9.89	0.991	11.0	0.09
	21	14.07	3.9	0.8	9.86	0.993	9.6	0.07
	25	14.11	3.9	0.8	9.84	0.995	8.3	0.05
	29	14.14	− 3.9	+0.8	9.81	0.996	7.0	0.04
	33	14.17	− 3.9	+0.8	9.79	0.997	5.7	0.02

EPHEMERIS FOR PHYSICAL OBSERVATIONS
FOR 0ʰ DYNAMICAL TIME

Date	L_S	Sub-Earth Point		Sub-Solar Point				North Pole	
		Long.	Lat.	Long.	Lat.	Dist.	P.A.	Dist.	P.A.
	°	°	°	°	°	″	°	″	°
July 2	99.15	146.77	+ 1.67	67.19	+ 2.63	+ 9.60	73.51	+ 9.76	345.88
6	105.48	156.94	1.65	79.45	2.57	9.19	74.99	9.41	347.25
10	111.81	167.17	1.61	91.72	2.47	8.80	76.59	9.09	348.72
14	118.16	177.45	1.55	103.99	2.35	8.44	78.31	8.80	350.29
18	124.51	187.78	1.47	116.27	2.19	8.09	80.13	8.53	351.95
22	130.86	198.15	+ 1.38	128.55	+ 2.01	+ 7.76	82.05	+ 8.27	353.68
26	137.23	208.55	1.28	140.84	1.81	7.44	84.05	8.04	355.48
30	143.60	219.00	1.17	153.14	1.58	7.14	86.12	7.82	357.33
Aug. 3	149.98	229.48	1.06	165.44	1.33	6.85	88.25	7.62	359.22
7	156.37	239.99	0.93	177.75	1.07	6.57	90.42	7.42	1.13
11	162.77	250.53	+ 0.81	190.08	+ 0.79	+ 6.30	92.60	+ 7.25	3.05
15	169.18	261.11	0.68	202.41	0.50	6.05	94.79	7.08	4.96
19	175.60	271.71	0.56	214.74	+ 0.20	5.81	96.96	6.92	6.84
23	182.03	282.33	0.43	227.09	− 0.09	5.57	99.09	6.78	8.67
27	188.47	292.98	0.31	239.45	0.39	5.34	101.16	6.64	10.44
31	194.92	303.65	+ 0.20	251.82	− 0.69	+ 5.12	103.16	+ 6.51	12.13
Sept. 4	201.38	314.35	+ 0.09	264.20	0.97	4.91	105.07	+ 6.39	13.73
8	207.84	325.06	− 0.01	276.58	1.24	4.70	106.88	− 6.28	15.23
12	214.32	335.80	0.10	288.98	1.50	4.51	108.57	6.18	16.61
16	220.80	346.56	0.19	301.38	1.74	4.31	110.13	6.08	17.86
20	227.28	357.34	− 0.26	313.79	− 1.96	+ 4.12	111.55	− 5.98	18.99
24	233.77	8.13	0.32	326.20	2.15	3.94	112.83	5.90	19.97
28	240.26	18.94	0.37	338.62	2.31	3.76	113.95	5.81	20.81
Oct. 2	246.76	29.76	0.40	351.05	2.45	3.59	114.91	5.74	21.51
6	253.25	40.60	0.43	3.48	2.55	3.42	115.71	5.66	22.06
10	259.75	51.45	− 0.44	15.90	− 2.62	+ 3.26	116.34	− 5.60	22.45
14	266.24	62.32	0.44	28.33	2.66	3.10	116.79	5.53	22.70
18	272.74	73.20	0.43	40.76	2.66	2.94	117.07	5.47	22.79
22	279.23	84.08	0.41	53.18	2.63	2.79	117.17	5.42	22.73
26	285.72	94.98	0.37	65.60	2.56	2.64	117.08	5.36	22.52
30	292.20	105.88	− 0.33	78.01	− 2.46	+ 2.49	116.80	− 5.32	22.16
Nov. 3	298.67	116.80	0.27	90.42	2.34	2.35	116.33	5.27	21.64
7	305.14	127.72	0.21	102.81	2.18	2.21	115.67	5.23	20.97
11	311.60	138.65	0.14	115.20	1.99	2.07	114.81	5.19	20.14
15	318.05	149.58	− 0.06	127.58	1.78	1.94	113.75	− 5.15	19.17
19	324.50	160.52	+ 0.02	139.95	− 1.55	+ 1.80	112.48	+ 5.12	18.04
23	330.93	171.47	0.10	152.30	1.29	1.67	111.00	5.09	16.77
27	337.36	182.41	0.19	164.65	1.02	1.55	109.31	5.06	15.36
Dec. 1	343.77	193.36	0.28	176.99	0.74	1.42	107.41	5.03	13.82
5	350.18	204.32	0.37	189.31	0.45	1.30	105.28	5.01	12.14
9	356.57	215.27	+ 0.46	201.63	− 0.16	+ 1.18	102.93	+ 4.98	10.36
13	2.96	226.23	0.55	213.93	+ 0.14	1.06	100.34	4.96	8.46
17	9.34	237.20	0.63	226.23	0.43	0.94	97.48	4.95	6.49
21	15.70	248.16	0.71	238.51	0.72	0.83	94.33	4.93	4.44
25	22.06	259.12	0.78	250.79	1.00	0.71	90.80	4.92	2.34
29	28.42	270.08	+ 0.85	263.07	+ 1.27	+ 0.60	86.76	+ 4.91	0.22
33	34.76	281.04	+ 0.91	275.33	+ 1.52	+ 0.49	81.93	+ 4.90	358.09

MARS, 1985

EPHEMERIS FOR PHYSICAL OBSERVATIONS
FOR 0ʰ DYNAMICAL TIME

Date		Light-time	Magnitude	Surface Brightness	Diameter		Phase	Phase Angle	Defect of Illumination
					Eq.	Pol.			
		m			"	"		°	"
Jan.	−1	14.20	+ 0.9	+4.3	5.48	5.46	0.909	35.2	0.50
	3	14.41	1.0	4.3	5.40	5.38	0.912	34.6	0.48
	7	14.61	1.0	4.3	5.33	5.30	0.915	34.0	0.45
	11	14.82	1.0	4.3	5.25	5.23	0.918	33.4	0.43
	15	15.03	1.0	4.3	5.18	5.16	0.921	32.8	0.41
	19	15.24	+ 1.1	+4.3	5.11	5.08	0.923	32.1	0.39
	23	15.45	1.1	4.3	5.04	5.02	0.926	31.5	0.37
	27	15.66	1.1	4.3	4.97	4.95	0.929	30.9	0.35
	31	15.87	1.1	4.3	4.90	4.88	0.932	30.2	0.33
Feb.	4	16.08	1.2	4.3	4.84	4.82	0.935	29.6	0.32
	8	16.29	+ 1.2	+4.2	4.78	4.76	0.938	28.9	0.30
	12	16.50	1.2	4.2	4.72	4.70	0.940	28.3	0.28
	16	16.70	1.2	4.2	4.66	4.64	0.943	27.6	0.26
	20	16.91	1.3	4.2	4.60	4.58	0.946	26.9	0.25
	24	17.11	1.3	4.2	4.55	4.53	0.948	26.2	0.23
	28	17.32	+ 1.3	+4.2	4.49	4.47	0.951	25.6	0.22
Mar.	4	17.52	1.3	4.2	4.44	4.42	0.954	24.9	0.21
	8	17.72	1.3	4.2	4.39	4.37	0.956	24.2	0.19
	12	17.92	1.4	4.2	4.34	4.32	0.959	23.5	0.18
	16	18.11	1.4	4.2	4.30	4.28	0.961	22.8	0.17
	20	18.31	+ 1.4	+4.2	4.25	4.23	0.963	22.1	0.16
	24	18.50	1.4	4.2	4.21	4.19	0.966	21.4	0.14
	28	18.68	1.4	4.2	4.17	4.15	0.968	20.7	0.13
Apr.	1	18.87	1.5	4.2	4.12	4.11	0.970	20.0	0.12
	5	19.05	1.5	4.2	4.09	4.07	0.972	19.3	0.11
	9	19.23	+ 1.5	+4.2	4.05	4.03	0.974	18.6	0.11
	13	19.40	1.5	4.2	4.01	3.99	0.976	17.8	0.10
	17	19.57	1.5	4.2	3.98	3.96	0.978	17.1	0.09
	21	19.74	1.5	4.2	3.94	3.92	0.980	16.4	0.08
	25	19.90	1.6	4.2	3.91	3.89	0.981	15.7	0.07
	29	20.06	+ 1.6	+4.2	3.88	3.86	0.983	14.9	0.07
May	3	20.21	1.6	4.2	3.85	3.83	0.985	14.2	0.06
	7	20.36	1.6	4.2	3.82	3.80	0.986	13.5	0.05
	11	20.50	1.6	4.2	3.80	3.78	0.988	12.8	0.05
	15	20.64	1.6	4.2	3.77	3.75	0.989	12.0	0.04
	19	20.77	+ 1.6	+4.2	3.75	3.73	0.990	11.3	0.04
	23	20.89	1.6	4.2	3.72	3.71	0.992	10.6	0.03
	27	21.01	1.6	4.2	3.70	3.68	0.993	9.8	0.03
	31	21.13	1.6	4.2	3.68	3.66	0.994	9.1	0.02
June	4	21.24	1.6	4.2	3.66	3.65	0.995	8.3	0.02
	8	21.34	+ 1.6	+4.2	3.65	3.63	0.996	7.6	0.02
	12	21.43	1.7	4.2	3.63	3.61	0.996	6.8	0.01
	16	21.52	1.7	4.2	3.62	3.60	0.997	6.1	0.01
	20	21.60	1.7	4.2	3.60	3.58	0.998	5.4	0.01
	24	21.68	1.7	4.2	3.59	3.57	0.998	4.6	0.01
	28	21.75	+ 1.7	+4.2	3.58	3.56	0.999	3.9	0.00
July	2	21.81	+ 1.7	+4.2	3.57	3.55	0.999	3.1	0.00

EPHEMERIS FOR PHYSICAL OBSERVATIONS
FOR 0ʰ DYNAMICAL TIME

Date	L_s	Sub-Earth Point		Sub-Solar Point				North Pole	
		Long.	Lat.	Long.	Lat.	Dist.	P.A.	Dist.	P.A.
	°	°	°	°	°	"	°	"	°
Jan. −1	283.90	119.83	−24.39	81.12	−24.63	1.58	249.39	− 2.49	347.99
3	286.36	80.04	24.91	41.96	24.33	1.53	248.90	2.44	346.10
7	288.82	40.22	25.35	2.82	23.98	1.49	248.47	2.40	344.23
11	291.26	0.39	25.72	323.70	23.59	1.44	248.09	2.36	342.40
15	293.69	320.55	26.00	284.62	23.15	1.40	247.77	2.32	340.61
19	296.11	280.69	−26.21	245.56	−22.68	1.36	247.50	− 2.28	338.86
23	298.51	240.83	26.33	206.54	22.17	1.31	247.29	2.25	337.17
27	300.91	200.97	26.37	167.55	21.62	1.27	247.14	2.22	335.53
31	303.29	161.12	26.33	128.59	21.04	1.23	247.04	2.19	333.95
Feb. 4	305.65	121.28	26.21	89.67	20.43	1.19	246.99	2.16	332.45
8	308.00	81.47	−26.01	50.78	−19.79	1.15	247.00	− 2.14	331.02
12	310.34	41.67	25.74	11.92	19.11	1.12	247.06	2.12	329.68
16	312.66	1.91	25.39	333.10	18.42	1.08	247.18	2.10	328.42
20	314.97	322.17	24.97	294.31	17.70	1.04	247.34	2.08	327.25
24	317.26	282.47	24.47	255.56	16.95	1.00	247.56	2.06	326.18
28	319.54	242.81	−23.91	216.84	−16.19	0.97	247.83	− 2.05	325.21
Mar. 4	321.80	203.19	23.29	178.15	15.41	0.93	248.15	2.03	324.33
8	324.05	163.61	22.61	139.49	14.61	0.90	248.52	2.02	323.57
12	326.28	124.08	21.87	100.86	13.80	0.87	248.94	2.01	322.90
16	328.50	84.59	21.08	62.26	12.98	0.83	249.40	2.00	322.35
20	330.70	45.15	−20.23	23.69	−12.14	0.80	249.91	− 1.99	321.90
24	332.89	5.75	19.34	345.15	11.30	0.77	250.46	1.98	321.56
28	335.06	326.40	18.41	306.64	10.44	0.74	251.06	1.97	321.33
Apr. 1	337.22	287.09	17.44	268.15	9.58	0.70	251.70	1.96	321.21
5	339.36	247.82	16.43	229.69	8.72	0.67	252.37	1.95	321.19
9	341.49	208.60	−15.40	191.25	− 7.85	0.64	253.09	− 1.94	321.27
13	343.60	169.41	14.33	152.83	6.97	0.61	253.84	1.93	321.46
17	345.70	130.26	13.23	114.43	6.10	0.59	254.62	1.93	321.74
21	347.78	91.15	12.11	76.06	5.22	0.56	255.43	1.92	322.12
25	349.85	52.07	10.98	37.70	4.35	0.53	256.26	1.91	322.60
29	351.90	13.02	− 9.82	359.36	− 3.47	0.50	257.12	− 1.90	323.17
May 3	353.95	334.00	8.65	321.04	2.60	0.47	258.00	1.89	323.82
7	355.98	295.01	7.47	282.73	1.73	0.45	258.89	1.89	324.56
11	357.99	256.05	6.28	244.44	− 0.86	0.42	259.79	1.88	325.38
15	359.99	217.10	5.09	206.17	0.00	0.39	260.68	1.87	326.27
19	1.98	178.18	− 3.89	167.90	+ 0.85	0.37	261.58	− 1.86	327.24
23	3.96	139.27	2.68	129.65	1.70	0.34	262.46	1.85	328.28
27	5.93	100.38	1.48	91.41	2.54	0.32	263.32	1.84	329.38
31	7.88	61.50	− 0.28	53.17	3.38	0.29	264.14	− 1.83	330.54
June 4	9.82	22.63	+ 0.91	14.95	4.21	0.27	264.90	+ 1.82	331.75
8	11.75	343.77	+ 2.10	336.73	+ 5.02	0.24	265.60	+ 1.81	333.02
12	13.67	304.91	3.28	298.53	5.83	0.22	266.20	1.80	334.33
16	15.58	266.06	4.45	260.32	6.63	0.19	266.66	1.79	335.69
20	17.48	227.21	5.61	222.13	7.42	0.17	266.92	1.78	337.09
24	19.37	188.35	6.75	183.94	8.20	0.14	266.89	1.77	338.53
28	21.25	149.50	+ 7.88	145.75	+ 8.96	0.12	266.41	+ 1.76	340.00
July 2	23.12	110.64	+ 8.99	107.57	+ 9.72	0.10	265.15	+ 1.75	341.50

MARS, 1985

EPHEMERIS FOR PHYSICAL OBSERVATIONS
FOR 0ʰ DYNAMICAL TIME

Date		Light-time	Magnitude	Surface Brightness	Diameter		Phase	Phase Angle	Defect of Illumination
					Eq.	Pol.			
		m			"	"		°	"
July	2	21.81	+ 1.7	+4.2	3.57	3.55	0.999	3.1	0.00
	6	21.86	1.7	4.1	3.56	3.54	1.000	2.4	0.00
	10	21.91	1.7	4.1	3.55	3.54	1.000	1.7	0.00
	14	21.94	1.7	4.1	3.55	3.53	1.000	1.0	0.00
	18	21.97	1.7	4.1	3.54	3.52	1.000	0.6	0.00
	22	22.00	+ 1.7	+4.1	3.54	3.52	1.000	1.0	0.00
	26	22.01	1.7	4.2	3.54	3.52	1.000	1.6	0.00
	30	22.02	1.7	4.2	3.54	3.52	1.000	2.4	0.00
Aug.	3	22.01	1.7	4.2	3.54	3.52	0.999	3.1	0.00
	7	22.00	1.7	4.2	3.54	3.52	0.999	3.9	0.00
	11	21.98	+ 1.7	+4.2	3.54	3.52	0.998	4.6	0.01
	15	21.96	1.8	4.2	3.54	3.53	0.998	5.4	0.01
	19	21.92	1.8	4.2	3.55	3.53	0.997	6.2	0.01
	23	21.88	1.8	4.3	3.56	3.54	0.996	6.9	0.01
	27	21.82	1.8	4.3	3.57	3.55	0.995	7.7	0.02
	31	21.76	+ 1.8	+4.3	3.58	3.56	0.995	8.5	0.02
Sept.	4	21.69	1.8	4.3	3.59	3.57	0.994	9.2	0.02
	8	21.61	1.8	4.3	3.60	3.59	0.992	10.0	0.03
	12	21.52	1.8	4.3	3.62	3.60	0.991	10.8	0.03
	16	21.42	1.8	4.3	3.63	3.62	0.990	11.6	0.04
	20	21.32	+ 1.8	+4.4	3.65	3.64	0.988	12.3	0.04
	24	21.20	1.8	4.4	3.67	3.65	0.987	13.1	0.05
	28	21.08	1.8	4.4	3.69	3.68	0.985	13.9	0.05
Oct.	2	20.95	1.8	4.4	3.72	3.70	0.984	14.7	0.06
	6	20.80	1.8	4.4	3.74	3.73	0.982	15.4	0.07
	10	20.65	+ 1.8	+4.4	3.77	3.75	0.980	16.2	0.07
	14	20.49	1.8	4.4	3.80	3.78	0.978	17.0	0.08
	18	20.33	1.8	4.4	3.83	3.81	0.976	17.7	0.09
	22	20.15	1.8	4.4	3.86	3.85	0.974	18.5	0.10
	26	19.96	1.8	4.5	3.90	3.88	0.972	19.3	0.11
	30	19.77	+ 1.8	+4.5	3.94	3.92	0.970	20.0	0.12
Nov.	3	19.57	1.8	4.5	3.98	3.96	0.967	20.8	0.13
	7	19.36	1.8	4.5	4.02	4.00	0.965	21.5	0.14
	11	19.14	1.8	4.5	4.07	4.05	0.963	22.3	0.15
	15	18.92	1.7	4.5	4.11	4.10	0.960	23.0	0.16
	19	18.69	+ 1.7	+4.5	4.16	4.15	0.958	23.8	0.18
	23	18.45	1.7	4.5	4.22	4.20	0.955	24.5	0.19
	27	18.20	1.7	4.5	4.28	4.26	0.952	25.2	0.20
Dec.	1	17.95	1.7	4.5	4.34	4.32	0.950	25.9	0.22
	5	17.69	1.6	4.5	4.40	4.38	0.947	26.7	0.23
	9	17.42	+ 1.6	+4.5	4.47	4.45	0.944	27.4	0.25
	13	17.15	1.6	4.5	4.54	4.52	0.941	28.1	0.27
	17	16.87	1.6	4.5	4.61	4.59	0.938	28.7	0.28
	21	16.58	1.5	4.5	4.69	4.67	0.936	29.4	0.30
	25	16.29	1.5	4.6	4.78	4.75	0.933	30.1	0.32
	29	16.00	+ 1.5	+4.6	4.86	4.84	0.930	30.7	0.34
	33	15.70	+ 1.4	+4.6	4.96	4.93	0.927	31.4	0.36

EPHEMERIS FOR PHYSICAL OBSERVATIONS
FOR 0ʰ DYNAMICAL TIME

Date		L_s	Sub-Earth Point		Sub-Solar Point				North Pole	
			Long.	Lat.	Long.	Lat.	Dist.	P.A.	Dist.	P.A.
		°	°	°	°	°	″	°	″	°
July	2	23.12	110.64	+ 8.99	107.57	+ 9.72	0.10	265.15	+ 1.75	341.50
	6	24.98	71.78	10.08	69.38	10.46	0.07	262.41	1.74	343.02
	10	26.83	32.90	11.14	31.20	11.19	0.05	256.33	1.73	344.57
	14	28.68	354.02	12.19	353.03	11.91	0.03	240.33	1.73	346.14
	18	30.51	315.13	13.20	314.85	12.61	0.02	192.49	1.72	347.72
	22	32.34	276.22	+14.19	276.67	+13.29	0.03	143.10	+ 1.71	349.32
	26	34.16	237.30	15.15	238.49	13.97	0.05	126.31	1.70	350.94
	30	35.98	198.36	16.08	200.31	14.63	0.07	119.87	1.69	352.56
Aug.	3	37.79	159.41	16.98	162.13	15.27	0.10	116.84	1.68	354.19
	7	39.59	120.44	17.84	123.94	15.89	0.12	115.27	1.68	355.83
	11	41.38	81.46	+18.67	85.76	+16.50	0.14	114.44	+ 1.67	357.48
	15	43.17	42.45	19.46	47.57	17.10	0.17	114.02	1.66	359.12
	19	44.96	3.43	20.21	9.37	17.67	0.19	113.85	1.66	0.77
	23	46.74	324.39	20.92	331.18	18.23	0.21	113.83	1.66	2.41
	27	48.52	285.33	21.58	292.98	18.77	0.24	113.90	1.65	4.06
	31	50.29	246.26	+22.20	254.77	+19.30	0.26	114.03	+ 1.65	5.69
Sept.	4	52.05	207.17	22.77	216.56	19.80	0.29	114.20	1.65	7.32
	8	53.82	168.06	23.30	178.34	20.29	0.31	114.37	1.65	8.94
	12	55.58	128.93	23.78	140.12	20.75	0.34	114.56	1.65	10.54
	16	57.33	89.79	24.21	101.89	21.20	0.36	114.73	1.65	12.13
	20	59.09	50.64	+24.59	63.66	+21.62	0.39	114.90	+ 1.65	13.71
	24	60.84	11.48	24.91	25.42	22.03	0.42	115.04	1.66	15.26
	28	62.59	332.31	25.18	347.17	22.41	0.44	115.17	1.67	16.78
Oct.	2	64.34	293.14	25.40	308.92	22.77	0.47	115.27	1.67	18.29
	6	66.09	253.96	25.57	270.67	23.11	0.50	115.34	1.68	19.76
	10	67.84	214.78	+25.68	232.40	+23.43	0.53	115.39	+ 1.69	21.19
	14	69.58	175.60	25.74	194.14	23.73	0.55	115.41	1.70	22.60
	18	71.33	136.42	25.74	155.86	24.00	0.58	115.39	1.72	23.96
	22	73.07	97.25	25.68	117.58	24.25	0.61	115.34	1.73	25.28
	26	74.82	58.09	25.58	79.30	24.48	0.64	115.26	1.75	26.55
	30	76.57	18.93	+25.42	41.01	+24.68	0.67	115.15	+ 1.77	27.77
Nov.	3	78.32	339.79	25.20	2.71	24.86	0.70	115.00	1.79	28.94
	7	80.07	300.67	24.94	324.41	25.01	0.74	114.82	1.82	30.05
	11	81.82	261.56	24.62	286.11	25.14	0.77	114.60	1.84	31.11
	15	83.57	222.47	24.25	247.80	25.25	0.80	114.35	1.87	32.10
	19	85.33	183.41	+23.84	209.49	+25.33	0.84	114.06	+ 1.90	33.03
	23	87.09	144.37	23.37	171.17	25.39	0.87	113.73	1.93	33.89
	27	88.85	105.35	22.87	132.85	25.42	0.91	113.37	1.96	34.68
Dec.	1	90.61	66.36	22.31	94.53	25.42	0.95	112.98	2.00	35.40
	5	92.38	27.39	21.72	56.21	25.40	0.99	112.55	2.04	36.05
	9	94.15	348.46	+21.09	17.89	+25.35	1.03	112.08	+ 2.08	36.63
	13	95.93	309.55	20.41	339.56	25.28	1.07	111.58	2.12	37.14
	17	97.71	270.67	19.71	301.23	25.18	1.11	111.05	2.16	37.56
	21	99.50	231.81	18.96	262.90	25.05	1.15	110.48	2.21	37.92
	25	101.29	192.99	18.19	224.58	24.90	1.20	109.88	2.26	38.19
	29	103.09	154.20	+17.39	186.25	+24.72	1.24	109.24	+ 2.31	38.39
	33	104.90	115.44	+16.56	147.92	+24.51	1.29	108.58	+ 2.37	38.52

JUPITER, 1985

EPHEMERIS FOR PHYSICAL OBSERVATIONS
FOR 0ʰ DYNAMICAL TIME

Date		Light-time	Magnitude	Surface Brightness	Diameter		Phase Angle	Defect of Illumination
					Eq.	Pol.		
		m			″	″	°	″
Jan.	−1	50.83	− 1.9	5.3	32.21	30.13	2.4	0.01
	3	50.92	1.9	5.3	32.16	30.07	1.8	0.01
	7	50.98	1.9	5.3	32.12	30.04	1.2	0.00
	11	51.01	1.9	5.3	32.10	30.02	0.6	0.00
	15	51.02	1.9	5.3	32.10	30.02	0.1	0.00
	19	50.99	− 1.9	5.3	32.11	30.03	0.6	0.00
	23	50.94	1.9	5.3	32.15	30.06	1.2	0.00
	27	50.86	1.9	5.3	32.20	30.11	1.8	0.01
	31	50.75	1.9	5.3	32.27	30.18	2.4	0.01
Feb.	4	50.61	1.9	5.3	32.35	30.26	3.0	0.02
	8	50.45	− 1.9	5.3	32.46	30.36	3.6	0.03
	12	50.25	1.9	5.3	32.58	30.47	4.1	0.04
	16	50.04	1.9	5.3	32.73	30.61	4.7	0.05
	20	49.79	1.9	5.3	32.89	30.75	5.2	0.07
	24	49.52	1.9	5.3	33.06	30.92	5.8	0.08
	28	49.23	− 2.0	5.3	33.26	31.11	6.3	0.10
Mar.	4	48.91	2.0	5.3	33.48	31.31	6.8	0.12
	8	48.57	2.0	5.3	33.71	31.53	7.3	0.14
	12	48.21	2.0	5.3	33.96	31.76	7.8	0.16
	16	47.83	2.0	5.3	34.23	32.02	8.2	0.17
	20	47.43	− 2.0	5.3	34.52	32.29	8.6	0.20
	24	47.01	2.0	5.3	34.83	32.58	9.0	0.22
	28	46.57	2.1	5.3	35.16	32.88	9.4	0.24
Apr.	1	46.12	2.1	5.3	35.51	33.21	9.8	0.26
	5	45.65	2.1	5.3	35.87	33.55	10.1	0.28
	9	45.17	− 2.1	5.3	36.25	33.90	10.4	0.30
	13	44.68	2.2	5.3	36.65	34.28	10.6	0.31
	17	44.17	2.2	5.3	37.07	34.67	10.8	0.33
	21	43.66	2.2	5.3	37.50	35.07	11.0	0.35
	25	43.14	2.2	5.3	37.95	35.49	11.2	0.36
	29	42.62	− 2.3	5.3	38.42	35.93	11.3	0.37
May	3	42.09	2.3	5.3	38.90	36.38	11.4	0.38
	7	41.57	2.3	5.3	39.39	36.84	11.4	0.39
	11	41.04	2.3	5.3	39.90	37.31	11.4	0.39
	15	40.51	2.4	5.3	40.42	37.80	11.3	0.39
	19	39.99	− 2.4	5.3	40.94	38.29	11.2	0.39
	23	39.48	2.4	5.3	41.47	38.79	11.0	0.38
	27	38.98	2.5	5.3	42.01	39.29	10.8	0.37
	31	38.48	2.5	5.3	42.55	39.79	10.6	0.36
June	4	38.00	2.5	5.3	43.09	40.30	10.3	0.34
	8	37.54	− 2.5	5.3	43.62	40.79	9.9	0.32
	12	37.09	2.6	5.3	44.15	41.29	9.5	0.30
	16	36.66	2.6	5.3	44.66	41.77	9.0	0.28
	20	36.26	2.6	5.3	45.16	42.23	8.5	0.25
	24	35.88	2.7	5.3	45.64	42.68	8.0	0.22
	28	35.52	− 2.7	5.3	46.09	43.11	7.4	0.19
July	2	35.20	− 2.7	5.3	46.52	43.50	6.7	0.16

EPHEMERIS FOR PHYSICAL OBSERVATIONS
FOR 0ʰ DYNAMICAL TIME

Date	L_s	Sub-Earth Point		Sub-Solar Point				North Pole	
		Long.	Lat.	Long.	Lat.	Dist.	P.A.	Dist.	P.A.
	°	°	°	°	°	″	°	″	°
Jan. −1	336.33	248.67	− 1.56	246.30	− 1.43	0.67	262.27	−15.06	349.63
3	336.67	129.83	1.52	128.06	1.41	0.50	262.33	15.03	349.24
7	337.01	11.01	1.49	9.83	1.39	0.33	262.81	15.02	348.85
11	337.35	252.20	1.45	251.61	1.37	0.17	264.99	15.01	348.46
15	337.69	133.40	1.41	133.42	1.36	0.01	0.95	15.00	348.07
19	338.03	14.62	− 1.38	15.24	− 1.34	0.17	74.36	−15.01	347.69
23	338.37	255.86	1.34	257.07	1.32	0.34	76.42	15.03	347.31
27	338.70	137.12	1.30	138.93	1.30	0.51	76.89	15.05	346.94
31	339.04	18.40	1.26	20.80	1.28	0.67	76.96	15.09	346.58
Feb. 4	339.38	259.71	1.22	262.69	1.26	0.84	76.87	15.13	346.22
8	339.72	141.03	− 1.18	144.59	− 1.24	1.01	76.71	−15.18	345.86
12	340.06	22.38	1.14	26.51	1.22	1.17	76.51	15.23	345.52
16	340.40	263.76	1.10	268.45	1.20	1.34	76.29	15.30	345.18
20	340.74	145.16	1.06	150.40	1.18	1.50	76.06	15.38	344.85
24	341.08	26.60	1.01	32.36	1.16	1.66	75.82	15.46	344.53
28	341.43	268.06	− 0.97	274.35	− 1.14	1.82	75.58	−15.55	344.22
Mar. 4	341.77	149.55	0.93	156.34	1.12	1.98	75.34	15.65	343.92
8	342.11	31.07	0.89	38.35	1.10	2.14	75.10	15.76	343.63
12	342.45	272.62	0.85	280.37	1.08	2.29	74.88	15.88	343.35
16	342.79	154.21	0.81	162.40	1.06	2.44	74.65	16.01	343.08
20	343.13	35.83	− 0.77	44.45	− 1.04	2.59	74.44	−16.14	342.82
24	343.47	277.48	0.73	286.51	1.02	2.73	74.23	16.29	342.58
28	343.82	159.17	0.69	168.57	0.99	2.87	74.04	16.44	342.34
Apr. 1	344.16	40.90	0.65	50.65	0.97	3.01	73.85	16.60	342.12
5	344.50	282.67	0.61	292.73	0.95	3.14	73.68	16.77	341.90
9	344.84	164.47	− 0.57	174.83	− 0.93	3.26	73.52	−16.95	341.70
13	345.19	46.31	0.53	56.93	0.91	3.38	73.36	17.14	341.52
17	345.53	288.20	0.50	299.03	0.89	3.49	73.22	17.33	341.34
21	345.87	170.12	0.46	181.14	0.87	3.59	73.10	17.54	341.18
25	346.22	52.08	0.43	63.26	0.85	3.68	72.98	17.75	341.03
29	346.56	294.09	− 0.39	305.37	− 0.83	3.76	72.88	−17.96	340.89
May 3	346.90	176.14	0.36	187.49	0.81	3.83	72.80	18.19	340.77
7	347.25	58.23	0.33	69.61	0.79	3.89	72.73	18.42	340.66
11	347.59	300.37	0.30	311.73	0.77	3.93	72.67	18.66	340.57
15	347.94	182.55	0.27	193.85	0.75	3.96	72.63	18.90	340.48
19	348.28	64.77	− 0.24	75.96	− 0.73	3.98	72.60	−19.14	340.42
23	348.62	307.04	0.22	318.07	0.70	3.97	72.60	19.39	340.36
27	348.97	189.36	0.20	200.18	0.68	3.95	72.60	19.64	340.32
31	349.31	71.71	0.17	82.28	0.66	3.90	72.63	19.90	340.29
June 4	349.66	314.11	0.16	324.37	0.64	3.84	72.68	20.15	340.28
8	350.00	196.55	− 0.14	206.45	− 0.62	3.75	72.75	−20.40	340.29
12	350.35	79.03	0.12	88.51	0.60	3.64	72.84	20.64	340.30
16	350.70	321.55	0.11	330.57	0.58	3.51	72.95	20.88	340.33
20	351.04	204.10	0.10	212.62	0.56	3.35	73.09	21.12	340.38
24	351.39	86.69	0.09	94.64	0.53	3.16	73.26	21.34	340.44
28	351.73	329.31	− 0.08	336.66	− 0.51	2.95	73.46	−21.55	340.51
July 2	352.08	211.96	− 0.08	218.65	− 0.49	2.71	73.71	−21.75	340.60

JUPITER, 1985

EPHEMERIS FOR PHYSICAL OBSERVATIONS
FOR 0ʰ DYNAMICAL TIME

Date		Light-time	Magnitude	Surface Brightness	Diameter		Phase Angle	Defect of Illumination
					Eq.	Pol.		
		m			"	"	°	"
July	2	35.20	− 2.7	5.3	46.52	43.50	6.7	0.16
	6	34.91	2.7	5.3	46.91	43.87	6.0	0.13
	10	34.64	2.7	5.3	47.27	44.20	5.3	0.10
	14	34.41	2.8	5.3	47.58	44.50	4.5	0.07
	18	34.22	2.8	5.3	47.85	44.75	3.7	0.05
	22	34.07	− 2.8	5.3	48.07	44.95	2.9	0.03
	26	33.95	2.8	5.3	48.23	45.11	2.0	0.02
	30	33.87	2.8	5.3	48.35	45.21	1.2	0.01
Aug.	3	33.83	2.8	5.3	48.41	45.27	0.4	0.00
	7	33.83	2.8	5.3	48.41	45.27	0.6	0.00
	11	33.87	− 2.8	5.3	48.35	45.22	1.4	0.01
	15	33.94	2.8	5.3	48.24	45.12	2.3	0.02
	19	34.06	2.8	5.3	48.08	44.96	3.1	0.04
	23	34.21	2.8	5.3	47.86	44.76	3.9	0.06
	27	34.40	2.8	5.3	47.59	44.51	4.7	0.08
	31	34.63	− 2.7	5.3	47.28	44.22	5.5	0.11
Sept.	4	34.89	2.7	5.3	46.93	43.89	6.2	0.14
	8	35.18	2.7	5.3	46.54	43.52	6.9	0.17
	12	35.51	2.7	5.3	46.12	43.13	7.5	0.20
	16	35.86	2.7	5.3	45.66	42.70	8.1	0.23
	20	36.24	− 2.6	5.3	45.19	42.26	8.7	0.26
	24	36.64	2.6	5.3	44.69	41.79	9.2	0.29
	28	37.06	2.6	5.3	44.18	41.32	9.6	0.31
Oct.	2	37.51	2.6	5.3	43.66	40.83	10.0	0.33
	6	37.97	2.5	5.3	43.13	40.33	10.4	0.35
	10	38.44	− 2.5	5.3	42.59	39.83	10.6	0.37
	14	38.93	2.5	5.3	42.06	39.33	10.9	0.38
	18	39.43	2.4	5.3	41.53	38.84	11.1	0.39
	22	39.94	2.4	5.3	41.00	38.34	11.2	0.39
	26	40.45	2.4	5.3	40.48	37.86	11.3	0.39
	30	40.96	− 2.4	5.3	39.97	37.38	11.3	0.39
Nov.	3	41.48	2.3	5.3	39.48	36.92	11.3	0.38
	7	41.99	2.3	5.3	38.99	36.47	11.3	0.38
	11	42.50	2.3	5.3	38.52	36.03	11.2	0.36
	15	43.01	2.3	5.3	38.07	35.60	11.0	0.35
	19	43.51	− 2.2	5.3	37.63	35.19	10.8	0.34
	23	44.00	2.2	5.3	37.21	34.80	10.6	0.32
	27	44.48	2.2	5.3	36.81	34.42	10.4	0.30
Dec.	1	44.95	2.2	5.3	36.43	34.06	10.1	0.28
	5	45.41	2.2	5.3	36.06	33.72	9.8	0.26
	9	45.85	− 2.1	5.3	35.71	33.40	9.4	0.24
	13	46.27	2.1	5.3	35.39	33.09	9.0	0.22
	17	46.68	2.1	5.3	35.08	32.81	8.6	0.20
	21	47.07	2.1	5.3	34.79	32.54	8.2	0.18
	25	47.43	2.1	5.3	34.52	32.28	7.7	0.16
	29	47.78	− 2.1	5.3	34.27	32.05	7.3	0.14
	33	48.10	− 2.0	5.3	34.04	31.84	6.8	0.12

EPHEMERIS FOR PHYSICAL OBSERVATIONS
FOR 0^h DYNAMICAL TIME

Date		L_S	Sub-Earth Point		Sub-Solar Point				North Pole	
			Long.	Lat.	Long.	Lat.	Dist.	P.A.	Dist.	P.A.
		°	°	°	°	°	″	°	″	°
July	2	352.08	211.96	− 0.08	218.65	− 0.49	2.71	73.71	−21.75	340.60
	6	352.43	94.63	0.08	100.63	0.47	2.45	74.01	21.94	340.70
	10	352.77	337.32	0.07	342.58	0.45	2.17	74.37	22.10	340.81
	14	353.12	220.02	0.08	224.52	0.43	1.87	74.84	22.25	340.93
	18	353.47	102.73	0.08	106.43	0.41	1.55	75.47	22.37	341.07
	22	353.82	345.44	− 0.09	348.32	− 0.38	1.21	76.39	−22.48	341.21
	26	354.16	228.16	0.09	230.19	0.36	0.86	77.97	22.55	341.36
	30	354.51	110.86	0.10	112.04	0.34	0.51	81.58	22.61	341.51
Aug.	3	354.86	353.54	0.11	353.86	0.32	0.15	101.66	22.63	341.67
	7	355.21	236.21	0.12	235.65	0.30	0.24	236.41	22.63	341.84
	11	355.56	118.84	− 0.14	117.43	− 0.28	0.60	247.04	−22.61	342.00
	15	355.90	1.45	0.15	359.18	0.25	0.96	249.83	22.56	342.16
	19	356.25	244.01	0.16	240.90	0.23	1.31	251.18	22.48	342.32
	23	356.60	126.54	0.18	122.60	0.21	1.64	252.02	22.38	342.47
	27	356.95	9.01	0.19	4.28	0.19	1.96	252.62	22.25	342.62
	31	357.30	251.43	− 0.20	245.94	− 0.17	2.26	253.08	−22.11	342.76
Sept.	4	357.65	133.79	0.22	127.58	0.15	2.54	253.45	21.94	342.88
	8	358.00	16.09	0.23	9.20	0.12	2.79	253.75	21.76	343.00
	12	358.35	258.33	0.24	250.80	0.10	3.02	254.01	21.56	343.10
	16	358.70	140.51	0.25	132.38	0.08	3.23	254.23	21.35	343.18
	20	359.05	22.62	− 0.26	13.95	− 0.06	3.41	254.41	−21.13	343.25
	24	359.40	264.67	0.27	255.50	0.04	3.56	254.56	20.90	343.30
	28	359.75	146.66	0.28	137.03	− 0.02	3.69	254.69	20.66	343.33
Oct.	2	0.10	28.57	0.28	18.56	+ 0.01	3.80	254.78	20.41	343.35
	6	0.45	270.43	0.29	260.08	0.03	3.88	254.86	20.17	343.34
	10	0.80	152.23	− 0.29	141.58	+ 0.05	3.94	254.91	−19.92	343.32
	14	1.15	33.96	0.29	23.08	0.07	3.97	254.94	19.67	343.28
	18	1.50	275.64	0.29	264.57	0.09	3.99	254.95	19.42	343.23
	22	1.85	157.26	0.29	146.06	0.12	3.98	254.94	19.17	343.15
	26	2.21	38.83	0.28	27.54	0.14	3.96	254.91	18.93	343.06
	30	2.56	280.34	− 0.27	269.03	+ 0.16	3.93	254.87	−18.69	342.96
Nov.	3	2.91	161.82	0.27	150.51	0.18	3.87	254.81	18.46	342.84
	7	3.26	43.24	0.25	31.99	0.20	3.81	254.73	18.23	342.70
	11	3.61	284.63	0.24	273.47	0.22	3.73	254.64	18.01	342.55
	15	3.97	165.97	0.23	154.96	0.25	3.64	254.54	17.80	342.39
	19	4.32	47.28	− 0.21	36.45	+ 0.27	3.54	254.43	−17.60	342.22
	23	4.67	288.56	0.19	277.94	0.29	3.43	254.31	17.40	342.04
	27	5.02	169.80	0.17	159.44	0.31	3.31	254.19	17.21	341.84
Dec.	1	5.38	51.02	0.15	40.95	0.33	3.19	254.05	17.03	341.64
	5	5.73	292.22	0.13	282.47	0.36	3.06	253.92	16.86	341.43
	9	6.08	173.39	− 0.10	163.99	+ 0.38	2.92	253.78	−16.70	341.22
	13	6.44	54.55	0.07	45.53	0.40	2.78	253.64	16.55	341.00
	17	6.79	295.69	0.05	287.07	0.42	2.63	253.50	16.40	340.77
	21	7.14	176.82	− 0.02	168.63	0.44	2.48	253.36	−16.27	340.55
	25	7.50	57.93	+ 0.02	50.20	0.47	2.33	253.23	+16.14	340.32
	29	7.85	299.04	+ 0.05	291.78	+ 0.49	2.17	253.11	+16.03	340.08
	33	8.21	180.14	+ 0.08	173.37	+ 0.51	2.01	253.00	+15.92	339.85

SATURN, 1985

EPHEMERIS FOR PHYSICAL OBSERVATIONS
FOR 0ʰ DYNAMICAL TIME

Date		Light-time	Magnitude	Surface Brightness	Diameter		Phase Angle	Defect of Illumination
					Eq.	Pol.		
		m			"	"	°	"
Jan.	−1	88.10	+ 0.6	7.0	15.62	14.20	4.1	0.02
	3	87.71	0.6	7.0	15.69	14.27	4.4	0.02
	7	87.28	0.6	7.0	15.77	14.34	4.7	0.02
	11	86.84	0.6	7.0	15.85	14.41	4.9	0.03
	15	86.37	0.6	7.0	15.93	14.49	5.1	0.03
	19	85.89	+ 0.6	7.1	16.02	14.57	5.3	0.03
	23	85.39	0.6	7.1	16.11	14.66	5.5	0.03
	27	84.87	0.5	7.1	16.21	14.75	5.7	0.04
	31	84.35	0.5	7.1	16.31	14.84	5.8	0.04
Feb.	4	83.81	0.5	7.1	16.42	14.94	5.9	0.04
	8	83.26	+ 0.5	7.1	16.53	15.04	6.0	0.04
	12	82.71	0.5	7.1	16.64	15.14	6.1	0.04
	16	82.16	0.5	7.1	16.75	15.24	6.1	0.04
	20	81.60	0.5	7.1	16.86	15.34	6.1	0.04
	24	81.05	0.5	7.1	16.98	15.45	6.1	0.04
	28	80.50	+ 0.4	7.1	17.09	15.55	6.0	0.04
Mar.	4	79.96	0.4	7.1	17.21	15.66	5.9	0.04
	8	79.43	0.4	7.1	17.32	15.76	5.8	0.04
	12	78.92	0.4	7.1	17.44	15.87	5.6	0.04
	16	78.42	0.4	7.1	17.55	15.97	5.5	0.03
	20	77.93	+ 0.3	7.1	17.66	16.07	5.3	0.03
	24	77.47	0.3	7.0	17.76	16.16	5.0	0.03
	28	77.03	0.3	7.0	17.86	16.25	4.8	0.03
Apr.	1	76.61	0.3	7.0	17.96	16.34	4.5	0.02
	5	76.22	0.3	7.0	18.05	16.42	4.2	0.02
	9	75.87	+ 0.2	7.0	18.14	16.50	3.9	0.02
	13	75.54	0.2	7.0	18.22	16.57	3.5	0.01
	17	75.24	0.2	7.0	18.29	16.63	3.1	0.01
	21	74.98	0.2	6.9	18.35	16.69	2.7	0.01
	25	74.76	0.1	6.9	18.41	16.74	2.3	0.01
	29	74.58	+ 0.1	6.9	18.45	16.78	1.9	0.00
May	3	74.43	0.1	6.9	18.49	16.81	1.5	0.00
	7	74.32	0.1	6.9	18.52	16.83	1.0	0.00
	11	74.25	+ 0.1	6.9	18.53	16.85	0.6	0.00
	15	74.22	0.0	6.8	18.54	16.85	0.1	0.00
	19	74.23	0.0	6.8	18.54	16.85	0.3	0.00
	23	74.29	+ 0.1	6.9	18.52	16.83	0.8	0.00
	27	74.38	0.1	6.9	18.50	16.81	1.2	0.00
	31	74.51	0.1	6.9	18.47	16.78	1.6	0.00
June	4	74.67	0.1	6.9	18.43	16.74	2.1	0.01
	8	74.88	+ 0.2	6.9	18.38	16.69	2.5	0.01
	12	75.12	0.2	7.0	18.32	16.64	2.9	0.01
	16	75.40	0.2	7.0	18.25	16.58	3.3	0.01
	20	75.71	0.2	7.0	18.18	16.51	3.6	0.02
	24	76.05	0.3	7.0	18.09	16.43	4.0	0.02
	28	76.42	+ 0.3	7.0	18.01	16.35	4.3	0.02
July	2	76.81	+ 0.3	7.0	17.91	16.27	4.6	0.03

EPHEMERIS FOR PHYSICAL OBSERVATIONS
FOR 0ʰ DYNAMICAL TIME

Date		L_s	Sub-Earth Point		Sub-Solar Point				North Pole	
			Long.	Lat.	Long.	Lat.	Dist.	P.A.	Dist.	P.A.
		°	°	°	°	°	″	°	″	°
Jan.	−1	57.20	350.54	+28.37	354.67	+27.16	0.53	106.10	+ 6.40	1.57
	3	57.33	353.53	28.46	357.94	27.20	0.57	105.72	6.43	1.61
	7	57.45	356.56	28.54	1.23	27.24	0.60	105.38	6.46	1.66
	11	57.57	359.61	28.61	4.52	27.28	0.63	105.05	6.48	1.70
	15	57.70	2.70	28.68	7.83	27.32	0.67	104.75	6.52	1.74
	19	57.82	5.81	+28.74	11.15	+27.35	0.69	104.47	+ 6.55	1.78
	23	57.95	8.96	28.79	14.48	27.39	0.72	104.21	6.59	1.82
	27	58.07	12.14	28.84	17.81	27.43	0.75	103.95	6.63	1.85
	31	58.19	15.35	28.88	21.16	27.46	0.77	103.72	6.66	1.88
Feb.	4	58.32	18.59	28.92	24.51	27.50	0.79	103.49	6.71	1.91
	8	58.44	21.86	+28.95	27.86	+27.54	0.80	103.27	+ 6.75	1.94
	12	58.56	25.16	28.97	31.22	27.57	0.81	103.07	6.79	1.96
	16	58.69	28.49	28.99	34.57	27.61	0.82	102.87	6.84	1.97
	20	58.81	31.85	29.00	37.93	27.65	0.83	102.67	6.88	1.99
	24	58.94	35.24	29.01	41.29	27.68	0.83	102.49	6.93	2.00
	28	59.06	38.65	+29.01	44.64	+27.72	0.82	102.30	+ 6.98	2.01
Mar.	4	59.18	42.08	29.00	47.99	27.75	0.82	102.12	7.02	2.01
	8	59.31	45.55	28.99	51.34	27.79	0.80	101.94	7.07	2.02
	12	59.43	49.03	28.97	54.67	27.83	0.79	101.76	7.12	2.01
	16	59.55	52.53	28.95	58.00	27.86	0.77	101.57	7.17	2.01
	20	59.68	56.05	+28.92	61.32	+27.90	0.74	101.38	+ 7.21	2.00
	24	59.80	59.59	28.89	64.63	27.93	0.72	101.17	7.26	1.99
	28	59.93	63.14	28.85	67.92	27.97	0.68	100.94	7.30	1.97
Apr.	1	60.05	66.71	28.81	71.20	28.00	0.64	100.69	7.34	1.95
	5	60.17	70.28	28.76	74.46	28.04	0.60	100.39	7.38	1.93
	9	60.30	73.86	+28.71	77.71	+28.07	0.56	100.05	+ 7.42	1.91
	13	60.42	77.44	28.65	80.94	28.10	0.51	99.62	7.45	1.88
	17	60.54	81.03	28.59	84.15	28.14	0.45	99.08	7.49	1.85
	21	60.67	84.61	28.53	87.34	28.17	0.40	98.37	7.51	1.82
	25	60.79	88.19	28.47	90.51	28.21	0.34	97.39	7.54	1.79
	29	60.91	91.76	+28.40	93.66	+28.24	0.28	95.93	+ 7.56	1.76
May	3	61.04	95.32	28.33	96.79	28.28	0.21	93.58	7.58	1.72
	7	61.16	98.86	28.26	99.90	28.31	0.15	89.14	7.59	1.69
	11	61.28	102.39	28.19	102.98	28.34	0.09	78.12	7.61	1.65
	15	61.41	105.90	28.12	106.04	28.38	0.04	31.79	7.61	1.61
	19	61.53	109.39	+28.05	109.08	+28.41	0.07	318.77	+ 7.61	1.57
	23	61.65	112.85	27.99	112.10	28.44	0.13	301.30	7.61	1.54
	27	61.78	116.29	27.92	115.09	28.47	0.19	295.36	7.61	1.50
	31	61.90	119.70	27.85	118.06	28.51	0.25	292.44	7.60	1.46
June	4	62.02	123.07	27.79	121.01	28.54	0.32	290.73	7.58	1.43
	8	62.15	126.42	+27.73	123.94	+28.57	0.38	289.60	+ 7.56	1.40
	12	62.27	129.72	27.68	126.85	28.61	0.43	288.81	7.54	1.36
	16	62.39	133.00	27.63	129.74	28.64	0.49	288.21	7.52	1.33
	20	62.52	136.23	27.59	132.61	28.67	0.54	287.75	7.49	1.31
	24	62.64	139.43	27.55	135.46	28.70	0.59	287.38	7.46	1.28
	28	62.76	142.59	+27.51	138.30	+28.73	0.63	287.07	+ 7.42	1.26
July	2	62.89	145.72	+27.49	141.12	+28.77	0.67	286.81	+ 7.38	1.24

SATURN, 1985

EPHEMERIS FOR PHYSICAL OBSERVATIONS
FOR 0^h DYNAMICAL TIME

Date		Light-time	Magnitude	Surface Brightness	Diameter		Phase Angle	Defect of Illumination
					Eq.	Pol.		
		m			"	"	°	"
July	2	76.81	+ 0.3	7.0	17.91	16.27	4.6	0.03
	6	77.24	0.3	7.0	17.82	16.18	4.9	0.03
	10	77.68	0.4	7.1	17.71	16.09	5.1	0.03
	14	78.15	0.4	7.1	17.61	15.99	5.4	0.03
	18	78.64	0.4	7.1	17.50	15.89	5.6	0.04
	22	79.14	+ 0.4	7.1	17.39	15.79	5.7	0.04
	26	79.66	0.5	7.1	17.27	15.69	5.9	0.04
	30	80.19	0.5	7.1	17.16	15.58	6.0	0.04
Aug.	3	80.72	0.5	7.1	17.05	15.48	6.1	0.04
	7	81.27	0.5	7.1	16.93	15.38	6.2	0.04
	11	81.82	+ 0.5	7.1	16.82	15.28	6.2	0.04
	15	82.37	0.5	7.1	16.71	15.17	6.2	0.04
	19	82.92	0.6	7.1	16.59	15.07	6.2	0.04
	23	83.47	0.6	7.1	16.49	14.98	6.2	0.04
	27	84.02	0.6	7.1	16.38	14.88	6.1	0.04
	31	84.55	+ 0.6	7.1	16.27	14.79	6.0	0.04
Sept.	4	85.08	0.6	7.1	16.17	14.70	5.9	0.04
	8	85.60	0.6	7.1	16.08	14.61	5.8	0.04
	12	86.10	0.6	7.1	15.98	14.53	5.6	0.03
	16	86.59	0.6	7.1	15.89	14.45	5.4	0.03
	20	87.06	+ 0.6	7.1	15.81	14.37	5.2	0.03
	24	87.51	0.6	7.1	15.72	14.30	5.0	0.03
	28	87.95	0.6	7.0	15.65	14.23	4.7	0.02
Oct.	2	88.36	0.6	7.0	15.57	14.17	4.5	0.02
	6	88.74	0.6	7.0	15.51	14.11	4.2	0.02
	10	89.10	+ 0.6	7.0	15.44	14.05	3.9	0.02
	14	89.44	0.6	7.0	15.39	14.00	3.6	0.01
	18	89.74	0.6	7.0	15.33	13.95	3.3	0.01
	22	90.02	0.6	7.0	15.29	13.91	3.0	0.01
	26	90.27	0.5	7.0	15.24	13.88	2.6	0.01
	30	90.48	+ 0.5	6.9	15.21	13.85	2.3	0.01
Nov.	3	90.67	0.5	6.9	15.18	13.82	1.9	0.00
	7	90.82	0.5	6.9	15.15	13.80	1.6	0.00
	11	90.94	0.5	6.9	15.13	13.78	1.2	0.00
	15	91.02	0.5	6.9	15.12	13.77	0.8	0.00
	19	91.08	+ 0.5	6.9	15.11	13.77	0.4	0.00
	23	91.09	0.4	6.8	15.11	13.76	0.0	0.00
	27	91.07	0.5	6.9	15.11	13.77	0.3	0.00
Dec.	1	91.02	0.5	6.9	15.12	13.78	0.7	0.00
	5	90.93	0.5	6.9	15.13	13.79	1.1	0.00
	9	90.81	+ 0.5	6.9	15.15	13.81	1.5	0.00
	13	90.66	0.5	6.9	15.18	13.84	1.9	0.00
	17	90.47	0.5	6.9	15.21	13.87	2.2	0.00
	21	90.25	0.5	7.0	15.25	13.90	2.6	0.01
	25	90.00	0.5	7.0	15.29	13.94	2.9	0.01
	29	89.72	+ 0.5	7.0	15.34	13.99	3.3	0.01
	33	89.40	+ 0.5	7.0	15.39	14.04	3.6	0.01

EPHEMERIS FOR PHYSICAL OBSERVATIONS
FOR 0ʰ DYNAMICAL TIME

Date		L_s	Sub-Earth Point		Sub-Solar Point				North Pole	
			Long.	Lat.	Long.	Lat.	Dist.	P.A.	Dist.	P.A.
		°	°	°	°	°	″	°	″	°
July	2	62.89	145.72	+27.49	141.12	+28.77	0.67	286.81	+ 7.38	1.24
	6	63.01	148.80	27.47	143.93	28.80	0.71	286.58	7.34	1.22
	10	63.13	151.85	27.45	146.72	28.83	0.74	286.37	7.30	1.21
	14	63.26	154.86	27.45	149.50	28.86	0.77	286.18	7.26	1.20
	18	63.38	157.83	27.45	152.27	28.89	0.79	286.00	7.21	1.19
	22	63.50	160.77	+27.46	155.03	+28.92	0.81	285.83	+ 7.17	1.18
	26	63.63	163.67	27.47	157.79	28.95	0.82	285.67	7.12	1.18
	30	63.75	166.53	27.50	160.53	28.98	0.83	285.50	7.07	1.18
Aug.	3	63.87	169.37	27.53	163.27	29.01	0.84	285.34	7.02	1.19
	7	63.99	172.17	27.57	166.01	29.05	0.84	285.17	6.98	1.19
	11	64.12	174.95	+27.61	168.75	+29.08	0.84	285.01	+ 6.93	1.20
	15	64.24	177.69	27.66	171.48	29.11	0.84	284.84	6.88	1.22
	19	64.36	180.41	27.72	174.21	29.14	0.83	284.66	6.83	1.24
	23	64.49	183.11	27.78	176.95	29.17	0.82	284.48	6.78	1.26
	27	64.61	185.78	27.85	179.69	29.20	0.80	284.29	6.74	1.28
	31	64.73	188.43	+27.93	182.43	+29.23	0.78	284.09	+ 6.69	1.31
Sept.	4	64.85	191.06	28.00	185.18	29.25	0.76	283.88	6.65	1.34
	8	64.98	193.68	28.09	187.93	29.28	0.74	283.66	6.60	1.37
	12	65.10	196.28	28.18	190.69	29.31	0.71	283.43	6.56	1.40
	16	65.22	198.87	28.27	193.46	29.34	0.69	283.18	6.52	1.44
	20	65.35	201.45	+28.37	196.24	+29.37	0.66	282.92	+ 6.48	1.48
	24	65.47	204.01	28.46	199.03	29.40	0.62	282.64	6.44	1.52
	28	65.59	206.57	28.57	201.83	29.43	0.59	282.34	6.41	1.56
Oct.	2	65.71	209.13	28.67	204.64	29.46	0.56	282.02	6.37	1.61
	6	65.84	211.68	28.77	207.47	29.49	0.52	281.66	6.34	1.66
	10	65.96	214.23	+28.88	210.31	+29.51	0.48	281.27	+ 6.31	1.71
	14	66.08	216.78	28.99	213.16	29.54	0.44	280.83	6.28	1.76
	18	66.21	219.34	29.10	216.03	29.57	0.40	280.33	6.25	1.81
	22	66.33	221.89	29.20	218.92	29.60	0.36	279.74	6.23	1.87
	26	66.45	224.46	29.31	221.82	29.63	0.32	279.04	6.21	1.92
	30	66.57	227.03	+29.42	224.75	+29.65	0.27	278.17	+ 6.19	1.98
Nov.	3	66.70	229.61	29.52	227.69	29.68	0.23	277.03	6.17	2.03
	7	66.82	232.20	29.62	230.64	29.71	0.18	275.42	6.16	2.09
	11	66.94	234.80	29.73	233.62	29.74	0.14	272.88	6.15	2.15
	15	67.06	237.42	29.83	236.62	29.76	0.09	268.13	6.14	2.21
	19	67.19	240.05	+29.92	239.63	+29.79	0.05	255.59	+ 6.13	2.27
	23	67.31	242.70	30.02	242.67	29.82	0.02	193.94	6.12	2.33
	27	67.43	245.37	30.11	245.72	29.84	0.05	128.84	6.12	2.39
Dec.	1	67.55	248.06	30.20	248.79	29.87	0.09	115.69	6.12	2.45
	5	67.68	250.77	30.28	251.88	29.90	0.14	110.79	6.12	2.51
	9	67.80	253.51	+30.36	254.99	+29.92	0.18	108.19	+ 6.13	2.57
	13	67.92	256.26	30.44	258.13	29.95	0.23	106.55	6.13	2.62
	17	68.04	259.04	30.51	261.27	29.97	0.27	105.38	6.14	2.68
	21	68.17	261.85	30.58	264.44	30.00	0.31	104.49	6.16	2.74
	25	68.29	264.69	30.65	267.63	30.03	0.36	103.77	6.17	2.79
	29	68.41	267.75	+30.71	270.83	+30.05	0.40	103.17	+ 6.19	2.85
	33	68.53	270.44	+30.77	274.05	+30.08	0.44	102.65	+ 6.21	2.90

URANUS, 1985

EPHEMERIS FOR PHYSICAL OBSERVATIONS
FOR 0^h DYNAMICAL TIME

Date		Light-time	Magnitude	Equatorial Diameter	Phase Angle	L_s	Sub-Earth Lat.	North Pole	
								Dist.	P.A.
		m		″	°	°	°	″	°
Jan.	−5	166.14	+ 5.7	3.51	1.0	266.60	−82.28	− 0.24	24.19
	5	165.56	5.7	3.52	1.4	266.72	82.42	0.24	20.10
	15	164.78	5.7	3.54	1.8	266.84	82.53	0.24	16.16
	25	163.81	5.7	3.56	2.2	266.96	82.59	0.24	12.51
Feb.	4	162.68	5.7	3.58	2.5	267.08	82.63	0.24	9.27
	14	161.43	+ 5.7	3.61	2.8	267.20	−82.64	− 0.24	6.56
	24	160.09	5.6	3.64	2.9	267.32	82.64	0.24	4.43
Mar.	6	158.69	5.6	3.67	3.0	267.44	82.63	0.24	2.95
	16	157.29	5.6	3.70	3.0	267.56	82.63	0.24	2.15
	26	155.91	5.6	3.74	2.9	267.67	82.62	0.25	2.03
Apr.	5	154.61	+ 5.6	3.77	2.7	267.79	−82.63	− 0.25	2.57
	15	153.42	5.5	3.80	2.4	267.91	82.63	0.25	3.75
	25	152.38	5.5	3.82	2.1	268.03	82.63	0.25	5.51
May	5	151.52	5.5	3.84	1.6	268.15	82.62	0.25	7.77
	15	150.87	5.5	3.86	1.2	268.27	82.60	0.26	10.42
	25	150.44	+ 5.5	3.87	0.7	268.39	−82.56	− 0.26	13.35
June	4	150.26	5.5	3.88	0.1	268.51	82.50	0.26	16.39
	14	150.31	5.5	3.88	0.4	268.62	82.42	0.26	19.42
	24	150.62	5.5	3.87	0.9	268.74	82.32	0.27	22.29
July	4	151.15	5.5	3.85	1.4	268.86	82.22	0.27	24.89
	14	151.90	+ 5.5	3.83	1.8	268.98	−82.11	− 0.27	27.12
	24	152.85	5.5	3.81	2.2	269.10	82.02	0.27	28.92
Aug.	3	153.96	5.6	3.78	2.5	269.22	81.94	0.27	30.23
	13	155.20	5.6	3.75	2.8	269.34	81.89	0.27	31.03
	23	156.54	5.6	3.72	2.9	269.46	81.88	0.27	31.30
Sept.	2	157.94	+ 5.6	3.69	3.0	269.57	−81.89	− 0.27	31.02
	12	159.35	5.6	3.66	3.0	269.69	81.94	0.26	30.19
	22	160.75	5.7	3.62	2.9	269.81	82.02	0.26	28.79
Oct.	2	162.08	5.7	3.59	2.7	269.93	82.12	0.25	26.82
	12	163.32	5.7	3.57	2.5	270.05	82.23	0.25	24.30
	22	164.43	+ 5.7	3.54	2.2	270.17	−82.34	− 0.24	21.24
Nov.	1	165.39	5.7	3.52	1.8	270.28	82.45	0.24	17.68
	11	166.15	5.7	3.51	1.4	270.40	82.53	0.23	13.67
	21	166.71	5.7	3.49	0.9	270.52	82.59	0.23	9.33
Dec.	1	167.05	5.7	3.49	0.5	270.64	82.60	0.23	4.76
	11	167.16	+ 5.7	3.48	0.0	270.76	−82.57	− 0.23	0.10
	21	167.03	5.7	3.49	0.5	270.88	82.50	0.23	355.52
	31	166.67	5.7	3.50	1.0	270.99	82.39	0.24	351.14
	41	166.09	+ 5.7	3.51	1.4	271.11	−82.24	− 0.24	347.08

EPHEMERIS FOR PHYSICAL OBSERVATIONS
FOR 0ʰ DYNAMICAL TIME

Date		Light-time	Magnitude	Equatorial Diameter	Phase Angle	L_s	Sub-Earth Lat.	North Pole	
								Dist.	P.A.
		m		″	°	°	°	″	°
Jan.	−5	259.81	+ 8.0	2.15	0.1	233.22	−24.38	− 0.96	19.51
	5	259.60	8.0	2.15	0.4	233.28	24.52	0.96	19.20
	15	259.16	8.0	2.15	0.7	233.34	24.64	0.96	18.91
	25	258.49	8.0	2.16	1.0	233.40	24.77	0.96	18.63
Feb.	4	257.62	8.0	2.16	1.3	233.46	24.88	0.96	18.37
	14	256.57	+ 8.0	2.17	1.5	233.52	−24.98	− 0.97	18.14
	24	255.37	8.0	2.18	1.7	233.58	25.06	0.97	17.94
Mar.	6	254.06	8.0	2.19	1.8	233.64	25.13	0.98	17.79
	16	252.67	7.9	2.21	1.9	233.70	25.18	0.98	17.67
	26	251.24	7.9	2.22	1.9	233.76	25.21	0.99	17.60
Apr.	5	249.83	+ 7.9	2.23	1.9	233.82	−25.23	− 0.99	17.58
	15	248.46	7.9	2.24	1.8	233.87	25.22	1.00	17.61
	25	247.18	7.9	2.25	1.6	233.93	25.20	1.00	17.67
May	5	246.03	7.9	2.27	1.4	233.99	25.16	1.01	17.78
	15	245.04	7.9	2.27	1.2	234.05	25.10	1.01	17.93
	25	244.23	+ 7.9	2.28	0.9	234.11	−25.03	− 1.02	18.10
June	4	243.64	7.9	2.29	0.6	234.17	24.95	1.02	18.30
	14	243.28	7.9	2.29	0.3	234.23	24.86	1.02	18.51
	24	243.16	7.9	2.29	0.0	234.29	24.77	1.02	18.73
July	4	243.28	7.9	2.29	0.3	234.35	24.67	1.02	18.95
	14	243.64	+ 7.9	2.29	0.7	234.41	−24.58	− 1.02	19.16
	24	244.22	7.9	2.28	1.0	234.47	24.49	1.02	19.36
Aug.	3	245.02	7.9	2.27	1.2	234.53	24.41	1.02	19.53
	13	246.01	7.9	2.27	1.5	234.59	24.34	1.01	19.67
	23	247.15	7.9	2.25	1.6	234.64	24.29	1.01	19.77
Sept.	2	248.41	+ 7.9	2.24	1.8	234.70	−24.26	− 1.00	19.83
	12	249.77	7.9	2.23	1.9	234.76	24.24	1.00	19.86
	22	251.17	7.9	2.22	1.9	234.82	24.24	0.99	19.83
Oct.	2	252.58	7.9	2.21	1.9	234.88	24.26	0.99	19.77
	12	253.96	8.0	2.19	1.8	234.94	24.30	0.98	19.66
	22	255.27	+ 8.0	2.18	1.7	235.00	−24.36	− 0.98	19.50
Nov.	1	256.47	8.0	2.17	1.5	235.06	24.44	0.97	19.31
	11	257.52	8.0	2.16	1.3	235.12	24.53	0.97	19.08
	21	258.39	8.0	2.16	1.0	235.18	24.63	0.96	18.83
Dec.	1	259.06	8.0	2.15	0.8	235.24	24.75	0.96	18.55
	11	259.52	+ 8.0	2.15	0.4	235.30	−24.87	− 0.96	18.25
	21	259.73	8.0	2.15	0.1	235.35	25.00	0.96	17.94
	31	259.71	8.0	2.15	0.2	235.41	25.12	0.95	17.62
	41	259.44	+ 8.0	2.15	0.5	235.47	−25.25	− 0.95	17.31

PLUTO, 1985

EPHEMERIS FOR PHYSICAL OBSERVATIONS
FOR 0ʰ DYNAMICAL TIME

Date		Light-time	Magnitude	Phase Angle	L_S	Sub-Earth Point		North Pole P.A.
						Long.	Lat.	
		m		°	°	°	°	°
Jan.	−5	251.54	+13.8	1.7	174.19	206.28	+ 3.75	85.69
	5	250.28	13.8	1.8	174.26	49.97	3.53	85.70
	15	248.93	13.8	1.9	174.32	253.65	3.36	85.70
	25	247.54	13.7	1.9	174.39	97.30	3.23	85.71
Feb.	4	246.15	13.7	1.9	174.46	300.92	3.16	85.71
	14	244.81	+13.7	1.8	174.53	144.53	+ 3.14	85.70
	24	243.55	13.7	1.7	174.59	348.11	3.17	85.69
Mar.	6	242.42	13.7	1.5	174.66	191.67	3.26	85.68
	16	241.44	13.7	1.3	174.73	35.22	3.39	85.67
	26	240.65	13.7	1.1	174.80	238.76	3.56	85.65
Apr.	5	240.07	+13.7	0.8	174.86	82.29	+ 3.77	85.63
	15	239.72	13.7	0.6	174.93	285.82	4.00	85.60
	25	239.60	13.7	0.6	175.00	129.35	4.24	85.58
May	5	239.72	13.7	0.7	175.07	332.89	4.49	85.56
	15	240.07	13.7	0.9	175.14	176.44	4.74	85.53
	25	240.64	+13.7	1.1	175.20	20.01	+ 4.97	85.51
June	4	241.40	13.7	1.4	175.27	223.59	5.18	85.50
	14	242.34	13.7	1.6	175.34	67.19	5.36	85.48
	24	243.43	13.7	1.7	175.41	270.82	5.51	85.48
July	4	244.63	13.7	1.9	175.47	114.47	5.61	85.48
	14	245.91	+13.7	1.9	175.54	318.14	+ 5.66	85.48
	24	247.23	13.7	2.0	175.61	161.83	5.67	85.49
Aug.	3	248.55	13.7	1.9	175.68	5.55	5.63	85.51
	13	249.84	13.8	1.9	175.75	209.28	5.53	85.53
	23	251.06	13.8	1.7	175.81	53.03	5.39	85.55
Sept.	2	252.18	+13.8	1.6	175.88	256.80	+ 5.20	85.58
	12	253.17	13.8	1.4	175.95	100.58	4.97	85.61
	22	254.00	13.8	1.2	176.02	304.38	4.71	85.63
Oct.	2	254.64	13.8	0.9	176.08	148.17	4.41	85.66
	12	255.08	13.8	0.7	176.15	351.98	4.08	85.69
	22	255.30	+13.8	0.6	176.22	195.78	+ 3.74	85.72
Nov.	1	255.29	13.8	0.5	176.29	39.58	3.39	85.74
	11	255.06	13.8	0.7	176.36	243.37	3.03	85.76
	21	254.60	13.8	0.9	176.42	87.15	2.68	85.78
Dec.	1	253.94	13.8	1.1	176.49	290.92	2.34	85.79
	11	253.07	+13.8	1.3	176.56	134.68	+ 2.02	85.81
	21	252.04	13.8	1.5	176.63	338.41	1.73	85.82
	31	250.86	13.8	1.7	176.70	182.12	1.48	85.82
	41	249.57	+13.8	1.8	176.76	25.82	+ 1.27	85.83

FOR 0ʰ DYNAMICAL TIME

Date		Mars	Jupiter			Saturn	
			System I	System II	System III	System I	System III
Jan.	0	109.88	149.81	174.89	38.96	270.88	81.29
	1	99.94	307.47	324.92	189.25	35.13	172.03
	2	89.99	105.12	114.94	339.54	159.39	262.78
	3	80.04	262.78	264.97	129.83	283.65	353.53
	4	70.09	60.43	54.99	280.13	47.91	84.29
	5	60.13	218.09	205.02	70.42	172.18	175.04
	6	50.18	15.75	355.05	220.71	296.44	265.80
	7	40.22	173.41	145.08	11.01	60.71	356.56
	8	30.27	331.07	295.11	161.31	184.98	87.32
	9	20.31	128.73	85.14	311.60	309.25	178.08
	10	10.35	286.39	235.17	101.90	73.52	268.85
	11	0.39	84.05	25.20	252.20	197.80	359.61
	12	350.43	241.72	175.24	42.50	322.08	90.38
	13	340.47	39.38	325.27	192.80	86.36	181.15
	14	330.51	197.05	115.31	343.10	210.64	271.92
	15	320.55	354.71	265.34	133.40	334.92	2.70
	16	310.58	152.38	55.38	283.71	99.21	93.47
	17	300.62	310.05	205.42	74.01	223.49	184.25
	18	290.65	107.72	355.46	224.32	347.78	275.03
	19	280.69	265.39	145.50	14.62	112.07	5.81
	20	270.72	63.06	295.54	164.93	236.37	96.60
	21	260.76	220.74	85.59	315.24	0.66	187.38
	22	250.79	18.41	235.63	105.55	124.96	278.17
	23	240.83	176.09	25.68	255.86	249.26	8.96
	24	230.86	333.76	175.72	46.18	13.56	99.75
	25	220.90	131.44	325.77	196.49	137.86	190.55
	26	210.93	289.12	115.82	346.81	262.16	281.34
	27	200.97	86.80	265.87	137.12	26.47	12.14
	28	191.01	244.49	55.93	287.44	150.78	102.94
	29	181.04	42.17	205.98	77.76	275.09	193.74
	30	171.08	199.85	356.03	228.08	39.40	284.55
	31	161.12	357.54	146.09	18.40	163.72	15.35
Feb.	1	151.16	155.23	296.15	168.73	288.03	106.16
	2	141.20	312.92	86.21	319.05	52.35	196.97
	3	131.24	110.61	236.27	109.38	176.67	287.78
	4	121.28	268.30	26.33	259.71	300.99	18.59
	5	111.33	65.99	176.39	50.04	65.32	109.41
	6	101.37	223.69	326.46	200.37	189.65	200.22
	7	91.42	21.39	116.52	350.70	313.97	291.04
	8	81.47	179.08	266.59	141.03	78.30	21.86
	9	71.52	336.78	56.66	291.37	202.63	112.68
	10	61.57	134.48	206.73	81.71	326.97	203.51
	11	51.62	292.19	356.80	232.04	91.30	294.33
	12	41.67	89.89	146.88	22.38	215.64	25.16
	13	31.73	247.60	296.95	172.73	339.98	115.99
	14	21.79	45.31	87.03	323.07	104.32	206.82
	15	11.85	203.01	237.11	113.41	228.66	297.66

FOR 0ʰ DYNAMICAL TIME

Date		Mars	Jupiter			Saturn	
			System I	System II	System III	System I	System III
		°	°	°	°	°	°
Feb.	15	11.85	203.01	237.11	113.41	228.66	297.66
	16	1.91	0.73	27.19	263.76	353.01	28.49
	17	351.97	158.44	177.27	54.11	117.35	119.33
	18	342.04	316.15	327.36	204.46	241.70	210.17
	19	332.10	113.87	117.44	354.81	6.05	301.01
	20	322.17	271.59	267.53	145.16	130.40	31.85
	21	312.25	69.31	57.62	295.52	254.76	122.69
	22	302.32	227.03	207.71	85.88	19.11	213.54
	23	292.40	24.75	357.80	236.24	143.47	304.39
	24	282.47	182.47	147.90	26.60	267.83	35.24
	25	272.55	340.20	297.99	176.96	32.19	126.09
	26	262.64	137.93	88.09	327.32	156.55	216.94
	27	252.72	295.66	238.19	117.69	280.91	307.79
	28	242.81	93.39	28.29	268.06	45.27	38.65
Mar.	1	232.90	251.13	178.40	58.43	169.64	129.50
	2	223.00	48.86	328.50	208.80	294.01	220.36
	3	213.09	206.60	118.61	359.17	58.38	311.22
	4	203.19	4.34	268.72	149.55	182.75	42.08
	5	193.29	162.08	58.83	299.92	· 307.12	132.95
	6	183.40	319.83	208.95	90.30	71.49	223.81
	7	173.50	117.57	359.06	240.69	195.87	314.68
	8	163.61	275.32	149.18	31.07	320.25	45.55
	9	153.73	73.07	299.30	181.45	84.62	136.41
	10	143.84	230.82	89.42	331.84	209.00	227.28
	11	133.96	28.58	239.54	122.23	333.38	318.16
	12	124.08	186.33	29.67	272.62	97.76	49.03
	13	114.21	344.09	179.79	63.02	222.15	139.90
	14	104.33	141.85	329.92	213.41	346.53	230.78
	15	94.46	299.61	120.06	3.81	110.92	321.65
	16	84.59	97.38	270.19	154.21	235.30	52.53
	17	74.73	255.14	60.32	304.61	359.69	143.41
	18	64.87	52.91	210.46	95.01	124.08	234.29
	19	55.01	210.68	0.60	245.42	248.47	325.17
	20	45.15	8.45	150.74	35.83	12.86	56.05
	21	35.30	166.23	300.89	186.24	137.25	146.94
	22	25.45	324.01	91.04	336.65	261.65	237.82
	23	15.60	121.79	241.18	127.07	26.04	328.70
	24	5.75	279.57	31.34	277.48	150.43	59.59
	25	355.91	77.35	181.49	67.90	274.83	150.48
	26	346.07	235.14	331.64	218.32	39.23	241.36
	27	336.23	32.93	121.80	8.75	163.62	332.25
	28	326.40	190.72	271.96	159.17	288.02	63.14
	29	316.57	348.51	62.13	309.60	52.42	154.03
	30	306.74	146.30	212.29	100.03	176.82	244.92
	31	296.91	304.10	2.46	250.47	301.22	335.81
Apr.	1	287.09	101.90	152.63	40.90	65.62	66.71
	2	277.27	259.70	302.80	191.34	190.02	157.60

FOR 0ʰ DYNAMICAL TIME

Date		Mars	Jupiter			Saturn	
			System I	System II	System III	System I	System III
Apr.	1	287.09	101.90	152.63	40.90	65.62	66.71
	2	277.27	259.70	302.80	191.34	190.02	157.60
	3	267.45	57.51	92.97	341.78	314.42	248.49
	4	257.63	215.32	243.15	132.22	78.82	339.39
	5	247.82	13.13	33.33	282.67	203.23	70.28
	6	238.01	170.94	183.51	73.11	327.63	161.17
	7	228.20	328.75	333.69	223.56	92.03	252.07
	8	218.40	126.57	123.88	14.02	216.43	342.96
	9	208.60	284.39	274.07	164.47	340.84	73.86
	10	198.80	82.21	64.26	314.93	105.24	164.75
	11	189.00	240.03	214.45	105.39	229.65	255.65
	12	179.20	37.86	4.65	255.85	354.05	346.55
	13	169.41	195.69	154.85	46.31	118.45	77.44
	14	159.62	353.52	305.05	196.78	242.86	168.34
	15	149.83	151.35	95.25	347.25	7.26	259.24
	16	140.04	309.19	245.45	137.72	131.67	350.13
	17	130.26	107.03	35.66	288.20	256.07	81.03
	18	120.48	264.87	185.87	78.67	20.47	171.92
	19	110.70	62.71	336.09	229.15	144.88	262.82
	20	100.92	220.56	126.30	19.63	269.28	353.72
	21	91.15	18.41	276.52	170.12	33.68	84.61
	22	81.38	176.26	66.74	320.61	158.09	175.51
	23	71.60	334.12	216.97	111.10	282.49	266.40
	24	61.84	131.97	7.19	261.59	46.89	357.29
	25	52.07	289.83	157.42	52.08	171.29	88.19
	26	42.30	87.70	307.66	202.58	295.69	179.08
	27	32.54	245.56	97.89	353.08	60.09	269.98
	28	22.78	43.43	248.13	143.58	184.49	0.87
	29	13.02	201.30	38.37	294.09	308.89	91.76
	30	3.26	359.17	188.61	84.60	73.29	182.65
May	1	353.51	157.05	338.85	235.11	197.68	273.54
	2	343.76	314.93	129.10	25.62	322.08	4.43
	3	334.00	112.81	279.35	176.14	86.48	95.32
	4	324.25	270.69	69.61	326.66	210.87	186.21
	5	314.50	68.58	219.86	117.18	335.27	277.09
	6	304.76	226.47	10.12	267.71	99.66	7.98
	7	295.01	24.36	160.38	58.23	224.05	98.86
	8	285.27	182.26	310.65	208.76	348.44	189.75
	9	275.53	340.15	100.91	359.30	112.83	280.63
	10	265.79	138.05	251.18	149.83	237.22	11.51
	11	256.05	295.96	41.45	300.37	1.60	102.39
	12	246.31	93.86	191.73	90.91	125.99	193.27
	13	236.57	251.77	342.01	241.45	250.37	284.15
	14	226.84	49.68	132.29	32.00	14.76	15.03
	15	217.10	207.59	282.57	182.55	139.14	105.90
	16	207.37	5.51	72.86	333.10	263.52	196.78
	17	197.64	163.43	223.14	123.66	27.90	287.65

FOR 0ʰ DYNAMICAL TIME

Date	Mars	Jupiter			Saturn	
		System I	System II	System III	System I	System III
May 17	197.64	163.43	223.14	123.66	27.90	287.65
18	187.91	321.35	13.44	274.21	152.28	18.52
19	178.18	119.28	163.73	64.77	276.65	109.39
20	168.45	277.21	314.03	215.34	41.03	200.26
21	158.72	75.14	104.33	5.90	165.40	291.13
22	148.99	233.07	254.63	156.47	289.77	21.99
23	139.27	31.01	44.94	307.04	54.14	112.85
24	129.54	188.94	195.24	97.62	178.51	203.72
25	119.82	346.89	345.55	248.19	302.87	294.58
26	110.10	144.83	135.87	38.77	67.23	25.43
27	100.38	302.78	286.18	189.36	191.60	116.29
28	90.65	100.73	76.50	339.94	315.96	207.15
29	80.93	258.68	226.82	130.53	80.31	298.00
30	71.21	56.63	17.15	281.12	204.67	28.85
31	61.50	214.59	167.48	71.71	329.02	119.70
June 1	51.78	12.55	317.81	222.31	93.38	210.54
2	42.06	170.52	108.14	12.91	217.73	301.39
3	32.34	328.48	258.47	163.51	342.07	32.23
4	22.63	126.45	48.81	314.11	106.42	123.07
5	12.91	284.42	199.15	104.72	230.76	213.91
6	3.20	82.39	349.49	255.33	355.11	304.75
7	353.48	240.37	139.84	45.94	119.45	35.58
8	343.77	38.35	290.19	196.55	243.78	126.42
9	334.05	196.33	80.54	347.17	8.12	217.25
10	324.34	354.31	230.89	137.79	132.45	308.07
11	314.62	152.30	21.24	288.41	256.78	38.90
12	304.91	310.29	171.60	79.03	21.11	129.72
13	295.20	108.28	321.96	229.66	145.44	220.55
14	285.48	266.27	112.32	20.29	269.76	311.37
15	275.77	64.26	262.69	170.92	34.08	42.18
16	266.06	222.26	53.06	321.55	158.40	133.00
17	256.34	20.26	203.43	112.19	282.72	223.81
18	246.63	178.26	353.80	262.82	47.03	314.62
19	236.92	336.27	144.17	53.46	171.35	45.43
20	227.21	134.28	294.55	204.10	295.66	136.23
21	217.49	292.28	84.93	354.75	59.96	227.04
22	207.78	90.30	235.31	145.40	184.27	317.84
23	198.07	248.31	25.69	296.04	308.57	48.64
24	188.35	46.32	176.07	86.69	72.87	139.43
25	178.64	204.34	326.46	237.35	197.17	230.23
26	168.93	2.36	116.85	28.00	321.46	321.02
27	159.21	160.38	267.24	178.66	85.76	51.81
28	149.50	318.40	57.63	329.31	210.05	142.59
29	139.79	116.42	208.02	119.97	334.34	233.38
30	130.07	274.45	358.42	270.63	98.62	324.16
July 1	120.36	72.48	148.81	61.30	222.90	54.94
2	110.64	230.50	299.21	211.96	347.18	145.72

FOR 0ʰ DYNAMICAL TIME

Date		Mars	Jupiter			Saturn	
			System I	System II	System III	System I	System III
July	1	120.36	72.48	148.81	61.30	222.90	54.94
	2	110.64	230.50	299.21	211.96	347.18	145.72
	3	100.93	28.53	89.61	2.63	111.46	236.49
	4	91.21	186.56	240.01	153.29	235.74	327.26
	5	81.49	344.60	30.41	303.96	0.01	58.03
	6	71.78	142.63	180.82	94.63	124.28	148.80
	7	62.06	300.67	331.22	245.30	248.55	239.57
	8	52.34	98.70	121.63	35.97	12.82	330.33
	9	42.62	256.74	272.03	186.64	137.08	61.09
	10	32.90	54.78	62.44	337.32	261.35	151.85
	11	23.18	212.81	212.85	127.99	25.60	242.60
	12	13.46	10.85	3.26	278.67	149.86	333.36
	13	3.74	168.89	153.67	69.34	274.12	64.11
	14	354.02	326.94	304.08	220.02	38.37	154.86
	15	344.30	124.98	94.49	10.70	162.62	245.60
	16	334.58	283.02	244.90	161.37	286.87	336.35
	17	324.85	81.06	35.31	312.05	51.11	67.09
	18	315.13	239.10	185.72	102.73	175.35	157.83
	19	305.40	37.15	336.14	253.41	299.59	248.57
	20	295.67	195.19	126.55	44.09	63.83	339.30
	21	285.95	353.23	276.96	194.77	188.07	70.04
	22	276.22	151.27	67.37	345.44	312.30	160.77
	23	266.49	309.32	217.79	136.12	76.53	251.49
	24	256.76	107.36	8.20	286.80	200.76	342.22
	25	247.03	265.40	158.61	77.48	324.99	72.94
	26	237.30	63.44	309.02	228.16	89.22	163.67
	27	227.57	221.48	99.43	18.83	213.44	254.39
	28	217.83	19.52	249.84	169.51	337.66	345.10
	29	208.10	177.56	40.25	320.18	101.88	75.82
	30	198.36	335.60	190.66	110.86	226.10	166.53
	31	188.63	133.64	341.07	261.53	350.31	257.25
Aug.	1	178.89	291.67	131.47	52.20	114.52	347.96
	2	169.15	89.71	281.88	202.87	238.73	78.66
	3	159.41	247.74	72.28	353.54	2.94	169.37
	4	149.67	45.77	222.68	144.21	127.15	260.07
	5	139.93	203.80	13.08	294.88	251.35	350.77
	6	130.19	1.83	163.48	85.54	15.56	81.47
	7	120.44	159.86	313.88	236.21	139.76	172.17
	8	110.70	317.89	104.28	26.87	263.96	262.87
	9	100.95	115.91	254.67	177.53	28.15	353.56
	10	91.21	273.94	45.06	328.19	152.35	84.26
	11	81.46	71.96	195.46	118.84	276.54	174.95
	12	71.71	229.97	345.84	269.50	40.74	265.64
	13	61.96	27.99	136.23	60.15	164.93	356.32
	14	52.21	186.00	286.61	210.80	289.11	87.01
	15	42.45	344.02	77.00	1.45	53.30	177.69
	16	32.70	142.02	227.37	152.09	177.49	268.38

FOR 0ʰ DYNAMICAL TIME

Date		Mars	Jupiter			Saturn	
			System I	System II	System III	System I	System III
Aug.	16	32.70	142.02	227.37	152.09	177.49	268.38
	17	22.95	300.03	17.75	302.74	301.67	359.06
	18	13.19	98.03	168.13	93.38	65.85	89.74
	19	3.43	256.04	318.50	244.01	190.03	180.41
	20	353.67	54.03	108.87	34.65	314.21	271.09
	21	343.91	212.03	259.23	185.28	78.39	1.76
	22	334.15	10.02	49.59	335.91	202.56	92.44
	23	324.39	168.01	199.95	126.54	326.74	183.11
	24	314.63	326.00	350.31	277.16	90.91	273.78
	25	304.86	123.98	140.66	67.78	215.08	4.45
	26	295.10	281.96	291.01	218.39	339.25	95.11
	27	285.33	79.94	81.36	9.01	103.42	185.78
	28	275.57	237.91	231.70	159.62	227.59	276.44
	29	265.80	35.88	22.05	310.22	351.76	7.11
	30	256.03	193.85	172.38	100.83	115.92	97.77
	31	246.26	351.81	322.72	251.43	240.09	188.43
Sept.	1	236.49	149.77	113.05	42.02	4.25	279.09
	2	226.71	307.73	263.37	192.61	128.41	9.75
	3	216.94	105.68	53.69	343.20	252.57	100.41
	4	207.17	263.63	204.01	133.79	16.73	191.06
	5	197.39	61.57	354.33	284.37	140.89	281.72
	6	187.61	219.52	144.64	74.95	265.05	12.37
	7	177.83	17.45	294.95	225.52	29.20	103.03
	8	168.06	175.39	85.25	16.09	153.36	193.68
	9	158.28	333.32	235.55	166.66	277.51	284.33
	10	148.50	131.24	25.85	317.22	41.67	14.98
	11	138.71	289.16	176.14	107.78	165.82	105.63
	12	128.93	87.08	326.43	258.33	289.97	196.28
	13	119.15	245.00	116.72	48.88	54.12	286.93
	14	109.36	42.91	267.00	199.43	178.27	17.58
	15	99.58	200.81	57.27	349.97	302.42	108.22
	16	89.79	358.72	207.55	140.51	66.57	198.87
	17	80.01	156.61	357.81	291.04	190.72	289.51
	18	70.22	314.51	148.08	81.58	314.87	20.16
	19	60.43	112.40	298.34	232.10	79.02	110.80
	20	50.64	270.28	88.59	22.62	203.16	201.45
	21	40.85	68.16	238.85	173.14	327.31	292.09
	22	31.06	226.04	29.09	323.66	91.46	22.73
	23	21.27	23.92	179.34	114.17	215.60	113.37
	24	11.48	181.78	329.58	264.67	339.74	204.01
	25	1.69	339.65	119.81	55.17	103.89	294.65
	26	351.90	137.51	270.05	205.67	228.03	25.29
	27	342.11	295.37	60.27	356.17	352.18	115.93
	28	332.31	93.22	210.50	146.66	116.32	206.57
	29	322.52	251.07	0.72	297.14	240.46	297.21
	30	312.73	48.92	150.93	87.62	4.61	27.85
Oct.	1	302.93	206.76	301.15	238.10	128.75	118.49

FOR 0ʰ DYNAMICAL TIME

Date		Mars	Jupiter			Saturn	
			System I	System II	System III	System I	System III
Oct.	1	302.93	206.76	301.15	238.10	128.75	118.49
	2	293.14	4.60	91.35	28.57	252.89	209.13
	3	283.35	162.43	241.56	179.04	17.03	299.77
	4	273.55	320.26	31.76	329.51	141.17	30.41
	5	263.76	118.08	181.95	119.97	265.32	121.04
	6	253.96	275.91	332.15	270.43	29.46	211.68
	7	244.16	73.72	122.34	60.89	153.60	302.32
	8	234.37	231.54	272.52	211.34	277.74	32.96
	9	224.57	29.35	62.70	1.78	41.88	123.59
	10	214.78	187.15	212.88	152.23	166.02	214.23
	11	204.98	344.96	3.05	302.67	290.17	304.87
	12	195.19	142.76	153.22	93.10	54.31	35.51
	13	185.39	300.55	303.39	243.53	178.45	126.14
	14	175.60	98.34	93.55	33.96	302.59	216.78
	15	165.80	256.13	243.71	184.39	66.73	307.42
	16	156.01	53.91	33.86	334.81	190.88	38.06
	17	146.21	211.70	184.01	125.22	315.02	128.70
	18	136.42	9.47	334.16	275.64	79.16	219.34
	19	126.63	167.25	124.31	66.05	203.30	309.97
	20	116.83	325.02	274.45	216.46	327.45	40.61
	21	107.04	122.78	64.58	6.86	91.59	131.25
	22	97.25	280.55	214.72	157.26	215.74	221.89
	23	87.46	78.31	4.85	307.66	339.88	312.53
	24	77.67	236.06	154.98	98.05	104.03	43.17
	25	67.88	33.82	305.10	248.44	228.17	133.81
	26	58.09	191.57	95.22	38.83	352.32	224.46
	27	48.30	349.32	245.34	189.21	116.47	315.10
	28	38.51	147.06	35.46	339.59	240.61	45.74
	29	28.72	304.80	185.57	129.97	4.76	136.38
	30	18.93	102.54	335.68	280.34	128.91	227.03
	31	9.15	260.27	125.78	70.72	253.06	317.67
Nov.	1	359.36	58.01	275.89	221.09	17.21	48.32
	2	349.58	215.74	65.99	11.45	141.36	138.96
	3	339.79	13.46	216.08	161.82	265.51	229.61
	4	330.01	171.19	6.18	312.18	29.66	320.25
	5	320.23	328.91	156.27	102.53	153.81	50.90
	6	310.45	126.63	306.36	252.89	277.97	141.55
	7	300.67	284.34	96.45	43.24	42.12	232.20
	8	290.89	82.06	246.53	193.59	166.28	322.85
	9	281.11	239.77	36.61	343.94	290.43	53.50
	10	271.34	37.47	186.69	134.28	54.59	144.15
	11	261.56	195.18	336.77	284.63	178.75	234.80
	12	251.79	352.88	126.84	74.97	302.91	325.46
	13	242.02	150.58	276.91	225.30	67.07	56.11
	14	232.24	308.28	66.98	15.64	191.23	146.76
	15	222.47	105.98	217.05	165.97	315.39	237.42
	16	212.71	263.67	7.11	316.30	79.55	328.08

FOR 0ʰ DYNAMICAL TIME

Date	Mars	Jupiter			Saturn	
		System I	System II	System III	System I	System III
	°	°	°	°	°	°
Nov. 16	212.71	263.67	7.11	316.30	79.55	328.08
17	202.94	61.36	157.17	106.63	203.71	58.74
18	193.17	219.05	307.23	256.96	327.88	149.39
19	183.41	16.74	97.29	47.28	92.04	240.05
20	173.65	174.43	247.35	197.60	216.21	330.71
21	163.89	332.11	37.40	347.92	340.38	61.38
22	154.13	129.79	187.45	138.24	104.55	152.04
23	144.37	287.47	337.50	288.56	228.72	242.70
24	134.61	85.15	127.55	78.87	352.89	333.37
25	124.86	242.83	277.60	229.18	117.06	64.04
26	115.10	40.50	67.64	19.49	241.24	154.71
27	105.35	198.17	217.69	169.80	5.41	245.37
28	95.60	355.84	7.73	320.11	129.59	336.04
29	85.85	153.51	157.77	110.42	253.77	66.72
30	76.10	311.18	307.81	260.72	17.95	157.39
Dec. 1	66.36	108.85	97.84	51.02	142.13	248.06
2	56.61	266.51	247.88	201.33	266.31	338.74
3	46.87	64.17	37.91	351.62	30.49	69.42
4	37.13	221.84	187.95	141.92	154.68	160.09
5	27.39	19.50	337.98	292.22	278.87	250.77
6	17.66	177.15	128.01	82.52	43.05	341.46
7	7.92	334.81	278.03	232.81	167.24	72.14
8	358.19	132.47	68.06	23.10	291.43	162.82
9	348.46	290.12	218.09	173.39	55.63	253.51
10	338.72	87.78	8.11	323.69	179.82	344.19
11	329.00	245.43	158.14	113.97	304.01	74.88
12	319.27	43.08	308.16	264.26	68.21	165.57
13	309.55	200.73	98.18	54.55	192.41	256.26
14	299.82	358.38	248.20	204.84	316.61	346.96
15	290.10	156.03	38.22	355.12	80.81	77.65
16	280.38	313.68	188.24	145.41	205.01	168.35
17	270.67	111.33	338.25	295.69	329.22	259.04
18	260.95	268.97	128.27	85.97	93.43	349.74
19	251.24	66.62	278.29	236.25	217.63	80.44
20	241.52	224.26	68.30	26.54	341.84	171.15
21	231.81	21.91	218.32	176.82	106.06	261.85
22	222.11	179.55	8.33	327.10	230.27	352.56
23	212.40	337.19	158.34	117.38	354.48	83.26
24	202.70	134.84	308.36	267.65	118.70	173.97
25	192.99	292.48	98.37	57.93	242.92	264.69
26	183.29	90.12	248.38	208.21	7.14	355.40
27	173.59	247.76	38.39	358.49	131.36	86.11
28	163.90	45.40	188.40	148.76	255.59	176.83
29	154.20	203.04	338.41	299.04	19.81	267.55
30	144.51	0.68	128.42	89.32	144.04	358.27
31	134.82	158.32	278.43	239.59	268.27	88.99
32	125.12	315.96	68.44	29.87	32.50	179.71

ROTATION ELEMENTS FOR MEAN EQUINOX AND EQUATOR OF DATE
ON 1985 JANUARY 0 AT 0^h TDT

Planet	North Pole Right Ascension α_1	Declin- ation δ_1	Argument of prime meridian at epoch W_0	var./day $\dot{W}$	Longitude of central meridian λ_e	Inclination of equator to orbit
Mercury	281°·0	61°·4	173°·61	6°·13853	106°·73	0°·0
Venus	272·8	67·2	357·14	−1·48138	145·55	177·3
Earth	—	90·0	279·69	360·98558	—	23·45
Mars	317·58	52·83	223·94	350·89200	109·90	25·19
Jupiter: I	268·03	64·49	293·9	877·900	149·8	3·12
II	268·03	64·49	318·6	870·270	174·9	3·12
III	268·03	64·49	182·7	870·536	39·0	3·12
Saturn: III	40·00	83·46	54	810·794	81	26·73
Uranus	257·22	−15·08	347	−554·913	18	97·86
Neptune	295·20	40·61	191	468·750	41	29·56
Pluto	311	4	219	−56·364	128	118

The above data were derived from the report of the IAU Working Group on Cartographic Coordinates and Rotational Elements of the Planets and Satellites, 1982. The rotation elements of the major planets referred to J2000 are given in Section K.

DEFINITIONS AND FORMULAE

α_1, δ_1 right ascension and declination of the north pole of the planet; variations during one year are negligible.

W_0 the angle measured along the planet's equator in the positive sense with respect to the planet's north pole *from* the ascending node of the planet's equator on the Earth's mean equator of date *to* the prime meridian of the planet.

$\dot{W}$ the daily rate of change of W_0. The sidereal periods of rotation are given on page E88.

α, δ, Δ apparent right ascension, declination and true distance of the planet at the time of observation (pages E14–E42).

W_1 argument of the prime meridian at the time of observation *antedated* by the light-time from the planet to the Earth.

$$W_1 = W_0 + \dot{W}(d - 0·005\,7755\,\Delta)$$

where d is the interval in days from 1985 Jan. 0 at 0^h TDT.

β_e planetocentric declination of the Earth, positive in the planet's northern hemisphere:

$$\sin \beta_e = -\sin \delta_1 \sin \delta - \cos \delta_1 \cos \delta \cos (\alpha_1 - \alpha), \quad \text{where} -90° < \beta_e < 90°$$

p_n position angle of the central meridian, also called the position angle of the axis, measured eastwards from the north point:

$$\cos \beta_e \sin p_n = \cos \delta_1 \sin (\alpha_1 - \alpha)$$
$$\cos \beta_e \cos p_n = \sin \delta_1 \cos \delta - \cos \delta_1 \sin \delta \cos (\alpha_1 - \alpha), \quad \text{where} \cos \beta_e > 0.$$

λ_e planetographic longitude of the central meridian measured in the direction *opposite* to the direction of rotation:

$$\lambda_e = W_1 - K \quad \text{if } \dot{W} \text{ is positive}$$
$$\lambda_e = K - W_1 \quad \text{if } \dot{W} \text{ is negative}$$

where K is given by:

$$\cos \beta_e \sin K = -\cos \delta_1 \sin \delta + \sin \delta_1 \cos \delta \cos (\alpha_1 - \alpha)$$
$$\cos \beta_e \cos K = \cos \delta \sin (\alpha_1 - \alpha), \quad \text{where} \cos \beta_e > 0.$$

λ, φ planetographic longitude (measured in the direction opposite to the rotation) and latitude (measured positive to the planet's north) of a feature on the planet's surface.

s apparent semi-diameter of the planet (see page E43).

$\Delta\alpha, \Delta\delta$ displacements in right ascension and declination of the feature (λ, φ) from the centre of the planet. They are given by:

$$\Delta\alpha \cos \delta = \quad X \cos p_n + Y \sin p_n$$
$$\Delta\delta = -X \sin p_n + Y \cos p_n$$

$$\text{where } X = \begin{cases} s \cos \varphi \sin (\lambda - \lambda_e) & \text{if } \dot{W} > 0 \\ -s \cos \varphi \sin (\lambda - \lambda_e) & \text{if } \dot{W} < 0 \end{cases}$$

$$Y = s (\sin \varphi \cos \beta_e - \cos \varphi \sin \beta_e \cos (\lambda - \lambda_e))$$

PHYSICAL AND PHOTOMETRIC DATA

Planet	Mass 10^{24} kg	Radius (equ.) km	Angular Diameter	Distance from Earth	Flattening (geom.)	Mean Density g/cm^3	Coefficients of Potential $10^3 J_2$	$10^6 J_3$	$10^6 J_4$
			(see note 3)						
Mercury	0·330 22	2 439	11"·0	0·613	0	5·43	—	—	—
Venus	4·869 0	6 052	60"·2	0·277	0	5·24	0·027	—	—
Earth	5·974 2	6 378·140	—	—	0·003 352 81	5·515	1·082 63	− 2·54	− 1·61
(Moon)	0·073 483	1 738	31'·08	0·002 57	0	3·34	0·202 7	—	—
Mars	0·641 91	3 393·4	17"·9	0·524	0·005 186 5	3·94	1·964	36	—
Jupiter	1 898·8	71 398	46"·8	4·203	0·064 808 8	1·33	14·75	—	− 580
Saturn	568·50	60 000	19"·4	8·539	0·107 620 9	0·70	16·45	—	− 1 000
Uranus	86·625	25 400	3"·9	18·182	0·030	1·30	12	—	—
Neptune	102·78	24 300	2"·3	29·06	0·025 9	1·76	4	—	—
Pluto	0·015	1 500	0"·1	38·44	0	1·1	—	—	—

Planet	Sidereal Period of Rotation	Inclination of Equator to Orbit	Geometric Albedo	Visual Magnitude $V(1,0)$	V_0	Colour Indices $B − V$	$U − B$
Mercury	58·646 2^d	0·0°	0·106	−0·42	—	0·93	0·41
Venus	− 243·01	177·3	0·65	−4·40	—	0·82	0·50
Earth	0·997 269 68	23·45	0·367	−3·86	—	—	—
(Moon)	27·321 66	6·68	0·12	+0·21	− 12·74	0·92	0·46
Mars	1·025 956 75	25·19	0·150	−1·52	− 2·01	1·36	0·58
Jupiter	0·413 54 (System III)	3·12	0·52	−9·40	− 2·70	0·83	0·48
Saturn	0·437 5 (System III)	26·73	0·47	−8·88	+ 0·67	1·04	0·58
Uranus	− 0·65	97·86	0·51	−7·19	+ 5·52	0·56	0·28
Neptune	0·768	29·56	0·41	−6·87	+ 7·84	0·41	0·21
Pluto	− 6·386 7	118?	0·3:	−1·0	+15·12	0·80	0·31

Notes:

1. The values for the masses include the atmospheres but exclude satellites.

2. The mean equatorial radii are given.

3. The angular diameters correspond to the distances from the Earth (in au) given in the adjacent column: they refer to inferior conjunction for Mercury and Venus and to mean opposition for the other planets. (1"·0 = 4·848 microradians.)

4. The flattening is the ratio of the difference of the equatorial and polar radii to the equatorial radius.

5. The notation for the coefficients of the gravitational potential is given in *Trans. IAU*, **XI B**, 173, 1962.

6. The period of rotation refers to the rotation at the equator with respect to a fixed frame of reference: a negative sign indicates that the rotation is retrograde with respect to the pole that lies to the north of the invariable plane of the solar system. The period is given in days of 86 400 SI seconds. The rotation elements for the planets are tabulated on page E87.

7. The data on equatorial radii, flattening, period of rotation and inclination of equator to orbit are based on the report of the IAU Working Group on Cartographic Coordinates and Rotational Elements of the Planets and Satellites, 1982.

8. The geometric albedo is the ratio of the illumination at the Earth from the planet for phase angle zero to the illumination produced by a plane, absolutely white Lambert surface of the same radius as the planet placed at the same position.

9. The quantity $V(1,0)$ is the visual magnitude of the planet reduced to a distance of 1 au from both the Sun and Earth and phase angle zero: V_0 is the mean opposition magnitude. The photometric quantities for Saturn refer to the disk only.

CONTENTS OF SECTION F

The satellite ephemerides were calculated using $\Delta T = 55$ seconds.

Planet		Satellite	Orbital Period [1] R=Retrograde (Days)	Maximum Elongation at Mean Opposition	Semi-Major Axis ($\times 10^3$ km)	Orbital Eccentricity	Orbital Inclination to Planetary Equator (°)	Motion of Node on Fixed Plane [4] (°/yr)
				° ′ ″				
Earth		Moon	27.321661		384.400	0.054900489	18.28–28.58	19.34 [7]
Mars	I	Phobos	0.31891023	25	9.378	0.015	1.0	158.8
	II	Deimos	1.2624407	1 02	23.459	0.0005	0.9–2.7	6.614
Jupiter	I	Io	1.769137786	2 18	422	0.004	0.04	7.4
	II	Europa	3.551181041	3 40	671	0.009	0.47	30
	III	Ganymede	7.15455296	5 51	1070	0.002	0.21	137
	IV	Callisto	16.6890184	10 18	1883	0.007	0.51	560
	V	Amalthea	0.49817905	59	181	0.003	0.40	914.6
	VI	Himalia	250.5662	1 02 46	11480	0.15798	27.63	
	VII	Elara	259.6528	1 04 10	11737	0.20719	24.77	
	VIII	Pasiphae	735 R	2 08 26	23500	0.378	145	
	IX	Sinope	758 R	2 09 31	23700	0.275	153	
	X	Lysithea	259.22	1 04 04	11720	0.107	29.02	
	XI	Carme	692 R	2 03 31	22600	0.20678	164	
	XII	Ananke	631 R	1 55 52	21200	0.16870	147	
	XIII	Leda	238.72	1 00 39	11094	0.14762	26.07	
	XIV	Thebe	0.6745	1 13	222	0.015	0.8	
	XV	Adrastea	0.29826	42	129			
	XVI	Metis	0.294780	42	128			
Saturn	I	Mimas	0.942421813	30	185.52	0.0202	1.53	365.0
	II	Enceladus	1.370217855	38	238.02	0.00452	0.00	156.2 [5]
	III	Tethys	1.887802160	48	294.66	0.00000	1.86	72.25
	IV	Dione	2.736914742	1 01	377.40	0.002230	0.02	30.85 [5]
	V	Rhea	4.517500436	1 25	527.04	0.00100	0.35	10.16
	VI	Titan	15.94542068	3 17	1221.83	0.029192	0.33	0.5213 [5]
	VII	Hyperion	21.2766088	3 59	1481.1	0.104	0.43	
	VIII	Iapetus	79.3301825	9 35	3561.3	0.02828	14.72	
	IX	Phoebe	550.48 R	34 51	12952	0.16326	177 [2]	
	X	Janus	0.6945	24	151.472	0.007	0.14	
	XI	Epimetheus	0.6942	24	151.422	0.009	0.34	
	XII	1980S6	2.7369	1 01	377.40	0.005	0.2	
	XIII	Telesto	1.8878	48	294.66			
	XIV	Calypso	1.8878	48	294.66			
	XV	Atlas	0.6019	22	137.670		0.3	
		1980S26	0.6285	23	141.700	0.004	0.1	
		1980S27	0.6130	23	139.353		0.0	
Uranus	I	Ariel	2.52037935	14	191.02	0.0034	0.3	6.8
	II	Umbriel	4.1441772	20	266.30	0.0050	0.36	3.6
	III	Titania	8.7058717	33	435.91	0.0022	0.14	2.0
	IV	Oberon	13.4632389	44	583.52	0.0008	0.10	1.4
	V	Miranda	1.41347925	10	129.39	0.0027	4.2	19.8
Neptune	I	Triton	5.8768433 R	17	354.29	<0.01	159.00	0.578
	II	Nereid	360.2	4 21	5511	0.7483	26.6 [3]	
Pluto		Charon	6.3871	<1	19.7		94 [3]	

1. Sidereal periods except for satellites of Saturn; tropical periods for those
2. Relative to ecliptic plane
3. To equator of 1950.0
4. Rate of decrease (or increase) in the longitude of the ascending node
5. Rate of increase in the longitude of the apse
6. Rotation period same as orbital period
7. On ecliptic plane
8. Bright side, 0.5; faint side, 0.05
9. V (Sun) = −26.8

Planet		Satellite	Mass (1/Planet)	Radius (km)	Sidereal Period of Rotation S≡Synchr.[6] (Days)	Geometric Albedo (V)[9]	$V(1,0)$	V_0	$(B-V)$	$(U-B)$
Earth		Moon	0.01230002	1738	S	0.12	+ 0.21	−12.74	0.92	0.46
Mars	I	Phobos	1.5×10^{-8}	13.5 x 10.8 x 9.4	S	0.06	+11.8	11.3	0.6	
	II	Deimos	3×10^{-9}	7.5 x 6.1 x 5.5	S	0.07	+12.89	12.40	0.65	0.18
Jupiter	I	Io	4.68×10^{-5}	1815	S	0.61	− 1.68	5.02	1.17	1.30
	II	Europa	2.52×10^{-5}	1569	S	0.64	− 1.41	5.29	0.87	0.52
	III	Ganymede	7.80×10^{-5}	2631	S	0.42	− 2.09	4.61	0.83	0.50
	IV	Callisto	5.66×10^{-5}	2400	S	0.20	− 1.05	5.65	0.86	0.55
	V	Amalthea	38×10^{-10}	135 x 83 x 75	S	0.05	+ 7.4	14.1	1.50	
	VI	Himalia	50×10^{-10}	93	0.4	0.03	+ 8.14	14.84	0.67	0.30
	VII	Elara	4×10^{-10}	38	0.5	0.03	+10.07	16.77	0.69	0.28
	VIII	Pasiphae	1×10^{-10}	25			+10.33	17.03	0.63	0.34
	IX	Sinope	0.4×10^{-10}	18			+11.6	18.3	0.7	
	X	Lysithea	0.4×10^{-10}	18			+11.7	18.4	0.7	
	XI	Carme	0.5×10^{-10}	20			+11.3	18.0	0.7	
	XII	Ananke	0.2×10^{-10}	15			+12.2	18.9	0.7	
	XIII	Leda	0.03×10^{-10}	8			+13.5	20.2	0.7	
	XIV	Thebe	4×10^{-10}	55 x 5		0.05	+ 8.9	15.6		
	XV	Adrastea	0.1×10^{-10}	12.5 x 10 x 7.5		0.05	+12.4	19.1		
	XVI	Metis	0.5×10^{-10}	20		0.05	+10.8	17.5		
Saturn	I	Mimas	8.0×10^{-8}	196	S	0.5	+ 3.3	12.9		
	II	Enceladus	1.3×10^{-7}	250	S	1.0	+ 2.1	11.7	0.70	0.28
	III	Tethys	1.3×10^{-6}	530	S	0.9	+ 0.6	10.2	0.73	0.30
	IV	Dione	1.85×10^{-6}	560	S	0.7	+ 0.8	10.4	0.71	0.31
	V	Rhea	4.4×10^{-6}	765	S	0.7	+ 0.1	9.7	0.78	0.38
	VI	Titan	2.38×10^{-4}	2575	S	0.21	− 1.28	8.28	1.28	0.75
	VII	Hyperion	3×10^{-8}	205 x 130 x 110		0.3	+ 4.63	14.19	0.78	0.33
	VIII	Iapetus	3.3×10^{-6}	730	S	0.2 [8]	+ 1.5	11.1	0.72	0.30
	IX	Phoebe	7×10^{-10}	110	0.4	0.06	+ 6.89	16.45	0.70	0.34
	X	Janus		110 x 100 x 80	S	0.8	+ 4.4:	14:		
	XI	Epimetheus		70 x 60 x 50	S	0.8	+ 5.4:	15:		
	XII	1980S6		18 x 16 x 15		0.7	+ 8.4:	18:		
	XIII	Telesto		17 x 14 x 13		0.5	+ 8.9:	18.5:		
	XIV	Calypso		17 x 11 x 11		0.6	+ 9.1:	18.7:		
	XV	Atlas		20 x 10		0.9	+ 8.4:	18:		
		1980S26		55 x 45 x 35		0.9	+ 6.4:	16:		
		1980S27		70 x 50 x 40		0.6	+ 6.4:	16:		
Uranus	I	Ariel	1.8×10^{-5}	665		0.2	+ 1.7	14.4		
	II	Umbriel	1.2×10^{-5}	555		0.1	+ 2.6	15.3		
	III	Titania	6.8×10^{-5}	800		0.21	+ 1.27	13.98	0.70	0.28
	IV	Oberon	6.9×10^{-5}	815	S	0.16	+ 1.52	14.23	0.68	0.20
	V	Miranda	0.2×10^{-5}	160			+ 3.8	16.5		
Neptune	I	Triton	1.3×10^{-3}	1900	S		− 1.02	13.69	0.72	0.29
	II	Nereid	2×10^{-7}	150			+ 4.0	18.7		
Pluto		Charon	0.125(?)	1000(?)			+ 0.9	16.8		

SATELLITES OF MARS, 1985

APPARENT ORBITS OF THE SATELLITES ON JULY 1

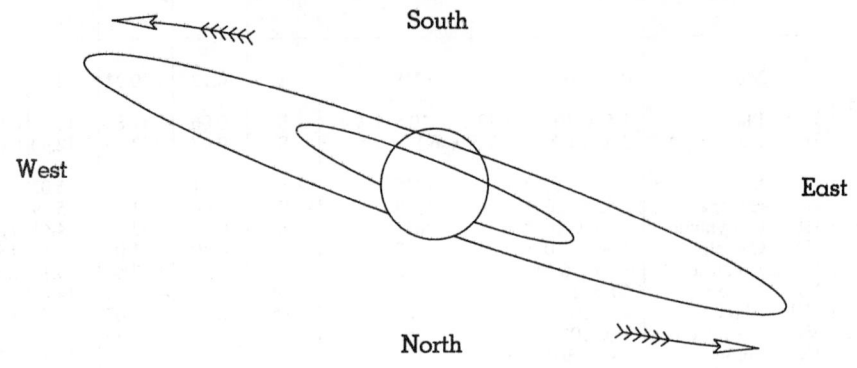

NAME		SIDEREAL PERIOD
		h　m　　s
I	Phobos	7　39　13.85
II	Deimos	30　17　54.87

DEIMOS

UNIVERSAL TIME OF GREATEST EASTERN ELONGATION

Jan.	Feb.	Mar.	Apr.	May	June	July	Aug.	Sept.	Oct.	Nov.	Dec.
d　h	d　h	d　h	d　h	d　h	d　h	d　h	d　h	d　h	d　h	d　h	d　h
0 22.5	1 14.3	1 10.7	2 02.3	1 04.8	1 20.0	2 04.7	1 13.4	2 04.6	1 07.1	1 22.4	1 00.9
2 04.9	2 20.6	2 17.1	3 08.7	2 11.2	3 02.3	3 11.1	2 19.8	3 11.0	2 13.5	3 04.7	2 07.2
3 11.4	4 03.0	3 23.5	4 15.0	3 17.6	4 08.7	4 17.5	4 02.2	4 17.4	3 19.9	4 11.1	3 13.6
4 17.7	5 09.4	5 05.9	5 21.4	4 23.9	5 15.1	5 23.8	5 08.5	5 23.7	5 02.2	5 17.4	4 19.9
6 00.1	6 15.8	6 12.2	7 03.8	6 06.3	6 21.4	7 06.2	6 14.9	7 06.1	6 08.6	6 23.9	6 02.3
7 06.5	7 22.2	7 18.7	8 10.2	7 12.7	8 03.8	8 12.5	7 21.3	8 12.4	7 14.9	8 06.2	7 08.7
8 12.9	9 04.5	9 01.0	9 16.5	8 19.0	9 10.1	9 18.9	9 03.6	9 18.8	8 21.3	9 12.6	8 15.0
9 19.3	10 10.9	10 07.4	10 22.9	10 01.4	10 16.5	11 01.3	10 10.0	11 01.2	10 03.7	10 18.9	9 21.4
11 01.6	11 17.3	11 13.8	12 05.3	11 07.8	11 22.9	12 07.6	11 16.4	12 07.6	11 10.1	12 01.3	11 03.8
12 08.0	12 23.7	12 20.2	13 11.7	12 14.2	13 05.2	13 14.0	12 22.7	13 13.9	12 16.4	13 07.7	12 10.1
13 14.4	14 06.1	14 02.5	14 18.0	13 20.5	14 11.6	14 20.4	14 05.1	14 20.3	13 22.8	14 14.0	13 16.5
14 20.8	15 12.5	15 08.9	16 00.4	15 02.9	15 18.0	16 02.7	15 11.5	16 02.7	15 05.2	15 20.4	14 22.9
16 03.2	16 18.9	16 15.3	17 06.7	16 09.2	17 00.4	17 09.1	16 17.9	17 09.0	16 11.5	17 02.8	16 05.2
17 09.6	18 01.3	17 21.7	18 13.2	17 15.6	18 06.7	18 15.5	18 00.2	18 15.4	17 17.9	18 09.2	17 11.6
18 16.0	19 07.6	19 04.1	19 19.5	18 22.0	19 13.1	19 21.8	19 06.6	19 21.8	19 00.3	19 15.5	18 17.9
19 22.4	20 14.1	20 10.4	21 01.9	20 04.3	20 19.5	21 04.2	20 12.9	21 04.1	20 06.7	20 21.9	20 00.3
21 04.7	21 20.4	21 16.8	22 08.2	21 10.7	22 01.8	22 10.5	21 19.3	22 10.5	21 13.0	22 04.3	21 06.7
22 11.2	23 02.8	22 23.2	23 14.6	22 17.1	23 08.2	23 16.9	23 01.7	23 16.9	22 19.4	23 10.6	22 13.0
23 17.5	24 09.2	24 05.6	24 21.0	23 23.4	24 14.6	24 23.3	24 08.0	24 23.3	24 01.8	24 17.0	23 19.4
24 23.9	25 15.6	25 11.9	26 03.3	25 05.8	25 20.9	26 05.6	25 14.4	26 05.6	25 08.1	25 23.4	25 01.8
26 06.3	26 22.0	26 18.3	27 09.8	26 12.2	27 03.3	27 12.0	26 20.8	27 12.0	26 14.5	27 05.7	26 08.1
27 12.7	28 04.3	28 00.7	28 16.1	27 18.5	28 09.6	28 18.4	28 03.1	28 18.4	27 20.9	28 12.1	27 14.5
28 19.1		29 07.1	29 22.5	29 00.9	29 16.0	30 00.7	29 09.5	30 00.7	29 03.3	29 18.5	28 20.8
30 01.4		30 13.6		30 07.2	30 22.4	31 07.1	30 15.8		30 09.6		30 03.2
31 07.8		31 19.9		31 13.6			31 22.3		31 16.0		31 09.6
											32 15.9

PHOBOS

UNIVERSAL TIME OF EVERY THIRD GREATEST EASTERN ELONGATION

Jan.	Feb.	Mar.	Apr.	May	June	July	Aug.	Sept.	Oct.	Nov.	Dec.
d h	d h	d h	d h	d h	d h	d h	d h	d h	d h	d h	d h
0 03.6	1 16.9	1 11.3	1 02.6	1 17.8	1 09.0	1 01.2	1 15.4	1 06.6	1 21.8	1 13.0	1 05.2
1 02.6	2 15.9	2 10.3	2 01.6	2 16.8	2 08.0	2 00.2	2 14.3	2 05.5	2 20.7	2 11.9	2 04.2
2 01.6	3 14.9	3 09.3	3 00.6	3 15.8	3 07.0	2 23.2	3 13.3	3 04.5	3 19.7	3 10.9	3 03.1
3 00.6	4 13.9	4 08.3	3 23.5	4 14.8	4 06.0	3 22.1	4 12.3	4 03.5	4 18.7	4 09.9	4 02.1
3 23.5	5 12.9	5 07.2	4 22.5	5 13.7	5 04.9	4 21.1	5 11.3	5 02.5	5 17.7	5 08.9	5 01.1
4 22.5	6 11.8	6 06.2	5 21.5	6 12.7	6 03.9	5 20.1	6 10.2	6 01.4	6 16.6	6 07.8	6 00.0
5 21.5	7 10.8	7 05.2	6 20.5	7 11.7	7 02.9	6 19.1	7 09.2	7 00.4	7 15.6	7 06.8	6 23.0
6 20.5	8 09.8	8 04.2	7 19.4	8 10.7	8 01.9	7 18.0	8 08.2	7 23.4	8 14.6	8 05.8	7 22.0
7 19.5	9 08.8	9 03.2	8 18.4	9 09.6	9 00.8	8 17.0	9 07.2	8 22.4	9 13.6	9 04.8	8 21.0
8 18.4	10 07.8	10 02.1	9 17.4	10 08.6	9 23.8	9 16.0	10 06.1	9 21.3	10 12.5	10 03.7	9 19.9
9 17.4	11 06.7	11 01.1	10 16.4	11 07.6	10 22.8	10 15.0	11 05.1	10 20.3	11 11.5	11 02.7	10 18.9
10 16.4	12 05.7	12 00.1	11 15.4	12 06.6	11 21.7	11 13.9	12 04.1	11 19.3	12 10.5	12 01.7	11 17.9
11 15.4	13 04.7	12 23.1	12 14.3	13 05.5	12 20.7	12 12.9	13 03.1	12 18.3	13 09.5	13 00.7	12 16.9
12 14.4	14 03.7	13 22.0	13 13.3	14 04.5	13 19.7	13 11.9	14 02.0	13 17.2	14 08.4	13 23.6	13 15.8
13 13.3	15 02.7	14 21.0	14 12.3	15 03.5	14 18.7	14 10.9	15 01.0	14 16.2	15 07.4	14 22.6	14 14.8
14 12.3	16 01.6	15 20.0	15 11.3	16 02.5	15 17.6	15 09.8	16 00.0	15 15.2	16 06.4	15 21.6	15 13.8
15 11.3	17 00.6	16 19.0	16 10.2	17 01.4	16 16.6	16 08.8	16 23.0	16 14.2	17 05.4	16 20.6	16 12.7
16 10.3	17 23.6	17 18.0	17 09.2	18 00.4	17 15.6	17 07.8	17 21.9	17 13.1	18 04.3	17 19.5	17 11.7
17 09.3	18 22.6	18 16.9	18 08.2	18 23.4	18 14.6	18 06.8	18 20.9	18 12.1	19 03.3	18 18.5	18 10.7
18 08.2	19 21.5	19 15.9	19 07.2	19 22.4	19 13.5	19 05.7	19 19.9	19 11.1	20 02.3	19 17.5	19 09.7
19 07.2	20 20.5	20 14.9	20 06.1	20 21.3	20 12.5	20 04.7	20 18.9	20 10.1	21 01.3	20 16.5	20 08.6
20 06.2	21 19.5	21 13.9	21 05.1	21 20.3	21 11.5	21 03.7	21 17.8	21 09.0	22 00.3	21 15.4	21 07.6
21 05.2	22 18.5	22 12.8	22 04.1	22 19.3	22 10.5	22 02.7	22 16.8	22 08.0	22 23.2	22 14.4	22 06.6
22 04.2	23 17.5	23 11.8	23 03.1	23 18.3	23 09.4	23 01.6	23 15.8	23 07.0	23 22.2	23 13.4	23 05.6
23 03.2	24 16.4	24 10.8	24 02.0	24 17.2	24 08.4	24 00.6	24 14.8	24 06.0	24 21.2	24 12.4	24 04.5
24 02.1	25 15.4	25 09.8	25 01.0	25 16.2	25 07.4	24 23.6	25 13.7	25 04.9	25 20.1	25 11.3	25 03.5
25 01.1	26 14.4	26 08.8	26 00.0	26 15.2	26 06.4	25 22.5	26 12.7	26 03.9	26 19.1	26 10.3	26 02.5
26 00.1	27 13.4	27 07.7	26 23.0	27 14.2	27 05.3	26 21.5	27 11.7	27 02.9	27 18.1	27 09.3	27 01.5
26 23.1	28 12.4	28 06.7	27 21.9	28 13.1	28 04.3	27 20.5	28 10.7	28 01.9	28 17.1	28 08.3	28 00.4
27 22.0		29 05.7	28 20.9	29 12.1	29 03.3	28 19.5	29 09.6	29 00.8	29 16.0	29 07.2	28 23.4
28 21.0		30 04.7	29 19.9	30 11.1	30 02.3	29 18.4	30 08.6	29 23.8	30 15.0	30 06.2	29 22.4
29 20.0		31 03.6	30 18.9	31 10.1		30 17.4	31 07.6	30 22.8	31 14.0		30 21.3
30 19.0						31 16.4					31 20.3
31 18.0											32 19.3

SATELLITES OF MARS, 1985

PHOBOS

APPARENT DISTANCE AND POSITION ANGLE

Day (0^h U.T.)	Jan. $\dfrac{a}{\Delta}$	p_2	Feb. $\dfrac{a}{\Delta}$	p_2	Mar. $\dfrac{a}{\Delta}$	p_2	Apr. $\dfrac{a}{\Delta}$	p_2	May $\dfrac{a}{\Delta}$	p_2	June $\dfrac{a}{\Delta}$	p_2
	"	°	"	°	"	°	"	°	"	°	"	°
1	7.52	+8.1	6.76	− 5.1	6.20	−13.9	5.70	−18.3	5.34	−16.7	5.09	−9.9
2	7.50	7.7	6.74	5.4	6.18	14.2	5.69	18.4	5.33	16.5	5.08	9.6
3	7.47	7.2	6.71	5.8	6.16	14.4	5.68	18.4	5.32	16.4	5.07	9.3
4	7.44	6.8	6.69	6.2	6.14	14.6	5.66	18.4	5.31	16.2	5.07	9.0
5	7.42	6.3	6.67	6.6	6.12	14.8	5.65	18.4	5.31	16.1	5.06	8.7
6	7.39	+5.9	6.65	− 6.9	6.11	−15.0	5.64	−18.4	5.30	−15.9	5.05	−8.4
7	7.36	5.4	6.63	7.3	6.09	15.3	5.62	18.4	5.29	15.7	5.05	8.1
8	7.34	5.0	6.61	7.6	6.07	15.5	5.61	18.4	5.28	15.6	5.04	7.8
9	7.31	4.5	6.59	8.0	6.06	15.6	5.60	18.4	5.27	15.4	5.04	7.5
10	7.29	4.1	6.56	8.3	6.04	15.8	5.58	18.4	5.26	15.2	5.03	7.2
11	7.26	+3.6	6.54	− 8.7	6.02	−16.0	5.57	−18.4	5.25	−15.0	5.03	−6.8
12	7.23	3.2	6.52	9.0	6.01	16.2	5.56	18.4	5.24	14.8	5.02	6.5
13	7.21	2.8	6.50	9.3	5.99	16.4	5.55	18.3	5.23	14.6	5.02	6.2
14	7.18	2.3	6.48	9.7	5.97	16.5	5.53	18.3	5.22	14.4	5.01	5.9
15	7.16	1.9	6.46	10.0	5.96	16.7	5.52	18.3	5.21	14.2	5.00	5.5
16	7.13	+1.5	6.44	−10.3	5.94	−16.8	5.51	−18.2	5.21	−13.9	5.00	−5.2
17	7.11	1.0	6.42	10.6	5.93	17.0	5.50	18.1	5.20	13.7	4.99	4.9
18	7.08	0.6	6.40	10.9	5.91	17.1	5.49	18.1	5.19	13.5	4.99	4.5
19	7.06	+0.2	6.38	11.2	5.89	17.2	5.47	18.0	5.18	13.3	4.99	4.2
20	7.04	−0.2	6.36	11.5	5.88	17.4	5.46	17.9	5.17	13.0	4.98	3.8
21	7.01	−0.7	6.34	−11.8	5.86	−17.5	5.45	−17.8	5.17	−12.8	4.98	−3.5
22	6.99	1.1	6.33	12.1	5.85	17.6	5.44	17.8	5.16	12.5	4.97	3.1
23	6.96	1.5	6.31	12.4	5.83	17.7	5.43	17.7	5.15	12.3	4.97	2.8
24	6.94	1.9	6.29	12.6	5.82	17.8	5.42	17.6	5.14	12.0	4.96	2.4
25	6.92	2.3	6.27	12.9	5.80	17.9	5.41	17.5	5.14	11.8	4.96	2.1
26	6.89	−2.7	6.25	−13.2	5.79	−18.0	5.40	−17.3	5.13	−11.5	4.96	−1.7
27	6.87	3.1	6.23	13.4	5.77	18.0	5.39	17.2	5.12	11.3	4.95	1.4
28	6.85	3.5	6.21	−13.7	5.76	18.1	5.38	17.1	5.11	11.0	4.95	1.0
29	6.83	3.9			5.75	18.2	5.37	17.0	5.11	10.7	4.94	0.6
30	6.80	4.3			5.73	18.2	5.35	−16.8	5.10	10.4	4.94	−0.3
31	6.78	−4.7			5.72	−18.3			5.09	−10.2		

Time from Eastern Elongation	F	p_1	Time from Eastern Elongation	F	p_1	Time from Eastern Elongation	F	p_1	Time from Eastern Elongation	F	p_1
h m		°	h m		°	h m		°	h m		°
0 00	1.000	70.0	2 00	0.159	186.5	4 00	0.990	251.2	6 00	0.253	36.6
0 10	0.991	71.1	2 10	0.249	215.9	4 10	0.962	252.3	6 10	0.368	48.7
0 20	0.964	72.3	2 20	0.364	228.3	4 20	0.917	253.6	6 20	0.484	54.9
0 30	0.919	73.6	2 30	0.480	234.7	4 30	0.854	255.0	6 30	0.595	58.8
0 40	0.857	75.0	2 40	0.591	238.7	4 40	0.777	256.7	6 40	0.697	61.5
0 50	0.780	76.6	2 50	0.693	241.4	4 50	0.686	258.8	6 50	0.787	63.5
1 00	0.689	78.7	3 00	0.783	243.4	5 00	0.583	261.6	7 00	0.862	65.1
1 10	0.587	81.5	3 10	0.860	245.1	5 10	0.471	265.6	7 10	0.923	66.5
1 20	0.476	85.5	3 20	0.921	246.5	5 20	0.355	272.3	7 20	0.966	67.8
1 30	0.359	92.0	3 30	0.965	247.8	5 30	0.241	285.5	7 30	0.992	69.0
1 40	0.245	104.8	3 40	0.992	248.9	5 40	0.155	317.0	7 40	1.000	70.1
1 50	0.157	135.2	3 50	1.000	250.0	5 50	0.161	8.2			

PHOBOS

APPARENT DISTANCE AND POSITION ANGLE

Day (0ʰ U.T.)	July $\frac{a}{\Delta}$	July p_2	Aug. $\frac{a}{\Delta}$	Aug. p_2	Sept. $\frac{a}{\Delta}$	Sept. p_2	Oct. $\frac{a}{\Delta}$	Oct. p_2	Nov. $\frac{a}{\Delta}$	Nov. p_2	Dec. $\frac{a}{\Delta}$	Dec. p_2
	"	°	"	°	"	°	"	°	"	°	"	°
1	4.94	+ 0.1	4.89	+12.3	4.95	+25.3	5.13	+37.6	5.47	+48.7	6.00	+56.1
2	4.93	0.5	4.89	12.7	4.95	25.7	5.14	38.0	5.48	49.0	6.02	56.3
3	4.93	0.8	4.89	13.1	4.96	26.1	5.15	38.4	5.50	49.3	6.04	56.5
4	4.93	1.2	4.89	13.5	4.96	26.5	5.15	38.8	5.51	49.6	6.06	56.6
5	4.93	1.6	4.89	13.9	4.97	27.0	5.16	39.2	5.53	49.9	6.08	56.8
6	4.92	+ 2.0	4.89	+14.4	4.97	+27.4	5.17	+39.6	5.54	+50.2	6.11	+56.9
7	4.92	2.3	4.89	14.8	4.97	27.8	5.18	40.0	5.56	50.5	6.13	57.1
8	4.92	2.7	4.89	15.2	4.98	28.2	5.19	40.3	5.57	50.7	6.15	57.2
9	4.91	3.1	4.89	15.6	4.98	28.6	5.20	40.7	5.59	51.0	6.18	57.4
10	4.91	3.5	4.89	16.0	4.99	29.1	5.21	41.1	5.60	51.3	6.20	57.5
11	4.91	+ 3.9	4.89	+16.4	4.99	+29.5	5.22	+41.5	5.62	+51.6	6.23	+57.7
12	4.91	4.3	4.90	16.9	5.00	29.9	5.23	41.8	5.64	51.8	6.25	57.8
13	4.91	4.7	4.90	17.3	5.01	30.3	5.24	42.2	5.65	52.1	6.28	57.9
14	4.90	5.1	4.90	17.7	5.01	30.7	5.25	42.6	5.67	52.4	6.30	58.0
15	4.90	5.4	4.90	18.1	5.02	31.1	5.26	42.9	5.69	52.6	6.33	58.1
16	4.90	+ 5.8	4.90	+18.5	5.02	+31.6	5.27	+43.3	5.70	+52.9	6.35	+58.2
17	4.90	6.2	4.90	19.0	5.03	32.0	5.28	43.7	5.72	53.1	6.38	58.3
18	4.90	6.6	4.91	19.4	5.03	32.4	5.29	44.0	5.74	53.4	6.41	58.4
19	4.90	7.0	4.91	19.8	5.04	32.8	5.30	44.4	5.76	53.6	6.43	58.5
20	4.89	7.4	4.91	20.2	5.05	33.2	5.32	44.7	5.78	53.8	6.46	58.6
21	4.89	+ 7.8	4.91	+20.6	5.05	+33.6	5.33	+45.1	5.79	+54.1	6.49	+58.7
22	4.89	8.2	4.92	21.1	5.06	34.0	5.34	45.4	5.81	54.3	6.52	58.8
23	4.89	8.6	4.92	21.5	5.07	34.4	5.35	45.7	5.83	54.5	6.55	58.9
24	4.89	9.0	4.92	21.9	5.07	34.8	5.36	46.1	5.85	54.7	6.57	58.9
25	4.89	9.4	4.92	22.3	5.08	35.2	5.38	46.4	5.87	54.9	6.60	59.0
26	4.89	+ 9.8	4.93	+22.8	5.09	+35.6	5.39	+46.8	5.89	+55.1	6.63	+59.0
27	4.89	10.3	4.93	23.2	5.10	36.0	5.40	47.1	5.91	55.3	6.66	59.1
28	4.89	10.7	4.93	23.6	5.10	36.4	5.42	47.4	5.93	55.5	6.69	59.1
29	4.89	11.1	4.94	24.0	5.11	36.8	5.43	47.7	5.95	55.7	6.73	59.2
30	4.89	11.5	4.94	24.4	5.12	+37.2	5.44	48.0	5.97	+55.9	6.76	59.2
31	4.89	+11.9	4.94	+24.9			5.46	+48.4			6.79	+59.2

Apparent distance of satellite: $s = Fa/\Delta$

Position angle of satellite: $p = p_1 + p_2$

The differences of right ascension and declination, in the sense "satellite minus primary," are approximately

$$\Delta\alpha = s \sin p \sec (\delta + \Delta\delta)$$
$$\Delta\delta = s \cos p$$

SATELLITES OF MARS, 1985

DEIMOS

APPARENT DISTANCE AND POSITION ANGLE

Day (0ʰ U.T.)	Jan. $\frac{a}{\Delta}$	p_2	Feb. $\frac{a}{\Delta}$	p_2	Mar. $\frac{a}{\Delta}$	p_2	Apr. $\frac{a}{\Delta}$	p_2	May $\frac{a}{\Delta}$	p_2	June $\frac{a}{\Delta}$	p_2
	"	°	"	°	"	°	"	°	"	°	"	°
1	18.83	+5.8	16.91	− 6.5	15.50	−14.5	14.27	−18.1	13.37	−16.1	12.73	−9.2
2	18.76	5.4	16.85	6.8	15.46	14.7	14.24	18.1	13.35	15.9	12.71	8.9
3	18.69	5.0	16.80	7.2	15.41	14.9	14.20	18.1	13.32	15.8	12.69	8.6
4	18.62	4.6	16.75	7.5	15.37	15.1	14.17	18.1	13.30	15.6	12.68	8.3
5	18.56	4.1	16.69	7.9	15.33	15.3	14.13	18.1	13.27	15.4	12.66	8.0
6	18.49	+3.7	16.64	− 8.2	15.28	−15.4	14.10	−18.1	13.25	−15.2	12.65	−7.7
7	18.42	3.3	16.58	8.5	15.24	15.6	14.07	18.1	13.23	15.1	12.63	7.4
8	18.36	2.9	16.53	8.8	15.20	15.8	14.04	18.1	13.20	14.9	12.62	7.1
9	18.29	2.4	16.48	9.2	15.15	16.0	14.00	18.1	13.18	14.7	12.60	6.8
10	18.23	2.0	16.43	9.5	15.11	16.1	13.97	18.0	13.16	14.5	12.59	6.5
11	18.16	+1.6	16.37	− 9.8	15.07	−16.3	13.94	−18.0	13.13	−14.3	12.58	−6.2
12	18.10	1.2	16.32	10.1	15.03	16.4	13.91	18.0	13.11	14.1	12.56	5.9
13	18.04	0.8	16.27	10.4	14.99	16.6	13.88	17.9	13.09	13.9	12.55	5.6
14	17.97	+0.4	16.22	10.7	14.95	16.7	13.85	17.9	13.07	13.7	12.54	5.3
15	17.91	0.0	16.17	11.0	14.91	16.8	13.82	17.8	13.05	13.5	12.52	4.9
16	17.85	−0.4	16.12	−11.2	14.87	−17.0	13.79	−17.7	13.03	−13.2	12.51	−4.6
17	17.79	0.8	16.07	11.5	14.83	17.1	13.76	17.7	13.01	13.0	12.50	4.3
18	17.73	1.2	16.02	11.8	14.79	17.2	13.73	17.6	12.98	12.8	12.49	4.0
19	17.67	1.6	15.97	12.1	14.75	17.3	13.70	17.5	12.96	12.6	12.47	3.6
20	17.60	2.0	15.92	12.3	14.71	17.4	13.67	17.4	12.94	12.3	12.46	3.3
21	17.54	−2.4	15.88	−12.6	14.67	−17.5	13.64	−17.3	12.92	−12.1	12.45	−3.0
22	17.49	2.8	15.83	12.8	14.63	17.6	13.61	17.2	12.91	11.8	12.44	2.6
23	17.43	3.2	15.78	13.1	14.59	17.7	13.59	17.1	12.89	11.6	12.43	2.3
24	17.37	3.6	15.73	13.3	14.56	17.7	13.56	17.0	12.87	11.3	12.42	1.9
25	17.31	4.0	15.69	13.6	14.52	17.8	13.53	16.9	12.85	11.1	12.41	1.6
26	17.25	−4.3	15.64	−13.8	14.48	−17.9	13.50	−16.8	12.83	−10.8	12.40	−1.3
27	17.19	4.7	15.59	14.0	14.45	17.9	13.48	16.6	12.81	10.6	12.39	0.9
28	17.14	5.1	15.55	−14.2	14.41	18.0	13.45	16.5	12.79	10.3	12.38	0.6
29	17.08	5.4			14.38	18.0	13.42	16.4	12.78	10.0	12.37	−0.2
30	17.02	5.8			14.34	18.0	13.40	−16.2	12.76	9.7	12.36	+0.1
31	16.97	−6.1			14.30	−18.1			12.74	− 9.5		

Time from Eastern Elongation	F	p_1	Time from Eastern Elongation	F	p_1	Time from Eastern Elongation	F	p_1	Time from Eastern Elongation	F	p_1
h m		°	h m		°	h m		°	h m		°
0 00	1.000	72.0	8 00	0.142	200.2	16 00	0.985	253.1	24 00	0.283	49.5
0 40	0.991	72.9	8 40	0.250	226.0	16 40	0.952	254.1	24 40	0.405	57.2
1 20	0.963	73.8	9 20	0.372	235.6	17 20	0.901	255.1	25 20	0.524	61.4
2 00	0.916	74.8	10 00	0.492	240.5	18 00	0.833	256.3	26 00	0.634	64.1
2 40	0.853	76.0	10 40	0.605	243.4	18 40	0.749	257.7	26 40	0.734	66.0
3 20	0.774	77.3	11 20	0.707	245.5	19 20	0.652	259.5	27 20	0.819	67.5
4 00	0.680	79.0	12 00	0.797	247.1	20 00	0.544	262.0	28 00	0.890	68.7
4 40	0.575	81.3	12 40	0.872	248.4	20 40	0.426	265.9	28 40	0.944	69.7
5 20	0.459	84.6	13 20	0.931	249.5	21 20	0.304	272.7	29 20	0.980	70.7
6 00	0.338	90.3	14 00	0.972	250.4	22 00	0.186	288.6	30 00	0.998	71.6
6 40	0.217	102.5	14 40	0.995	251.4	22 40	0.113	336.0	30 40	0.997	72.5
7 20	0.123	138.0	15 20	0.999	252.2	23 20	0.168	30.5			

DEIMOS

APPARENT DISTANCE AND POSITION ANGLE

Day (0ʰ U.T.)	July $\dfrac{a}{\Delta}$	p_2	Aug. $\dfrac{a}{\Delta}$	p_2	Sept. $\dfrac{a}{\Delta}$	p_2	Oct. $\dfrac{a}{\Delta}$	p_2	Nov. $\dfrac{a}{\Delta}$	p_2	Dec. $\dfrac{a}{\Delta}$	p_2
	"	°	"	°	"	°	"	°	"	°	"	°
1	12.35	+ 0.5	12.23	+12.0	12.38	+23.7	12.83	+34.6	13.69	+44.2	15.00	+50.8
2	12.35	0.8	12.23	12.3	12.39	24.1	12.85	34.9	13.72	44.5	15.06	51.0
3	12.34	1.2	12.23	12.7	12.40	24.5	12.88	35.3	13.76	44.8	15.11	51.1
4	12.33	1.6	12.23	13.1	12.41	24.9	12.90	35.6	13.79	45.0	15.17	51.3
5	12.32	1.9	12.23	13.5	12.42	25.2	12.92	35.9	13.83	45.3	15.22	51.4
6	12.32	+ 2.3	12.23	+13.9	12.44	+25.6	12.94	+36.3	13.87	+45.5	15.28	+51.6
7	12.31	2.6	12.24	14.2	12.45	26.0	12.96	36.6	13.91	45.8	15.34	51.7
8	12.30	3.0	12.24	14.6	12.46	26.3	12.99	36.9	13.94	46.0	15.40	51.9
9	12.30	3.4	12.24	15.0	12.47	26.7	13.01	37.3	13.98	46.3	15.46	52.0
10	12.29	3.7	12.24	15.4	12.48	27.1	13.04	37.6	14.02	46.5	15.52	52.1
11	12.29	+ 4.1	12.25	+15.8	12.50	+27.4	13.06	+37.9	14.06	+46.8	15.58	+52.2
12	12.28	4.5	12.25	16.1	12.51	27.8	13.09	38.2	14.10	47.0	15.64	52.4
13	12.27	4.8	12.25	16.5	12.52	28.2	13.11	38.6	14.15	47.2	15.70	52.5
14	12.27	5.2	12.26	16.9	12.54	28.5	13.14	38.9	14.19	47.5	15.77	52.6
15	12.27	5.6	12.26	17.3	12.55	28.9	13.16	39.2	14.23	47.7	15.83	52.7
16	12.26	+ 5.9	12.27	+17.7	12.57	+29.3	13.19	+39.5	14.27	+47.9	15.90	+52.8
17	12.26	6.3	12.27	18.0	12.58	29.6	13.22	39.8	14.32	48.1	15.96	52.9
18	12.25	6.7	12.28	18.4	12.60	30.0	13.25	40.1	14.36	48.4	16.03	53.0
19	12.25	7.0	12.28	18.8	12.61	30.4	13.27	40.5	14.41	48.6	16.10	53.1
20	12.25	7.4	12.29	19.2	12.63	30.7	13.30	40.8	14.45	48.8	16.17	53.2
21	12.24	+ 7.8	12.29	+19.6	12.65	+31.1	13.33	+41.1	14.50	+49.0	16.24	+53.2
22	12.24	8.2	12.30	19.9	12.66	31.4	13.36	41.4	14.55	49.2	16.31	53.3
23	12.24	8.5	12.31	20.3	12.68	31.8	13.39	41.7	14.59	49.4	16.38	53.4
24	12.24	8.9	12.31	20.7	12.70	32.1	13.42	42.0	14.64	49.6	16.45	53.5
25	12.23	9.3	12.32	21.1	12.72	32.5	13.45	42.2	14.69	49.8	16.52	53.5
26	12.23	+ 9.7	12.33	+21.5	12.74	+32.8	13.49	+42.5	14.74	+50.0	16.60	+53.6
27	12.23	10.1	12.34	21.8	12.75	33.2	13.52	42.8	14.79	50.1	16.67	53.6
28	12.23	10.4	12.35	22.2	12.77	33.5	13.55	43.1	14.84	50.3	16.75	53.7
29	12.23	10.8	12.35	22.6	12.79	33.9	13.58	43.4	14.90	50.5	16.83	53.7
30	12.23	11.2	12.36	23.0	12.81	+34.2	13.62	43.7	14.95	+50.7	16.91	53.8
31	12.23	+11.6	12.37	+23.4			13.65	+43.9			16.99	+53.8

Apparent distance of satellite: $s = Fa/\Delta$

Position angle of satellite: $p = p_1 + p_2$

The differences of right ascension and declination, in the sense "satellite minus primary," are approximately

$$\Delta\alpha = s \sin p \sec (\delta + \Delta\delta)$$

$$\Delta\delta = s \cos p$$

On the date of opposition the Earth is so near the plane of the orbits of the satellites that the apparent orbits are approximately straight lines.

NAME		MEAN SYNODIC PERIOD		NAME	SIDEREAL PERIOD
		d h m s	d		d
V		0 11 57 27.619 =	0.498 236 33	XIII	238.72
I	Io	1 18 28 35.946 =	1.769 860 49	X	259.22
II	Europa	3 13 17 53.736 =	3.554 094 17	XII	631
III	Ganymede	7 03 59 35.856 =	7.166 387 22	XI	692
IV	Callisto	16 18 05 06.916 =	16.753 552 27	VIII	735
VI			266.00	IX	758
VII			276.67		

SATELLITE V

UNIVERSAL TIME OF EVERY TWENTIETH GREATEST EASTERN ELONGATION

	d h		d h		d h		d h		d h
Jan.	0 12.4	Mar.	21 05.9	June	9 22.9	Aug.	28 15.6	Nov.	17 08.8
	10 11.6		31 05.1		19 22.0	Sept.	7 14.7		27 07.9
	20 10.8	Apr.	10 04.3		29 21.1		18 13.8	Dec.	7 07.1
	30 10.0		20 03.4	July	9 20.2		28 12.9		17 06.4
Feb.	9 09.2		30 02.6		19 19.3	Oct.	8 12.1		27 05.6
	19 08.4	May	11 01.6		29 18.4		18 11.2		37 04.8
Mar.	1 07.6		21 00.7	Aug.	8 17.5		28 10.4		
	11 06.8		30 23.8		18 16.5	Nov.	7 09.6		

MULTIPLES OF THE MEAN SYNODIC PERIOD

	d h		d h		d h		d h
1............	0 12.0	6............	2 23.7	11............	5 11.5	16............	7 23.3
2............	0 23.9	7............	3 11.7	12............	5 23.5	17............	8 11.3
3............	1 11.9	8............	3 23.7	13............	6 11.4	18............	8 23.2
4............	1 23.8	9............	4 11.6	14............	6 23.4	19............	9 11.2
5............	2 11.8	10............	4 23.6	15............	7 11.4	20............	9 23.2

DIFFERENTIAL COORDINATES FOR 0ʰ U.T.

Date		Satellite VI Δα	Δδ	Satellite VII Δα	Δδ	Date		Satellite VI Δα	Δδ	Satellite VII Δα	Δδ
		m s	′	m s				m s		m s	
Jan.	−1	−2 27	+18.6	−2 14	+ 4.7	July	2	+3 32	+ 8.5	+4 38	−13.7
	3	2 36	18.6	2 19	6.0		6	3 23	10.9	4 27	13.4
	7	2 45	18.4	2 23	7.2		10	3 11	13.1	4 13	13.1
	11	2 53	18.1	2 26	8.2		14	2 55	15.2	3 58	12.8
	15	3 00	17.7	2 27	9.1		18	2 37	17.0	3 40	12.3
	19	−3 06	+17.1	−2 26	+ 9.8		22	+2 16	+18.7	+3 20	−11.8
	23	3 12	16.3	2 24	10.3		26	1 53	20.2	2 58	11.2
	27	3 17	15.5	2 20	10.6		30	1 28	21.5	2 34	10.5
	31	3 21	14.5	2 13	10.6	Aug.	3	1 02	22.5	2 09	9.6
Feb.	4	3 24	13.4	2 05	10.5		7	0 35	23.5	1 42	8.7
	8	−3 27	+12.2	−1 55	+10.2		11	+0 07	+24.2	+1 15	−7.7
	12	3 28	10.9	1 44	9.7		15	−0 20	24.8	0 47	6.5
	16	3 29	9.5	1 31	9.0		19	0 48	25.1	+0 19	5.3
	20	3 29	8.0	1 16	8.2		23	1 14	25.4	−0 09	4.0
	24	3 27	6.4	1 01	7.3		27	1 39	25.4	0 36	2.5
	28	−3 25	+ 4.9	−0 44	+ 6.2		31	−2 04	+25.2	−1 02	− 1.1
Mar.	4	3 22	3.2	0 27	5.1	Sept.	4	2 26	24.9	1 27	+ 0.5
	8	3 17	+ 1.5	−0 10	4.0		8	2 47	24.4	1 50	2.0
	12	3 12	− 0.1	+0 08	2.8		12	3 06	23.8	2 11	3.5
	16	3 05	1.9	0 26	1.5		16	3 23	23.0	2 29	5.0
	20	−2 57	− 3.6	+0 44	+ 0.3		20	−3 38	+22.0	−2 45	+ 6.4
	24	2 47	5.3	1 02	− 0.9		24	3 51	20.9	2 57	7.7
	28	2 37	7.0	1 20	2.1		28	4 01	19.7	3 06	8.8
Apr.	1	2 24	8.6	1 37	3.2	Oct.	2	4 10	18.4	3 12	9.7
	5	2 11	10.2	1 54	4.3		6	4 16	16.9	3 14	10.5
	9	−1 55	−11.7	+2 11	− 5.4		10	−4 20	+15.4	−3 13	+11.0
	13	1 39	13.0	2 27	6.4		14	4 23	13.8	3 08	11.3
	17	1 20	14.2	2 43	7.3		18	4 24	12.1	3 00	11.3
	21	1 01	15.3	2 58	8.2		22	4 23	10.4	2 49	11.1
	25	0 40	16.1	3 13	9.0		26	4 20	8.6	2 36	10.7
	29	−0 18	−16.7	+3 27	− 9.7		30	−4 16	+ 6.8	−2 20	+10.1
May	3	+0 05	17.0	3 41	10.4	Nov.	3	4 11	5.0	2 03	9.2
	7	0 29	17.0	3 53	11.0		7	4 04	3.2	1 44	8.3
	11	0 52	16.8	4 05	11.6		11	3 56	+ 1.4	1 24	7.2
	15	1 16	16.2	4 16	12.1		15	3 46	− 0.4	1 04	6.0
	19	+1 39	−15.4	+4 26	−12.5		19	−3 36	− 2.1	−0 44	+ 4.8
	23	2 02	14.2	4 35	12.9		23	3 24	3.8	0 24	3.5
	27	2 23	12.7	4 43	13.2		27	3 11	5.5	−0 05	2.3
	31	2 42	11.0	4 49	13.5	Dec.	1	2 58	7.0	+0 14	+ 1.1
June	4	2 59	9.0	4 54	13.7		5	2 44	8.5	0 32	− 0.1
	8	+3 14	− 6.8	+4 57	−13.9		9	−2 28	− 9.9	+0 49	− 1.2
	12	3 26	4.4	4 59	14.0		13	2 12	11.2	1 05	2.3
	16	3 34	− 1.9	4 59	14.0		17	1 55	12.4	1 21	3.3
	20	3 39	+ 0.7	4 57	14.0		21	1 37	13.4	1 35	4.2
	24	3 40	3.4	4 53	14.0		25	1 19	14.2	1 49	5.0
	28	+3 38	+ 6.0	+4 46	−13.9		29	−1 00	−14.8	+2 02	− 5.8
July	2	+3 32	+ 8.5	+4 38	−13.7		33	−0 41	−15.2	+2 14	− 6.4

Differential coordinates are given in the sense "satellite minus planet".

DIFFERENTIAL COORDINATES FOR 0ʰ U.T.

Date		Satellite VIII		Satellite IX		Satellite X	
		$\Delta\alpha$	$\Delta\delta$	$\Delta\alpha$	$\Delta\delta$	$\Delta\alpha$	$\Delta\delta$
		m s	′	m s	′	m s	′
Apr.	5	+2 34	−48.8	−5 59	+22.0	+0 17	+24.1
	15	2 02	50.9	5 39	24.9	−0 28	21.3
	25	1 31	53.1	5 18	28.1	1 12	16.9
May	5	0 59	55.2	4 55	31.5	1 56	11.0
	15	+0 28	57.3	4 31	35.2	2 38	+ 4.1
	25	−0 03	−59.0	−4 06	+38.8	−3 15	− 3.6
June	4	0 33	60.4	3 40	42.4	3 46	11.6
	14	1 02	61.4	3 15	45.8	4 08	19.4
	24	1 30	61.6	2 49	48.9	4 18	26.6
July	4	1 56	61.2	2 22	51.5	4 16	32.6
	14	−2 21	−59.8	−1 56	+53.4	−3 59	−36.9
	24	2 44	57.7	1 29	54.7	3 27	39.1
Aug.	3	3 06	54.8	1 01	55.2	2 41	39.2
	13	3 26	51.3	0 33	55.0	1 43	36.9
	23	3 44	47.3	−0 04	54.1	−0 39	32.7
Sept.	2	−4 02	−43.0	+0 26	+52.7	+0 26	−26.7
	12	4 19	38.6	0 58	50.9	1 27	19.3
	22	4 35	34.2	1 30	48.9	2 18	11.1
Oct.	2	4 50	29.9	2 02	46.8	2 56	− 2.6
	12	5 03	26.0	2 34	44.7	3 18	+ 5.7
	22	−5 15	−22.2	+3 05	+42.8	+3 23	+13.2
Nov.	1	5 24	18.7	3 35	41.0	3 13	19.4
	11	5 30	15.4	4 03	39.4	2 51	24.0
	21	5 32	12.3	4 29	38.0	2 19	26.8
Dec.	1	−5 30	− 9.3	+4 53	+36.7	+1 41	+27.6

Differential coordinates are given in the sense "satellite minus planet."

DIFFERENTIAL COORDINATES FOR 0ʰ U.T.

Date		Satellite XI		Satellite XII		Satellite XIII	
		$\Delta\alpha$	$\Delta\delta$	$\Delta\alpha$	$\Delta\delta$	$\Delta\alpha$	$\Delta\delta$
		m s	′	m s	′	m s	′
Apr.	5	−0 17	+27.3	−4 25	+15.2	−3 08	− 6.8
	15	1 00	25.1	4 20	13.8	3 02	− 1.5
	25	1 43	22.6	4 07	12.3	2 49	+ 4.1
May	5	2 26	20.0	3 48	10.7	2 29	10.0
	15	3 08	17.2	3 22	8.9	2 01	16.0
	25	−3 49	+14.4	−2 52	+ 6.9	−1 25	+21.8
June	4	4 29	11.6	2 18	4.6	−0 43	27.2
	14	5 07	8.7	1 42	+ 2.0	+0 06	31.8
	24	5 43	6.0	1 04	− 1.0	0 58	35.2
July	4	6 15	3.3	−0 25	4.4	1 51	37.0
	14	−6 43	+ 0.8	+0 14	− 8.2	+2 41	+36.5
	24	7 07	− 1.5	0 51	12.1	3 20	33.3
Aug.	3	7 27	3.7	1 27	16.2	3 44	27.4
	13	7 43	5.9	2 01	20.1	3 47	18.8
	23	7 55	8.1	2 33	23.7	3 24	+ 8.3
Sept.	2	−8 04	−10.3	+3 04	−26.9	+2 37	− 2.8
	12	8 10	12.6	3 34	29.5	1 31	13.2
	22	8 14	15.1	4 02	31.4	+0 16	21.2
Oct.	2	8 16	17.6	4 29	32.7	−0 56	25.8
	12	8 17	20.2	4 55	33.3	1 56	27.2
	22	−8 15	−22.9	+5 20	−33.3	−2 40	−25.6
Nov.	1	8 12	25.6	5 43	32.8	3 07	22.1
	11	8 07	28.4	6 04	31.9	3 19	17.4
	21	8 00	31.0	6 22	30.7	3 20	12.1
Dec.	1	−7 50	−33.5	+6 39	−29.2	−3 12	− 6.6

Differential coordinates are given in the sense "satellite minus planet".

SATELLITES OF JUPITER, 1985

UNIVERSAL TIME OF SUPERIOR GEOCENTRIC CONJUNCTION

SATELLITE I

	d h m		d h m		d h m		d h m
Feb.	.. .. ..	May	2 06 36	July	24 09 48	Oct.	15 12 43
	9 19 51		4 01 04		26 04 14		17 07 11
	11 14 21		5 19 33		27 22 40		19 01 39
	13 08 52		7 14 01		29 17 06		20 20 08
	15 03 22		9 08 29		31 11 32		22 14 36
	16 21 53		11 02 58	Aug.	2 05 58		24 09 05
	18 16 23		12 21 26		4 00 24		26 03 33
	20 10 53		14 15 54		5 18 50		27 22 02
	22 05 23		16 10 22		7 13 15		29 16 31
	23 23 54		18 04 50		9 07 41		31 10 59
	25 18 24		19 23 18		11 02 07	Nov.	2 05 28
	27 12 54		21 17 46		12 20 33		3 23 57
Mar.	1 07 24		23 12 14		14 14 59		5 18 26
	3 01 54		25 06 42		16 09 25		7 12 55
	4 20 25		27 01 09		18 03 51		9 07 24
	6 14 55		28 19 37		19 22 17		11 01 54
	8 09 25		30 14 05		21 16 43		12 20 23
	10 03 55	June	1 08 32		23 11 09		14 14 52
	11 22 25		3 02 59		25 05 36		16 09 21
	13 16 55		4 21 27		27 00 02		18 03 51
	15 11 25		6 15 54		28 18 28		19 22 20
	17 05 54		8 10 21		30 12 54		21 16 50
	19 00 24		10 04 48	Sept.	1 07 21		23 11 19
	20 18 54		11 23 16		3 01 47		25 05 49
	22 13 24		13 17 43		4 20 14		27 00 19
	24 07 54		15 12 10		6 14 40		28 18 48
	26 02 23		17 06 36		8 09 07		30 13 18
	27 20 53		19 01 03		10 03 34	Dec.	2 07 48
	29 15 23		20 19 30		11 22 00		4 02 18
	31 09 52		22 13 57		13 16 27		5 20 47
Apr.	2 04 22		24 08 23		15 10 54		7 15 17
	3 22 51		26 02 50		17 05 21		9 09 47
	5 17 21		27 21 16		18 23 48		11 04 17
	7 11 50		29 15 43		20 18 15		12 22 47
	9 06 19	July	1 10 09		22 12 42		14 17 17
	11 00 48		3 04 36		24 07 10		16 11 48
	12 19 18		4 23 02		26 01 37		18 06 18
	14 13 47		6 17 28		27 20 04		20 00 48
	16 08 16		8 11 54		29 14 32		21 19 18
	18 02 45		10 06 20	Oct.	1 08 59		23 13 48
	19 21 14		12 00 47		3 03 27		25 08 19
	21 15 43		13 19 13		4 21 55		27 02 49
	23 10 12		15 13 39		6 16 23		28 21 19
	25 04 41		17 08 05		8 10 50		30 15 49
	26 23 10		19 02 31		10 05 18		32 10 20
	28 17 38		20 20 57		11 23 46		
	30 12 07		22 15 22		13 18 15		

UNIVERSAL TIME OF SUPERIOR GEOCENTRIC CONJUNCTION

SATELLITE II

	d h m		d h m		d h m		d h m
	.. .. ..	May	5 08 29	July	29 13 18	Oct.	22 17 56
Feb.	12 13 12		8 21 47	Aug.	2 02 26		26 07 15
	16 02 36		12 11 04		5 15 33		29 20 33
	19 16 00		16 00 20		9 04 42	Nov.	2 09 53
	23 05 24		19 13 36		12 17 49		5 23 12
	26 18 47		23 02 52		16 06 57		9 12 33
Mar.	2 08 11		26 16 07		19 20 05		13 01 53
	5 21 34		30 05 22		23 09 14		16 15 15
	9 10 57	June	2 18 36		26 22 23		20 04 36
	13 00 20		6 07 50		30 11 32		23 17 58
	16 13 43		9 21 03	Sept.	3 00 42		27 07 20
	20 03 05		13 10 15		6 13 52		30 20 43
	23 16 27		16 23 27		10 03 02	Dec.	4 10 06
	27 05 49		20 12 39		13 16 14		7 23 29
	30 19 11		24 01 50		17 05 25		11 12 53
Apr.	3 08 32		27 15 00		20 18 38		15 02 17
	6 21 53	July	1 04 10		24 07 51		18 15 40
	10 11 14		4 17 20		27 21 05		22 05 05
	14 00 34		8 06 29	Oct.	1 10 18		25 18 29
	17 13 54		11 19 38		4 23 34		29 07 54
	21 03 14		15 08 46		8 12 49		32 21 18
	24 16 33		18 21 55		12 02 05		
	28 05 52		22 11 03		15 15 21		
May	1 19 11		26 00 11		19 04 39		

SATELLITE III

	d h m		d h m		d h m		d h m
	.. .. ..	May	2 15 56	July	27 11 15	Oct.	21 05 15
Feb.	12 16 39		9 19 56	Aug.	3 14 30		28 09 12
	19 21 07		16 23 52		10 17 46	Nov.	4 13 14
	27 01 34		24 03 44		17 21 03		11 17 19
Mar.	6 05 59		31 07 31		25 00 22		18 21 29
	13 10 22	June	7 11 13	Sept.	1 03 44		26 01 43
	20 14 44		14 14 50		8 07 09	Dec.	3 05 59
	27 19 04		21 18 23		15 10 38		10 10 19
Apr.	3 23 21		28 21 52		22 14 12		17 14 41
	11 03 35	July	6 01 17		29 17 50		24 19 04
	18 07 45		13 04 39	Oct.	6 21 33		31 23 30
	25 11 53		20 07 58		14 01 21		

SATELLITE IV

	d h m		d h m		d h m		d h m
	.. .. ..	May	13 08 48	Aug.	21 05 02	Nov.	29 10 49
Feb.	18 07 25		30 02 06	Sept.	6 19 45	Dec.	16 06 39
Mar.	7 03 54	June	15 18 28		23 11 15		
	24 00 01	July	2 09 53	Oct.	10 03 44		
Apr.	9 19 38		19 00 33		26 21 13		
	26 14 36	Aug.	4 14 48	Nov.	12 15 37		

SATELLITES OF JUPITER, 1985

UNIVERSAL TIME OF GEOCENTRIC PHENOMENA

JANUARY

d	h	m		d	h	m		d	h	m		d	h	m	
0	1	00	I. Oc.D.	8	0	20	I. Tr.I.	16	1	52	I. Oc.R.	24	0	32	II. Sh.E.
	3	33	I. Ec.R.		0	28	I. Sh.I.		19	06	II. Sh.I.		0	51	II. Tr.E.
	11	54	III. Oc.D.		0	45	II. Ec.R.		19	10	II. Tr.I.		0	55	IV. Tr.E.
	16	20	III. Ec.R.		2	37	I. Tr.E.		20	50	I. Sh.I.		1	01	I. Sh.E.
	18	56	II. Oc.D.		2	44	I. Sh.E.		20	52	I. Tr.I.		1	10	I. Tr.E.
	22	10	II. Ec.R.		21	33	I. Oc.D.		21	54	II. Sh.E.		19	57	I. Ec.D.
	22	19	I. Tr.I.		23	56	I. Ec.R.		21	58	II. Tr.E.		22	25	I. Oc.R.
	22	33	I. Sh.I.						23	07	I. Sh.E.				
				9	16	18	II. Tr.I.		23	09	I. Tr.E.	25	15	01	III. Sh.I.
1	0	35	I. Tr.E.		16	29	II. Sh.I.						15	47	III. Tr.I.
	0	49	I. Sh.E.		18	51	I. Tr.I.	17	18	03	I. Ec.D.		16	25	II. Ec.D.
	19	30	I. Oc.D.		18	56	I. Sh.I.		20	23	I. Oc.R.		17	13	I. Sh.I.
	22	02	I. Ec.R.		19	05	II. Tr.E.						17	24	I. Tr.I.
					19	16	II. Sh.E.	18	11	02	III. Sh.I.		18	28	III. Sh.E.
2	13	25	II. Tr.I.		21	07	I. Tr.E.		11	17	III. Tr.I.		19	15	III. Tr.E.
	13	51	II. Sh.I.		21	12	I. Sh.E.		13	51	II. Ec.D.		19	29	I. Sh.E.
	16	12	II. Tr.E.						14	29	III. Sh.E.		19	34	II. Oc.R.
	16	39	II. Sh.E.	10	16	03	I. Oc.D.		14	44	III. Tr.E.		19	40	I. Tr.E.
	16	49	I. Tr.I.		18	25	I. Ec.R.		15	19	I. Sh.I.				
	17	02	I. Sh.I.						15	23	I. Tr.I.	26	14	26	I. Ec.D.
	19	05	I. Tr.E.	11	6	47	III. Tr.I.		16	44	II. Oc.R.		16	56	I. Oc.R.
	19	18	I. Sh.E.		7	02	III. Sh.I.		17	35	I. Sh.E.				
					10	12	III. Tr.E.		17	39	I. Tr.E.	27	11	01	II. Sh.I.
3	14	01	I. Oc.D.		10	28	III. Sh.E.						11	28	II. Tr.I.
	16	30	I. Ec.R.		11	10	II. Oc.D.	19	12	31	I. Ec.D.		11	41	I. Sh.I.
					13	21	I. Tr.I.		14	54	I. Oc.R.		11	54	I. Tr.I.
4	2	17	III. Tr.I.		13	25	I. Sh.I.						13	50	II. Sh.E.
	3	02	III. Sh.I.		14	02	II. Ec.R.	20	8	24	II. Sh.I.		13	58	I. Sh.E.
	5	41	III. Tr.E.		15	37	I. Tr.E.		8	36	II. Tr.I.		14	11	I. Tr.E.
	6	28	III. Sh.E.		15	41	I. Sh.E.		9	47	I. Sh.I.		14	17	II. Tr.E.
	8	21	II. Oc.D.						9	53	I. Tr.I.				
	11	20	I. Tr.I.	12	10	34	I. Oc.D.		11	12	II. Sh.E.	28	8	55	I. Ec.D.
	11	27	II. Ec.R.		12	54	I. Ec.R.		11	24	II. Tr.E.		11	27	I. Oc.R.
	11	30	I. Sh.I.						12	04	I. Sh.E.				
	13	36	I. Tr.E.	13	5	43	II. Tr.I.		12	09	I. Tr.E.	29	4	53	III. Ec.D.
	13	47	I. Sh.E.		5	47	II. Sh.I.						5	42	II. Ec.D.
					7	51	I. Tr.I.	21	7	00	I. Ec.D.		6	10	I. Sh.I.
5	8	32	I. Oc.D.		7	53	I. Sh.I.		9	24	I. Oc.R.		6	25	I. Tr.I.
	10	59	I. Ec.R.		8	31	II. Tr.E.						8	26	I. Sh.E.
					8	35	II. Sh.E.	22	0	53	III. Ec.D.		8	41	I. Tr.E.
6	2	51	II. Tr.I.		10	08	I. Tr.E.		3	08	II. Ec.D.		8	58	II. Oc.R.
	3	10	II. Sh.I.		10	09	I. Sh.E.		4	16	I. Sh.I.		9	23	III. Oc.R.
	5	38	II. Tr.E.						4	23	I. Tr.I.				
	5	50	I. Tr.I.	14	5	04	I. Oc.D.		4	52	III. Oc.R.	30	3	23	I. Ec.D.
	5	57	II. Sh.E.		7	23	I. Ec.R.		6	09	II. Oc.R.		5	57	I. Oc.R.
	5	59	I. Sh.I.		20	53	III. Ec.D.		6	32	I. Sh.E.				
	8	06	I. Tr.E.						6	40	I. Tr.E.	31	0	21	II. Sh.I.
	8	15	I. Sh.E.	15	0	21	III. Ec.R.						0	38	I. Sh.I.
	23	55	IV. Tr.I.		0	34	II. Ec.D.	23	1	28	I. Ec.D.		0	55	I. Tr.I.
					2	22	I. Sh.I.		3	55	I. Oc.R.		0	55	II. Tr.I.
7	1	12	IV. Sh.I.		2	22	I. Tr.I.		19	16	IV. Sh.I.		2	55	I. Sh.E.
	3	02	I. Oc.D.		3	20	II. Oc.R.		20	47	IV. Tr.I.		3	09	II. Sh.E.
	3	50	IV. Tr.E.		4	38	I. Sh.E.		21	43	II. Sh.I.		3	11	I. Tr.E.
	5	13	IV. Sh.E.		4	38	I. Tr.E.		22	03	II. Tr.I.		3	44	II. Tr.E.
	5	28	I. Ec.R.		11	40	IV. Ec.D.		22	44	I. Sh.I.		21	52	I. Ec.D.
	16	24	III. Oc.D.		15	49	IV. Oc.R.		22	54	I. Tr.I.				
	20	21	III. Ec.R.		23	34	I. Ec.D.		23	24	IV. Sh.E.				
	21	45	II. Oc.D.												

I. Jan.	II. Jan.	III. Jan.	IV. Jan.
No Eclipse	No Eclipse	No Eclipse	No Eclipse

NOTE.—I. denotes ingress; E., egress; D., disappearance; R., reappearance; Ec., eclipse; Oc., occultation; Tr., transit of the satellite; Sh., transit of the shadow.

CONFIGURATIONS OF SATELLITES I-IV FOR JANUARY
UNIVERSAL TIME

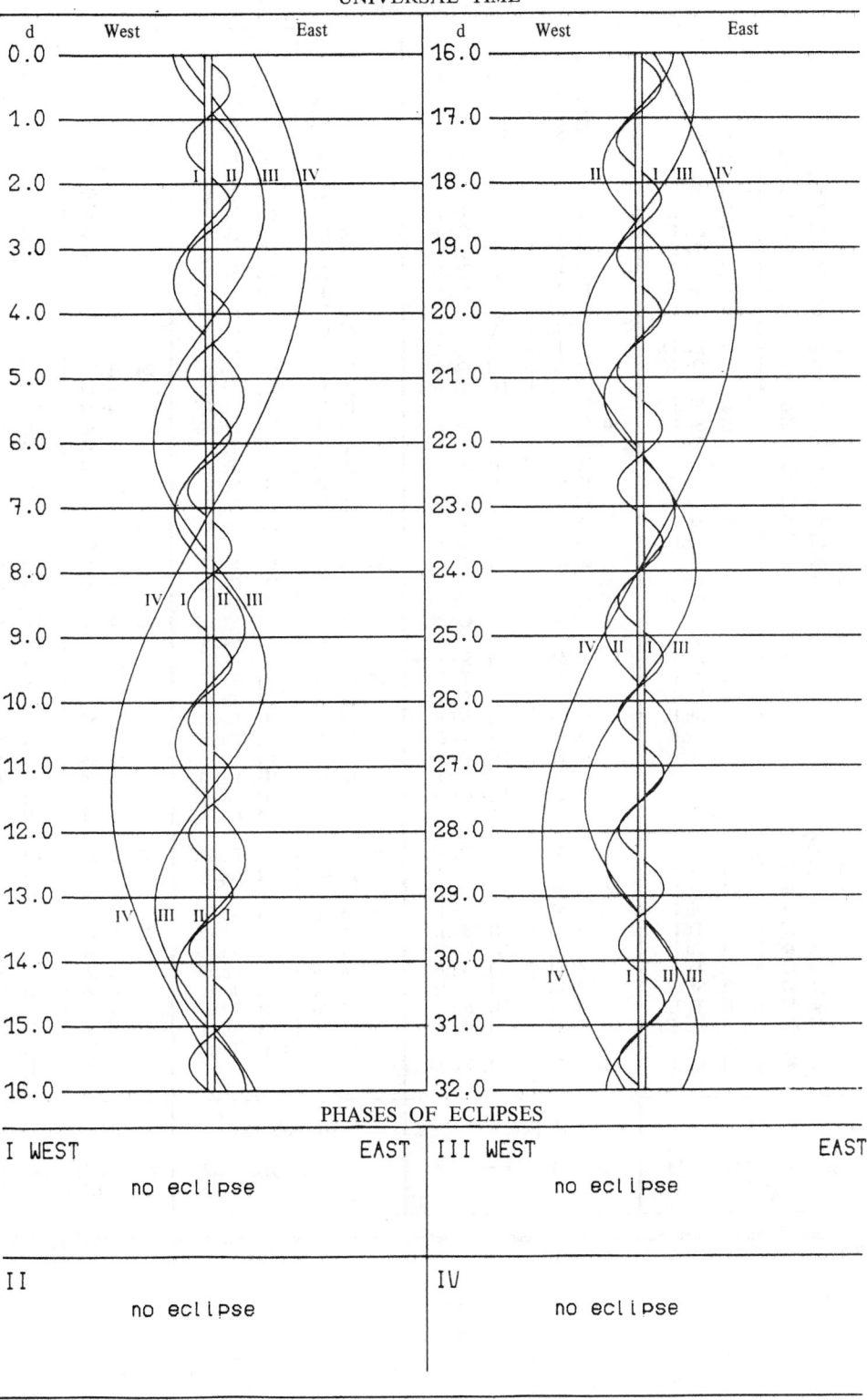

PHASES OF ECLIPSES

I WEST	EAST	III WEST	EAST
no eclipse		no eclipse	

II		IV	
no eclipse		no eclipse	

SATELLITES OF JUPITER, 1985

UNIVERSAL TIME OF GEOCENTRIC PHENOMENA

FEBRUARY

d	h	m		d	h	m		d	h	m		d	h	m	
1	0	28	I. Oc.R.	8	21	01	I. Sh.I.	15	4	31	I. Oc.R.	22	3	35	I. Ec.D.
	5	42	IV. Ec.D.		21	26	I. Tr.I.		22	54	I. Sh.I.		6	32	I. Oc.R.
	12	47	IV. Oc.R.		21	33	II. Ec.D.		23	27	I. Tr.I.				
	18	59	II. Ec.D.		22	59	III. Sh.I.						23	0	48	I. Sh.I.
	19	00	III. Sh.I.		23	17	I. Sh.E.	16	0	07	II. Ec.D.		1	27	I. Tr.I.
	19	07	I. Sh.I.		23	43	I. Tr.E.		1	11	I. Sh.E.		2	41	II. Ec.D.
	19	25	I. Tr.I.						1	44	I. Tr.E.		3	04	I. Sh.E.
	20	16	III. Tr.I.	9	0	44	III. Tr.I.		2	58	III. Sh.I.		3	44	I. Tr.E.
	21	23	I. Sh.E.		1	12	II. Oc.R.		4	00	II. Oc.R.		6	48	II. Oc.R.
	21	42	I. Tr.E.		2	27	III. Sh.E.		5	12	III. Tr.I.		6	58	III. Sh.I.
	22	23	II. Oc.R.		4	14	III. Tr.E.		6	27	III. Sh.E.		9	39	III. Tr.I.
	22	28	III. Sh.E.		13	21	IV. Sh.I.		8	42	III. Tr.E.		10	27	III. Sh.E.
	23	45	III. Tr.E.		17	35	IV. Sh.E.		20	09	I. Ec.D.		13	10	III. Tr.E.
					17	36	IV. Tr.I.		23	02	I. Oc.R.		22	04	I. Ec.D.
2	16	20	I. Ec.D.		18	15	I. Ec.D.								
	18	58	I. Oc.R.		21	00	I. Oc.R.	17	17	23	I. Sh.I.	24	1	03	I. Oc.R.
					21	56	IV. Tr.E.		17	57	I. Tr.I.		19	17	I. Sh.I.
3	13	35	I. Sh.I.						18	53	II. Sh.I.		19	57	I. Tr.I.
	13	39	II. Sh.I.	10	15	29	I. Sh.I.		19	39	I. Sh.E.		21	30	II. Sh.I.
	13	56	I. Tr.I.		15	56	I. Tr.I.		20	04	II. Tr.I.		21	33	I. Sh.E.
	14	21	II. Tr.I.		16	16	II. Sh.I.		20	14	I. Tr.E.		22	14	I. Tr.E.
	15	52	I. Sh.E.		17	12	II. Tr.I.		21	42	II. Sh.E.		22	54	II. Tr.I.
	16	12	I. Tr.E.		17	45	I. Sh.E.		22	54	II. Tr.E.				
	16	27	II. Sh.E.		18	13	I. Tr.E.		23	45	IV. Ec.D.	25	0	19	II. Sh.E.
	17	10	II. Tr.E.		19	05	II. Sh.E.						1	45	II. Tr.E.
					20	02	II. Tr.E.	18	4	01	IV. Ec.R.		16	32	I. Ec.D.
4	10	49	I. Ec.D.						5	13	IV. Oc.D.		19	33	I. Oc.R.
	13	29	I. Oc.R.	11	12	44	I. Ec.D.		9	37	IV. Oc.R.				
					15	30	I. Oc.R.		14	38	I. EC.D.	26	7	26	IV. Sh.I.
5	8	04	I. Sh.I.						17	32	I. Oc.R.		11	45	IV. Sh.E.
	8	16	II. Ec.D.	12	9	58	I. Sh.I.						13	45	I. Sh.I.
	8	26	I. Tr.I.		10	27	I. Tr.I.	19	11	51	I. Sh.I.		14	14	IV. Tr.I.
	8	52	III. Ec.D.		10	50	II. Ec.D.		12	27	I. Tr.I.		14	27	I. Tr.I.
	10	20	I. Sh.E.		12	14	I. Sh.E.		13	24	II. Ec.D.		15	58	II. Ec.D.
	10	42	I. Tr.E.		12	43	I. Tr.E.		14	08	I. Sh.E.		16	01	I. Sh.E.
	11	47	II. Oc.R.		12	53	III. Ec.D.		14	44	I. Tr.E.		16	44	I. Tr.E.
	13	54	III. Oc.R.		14	36	II. Oc.R.		16	52	III. Ec.D.		18	44	IV. Tr.E.
					18	24	III. Oc.R.		17	24	II. Oc.R.		20	12	II. Oc.R.
6	5	18	I. Ec.D.						22	53	III. Oc.R.		20	51	III. Ec.D.
	7	59	I. Oc.R.	13	7	12	I. Ec.D.								
					10	01	I. Oc.R.	20	9	06	I. Ec.D.	27	3	20	III. Oc.R.
7	2	32	I. Sh.I.						12	02	I. Oc.R.		11	01	I. Ec.D.
	2	56	I. Tr.I.	14	4	26	I. Sh.I.						14	03	I. Oc.R.
	2	58	II. Sh.I.		4	57	I. Tr.I.	21	6	20	I. Sh.I.				
	3	47	II. Tr.I.		5	35	II. Sh.I.		6	57	I. Tr.I.	28	8	14	I. Sh.I.
	4	48	I. Sh.E.		6	39	II. Tr.I.		8	12	II. Sh.I.		8	57	I. Tr.I.
	5	13	I. Tr.E.		6	42	I. Sh.E.		8	36	I. Sh.E.		10	30	I. Sh.E.
	5	47	II. Sh.E.		7	13	I. Tr.E.		9	14	I. Tr.E.		10	49	II. Sh.I.
	6	37	II. Tr.E.		8	24	II. Sh.E.		9	30	II. Tr.I.		11	14	I. Tr.E.
	23	46	I. Ec.D.		9	29	II. Tr.E.		11	01	II. Sh.E.		12	20	II. Tr.I.
									12	20	II. Tr.E.		13	38	II. Sh.E.
8	2	30	I. Oc.R.	15	1	41	I. Ec.D.						15	10	II. Tr.E.

I. Feb. 15	II. Feb. 16	III. Feb. 12	IV. Feb. 17–18
$x_1 = -1.4, \quad y_1 = -0.1$	$x_1 = -1.7, \quad y_1 = -0.2$	$x_1 = -2.0, \quad y_1 = -0.2$	$x_1 = -3.1, \quad y_1 = -0.4$
			$x_2 = -1.4, \quad y_2 = -0.4$

NOTE.—I. denotes ingress; E., egress; D., disappearance; R., reappearance; Ec., eclipse; Oc., occultation; Tr., transit of the satellite; Sh., transit of the shadow.

CONFIGURATIONS OF SATELLITES I-IV FOR FEBRUARY
UNIVERSAL TIME

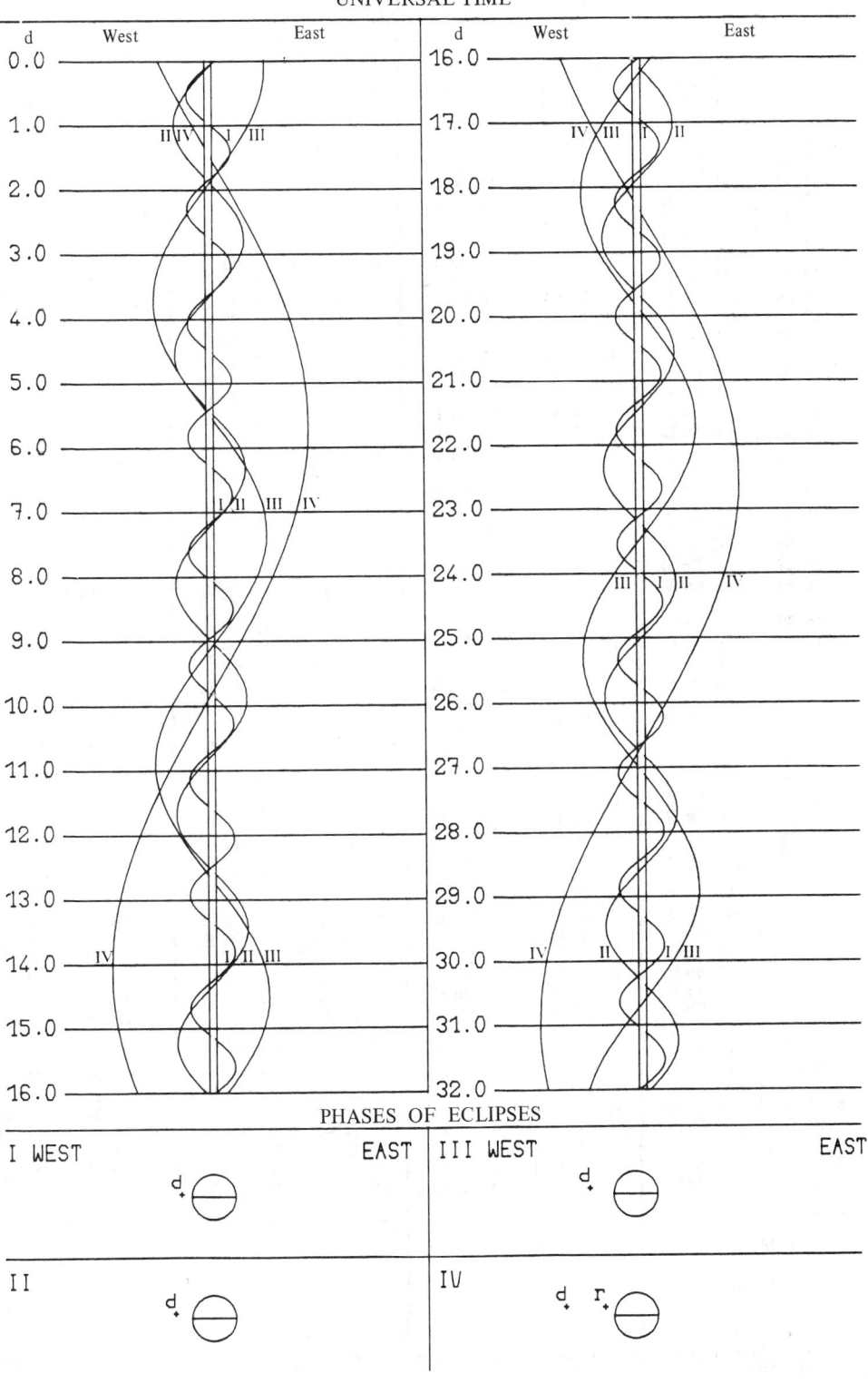

PHASES OF ECLIPSES

SATELLITES OF JUPITER, 1985

UNIVERSAL TIME OF GEOCENTRIC PHENOMENA

MARCH

d	h	m	
1	5	29	I. Ec.D.
	8	33	I. Oc.R.
2	2	42	I. Sh.I.
	3	27	I. Tr.I.
	4	58	I. Sh.E.
	5	15	II. Ec.D.
	5	44	I. Tr.E.
	9	35	II. Oc.R.
	10	57	III. Sh.I.
	14	05	III. Tr.I.
	14	26	III. Sh.E.
	17	37	III. Tr.E.
	23	58	I. Ec.D.
3	3	03	I. Oc.R.
	21	10	I. Sh.I.
	21	57	I. Tr.I.
	23	27	I. Sh.E.
4	0	07	II. Sh.I.
	0	14	I. Tr.E.
	1	44	II. Tr.I.
	2	56	II. Sh.E.
	4	35	II. Tr.E.
	18	27	I. Ec.D.
	21	34	I. Oc.R.
5	15	39	I. Sh.I.
	16	27	I. Tr.I.
	17	55	I. Sh.E.
	18	32	II. Ec.D.
	18	44	I. Tr.E.
	22	59	II. Oc.R.
6	0	50	III. Ec.D.
	7	46	III. Oc.R.
	12	55	I. Ec.D.
	16	04	I. Oc.R.
	17	48	IV. Ec.D.
	22	09	IV. Ec.R.
7	1	38	IV. Oc.D.
	6	10	IV. Oc.R.
	10	07	I. Sh.I.
	10	57	I. Tr.I.
	12	23	I. Sh.E.
	13	14	I. Tr.E.
	13	26	II. Sh.I.
	15	09	II. Tr.I.
	16	15	II. Sh.E.
	18	00	II. Tr.E.
8	7	24	I. Ec.D.
	10	34	I. Oc.R.
9	4	36	I. Sh.I.
	5	27	I. Tr.I.

d	h	m	
9	6	52	I. Sh.E.
	7	44	I. Tr.E.
	7	49	II. Ec.D.
	12	22	II. Oc.R.
	14	57	III. Sh.I.
	18	26	III. Sh.E.
	18	29	III. Tr.I.
	22	02	III. Tr.E.
10	1	52	I. Ec.D.
	5	04	I. Oc.R.
	23	04	I. Sh.I.
	23	57	I. Tr.I.
11	1	20	I. Sh.E.
	2	13	I. Tr.E.
	2	44	II. Sh.I.
	4	33	II. Tr.I.
	5	33	II. Sh.E.
	7	24	II. Tr.E.
	20	21	I. Ec.D.
	23	34	I. Oc.R.
12	17	32	I. Sh.I.
	18	27	I. Tr.I.
	19	49	I. Sh.E.
	20	43	I. Tr.E.
	21	06	II. Ec.D.
13	1	45	II. Oc.R.
	4	49	III. Ec.D.
	8	21	III. Ec.R.
	8	35	III. Oc.D.
	12	10	III. Oc.R.
	14	49	I. Ec.D.
	18	04	I. Oc.R.
14	12	01	I. Sh.I.
	12	57	I. Tr.I.
	14	17	I. Sh.E.
	15	13	I. Tr.E.
	16	03	II. Sh.I.
	17	57	II. Tr.I.
	18	52	II. Sh.E.
	20	48	II. Tr.E.
15	1	31	IV. Sh.,I.
	5	54	IV. Sh.E.
	9	18	I. Ec.D.
	10	35	IV. Tr.I.
	12	34	I. Oc.R.
	15	11	IV. Tr.E.
16	6	29	I. Sh.I.
	7	26	I. Tr.I.
	8	45	I. Sh.E.
	9	43	I. Tr.E.
	10	23	II. Ec.D

d	h	m	
16	15	08	II. Oc.R.
	18	56	III. Sh.I.
	22	26	III. Sh.E.
	22	51	III. Tr.I.
17	2	24	III. Tr.E.
	3	46	I. Ec.D.
	7	04	I. Oc.R.
18	0	58	I. Sh.I.
	1	56	I. Tr.I.
	3	14	I. Sh.E.
	4	12	I. Tr.E.
	5	21	II. Sh.I.
	7	21	II. Tr.I.
	8	10	II. Sh.E.
	10	12	II. Tr.E.
	22	15	I. Ec.D.
19	1	33	I. Oc.R.
	19	26	I. Sh.I.
	20	26	I. Tr.I.
	21	42	I. Sh.E.
	22	42	I. Tr.E.
	23	40	II. Ec.D.
20	4	30	II. Oc.R.
	8	49	III. Ec.D.
	12	21	III. Ec.R.
	12	56	III. Oc.D.
	16	32	III. Oc.R.
	16	43	I. Ec.D.
	20	03	I. Oc.R.
21	13	55	I. Sh.I.
	14	55	I. Tr.I.
	16	11	I. Sh.E.
	17	12	I. Tr.E.
	18	39	II. Sh.I.
	20	44	II. Tr.I.
	21	29	II. Sh.E.
	23	35	II. Tr.E.
22	11	12	I. Ec.D.
	14	33	I. Oc.R.
23	8	23	I. Sh.I.
	9	25	I. Tr.I.
	10	39	I. Sh.E.
	11	41	I. Tr.E.
	11	50	IV. Ec.D.
	12	57	II. Ec.D.
	16	16	IV. Ec.R.
	17	52	II. Oc.R.
	21	41	IV. Oc.D.
	22	55	III. Sh.I.
24	2	21	IV. Oc.R

d	h	m	
24	2	25	III. Sh.E.
	3	10	III. Tr.I.
	5	40	I. Ec.D.
	6	44	III. Tr.E.
	9	03	I. Oc.R.
25	2	51	I. Sh.I.
	3	55	I. Tr.I.
	5	07	I. Sh.E.
	6	11	I. Tr.E.
	7	57	II. Sh.I.
	10	07	II. Tr.I.
	10	47	II. Sh.E.
	12	58	II. Tr.E.
26	0	09	I. Ec.D.
	3	32	I. Oc.R.
	21	20	I. Sh.I.
	22	24	I. Tr.I.
	23	36	I. Sh.E.
27	0	40	I. Tr.E.
	2	14	II. Ec.D.
	7	14	II. Oc.R.
	12	48	III. Ec.D.
	16	21	III. Ec.R.
	17	16	III. Oc.D.
	18	37	I. Ec.D.
	20	52	III. Oc.R.
	22	02	I. Oc.R.
28	15	48	I. Sh.I.
	16	54	I. Tr.I.
	18	04	I. Sh.E.
	19	10	I. Tr.E.
	21	16	II. Sh.I.
	23	30	II. Tr.I.
29	0	05	II. Sh.E.
	2	21	II. Tr.E.
	13	06	I. Ec.D.
	16	32	I. Oc.R.
30	10	16	I. Sh.I.
	11	23	I. Tr.I.
	12	32	I. Sh.E.
	13	39	I. Tr.E.
	15	31	II. Ec.D.
	20	36	II. Oc.R.
31	2	53	III. Sh.I.
	6	24	III. Sh.E.
	7	28	III. Tr.I.
	7	34	I. Ec.D.
	11	01	I. Oc.R.
	11	02	III. Tr.E.
	19	37	IV. Sh.I.

I. Mar. 15	II. Mar. 16	III. Mar. 13	IV. Mar.6
$x_1 = -1.8$, $y_1 = -0.1$	$x_1 = -2.2$, $y_1 = -0.1$	$x_1 = -3.0$, $y_1 = -0.2$	$x_1 = -4.1$, $y_1 = -0.3$
		$x_2 = -1.1$, $y_2 = -0.2$	$x_2 = -2.3$, $y_2 = -0.3$

NOTE.—I. denotes ingress; E., egress; D., disappearance; R., reappearance; Ec., eclipse; Oc., occultation; Tr., transit of the satellite; Sh., transit of the shadow.

CONFIGURATIONS OF SATELLITES I-IV FOR MARCH
UNIVERSAL TIME

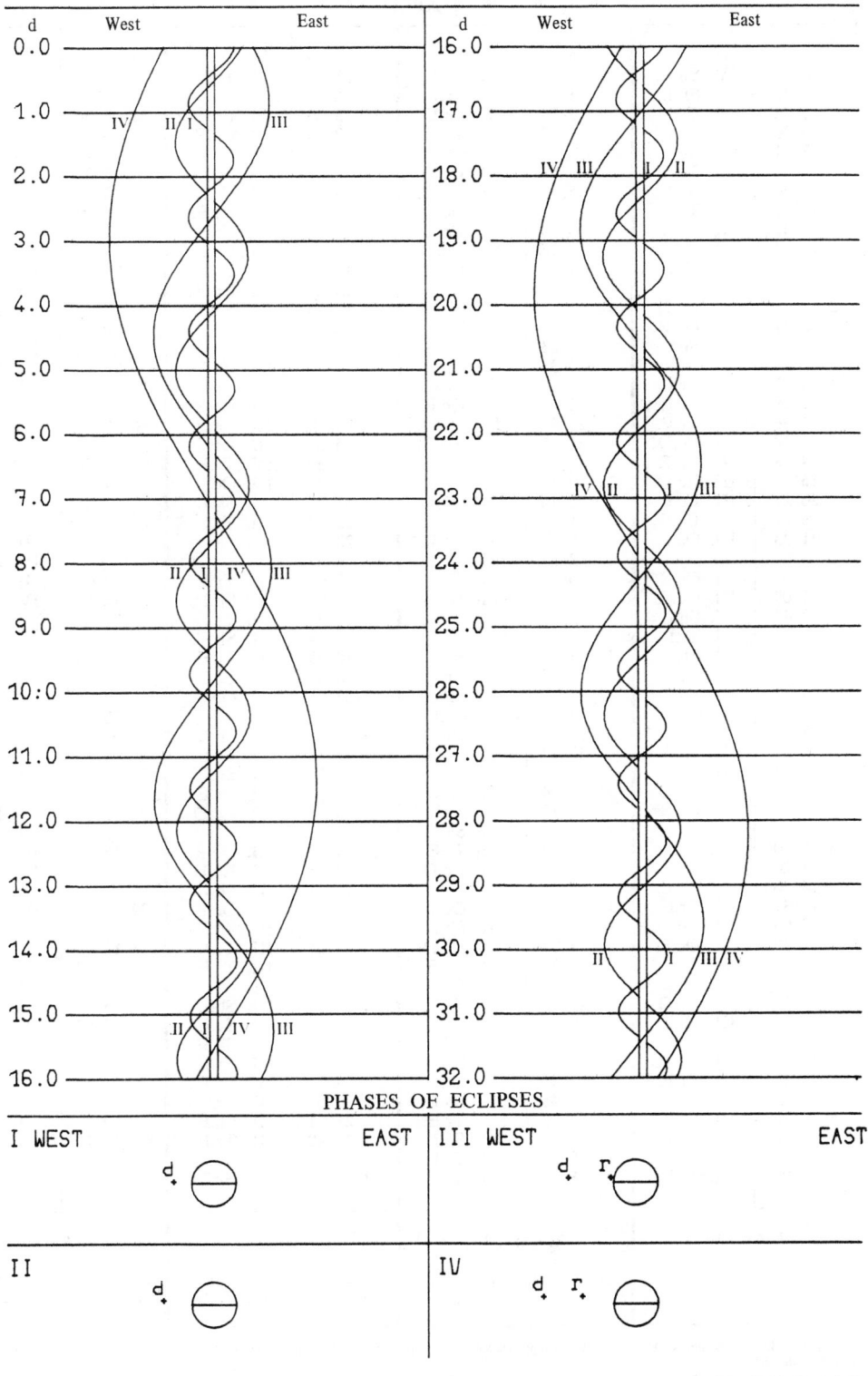

PHASES OF ECLIPSES

SATELLITES OF JUPITER, 1985

UNIVERSAL TIME OF GEOCENTRIC PHENOMENA

APRIL

d h m		d h m		d h m		d h m	
1 0 04	IV. Sh.E.	**8** 13 10	II. Sh.I.	**15** 21 09	II. Tr.E.	**23** 11 21	I. Oc.R.
4 45	I. Sh.I.	15 36	II. Tr.I.	**16** 5 50	I. Ec.D.	**24** 4 54	I. Sh.I.
5 52	I. Tr.I.	15 59	II. Sh.E.	9 25	I. Oc.R.	6 11	I. Tr.I.
6 30	IV. Tr.I.	18 27	II. Tr.E			7 10	I. Sh.E.
7 01	I. Sh.E.			**17** 3 00	I. Sh.I.	8 27	I. Tr.E.
8 09	I. Tr.E.	**9** 3 57	I. Ec.D.	4 15	I. Tr.I.	12 31	II. Ec.D.
10 34	II. Sh.I.	5 53	IV. Ec.D.	5 16	I. Sh.E.	18 00	II. Oc.R.
11 12	IV. Tr.E.	7 28	I. Oc.R.	6 32	I. Tr.E.		
12 52	II. Tr.I.	10 23	IV. Ec.R.	9 56	II. Ec.D.	**25** 2 13	I. Ec.D.
13 23	II. Sh.E.	17 15	IV. Oc.D.	13 42	IV. Sh.I.	4 45	III. Ec.D.
15 43	II. Tr.E.	21 59	IV. Oc.R.	15 20	II. Oc.R.	5 50	I. Oc.R.
				18 13	IV. Sh.E.	8 19	III. Ec.R.
2 2 03	I. Ec.D.	**10** 1 07	I. Sh.I.			10 04	III. Oc.D.
5 31	I. Oc.R.	2 19	I. Tr.I	**18** 0 19	I. Ec.D.	13 42	III. Oc.R.
23 13	I. Sh.I.	3 23	I. Sh.E.	0 46	III. Ec.D.	23 22	I. Sh.I.
		4 35	I. Tr.E.	1 51	IV. Tr.I.	23 56	IV. Ec.D.
3 0 22	I. Tr.I.	7 22	II. Ec.D.	3 54	I. Oc.R.		
1 29	I. Sh.E.	12 40	II. Oc.R.	4 20	III. Ec.R.	**26** 0 40	I. Tr.I.
2 38	I. Tr.E.	20 47	III. Ec.D.	5 57	III. Oc.D.	1 38	I. Sh.E.
4 48	II. Ec.D.	22 25	I. Ec.D.	6 36	IV. Tr.E.	2 56	I. Tr.E.
9 58	II. Oc.R.			9 34	III. Oc.R.	4 30	IV. Ec.R.
16 48	III. Ec.D.	**11** 0 20	III. Ec.R.	21 29	I. Sh.I.	7 40	II. Sh.I.
20 21	III. Ec.R.	1 46	III. Oc.D.	22 44	I. Tr.I.	10 18	II. Tr.I.
20 31	I. Ec.D.	1 58	I. Oc.R.	23 45	I. Sh.E.	10 29	II. Sh.E.
21 33	III. Oc.D.	5 23	III. Oc.R.			12 13	IV. Oc.D.
		19 35	I. Sh.I.	**19** 1 01	I. Tr.E.	13 09	II. Tr.E.
4 0 00	I. Oc.R.	20 48	I. Tr.I.	5 04	II. Sh.I.	16 59	IV. Oc.R.
1 09	III. Oc.R.	21 51	I. Sh.E.	7 38	II. Tr.I.	20 41	I. Ec.D.
17 42	I. Sh.I.	23 05	I. Tr.E.	7 54	II. Sh.E.		
18 51	I. Tr.I.			10 29	II. Tr.E.	**27** 0 19	I. Oc.R.
19 58	I. Sh.E.	**12** 2 28	II. Sh.I.	18 47	I. Ec.D.	17 51	I. Sh.I.
21 08	I. Tr.E.	4 57	II. Tr.I.	22 23	I. Oc.R.	19 08	I. Tr.I.
23 52	II. Sh.I.	5 18	II. Sh.E.			20 07	I. Sh.E.
		7 48	II. Tr.E.	**20** 15 57	I. Sh.I.	21 25	I. Tr.E.
5 2 15	II. Tr.I.	16 53	I. Ec.D.	17 13	I. Tr.I.		
2 41	II. Sh.E.	20 27	I. Oc.R.	18 13	I. Sh.E.	**28** 1 48	II. Ec.D.
5 06	II. Tr.E.			19 30	I. Tr.E.	7 18	II. Oc.R.
15 00	I. Ec.D.	**13** 14 04	I. Sh.I.	23 13	II. Ec.D.	15 09	I. Ec.D.
18 30	I. Oc.R.	15 17	I. Tr.I.			18 47	I. Oc.R.
		16 19	I. Sh.E.	**21** 4 40	II. Oc.R.	18 50	III. Sh.I.
6 12 10	I. Sh.I.	17 34	I. Tr.E.	13 16	I. Ec.D.	22 22	III. Sh.E.
13 20	I. Tr.I.	20 39	II. Ec.D.	14 51	III. Sh.I.		
14 26	I. Sh.E.			16 52	I. Oc.R.	**29** 0 10	III. Tr.I.
15 37	I. Tr.E.	**14** 2 00	II. Oc.R.	18 22	III. Sh.E.	3 45	III. Tr.E.
18 05	II. Ec.D.	10 52	III. Sh.I.	20 04	III. Tr.I.	12 19	I. Sh.I.
23 19	II. Oc.R.	11 22	I. Ec.D.	23 39	III. Tr.E.	13 37	I. Tr.I.
		14 23	III. Sh.E.			14 35	I. Sh.E.
7 6 52	III. Sh.I.	14 56	I. Oc.R.	**22** 10 25	I. Sh.I.	15 54	I. Tr.E.
9 28	I. Ec.D.	15 55	III. Tr.I.	11 42	I. Tr.I.	20 58	II. Sh.I.
10 23	III. Sh.E.	19 30	III. Tr.E.	12 41	I. Sh.E.	23 36	II. Tr.I.
11 42	III. Tr.I.			13 59	I. Tr.E.	23 47	II. Sh.E.
12 59	I. Oc.R.	**15** 8 32	I. Sh.I.	18 22	II. Sh.I.		
15 17	III. Tr.E.	9 46	I. Tr.I.	20 58	II. Tr.I.	**30** 2 27	II. Tr.E.
		10 48	I. Sh.E.	21 11	II. Sh.E.	9 38	I. Ec.D.
8 6 38	I. Sh.I.	12 03	I. Tr.E.	23 49	II. Tr.E.	13 16	I. Oc.R.
7 50	I. Tr.I.	15 46	II. Sh.I.				
8 54	I. Sh.E.	18 18	II. Tr.I.	**23** 7 44	I. Ec.D.		
10 06	I. Tr.E.	18 35	II. Sh.E.				

I. Apr. 16	II. Apr. 13	III. Apr. 18	IV. Apr. 9
$x_1 = -2.0$, $y_1 = 0.0$	$x_1 = -2.6$, $y_1 = -0.1$	$x_1 = -3.7$, $y_1 = -0.1$	$x_1 = -5.5$, $y_1 = -0.2$
		$x_2 = -1.8$, $y_2 = -0.1$	$x_2 = -3.7$, $y_2 = -0.2$

NOTE.—I. denotes ingress; E., egress; D., disappearance; R., reappearance; Ec., eclipse; Oc., occultation; Tr., transit of the satellite; Sh., transit of the shadow.

CONFIGURATIONS OF SATELLITES I-IV FOR APRIL
UNIVERSAL TIME

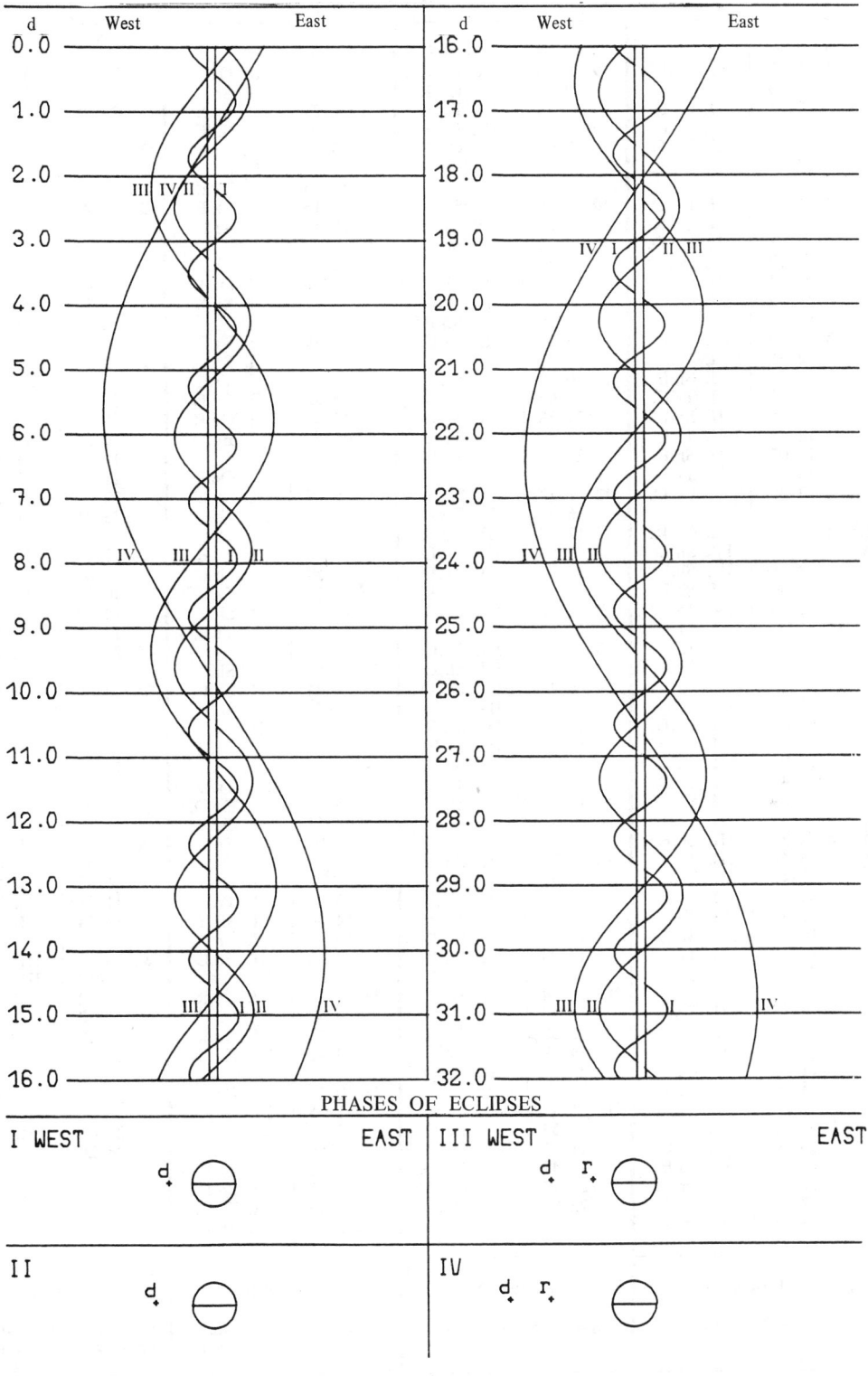

PHASES OF ECLIPSES

SATELLITES OF JUPITER, 1985

UNIVERSAL TIME OF GEOCENTRIC PHENOMENA

MAY

d	h m		d	h m		d	h m		d	h m	
1	6 47	I. Sh.I.	9	6 00	I. Ec.D.	17	1 42	III. Oc.R.	24	20 34	II. Tr.I.
	8 06	I. Tr.I.		9 38	I. Oc.R.		5 03	I. Sh.I.		20 51	II. Sh.E.
	9 03	I. Sh.E.		12 43	III. Ec.D.		6 21	I. Tr.I.		23 25	II. Tr.E.
	10 22	I. Tr.E.		16 18	III. Ec.R.		7 19	I. Sh.E.			
	15 05	II. Ec.D.		18 07	III. Oc.D.		8 37	I. Tr.E.	25	4 16	I. Ec.D.
	20 37	II. Oc.R.		21 46	III. Oc.R.		15 26	II. Sh.I.		7 51	I. Oc.R.
							18 03	II. Tr.I.			
2	4 06	I. Ec.D.	10	3 09	I. Sh.I.		18 16	II. Sh.E.	26	1 25	I. Sh.I.
	7 45	I. Oc.R.		4 28	I. Tr.I.		20 54	II. Tr.E.		2 40	I. Tr.I.
	8 43	III. Ec.D.		5 25	I. Sh.E.					3 41	I. Sh.E.
	12 18	III. Ec.R.		6 45	I. Tr.E.	18	2 22	I. Ec.D.		4 57	I. Tr.E.
	14 07	III. Oc.D.		12 51	II. Sh.I.		5 59	I. Oc.R.		12 07	II. Ec.D.
	17 45	III. Oc.R.		15 30	II. Tr.I.		23 31	I. Sh.I.		17 34	II. Oc.R.
				15 40	II. Sh.E.					22 44	I. Ec.D.
3	1 16	I. Sh.I.		18 21	II. Tr.E.	19	0 49	I. Tr.I.			
	2 34	I. Tr.I.					1 47	I. Sh.E.	27	2 18	I. Oc.R.
	3 32	I. Sh.E.	11	0 28	I. Ec.D.		3 05	I. Tr.E.		10 45	III. Sh.I.
	4 51	I. Tr.E.		4 07	I. Oc.R.		9 32	II. Ec.D.		14 19	III. Sh.E.
	10 16	II. Sh.I.		21 38	I. Sh.I.		15 03	II. Oc.R.		15 51	III. Tr.I.
	12 55	II. Tr.I.		22 56	I. Tr.I.		20 50	I. Ec.D.		19 27	III. Tr.E.
	13 05	II. Sh.E.		23 54	I. Sh.E.					19 53	I. Sh.I.
	15 46	II. Tr.E.				20	0 27	I. Oc.R.		21 08	I. Tr.I.
	22 35	I. Ec.D.	12	1 13	I. Tr.E.		6 47	III. Sh.I.		22 09	I. Sh.E.
				6 57	II. Ec.D.		10 20	III. Sh.E.		23 25	I. Tr.E.
4	2 13	I. Oc.R.		12 30	II. Oc.R.		12 02	III. Tr.I.			
	7 47	IV. Sh.I.		17 59	IV. Ec.D.		15 38	III. Tr.E.	28	7 19	II. Sh.I.
	12 21	IV. Sh.E.		18 57	I. Ec.D.		17 59	I. Sh.I.		9 48	II. Tr.I.
	19 44	I. Sh.I.		22 35	I. Oc.R.		19 17	I. Tr.I.		10 08	II. Sh.E.
	20 29	IV. Tr.I.		22 37	IV. Ec.R.		20 16	I. Sh.E.		12 39	II. Tr.E.
	21 03	I. Tr.I.					21 33	I. Tr.E.		17 12	I. Ec.D.
	22 00	I. Sh.E.	13	2 48	III. Sh.I.					20 46	I. Oc.R.
	23 19	I. Tr.E.		6 20	III. Sh.E.	21	1 53	IV. Sh.I.			
				6 24	IV. Oc.D.		4 44	II. Sh.I.	29	12 03	IV. Ec.D.
5	1 17	IV. Tr.E.		8 09	III. Tr.I.		6 31	IV. Sh.E.		14 21	I. Sh.I.
	4 22	II. Ec.D.		11 12	IV. Oc.R.		7 19	II. Tr.I.		15 35	I. Tr.I.
	9 55	II. Oc.R.		11 45	III. Tr.E.		7 33	II. Sh.E.		16 38	I. Sh.E.
	17 03	I. Ec.D.		16 06	I. Sh.I.		10 10	II. Tr.E.		16 43	IV. Ec.R.
	20 42	I. Oc.R.		17 24	I. Tr.I.		14 18	IV. Tr.I.		17 52	I. Tr.E.
	22 49	III. Sh.I.		18 22	I. Sh.E.		15 19	I. Ec.D.		23 42	IV. Oc.D.
				19 41	I. Tr.E.		18 55	I. Oc.R.			
6	2 21	III. Sh.E.					19 06	IV. Tr.E.	30	1 25	II. Ec.D.
	4 11	III. Tr.I.	14	2 09	II. Sh.I.					4 31	IV. Oc.R.
	7 47	III. Tr.E.		4 47	II. Tr.I.	22	12 28	I. Sh.I.		6 49	II. Oc.R.
	14 12	I. Sh.I.		4 58	II. Sh.E.		13 45	I. Tr.I.		11 41	I. Ec.D.
	15 31	I. Tr.I.		7 38	II. Tr.E.		14 44	I. Sh.E.		15 14	I. Oc.R.
	16 28	I. Sh.E.		13 25	I. Ec.D.		16 01	I. Tr.E.			
	17 48	I. Tr.E.		17 03	I. Oc.R.		22 49	II. Ec.D.	31	0 41	III. Ec.D.
	23 33	II. Sh.I.								4 17	III. Ec.R.
			15	10 34	I. Sh.I.	23	4 19	II. Oc.R.		5 42	III. Oc.D.
7	2 13	II. Tr.I.		11 53	I. Tr.I.		9 47	I. Ec.D.		8 50	I. Sh.I.
	2 22	II. Sh.E.		12 50	I. Sh.E.		13 23	I. Oc.R.		9 20	III. Oc.R.
	5 04	II. Tr.E.		14 09	I. Tr.E.		20 42	III. Ec.D.		10 03	I. Tr.I.
	11 32	I. Ec.D.		20 14	II. Ec.D.					11 06	I. Sh.E.
	15 10	I. Oc.R.				24	0 17	III. Ec.R.		12 20	I. Tr.E.
			16	1 47	II. Oc.R.		1 55	III. Oc.D.		20 36	II. Sh.I.
8	8 41	I. Sh.I.		7 54	I. Ec.D.		5 34	III. Oc.R.		23 03	II. Tr.I.
	10 00	I. Tr.I.		11 31	I. Oc.R.		6 56	I. Sh.I.		23 26	II. Sh.E.
	10 57	I. Sh.E.		16 42	III. Ec.D.		8 12	I. Tr.I.			
	12 16	I. Tr.E.		20 17	III. Ec.R.		9 13	I. Sh.E.			
	17 40	II. Ec.D.		22 03	III. Oc.D.		10 29	I. Tr.E.			
	23 13	II. Oc.R.					18 01	II. Sh.I.			

I. May 16	II. May 15	III. May 16	IV. May 12
$x_1 = -2.1$, $y_1 = 0.0$	$x_1 = -2.8$, $y_1 = -0.1$	$x_1 = -3.8$, $y_1 = -0.1$	$x_1 = -6.0$, $y_1 = -0.1$
		$x_2 = -1.9$, $y_2 = -0.1$	$x_2 = -4.1$, $y_2 = -0.1$

NOTE.—I. denotes ingress; E., egress; D., disappearance; R., reappearance; Ec., eclipse; Oc., occultation; Tr., transit of the satellite; Sh., transit of the shadow.

CONFIGURATIONS OF SATELLITES I-IV FOR MAY

UNIVERSAL TIME

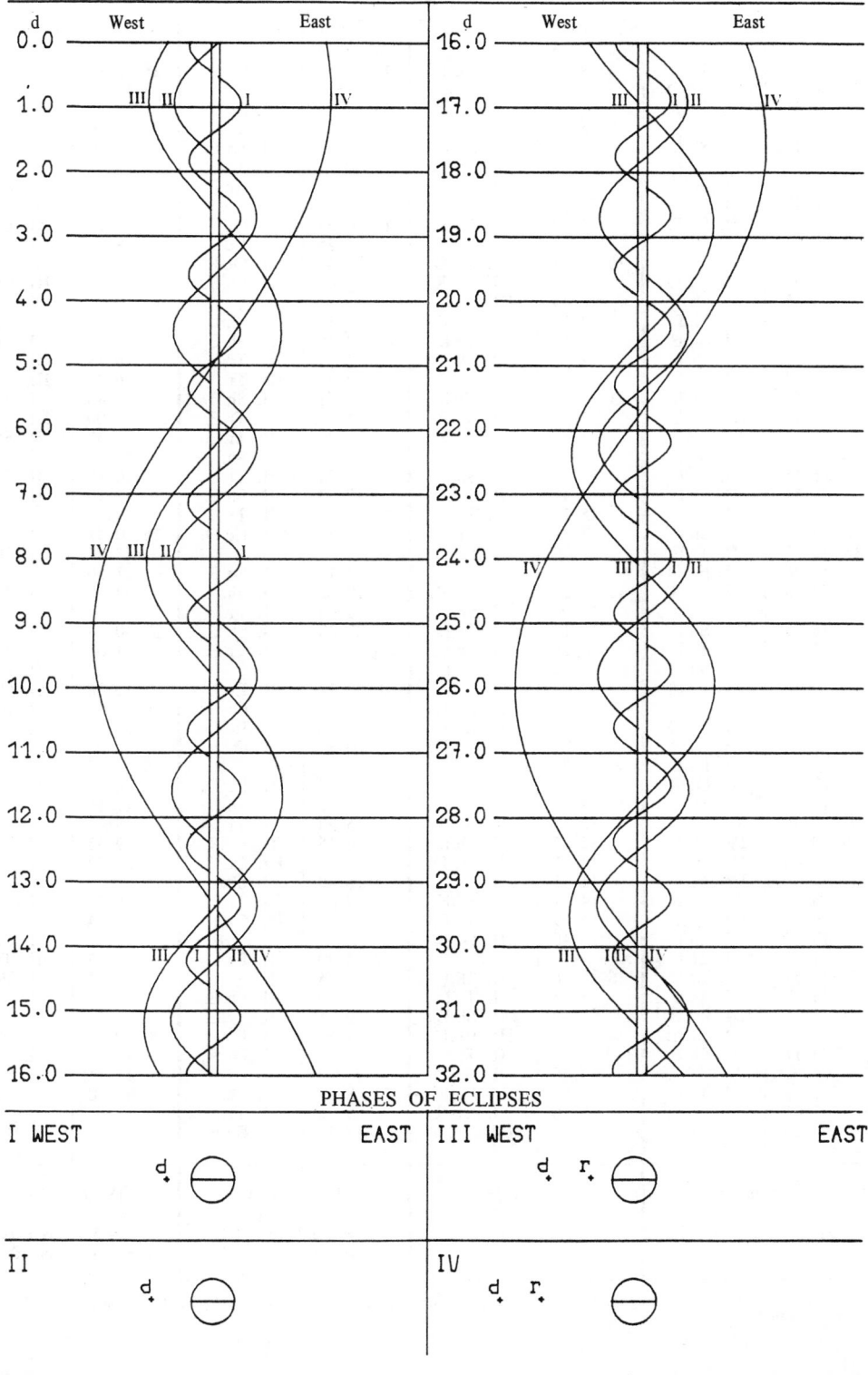

PHASES OF ECLIPSES

UNIVERSAL TIME OF GEOCENTRIC PHENOMENA

JUNE

d	h	m			d	h	m			d	h	m			d	h	m		
1	1	53	II.	Tr.E.	8	8	03	I.	Ec.D.	15	20	52	IV.	Oc.R.	23	12	13	I.	Tr.E.
	6	09	I.	Ec.D		.11	30	I.	Oc.R.							14	04	IV.	Sh.I.
	9	41	I.	Oc.R.						16	7	05	I.	Sh.I.		18	49	IV.	Sh.E.
					9	5	12	I.	Sh.I.		8	08	I.	Tr.I.		22	29	II.	Ec.D.
2	3	18	I.	Sh.I.		6	20	I.	Tr.I.		9	23	I.	Sh.E.		23	00	IV.	Tr.I.
	4	31	I.	Tr.I.		7	29	I.	Sh.E.		10	26	I.	Tr.E.	24	3	17	II.	Oc.R.
	5	35	I.	Sh.E.		8	37	I.	Tr.E.		19	53	II.	Ec.D.		3	49	IV.	Tr.E.
	6	47	I.	Tr.E.		17	18	II.	Ec.D.	17	0	54	II.	Oc.R.		6	19	I.	Ec.D.
	14	42	II.	Ec.D.		22	30	II.	Oc.R.		4	25	I.	Ec.D.		9	32	I.	Oc.R.
	20	03	II.	Oc.R.	10	2	31	I.	Ec.D.		7	45	I.	Oc.R.	25	2	43	III.	Sh.I.
3	0	38	I.	Ec.D.		5	57	I.	Oc.R.		22	44	III.	Sh.I.		3	28	I.	Sh.I.
	4	08	I.	Oc.R.		18	44	III.	Sh.I.	18	1	34	I.	Sh.I.		4	22	I.	Tr.I.
	14	45	III.	Sh.I.		22	18	III.	Sh.E.		2	19	III.	Sh.E.		5	45	I.	Sh.E.
	18	19	III.	Sh.E.		23	16	III.	Tr.I.		2	35	I.	Tr.I.		6	18	III.	Sh.E.
	19	36	III.	Tr.I.		23	40	I.	Sh.I.		2	52	III.	Tr.I.		6	23	III.	Tr.I.
	21	47	I.	Sh.I.	11	0	47	I.	Tr.I.		3	51	I.	Sh.E.		6	40	I.	Tr.E.
	22	58	I.	Tr.I.		1	57	I.	Sh.E.		4	53	I.	Tr.E.		10	00	III.	Tr.E.
	23	13	III.	Tr.E.		2	53	III.	Tr.E.		6	29	III.	Tr.E.		17	37	II.	Sh.I.
4	0	03	I.	Sh.E.		3	04	I.	Tr.E.		15	03	II.	Sh.I.		19	24	II.	Tr.I.
	1	15	I.	Tr.E.		12	28	II.	Sh.I.		17	04	II.	Tr.I.		20	28	II.	Sh.E.
	9	54	II.	Sh.I.		14	41	II.	Tr.I.		17	53	II.	Sh.E.		22	15	II.	Tr.E.
	12	16	II.	Tr.I.		15	18	II.	Sh.E.		19	55	II.	Tr.E.	26	0	47	I.	Ec.D.
	12	43	II.	Sh.E.		17	32	II.	Tr.E.		22	54	I.	Ec.D.		3	59	I.	Oc.R.
	15	07	II.	Tr.E.		21	00	I.	Ec.D.	19	2	12	I.	Oc.R.		21	56	I.	Sh.I.
	19	06	I.	Ec.D.	12	0	25	I.	Oc.R.		20	02	I.	Sh.I.		22	49	I.	Tr.I.
	22	36	I.	Oc.R.		18	09	I.	Sh.I.		21	02	I.	Tr.I.	27	0	14	I.	Sh.E.
5	16	15	I.	Sh.I.		19	14	I.	Tr.I.		22	20	I.	Sh.E.		1	06	I.	Tr.E.
	17	25	I.	Tr.I.		20	26	I.	Sh.E.		23	19	I.	Tr.E.		11	48	II.	Ec.D.
	18	32	I.	Sh.E.		21	31	I.	Tr.E.	20	9	12	II.	Ec.D.		16	28	II.	Oc.R.
	19	42	I.	Tr.E.	13	6	36	II.	Ec.D.		14	06	II.	Oc.R.		19	16	I.	Ec.D.
6	4	00	II.	Ec.D.		11	43	II.	Oc.R.		17	22	I.	Ec.D.		22	25	I.	Oc.R.
	9	17	II.	Oc.R.		15	28	I.	Ec.D.		20	39	I.	Oc.R.	28	16	25	I.	Sh.I.
	13	35	I.	Ec.D.		18	51	I.	Oc.R.	21	12	38	III.	Ec.D.		16	37	III.	Ec.D.
	17	03	I.	Oc.R.	14	8	38	III.	Ec.D.		14	31	I.	Sh.I.		17	15	I.	Tr.I.
	19	58	IV.	Sh.I.		12	15	III.	Ec.R.		15	29	I.	Tr.I.		18	42	I.	Sh.E.
7	0	40	IV.	Sh.E.		12	37	I.	Sh.I.		16	15	III.	Ec.R.		19	33	I.	Tr.E.
	4	40	III.	Ec.D.		13	01	III.	Oc.D.		16	34	III.	Oc.D.		23	42	III.	Oc.R.
	7	08	IV.	Tr.I.		13	41	I.	Tr.I.		16	48	I.	Sh.E.	29	6	55	II.	Sh.I.
	8	16	III.	Ec.R.		14	54	I.	Sh.E.		17	46	I.	Tr.E.		8	34	II.	Tr.I.
	9	23	III.	Oc.D.		15	59	I.	Tr.E.		20	13	III.	Oc.R.		9	45	II.	Sh.E.
	10	43	I.	Sh.I.		16	40	III.	Oc.R.	22	4	20	II.	Sh.I.		11	25	II.	Tr.E.
	11	53	I.	Tr.I.	15	1	46	II.	Sh.I.		6	14	II.	Tr.I.		13	44	I.	Ec.D.
	11	57	IV.	Tr.E.		3	53	II.	Tr.I.		7	10	II.	Sh.E.		16	52	I.	Oc.R.
	13	00	I.	Sh.E.		4	36	II.	Sh.E.		9	05	II.	Tr.E.	30	10	53	I.	Sh.I.
	13	02	III.	Oc.R.		6	08	IV.	Ec.D.		11	50	I.	Ec.D.		11	42	I.	Tr.I.
	14	10	I.	Tr.E.		6	44	II.	Tr.E.		15	06	I.	Oc.R.		13	11	I.	Sh.E.
	23	11	II.	Sh.I.		9	57	I.	Ec.D.	23	8	59	I.	Sh.I.		14	00	I.	Tr.E.
8	1	29	II.	Tr.I.		10	51	IV.	Ec.R.		9	56	I.	Tr.I.					
	2	01	II.	Sh.E.		13	18	I.	Oc.R.		11	17	I.	Sh.E.					
	4	20	II.	Tr.E.		16	04	IV.	Oc.D.											

I. June 15	II. June 16	III. June 14	IV. June 15
$x_1 = -1.9,\quad y_1 = 0.0$	$x_1 = -2.4,\quad y_1 = 0.0$	$x_1 = -3.3,\quad y_1 = 0.0$ $x_2 = -1.4,\quad y_2 = 0.0$	$x_1 = -5.0,\quad y_1 = 0.0$ $x_2 = -3.1,\quad y_2 = 0.0$

NOTE.—I. denotes ingress; E., egress; D., disappearance; R., reappearance; Ec., eclipse; Oc., occultation; Tr., transit of the satellite; Sh., transit of the shadow.

CONFIGURATIONS OF SATELLITES I-IV FOR JUNE

UNIVERSAL TIME

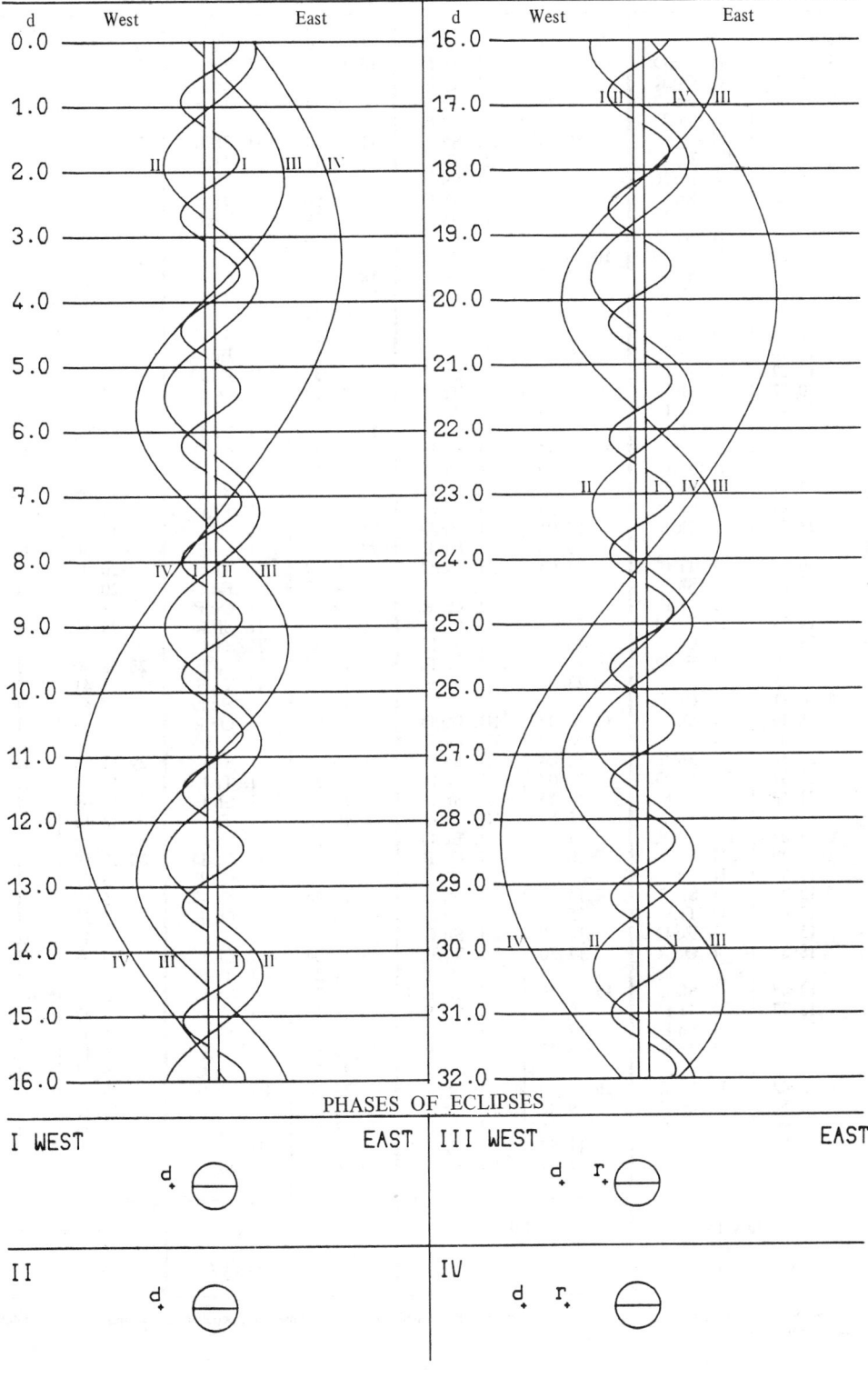

PHASES OF ECLIPSES

SATELLITES OF JUPITER, 1985

UNIVERSAL TIME OF GEOCENTRIC PHENOMENA

JULY

d	h m		d	h m		d	h m		d	h m	
1	1 05	II. Ec.D.	9	7 16	I. Sh.I.	16	16 34	III. Tr.I.	24	7 20	II. Tr.E.
	5 37	II. Oc.R.		7 54	I. Tr.I.		18 18	III. Sh.E.		8 23	I. Ec.D.
	8 13	I. Ec.D.		9 34	I. Sh.E.		20 11	III. Tr.E.		10 57	I. Oc.R.
	11 18	I. Oc.R.		10 12	I. Tr.E.	17	1 21	II. Sh.I.	25	5 33	I. Sh.I.
				10 41	III. Sh.I.		2 15	II. Tr.I.		5 49	I. Tr.I.
2	0 12	IV. Ec.D.		13 13	III. Tr.I.		4 12	II. Sh.E.		7 51	I. Sh.E.
	4 58	IV. Ec.R.		14 18	III. Sh.E.		5 06	II. Tr.E.		8 07	I. Tr.E.
	5 22	I. Sh.I.		16 51	III. Tr.E.		6 29	I. Ec.D.		22 14	II. Ec.D.
	6 08	I. Tr.I.		22 46	II. Sh.I.		9 14	I. Oc.R.			
	6 42	III. Sh.I.	10	0 00	II. Tr.I.				26	1 38	II. Oc.R.
	7 29	IV. Oc.D.		1 37	II. Sh.E.	18	3 39	I. Sh.I.		2 51	I. Ec.D.
	7 39	I. Sh.E.		2 51	II. Tr.E.		4 04	I. Tr.I.		5 23	I. Oc.R.
	8 26	I. Tr.E.		4 35	I. Ec.D.		5 57	I. Sh.E.			
	9 50	III. Tr.I.		7 29	I. Oc.R.		6 23	I. Tr.E.	27	0 02	I. Sh.I.
	10 18	III. Sh.E.		8 12	IV. Sh.I.		18 18	IV. Ec.D.		0 15	I. Tr.I.
	12 18	IV. Oc.R.		12 59	IV. Sh.E.		19 37	II. Ec.D.		2 20	IV. Sh.I.
	13 27	III. Tr.E.		13 59	IV. Tr.I.		23 22	II. Oc.R.		2 20	I. Sh.E.
	20 12	II. Sh.I.		18 49	IV. Tr.E.					2 33	I. Tr.E.
	21 43	II. Tr.I.	11	1 44	I. Sh.I.	19	0 57	I. Ec.D.		4 20	IV. Tr.I.
	23 03	II. Sh.E.		2 20	I. Tr.I.		2 57	IV. Oc.R.		7 10	IV. Sh.E.
				4 02	I. Sh.E.		3 39	I. Oc.R.		8 36	III. Ec.D.
3	0 34	II. Tr.E.		4 38	I. Tr.E.		22 07	I. Sh.I.		9 09	IV. Tr.E.
	2 41	I. Ec.D.		17 01	II. Ec.D.		22 31	I. Tr.I.		13 04	III. Oc.R.
	5 44	I. Oc.R.		21 06	II. Oc.R.	20	0 25	I. Sh.E.		17 13	II. Sh.I.
	23 50	I. Sh.I.		23 03	I. Ec.D.		0 49	I. Tr.E.		17 36	II. Tr.I.
			12	1 55	I. Oc.R.		4 37	III. Ec.D.		20 04	II. Sh.E.
4	0 35	I. Tr.I.		20 13	I. Sh.I.		9 47	III. Oc.R.		20 27	II. Tr.E.
	2 08	I. Sh.E.		20 46	I. Tr.I.		14 38	II. Sh.I.		21 20	I. Ec.D.
	2 53	I. Tr.E.		22 31	I. Sh.E.		15 22	II. Tr.I.		23 49	I. Oc.R.
	14 24	II. Ec.D.		23 04	I. Tr.E.		17 29	II. Sh.E.			
	18 47	II. Oc.R.	13	0 37	III. Ec.D.		18 13	II. Tr.E.	28	18 30	I. Sh.I.
	21 10	I. Ec.D.		6 29	III. Oc.R.		19 26	I. Ec.D.		18 41	I. Tr.I.
5	0 11	I. Oc.R.		12 04	II. Sh.I.		22 05	I. Oc.R.		20 49	I. Sh.E.
	18 19	I. Sh.I.		13 07	II. Tr.I.	21	16 36	I. Sh.I.		20 59	I. Tr.E.
	19 01	I. Tr.I.		14 55	II. Sh.E.		16 57	I. Tr.I.	29	11 33	II. Ec.D.
	20 36	I. Sh.E.		15 59	II. Tr.E.		18 54	I. Sh.E.		14 45	II. Oc.R.
	20 37	III. Ec.D.		17 32	I. Ec.D.		19 15	I. Tr.E.		15 49	I. Ec.D.
	21 19	I. Tr.E.		20 21	I. Oc.R.	22	8 55	II. Ec.D.		18 15	I. Oc.R.
6	3 07	III. Oc.R.	14	14 41	I. Sh.I.		12 30	II. Oc.R.	30	12 59	I. Sh.I.
	9 29	II. Sh.I.		15 12	I. Tr.I.		13 54	I. Ec.D.		13 07	I. Tr.I.
	10 51	II. Tr.I.		16 59	I. Sh.E.		16 31	I. Oc.R.		15 17	I. Sh.E.
	12 20	II. Sh.E.		17 30	I. Tr.E.	23	11 04	I. Sh.I.		15 25	I. Tr.E.
	13 43	II. Tr.E.	15	6 19	II. Ec.D.		11 23	I. Tr.I.		22 41	III. Sh.I.
	15 38	I. Ec.D.		10 14	II. Oc.R.		13 23	I. Sh.E.		23 09	III. Tr.I.
	18 37	I. Oc.R.		12 00	I. Ec.D.		13 41	I. Tr.E.	31	2 19	III. Sh.E.
7	12 47	I. Sh.I.		14 47	I. Oc.R.		18 41	III. Sh.I.		2 47	III. Tr.E.
	13 27	I. Tr.I.	16	9 10	I. Sh.I.		19 52	III. Tr.I.		6 30	II. Sh.I.
	15 05	I. Sh.E.		9 38	I. Tr.I.		22 19	III. Sh.E.		6 43	II. Tr.I.
	15 45	I. Tr.E.		11 28	I. Sh.E.		23 30	III. Tr.E.		9 21	II. Sh.E.
8	3 42	II. Ec.D.		11 57	I. Tr.E.	24	3 55	II. Sh.I.		9 34	II. Tr.E.
	7 56	II. Oc.R.		14 41	III. Sh.I.		4 29	II. Tr.I.		10 17	I. Ec.D.
	10 06	I. Ec.D.					6 47	II. Sh.E.		12 41	I. Oc.R.
	13 03	I. Oc.R.									

I. July 15	II. July 15	III. July 13	IV. July 18
$x_1 = -1.4$, $y_1 = 0.0$	$x_1 = -1.7$, $y_1 = 0.0$	$x_1 = -2.2$, $y_1 = 0.0$	$x_1 = -2.5$, $y_1 = 0.0$

NOTE.—I. denotes ingress; E., egress; D., disappearance; R., reappearance; Ec., eclipse; Oc., occultation; Tr., transit of the satellite; Sh., transit of the shadow.

CONFIGURATIONS OF SATELLITES I-IV FOR JULY

UNIVERSAL TIME

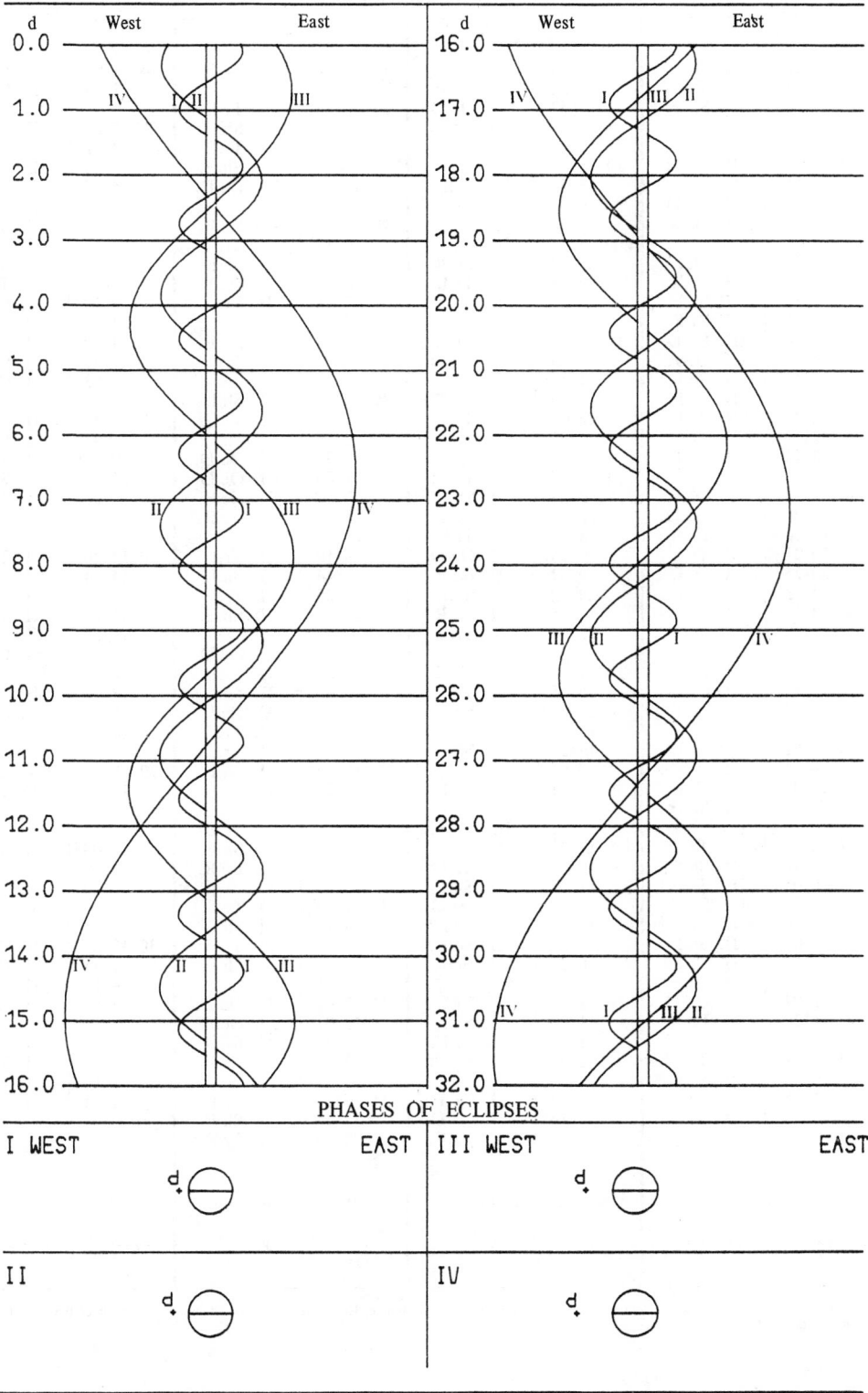

PHASES OF ECLIPSES

SATELLITES OF JUPITER, 1985

UNIVERSAL TIME OF GEOCENTRIC PHENOMENA

AUGUST

d	h m		d	h m		d	h m		d	h m	
1	7 28	I. Sh.I.	9	3 14	II. Oc.D.	16	10 52	I. Ec.R.	24	10 00	1. Sh.E.
	7 33	I. Tr.I.		6 24	II. Ec.R					22 33	III. Oc.D.
	9 46	I. Sh.E		6 33	I. Oc.D.	17	5 27	I. Tr.I.			
	9 51	I. Tr.E.		8 58	I. Ec.R.		5 46	I. Sh.I.	25	2 32	II. Tr.I.
							7 45.	I. Tr.E.		3 32	· II. Sh.I.
2	0 52	II. Ec.D.	10	3 43	I. Tr.I.		8 05	I. Sh.E.		4 16	III. Ec.R.
	3 54	II. Oc.R.		3 51	I. Sh.I.		19 15	III. Oc.D.		4 27	I. Oc.D.
	4 46	I. Ec.D.		6 01	I. Tr.E.					5 22	II. Tr.E.
	7 07	I. Oc.R.		6 10	I. Sh.E.	18	0 15	III. Ec.R.		6 23	II. Sh.E.
				15 57	III. Oc.D.		0 17	II. Tr.I.		7 15	I. Ec.R.
3	1 56	I. Sh.I.		20 14	III. Ec.R.		0 57	II. Sh.I.			
	1 59	I. Tr.I.		22 03	II. Tr.I.		2 42	I. Oc.D.	26	1 38	I. Tr.I.
	4 15	I. Sh.E.		22 22	II. Sh.I.		3 08	II. Tr.E.		2 10	I. Sh.I.
	4 17	I. Tr.E.					3 48	II. Sh.E.		3 56	I. Tr.E.
	12 36	III. Ec.D.	11	0 54	II. Tr.E.		5 21	I. Ec.R.		4 29	I. Sh.E.
	16 20	III. Oc.R.		0 59	I. Oc.D.		23 53	I. Tr.I.		20 55	II. Oc.D.
	19 47	II. Sh.I		1 14	II. Sh.E.					22 53	I. Oc.D.
	19 49	II. Tr.I.		3 26	I. Ec.R.	19	0 15	I. Sh.I.			
	22 39	II. Sh.E.		22 09	I. Tr.I.		2 11	I. Tr.E.	27	0 58	II. Ec.R.
	22 40	II. Tr.E.		22 20	I. Sh.I.		2 34	I. Sh.E.		1 44	I. Ec.R.
	23 14	I. Ec.D.					18 38	II. Oc.D.		20 05	I. Tr.I.
			12	0 27	I. Tr.E.		21 09	I. Oc.D.		20 39	I. Sh.I.
4	1 32	I. Oc.R.		0 38	I. Sh.E.		22 20	II. Ec.R.		22 23	I. Tr.E.
	12 24	IV. Oc.D.		16 22	II. Oc.D.		23 49	I. Ec.R.		22 58	I. Sh.E.
	17 14	IV. Ec.R.		18 27	IV. Tr.I.						
	20 25	I. Tr.I.		19 25	I. Oc.D.	20	18 19	I. Tr.I.	28	12 20	III. Tr.I.
	20 25	I. Sh.I.		19 42	II. Ec.R.		18 44	I. Sh.I.		14 44	III. Sh.I.
	22 43	I. Tr.E.		20 29	IV. Sh.I.		20 38	I. Tr.E		15 40	II. Tr.I.
	22 44	I. Sh.E.		21 55	I. Ec.R.		21 02	I. Sh.E.		15 58	III. Tr.E.
				23 17	IV. Tr.E.					16 50	II. Sh.I.
5	14 06	II. Oc.D.				21	2 39	IV. Oc.D.		17 19	I. Oc.D.
	17 04	II. Ec.R.	13	1 21	IV. Sh.E.		9 00	III. Tr.I.		18 22	III. Sh.E.
	17 41	I. Oc.D.		16 35	I. Tr.I.		10 43	III. Sh.I.		18 30	II. Tr.E.
	20 00	I. Ec.R.		16 49	I. Sh.I.		11 23	IV. Ec.R.		19 41	II. Sh.E.
				18 53	I. Tr.E.		12 37	III. Tr.E.		20 12	I. Ec.R.
6	14 51	I. Tr.I.		19 07	I. Sh.E.		13 24	II. Tr.I.			
	14 54	I. Sh.I.					14 15	II. Sh.I.	29	8 51	IV. Tr.I.
	17 09	I. Tr.E.	14	5 42	III. Tr.I.		14 21	III. Sh.E.		13 39	IV. Tr.E.
	17 12	I. Sh.E.		6 43	III. Sh.I.		15 35	I. Oc.D.		14 31	I. Tr.I.
				9 20	III. Tr.E.		16 15	II. Tr.E.		14 41	IV. Sh.I.
7	2 25	III. Tr.I.		10 21	III. Sh.E.		17 06	II. Sh.E.		15 08	I. Sh.I.
	2 42	III. Sh.I.		11 10	II. Tr.I.		18 18	I. Ec.R.		16 49	I. Tr.E.
	6 03	III. Tr.E		11 40	II. Sh.I					17 26	I. Sh.E.
	6 20	III. Sh.E.		13 50	I. Oc.D.	22	12 46	I. Tr.I.		19 32	IV. Sh.E.
	8 56	II. Tr.I.		14 01	II. Tr.E.		13 13	I. Sh.I.			
	9 05	II. Sh.I		14 31	II. Sh.E.		15 04	I. Tr.E.	30	10 05	II. Oc.D.
	11 47	II. Tr.E.		16 23	I. Ec.R.		15 31	I. Sh.E.		11 46	I. Oc.D.
	11 56	II. Sh.E.								14 18	II. Ec.R.
	12 07	I. Oc.D.	15	11 01	I. Tr.I.	23	7 47	II. Oc.D.		14 41	I. Ec.R.
	14 29	I. Ec.R.		11 18	I. Sh.I.		10 01	I. Oc.D.			
				13 19	I. Tr.E.		11 40	II. Ec.R.	31	8 58	I. Tr.I.
8	9 17	I. Tr.I.		13 36	I. Sh.E.		12 46	I. Ec.R.		9 37	I. Sh.I.
	9 23	I. Sh.I.								11 16	I. Tr.E.
	11 35	I. Tr.E.	16	5 30	II. Oc.D.	24	7 12	I. Tr.I.		11 55	I. Sh.E.
	11 41	I. Sh.E.		8 16	I. Oc.D		7 42	I. Sh.I			
				9 02	II. Ec.R.		9 30	I. Tr.E.			

I. Aug. 16	II. Aug. 16	III. Aug. 3–18	IV. Aug. 21
$x_2 = 1.2, \quad y_2 = 0.0$	$x_2 = +1.4, \quad y_2 = 0.0$	$x_1 = -1.0, \quad y_1 = 0.0$ $x_2 = +1.7, \quad y_2 = 0.0$	$x_2 = +2.6, \quad y_2 = 0.0$

NOTE.—I, denotes ingress; E., egress; D., disappearance; R., reappearance; Ec., eclipse; Oc., occultation; Tr., transit of the satellite; Sh., transit of the shadow.

CONFIGURATIONS OF SATELLITES I-IV FOR AUGUST
UNIVERSAL TIME

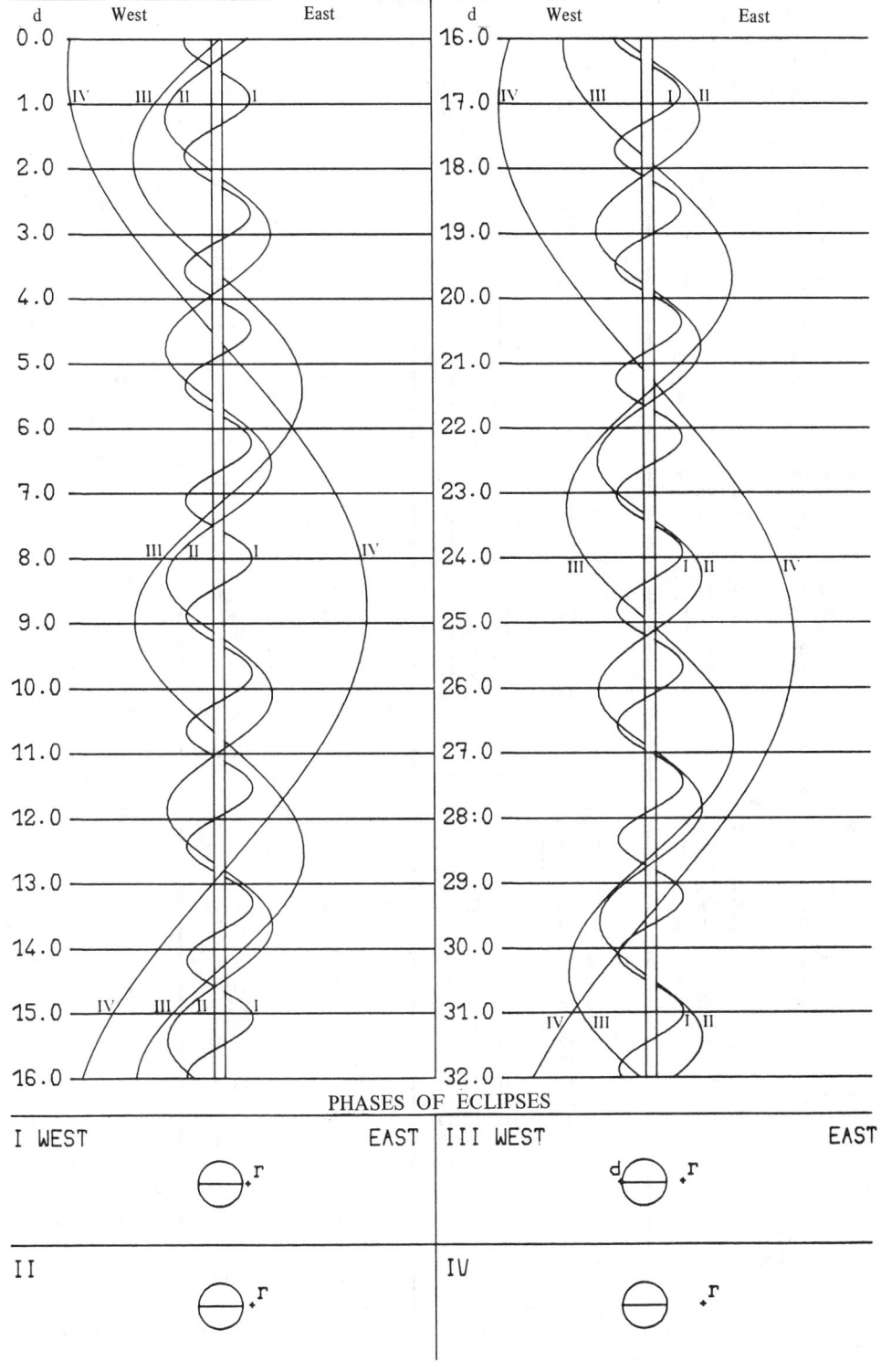

PHASES OF ECLIPSES

SATELLITES OF JUPITER, 1985

UNIVERSAL TIME OF GEOCENTRIC PHENOMENA

SEPTEMBER

d	h	m		d	h	m		d	h	m		d	h	m	
1	1	56	III. Oc.D	8	9	57	II. Tr.E	15	14	08	II. Sh.E.	23	11	06	I. Tr.E.
	4	48	II. Tr.I.		11	05	I. Ec.R.		16	18	III. Ec.R.		12	10	I. Sh.E.
	6	07	II. Sh.I.		11	33	II. Sh.E.	16	6	59	I. Tr.I.		13	39	IV. Oc.R.
	6	12	I. Oc.D.		12	18	III. Ec.R.		7	57	I. Sh.I		18	53	IV. Ec.D.
	7	39	II. Tr.E	9	5	11	I. Tr.I.		9	17	I. Tr.E.		23	43	IV. Ec.R.
	8	17	III. Ec.R.		6	01	I. Sh.I.		10	15	I. Sh.E.	24	6	01	I. Oc.D.
	8	58	II. Sh.E.		7	29	I. Tr.E	17	3	58	II. Oc.D		6	24	II. Oc.D.
	9	10	I. Ec.R.		8	19	I. Sh.E.		4	12	I. Oc.D.		9	23	I. Ec.R.
2	3	24	I. Tr.I.	10	1	35	II. Oc.D		7	28	I. Ec.R		11	32	II. Ec.R.
	4	06	I. Sh.I.		2	25	I. Oc.D.		8	53	II. Ec.R.	25	3	16	I. Tr.I.
	5	42	I. Tr.E.		5	33	I. Ec.R.	18	1	26	I. Tr.I.		4	21	I. Sh.I.
	6	24	I. Sh.E.		6	15	II. Ec.R.		2	26	I. Sh.I.		5	33	I. Tr.E.
	23	14	II. Oc.D		23	38	I. Tr.I.		3	44	I. Tr.E.		6	39	I. Sh.E.
3	0	39	I. Oc.D	11	0	30	I. Sh.I.		4	43	I. Sh.E.	26	0	28	I. Oc.D.
	3	36	II. Ec.R.		1	56	I. Tr.E.		22	37	II. Tr.I.		1	01	II. Tr.I.
	3	38	I. Ec.R.		2	48	I. Sh.E.		22	39	I. Oc.D.		2	21	III. Tr.I.
	21	51	I. Tr.I.		19	12	III. Tr.I.		22	44	III. Tr.I.		3	10	II. Sh.I.
	22	35	I. Sh.I.		20	16	II. Tr.I.	19	0	35	II. Sh.I.		3	50	II. Tr.E.
4	0	09	I. Tr.E.		20	52	I. Oc.D.		1	27	II. Tr.E.		3	52	I. Ec.R.
	0	53	I. Sh.E.		22	00	II. Sh.I.		1	57	I. Ec.R		5	57	III. Tr.E.
	15	44	III. Tr.I.		22	46	III. Sh.I.		2	20	III. Tr.E.		6	01	II. Sh.E.
	17	57	II. Tr.I.		22	49	III. Tr.E		2	47	III. Sh.I.		6	49	III. Sh.I.
	18	44	III. Sh.I.		23	06	II. Tr.E.		3	26	II. Sh.E.		10	27	III. Sh.E.
	19	05	I. Oc.D.	12	0	02	I. Ec.R.		6	25	III. Sh.E.		21	43	I. Tr.I.
	19	21	III. Tr.E.		0	51	II. Sh.E.		19	54	I. Tr.I.		22	50	I. Sh.I.
	19	25	II. Sh.I.		2	24	III. Sh.E.		20	55	I. Sh.I.	27	0	01	I. Tr.E.
	20	47	II. Tr.E.		18	05	I. Tr.I.		22	11	I. Tr.E.		1	08	I. Sh.E.
	22	07	I. Ec.R.		18	59	I. Sh.I.		23	12	I. Sh.E.		18	56	I. Oc.D.
	22	16	II. Sh.E.		20	23	I. Tr.E.	20	17	07	I. Oc.D.		19	38	II. Oc.D.
	22	23	III. Sh.E.		21	17	I. Sh.E		17	11	II. Oc.D.		22	21	I. Ec.R.
5	16	18	I. Tr.I.	13	14	47	II. Oc.D.		20	26	I. Ec.R.	28	0	51	II. Ec.R.
	17	03	I. Sh.I.		15	19	I. Oc.D.		22	13	II. Ec.R.		16	11	I. Tr.I.
	18	35	I. Tr.E.		18	31	I. Ec.R.	21	14	21	I. Tr.I.		17	19	I. Sh.I.
	19	22	I. Sh.E.		19	34	II. Ec.R.		15	24	I. Sh.I.		18	28	I. Tr.E.
6	12	25	II. Oc.D.	14	12	32	I. Tr.I.		16	39	I. Tr.E.		19	37	I. Sh.E.
	13	32	I. Oc.D.		13	28	I. Sh.I.		17	41	I. Sh.E.	29	13	23	I. Oc.D.
	16	36	I. Ec.R.		14	50	I. Tr.E.	22	11	34	I. Oc.D.		14	13	II. Tr.I.
	16	56	II. Ec.R.		15	46	I. Sh.E.		11	49	II. Tr.I.		16	01	III. Oc.D.
	17	21	IV. Oc.D.		23	53	IV. Tr.I.		12	23	III. Oc.D.		16	28	II. Sh.I.
	22	09	IV. Oc.R.	15	4	41	IV. Tr.E.		13	53	II. Sh.1.		16	49	I. Ec.R.
7	0	43	IV. Ec.D.		8	49	III. Oc.D.		14	38	II. Tr.E.		17	03	II. Tr.E.
	5	33	IV. Ec.R.		8	53	IV. Sh.I.		14	54	I. Ec.R.		19	19	II. Sh.E.
	10	41	I. Tr.I.		9	26	II. Tr.I.		16	01	III. Oc.R.		19	39	III. Oc.R.
	11	32	I. Sh.I.		9	45	I. Oc.D.		16	40	III. Ec.D.		20	41	III. Ec.D.
	13	02	I. Tr.E.		11	17	II. Sh.I.		16	43	II. Sh.E.	30	0	20	III. Ec.R.
	13	50	I. Sh.E.		12	16	II. Tr.E.		20	19	III. Ec.R.		10	39	I. Tr.I.
8	5	21	III. Oc.D.		12	28	III. Oc.R.	23	8	48	I. Tr.I.		11	48	I. Sh.I.
	7	06	II. Tr.I.		12	39	III. Ec.D.		8	52	IV. Oc.D.		12	56	I. Tr.E.
	7	58	I. Oc.D.		12	59	I. Ec.R.		9	52	I. Sh.I.		14	06	I. Sh.E.
	8	42	II. Sh.I.		13	44	IV. Sh.E.								

I. Sept. 15	II. Sept. 17	III. Sept. 15	IV. Sept. 7
$x_2 = +1.8,\ y_2 = 0.0$	$x_2 = +2.3,\ y_2 = -0.1$	$x_1 = +1.1,\ y_1 = -0.1$ $x_2 = +3.0,\ y_2 = -0.1$	$x_1 = +2.0,\ y_1 = 0.0$ $x_2 = +4.0,\ y_2 = 0.0$

NOTE.—I, denotes ingress; E., egress; D., disappearance; R., reappearance; Ec., eclipse; Oc., occultation; Tr., transit of the satellite; Sh., transit of the shadow.

CONFIGURATIONS OF SATELLITES I-IV FOR SEPTEMBER
UNIVERSAL TIME

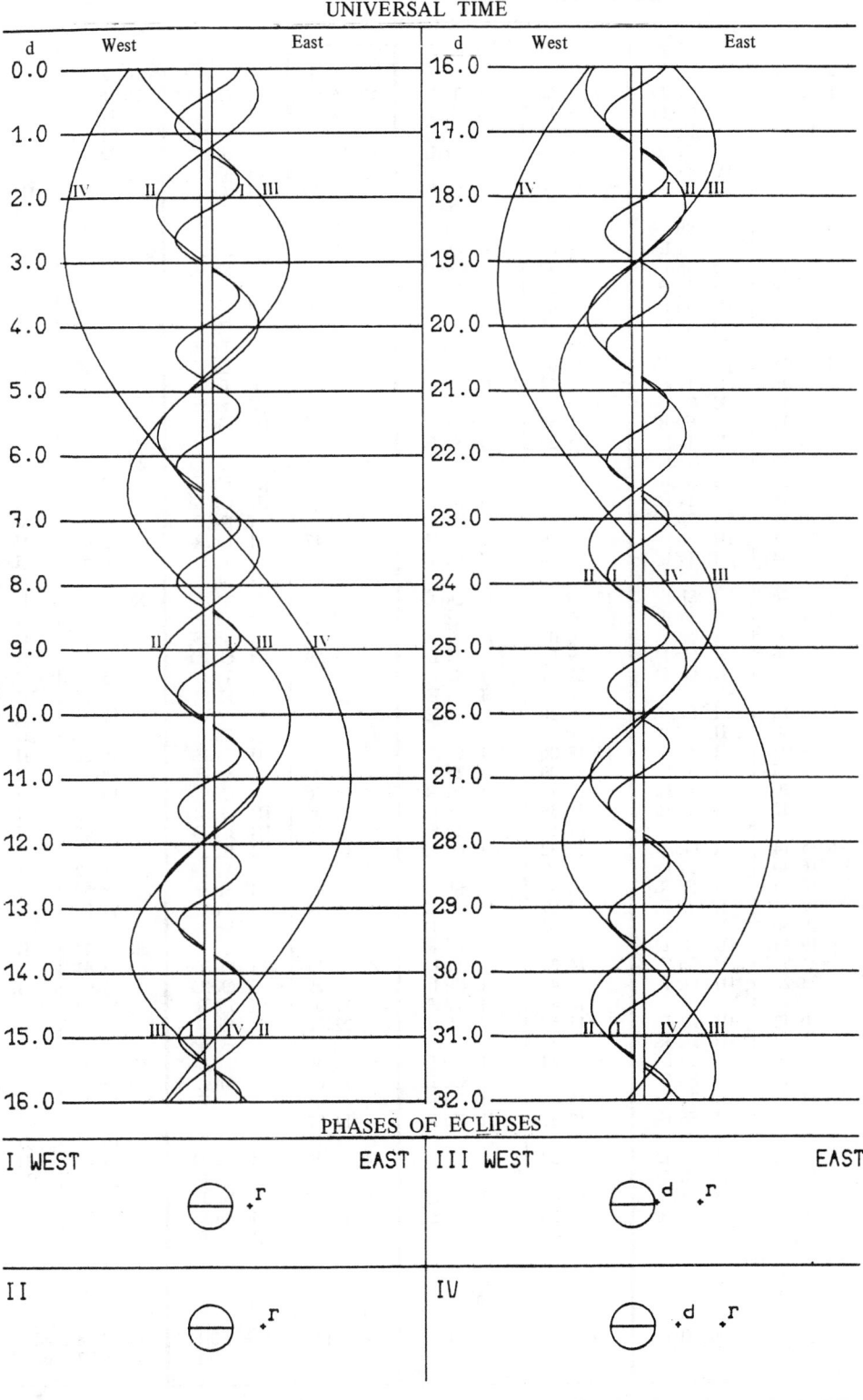

PHASES OF ECLIPSES

SATELLITES OF JUPITER, 1985

UNIVERSAL TIME OF GEOCENTRIC PHENOMENA

OCTOBER

d	h	m		d	h	m		d	h	m		d	h	m	
1	7	51	I. Oc.D.	9	6	58	I. Tr.I.	17	6	02	I. Oc.D.	24	16	24	II. Sh.E.
	8	51	II. Oc.D.		8	13	I. Sh.I.		8	25	II. Tr.I.		17	34	III. Tr.I.
	11	18	I. Ec.R.		9	16	I. Tr.E.		9	37	I. Ec.R.		21	10	III. Tr.E.
	14	10	II. Ec.R.		10	30	I. Sh.E.		10	57	II. Sh.I.		22	55	III. Sh.I.
	15	51	IV. Tr.I.						11	14	II. Tr.E.				
	20	39	IV. Tr.E	10	1	20	IV. Oc.D.		13	39	III. Tr.I.	25	2	32	III. Sh.E.
					4	10	I. Oc.D.		13	48	II. Sh.E.		5	14	I. Tr.I.
2	3	06	IV. Sh.I.		5	54	II. Tr.I.		17	15	III. Tr.E.		6	33	I. Sh.I.
	5	07	I. Tr.I.		6	08	IV. Oc.R.		18	53	III. Sh.I.		7	31	I. Tr.E.
	6	17	I. Sh.I.		7	42	I. Ec.R.		22	30	III. Sh.E.		8	50	I. Sh.E.
	7	24	I. Tr.E.		8	22	II. Sh.I.								
	7	56	IV. Sh.E.		8	44	II. Tr.E.	18	3	20	I. Tr.I.	26	2	25	I. Oc.D.
	8	35	I. Sh.E.		9	48	III. Tr.I.		4	38	I. Sh.I.		5	47	II. Oc.D.
					11	12	II. Sh.E.		5	37	I. Tr.E.		6	01	I. Ec.R.
3	2	18	I. Oc.D.		13	04	IV. Ec.D.		6	55	I. Sh.E.		11	25	II. Ec.R.
	3	26	II. Tr.I.		13	24	III. Tr.E.		8	51	IV. Tr.I.		18	48	IV. Oc.D.
	5	46	II. Sh.I.		14	52	III. Sh.I.		13	39	IV. Tr.E.		23	37	IV. Oc.R.
	5	47	I. Ec.R.		17	54	IV. Ec.R.		21	20	IV. Sh.I.		23	43	I. Tr.I.
	6	02	III. Tr.I.		18	29	III. Sh.E.								
	6	16	II. Tr.E.					19	0	31	I. Oc.D.	27	1	02	I. Sh.I.
	8	36	II. Sh.E.	11	1	27	I. Tr.I.		2	09	IV. Sh.E.		2	00	I. Tr.E.
	9	38	III. Tr.E.		2	42	I. Sh.I.		3	12	II. Oc.D.		3	19	I. Sh.E.
	10	51	III. Sh.I.		3	44	I. Tr.E.		4	06	I. Ec.R.		7	15	IV. Ec.D.
	14	28	III. Sh.E.		4	59	I. Sh.E.		8	47	II. Ec.R.		12	04	IV. Ec.R.
	23	34	I. Tr.I.		22	38	I. Oc.D.		21	48	I. Tr.I.		20	53	I. Oc.D.
								23	07	I. Sh.I.				
4	0	46	I. Sh.I.	12	0	38	II. Oc.D.					28	0	15	II. Tr.I.
	1	52	I. Tr.E.		2	11	I. Ec.R.	20	0	06	I. Tr.E.		0	30	I. Ec.R.
	3	03	I. Sh.E.		6	08	II. Ec.R.		1	24	I. Sh.E.		2	51	II. Sh.I.
	20	46	I. Oc.D.		19	55	I. Tr.I.		18	59	I. Oc.D.		3	05	II. Tr.E.
	22	06	II. Oc.D.		21	11	I. Sh.I.		21	41	II. Tr.I.		5	42	II. Sh.E.
					22	12	I. Tr.E.		22	35	I. Ec.R.		7	23	III. Oc.D.
5	0	16	I. Ec.R.		23	28	I. Sh.E.						11	02	III. Oc.R.
	3	30	II. Ec.R.					21	0	15	II. Sh.I.		12	46	III. Ec.D.
	18	02	I. Tr.I.	13	17	06	I. Oc.D.		0	31	II. Tr.E.		16	26	III. Ec.R.
	19	15	I. Sh.I.		19	09	II. Tr.I.		3	06	II. Sh.E.		18	12	I. Tr.I.
	20	20	I. Tr.E.		20	40	I. Ec.R.		3	26	III. Oc.D.		19	31	I. Sh.I.
	21	32	I. Sh.E.		21	39	II. Sh.I.		7	04	III. Oc.R.		20	29	I. Tr.E.
					21	59	II. Tr.E.		8	45	III. Ec.D.		21	48	I. Sh.E.
6	15	14	I. Oc.D.		23	32	III. Oc.D.		12	25	III. Ec.R.				
	16	40	II. Tr.I.						16	17	I. Tr.I.	29	15	22	I. Oc.D.
	18	45	I. Ec.R.	14	0	30	II. Sh.E.		17	36	I. Sh.I.		18	59	I. Ec.R.
	19	04	II. Sh.I.		3	11	III. Oc.R.		18	34	I. Tr.E.		19	06	II. Oc.D.
	19	30	II. Tr.E.		4	43	III. Ec.D.		19	53	I. Sh.E.				
	19	44	III. Oc.D.		8	23	III. Ec.R.					30	0	44	II. Ec.R.
	21	54	II. Sh.E.		14	23	I. Tr.I.	22	13	27	I. Oc.D.		12	41	I. Tr.I.
	23	23	III. Oc.R.		15	40	I. Sh.I.		16	29	II. Oc.D.		14	00	I. Sh.I.
					16	40	I. Tr.E.		17	04	I. Ec.R.		14	58	I. Tr.E.
7	0	42	III. Ec.D.		17	57	I. Sh.E.		22	06	II. Ec.R.		16	17	I. Sh.E.
	4	22	III. Ec.R.												
	12	30	I. Tr.I.	15	11	34	I. Oc.D.	23	10	46	I. Tr.I.	31	9	51	I. Oc.D.
	13	44	I. Sh.I.		13	54	II. Oc.D.		12	05	I. Sh.I.		13	28	I. Ec.R.
	14	48	I. Tr.E.		15	09	I. Ec.R.		13	03	I. Tr.E.		13	33	II. Tr.I.
	16	01	I. Sh.E.		19	27	II. Ec.R.		14	22	I. Sh.E.		16	09	II. Sh.I.
												16	22	II. Tr.E.
8	9	42	I. Oc.D.	16	8	52	I. Tr.I.	24	7	56	I. Oc.D.		19	00	II. Sh.E.
	11	21	II. Oc.D.		10	09	I. Sh.I.		10	58	II. Tr.I.		21	34	III. Tr.I.
	13	13	I. Ec.R.		11	09	I. Tr.E.		11	33	I. Ec.R.				
	16	49	II. Ec.R.		12	26	I. Sh.E.		13	33	II. Sh.I.				
								13	47	II. Tr.E.				

I. Oct. 15	II. Oct. 15	III. Oct. 14	IV. Oct. 10
$x_2 = +2.0$, $y_2 = 0.0$	$x_2 = +2.8$, $y_2 = -0.1$	$x_1 = +1.8$, $y_1 = -0.1$ $x_2 = +3.7$, $y_2 = -0.1$	$x_1 = +3.8$, $y_1 = -0.1$ $x_2 = +5.7$, $y_2 = -0.1$

NOTE.—I. denotes ingress; E., egress; D., disappearance; R., reappearance; Ec., eclipse; Oc., occultation; Tr., transit of the satellite; Sh., transit of the shadow.

CONFIGURATIONS OF SATELLITES I-IV FOR OCTOBER
UNIVERSAL TIME

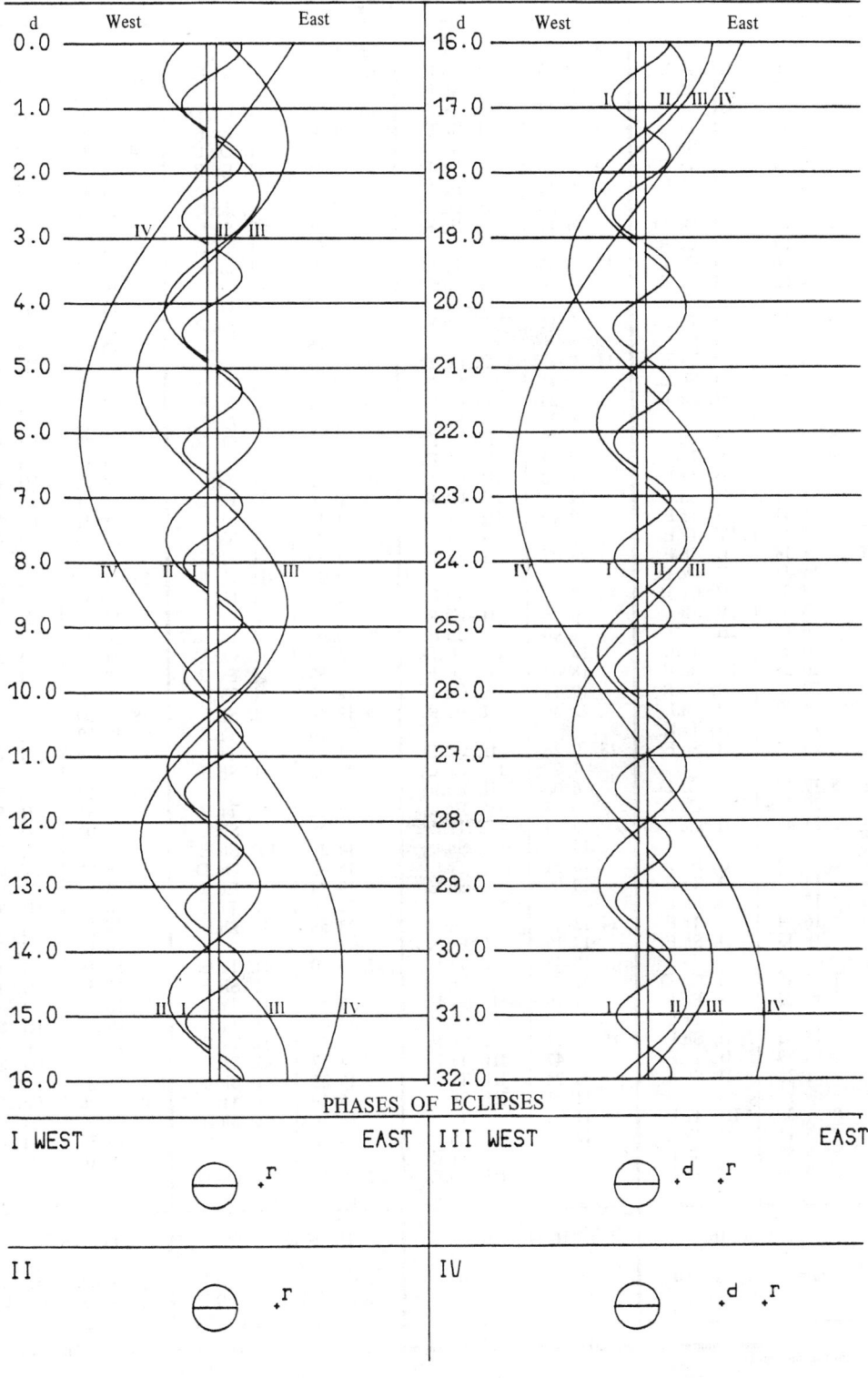

PHASES OF ECLIPSES

SATELLITES OF JUPITER, 1985

UNIVERSAL TIME OF GEOCENTRIC PHENOMENA

NOVEMBER

d	h	m		d	h	m		d	h	m		d	h	m	
1	1	10	III. Tr.E.	8	10	25	I. Sh.I.	15	14	38	I. Sh.E.	23	13	43	I. Ec.R.
	2	57	III. Sh.I.		10	35	III. Sh.E.	16	8	13	I. Oc.D.		16	31	II. Oc.D.
	6	34	III. Sh.E.		11	23	I. Tr.E.		11	48	I. Ec.R.		21	57	II. Ec.R.
	7	10	I. Tr.I.		12	42	I. Sh.E.		13	47	II. Oc.D.	24	7	32	I. Tr.I.
	8	29	I. Sh.I.	9	6	16	I. Oc.D.		19	19	II. Ec.R.		8	46	I. Sh.I.
	9	27	I. Tr.E.		9	52	I. Ec.R.	17	5	33	I. Tr.I.		9	49	I. Tr.E.
	10	46	I. Sh.E.		11	06	II. Oc.D.		6	50	I. Sh.I.		11	02	I. Sh.E.
2	4	20	I. Oc.D.		16	41	II. Ec.R.		7	50	I. Tr.E.	25	4	40	I. Oc.D.
	7	57	I. Ec.R.	10	3	36	I. Tr.I.		9	07	I. Sh.E.		8	12	I. Ec.R.
	8	26	II. Oc.D.		4	54	I. Sh.I.	18	2	42	I. Oc.D.		10	50	II. Tr.I.
	14	03	II. Ec.R		5	53	I. Tr.E		6	16	I. Ec.R.		13	16	II. Sh.I.
3	1	39	I. Tr.I.		7	11	I. Sh.E.		8	09	II. Tr.I.		13	41	II. Tr.E.
	2	58	I. Sh.I.	11	0	45	I. Oc.D.		10	39	II. Sh.I.		16	07	II. Sh.E.
	3	56	I. Tr.E.		4	21	I. Ec.R.		10	59	II. Tr.E.		23	53	III. Oc.D.
	5	15	I. Sh.E.		5	29	II. Tr.I.		13	31	II. Sh.E.	26	2	01	I. Tr.I.
	22	48	I. Oc.D.		8	03	II. Sh.I.		19	39	III. Oc.D.		3	14	I. Sh.I.
4	2	26	I. Ec.R.		8	19	II. Tr.E.		23	18	III. Oc.R.		3	32	III. Oc.R.
	2	49	IV. Tr.I.		10	54	II. Sh.E.	19	0	03	I. Tr.I.		4	18	I. Tr.E.
	2	51	II. Tr.I.		15	30	III. Oc.D.		0	50	III. Ec.D.		4	52	III. Ec.D.
	5	27	II. Sh.I.		19	09	III. Oc.R.		1	19	I. Sh.I.		5	31	I. Sh.E.
	5	41	II. Tr.E.		20	49	III. Ec.D.		2	20	I. Tr.E.		8	31	III. Ec.R.
	7	38	IV. Tr.E.		22	05	I. Tr.I.		3	36	I. Sh.E.		23	10	I. Oc.D.
	8	18	II. Sh.E.		23	23	I. Sh.I.		4	29	III. Ec.R.	27	2	41	I. Ec.R.
	11	24	III. Oc.D.	12	0	22	I. Tr.E.		21	11	I. Oc.D.		5	53	II. Oc.D.
	15	03	III. Oc.R.		0	28	III. Ec.R.	20	0	45	I. Ec.R.		11	16	II. Ec.R.
	15	34	IV. Sh.I.		1	40	I. Sh.E.		3	09	II. Oc.D.		20	31	I. Tr.I.
	16	47	III. Ec.D.		13	12	IV. Oc.D.		8	38	II. Ec.R.		21	43	I. Sh.I.
	20	08	I. Tr.I.		18	02	IV. Oc.R.		18	32	I. Tr.I.		22	48	I. Tr.E.
	20	23	IV. Sh.E.		19	14	I. Oc.D.		19	48	I. Sh.I.	28	0	00	I. Sh.E.
	20	27	III. Ec.R.		22	50	I. Ec.R.		20	50	I. Tr.E.		17	39	I. Oc.D.
	21	27	I. Sh.I.	13	0	26	II. Oc.D.		21	41	IV. Tr.I.		21	09	I. Ec.R.
	22	25	I. Tr.E.		1	27	IV. Ec.D.		22	05	I. Sh.E.	29	0	12	II. Tr.I.
	23	44	I. Sh.E.		6	00	II. Ec.R.	21	2	31	IV. Tr.E.		2	34	II. Sh.I.
5	17	17	I. Oc.D.		6	15	IV. Ec.R.		9	48	IV. Sh.I.		3	03	II. Tr.E.
	20	54	I. Ec.R.		16	34	I. Tr.I.		14	36	IV. Sh.E.		5	26	II. Sh.E.
	21	45	II. Oc.D.		17	52	I. Sh.I.		15	41	I. Oc.D.		8	23	IV. Oc.D.
6	3	22	II. Ec.R.		18	51	I. Tr.E.		19	14	I. Ec.R.		13	14	IV. Oc.R.
	14	37	I. Tr.I.		20	09	I. Sh.E.		21	29	II. Tr.I.		14	13	III. Tr.I.
	15	56	I. Sh.I.	14	13	43	I. Oc.D.		23	58	II. Sh.I.		15	01	I. Tr.I.
	16	54	I. Tr.E.		17	19	I. Ec.R.	22	0	20	II. Tr.E.		16	12	I. Sh.I.
	18	13	I. Sh.E.		18	48	II. Tr.I.		2	49	II. Sh.E.		17	18	I. Tr.E.
7	11	46	I. Oc.D.		21	21	II. Sh.I.		9	58	III. Tr.I.		17	50	III. Tr.E.
	15	23	I. Ec.R.		21	39	II. Tr.E.		13	02	I. Tr.I.		18	29	I. Sh.E.
	16	09	II. Tr.I.	15	0	12	II. Sh.E.		13	35	III. Tr.E.		19	03	III. Sh.I.
	18	45	II. Sh.I.		5	47	III. Tr.I.		14	17	I. Sh.I.		19	39	IV. Ec.D.
	18	59	II. Tr.E.		9	24	III. Tr.E.		15	02	III. Sh.I.		22	40	III. Sh.E.
	21	36	II. Sh.E.		11	01	III. Sh.I.		15	19	I. Tr.E.	30	0	26	IV. Ec.R.
8	1	38	III. Tr.I.		11	04	I. Tr.I.		16	34	I. Sh.E.		12	09	I. Oc.D.
	5	15	III. Tr.E.		12	21	I. Sh.I.		18	39	III. Sh.E.		15	38	I. Ec.R.
	6	58	III. Sh.I.		13	21	I. Tr.E.	23	10	10	I. Oc.D.		19	16	II. Oc.D.
	9	06	I. Tr.I.		14	37	III. Sh.E.									

I. Nov. 16	II. Nov. 16	III. Nov. 11–12	IV. Nov. 13
$x_2 = +2.1, \quad y_2 = 0.0$	$x_2 = +2.7, \quad y_2 = 0.0$	$x_1 = +1.9, \quad y_1 = -0.1$ $x_2 = +3.8, \quad y_2 = -0.1$	$x_1 = +4.0, \quad y_1 = -0.1$ $x_2 = +5.9, \quad y_2 = 0.0$

NOTE.—I, denotes ingress; E., egress; D., disappearance; R., reappearance; Ec., eclipse; Oc., occultation; Tr., transit of the satellite; Sh., transit of the shadow.

CONFIGURATIONS OF SATELLITES I-IV FOR NOVEMBER

UNIVERSAL TIME

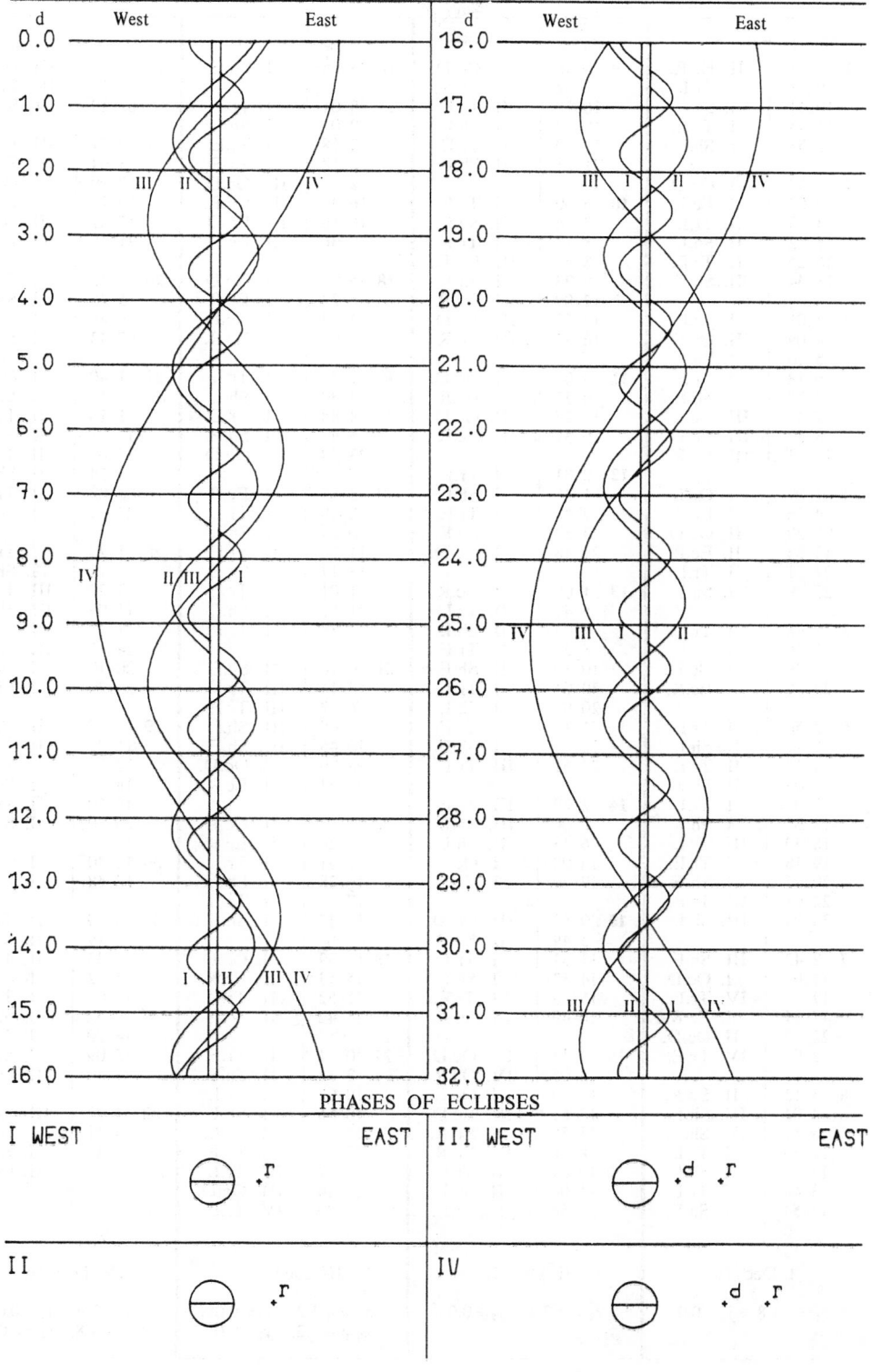

PHASES OF ECLIPSES

SATELLITES OF JUPITER, 1985

UNIVERSAL TIME OF GEOCENTRIC PHENOMENA

DECEMBER

d	h	m		d	h	m		d	h	m		d	h	m	
1	0	35	II. Ec.R.	9	8	38	I. Oc.D.	16	23	58	II. Sh.E.	24	20	54	III. Oc.R.
	9	31	I. Tr.I.		12	02	I. Ec.R.						20	57	III. Ec.D.
	10	41	I. Sh.I.		16	18	II. Tr.I.	17	8	01	I. Tr.I.		22	19	IV. Sh.I.
	11	48	I. Tr.E.		18	29	II. Sh.I.		9	01	I. Sh.I.				
	12	58	I. Sh.E.		19	10	II. Tr.E.		10	18	I. Tr.E.	25	0	37	III. Ec.R.
					21	21	II. Sh.E.		11	18	I. Sh.E.		3	04	IV. Sh.E.
2	6	39	I. Oc.D.						12	51	III. Oc.D.		7	09	I. Oc.D.
	10	07	I. Ec.R.	10	6	00	I. Tr.I.		16	31	III. Oc.R.		10	22	I. Ec.R.
	13	33	II. Tr.I.		7	06	I. Sh.I.		16	56	III. Ec.D.		17	02	II. Oc.D.
	15	52	II. Sh.I.		8	18	I. Tr.E.		20	36	III. Ec.R.		21	45	II. Ec.R.
	16	25	II. Tr.E.		8	29	III. Oc.D.								
	18	44	II. Sh.E.		9	23	I. Sh.E.	18	5	09	I. Oc.D.	26	4	32	I. Tr.I.
					12	09	III. Oc.R.		8	27	I. Ec.R.		5	25	I. Sh.I.
3	4	01	I. Tr.I.		12	55	III. Ec.D.		14	13	II. Oc.D.		6	49	I. Tr.E.
	4	09	III. Oc.D.		16	34	III. Ec.R.		19	08	II. Ec.R.		7	43	I. Sh.E.
	5	10	I. Sh.I.												
	6	18	I. Tr.E.	11	3	08	I. Oc.D.	19	2	31	I. Tr.I.	27	1	40	I. Oc.D.
	7	27	I. Sh.E.		6	31	I. Ec.R.		3	30	I. Sh.I.		4	51	I. Ec.R.
	7	49	III. Oc.R.		11	25	II. Oc.D.		4	48	I. Tr.E.		11	16	II. Tr.I.
	8	53	III. Ec.D.		16	31	II. Ec.R.		5	47	I. Sh.E.		13	01	II. Sh.I.
	12	33	III. Ec.R.						23	39	I. Oc.D.		14	09	II. Tr.E.
				12	0	31	I. Tr.I.						15	54	II. Sh.E.
4	1	09	I. Oc.D.		1	35	I. Sh.I.	20	2	55	I. Ec.R.		23	02	I. Tr.I.
	4	36	I. Ec.R.		2	48	I. Tr.E.		8	28	II. Tr.I.		23	54	I. Sh.I.
	8	39	II. Oc.D.		3	52	I. Sh.E.		10	24	II. Sh.I.				
	13	53	II. Ec.R.		21	38	I. Oc.D.		11	20	II. Tr.E.	28	1	20	I. Tr.E.
	22	31	I. Tr.I.						13	17	II. Sh.E.		2	11	I. Sh.E.
	23	39	I. Sh.I.	13	1	00	I. Ec.R.		21	01	I. Tr.I.		7	39	III. Tr.I.
					5	41	II. Tr.I.		21	59	I. Sh.I.		11	09	III. Sh.I.
5	0	48	I. Tr.E.		7	47	II. Sh.I.		23	19	I. Tr.E.		11	18	III. Tr.E.
	1	56	I. Sh.E.		8	33	II. Tr.E.						14	47	III. Sh.E.
	19	39	I. Oc.D.		10	39	II. Sh.E.	21	0	16	I. Sh.E.		20	10	I. Oc.D.
	23	05	I. Ec.R.		19	01	I. Tr.I.		3	14	III. Tr.I.		23	20	I. Ec.R.
					20	03	I. Sh.I.		6	52	III. Tr.E.				
6	2	56	II. Tr.I.		21	18	I. Tr.E.		7	08	III. Sh.I.	29	6	27	II. Oc.D.
	5	11	II. Sh.I.		22	20	I. Sh.E.		10	45	III. Sh.E.		11	03	II. Ec.R.
	5	47	II. Tr.E.		22	51	III. Tr.I.		18	09	I. Oc.D.		17	33	I. Tr.I.
	8	03	II. Sh.E.						21	24	I. Ec.R.		18	23	I. Sh.I.
	17	00	I. Tr.I.	14	2	29	III. Tr.E.						19	50	I. Tr.E.
	18	08	I. Sh.I.		3	06	III. Sh.I.	22	3	38	II. Oc.D.		20	40	I. Sh.E.
	18	30	III. Tr.I.		6	43	III. Sh.E.		8	26	II. Ec.R.				
	19	18	I. Tr.E.		16	08	I. Oc.D.		15	31	I. Tr.I.	30	14	40	I. Oc.D.
	20	25	I. Sh.E.		19	29	I. Ec.R.		16	28	I. Sh.I.		17	48	I. Ec.R.
	22	08	III. Tr.E.						17	49	I. Tr.E.				
	23	04	III. Sh.I.	15	0	49	II. Oc.D.		18	45	I. Sh.E.	31	0	40	II. Tr.I.
					5	49	II. Ec.R.						2	19	II. Sh.I.
7	2	42	III. Sh.E.		13	31	I. Tr.I.	23	12	39	I. Oc.D.		3	33	II. Tr.E.
	14	08	I. Oc.D.		14	32	I. Sh.I.		15	53	I. Ec.R.		5	12	II. Sh.E.
	17	17	IV. Tr.I.		15	48	I. Tr.E.		21	52	II. Tr.I.		12	03	I. Tr.I.
	17	34	I. Ec.R.		16	49	I. Sh.E.		23	42	II. Sh.I.		12	52	I. Sh.I.
	22	02	II. Oc.D.										14	20	I. Tr.E.
	22	08	IV. Tr.E.	16	4	13	IV. Oc.D.	24	0	44	II. Tr.E.		15	09	I. Sh.E.
					9	05	IV. Oc.R.		2	35	II. Sh.E.		21	40	III. Oc.D.
8	3	12	II. Ec.R.		10	39	I. Oc.D.		10	02	I. Tr.I.				
	4	04	IV. Sh.I.		13	51	IV. Ec.D.		10	56	I. Sh.I.	32	4	37	III. Ec.R.
	8	51	IV. Sh.E.		13	58	I. Ec.R.		12	19	I. Tr.E.		9	11	I. Oc.D.
	11	30	I. Tr.I.		18	36	IV. Ec.R.		13	14	I. Sh.E.		12	17	I. Ec.R.
	12	37	I. Sh.I.		19	04	II. Tr.I.		13	27	IV. Tr.I.		19	51	II. Oc.D.
	13	48	I. Tr.E.		21	06	II. Sh.I.		17	14	III. Oc.D.				
	14	54	I. Sh.E.		21	56	II. Tr.E.		18	20	IV. Tr.E.				

I. Dec. 16	II. Dec. 15	III. Dec. 17	IV. Dec. 16
$x_2 = +1.8$, $y_2 = 0.0$	$x_2 = +2.4$, $y_2 = 0.0$	$x_1 = +1.2$, $y_1 = 0.0$ $x_2 = +3.2$, $y_2 = 0.0$	$x_1 = +2.9$, $y_1 = 0.0$ $x_2 = +4.8$, $y_2 = 0.0$

NOTE.—I, denotes ingress; E., egress; D., disappearance; R., reappearance; Ec., eclipse; Oc., occultation; Tr., transit of the satellite; Sh., transit of the shadow.

CONFIGURATIONS OF SATELLITES I-IV FOR DECEMBER

UNIVERSAL TIME

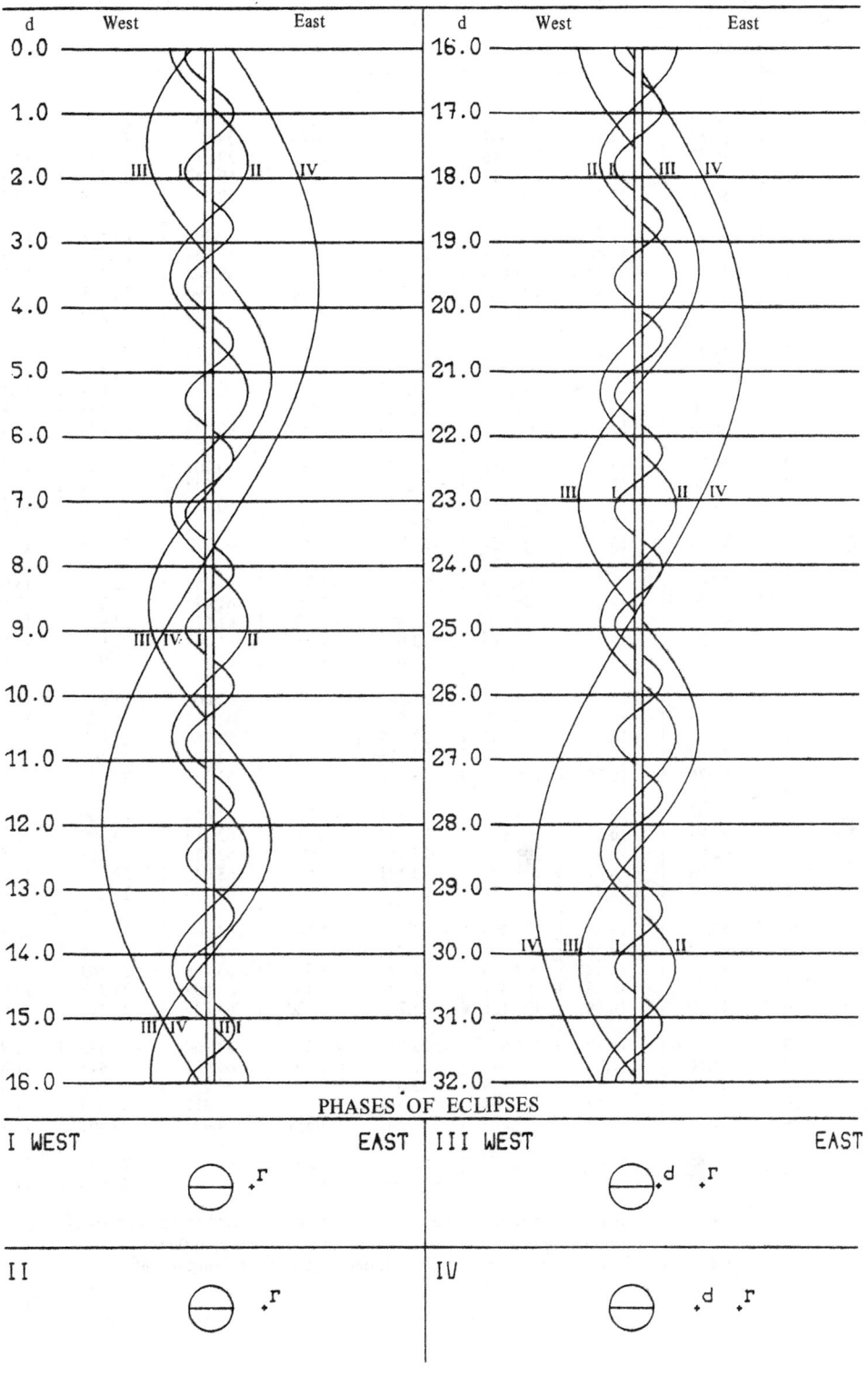

PHASES OF ECLIPSES

FOR 0ʰ UNIVERSAL TIME

Date		Axes of outer edge of outer ring		U	B	P	U'	B'	P'
		Major	Minor						
		$''$	$''$	°	°	°	°	°	°
Jan.	−1	35.43	14.00	103.251	+23.275	+1.564	58.759	+22.230	−14.137
	3	35.59	14.11	103.657	23.349	1.612	58.888	22.262	14.084
	7	35.77	14.21	104.046	23.418	1.658	59.017	22.295	14.030
	11	35.95	14.32	104.417	23.481	1.701	59.147	22.327	13.976
	15	36.14	14.43	104.770	23.540	1.743	59.276	22.359	13.922
	19	36.35	14.55	105.101	+23.593	+1.782	59.406	+22.392	−13.868
	23	36.56	14.66	105.411	23.640	1.818	59.535	22.424	13.814
	27	36.78	14.77	105.699	23.682	1.851	59.665	22.456	13.760
	31	37.01	14.89	105.962	23.719	1.882	59.794	22.488	13.705
Feb.	4	37.25	15.00	106.200	23.751	1.910	59.924	22.519	13.651
	8	37.49	15.12	106.412	+23.777	+1.934	60.053	+22.551	−13.597
	12	37.74	15.23	106.598	23.797	1.956	60.183	22.582	13.542
	16	38.00	15.34	106.756	23.813	1.974	60.313	22.614	13.488
	20	38.26	15.45	106.886	23.823	1.989	60.442	22.645	13.433
	24	38.52	15.56	106.987	23.828	2.001	60.572	22.676	13.378
	28	38.78	15.67	107.058	+23.827	+2.009	60.702	+22.707	−13.323
Mar.	4	39.04	15.77	107.101	23.822	2.014	60.832	22.738	13.269
	8	39.30	15.87	107.114	23.812	2.015	60.962	22.769	13.214
	12	39.56	15.96	107.098	23.797	2.013	61.092	22.800	13.159
	16	39.81	16.05	107.054	23.777	2.008	61.222	22.831	13.104
	20	40.06	16.13	106.980	+23.752	+1.999	61.352	+22.861	−13.048
	24	40.30	16.21	106.879	23.724	1.987	61.482	22.892	12.993
	28	40.53	16.28	106.750	23.690	1.972	61.612	22.922	12.938
Apr.	1	40.75	16.35	106.595	23.653	1.954	61.742	22.952	12.882
	5	40.95	16.40	106.416	23.612	1.933	61.872	22.982	12.827
	9	41.15	16.45	106.214	+23.567	+1.909	62.002	+23.012	−12.772
	13	41.33	16.49	105.990	23.520	1.883	62.133	23.042	12.716
	17	41.49	16.52	105.747	23.469	1.855	62.263	23.072	12.660
	21	41.63	16.54	105.485	23.415	1.824	62.393	23.102	12.605
	25	41.76	16.56	105.208	23.359	1.791	62.524	23.131	12.549
	29	41.86	16.56	104.918	+23.301	+1.757	62.654	+23.160	−12.493
May	3	41.94	16.55	104.617	23.242	1.722	62.784	23.190	12.437
	7	42.00	16.53	104.307	23.182	1.686	62.915	23.219	12.381
	11	42.04	16.51	103.992	23.121	1.649	63.045	23.248	12.325
	15	42.06	16.47	103.674	23.060	1.611	63.176	23.277	12.269
	19	42.05	16.43	103.355	+22.999	+1.574	63.307	+23.306	−12.213
	23	42.02	16.38	103.038	22.940	1.537	63.437	23.335	12.156
	27	41.97	16.32	102.725	22.882	1.500	63.568	23.363	12.100
	31	41.90	16.25	102.421	22.826	1.464	63.699	23.392	12.044
June	4	41.80	16.18	102.125	22.773	1.429	63.829	23.420	11.987
	8	41.69	16.10	101.842	+22.722	+1.396	63.960	+23.449	−11.931
	12	41.56	16.02	101.572	22.676	1.364	64.091	23.477	11.874
	16	41.40	15.93	101.319	22.633	1.334	64.222	23.505	11.817
	20	41.23	15.84	101.084	22.594	1.307	64.352	23.533	11.761
	24	41.05	15.75	100.868	22.561	1.281	64.483	23.561	11.704
	28	40.85	15.65	100.674	+22.532	+1.258	64.614	+23.588	−11.647
July	2	40.64	15.56	100.502	+22.509	+1.238	64.745	+23.616	−11.590

Factor by which axes of outer edge of outer ring are to be multiplied to obtain axes of:

Inner edge of outer ring 0.8801   Inner edge of inner ring 0.6650
Outer edge of inner ring 0.8599   Inner edge of dusky ring 0.5486

FOR 0ʰ UNIVERSAL TIME

Date		Axes of outer edge of outer ring		U	B	P	U'	B'	P'
		Major	Minor						
		"	"	°	°	°	°	°	°
July	2	40.64	15.56	100.502	+22.509	+1.238	64.745	+23.616	−11.590
	6	40.42	15.46	100.354	22.492	1.221	64.876	23.644	11.533
	10	40.19	15.37	100.231	22.481	1.206	65.007	23.671	11.476
	14	39.94	15.27	100.134	22.476	1.195	65.138	23.698	11.419
	18	39.70	15.18	100.062	22.477	1.187	65.270	23.725	11.362
	22	39.45	15.08	100.018	+22.484	+1.181	65.401	+23.752	−11.304
	26	39.19	15.00	100.000	22.498	1.180	65.532	23.779	11.247
	30	38.93	14.91	100.010	22.518	1.181	65.663	23.806	11.190
Aug.	3	38.67	14.83	100.047	22.544	1.185	65.794	23.833	11.132
	7	38.41	14.75	100.112	22.576	1.193	65.926	23.859	11.075
	11	38.15	14.67	100.203	+22.614	+1.204	66.057	+23.886	−11.017
	15	37.90	14.60	100.321	22.658	1.218	66.188	23.912	10.959
	19	37.65	14.53	100.466	22.707	1.235	66.320	23.939	10.902
	23	37.40	14.47	100.637	22.762	1.255	66.451	23.965	10.844
	27	37.16	14.41	100.833	22.822	1.279	66.583	23.991	10.786
	31	36.92	14.36	101.054	+22.886	+1.305	66.714	+24.017	−10.728
Sept.	4	36.69	14.31	101.298	22.955	1.334	66.846	24.042	10.670
	8	36.47	14.27	101.566	23.028	1.366	66.977	24.068	10.612
	12	36.26	14.23	101.857	23.105	1.400	67.109	24.094	10.554
	16	36.05	14.19	102.169	23.185	1.437	67.240	24.119	10.496
	20	35.86	14.16	102.502	+23.268	+1.476	67.372	+24.144	−10.438
	24	35.67	14.14	102.854	23.354	1.518	67.504	24.170	10.380
	28	35.50	14.12	103.225	23.442	1.562	67.636	24.195	10.321
Oct.	2	35.33	14.11	103.614	23.532	1.608	67.767	24.220	10.263
	6	35.18	14.10	104.020	23.623	1.656	67.899	24.244	10.204
	10	35.04	14.09	104.441	+23.715	+1.706	68.031	+24.269	−10.146
	14	34.90	14.09	104.877	23.809	1.757	68.163	24.294	10.087
	18	34.79	14.09	105.327	23.902	1.810	68.295	24.318	10.029
	22	34.68	14.10	105.788	23.996	1.864	68.427	24.343	9.970
	26	34.58	14.12	106.261	24.089	1.920	68.559	24.367	9.911
	30	34.50	14.13	106.743	+24.182	+1.976	68.691	+24.391	−9.853
Nov.	3	34.43	14.15	107.234	24.274	2.034	68.823	24.415	9.794
	7	34.37	14.18	107.732	24.364	2.092	68.955	24.439	9.735
	11	34.33	14.21	108.237	24.453	2.151	69.087	24.463	9.676
	15	34.30	14.24	108.747	24.540	2.210	69.219	24.486	9.617
	19	34.28	14.28	109.260	+24.625	+2.270	69.351	+24.510	−9.558
	23	34.27	14.32	109.775	24.708	2.329	69.484	24.533	9.499
	27	34.28	14.37	110.291	24.788	2.389	69.616	24.557	9.440
Dec.	1	34.30	14.42	110.806	24.865	2.448	69.748	24.580	9.380
	5	34.33	14.48	111.320	24.940	2.507	69.881	24.603	9.321
	9	34.38	14.53	111.830	+25.011	+2.566	70.013	+24.626	−9.262
	13	34.43	14.60	112.337	25.080	2.624	70.145	24.649	9.202
	17	34.51	14.66	112.837	25.144	2.681	70.278	24.672	9.143
	21	34.59	14.73	113.329	25.206	2.737	70.410	24.694	9.083
	25	34.69	14.80	113.813	25.264	2.792	70.543	24.717	9.024
	29	34.80	14.88	114.286	+25.318	+2.845	70.675	+24.739	−8.964
	33	34.92	14.96	114.748	+25.369	+2.897	70.808	+24.761	−8.905

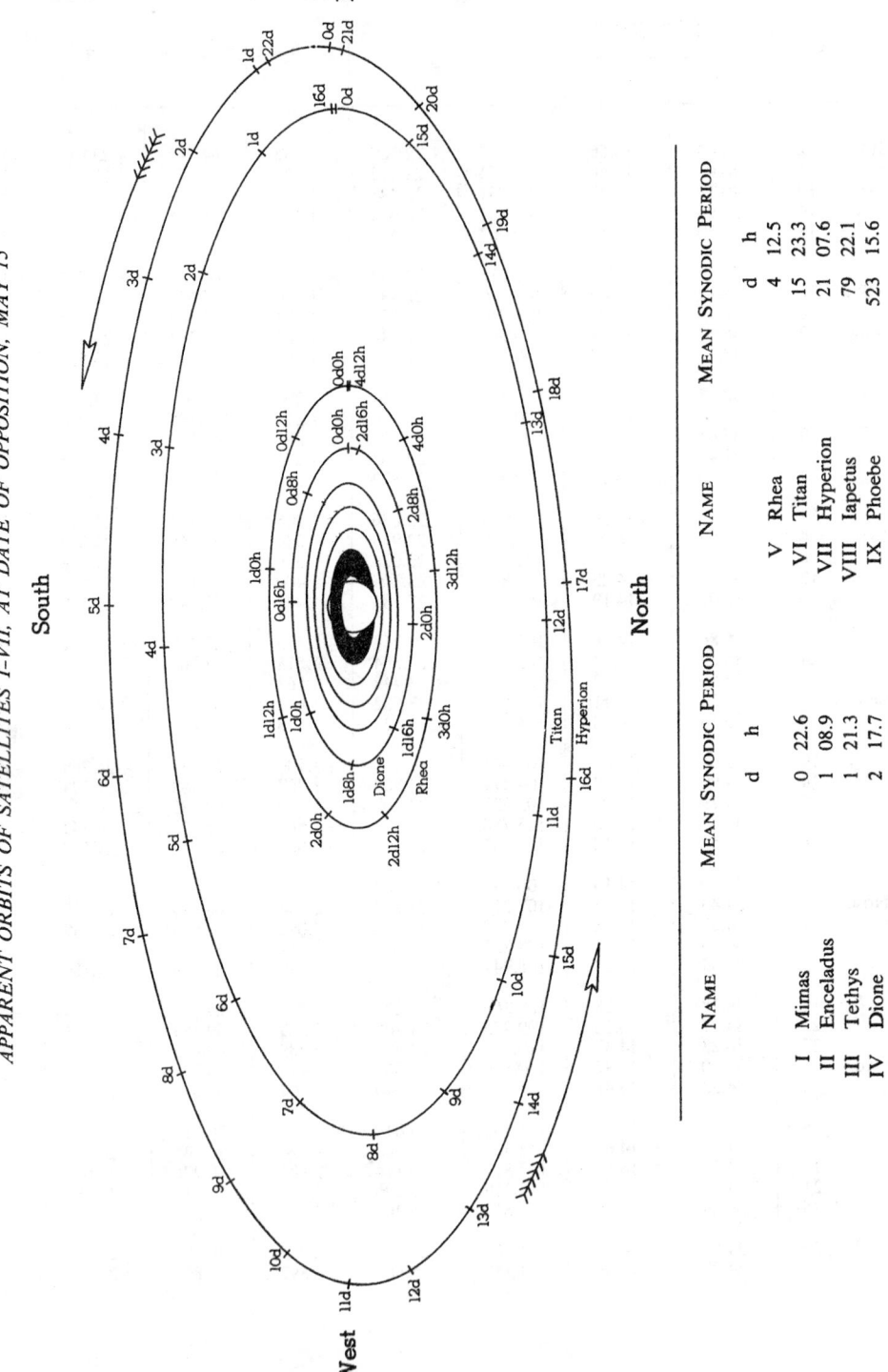

APPARENT ORBITS OF SATELLITES I–VII, AT DATE OF OPPOSITION, MAY 15

NAME		MEAN SYNODIC PERIOD	
		d	h
I	Mimas	0	22.6
II	Enceladus	1	08.9
III	Tethys	1	21.3
IV	Dione	2	17.7

NAME		MEAN SYNODIC PERIOD	
		d	h
V	Rhea	4	12.5
VI	Titan	15	23.3
VII	Hyperion	21	07.6
VIII	Iapetus	79	22.1
IX	Phoebe	523	15.6

UNIVERSAL TIME OF GREATEST EASTERN ELONGATION

Jan.	Feb.	Mar.	Apr.	May	June	July	Aug.	Sept.	Oct.	Nov.	Dec.

MIMAS

d h	d h	d h	d h	d h	d h	d h	d h	d h	d h	d h	d h
0 07.4	1 08.5	1 15.0	1 17.3	1 21.0	1 00.6	1 04.3	1 06.7	1 09.2	1 13.2	1 15.9	1 19.9
1 06.0	2 07.1	2 13.7	2 16.0	2 19.6	1 23.2	2 02.9	2 05.3	2 07.9	2 11.8	2 14.5	2 18.5
2 04.6	3 05.7	3 12.3	3 14.6	3 18.2	2 21.8	3 01.5	3 03.9	3 06.5	3 10.5	3 13.1	3 17.2
3 03.3	4 04.4	4 10.9	4 13.2	4 16.8	3 20.4	4 00.1	4 02.6	4 05.1	4 09.1	4 11.8	4 15.8
4 01.9	5 03.0	5 09.5	5 11.8	5 15.4	4 19.0	4 22.8	5 01.2	5 03.7	5 07.7	5 10.4	5 14.4
5 00.5	6 01.6	6 08.1	6 10.4	6 14.0	5 17.7	5 21.4	5 23.8	6 02.4	6 06.4	6 09.0	6 13.0
5 23.1	7 00.2	7 06.7	7 09.0	7 12.6	6 16.3	6 20.0	6 22.4	7 01.0	7 05.0	7 07.6	7 11.6
6 21.8	7 22.8	8 05.4	8 07.6	8 11.3	7 14.9	7 18.6	7 21.1	7 23.6	8 03.6	8 06.3	8 10.3
7 20.4	8 21.5	9 04.0	9 06.3	9 09.9	8 13.5	8 17.2	8 19.7	8 22.2	9 02.2	9 04.9	9 08.9
8 19.0	9 20.1	10 02.6	10.04.9	10 08.5	9 12.1	9 15.8	9 18.3	9 20.9	10 00.9	10 03.5	10 07.5
9 17.6	10 18.7	11 01.2	11 03.5	11 07.1	10 10.7	10 14.5	10 16.9	10 19.5	10 23.5	11 02.1	11 06.1
10 16.2	11 17.3	11 23.8	12 02.1	12 05.7	11 09.4	11 13.1	11 15.5	11 18.1	11 22.1	12 00.8	12 04.8
11 14.9	12 15.9	12 22.4	13 00.7	13 04.3	12 08.0	12 11.7	12 14.2	12 16.7	12 20.7	12 23.4	13 03.4
12 13.5	13 14.6	13 21.1	13 23.3	14 02.9	13 06.6	13 10.3	13 12.8	13 15.4	13 19.4	13 22.0	14 02.0
13 12.1	14 13.2	14 19.7	14 21.9	15 01.5	14 05.2	14 08.9	14 11.4	14 14.0	14 18.0	14 20.6	15 00.6
14 10.7	15 11.8	15 18.3	15 20.5	16 00.2	15 03.8	15 07.6	15 10.0	15 12.6	15 16.6	15 19.3	15 23.3
15 09.3	16 10.4	16 16.9	16 19.2	16 22.8	16 02.4	16 06.2	16 08.6	16 11.2	16 15.2	16 17.9	16 21.9
16 08.0	17 09.0	17 15.5	17 17.8	17 21.4	17 01.0	17 04.8	17 07.3	17 09.8	17 13.9	17 16.5	17 20.5
17 06.6	18 07.6	18 14.1	18 16.4	18 20.0	17 23.7	18 03.4	18 05.9	18 08.5	18 12.5	18 15.1	18 19.1
18 05.2	19 06.3	19 12.7	19 15.0	19 18.6	18 22.3	19 02.0	19 04.5	19 07.1	19 11.1	19 13.8	19 17.8
19 03.8	20 04.9	20 11.4	20 13.6	20 17.2	19 20.9	20 00.6	20 03.1	20 05.7	20 09.7	20 12.4	20 16.4
20 02.5	21 03.5	21 10.0	21 12.2	21 15.8	20 19.5	20 23.3	21 01.8	21 04.3	21 08.4	21 11.0	21 15.0
21 01.1	22 02.1	22 08.6	22 10.8	22 14.5	21 18.1	21 21.9	22 00.4	22 03.0	22 07.0	22 09.6	22 13.6
21 23.7	23 00.7	23 07.2	23 09.5	23 13.1	22 16.7	22 20.5	23 23.0	23 01.6	23 05.6	23 08.3	23 12.3
22 22.3	23 23.3	24 05.8	24 08.1	24 11.7	23 15.4	23 19.1	23 21.6	24 00.2	24 04.2	24 06.9	24 10.9
23 20.9	24 22.0	25 04.4	25 06.7	25 10.3	24 14.0	24 17.7	24 20.3	24 22.9	25 02.9	25 05.5	25 09.5
24 19.6	25 20.6	26 03.0	26 05.3	26 08.9	25 12.6	25 16.4	25 18.9	25 21.5	26 01.5	26 04.1	26 08.1
25 18.2	26 19.2	27 01.7	27 03.9	27 07.5	26 11.2	26 15.0	26 17.5	26 20.1	27 00.1	27 02.8	27 06.8
26 16.8	27 17.8	28 00.3	28 02.5	28 06.1	27 09.8	27 13.6	27 16.1	27 18.7	27 22.7	28 01.4	28 05.4
27 15.4	28 16.4	28 22.9	29 01.1	29 04.7	28 08.4	28 12.2	28 14.7	28 17.4	28 21.4	29 00.0	29 04.0
28 14.0		29 21.5	29 23.7	30 03.4	29 07.1	29 10.8	29 13.4	29 16.0	29 20.0	29 22.6	30 02.6
29 12.7		30 20.1	30 22.4	31 02.0	30 05.7	30 09.5	30 12.0	30 14.6	30 18.6	30 21.3	31 01.3
30 11.3		31 18.7				31 08.1	31 10.6		31 17.3		31 23.9
31 09.9											32 22.5

ENCELADUS

d h	d h	d h	d h	d h	d h	d h	d h	d h	d h	d h	d h
0 02.4	1 23.8	1 09.5	1 21.8	2 01.0	1 04.3	1 07.6	1 20.0	2 08.6	1 03.4	1 16.2	1 20.0
1 11.3	3 08.7	2 18.4	3 06.6	3 09.9	2 13.2	2 16.5	3 04.9	3 17.5	2 12.3	3 01.1	3 04.9
2 20.2	4 17.6	4 03.3	4 15.5	4 18.8	3 22.0	4 01.4	4 13.8	5 02.4	3 21.2	4 10.0	4 13.8
4 05.1	6 02.5	5 12.2	6 00.4	6 03.7	5 06.9	5 10.3	5 22.7	6 11.3	5 06.1	5 18.9	5 22.7
5 14.0	7 11.4	6 21.1	7 09.3	7 12.5	6 15.8	6 19.2	7 07.6	7 20.2	6 15.0	7 03.8	7 07.6
6 22.8	8 20.2	8 05.9	8 18.1	8 21.4	8 00.7	8 04.1	8 16.5	9 05.0	7 23.9	8 12.7	8 16.5
8 07.7	10 05.1	9 14.8	10 03.0	10 06.3	9 09.6	9 12.9	10 01.4	10 14.0	9 08.8	9 21.6	10 01.4
9 16.6	11 14.0	10 23.7	11 11.9	11 15.2	10 18.4	10 21.8	11 10.3	11 23.0	10 17.7	11 06.5	11 10.3
11 01.5	12 22.9	12 08.6	12 20.8	13 00.0	12 03.3	12 06.7	12 19.2	13 07.7	12 02.6	12 15.4	12 19.2
12 10.4	14 07.8	13 17.5	14 05.7	14 08.9	13 12.2	13 15.6	14 04.0	14 16.6	13 11.5	14 00.3	14 04.1
13 19.3	15 16.7	15 02.3	15 14.5	15 17.8	14 21.1	15 00.5	15 12.9	16 01.5	14 20.4	15 09.2	15 13.0
15 04.2	17 01.6	16 11.2	16 23.4	17 02.7	16 06.0	16 09.4	16 21.8	17 10.4	16 05.3	16 18.1	16 21.9
16 13.1	18 10.4	17 20.1	18 08.3	18 11.5	17 14.8	17 18.3	18 06.7	18 19.3	17 14.2	18 03.0	18 06.8
17 22.0	19 19.3	19 05.0	19 17.2	19 20.4	18 23.7	19 03.1	19 15.6	20 04.2	18 23.1	19 11.9	19 15.7
19 06.9	21 04.2	20 13.9	21 02.0	21 05.3	20 08.6	20 12.0	21 00.5	21 13.1	20 08.0	20 20.8	21 00.6
20 15.8	22 13.1	21 22.7	22 10.9	22 14.2	21 17.5	21 20.9	22 09.4	22 22.0	21 16.9	22 05.7	22 09.5
22 00.7	23 22.0	23 07.6	23 19.8	23 23.0	23 02.4	23 05.8	23 18.3	24 06.9	23 01.8	23 14.6	23 18.4
23 09.6	25 06.9	24 16.5	25 04.7	25 07.9	24 11.2	24 14.7	25 03.2	25 15.8	24 10.8	24 23.5	25 03.3
24 18.5	26 15.8	26 01.4	26 13.5	26 16.8	25 20.1	25 23.6	26 12.1	27 00.7	25 19.6	26 08.4	26 12.2
26 03.3	28 00.6	27 10.3	27 22.4	28 01.7	27 05.0	27 08.5	27 21.0	28 09.6	27 04.5	27 17.3	27 21.1
27 12.2		28 19.1	29 07.3	29 10.5	28 13.9	28 17.4	29 05.9	29 18.5	28 13.5	29 02.2	29 06.0
28 21.1		30 04.0	30 16.2	30 19.4	29 22.8	30 02.2	30 14.8		29 22.4	30 11.1	30 14.9
30 06.0		31 12.9				31 11.1	31 23.7		31 07.2		31 23.8
31 14.9											33 08.7

SATELLITES OF SATURN, 1985

UNIVERSAL TIME OF GREATEST EASTERN ELONGATION

TETHYS

Jan.	Feb.	Mar.	Apr.	May	June	July	Aug.	Sept.	Oct.	Nov.	Dec.
d h	d h	d h	d h	d h	d h	d h	d h	d h	d h	d h	d h
−1 07.3	2 07.1	2 14.7	1 19.5	2 00.2	1 04.8	1 09.5	2 11.8	1 16.9	1 22.2	1 03.6	1 09.0
1 04.6	4 04.4	4 12.0	3 16.8	3 21.5	3 02.1	3 06.8	4 09.1	3 14.2	3 19.5	3 00.9	3 06.3
3 01.9	6 01.7	6 09.4	5 14.1	5 18.7	4 23.4	5 04.1	6 06.4	5 11.6	5 16.9	4 22.2	5 03.7
4 23.3	7 23.0	8 06.7	7 11.4	7 16.0	6 20.7	7 01.4	8 03.7	7 08.9	7 14.2	6 19.6	7 01.0
6 20.6	9 20.3	10 04.0	9 08.7	9 13.3	8 18.0	8 22.7	10 01.0	9 06.2	9 11.5	8 16.9	8 22.3
8 17.9	11 17.7	12 01.3	11 06.0	11 10.6	10 15.3	10 20.0	11 22.3	11 03.5	11 08.9	10 14.3	10 19.7
10 15.2	13 15.0	13 22.6	13 03.3	13 07.9	12 12.5	12 17.4	13 19.7	13 00.9	13 06.2	12 11.6	12 17.0
12 12.6	15 12.3	15 19.9	15 00.6	15 05.2	14 09.8	14 14.7	15 17.0	14 22.2	15 03.5	14 08.9	14 14.3
14 09.9	17 09.6	17 17.2	16 21.9	17 02.5	16 07.1	16 12.0	17 14.3	16 19.5	17 00.9	16 06.3	16 11.7
16 07.2	19 06.9	19 14.5	18 19.2	18 23.8	18 04.4	18 09.3	19 11.6	18 16.9	18 22.2	18 03.6	18 09.0
18 04.5	21 04.2	21 11.8	20 16.4	20 21.1	20 01.7	20 06.6	21 09.0	20 14.2	20 19.5	20 01.0	20 06.3
20 01.8	23 01.5	23 09.1	22 13.7	22 18.3	21 23.0	22 03.9	23 06.3	22 11.5	22 16.9	21 22.3	22 03.7
21 23.2	24 22.8	25 06.3	24 11.0	24 15.6	23 20.3	24 01.2	25 03.6	24 08.9	24 14.2	23 19.6	24 01.0
23 20.5	26 20.1	27 03.6	26 08.3	26 12.9	25 17.6	25 22.5	27 00.9	26 06.2	26 11.6	25 17.0	25 22.3
25 17.8	28 17.4	29 00.9	28 05.6	28 10.2	27 14.9	27 19.8	28 22.2	28 03.5	28 08.9	27 14.3	27 19.7
27 15.1		30 22.2	30 02.9	30 07.5	29 12.2	29 17.1	30 19.6	30 00.9	30 06.2	29 11.6	29 17.0
29 12.4						31 14.5					31 14.3
31 09.8											33 11.7

DIONE

Jan.	Feb.	Mar.	Apr.	May	June	July	Aug.	Sept.	Oct.	Nov.	Dec.
d h	d h	d h	d h	d h	d h	d h	d h	d h	d h	d h	d h
0 09.1	2 05.7	1 14.7	3 10.7	3 12.9	2 15.0	2 17.3	1 19.8	3 16.4	1 01.7	2 22.7	3 01.9
3 02.8	4 23.4	4 08.4	6 04.4	6 06.5	5 08.6	5 10.9	4 13.5	6 10.1	3 19.4	5 16.4	5 19.6
5 20.5	7 17.1	7 02.0	8 22.0	9 00.2	8 02.3	8 04.6	7 07.2	9 03.8	6 13.2	8 10.1	8 13.4
8 14.2	10 10.8	9 19.7	11 15.7	11 17.8	10 20.0	10 22.3	10 00.9	11 21.6	9 06.9	11 03.9	11 07.1
11 08.0	13 04.5	12 13.4	14 09.3	14 11.5	13 13.6	13 16.0	12 18.6	14 15.3	12 00.7	13 21.7	14 00.9
14 01.7	15 22.2	15 07.1	17 03.0	17 05.1	16 07.3	16 09.7	15 12.3	17 09.0	14 18.4	16 15.4	16 18.6
16 19.4	18 15.9	18 00.7	19 20.6	19 22.7	19 00.9	19 03.3	18 06.0	20 02.7	17 12.2	19 09.2	19 12.4
19 13.1	21 09.6	20 18.4	22 14.3	22 16.4	21 18.6	21 21.0	20 23.8	22 20.5	20 05.9	22 02.9	22 06.1
22 06.9	24 03.3	23 12.1	25 07.9	25 10.0	24 12.3	24 14.7	23 17.5	25 14.2	22 23.7	24 20.7	24 23.9
25 00.6	26 21.0	26 05.7	28 01.6	28 03.7	27 05.9	27 08.4	26 11.2	28 08.0	25 17.4	27 14.4	27 17.6
27 18.3		28 23.4	30 19.2	30 21.3	29 23.6	30 02.1	29 04.9		28 11.1	30 08.2	30 11.3
30 12.0		31 17.1					31 22.6		31 04.9		33 05.1

RHEA

Jan.	Feb.	Mar.	Apr.	May	June	July	Aug.	Sept.	Oct.	Nov.	Dec.
d h	d h	d h	d h	d h	d h	d h	d h	d h	d h	d h	d h
−3 01.8	2 06.0	1 08.7	1 23.4	3 13.7	4 03.9	1 06.0	1 20.9	2 12.3	4 04.1	4 20.2	1 23.8
1 14.4	6 18.5	5 21.1	6 11.8	8 02.0	8 16.2	5 18.4	6 09.4	7 00.8	8 16.7	9 08.8	6 12.4
6 02.9	11 07.0	10 09.5	11 00.1	12 14.3	13 04.6	10 06.8	10 21.8	11 13.4	13 05.3	13 21.4	11 01.0
10 15.5	15 19.4	14 21.9	15 12.4	17 02.6	17 16.9	14 19.2	15 10.3	16 01.9	17 17.9	18 10.0	15 13.6
15 04.0	20 07.9	19 10.3	20 00.7	21 14.9	22 05.3	19 07.6	19 22.8	20 14.5	22 06.5	22 22.6	20 02.1
19 16.5	24 20.3	23 22.7	24 13.1	26 03.3	26 17.6	23 20.0	24 11.3	25 03.0	26 19.0	27 11.2	24 14.7
24 05.0		28 11.1	29 01.4	30 15.6		28 08.5	28 23.8	29 15.6	31 07.6		29 03.3
28 17.5											33 15.9

UNIVERSAL TIME OF CONJUNCTIONS AND ELONGATIONS

TITAN

Eastern Elongation	d h	Inferior Conjunction	d h	Western Elongation	d h	Superior Conjunction	d h
						Jan.	−2 16.5
Jan.	2 13.3	Jan.	6 09.8	Jan.	10 13.1		14 16.8
	18 13.5		22 09.9		26 13.3		30 16.7
Feb.	3 13.2	Feb.	7 09.6	Feb.	11 12.9	Feb.	15 16.2
	19 12.6		23 08.9		27 12.1	Mar.	3 15.3
Mar.	7 11.5	Mar.	11 07.7	Mar.	15 10.8		19 13.8
	23 09.9		27 06.0		31 09.0	Apr.	4 11.9
Apr.	8 08.0	Apr.	12 03.9	Apr.	16 06.7		20 09.6
	24 05.6		28 01.4	May	2 04.1	May	6 07.0
May	10 03.1	May	13 22.8		18 01.4		22 04.4
	26 00.6		29 20.2	June	2 22.7	June	7 01.9
June	10 22.1	June	14 17.8		18 20.2		22 23.5
	26 19.9		30 15.6	July	4 18.1	July	8 21.5
July	12 18.0	July	16 13.8		20 16.4		24 19.9
	28 16.6	Aug.	1 12.5	Aug.	5 15.2	Aug.	9 18.8
Aug.	13 15.6		17 11.6		21 14.5		25 18.2
	29 15.0	Sept.	2 11.2	Sept.	6 14.2	Sept.	10 18.0
Sept.	14 14.8		18 11.1		22 14.3		26 18.1
	30 15.0	Oct.	4 11.4	Oct.	8 14.8	Oct.	12 18.6
Oct.	16 15.4		20 12.0		24 15.6		28 19.3
Nov.	1 16.0	Nov.	5 12.8	Nov.	9 16.5	Nov.	13 20.1
	17 16.8		21 13.6		25 17.5		29 21.0
Dec.	3 17.5	Dec.	7 14.5	Dec.	11 18.5	Dec.	15 21.8
	19 18.2		23 15.3		27 19.4		31 22.6
	35 18.8						

HYPERION

Eastern Elongation	d h	Inferior Conjunction	d h	Western Elongation	d h	Superior Conjunction	d h
				Jan.	−4 01.7	Jan.	1 16.1
Jan.	5 22.9	Jan.	10 22.8		17 12.2		23 01.1
	27 07.4	Feb.	1 08.3	Feb.	7 21.2	Feb.	13 08.3
Feb.	17 14.6		22 16.0	Mar.	1 04.2	Mar.	6 14.1
Mar.	10 20.3	Mar.	15 21.8		22 09.3		27 18.6
Apr.	1 00.5	Apr.	6 01.9	Apr.	12 12.8	Apr.	17 21.7
	22 03.6		27 04.7	May	3 15.0	May	9 00.1
May	13 06.0	May	18 06.7		24 16.6		30 02.0
June	3 08.0	June	8 08.5	June	14 18.4	June	20 04.0
	24 10.3		29 10.8	July	5 20.9	July	11 06.6
July	15 13.2	July	20 14.2		27 00.7	Aug.	1 10.3
Aug.	5 17.0	Aug.	10 18.7	Aug.	17 05.8		22 15.1
	26 21.9	Sept.	1 00.7	Sept.	7 12.4	Sept.	12 21.1
Sept.	17 03.9		22 08.2		28 20.6	Oct.	4 04.2
Oct.	8 11.2	Oct.	13 17.1	Oct.	20 05.9		25 12.1
	29 19.2	Nov.	4 02.9	Nov.	10 16.1	Nov.	15 21.0
Nov.	20 04.2		25 13.9	Dec.	2 03.3	Dec.	7 06.5
Dec.	11 13.9	Dec.	17 01.3		23 14.5		28 16.2
	32 23.7						

IAPETUS

Eastern Elongation	d h	Inferior Conjunction	d h	Western Elongation	d h	Superior Conjunction	d h
				Jan.	−12 23.6	Jan.	10 07.8
Jan.	30 09.8	Feb.	18 10.4	Mar.	10 09.6	Mar.	31 03.4
Apr.	19 15.7	May	8 05.1	May	27 17.6	June	17 06.6
July	6 21.8	July	25 16.5	Aug.	14 13.3	Sept.	4 15.7
Sept.	24 19.4	Oct.	14 01.3	Nov.	3 11.2	Nov.	24 22.0
Dec.	15 02.5	Dec.	34 10.2				

SATELLITES OF SATURN, 1985

APPARENT DISTANCE AND POSITION ANGLE

Time from Eastern Elongation	MIMAS		Time from Eastern Elongation	ENCELADUS		TETHYS		Time from Eastern Elongation	DIONE	
	F	p_1		F	p_1	F	p_1		F	p_1
h		°	d h		°		°	d h		°
0.0	1.000	90.0	0 00	1.000	92.0	1.000	92.0	0 00	1.000	92.0
0.5	0.992	93.1	0 01	0.985	96.3	0.992	95.0	0 02	0.985	96.3
1.0	0.968	96.4	0 02	0.939	101.0	0.967	98.2	0 04	0.939	101.0
1.5	0.928	99.9	0 03	0.867	106.2	0.927	101.5	0 06	0.866	106.2
2.0	0.874	103.7	0 04	0.771	112.6	0.873	105.2	0 08	0.771	112.6
2.5	0.808	108.1	0 05	0.660	121.0	0.806	109.5	0 10	0.659	121.1
3.0	0.732	113.4	0 06	0.545	132.9	0.729	114.6	0 12	0.544	133.1
3.5	0.650	119.9	0 07	0.446	150.8	0.645	121.0	0 14	0.445	151.0
4.0	0.566	128.4	0 08	0.394	175.8	0.560	129.3	0 16	0.394	176.1
4.5	0.488	139.8	0 09	0.415	202.9	0.479	140.6	0 18	0.416	203.2
5.0	0.426	154.9	0 10	0.498	224.0	0.415	155.8	0 20	0.499	224.3
5.5	0.395	173.8	0 11	0.609	238.3	0.381	175.2	0 22	0.610	238.4
6.0	0.402	193.8	0 12	0.723	248.0	0.389	195.9	1 00	0.725	248.1
6.5	0.447	211.4	0 13	0.827	255.1	0.435	213.9	1 02	0.828	255.3
7.0	0.517	225.0	0 14	0.910	260.8	0.506	227.7	1 04	0.912	260.9
7.5	0.598	235.1	0 15	0.968	265.7	0.589	237.9	1 06	0.969	265.8
8.0	0.682	242.8	0 16	0.997	270.1	0.675	245.4	1 08	0.997	270.2
8.5	0.762	248.8	0 17	0.995	274.4	0.757	251.3	1 10	0.995	274.5
9.0	0.835	253.7	0 18	0.963	278.9	0.831	256.1	1 12	0.962	279.0
9.5	0.897	257.8	0 19	0.902	283.8	0.893	260.1	1 14	0.900	283.9
10.0	0.945	261.5	0 20	0.816	289.6	0.943	263.7	1 16	0.813	289.7
10.5	0.979	264.9	0 21	0.711	297.0	0.978	266.9	1 18	0.708	297.2
11.0	0.997	268.1	0 22	0.596	307.1	0.996	270.0	1 20	0.592	307.4
11.5	0.999	271.2	0 23	0.486	322.0	0.999	273.0	1 22	0.483	322.5
12.0	0.984	274.4	1 00	0.409	344.0	0.985	276.1	2 00	0.407	344.8
12.5	0.954	277.7	1 01	0.397	11.3	0.955	279.3	2 02	0.397	12.2
13.0	0.909	281.3	1 02	0.456	35.6	0.910	282.7	2 04	0.459	36.3
13.5	0.851	285.3	1 03	0.558	52.7	0.851	286.6	2 06	0.562	53.2
14.0	0.780	290.0	1 04	0.673	64.1	0.781	291.1	2 08	0.677	64.4
14.5	0.702	295.7	1 05	0.783	72.2	0.701	296.6	2 10	0.787	72.5
15.0	0.618	302.9	1 06	0.876	78.4	0.616	303.6	2 12	0.879	78.7
15.5	0.535	312.4	1 07	0.946	83.6	0.531	312.8	2 14	0.948	83.8
16.0	0.462	325.1	1 08	0.988	88.2	0.454	325.4	2 16	0.989	88.4
16.5	0.410	341.7	1 09	1.000	92.5	0.399	342.1	2 18	1.000	92.7
17.0	0.393	1.5	1 10	0.981	96.8	0.379	2.4	2 20	0.979	97.0
17.5	0.416	20.9	1 11			0.401	22.6			
18.0	0.471	37.0	1 12			0.457	39.2			
18.5	0.547	49.2	1 13			0.534	51.6			
19.0	0.630	58.3	1 14			0.619	60.7			
19.5	0.713	65.2	1 15			0.704	67.6			
20.0	0.791	70.7	1 16			0.784	73.1			
20.5	0.860	75.3	1 17			0.854	77.5			
21.0	0.917	79.3	1 18			0.912	81.4			
21.5	0.960	82.8	1 19			0.957	84.8			
22.0	0.988	86.1	1 20			0.986	88.0			
22.5	1.000	89.3	1 21			0.999	91.1			
23.0	0.995	92.4	1 22			0.996	94.1			

Apparent distance of satellite is Fa/Δ

Position angle of satellite is $p_1 + p_2$

APPARENT DISTANCE AND POSITION ANGLE

Time from Eastern Elongation	RHEA F	RHEA p_1	Time from Eastern Elongation	TITAN F	TITAN p_1	HYPERION F	HYPERION p_1	Time from Eastern Elongation	IAPETUS F	IAPETUS p_1
d h		°	d h		°		°	d		°
0 00	1.000	91.0	0 00	0.971	92.0	0.902	92.0	0	0.979	105.0
0 03	0.987	94.9	0 10	0.959	95.9	0.902	95.3	2	0.964	107.5
0 06	0.949	99.0	0 20	0.923	100.0	0.888	98.7	4	0.924	110.1
0 09	0.888	103.6	1 06	0.865	104.5	0.859	102.3	6	0.862	113.1
0 12	0.807	109.0	1 16	0.789	109.8	0.818	106.2	8	0.779	116.6
0 15	0.711	115.7	2 02	0.698	116.4	0.766	110.5	10	0.679	121.1
0 18	0.606	124.8	2 12	0.599	125.2	0.706	115.5	12	0.566	127.2
0 21	0.503	137.5	2 22	0.502	137.3	0.641	121.5	14	0.447	136.6
1 00	0.423	156.0	3 08	0.424	154.6	0.575	128.9	16	0.336	152.5
1 03	0.389	180.1	3 18	0.387	177.2	0.512	138.2	18	0.263	180.1
1 06	0.419	204.5	4 04	0.406	200.9	0.458	149.8	20	0.272	215.2
1 09	0.497	223.4	4 14	0.474	220.1	0.422	164.0	22	0.354	240.5
1 12	0.598	236.5	5 00	0.567	233.7	0.409	179.9	24	0.468	254.8
1 15	0.703	245.7	5 10	0.669	243.4	0.424	195.8	26	0.588	263.4
1 18	0.801	252.6	5 20	0.767	250.4	0.463	209.8	28	0.701	269.1
1 21	0.883	258.0	6 06	0.854	256.0	0.519	221.2	30	0.802	273.3
2 00	0.946	262.7	6 16	0.927	260.6	0.585	230.2	32	0.887	276.6
2 03	0.985	266.8	7 02	0.981	264.6	0.655	237.3	34	0.952	279.4
2 06	1.000	270.7	7 12	1.015	268.2	0.727	243.0	36	0.996	281.9
2 09	0.989	274.6	7 22	1.029	271.7	0.796	247.8	38	1.018	284.2
2 12	0.953	278.7	8 08	1.020	275.2	0.861	251.7	40	1.018	286.5
2 15	0.893	283.3	8 18	0.990	278.7	0.920	255.2	42	0.995	288.8
2 18	0.814	288.6	9 04	0.940	282.6	0.972	258.2	44	0.951	291.3
2 21	0.718	295.2	9 14	0.871	287.1	1.015	261.0	46	0.887	294.1
3 00	0.613	304.0	10 00	0.786	292.4	1.050	263.5	48	0.805	297.4
3 03	0.510	316.5	10 10	0.691	299.1	1.075	266.0	50	0.707	301.5
3 06	0.427	334.5	10 20	0.590	308.0	1.089	268.3	52	0.599	307.1
3 09	0.390	358.3	11 06	0.494	320.6	1.093	270.6	54	0.484	315.3
3 12	0.415	22.9	11 16	0.419	338.4	1.085	272.9	56	0.375	328.3
3 15	0.490	42.3	12 02	0.388	361.3	1.067	275.2	58	0.290	350.5
3 18	0.591	55.7	12 12	0.413	24.6	1.037	277.7	60	0.267	22.5
3 21	0.696	65.2	12 22	0.483	43.1	0.996	280.3	62	0.321	51.1
4 00	0.795	72.2	13 08	0.576	56.2	0.945	283.2	64	0.420	68.8
4 03	0.878	77.7	13 18	0.675	65.6	0.884	286.4	66	0.533	79.4
4 06	0.942	82.4	14 04	0.768	72.6	0.813	290.2	68	0.644	86.3
4 09	0.983	86.5	14 14	0.849	78.2	0.735	294.8	70	0.746	91.2
4 12	1.000	90.5	15 00	0.911	82.9	0.652	300.4	72	0.834	94.9
4 15	0.991	94.4	15 10	0.952	87.0	0.566	307.8	74	0.903	98.1
			15 20	0.971	91.0	0.484	317.7	76	0.951	100.8
			16 06	0.965	94.8	0.414	331.4	78	0.976	103.4
			16 16			0.368	349.6	80	0.977	105.8
			17 02			0.359	10.6	82	0.953	108.4
			17 12			0.391	30.3			
			17 22			0.453	45.9			
			18 08			0.530	57.3			
			18 18			0.611	65.7			
			19 04			0.689	72.2			
			19 14			0.758	77.4			
			20 00			0.816	81.8			
			20 10			0.861	85.7			
			20 20			0.890	89.2			
			21 06			0.903	92.6			
			21 16			0.901	96.0			

Apparent distance of satellite is Fa/Δ

Position angle of satellite is $p_1 + p_2$

APPARENT DISTANCE AND POSITION ANGLE

Date (0ʰ U.T.)	MIMAS $\dfrac{a}{\Delta}$	MIMAS p_2	ENCELADUS $\dfrac{a}{\Delta}$	ENCELADUS p_2	TETHYS $\dfrac{a}{\Delta}$	TETHYS p_2	DIONE $\dfrac{a}{\Delta}$	DIONE p_2
	″	°	″	°	″	°	″	°
Jan. −1	24.2	+2.7	31.0	−0.5	38.4	+0.7	49.1	−0.4
3	24.3	2.7	31.1	0.4	38.5	0.7	49.4	0.4
7	24.4	2.6	31.3	0.4	38.7	0.8	49.6	03.
11	24.5	2.6	31.4	0.3	38.9	0.8	49.8	0.3
15	24.6	2.5	31.6	0.3	39.1	0.8	50.1	0.2
19	24.8	+2.4	31.8	−0.2	39.4	+0.9	50.4	−0.2
23	24.9	2.3	32.0	0.2	39.6	0.9	50.7	0.2
27	25.1	2.3	32.2	0.2	39.8	0.9	51.0	0.1
31	25.2	2.2	32.4	0.1	40.1	0.9	51.3	0.1
Feb. 4	25.4	2.1	32.6	0.1	40.3	0.9	51.7	0.1
8	25.6	+2.0	32.8	−0.1	40.6	+1.0	52.0	−0.1
12	25.7	1.9	33.0	−0.1	40.9	1.0	52.3	0.0
16	25.9	1.8	33.2	0.0	41.1	1.0	52.7	0.0
20	26.1	1.7	33.5	0.0	41.4	1.0	53.0	0.0
24	26.3	1.6	33.7	0.0	41.7	1.0	53.4	0.0
28	26.4	+1.5	33.9	0.0	42.0	+1.0	53.8	0.0
Mar. 4	26.6	1.4	34.1	0.0	42.3	1.0	54.1	0.0
8	26.8	1.3	34.4	0.0	42.6	1.0	54.5	0.0
12	27.0	1.2	34.6	0.0	42.8	1.0	54.9	0.0
16	27.1	1.1	34.8	0.0	43.1	0.9	55.2	0.0
20	27.3	+1.0	35.0	0.0	43.4	+0.9	55.5	0.0
24	27.5	0.9	35.2	0.0	43.6	0.9	55.9	0.0
28	27.6	0.8	35.4	0.0	43.9	0.9	56.2	0.0
Apr. 1	27.8	0.7	35.6	0.0	44.1	0.9	56.5	0.0
5	27.9	0.6	35.8	−0.1	44.3	0.8	56.8	−0.1
9	28.1	+0.5	36.0	−0.1	44.6	+0.8	57.1	−0.1
13	28.2	0.4	36.1	0.1	44.7	0.8	57.3	0.1
17	28.3	0.3	36.3	0.1	44.9	0.7	57.5	0.1
21	28.4	0.3	36.4	0.2	45.1	0.7	57.7	0.2
25	28.5	0.2	36.5	0.2	45.2	0.6	57.9	0.2
29	28.5	+0.1	36.6	−0.2	45.3	+0.6	58.0	−0.2
May 3	28.6	+0.1	36.7	0.3	45.4	0.6	58.2	0.3
7	28.6	0.0	36.7	0.3	45.5	0.5	58.2	0.3
11	28.7	0.0	36.8	0.3	45.5	0.5	58.3	0.3
15	28.7	0.0	36.8	0.4	45.5	0.4	58.3	0.4
19	28.7	−.0.1	36.8	−0.4	45.5	+0.4	58.3	−0.4
23	28.6	0.1	36.8	0.5	45.5	0.3	58.3	0.4
27	28.6	0.1	36.7	0.5	45.4	0.3	58.2	0.5
31	28.6	0.1	36.6	0.5	45.4	0.2	58.1	0.5
June 4	28.5	0.1	36.6	0.6	45.3	0.2	58.0	0.6
8	28.4	−0.1	36.5	−0.6	45.1	+0.2	57.8	−0.6
12	28.3	0.1	36.3	0.6	45.0	0.1	57.6	0.6
16	28.2	−0.1	36.2	0.7	44.8	+0.1	57.4	0.6
20	28.1	0.0	36.1	0.7	44.6	0.0	57.2	0.7
24	28.0	0.0	35.9	0.7	44.4	0.0	56.9	0.7
28	27.8	+0.1	35.7	−0.7	44.2	0.0	56.6	−0.7
July 2	27.7	+0.1	35.5	−0.8	44.0	−0.1	56.4	−0.7

APPARENT DISTANCE AND POSITION ANGLE

Date (0ʰ U.T.)	MIMAS $\frac{a}{\Delta}$	MIMAS p_2	ENCELADUS $\frac{a}{\Delta}$	ENCELADUS p_2	TETHYS $\frac{a}{\Delta}$	TETHYS p_2	DIONE $\frac{a}{\Delta}$	DIONE p_2
	"	°	"	°	"	°	"	°
July 2	27.7	+0.1	35.5	−0.8	44.0	−0.1	56.4	−0.7
6	27.6	0.2	35.3	0.8	43.8	0.1	56.0	0.8
10	27.4	0.3	35.1	0.8	43.5	0.1	55.7	0.8
14	27.2	0.3	34.9	0.8	43.2	0.1	55.4	0.8
18	27.1	0.4	34.7	0.8	43.0	0.1	55.0	0.8
22	26.9	+0.5	34.5	−0.8	42.7	−0.2	54.7	−0.8
26	26.7	0.6	34.3	0.8	42.4	0.2	54.3	0.8
30	26.5	0.7	34.0	0.8	42.2	0.2	54.0	0.8
Aug. 3	26.4	0.9	33.8	0.8	41.9	0.2	53.6	0.8
7	26.2	1.0	33.6	0.8	41.6	0.2	53.3	0.8
11	26.0	+1.1	33.4	−0.8	41.3	−0.2	52.9	−0.8
15	25.8	1.2	33.1	0.8	41.0	0.2	52.6	0.8
19	25.7	1.4	32.9	0.7	40.8	0.2	52.2	0.7
23	25.5	1.5	32.7	0.7	40.5	0.2	51.9	0.7
27	25.3	1.7	32.5	0.7	40.2	0.2	51.5	0.7
31	25.2	+1.8	32.3	−0.7	40.0	−0.2	51.2	−0.7
Sept. 4	25.0	1.9	32.1	0.6	39.7	0.2	50.9	0.6
8	24.9	2.1	31.9	0.6	39.5	0.2	50.6	0.6
12	24.7	2.2	31.7	0.6	39.3	0.2	50.3	0.6
16	24.6	2.4	31.5	0.5	39.0	0.2	50.0	0.5
20	24.4	+2.5	31.4	−0.5	38.8	−0.1	49.7	−0.5
24	24.3	2.6	31.2	0.5	38.6	0.1	49.5	0.5
28	24.2	2.8	31.0	0.4	38.4	0.1	49.2	0.4
Oct. 2	24.1	2.9	30.9	0.4	38.3	−0.1	49.0	0.4
6	24.0	3.0	30.8	0.3	38.1	0.0	48.8	0.3
10	23.9	+3.2	30.6	−0.3	37.9	0.0	48.6	−0.3
14	23.8	3.3	30.5	0.2	37.8	0.0	48.4	0.2
18	23.7	3.4	30.4	0.2	37.7	0.0	48.2	0.2
22	23.6	3.5	30.3	0.1	37.5	+0.1	48.1	0.1
26	23.6	3.5	30.2	−0.1	37.4	0.1	48.0	−0.1
30	23.5	+3.6	30.2	0.0	37.4	+0.1	47.8	0.0
Nov. 3	23.5	3.7	30.1	+0.1	37.3	0.2	47.7	+0.1
7	23.4	3.8	30.1	0.1	37.2	0.2	47.7	0.1
11	23.4	3.8	30.0	0.2	37.2	0.2	47.6	0.2
15	23.4	3.8	30.0	0.2	37.1	0.2	47.6	0.2
19	23.4	+3.9	30.0	+0.3	37.1	+0.3	47.5	+0.3
23	23.4	3.9	30.0	0.4	37.1	0.3	47.5	0.4
27	23.4	3.9	30.0	0.4	37.1	0.3	47.5	0.4
Dec. 1	23.4	3.9	30.0	0.5	37.1	0.4	47.6	0.5
5	23.4	3.9	30.0	0.5	37.2	0.4	47.6	0.5
9	23.4	+3.9	30.1	+0.6	37.2	+0.4	47.7	+0.6
13	23.5	3.9	30.1	0.6	37.3	0.5	47.7	0.6
17	23.5	3.8	30.2	0.7	37.4	0.5	47.8	0.7
21	23.6	3.8	30.3	0.8	37.5	0.5	48.0	0.8
25	23.6	3.7	30.3	0.8	37.6	0.6	48.1	0.8
29	23.7	+3.7	30.4	+0.9	37.7	+0.6	48.3	+0.9
33	23.8	+3.6	30.5	+0.9	37.8	+0.6	48.4	+0.9

APPARENT DISTANCE AND POSITION ANGLE

Date (0ʰ U.T.)	RHEA		TITAN		HYPERION		IAPETUS	
	$\dfrac{a}{\Delta}$	p_2	$\dfrac{a}{\Delta}$	p_2	$\dfrac{a}{\Delta}$	p_2	$\dfrac{a}{\Delta}$	p_2
	''	°	''	°	''	°	''	°
Jan. −1	68.6	+0.2	159	−0.2	193	−0.5	463	+0.4
3	68.9	0.3	160	0.1	194	0.5	465	0.4
7	69.3	0.3	160	0.1	195	0.5	468	0.4
11	69.6	0.4	161	−0.1	196	0.4	470	0.4
15	70.0	0.4	162	0.0	197	0.4	473	0.4
19	70.4	+0.5	163	0.0	198	−0.3	475	+0.4
23	70.8	0.5	164	+0.1	199	0.3	478	0.3
27	71.2	0.5	165	0.1	200	0.3	481	0.3
31	71.7	0.6	166	0.1	201	0.2	484	0.3
Feb. 4	72.1	0.6	167	0.1	203	0.2	487	0.3
8	72.6	+0.6	168	+0.2	204	−0.2	490	+0.3
12	73.1	0.6	169	0.2	205	0.2	494	0.3
16	73.6	0.6	171	0.2	207	0.2	497	0.3
20	74.1	0.7	172	0.2	208	0.1	500	0.3
24	74.6	0.7	173	0.2	209	0.1	504	0.3
28	75.1	+0.7	174	+0.2	211	−0.1	507	+0.3
Mar. 4	75.6	0.7	175	0.2	212	0.1	511	0.3
8	76.1	0.7	176	0.2	214	0.1	514	0.3
12	76.6	0.7	178	0.2	215	0.1	517	0.3
16	77.1	0.7	179	0.2	216	0.1	521	0.3
20	77.6	+0.7	180	+0.2	218	−0.1	524	+0.3
24	78.0	0.7	181	0.2	219	0.1	527	0.3
28	78.5	0.6	182	0.2	220	0.2	530	0.3
Apr. 1	78.9	0.6	183	0.2	221	0.2	533	0.3
5	79.3	0.6	184	0.2	223	0.2	536	0.3
9	79.7	+0.6	185	+0.1	224	−0.2	538	+0.3
13	80.0	0.6	185	0.1	224	0.2	540	0.3
17	80.3	0.5	186	0.1	225	0.3	543	0.3
21	80.6	0.5	187	+0.1	226	0.3	544	0.3
25	80.9	0.5	187	0.0	227	0.3	546	0.3
29	81.1	+0.4	188	0.0	227	−0.4	547	+0.3
May 3	81.2	0.4	188	0.0	228	0.4	548	0.4
7	81.3	0.4	188	−0.1	228	0.4	549	0.4
11	81.4	0.3	189	0.1	228	0.5	550	0.4
15	81.4	0.3	189	0.1	228	0.5	550	0.4
19	81.4	+0.2	189	−0.2	228	−0.5	550	+0.4
23	81.4	0.2	189	0.2	228	0.6	550	0.4
27	81.3	0.2	188	0.2	228	0.6	549	0.4
31	81.1	0.1	188	0.3	227	0.6	548	0.4
June 4	81.0	0.1	188	0.3	227	0.7	547	0.4
8	80.7	+0.1	187	−0.3	226	−0.7	545	+0.4
12	80.5	0.0	186	0.4	226	0.7	543	0.4
16	80.2	0.0	186	0.4	225	0.8	541	0.4
20	79.9	0.0	185	0.4	224	0.8	539	0.4
24	79.5	0.0	184	0.5	223	0.8	537	0.4
28	79.1	−0.1	183	−0.5	222	−0.8	534	+0.4
July 2	78.7	−0.1	182	−0.5	221	−0.9	531	+0.4

APPARENT DISTANCE AND POSITION ANGLE

Date (0ʰ U.T.)	RHEA $\dfrac{a}{\Delta}$	RHEA p_2	TITAN $\dfrac{a}{\Delta}$	TITAN p_2	HYPERION $\dfrac{a}{\Delta}$	HYPERION p_2	IAPETUS $\dfrac{a}{\Delta}$	IAPETUS p_2
	''	°	''	°	''	°	''	°
July 2	78.7	−0.1	182	−0.5	221	−0.9	531	+0.4
6	78.3	0.1	181	0.5	219	0.9	529	0.4
10	77.8	0.1	180	0.5	218	0.9	526	0.4
14	77.4	0.1	179	0.5	217	0.9	522	0.4
18	76.9	0.1	178	0.5	215	0.9	519	0.4
22	76.4	−0.1	177	−0.6	214	−0.9	516	+0.4
26	75.9	0.1	176	0.6	213	0.9	512	0.4
30	75.4	0.1	175	0.6	211	0.9	509	0.4
Aug. 3	74.9	0.1	174	0.5	210	0.9	506	0.4
7	74.4	0.1	172	0.5	209	0.9	502	0.4
11	73.9	−0.1	171	−0.5	207	−0.9	499	+0.4
15	73.4	0.1	170	0.5	206	0.9	496	0.4
19	72.9	0.1	169	0.5	204	0.9	492	0.4
23	72.4	−0.1	168	0.5	203	0.8	489	0.4
27	72.0	0.0	167	0.5	202	0.8	486	0.4
31	71.5	0.0	166	−0.4	201	−0.8	483	+0.4
Sept. 4	71.1	0.0	165	0.4	199	0.8	480	0.4
8	70.6	0.0	164	0.4	198	0.7	477	0.4
12	70.2	+0.1	163	0.3	197	0.7	474	0.4
16	69.8	0.1	162	0.3	196	0.7	471	0.4
20	69.4	+0.1	161	−0.3	195	−0.6	469	+0.4
24	69.1	0.2	160	0.2	194	0.6	466	0.4
28	68.7	0.2	159	0.2	193	0.5	464	0.4
Oct. 2	68.4	0.3	159	0.1	192	0.5	462	0.4
6	68.1	0.3	158	−0.1	191	0.5	460	0.4
10	67.8	+0.4	157	0.0	191	−0.4	458	+0.4
14	67.6	0.4	157	0.0	190	0.4	456	0.4
18	67.4	0.5	156	+0.1	189	0.3	455	0.4
22	67.2	0.5	156	0.1	189	0.3	453	0.4
26	67.0	0.6	155	0.2	188	0.2	452	0.3
30	66.8	+0.6	155	+0.2	188	−0.1	451	+0.3
Nov. 3	66.7	0.7	155	0.3	187	−0.1	450	0.3
7	66.6	0.7	154	0.3	187	0.0	449	0.3
11	66.5	0.8	154	0.4	187	0.0	449	0.3
15	66.4	0.9	154	0.4	187	+0.1	448	0.3
19	66.4	+0.9	154	+0.5	187	+0.1	448	+0.2
23	66.4	1.0	154	0.6	187	0.2	448	0.2
27	66.4	1.0	154	0.6	187	0.2	448	0.2
Dec. 1	66.4	1.1	154	0.7	187	0.3	449	0.2
5	66.5	1.2	154	0.7	187	0.4	449	0.1
9	66.6	+1.2	154	+0.8	187	+0.4	450	+0.1
13	66.7	1.3	155	0.8	188	0.5	450	+0.1
17	66.8	1.3	155	0.9	188	0.5	451	0.0
21	67.0	1.4	155	0.9	189	0.6	452	0.0
25	67.2	1.4	156	1.0	189	0.6	454	0.0
29	67.4	+1.5	156	+1.0	190	+0.7	455	−0.1
33	67.6	+1.5	157	+1.1	190	+0.7	457	−0.1

SATELLITES OF SATURN, 1985

ORBITAL POSITIONS FOR 0ʰ UNIVERSAL TIME

Date		MIMAS			ENCELADUS		TETHYS		DIONE	
		L	M	θ	L	M	L	θ	L	M
		°	°	°	°	°	°	°	°	°
Jan.	−1	76.723	15.9	237.8	280.629	163.2	147.160	263.8	20.315	271.7
	3	164.717	99.9	233.8	251.561	132.8	189.950	263.0	186.455	77.5
	7	252.712	183.9	229.8	222.492	102.4	232.741	262.2	352.594	243.3
	11	340.705	267.8	225.8	193.423	72.0	275.531	261.4	158.733	49.1
	15	68.699	351.8	221.8	164.355	41.6	318.322	260.6	324.872	214.9
	19	156.693	75.8	217.8	135.286	11.1	1.112	259.8	131.011	20.7
	23	244.687	159.8	213.8	106.217	340.7	43.903	259.0	297.150	186.5
	27	332.681	243.8	209.8	77.148	310.3	86.693	258.2	103.289	352.3
	31	60.675	327.8	205.8	48.079	279.9	129.484	257.5	269.429	158.1
Feb.	4	148.669	51.8	201.8	19.010	249.5	172.274	256.7	75.568	323.9
	8	236.662	135.8	197.8	349.941	219.0	215.065	255.9	241.707	129.7
	12	324.656	219.8	193.8	320.872	188.6	257.855	255.1	47.846	295.5
	16	52.650	303.8	189.8	291.803	158.2	300.646	254.3	213.985	101.3
	20	140.643	27.7	185.8	262.734	127.8	343.436	253.5	20.124	267.1
	24	228.637	111.7	181.8	233.664	97.4	26.227	252.7	186.263	72.9
	28	316.631	195.7	177.8	204.595	66.9	69.018	251.9	352.403	238.7
Mar.	4	44.624	279.7	173.8	175.526	36.5	111.808	251.1	158.542	44.5
	8	132.618	3.7	169.8	146.456	6.1	154.599	250.3	324.681	210.3
	12	220.611	87.7	165.8	117.387	335.7	197.389	249.5	130.820	16.1
	16	308.604	171.7	161.8	88.318	305.3	240.180	248.7	296.959	181.9
	20	36.598	255.7	157.8	59.248	274.8	282.970	247.9	103.099	347.7
	24	124.591	339.7	153.8	30.178	244.4	325.761	247.2	269.238	153.5
	28	212.584	63.7	149.8	1.109	214.0	8.551	246.4	75.377	319.3
Apr.	1	300.578	147.6	145.8	332.039	183.6	51.342	245.6	241.516	125.1
	5	28.571	231.6	141.8	302.969	153.2	94.133	244.8	47.655	290.9
	9	116.564	315.6	137.8	273.900	122.7	136.923	244.0	213.795	96.7
	13	204.557	39.6	133.8	244.830	92.3	179.714	243.2	19.934	262.5
	17	292.550	123.6	129.8	215.760	61.9	222.504	242.4	186.073	68.3
	21	20.543	207.6	125.8	186.690	31.5	265.295	241.6	352.212	234.1
	25	108.537	291.6	121.8	157.620	1.0	308.085	240.8	158.351	39.9
	29	196.530	15.6	117.8	128.550	330.6	350.876	240.0	324.491	205.8
May	3	284.523	99.6	113.8	99.480	300.2	33.667	239.2	130.630	11.6
	7	12.515	183.6	109.8	70.409	269.8	76.457	238.4	296.769	177.4
	11	100.508	267.5	105.8	41.339	239.4	119.248	237.7	102.908	343.2
	15	188.501	351.5	101.8	12.269	208.9	162.038	236.9	269.048	149.0
	19	276.494	75.5	97.8	343.198	178.5	204.829	236.1	75.187	314.8
	23	4.487	159.5	93.8	314.128	148.1	247.619	235.3	241.326	120.6
	27	92.480	243.5	89.8	285.057	117.7	290.410	234.5	47.465	286.4
	31	180.472	327.5	85.8	255.987	87.3	333.201	233.7	213.605	92.2
June	4	268.465	51.5	81.8	226.916	56.8	15.991	232.9	19.744	258.0
	8	356.458	135.5	77.8	197.846	26.4	58.782	232.1	185.883	63.8
	12	84.450	219.5	73.8	168.775	356.0	101.572	231.3	352.022	229.6
	16	172.443	303.4	69.8	139.704	325.6	144.363	230.5	158.162	35.4
	20	260.435	27.4	65.8	110.633	295.1	187.154	229.7	324.301	201.2
	24	348.428	111.4	61.8	81.562	264.7	229.944	228.9	130.440	7.0
	28	76.420	195.4	57.8	52.491	234.3	272.735	228.2	296.579	172.8
July	2	164.413	279.4	53.8	23.420	203.9	315.525	227.4	102.719	338.6
4ᵈ motion		1527.993	1524.0	−4.0	1050.930	1049.6	762.791	−0.8	526.139	525.8

ORBITAL POSITIONS FOR 0ʰ UNIVERSAL TIME

Date		MIMAS			ENCELADUS		TETHYS		DIONE	
		L	M	θ	L	M	L	θ	L	M
		°	°	°	°	°	°	°	°	°
July	2	164.413	279.4	53.8	23.420	203.9	315.525	227.4	102.719	338.6
	6	252.405	3.4	49.8	354.349	173.5	358.316	226.6	268.858	144.4
	10	340.398	87.4	45.8	325.277	143.0	41.107	225.8	74.997	310.2
	14	68.390	171.4	41.8	296.206	112.6	83.897	225.0	241.137	116.0
	18	156.382	255.4	37.8	267.135	82.2	126.688	224.2	47.276	281.8
	22	244.374	339.3	33.8	238.063	51.8	169.478	223.4	213.415	87.6
	26	332.367	63.3	29.8	208.992	21.3	212.269	222.6	19.555	253.4
	30	60.359	147.3	25.8	179.920	350.9	255.060	221.8	185.694	59.2
Aug.	3	148.351	231.3	21.8	150.849	320.5	297.850	221.0	351.833	225.0
	7	236.343	315.3	17.8	121.777	290.1	340.641	220.2	157.973	30.8
	11	324.335	39.3	13.8	92.705	259.6	23.431	219.4	324.112	196.6
	15	52.327	123.3	9.8	63.633	229.2	66.222	218.7	130.251	2.4
	19	140.319	207.3	5.8	34.561	198.8	109.013	217.9	296.391	168.2
	23	228.311	291.3	1.8	5.489	168.4	151.803	217.1	102.530	334.0
	27	316.303	15.2	357.8	336.417	138.0	194.594	216.3	268.669	139.8
	31	44.295	99.2	353.8	307.345	107.5	237.385	215.5	74.809	305.6
Sept.	4	132.287	183.2	349.8	278.273	77.1	280.175	214.7	240.948	111.4
	8	220.279	267.2	345.8	249.201	46.7	322.966	213.9	47.087	277.3
	12	308.270	351.2	341.8	220.128	16.3	5.756	213.1	213.227	83.1
	16	36.262	75.2	337.8	191.056	345.8	48.547	212.3	19.366	248.9
	20	124.254	159.2	333.8	161.984	315.4	91.338	211.5	185.505	54.7
	24	212.245	243.2	329.8	132.911	285.0	134.128	210.7	351.645	220.5
	28	300.237	327.2	325.8	103.838	254.6	176.919	209.9	157.784	26.3
Oct.	2	28.229	51.1	321.8	74.766	224.1	219.710	209.2	323.924	192.1
	6	116.220	135.1	317.8	45.693	193.7	262.500	208.4	130.063	357.9
	10	204.212	219.1	313.8	16.620	163.3	305.291	207.6	296.202	163.7
	14	292.203	303.1	309.8	347.547	132.9	348.082	206.8	102.342	329.5
	18	20.195	27.1	305.8	318.474	102.4	30.872	206.0	268.481	135.3
	22	108.186	111.1	301.8	289.402	72.0	73.663	205.2	74.621	301.1
	26	196.177	195.1	297.8	260.328	41.6	116.453	204.4	240.760	106.9
	30	284.169	279.1	293.8	231.255	11.2	159.244	203.6	46.899	272.7
Nov.	3	12.160	3.0	289.8	202.182	340.8	202.035	202.8	213.039	78.5
	7	100.151	87.0	285.8	173.109	310.3	244.825	202.0	19.178	244.3
	11	188.143	171.0	281.8	144.036	279.9	287.616	201.2	185.318	50.1
	15	276.134	255.0	277.8	114.962	249.5	330.407	200.4	351.457	215.9
	19	4.125	339.0	273.8	85.889	219.1	13.197	199.7	157.597	21.7
	23	92.116	63.0	269.8	56.815	188.6	55.988	198.9	323.736	187.5
	27	180.107	147.0	265.8	27.742	158.2	98.779	198.1	129.875	353.3
Dec.	1	268.098	231.0	261.8	358.668	127.8	141.569	197.3	296.015	159.1
	5	356.089	314.9	257.8	329.595	97.4	184.360	196.5	102.154	324.9
	9	84.080	38.9	253.8	300.521	66.9	227.151	195.7	268.294	130.7
	13	172.071	122.9	249.8	271.447	36.5	269.941	194.9	74.433	296.5
	17	260.062	206.9	245.8	242.373	6.1	312.732	194.1	240.573	102.3
	21	348.053	290.9	241.7	213.299	335.7	355.523	193.3	46.712	268.1
	25	76.044	14.9	237.7	184.225	305.2	38.313	192.5	212.852	73.9
	29	164.035	98.9	233.7	155.151	274.8	81.104	191.7	18.991	239.7
	33	252.025	182.9	229.7	126.077	244.4	123.895	190.9	185.131	45.5
4ᵈ motion		1530.339	1527.8	−9.0	1048.187	1044.3	767.923	−4.9	529.941	524.8

ORBITAL POSITIONS FOR 0ʰ UNIVERSAL TIME

Date		RHEA				TITAN			
		L	M	θ	γ	L	M	θ	γ
		°	°	°	°	°	°	°	°
Jan.	−1	351.417	170.7	133.2	0.335	114.869	278.03	233.06	0.356
	3	310.177	129.4	133.1	0.335	205.176	8.33	233.06	0.356
	7	268.936	88.2	133.0	0.335	295.484	98.63	233.07	0.356
	11	227.696	46.9	132.9	0.335	25.792	188.94	233.07	0.356
	15	186.456	5.7	132.8	0.335	116.099	279.24	233.08	0.356
	19	145.216	324.4	132.6	0.335	206.407	9.54	233.08	0.357
	23	103.976	283.1	132.5	0.335	296.715	99.85	233.09	0.357
	27	62.736	241.9	132.4	0.335	27.022	190.15	233.09	0.357
	31	21.496	200.6	132.3	0.335	117.330	280.45	233.10	0.357
Feb.	4	340.255	159.4	132.2	0.335	207.637	10.75	233.10	0.357
	8	299.015	118.1	132.1	0.335	297.945	101.06	233.11	0.357
	12	257.775	76.9	132.0	0.335	28.253	191.36	233.12	0.357
	16	216.535	35.6	131.8	0.335	118.560	281.66	233.12	0.357
	20	175.295	354.4	131.7	0.335	208.868	11.97	233.13	0.357
	24	134.055	313.1	131.6	0.334	299.175	102.27	233.13	0.357
	28	92.815	271.9	131.5	0.334	29.483	192.57	233.14	0.357
Mar.	4	51.574	230.6	131.4	0.334	119.791	282.88	233.15	0.357
	8	10.334	189.4	131.3	0.334	210.098	13.18	233.15	0.357
	12	329.094	148.1	131.2	0.334	300.406	103.48	233.16	0.358
	16	287.854	106.9	131.0	0.334	30.713	193.78	233.16	0.358
	20	246.614	65.6	130.9	0.334	121.021	284.09	233.17	0.358
	24	205.374	24.4	130.8	0.334	211.329	14.39	233.18	0.358
	28	164.134	343.1	130.7	0.334	301.636	104.69	233.18	0.358
Apr.	1	122.893	301.9	130.6	0.334	31.944	195.00	233.19	0.358
	5	81.653	260.6	130.5	0.334	122.252	285.30	233.19	0.358
	9	40.413	219.3	130.4	0.334	212.559	15.60	233.20	0.358
	13	359.173	178.1	130.2	0.334	302.867	105.91	233.21	0.358
	17	317.933	136.8	130.1	0.334	33.174	196.21	233.21	0.358
	21	276.693	95.6	130.0	0.334	123.482	286.51	233.22	0.358
	25	235.453	54.3	129.9	0.334	213.790	16.81	233.23	0.358
	29	194.212	13.1	129.8	0.334	304.097	107.12	233.23	0.358
May	3	152.972	331.8	129.7	0.334	34.405	197.42	233.24	0.359
	7	111.732	290.6	129.6	0.333	124.712	287.72	233.25	0.359
	11	70.492	249.3	129.4	0.333	215.020	18.03	233.25	0.359
	15	29.252	208.1	129.3	0.333	305.328	108.33	233.26	0.359
	19	348.012	166.8	129.2	0.333	35.635	198.63	233.27	0.359
	23	306.772	125.6	129.1	0.333	125.943	288.94	233.27	0.359
	27	265.531	84.3	129.0	0.333	216.251	19.24	233.28	0.359
	31	224.291	43.1	128.9	0.333	306.558	109.54	233.29	0.359
June	4	183.051	1.8	128.8	0.333	36.866	199.84	233.29	0.359
	8	141.811	320.5	128.6	0.333	127.173	290.15	233.30	0.359
	12	100.571	279.3	128.5	0.333	217.481	20.45	233.31	0.359
	16	59.331	238.0	128.4	0.333	307.789	110.75	233.32	0.359
	20	18.091	196.8	128.3	0.333	38.096	201.06	233.32	0.359
	24	336.850	155.5	128.2	0.333	128.404	291.36	233.33	0.359
	28	295.610	114.3	128.1	0.333	218.711	21.66	233.34	0.360
July	2	254.370	73.0	128.0	0.333	309.019	111.97	233.34	0.360
4ᵈ motion		313.991	319.4	.... .	. ....	93.355	91.69	.... ..	. ....

ORBITAL POSITIONS FOR 0ʰ UNIVERSAL TIME

Date		RHEA				TITAN			
		L	M	θ	γ	L	M	θ	γ
		°	°	°	°	°	°	°	°
July	2	254.370	73.0	128.0	0.333	309.019	111.97	233.34	0.360
	6	213.130	31.8	127.8	0.333	39.327	202.27	233.35	0.360
	10	171.890	350.5	127.7	0.333	129.634	292.57	233.36	0.360
	14	130.650	309.3	127.6	0.333	219.942	22.88	233.37	0.360
	18	89.410	268.0	127.5	0.332	310.250	113.18	233.37	0.360
	22	48.169	226.7	127.4	0.332	40.557	203.48	233.38	0.360
	26	6.929	185.5	127.3	0.332	130.865	293.78	233.39	0.360
	30	325.689	144.2	127.2	0.332	221.172	24.09	233.40	0.360
Aug.	3	284.449	103.0	127.0	0.332	311.480	114.39	233.40	0.360
	7	243.209	61.7	126.9	0.332	41.788	204.69	233.41	0.360
	11	201.969	20.5	126.8	0.332	132.095	295.00	233.42	0.360
	15	160.729	339.2	126.7	0.332	222.403	25.30	233.43	0.360
	19	119.488	298.0	126.6	0.332	312.711	115.60	233.44	0.360
	23	78.248	256.7	126.5	0.332	43.018	205.91	233.44	0.361
	27	37.008	215.5	126.3	0.332	133.326	296.21	233.45	0.361
	31	355.768	174.2	126.2	0.332	223.633	26.51	233.46	0.361
Sept.	4	314.528	132.9	126.1	0.332	313.941	116.81	233.47	0.361
	8	273.288	91.7	126.0	0.332	44.249	207.12	233.48	0.361
	12	232.048	50.4	125.9	0.332	134.556	297.42	233.48	0.361
	16	190.807	9.2	125.8	0.332	224.864	27.72	233.49	0.361
	20	149.567	327.9	125.7	0.332	315.172	118.03	233.50	0.361
	24	108.327	286.7	125.5	0.332	45.479	208.33	233.51	0.361
	28	67.087	245.4	125.4	0.331	135.787	298.63	233.52	0.361
Oct.	2	25.847	204.2	125.3	0.331	226.094	28.94	233.53	0.361
	6	344.607	162.9	125.2	0.331	316.402	119.24	233.53	0.361
	10	303.366	121.6	125.1	0.331	46.710	209.54	233.54	0.361
	14	262.126	80.4	125.0	0.331	137.017	299.85	233.55	0.361
	18	220.886	39.1	124.9	0.331	227.325	30.15	233.56	0.362
	22	179.646	357.9	124.7	0.331	317.633	120.45	233.57	0.362
	26	138.406	316.6	124.6	0.331	47.940	210.75	233.58	0.362
	30	97.166	275.4	124.5	0.331	138.248	301.06	233.58	0.362
Nov.	3	55.926	234.1	124.4	0.331	228.555	31.36	233.59	0.362
	7	14.685	192.9	124.3	0.331	318.863	121.66	233.60	0.362
	11	333.445	151.6	124.2	0.331	49.171	211.97	233.61	0.362
	15	292.205	110.3	124.0	0.331	139.478	302.27	233.62	0.362
	19	250.965	69.1	123.9	0.331	229.786	32.57	233.63	0.362
	23	209.725	27.8	123.8	0.331	320.094	122.88	233.64	0.362
	27	168.485	346.6	123.7	0.331	50.401	213.18	233.65	0.362
Dec.	1	127.245	305.3	123.6	0.331	140.709	303.48	233.66	0.362
	5	86.004	264.1	123.5	0.331	231.016	33.78	233.66	0.362
	9	44.764	222.8	123.4	0.330	321.324	124.09	233.67	0.362
	13	3.524	181.5	123.2	0.330	51.632	214.39	233.68	0.363
	17	322.284	140.3	123.1	0.330	141.939	304.69	233.69	0.363
	21	281.044	99.0	123.0	0.330	232.247	35.00	233.70	0.363
	25	239.804	57.8	122.9	0.330	322.555	125.30	233.71	0.363
	29	198.564	16.5	122.8	0.330	52.862	215.60	233.72	0.363
	33	157.323	335.3	122.7	0.330	143.170	305.91	233.73	0.363
4ᵈ motion		315.340	319.3	.... .	. ....	87.195	91.48	.... ..	. ....

ORBITAL POSITIONS FOR 0ʰ UNIVERSAL TIME

Date		HYPERION						IAPETUS		
		L	M	θ	γ	e	a	L	M	γ
		°	°	°	°		ʺ	°	°	°
Jan.	−1	71.217	267.01	265.52	0.856	0.12257	2045.5	60.249	179.23	15.224
	3	138.839	334.79	265.51	0.856	0.12237	2045.2	78.400	197.38	15.224
	7	206.476	42.60	265.49	0.857	0.12217	2044.9	96.552	215.53	15.225
	11	274.126	110.41	265.48	0.857	0.12197	2044.6	114.703	233.68	15.225
	15	341.790	178.25	265.47	0.857	0.12176	2044.4	132.855	251.83	15.225
	19	49.468	246.09	265.45	0.857	0.12156	2044.1	151.006	269.98	15.225
	23	117.160	313.96	265.44	0.857	0.12136	2043.8	169.158	288.13	15.225
	27	184.866	21.83	265.42	0.857	0.12115	2043.5	187.309	306.28	15.225
	31	252.586	89.72	265.41	0.857	0.12095	2043.2	205.461	324.43	15.226
Feb.	4	320.320	157.63	265.39	0.858	0.12075	2043.0	223.612	342.58	15.226
	8	28.067	225.55	265.38	0.858	0.12054	2042.7	241.764	0.73	15.226
	12	95.828	293.48	265.36	0.858	0.12034	2042.4	259.915	18.88	15.226
	16	163.602	1.43	265.35	0.858	0.12015	2042.2	278.067	37.03	15.226
	20	231.390	69.40	265.34	0.858	0.11995	2041.9	296.218	55.19	15.226
	24	299.191	137.37	265.32	0.858	0.11975	2041.6	314.370	73.34	15.226
	28	7.005	205.37	265.31	0.858	0.11956	2041.4	332.521	91.49	15.227
Mar.	4	74.832	273.37	265.29	0.859	0.11937	2041.1	350.673	109.64	15.227
	8	142.672	341.39	265.28	0.859	0.11918	2040.9	8.824	127.79	15.227
	12	210.524	49.42	265.26	0.859	0.11900	2040.7	26.976	145.94	15.227
	16	278.388	117.46	265.25	0.859	0.11882	2040.4	45.127	164.09	15.227
	20	346.263	185.52	265.23	0.859	0.11864	2040.2	63.279	182.24	15.227
	24	54.150	253.59	265.22	0.859	0.11846	2040.0	81.430	200.39	15.228
	28	122.049	321.67	265.20	0.859	0.11829	2039.8	99.582	218.54	15.228
Apr.	1	189.958	29.76	265.19	0.860	0.11812	2039.6	117.733	236.69	15.228
	5	257.878	97.86	265.18	0.860	0.11796	2039.4	135.885	254.84	15.228
	9	325.807	165.97	265.16	0.860	0.11780	2039.2	154.036	272.99	15.228
	13	33.747	234.10	265.15	0.860	0.11764	2039.0	172.188	291.14	15.228
	17	101.696	302.23	265.13	0.860	0.11749	2038.8	190.339	309.29	15.228
	21	169.654	10.37	265.12	0.860	0.11735	2038.6	208.491	327.44	15.229
	25	237.620	78.53	265.10	0.860	0.11720	2038.5	226.642	345.59	15.229
	29	305.594	146.69	265.09	0.860	0.11707	2038.3	244.794	3.74	15.229
May	3	13.576	214.85	265.07	0.861	0.11694	2038.2	262.945	21.89	15.229
	7	81.566	283.03	265.06	0.861	0.11681	2038.1	281.097	40.04	15.229
	11	149.561	351.21	265.05	0.861	0.11669	2037.9	299.248	58.20	15.229
	15	217.563	59.40	265.03	0.861	0.11657	2037.8	317.400	76.35	15.230
	19	285.571	127.60	265.02	0.861	0.11646	2037.7	335.551	94.50	15.230
	23	353.584	195.80	265.00	0.861	0.11636	2037.6	353.703	112.65	15.230
	27	61.602	264.01	264.99	0.861	0.11626	2037.6	11.854	130.80	15.230
	31	129.624	332.22	264.97	0.862	0.11617	2037.5	30.006	148.95	15.230
June	4	197.649	40.43	264.96	0.862	0.11608	2037.4	48.157	167.10	15.230
	8	265.678	108.65	264.94	0.862	0.11600	2037.4	66.309	185.25	15.230
	12	333.709	176.87	264.93	0.862	0.11592	2037.3	84.460	203.40	15.231
	16	41.742	245.10	264.92	0.862	0.11585	2037.3	102.612	221.55	15.231
	20	109.777	313.32	264.90	0.862	0.11579	2037.3	120.763	239.70	15.231
	24	177.812	21.55	264.89	0.862	0.11573	2037.3	138.915	257.85	15.231
	28	245.848	89.77	264.87	0.863	0.11568	2037.3	157.066	276.00	15.231
July	2	313.884	158.00	264.86	0.863	0.11563	2037.3	175.218	294.15	15.231

ORBITAL POSITIONS FOR 0ʰ UNIVERSAL TIME

Date		HYPERION						IAPETUS		
		L	*M*	*θ*	*γ*	*e*	*a*	*L*	*M*	*γ*
		°	°	°	°		ʺ	°	°	°
July	2	313.884	158.00	264.86	0.863	0.11563	2037.3	175.218	294.15	15.231
	6	21.920	226.23	264.84	0.863	0.11559	2037.4	193.369	312.30	15.231
	10	89.954	294.45	264.83	0.863	0.11556	2037.4	211.521	330.45	15.232
	14	157.986	2.67	264.81	0.863	0.11553	2037.4	229.672	348.60	15.232
	18	226.016	70.89	264.80	0.863	0.11550	2037.5	247.824	6.75	15.232
	22	294.043	139.11	264.79	0.863	0.11549	2037.6	265.975	24.90	15.232
	26	2.067	207.33	264.77	0.864	0.11548	2037.7	284.127	43.05	15.232
	30	70.087	275.54	264.76	0.864	0.11547	2037.7	302.278	61.21	15.232
Aug.	3	138.102	343.74	264.74	0.864	0.11547	2037.9	320.430	79.36	15.233
	7	206.113	51.94	264.73	0.864	0.11548	2038.0	338.581	97.51	15.233
	11	274.118	120.14	264.71	0.864	0.11549	2038.1	356.733	115.66	15.233
	15	342.117	188.32	264.70	0.864	0.11550	2038.2	14.884	133.81	15.233
	19	50.110	256.51	264.68	0.864	0.11553	2038.4	33.036	151.96	15.233
	23	118.096	324.68	264.67	0.865	0.11555	2038.5	51.187	170.11	15.233
	27	186.074	32.85	264.66	0.865	0.11558	2038.7	69.339	188.26	15.233
	31	254.045	101.01	264.64	0.865	0.11562	2038.8	87.490	206.41	15.234
Sept.	4	322.007	169.16	264.63	0.865	0.11566	2039.0	105.642	224.56	15.234
	8	29.960	237.30	264.61	0.865	0.11570	2039.2	123.793	242.71	15.234
	12	97.905	305.43	264.60	0.865	0.11575	2039.4	141.945	260.86	15.234
	16	165.840	13.55	264.58	0.865	0.11581	2039.6	160.096	279.01	15.234
	20	233.765	81.66	264.57	0.866	0.11587	2039.8	178.248	297.16	15.234
	24	301.679	149.76	264.55	0.866	0.11593	2040.0	196.399	315.31	15.235
	28	9.583	217.85	264.54	0.866	0.11599	2040.2	214.551	333.46	15.235
Oct.	2	77.476	285.93	264.53	0.866	0.11606	2040.5	232.702	351.61	15.235
	6	145.358	354.00	264.51	0.866	0.11613	2040.7	250.854	9.76	15.235
	10	213.228	62.05	264.50	0.866	0.11621	2041.0	269.005	27.91	15.235
	14	281.086	130.09	264.48	0.866	0.11628	2041.2	287.157	46.06	15.235
	18	348.932	198.12	264.47	0.866	0.11636	2041.5	305.308	64.22	15.235
	22	56.765	266.13	264.45	0.867	0.11644	2041.7	323.460	82.37	15.236
	26	124.586	334.14	264.44	0.867	0.11653	2042.0	341.611	100.52	15.236
	30	192.393	42.13	264.42	0.867	0.11662	2042.2	359.763	118.67	15.236
Nov.	3	260.188	110.10	264.41	0.867	0.11670	2042.5	17.914	136.82	15.236
	7	327.969	178.06	264.40	0.867	0.11679	2042.8	36.066	154.97	15.236
	11	35.737	246.01	264.38	0.867	0.11688	2043.0	54.217	173.12	15.236
	15	103.491	313.94	264.37	0.867	0.11697	2043.3	72.369	191.27	15.237
	19	171.232	21.86	264.35	0.868	0.11707	2043.6	90.520	209.42	15.237
	23	238.959	89.77	264.34	0.868	0.11716	2043.9	108.672	227.57	15.237
	27	306.671	157.65	264.32	0.868	0.11725	2044.1	126.823	245.72	15.237
Dec.	1	14.370	225.53	264.31	0.868	0.11734	2044.4	144.975	263.87	15.237
	5	82.055	293.39	264.29	0.868	0.11744	2044.7	163.126	282.02	15.237
	9	149.726	1.24	264.28	0.868	0.11753	2045.0	181.278	300.17	15.237
	13	217.383	69.07	264.27	0.868	0.11762	2045.3	199.429	318.32	15.238
	17	285.026	136.89	264.25	0.869	0.11771	2045.5	217.581	336.47	15.238
	21	352.656	204.69	264.24	0.869	0.11780	2045.8	235.732	354.62	15.238
	25	60.271	272.48	264.22	0.869	0.11789	2046.1	253.884	12.77	15.238
	29	127.873	340.25	264.21	0.869	0.11797	2046.3	272.035	30.92	15.238
	33	195.461	48.01	264.19	0.869	0.11806	2046.6	290.187	49.07	15.238

DIFFERENTIAL COORDINATES OF HYPERION FOR 0^h U.T.

Date		$\Delta\alpha$	$\Delta\delta$	Date		$\Delta\alpha$	$\Delta\delta$	Date		$\Delta\alpha$	$\Delta\delta$
Jan.	−1	− 10	+1.0	May	3	−17	−0.1	Sept.	4	−10	−1.0
	1	− 3	+1.2		5	−16	+0.7		6	−14	−0.4
	3	+ 6	+1.0		7	− 9	+1.3		8	−15	+0.3
	5	+11	+0.3		9	0	+1.4		10	−11	+0.9
	7	+11	−0.5		11	+10	+0.9		12	− 4	+1.2
	9	+ 7	−1.1		13	+14	0.0		14	+ 5	+1.0
	11	0	−1.4		15	+12	−0.9		16	+11	+0.4
	13	− 8	−1.2		17	+ 5	−1.5		18	+12	−0.5
	15	−13	−0.7		19	− 3	−1.5		20	+ 8	−1.1
	17	−15	0.0		21	−11	−1.2		22	+ 1	−1.4
	19	−14	+0.7		23	−16	−0.5		24	− 6	−1.2
	21	− 8	+1.1		25	−17	+0.3		26	−12	−0.8
	23	0	+1.2		27	−13	+1.0		28	−14	−0.1
	25	+ 8	+0.8		29	− 5	+1.4		30	−13	+0.5
	27	+12	0.0		31	+ 5	+1.2	Oct.	2	− 8	+1.0
	29	+11	−0.8	June	2	+12	+0.5		4	− 1	+1.2
	31	+ 5	−1.3		4	+14	−0.5		6	+ 7	+0.8
Feb.	2	− 3	−1.4		6	+ 9	−1.2		8	+12	+0.1
	4	− 10	−1.1		8	+ 1	−1.5		10	+11	−0.7
	6	− 14	−0.5		10	− 7	−1.4		12	+ 6	−1.2
	8	− 16	+0.2		12	−14	−0.9		14	− 1	−1.3
	10	− 13	+0.9		14	−17	−0.1		16	− 8	−1.1
	12	− 6	+1.3		16	−16	+0.6		18	−13	−0.6
	14	+ 3	+1.2		18	−10	+1.2		20	−14	+0.1
	16	+11	+0.6		20	− 1	+1.3		22	−12	+0.7
	18	+13	−0.3		22	+ 9	+0.9		24	− 6	+1.1
	20	+ 9	−1.1		24	+14	+0.1		26	+ 2	+1.1
	22	+ 2	−1.5		26	+12	−0.8		28	+ 9	+0.6
	24	− 6	−1.4		28	+ 6	−1.4		30	+12	−0.2
	26	− 12	−0.9		30	− 3	−1.5	Nov.	1	+10	−0.9
	28	− 16	−0.2	July	2	−10	−1.1		3	+ 4	−1.3
Mar.	2	− 15	+0.5		4	−15	−0.5		5	− 3	−1.3
	4	− 11	+1.1		6	−17	+0.2		7	−10	−1.0
	6	− 3	+1.3		8	−13	+0.9		9	−13	−0.4
	8	+ 7	+1.0		10	− 6	+1.3		11	−14	+0.3
	10	+ 13	+0.2		12	+ 4	+1.2		13	−10	+0.9
	12	+ 13	−0.7		14	+11	+0.6		15	− 3	+1.2
	14	+ 7	−1.3		16	+13	−0.3		17	+ 5	+1.0
	16	− 1	−1.5		18	+10	−1.1		19	+11	+0.3
	18	− 9	−1.3		20	+ 2	−1.4		21	+12	−0.5
	20	−14	−0.7		22	− 6	−1.3		23	+ 8	−1.1
	22	−17	0.0		24	−12	−0.9		25	+ 2	−1.4
	24	−15	+0.8		26	−16	−0.2		27	− 5	−1.3
	26	− 8	+1.3		28	−15	+0.5		29	−11	−0.8
	28	+ 1	+1.3		30	−10	+1.0	Dec.	1	−14	−0.2
	30	+10	+0.8	Aug.	1	− 2	+1.2		3	−13	+0.5
Apr.	1	+14	−0.2		3	+ 7	+0.9		5	− 9	+1.0
	3	+11	−1.0		5	+13	+0.2		7	− 1	+1.2
	5	+ 4	−1.5		7	+12	−0.6		9	+ 7	+0.8
	7	− 4	−1.5		9	+ 7	−1.2		11	+12	+0.1
	9	− 12	−1.1		11	− 1	−1.4		13	+11	−0.7
	11	− 16	−0.4		13	− 9	−1.2		15	+ 7	−1.3
	13	− 17	+0.4		15	−14	−0.6		17	0	−1.4
	15	− 13	+1.1		17	−16	+0.1		19	− 7	−1.2
	17	− 4	+1.4		19	−13	+0.7		21	−12	−0.7
	19	+ 6	+1.2		21	− 7	+1.1		23	−14	0.0
	21	+13	+0.4		23	+ 2	+1.2		25	−12	+0.7
	23	+14	−0.6		25	+10	+0.7		27	− 7	+1.1
	25	+ 9	−1.3		27	+13	−0.2		29	+ 2	+1.2
	27	+ 1	−1.6		29	+10	−0.9		31	+ 9	+0.6
	29	− 8	−1.4		31	+ 4	−1.3		33	+12	−0.2
May	1	−14	−0.8	Sept.	2	− 4	−1.3		35	+11	−1.0

Differential coordinates are given in the sense "satellite minus planet."

DIFFERENTIAL COORDINATES OF IAPETUS FOR 0ʰ U.T.

Date		$\Delta\alpha$	$\Delta\delta$	Date		$\Delta\alpha$	$\Delta\delta$	Date		$\Delta\alpha$	$\Delta\delta$
		s	′			s	′			s	′
Jan.	−1	−22	+2.9	May	3	+13	−3.0	Sept.	4	+ 1	+2.2
	1	19	2.9		5	7	2.8		6	6	1.9
	3	15	2.8		7	+ 1	2.5		8	10	1.5
	5	10	2.7		9	− 5	2.1		10	15	1.1
	7	6	2.5		11	11	1.7		12	19	0.6
	9	− 1	2.2		13	17	1.2		14	23	+0.2
	11	+ 4	+1.9		15	−22	−0.7		16	+26	−0.3
	13	9	1.6		17	26	−0.1		18	28	0.7
	15	13	1.2		19	30	+0.4		20	30	1.1
	17	18	0.8		21	33	1.0		22	31	1.5
	19	21	+0.3		23	36	1.5		24	31	1.9
	21	25	−0.1		25	37	1.9		26	30	2.2
	23	+28	−0.6		27	−38	+2.3		28	+29	−2.4
	25	30	1.0		29	37	2.7		30	27	2.6
	27	31	1.5		31	36	3.0	Oct.	2	24	2.7
	29	32	1.8	June	2	33	3.2		4	21	2.8
	31	32	2.2		4	30	3.4		6	17	2.7
Feb.	2	31	2.5		6	27	3.4		8	12	2.6
	4	+29	−2.7		8	−22	+3.4		10	+ 8	−2.5
	6	26	2.8		10	17	3.3		12	+ 3	2.2
	8	23	2.9		12	12	3.1		14	− 2	1.9
	10	19	2.9		14	7	2.9		16	7	1.6
	12	14	2.8		16	− 1	2.6		18	12	1.2
	14	9	2.7		18	+ 5	2.2		20	16	0.8
	16	+ 4	−2.4		20	+10	+1.7		22	−20	−0.4
	18	− 1	2.1		22	15	1.3		24	23	0.0
	20	7	1.8		24	20	0.8		26	26	+0.5
	22	12	1.4		26	25	+0.3		28	28	0.9
	24	17	0.9		28	28	−0.3		30	30	1.3
	26	21	−0.5		30	31	0.8	Nov.	1	31	1.6
	28	−26	0.0	July	2	+33	−1.3		3	−31	+2.0
Mar.	2	29	+0.5		4	35	1.7		5	31	2.2
	4	32	1.0		6	35	2.1		7	30	2.5
	6	34	1.4		8	34	2.5		9	28	2.6
	8	35	1.9		10	33	2.8		11	25	2.8
	10	36	2.2		12	30	3.0		13	22	2.8
	12	−35	+2.6		14	+27	−3.1		15	−19	+2.8
	14	34	2.9		16	23	3.1		17	15	2.8
	16	32	3.1		18	18	3.1		19	11	2.6
	18	29	3.2		20	13	2.9		21	7	2.4
	20	25	3.3		22	8	2.7		23	− 2	2.2
	22	21	3.2		24	+ 2	2.4		25	+ 2	1.9
	24	−17	+3.2		26	− 3	−2.1		27	+ 7	+1.6
	26	12	3.0		28	9	1.7		29	11	1.2
	28	6	2.8		30	14	1.2	Dec.	1	15	0.9
	30	− 1	2.5	Aug.	1	19	0.8		3	19	+0.4
Apr.	1	+ 5	2.1		3	23	−0.3		5	23	0.0
	3	11	1.7		5	27	+0.2		7	25	−0.4
	5	+16	+1.2		7	−30	+0.7		9	+28	−0.8
	7	21	0.7		9	32	1.2		11	29	1.2
	9	25	+0.2		11	33	1.6		13	30	1.6
	11	29	−0.3		13	34	2.0		15	30	1.9
	13	32	0.8		15	34	2.3		17	29	2.2
	15	34	1.3		17	33	2.6		19	28	2.4
	17	+36	−1.8		19	−31	+2.8		21	+26	−2.5
	19	36	2.2		21	29	3.0		23	23	2.6
	21	35	2.6		23	26	3.1		25	19	2.7
	23	34	2.9		25	22	3.1		27	15	2.6
	25	31	3.1		27	18	3.0		29	11	2.5
	27	28	3.2		29	14	2.9		31	6	2.3
	29	+23	−3.2		31	− 9	+2.7		33	+ 1	−2.1
May	1	+18	−3.2	Sept.	2	− 4	+2.5		35	− 4	−1.8

Differential coordinates are given in the sense "satellite minus planet".

DIFFERENTIAL COORDINATES OF PHOEBE FOR 0ʰ U.T.

Date	Δα (m s)	Δδ (′)	Date	Δα (m s)	Δδ (′)	Date	Δα (m s)	Δδ (′)
Jan. −1	−1 24	+ 7.6	May 3	−2 07	+10.6	Sept. 4	+0 01	−0.8
1	1 27	7.8	5	2 06	10.5	6	0 04	1.1
3	1 29	7.9	7	2 05	10.4	8	0 07	1.3
5	1 31	8.1	9	2 04	10.3	10	0 09	1.5
7	1 34	8.2	11	2 02	10.2	12	0 12	1.7
9	1 36	8.4	13	2 01	10.2	14	0 14	1.9
11	−1 38	+ 8.5	15	−2 00	+10.1	16	+0 17	−2.2
13	1 40	8.6	17	1 59	10.0	18	0 20	2.4
15	1 42	8.8	19	1 57	9.9	20	0 22	2.6
17	1 44	8.9	21	1 56	9.8	22	0 25	2.8
19	1 46	9.0	23	1 55	9.6	24	0 27	3.0
21	1 48	9.1	25	1 53	9.5	26	0 30	3.2
23	−1 49	+ 9.3	27	−1 52	+ 9.4	28	+0 32	−3.4
25	1 51	9.4	29	1 50	9.3	30	0 35	3.6
27	1 53	9.5	31	1 48	9.1	Oct. 2	0 37	3.7
29	1 54	9.6	June 2	1 47	9.0	4	0 40	3.9
31	1 56	9.7	4	1 45	8.9	6	0 42	4.1
Feb. 2	1 57	9.8	6	1 43	8.7	8	0 44	4.3
4	−1 59	+ 9.9	8	−1 42	+ 8.6	10	+0 47	−4.4
6	2 00	10.0	10	1 40	8.4	12	0 49	4.6
8	2 02	10.0	12	1 38	8.3	14	0 51	4.8
10	2 03	10.1	14	1 36	8.1	16	0 54	4.9
12	2 04	10.2	16	1 34	7.9	18	0 56	5.1
14	2 05	10.3	18	1 32	7.8	20	0 58	5.2
16	−2 06	+10.3	20	−1 30	+ 7.6	22	+1 00	−5.4
18	2 07	10.4	22	1 28	7.4	24	1 02	5.5
20	2 08	10.5	24	1 26	7.2	26	1 04	5.6
22	2 09	10.5	26	1 24	7.0	28	1 06	5.8
24	2 10	10.6	28	1 22	6.8	30	1 09	5.9
26	2 11	10.6	30	1 20	6.6	Nov. 1	1 10	6.0
28	−2 12	+10.7	July 2	−1 18	+ 6.4	3	+1 12	−6.1
Mar. 2	2 13	10.7	4	1 16	6.2	5	1 14	6.2
4	2 13	10.8	6	1 13	6.0	7	1 16	6.3
6	2 14	10.8	8	1 11	5.8	9	1 18	6.4
8	2 14	10.9	10	1 09	5.6	11	1 20	6.5
10	2 15	10.9	12	1 07	5.4	13	1 21	6.6
12	−2 15	+10.9	14	−1 04	+ 5.2	15	+1 23	−6.7
14	2 16	11.0	16	1 02	5.0	17	1 25	6.8
16	2 16	11.0	18	1 00	4.7	19	1 26	6.9
18	2 16	11.0	20	0 57	4.5	21	1 28	6.9
20	2 16	11.0	22	0 55	4.3	23	1 29	7.0
22	2 16	11.1	24	0 52	4.1	25	1 30	7.0
24	−2 17	+11.1	26	−0 50	+ 3.8	27	+1 32	−7.1
26	2 17	11.1	28	0 47	3.6	29	1 33	7.1
28	2 17	11.1	30	0 45	3.4	Dec. 1	1 34	7.2
30	2 16	11.1	Aug. 1	0 43	3.1	3	1 35	7.2
Apr. 1	2 16	11.1	3	0 40	2.9	5	1 36	7.2
3	2 16	11.1	5	0 37	2.7	7	1 37	7.3
5	−2 16	+11.1	7	−0 35	+ 2.4	9	+1 38	−7.3
7	2 16	11.1	9	0 32	2.2	11	1 39	7.3
9	2 15	11.0	11	0 30	2.0	13	1 40	7.3
11	2 15	11.0	13	0 27	1.7	15	1 40	7.3
13	2 14	11.0	15	0 25	1.5	17	1 41	7.3
15	2 14	11.0	17	0 22	1.2	19	1 42	7.3
17	−2 13	+10.9	19	−0 19	+ 1.0	21	+1 42	−7.3
19	2 13	10.9	21	0 17	0.8	23	1 42	7.3
21	2 12	10.9	23	0 14	0.5	25	1 43	7.3
23	2 11	10.8	25	0 12	0.3	27	1 43	7.2
25	2 10	10.8	27	0 09	+ 0.1	29	1 43	7.2
27	2 10	10.7	29	0 06	− 0.2	31	1 43	7.2
29	−2 09	+10.7	31	−0 04	− 0.4	33	+1 43	−7.1
May 1	−2 08	+10.6	Sept. 2	−0 01	− 0.6	35	+1 43	−7.1

Differential coordinates are given in the sense "satellite minus planet".

TRUE ORBITAL LONGITUDE AND RADIUS VECTOR

The formulae and constants for obtaining the true orbital longitude u and the radius vector r of Satellites I–VIII (where γ is the inclination) follow. Quantities that change during the year are tabulated separately.

Mimas

$r/a = 1.0002 - 0.0201 \cos M - 0.0002 \cos 2M$　　　$a = 255''9$　　　$\gamma = 1°31'.0$

$u = L + 2°303 \sin M + 0°029 \sin 2M$

Enceladus

$r/a = 1 - 0.0044 \cos M$　　　$a = 328''3$　　　$\gamma = 1'.4$

$u = L + 0°509 \sin M$　　　$u - \theta = 36° + 263°15$ (J.D. $- 243\ 6000.5$)

Tethys

$u = L \quad r/a = 1$　　　$a = 406''4$　　　$\gamma = 1°05'.56$

Dione

$r/a = 1 - 0.0022 \cos M$　　　$a = 520''5$　　　$\gamma = 1'.4$

$u = L + 0°253 \sin M$　　　$u - \theta = 214° + 131°62$ (J.D. $- 243\ 6000.5$)

Rhea, Titan, Hyperion

$r/a = 1 + \frac{1}{2}e^2 - e \cos M - \frac{1}{2}e^2 \cos 2M - \ldots$　　　$u = L + 2e \sin M + \ldots$

Rhea

$a = 726''9$　　　$e = 0.00104$ January 0—February 13

　　　　　　　$= 0.00105$ February 14—April 27

　　　　　　　$= 0.00106$ April 28—July 16

　　　　　　　$= 0.00107$ July 17—September 30

　　　　　　　$= 0.00108$ October 1—December 15

　　　　　　　$= 0.00109$ December 15—December 33

Titan

$a = 1684''4$　　　$e = 0.02875$ January 0—December 33

Iapetus

$u = L + 3°240 \sin M + 0°057 \sin 2M + 0°001 \sin 3M$　　　$a = 4908''6$

$r/a = 1.0004 - 0.0283 \cos M - 0.0004 \cos 2M$

$\theta = 254.66$　January 0—February 21

$= 254.65$　February 22—May 24

$= 254.64$　May 25—August 20

$= 254.63$　August 21—November 16

$= 254.62$　November 17—December 33

SATURNICENTRIC RECTANGULAR COORDINATES

Apparent rectangular coordinates, with the x-axis in the plane of the rings, positive toward the east, and the y-axis positive toward the north pole of Saturn, are given by

$$x=\xi/(1+\zeta) \qquad\qquad y=\eta/(1+\zeta)$$

$$\xi=\frac{a}{\Delta}\frac{r}{a}[\cos b \sin (l-U)]$$

$$\eta=\frac{a}{\Delta}\frac{r}{a}[\cos b \sin B \cos (l-U)+\sin b \cos B]$$

$$\zeta=\frac{a}{\Delta}\frac{r}{a}[\cos b \cos B \sin (l-U)+\sin b \cos B],$$

$$\sin b=\sin (u-\theta) \sin \gamma$$
$$\cos b \sin (l-\theta)=\sin (u-\theta) \cos \gamma$$
$$\cos b \cos (l-\theta)=\cos (u-\theta)$$

For Satellites I–V, apparent rectangular coordinates may be obtained with sufficient accuracy from

$$x=\frac{a}{\Delta}\frac{r}{a}\frac{1}{1+\zeta} \sin (u-U)=s \sin (p-P)$$

$$y=\frac{a}{\Delta}\frac{r}{a}\frac{1}{1+\zeta}[\sin B \cos (u-U)+\cos B \sin \gamma \sin (u-\theta)]$$

$$=s \cos (p-P)$$

and the tables given below. In critical cases ascend.

Mimas

$u-U$	$\dfrac{1}{1+\zeta}$	$u-U$
0°.0		360°.0
67.3	0.9999	292.7
112.6	1.0000	247.4
247.3	1.0001	112.7

Tethys

$u-U$	$\dfrac{1}{1+\zeta}$	$u-U$
0°.0		360°.0
43.4	0.9998	316.6
75.9	0.9999	284.1
104.0	1.0000	256.0
136.5	1.0001	223.5
223.4	1.0002	136.6

Rhea

$u-U$	$\dfrac{1}{1+\zeta}$	$u-U$
0°.0		360°.0
18.6	0.9996	341.4
47.4	0.9997	312.6
66.0	0.9998	294.0
82.2	0.9999	277.8
97.7	1.0000	262.3
113.9	1.0001	246.1
132.5	1.0002	227.5
161.3	1.0003	198.7
198.6	1.0004	161.4

Enceladus

$u-U$	$\dfrac{1}{1+\zeta}$	$u-U$
0°.0		360°.0
25.9	0.9998	334.1
72.5	0.9999	287.5
107.4	1.0000	252.6
154.0	1.0001	206.0
205.9	1.0002	154.1

Dione

$u-U$	$\dfrac{1}{1+\zeta}$	$u-U$
0°.0		360°.0
19.0	0.9997	341.0
55.4	0.9998	304.6
79.1	0.9999	280.9
100.8	1.0000	259.2
124.5	1.0001	235.5
160.9	1.0002	199.1
199.0	1.0003	161.0

APPARENT ORBITS OF SATELLITES I–IV AT DATE OF OPPOSITION, JUNE 6

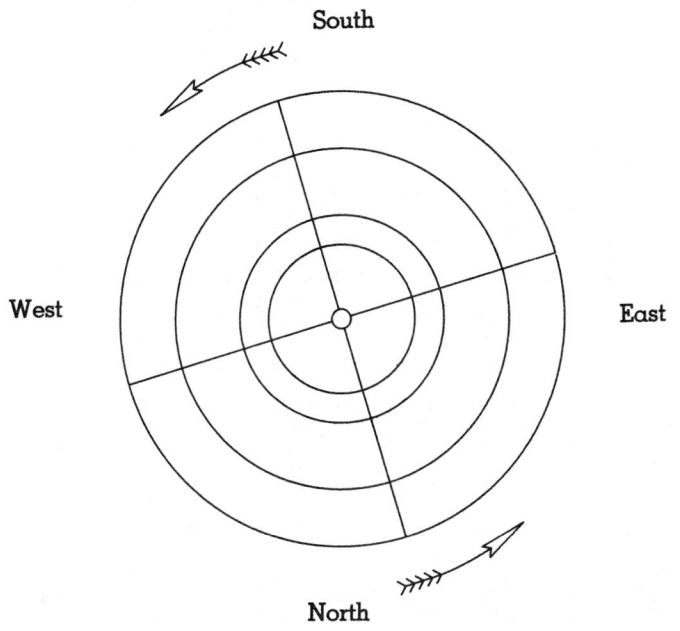

NAME		SIDEREAL PERIOD	
		d	h
V	Miranda	1.4	
I	Ariel	2	12.489
II	Umbriel	4	03.460
III	Titania	8	16.941
IV	Oberon	13	11.118

RINGS OF URANUS

Ring	Semimajor Axis (km)	Eccentricity	Azimuth of Periapse (deg.)	Precession Rate (deg./day)
6	41870	0.0014	236	2.77
5	42270	0.0018	182	2.66
4	42600	0.0012	120	2.60
α	44750	0.0007	331	2.18
β	45700	0.0005	231	2.03
η	47210	.....	...	...
γ	47660	.....	...	...
δ	48330	0.0005	140	...
ϵ	51180	0.0079	216	1.36

Epoch: 1977 March 10, 20^h UT (J.D. 2443213.33)

APPARENT DISTANCE AND POSITION ANGLE

Time from Northern Elongation	Miranda F	Miranda p_1	Time from Northern Elongation	Ariel F	Ariel p_1	Umbriel F	Umbriel p_1	Time from Northern Elongation	Titania F	Titania p_1	Time from Northern Elongation	Oberon F	Oberon p_1
d h		°	d h		°		°	d h		°	d h		°
0 00	1.000	287.0	0 00	1.000	287.0	1.000	287.0	0 00	1.000	287.0	0 00	1.000	287.0
0 01	1.000	297.5	0 02	1.000	298.8	1.000	294.2	0 05	1.000	295.5	0 08	1.000	295.8
0 02	0.999	308.0	0 04	0.998	310.6	0.999	301.3	0 10	0.999	304.1	0 16	0.999	304.7
0 03	0.997	318.6	0 06	0.997	322.4	0.999	308.5	0 15	0.998	312.6	1 00	0.998	313.5
0 04	0.995	329.2	0 08	0.995	334.3	0.998	315.7	0 20	0.997	321.2	1 08	0.997	322.4
0 05	0.994	339.8	0 10	0.993	346.3	0.997	322.9	1 01	0.995	329.8	1 16	0.995	331.3
0 06	0.992	350.4	0 12	0.991	358.2	0.995	330.1	1 06	0.994	338.4	2 00	0.994	340.2
0 07	0.991	1.1	0 14	0.990	10.3	0.994	337.4	1 11	0.992	347.1	2 08	0.992	349.2
0 08	0.990	11.8	0 16	0.990	22.3	0.993	344.7	1 16	0.991	355.7	2 16	0.991	358.1
0 09	0.990	22.6	0 18	0.991	34.3	0.992	351.9	1 21	0.990	4.4	3 00	0.990	7.1
0 10	0.991	33.3	0 20	0.992	46.3	0.991	359.2	2 02	0.990	13.1	3 08	0.990	16.1
0 11	0.992	44.0	0 22	0.994	58.2	0.990	6.5	2 07	0.990	21.8	3 16	0.990	25.1
0 12	0.994	54.6	1 00	0.996	70.1	0.990	13.8	2 12	0.991	30.5	4 00	0.991	34.1
0 13	0.996	65.2	1 02	0.998	82.0	0.990	21.1	2 17	0.991	39.2	4 08	0.992	43.1
0 14	0.997	75.8	1 04	0.999	93.8	0.990	28.5	2 22	0.993	47.9	4 16	0.993	52.1
0 15	0.999	86.4	1 06	1.000	105.6	0.991	35.8	3 03	0.994	56.5	5 00	0.995	61.0
0 16	1.000	96.9	1 08	1.000	117.3	0.992	43.1	3 08	0.996	65.1	5 08	0.996	69.9
0 17	1.000	107.4	1 10	0.999	129.1	0.993	50.3	3 13	0.997	73.7	5 16	0.998	78.8
0 18	1.000	117.9	1 12	0.997	141.0	0.994	57.6	3 18	0.998	82.3	6 00	0.999	87.6
0 19	0.999	128.4	1 14	0.995	152.9	0.995	64.8	3 23	0.999	90.8	6 08	1.000	96.5
0 20	0.997	139.0	1 16	0.993	164.8	0.997	72.1	4 04	1.000	99.4	6 16	1.000	105.3
0 21	0.995	149.6	1 18	0.991	176.8	0.998	79.3	4 09	1.000	107.9	7 00	1.000	114.1
0 22	0.994	160.2	1 20	0.990	188.8	0.999	86.4	4 14	1.000	116.4	7 08	0.999	122.9
0 23	0.992	170.9	1 22	0.990	200.8	0.999	93.6	4 19	0.999	125.0	7 16	0.998	131.8
1 00	0.991	181.5	2 00	0.991	212.8	1.000	100.8	5 00	0.998	133.5	8 00	0.997	140.6
1 01	0.990	192.3	2 02	0.992	224.8	1.000	108.0	5 05	0.997	142.1	8 08	0.995	149.5
1 02	0.990	203.0	2 04	0.994	236.8	1.000	115.1	5 10	0.995	150.7	8 16	0.994	158.5
1 03	0.991	213.7	2 06	0.996	248.7	0.999	122.3	5 15	0.994	159.3	9 00	0.992	167.4
1 04	0.992	224.4	2 08	0.998	260.5	0.999	129.5	5 20	0.992	168.0	9 08	0.991	176.4
1 05	0.994	235.0	2 10	0.999	272.3	0.998	136.7	6 01	0.991	176.6	9 16	0.990	185.4
1 06	0.996	245.6	2 12	1.000	284.1	0.996	143.9	6 06	0.990	185.3	10 00	0.990	194.4
1 07	0.997	256.2	2 14	1.000	295.9	0.995	151.1	6 11	0.990	194.0	10 08	0.990	203.4
1 08	0.999	266.8	2 16			0.994	158.4	6 16	0.990	202.7	10 16	0.991	212.4
1 09	1.000	277.3	2 18			0.993	165.6	6 21	0.991	211.4	11 00	0.992	221.3
1 10	1.000	287.8	2 20			0.992	172.9	7 02	0.992	220.1	11 08	0.993	230.3
1 11	1.000	298.3	2 22			0.991	180.2	7 07	0.993	228.8	11 16	0.994	239.2
			3 00			0.990	187.5	7 12	0.994	237.4	12 00	0.996	248.2
			3 02			0.990	194.8	7 17	0.996	246.0	12 08	0.997	257.0
			3 04			0.990	202.1	7 22	0.997	254.6	12 16	0.999	265.9
			3 06			0.990	209.4	8 03	0.998	263.2	13 00	1.000	274.7
			3 08			0.991	216.7	8 08	0.999	271.7	13 08	1.000	283.6
			3 10			0.992	224.0	8 13	1.000	280.3	13 16	1.000	292.4
			3 12			0.993	231.3	8 18	1.000	288.8			
			3 14			0.994	238.6						
			3 16			0.996	245.8						
			3 18			0.997	253.0						
			3 20			0.998	260.2						
			3 22			0.999	267.4						
			4 00			1.000	274.6						
			4 02			1.000	281.8						
			4 04			1.000	288.9						

Apparent distance of satellite is Fa/Δ

Position angle of satellite is $p_1 + p_2$

APPARENT DISTANCE AND POSITION ANGLE

Date (0h U.T.)	a/Δ Miranda	Ariel	Umbriel	Titania	Oberon	p₂	Date (0h U.T.)	a/Δ Miranda	Ariel	Umbriel	Titania	Oberon	p₂
	"	"	"	"	"	°		"	"	"	"	"	°
Jan. −5	9.0	13.2	18.4	30.3	40.5	+ 7.1	July 14	9.8	14.5	20.2	33.1	44.3	+10.0
5	9.0	13.3	18.5	30.4	40.6	+ 3.1	24	9.7	14.4	20.0	32.9	44.0	11.7
15	9.0	13.3	18.6	30.5	40.8	− 0.8	Aug. 3	9.7	14.3	19.9	32.7	43.7	13.0
25	9.1	13.4	18.7	30.7	41.0	4.4	13	9.6	14.2	19.7	32.4	43.3	13.8
Feb. 4	9.1	13.5	18.8	30.9	41.3	7.6	23	9.5	14.0	19.6	32.1	42.9	14.1
14	9.2	13.6	19.0	31.1	41.6	−10.3	Sept. 2	9.4	13.9	19.4	31.8	42.6	+13.8
24	9.3	13.7	19.1	31.4	42.0	12.4	12	9.3	13.8	19.2	31.5	42.2	13.0
Mar. 6	9.4	13.9	19.3	31.7	42.4	13.8	22	9.3	13.7	19.1	31.3	41.8	11.6
16	9.5	14.0	19.5	32.0	42.7	14.6	Oct. 2	9.2	13.6	18.9	31.0	41.5	9.7
26	9.5	14.1	19.7	32.2	43.1	14.7	12	9.1	13.5	18.8	30.8	41.2	7.2
Apr. 5	9.6	14.2	19.8	32.5	43.5	−14.2	22	9.1	13.4	18.6	30.6	40.9	+ 4.2
15	9.7	14.3	20.0	32.8	43.8	13.1	Nov. 1	9.0	13.3	18.5	30.4	40.6	+ 0.7
25	9.8	14.4	20.1	33.0	44.1	11.3	11	9.0	13.2	18.4	30.3	40.5	− 3.2
May 5	9.8	14.5	20.2	33.2	44.4	9.1	21	8.9	13.2	18.4	30.2	40.3	7.5
15	9.9	14.6	20.3	33.3	44.6	6.5	Dec. 1	8.9	13.2	18.3	30.1	40.2	12.0
25	9.9	14.6	20.4	33.4	44.7	− 3.6	11	8.9	13.2	18.3	30.1	40.2	−16.6
June 4	9.9	14.6	20.4	33.5	44.7	− 0.6	21	8.9	13.2	18.3	30.1	40.2	21.1
14	9.9	14.6	20.4	33.4	44.7	+ 2.4	31	8.9	13.2	18.4	30.2	40.3	25.4
24	9.9	14.6	20.3	33.4	44.6	5.2	41	9.0	13.2	18.4	30.3	40.5	−29.5
July 4	9.8	14.5	20.3	33.3	44.5	+ 7.8							

UNIVERSAL TIME OF GREATEST NORTHERN ELONGATION

MIRANDA

Jan.	Feb.	Mar.	Apr.	May	June	July	Aug.	Sept.	Oct.	Nov.	Dec.
d h	d h	d h	d h	d h	d h	d h	d h	d h	d h	d h	d h
−1 19.5	1 06.6	1 12.4	1 14.5	1 07.3	1 10.4	1 03.5	1 06.4	1 08.9	1 01.0	1 02.5	2 03.7
1 05.3	2 16.5	2 22.3	3 00.5	2 17.2	2 20.3	2 13.5	2 16.3	2 18.8	2 10.9	2 12.4	3 13.6
2 15.2	4 02.3	4 08.2	4 10.4	4 03.2	4 06.3	3 23.4	4 02.3	4 04.7	3 20.8	3 22.3	4 23.4
4 01.1	5 12.2	5 18.1	5 20.3	5 13.2	5 16.2	5 09.4	5 12.2	5 14.6	5 06.7	5 08.2	6 09.3
5 10.9	6 22.1	7 04.0	7 06.3	6 23.1	7 02.2	6 19.3	6 22.2	7 00.6	6 16.6	6 18.1	7 19.2
6 20.8	8 08.0	8 13.9	8 16.2	8 09.1	8 12.2	8 05.3	8 08.1	8 10.5	8 02.5	8 03.9	9 05.0
8 06.7	9 17.9	9 23.8	10 02.1	9 19.0	9 22.1	9 15.3	9 18.0	9 20.4	9 12.4	9 13.8	10 14.9
9 16.6	11 03.8	11 09.8	11 12.1	11 05.0	11 08.1	11 01.2	11 04.0	11 06.3	10 22.3	10 23.7	12 00.8
11 02.4	12 13.7	12 19.7	12 22.0	12 14.9	12 18.1	12 11.2	12 13.9	12 16.2	12 08.2	12 09.5	13 10.6
12 12.3	13 23.6	14 05.6	14 08.0	14 00.9	14 04.0	13 21.1	13 23.8	14 02.1	13 18.1	13 19.4	14 20.5
13 22.2	15 09.4	15 15.5	15 17.9	15 10.8	15 14.0	15 07.1	15 09.8	15 12.0	15 03.9	15 05.3	16 06.4
15 08.1	16 19.3	17 01.4	17 03.8	16 20.8	16 23.9	16 17.0	16 19.7	16 22.0	16 13.8	16 15.2	17 16.2
16 17.9	18 05.2	18 11.3	18 13.8	18 06.8	18 09.9	18 03.0	18 05.6	18 07.9	17 23.7	18 01.0	19 02.1
18 03.8	19 15.1	19 21.2	19 23.7	19 16.7	19 19.9	19 12.9	19 15.6	19 17.8	19 09.6	19 10.9	20 12.0
19 13.7	21 01.0	21 07.2	21 09.7	21 02.7	21 05.8	20 22.9	21 01.5	21 03.7	20 19.5	20 20.8	21 21.8
20 23.6	22 10.9	22 17.1	22 19.6	22 12.6	22 15.8	22 08.8	22 11.4	22 13.6	22 05.4	22 06.6	23 07.7
22 09.4	23 20.8	24 03.0	24 05.6	23 22.6	24 01.7	23 18.8	23 21.3	23 23.5	23 15.3	23 16.5	24 17.6
23 19.3	25 06.7	25 12.9	25 15.5	25 08.6	25 11.7	25 04.7	25 07.3	25 09.4	25 01.1	25 02.4	26 03.4
25 05.2	26 16.6	26 22.8	27 01.4	26 18.5	26 21.7	26 14.6	26 17.2	26 19.3	26 11.0	26 12.2	27 13.3
26 15.1	28 02.5	28 08.8	28 11.4	28 04.5	28 07.6	28 00.6	28 03.1	28 05.2	27 20.9	27 22.1	28 23.2
28 00.9		29 18.7	29 21.3	29 14.4	29 17.6	29 10.5	29 13.0	29 15.1	29 06.8	29 08.0	30 09.0
29 10.8	31 04.6			31 00.4		30 20.5	30 23.0		30 16.7	30 17.8	31 18.9
30 20.7											33 04.8

SATELLITES OF URANUS, 1985

UNIVERSAL TIME OF GREATEST NORTHERN ELONGATION

ARIEL

Jan.	Feb.	Mar.	Apr.	May	June	July	Aug.	Sept.	Oct.	Nov.	Dec.
d h	d h	d h	d h	d h	d h	d h	d h	d h	d h	d h	d h
−1 02.3	3 07.0	2 23.4	2 05.0	2 11.6	1 18.8	2 02.0	1 08.8	3 03.4	3 08.7	2 13.1	2 16.9
1 14.6	5 19.4	5 11.8	4 17.5	5 00.2	4 07.4	4 14.6	3 21.4	5 15.9	5 21.1	5 01.4	5 05.2
4 02.9	8 07.8	8 00.3	7 06.1	7 12.8	6 20.0	7 03.2	6 09.9	8 04.4	8 09.5	7 13.8	7 17.5
6 15.3	10 20.1	10 12.7	9 18.6	10 01.4	9 08.6	9 15.8	8 22.4	10 16.8	10 21.9	10 02.1	10 05.9
9 03.6	13 08.5	13 01.1	12 07.1	12 13.9	11 21.2	12 04.4	11 11.0	13 05.3	13 10.2	12 14.4	12 18.2
11 15.9	15 20.9	15 13.6	14 19.7	15 02.5	14 09.8	14 17.0	13 23.5	15 17.7	15 22.6	15 02.8	15 06.5
14 04.3	18 09.3	18 02.1	17 08.2	17 15.1	16 22.4	17 05.5	16 12.0	18 06.1	18 11.0	17 15.1	17 18.8
16 16.6	20 21.7	20 14.6	19 20.8	20 03.7	19 11.1	19 18.1	19 00.5	20 18.6	20 23.4	20 03.4	20 07.1
19 04.9	23 10.1	23 03.0	22 09.3	22 16.4	21 23.7	22 06.7	21 13.0	23 07.0	23 11.7	22 15.7	22 19.4
21 17.3	25 22.5	25 15.5	24 21.9	25 05.0	24 12.3	24 19.2	24 01.5	25 19.4	26 00.1	25 04.0	25 07.7
24 05.6	28 11.0	28 04.0	27 10.4	27 17.6	27 00.9	27 07.8	26 14.0	28 07.9	28 12.4	27 16.3	27 20.0
26 18.0		30 16.5	29 23.0	30 06.2	29 13.5	29 20.3	29 02.5	30 20.3	31 00.8	30 04.6	30 08.3
29 06.3							31 15.0				32 20.7
31 18.7											

UMBRIEL

Jan.	Feb.	Mar.	Apr.	May	June	July	Aug.	Sept.	Oct.	Nov.	Dec.
d h	d h	d h	d h	d h	d h	d h	d h	d h	d h	d h	d h
−2 09.7	4 13.3	1 08.5	3 11.8	2 13.2	4 19.3	3 21.7	1 23.3	4 03.3	3 02.5	1 00.5	4 00.5
2 12.7	8 16.4	5 11.8	7 15.4	6 17.0	8 23.1	8 01.4	6 02.9	8 06.7	7 05.7	5 03.5	8 03.4
6 15.8	12 19.6	9 15.2	11 19.0	10 20.7	13 02.9	12 05.1	10 06.5	12 10.0	11 08.9	9 06.5	12 06.4
10 18.8	16 22.8	13 18.5	15 22.6	15 00.4	17 06.7	16 08.8	14 10.0	16 13.4	15 12.0	13 09.6	16 09.3
14 21.8	21 02.0	17 21.9	20 02.2	19 04.2	21 10.5	20 12.5	18 13.5	20 16.7	19 15.2	17 12.6	20 12.3
19 00.9	25 05.2	22 01.4	24 05.9	23 08.0	25 14.2	24 16.1	22 17.0	24 20.0	23 18.3	21 15.5	24 15.3
23 04.0		26 04.8	28 09.5	27 11.8	29 18.0	28 19.7	26 20.5	28 23.2	27 21.4	25 18.5	28 18.3
27 07.0		30 08.3		31 15.6			30 23.9			29 21.5	32 21.3
31 10.1											

TITANIA

Jan.	Feb.	Mar.	Apr.	May	June	July	Aug.	Sept.	Oct.	Nov.	Dec.
d h	d h	d h	d h	d h	d h	d h	d h	d h	d h	d h	d h
−3 07.9	9 12.1	7 12.2	2 14.7	7 13.7	2 20.7	7 21.8	3 03.0	6 23.1	2 23.8	6 13.6	2 10.2
5 23.0	18 03.9	16 04.7	11 08.1	16 07.9	11 15.0	16 15.7	11 20.4	15 15.6	11 15.6	15 04.6	11 01.0
14 14.0	26 19.9	24 21.6	20 01.8	25 02.3	20 09.4	25 09.5	20 13.5	24 07.8	20 07.1	23 19.4	19 15.8
23 05.2			28 19.6		29 03.6		29 06.4		28 22.4		28 06.6
31 20.6											36 21.6

OBERON

Jan.	Feb.	Mar.	Apr.	May	June	July	Aug.	Sept.	Oct.	Nov.	Dec.
d h	d h	d h	d h	d h	d h	d h	d h	d h	d h	d h	d h
−13 20.3	10 00.2	8 18.2	4 16.3	1 18.2	11 13.4	8 17.8	4 19.8	14 04.8	10 22.7	6 13.3	3 01.7
1 02.8	23 08.7	22 04.7	18 04.8	15 08.3	25 03.8	22 07.1	18 07.6	27 14.2	24 06.3	19 19.7	16 07.6
14 09.4				28 22.8			31 18.7				29 13.8
27 16.5											42 20.3

APPARENT ORBIT OF TRITON AT DATE OF OPPOSITION, JUNE 23

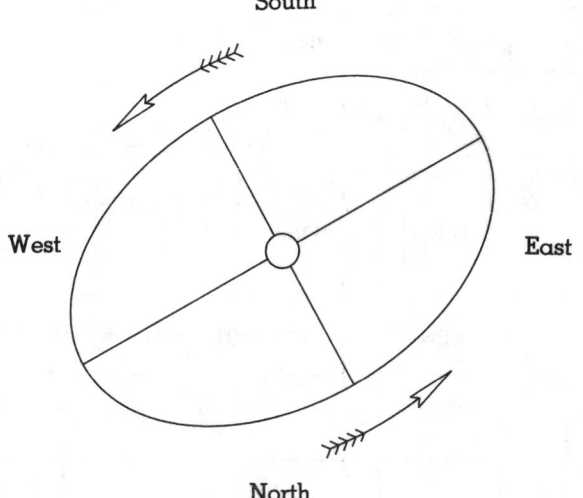

South

West　　　　　East

North

NAME	SIDEREAL PERIOD
I　Triton	5^د 21^h.044
II　Nereid	360^د.2

DIFFERENTIAL COORDINATES OF NEREID FOR 0^h U.T.

Date		$\Delta\alpha\ \cos\delta$	$\Delta\delta$	Date		$\Delta\alpha\ \cos\delta$	$\Delta\delta$	Date		$\Delta\alpha\ \cos\delta$	$\Delta\delta$
		′　″	″			′　″	″			′　″	″
Jan.	−5	+2 57.8	+42.1	May	5	−0 13.3	+30.6	Sept.	12	+3 06.9	+17.8
	5	2 48.6	43.0		15	0 33.5	27.6		22	3 24.1	22.7
	15	2 38.7	43.7		25	0 53.5	24.2	Oct.	2	3 34.0	26.8
	25	2 27.8	44.1	June	4	1 12.9	20.6		12	3 38.8	30.4
Feb.	4	2 16.1	44.1		14	1 30.9	16.7		22	3 40.1	33.4
	14	+2 03.4	+43.9		24	−1 46.6	+12.4	Nov.	1	+3 38.7	+36.0
	24	1 49.7	43.4	July	4	1 58.5	7.9		11	3 35.4	38.3
Mar.	6	1 35.0	42.5		14	2 03.9	+ 3.0		21	3 30.6	40.3
	16	1 19.3	41.3		24	1 57.0	− 2.1	Dec.	1	3 24.5	42.0
	26	1 02.5	39.8	Aug.	3	−1 21.0	6.5		11	3 17.4	43.3
Apr.	5	+0 44.7	+38.0		13	+0 18.4	− 4.3		21	+3 09.4	+44.4
	15	0 26.0	35.8		23	1 48.5	+ 4.3		31	3 00.5	45.3
	25	+0 06.6	+33.4	Sept.	2	+2 38.0	+11.8		41	+2 50.9	+45.8

SATELLITES OF NEPTUNE, 1985

TRITON

UNIVERSAL TIME OF GREATEST EASTERN ELONGATION

Jan.	Feb.	Mar.	Apr.	May	June	July	Aug.	Sept.	Oct.	Nov.	Dec.
d h	d h	d h	d h	d h	d h	d h	d h	d h	d h	d h	d h
−1 01.1	3 06.8	4 15.6	3 00.6	2 09.9	6 16.5	6 02.0	4 11.6	2 21.0	2 06.3	6 12.3	5 21.1
4 22.0	9 03.7	10 12.6	8 21.7	8 07.0	12 13.6	11 23.1	10 08.7	8 18.1	8 03.3	12 09.3	11 18.1
10 18.9	15 00.7	16 09.6	14 18.7	14 04.1	18 10.7	17 20.3	16 05.8	14 15.1	14 00.3	18 06.3	17 15.0
16 15.9	20 21.6	22 06.6	20 15.8	20 01.1	24 07.8	23 17.4	22 02.9	20 12.2	19 21.3	24 03.2	23 12.0
22 12.8	26 18.6	28 03.6	26 12.8	25 22.2	30 04.9	29 14.5	27 23.9	26 09.2	25 18.3	30 00.2	29 08.9
28 09.8				31 19.3					31 15.3		35 05.9

APPARENT DISTANCE AND POSITION ANGLE

Date (0^h U.T.)		a/Δ	p_2	Date (0^h U.T.)		a/Δ	p_2	Date (0^h U.T.)		a/Δ	p_2	Date (0^h U.T.)		a/Δ	p_2
		''	°			''	°			''	°			''	°
Jan.	−5	15.7	+1.2	Apr.	25	16.5	−1.3	Aug.	23	16.5	+1.7	Dec.	21	15.7	−0.7
	15	15.7	+0.4	May	15	16.6	−0.9	Sept.	12	16.3	+1.9		41	15.7	−1.6
Feb.	4	15.8	−0.3	June	4	16.7	−0.4	Oct.	2	16.1	+1.8				
	24	16.0	−0.9		24	16.8	+0.3		22	16.0	+1.4				
Mar.	16	16.1	−1.3	July	14	16.7	+0.9	Nov.	11	15.8	+0.8				
Apr.	5	16.3	−1.4	Aug.	3	16.6	+1.4	Dec.	1	15.7	+0.1				

Time from Eastern Elongation	F	p_1	Time from Eastern Elongation	F	p_1	Time from Eastern Elongation	F	p_1	Time from Eastern Elongation	F	p_1
d h		°	d h		°	d h		°	d h		°
0 00	1.000	119.0	1 12	0.651	211.9	3 00	0.999	301.5	4 12	0.655	37.7
0 03	0.995	124.0	1 15	0.663	223.5	3 03	0.989	306.5	4 15	0.674	49.0
0 06	0.980	129.1	1 18	0.689	234.4	3 06	0.969	311.7	4 18	0.705	59.5
0 09	0.955	134.4	1 21	0.725	244.4	3 09	0.940	317.2	4 21	0.746	69.0
0 12	0.922	140.1	2 00	0.768	253.4	3 12	0.903	323.0	5 00	0.791	77.4
0 15	0.882	146.2	2 03	0.815	261.4	3 15	0.861	329.4	5 03	0.837	85.0
0 18	0.838	152.9	2 06	0.860	268.5	3 18	0.815	336.5	5 06	0.882	91.7
0 21	0.792	160.4	2 09	0.903	274.9	3 21	0.769	344.5	5 09	0.922	97.8
1 00	0.746	168.9	2 12	0.939	280.8	4 00	0.726	353.4	5 12	0.955	103.5
1 03	0.706	178.4	2 15	0.968	286.2	4 03	0.689	3.4	5 15	0.979	108.8
1 06	0.674	188.9	2 18	0.988	291.4	4 06	0.663	14.4	5 18	0.995	113.9
1 09	0.655	200.2	2 21	0.999	296.5	4 09	0.652	25.9	5 21	1.000	118.9

Apparent distance of satellite is Fa/Δ

Position angle of satellite is $p_1 + p_2$

UNIVERSAL TIMES OF GREATEST NORTHERN ELONGATION

	d h		d h		d h
Jan.	−5 17	May	3 11	Sept.	8 04
	2 02		9 20		14 14
	8 11		16 05		20 23
	14 21		22 15		27 08
	21 06		29 00	Oct.	3 18
	27 15	June	4 09		10 03
Feb.	3 01		10 18		16 12
	9 10		17 04		22 21
	15 19		23 13		29 07
	22 04		29 22	Nov.	4 16
	28 14	July	6 08		11 01
Mar.	6 23		12 17		17 11
	13 08		19 02		23 20
	19 18		25 11		30 05
	26 03		31 21	Dec.	6 15
Apr.	1 12	Aug.	7 06		13 00
	7 21		13 15		19 09
	14 07		20 01		25 18
	20 16		26 10		
	27 01	Sept.	1 19		

CONTENTS OF SECTION G

Notes

The geocentric ephemerides of the four principal minor planets (1 Ceres; 2 Pallas; 3 Juno; 4 Vesta) give, at an interval of 2 days, the astrometric right ascension and declination, referred to the mean equator and equinox of J2000·0, the geometric distance and the time of ephemeris transit. Linear interpolation is sufficient for the distance and ephemeris transit, but for the astrometric right ascension and declination second differences are significant. The tabulations are similar to those for Pluto, and the use of the data is similar to that for major planets.

Dates of opposition (in right ascension) and photographic magnitudes in 1985, and osculating elements for epoch 1985 December 1·0 TDT (JD 244 6400·5) and ecliptic and equinox J2000·0, for 135 of the larger minor planets are given on pages G10–G12; in these tabulations $B(1, 0)$ is the photographic magnitude reduced to a distance of 1 au from both the Sun and Earth and phase angle zero. The data were supplied by the Institute of Theoretical Astronomy, Leningrad; the minor planets, together with their diameters, were selected from a list by D. Morrison in *Icarus*, **31**, pp 185–220.

PREDICTED PERIHELION PASSAGES OF COMETS, 1985

Periodic comet	Perihelion date	Revolution Period years	Perihelion Distance au
Tsuchinshan 1	Jan. 2	6·7	1·51
Honda-Mrkos-Pajdusakova	May 25	5·3	0·54
Schuster	June 2	7·2	1·53
Gehrels 3	June 3	8·1	3·44
Russell 1	July 5	6·1	1·61
Kowal 2	July 10	6·5	1·50
Tsuchinshan 2	July 21	6·8	1·79
Daniel	Aug. 3	7·1	1·65
Giacobini-Zinner	Sept. 5	6·6	1·03
Giclas	Oct. 3	6·9	1·84

CERES, 1985

GEOCENTRIC POSITIONS FOR 0ʰ DYNAMICAL TIME

Date	Astrometric J2000.0 R. A.	Dec.	True Distance	Ephemeris Transit	Date	Astrometric J2000.0 R. A.	Dec.	True Distance	Ephemeris Transit
	h m s	° ′ ″		h m		h m s	° ′ ″		h m
Jan. −1	2 42 15.6	+10 14 32	2.114	20 03.6	Apr. 1	3 59 51.6	+20 14 20	3.217	15 20.2
1	2 42 08.2	10 23 31	.136	19 55.7	3	4 02 51.7	20 27 10	.236	15 15.4
3	2 42 07.1	10 32 52	.158	19 47.8	5	4 05 54.0	20 39 49	.255	15 10.5
5	2 42 12.2	10 42 36	.181	19 40.1	7	4 08 58.3	20 52 17	.273	15 05.7
7	2 42 23.4	10 52 41	.204	19 32.5	9	4 12 04.7	21 04 34	.292	15 01.0
9	2 42 40.7	+11 03 06	2.228	19 24.9	11	4 15 13.1	+21 16 39	3.309	14 56.2
11	2 43 03.9	11 13 51	.252	19 17.5	13	4 18 23.4	21 28 32	.327	14 51.5
13	2 43 32.9	11 24 54	.276	19 10.1	15	4 21 35.6	21 40 13	.343	14 46.9
15	2 44 07.7	11 36 15	.301	19 02.9	17	4 24 49.8	21 51 40	.360	14 42.2
17	2 44 48.2	11 47 53	.326	18 55.7	19	4 28 05.7	22 02 54	.376	14 37.6
19	2 45 34.3	+11 59 48	2.351	18 48.7	21	4 31 23.4	+22 13 53	3.392	14 33.1
21	2 46 25.9	12 11 57	.376	18 41.7	23	4 34 42.9	22 24 39	.407	14 28.5
23	2 47 22.9	12 24 22	.402	18 34.8	25	4 38 04.0	22 35 10	.421	14 24.0
25	2 48 25.1	12 37 00	.427	18 28.0	27	4 41 26.7	22 45 26	.436	14 19.5
27	2 49 32.5	12 49 51	.453	18 21.3	29	4 44 50.9	22 55 26	.449	14 15.0
29	2 50 44.8	+13 02 53	2.479	18 14.7	May 1	4 48 16.7	+23 05 10	3.463	14 10.6
31	2 52 02.1	13 16 07	.505	18 08.1	3	4 51 43.9	23 14 38	.476	14 06.2
Feb. 2	2 53 24.1	13 29 31	.531	18 01.6	5	4 55 12.5	23 23 50	.488	14 01.8
4	2 54 50.7	13 43 03	.556	17 55.2	7	4 58 42.5	23 32 44	.500	13 57.4
6	2 56 21.8	13 56 44	.582	17 48.9	9	5 02 13.8	23 41 22	.512	13 53.0
8	2 57 57.3	+14 10 33	2.608	17 42.6	11	5 05 46.5	+23 49 42	3.523	13 48.7
10	2 59 37.1	14 24 28	.634	17 36.5	13	5 09 20.4	23 57 45	.533	13 44.4
12	3 01 21.0	14 38 28	.660	17 30.3	15	5 12 55.6	24 05 30	.543	13 40.1
14	3 03 09.0	14 52 35	.686	17 24.3	17	5 16 32.0	24 12 56	.553	13 35.8
16	3 05 01.1	15 06 45	.711	17 18.3	19	5 20 09.5	24 20 04	.562	13 31.6
18	3 06 57.0	+15 21 00	2.737	17 12.4	21	5 23 48.1	+24 26 54	3.571	13 27.4
20	3 08 56.7	15 35 18	.762	17 06.5	23	5 27 27.8	24 33 25	.579	13 23.2
22	3 11 00.1	15 49 38	.787	17 00.7	25	5 31 08.4	24 39 36	.587	13 19.0
24	3 13 07.1	16 04 00	.812	16 55.0	27	5 34 50.0	24 45 28	.594	13 14.8
26	3 15 17.7	16 18 22	.837	16 49.3	29	5 38 32.5	24 51 01	.601	13 10.6
28	3 17 31.6	+16 32 45	2.862	16 43.7	31	5 42 15.8	+24 56 14	3.607	13 06.4
Mar. 2	3 19 48.8	16 47 07	.886	16 38.1	June 2	5 46 00.0	25 01 08	.613	13 02.3
4	3 22 09.2	17 01 28	.910	16 32.6	4	5 49 44.9	25 05 41	.618	12 58.2
6	3 24 32.8	17 15 46	.934	16 27.1	6	5 53 30.5	25 09 55	.623	12 54.1
8	3 26 59.4	17 30 02	.958	16 21.7	8	5 57 16.9	25 13 48	.628	12 50.0
10	3 29 28.9	+17 44 15	2.981	16 16.3	10	6 01 03.9	+25 17 22	3.632	12 45.9
12	3 32 01.4	17 58 24	3.004	16 11.0	12	6 04 51.6	25 20 35	.635	12 41.8
14	3 34 36.6	18 12 29	.027	16 05.8	14	6 08 39.8	25 23 27	.638	12 37.7
16	3 37 14.7	18 26 28	.049	16 00.5	16	6 12 28.6	25 26 00	.641	12 33.7
18	3 39 55.5	18 40 22	.071	15 55.3	18	6 16 17.9	25 28 12	.643	12 29.6
20	3 42 38.9	+18 54 11	3.093	15 50.2	20	6 20 07.7	+25 30 03	3.644	12 25.5
22	3 45 25.0	19 07 52	.115	15 45.1	22	6 23 57.9	25 31 34	.645	12 21.5
24	3 48 13.5	19 21 27	.136	15 40.0	24	6 27 48.4	25 32 45	.646	12 17.5
26	3 51 04.5	19 34 53	.157	15 35.0	26	6 31 39.2	25 33 35	.646	12 13.4
28	3 53 57.9	19 48 11	.177	15 30.1	28	6 35 30.2	25 34 05	.645	12 09.4
30	3 56 53.6	+20 01 20	3.197	15 25.1	30	6 39 21.5	+25 34 15	3.645	12 05.4
Apr. 1	3 59 51.6	+20 14 20	3.217	15 20.2	July 2	6 43 12.9	+25 34 04	3.643	12 01.4

GEOCENTRIC POSITIONS FOR 0ʰ DYNAMICAL TIME

Date	Astrometric J2000.0 R. A.	Dec.	True Distance	Ephemeris Transit	Date	Astrometric J2000.0 R. A.	Dec.	True Distance	Ephemeris Transit
	h m s	° ′ ″		h m		h m s	° ′ ″		h m
July 2	6 43 12.9	+25 34 04	3.643	12 01.4	Oct. 2	9 33 25.5	+20 37 48	3.101	8 49.1
4	6 47 04.5	25 33 34	.641	11 57.3	4	9 36 45.3	20 27 53	.080	8 44.6
6	6 50 56.2	25 32 43	.639	11 53.3	6	9 40 03.6	20 17 58	.059	8 40.0
8	6 54 48.0	25 31 33	.636	11 49.3	8	9 43 20.4	20 08 05	.037	8 35.4
10	6 58 39.8	25 30 03	.633	11 45.3	10	9 46 35.7	19 58 14	3.015	8 30.8
12	7 02 31.7	+25 28 13	3.629	11 41.3	12	9 49 49.3	+19 48 27	2.993	8 26.1
14	7 06 23.5	25 26 04	.625	11 37.3	14	9 53 01.3	19 38 44	.970	8 21.5
16	7 10 15.3	25 23 35	.621	11 33.3	16	9 56 11.6	19 29 07	.948	8 16.7
18	7 14 06.9	25 20 48	.616	11 29.2	18	9 59 20.0	19 19 36	.925	8 12.0
20	7 17 58.4	25 17 42	.610	11 25.2	20	10 02 26.7	19 10 12	.901	8 07.2
22	7 21 49.6	+25 14 17	3.604	11 21.2	22	10 05 31.5	+19 00 56	2.878	8 02.4
24	7 25 40.6	25 10 34	.597	11 17.2	24	10 08 34.3	18 51 49	.854	7 57.6
26	7 29 31.3	25 06 32	.590	11 13.1	26	10 11 35.2	18 42 51	.830	7 52.7
28	7 33 21.6	25 02 13	.583	11 09.1	28	10 14 34.2	18 34 04	.805	7 47.8
30	7 37 11.6	24 57 37	.575	11 05.0	30	10 17 31.0	18 25 29	.781	7 42.9
Aug. 1	7 41 01.2	+24 52 43	3.567	11 01.0	Nov. 1	10 20 25.8	+18 17 06	2.756	7 37.9
3	7 44 50.4	24 47 33	.558	10 56.9	3	10 23 18.4	18 08 57	.731	7 32.9
5	7 48 39.1	24 42 06	.549	10 52.9	5	10 26 08.7	18 01 03	.706	7 27.9
7	7 52 27.3	24 36 22	.539	10 48.8	7	10 28 56.7	17 53 24	.681	7 22.8
9	7 56 15.1	24 30 23	.529	10 44.7	9	10 31 42.4	17 46 01	.655	7 17.7
11	8 00 02.3	+24 24 08	3.519	10 40.6	11	10 34 25.5	+17 38 57	2.630	7 12.5
13	8 03 48.9	24 17 38	.508	10 36.5	13	10 37 06.0	17 32 12	.604	7 07.3
15	8 07 34.9	24 10 54	.496	10 32.4	15	10 39 43.9	17 25 47	.578	7 02.1
17	8 11 20.3	24 03 55	.484	10 28.3	17	10 42 19.0	17 19 43	.552	6 56.8
19	8 15 04.9	23 56 42	.472	10 24.1	19	10 44 51.2	17 14 02	.526	6 51.4
21	8 18 48.8	+23 49 16	3.459	10 20.0	21	10 47 20.5	+17 08 44	2.500	6 46.1
23	8 22 31.9	23 41 38	.446	10 15.8	23	10 49 46.8	17 03 50	.474	6 40.6
25	8 26 14.2	23 33 47	.433	10 11.7	25	10 52 10.0	16 59 22	.448	6 35.1
27	8 29 55.6	23 25 44	.419	10 07.5	27	10 54 30.0	16 55 20	.422	6 29.6
29	8 33 36.2	23 17 30	.404	10 03.3	29	10 56 46.7	16 51 46	.395	6 24.0
31	8 37 15.9	+23 09 05	3.390	9 59.1	Dec. 1	10 59 00.0	+16 48 40	2.369	6 18.3
Sept. 2	8 40 54.7	23 00 30	.374	9 54.8	3	11 01 09.8	16 46 05	.343	6 12.6
4	8 44 32.5	22 51 44	.359	9 50.6	5	11 03 15.9	16 44 00	.317	6 06.8
6	8 48 09.4	22 42 50	.343	9 46.3	7	11 05 18.2	16 42 28	.291	6 01.0
8	8 51 45.4	22 33 47	.327	9 42.0	9	11 07 16.5	16 41 29	.265	5 55.1
10	8 55 20.3	+22 24 35	3.310	9 37.7	11	11 09 10.8	+16 41 04	2.239	5 49.1
12	8 58 54.1	22 15 17	.293	9 33.4	13	11 11 00.8	16 41 16	.213	5 43.0
14	9 02 26.8	22 05 51	.275	9 29.1	15	11 12 46.4	16 42 04	.187	5 36.9
16	9 05 58.4	21 56 19	.257	9 24.7	17	11 14 27.5	16 43 29	.162	5 30.7
18	9 09 28.8	21 46 42	.239	9 20.4	19	11 16 04.0	16 45 32	.136	5 24.5
20	9 12 58.0	+21 37 00	3.220	9 16.0	21	11 17 35.7	+16 48 15	2.111	5 18.1
22	9 16 25.9	21 27 15	.201	9 11.5	23	11 19 02.5	16 51 36	.086	5 11.7
24	9 19 52.5	21 17 25	.182	9 07.1	25	11 20 24.2	16 55 38	.062	5 05.2
26	9 23 17.8	21 07 34	.162	9 02.6	27	11 21 40.7	17 00 21	.037	4 58.6
28	9 26 41.7	20 57 40	.142	8 58.2	29	11 22 51.9	17 05 44	2.013	4 51.9
30	9 30 04.3	+20 47 44	3.122	8 53.7	31	11 23 57.6	+17 11 50	1.990	4 45.1
Oct. 2	9 33 25.5	+20 37 48	3.101	8 49.1	33	11 24 57.5	+17 18 37	1.966	4 38.2

PALLAS, 1985

GEOCENTRIC POSITIONS FOR 0ʰ DYNAMICAL TIME

Date	Astrometric J2000.0 R. A.	Dec.	True Distance	Ephemeris Transit	Date	Astrometric J2000.0 R. A.	Dec.	True Distance	Ephemeris Transit
	h m s	° ′ ″		h m		h m s	° ′ ″		h m
Jan. −1	23 02 15.8	−10 36 07	3.288	16 25.0	Apr. 1	1 07 13.4	− 4 12 17	3.757	12 28.0
1	23 04 23.3	10 32 40	.311	16 19.3	3	1 10 21.2	4 02 37	.753	12 23.3
3	23 06 33.1	10 28 50	.333	16 13.6	5	1 13 29.7	3 53 02	.749	12 18.5
5	23 08 45.2	10 24 37	.355	16 07.9	7	1 16 38.9	3 43 34	.744	12 13.8
7	23 10 59.5	10 20 03	.376	16 02.3	9	1 19 48.8	3 34 13	.738	12 09.1
9	23 13 15.9	−10 15 08	3.397	15 56.7	11	1 22 59.5	− 3 25 00	3.731	12 04.4
11	23 15 34.4	10 09 53	.417	15 51.2	13	1 26 10.9	3 15 54	.725	11 59.7
13	23 17 54.9	10 04 19	.437	15 45.6	15	1 29 23.0	3 06 58	.717	11 55.1
15	23 20 17.3	9 58 26	.456	15 40.1	17	1 32 35.8	2 58 10	.709	11 50.4
17	23 22 41.6	9 52 15	.475	15 34.7	19	1 35 49.3	2 49 33	.700	11 45.7
19	23 25 07.8	− 9 45 46	3.493	15 29.3	21	1 39 03.4	− 2 41 06	3.691	11 41.1
21	23 27 35.7	9 39 01	.511	15 23.9	23	1 42 18.2	2 32 50	.682	11 36.5
23	23 30 05.4	9 31 59	.529	15 18.5	25	1 45 33.6	2 24 47	.671	11 31.9
25	23 32 36.7	9 24 43	.545	15 13.1	27	1 48 49.6	2 16 55	.661	11 27.3
27	23 35 09.6	9 17 12	.561	15 07.8	29	1 52 06.3	2 09 17	.650	11 22.7
29	23 37 44.1	− 9 09 27	3.577	15 02.5	May 1	1 55 23.5	− 2 01 52	3.638	11 18.1
31	23 40 20.0	9 01 29	.592	14 57.3	3	1 58 41.3	1 54 41	.626	11 13.5
Feb. 2	23 42 57.5	8 53 19	.607	14 52.0	5	2 01 59.7	1 47 45	.613	11 08.9
4	23 45 36.3	8 44 57	.620	14 46.8	7	2 05 18.7	1 41 04	.600	11 04.4
6	23 48 16.4	8 36 24	.634	14 41.6	9	2 08 38.2	1 34 38	.586	10 59.8
8	23 50 57.9	− 8 27 41	3.646	14 36.4	11	2 11 58.4	− 1 28 29	3.572	10 55.3
10	23 53 40.7	8 18 47	.658	14 31.3	13	2 15 19.1	1 22 36	.558	10 50.7
12	23 56 24.8	8 09 45	.670	14 26.1	15	2 18 40.3	1 17 01	.543	10 46.2
14	23 59 10.1	8 00 33	.681	14 21.0	17	2 22 02.1	1 11 44	.527	10 41.7
16	0 01 56.7	7 51 14	.691	14 15.9	19	2 25 24.4	1 06 46	.511	10 37.2
18	0 04 44.4	− 7 41 46	3.701	14 10.9	21	2 28 47.2	− 1 02 07	3.495	10 32.7
20	0 07 33.3	7 32 12	.710	14 05.8	23	2 32 10.5	0 57 48	.478	10 28.2
22	0 10 23.3	7 22 32	.718	14 00.8	25	2 35 34.1	0 53 50	.461	10 23.7
24	0 13 14.3	7 12 46	.726	13 55.7	27	2 38 58.2	0 50 13	.444	10 19.3
26	0 16 06.5	7 02 55	.733	13 50.7	29	2 42 22.7	0 46 58	.426	10 14.8
28	0 18 59.6	− 6 53 00	3.739	13 45.8	31	2 45 47.6	− 0 44 05	3.408	10 10.3
Mar. 2	0 21 53.7	6 43 01	.745	13 40.8	June 2	2 49 12.9	0 41 35	.389	10 05.9
4	0 24 48.8	6 32 59	.750	13 35.8	4	2 52 38.5	0 39 28	.371	10 01.4
6	0 27 44.9	6 22 54	.755	13 30.9	6	2 56 04.5	0 37 46	.351	9 57.0
8	0 30 41.8	6 12 48	.759	13 26.0	8	2 59 30.9	0 36 27	.332	9 52.5
10	0 33 39.7	− 6 02 40	3.762	13 21.1	10	3 02 57.5	− 0 35 34	3.312	9 48.1
12	0 36 38.5	5 52 31	.765	13 16.2	12	3 06 24.5	0 35 07	.292	9 43.7
14	0 39 38.2	5 42 22	.767	13 11.3	14	3 09 51.7	0 35 06	.271	9 39.3
16	0 42 38.8	5 32 13	.768	13 06.4	16	3 13 19.1	0 35 32	.251	9 34.8
18	0 45 40.3	5 22 04	.769	13 01.6	18	3 16 46.7	0 36 27	.230	9 30.4
20	0 48 42.6	− 5 11 57	3.769	12 56.7	20	3 20 14.5	− 0 37 49	3.208	9 26.0
22	0 51 45.8	5 01 52	.769	12 51.9	22	3 23 42.4	0 39 41	.187	9 21.6
24	0 54 49.8	4 51 49	.768	12 47.1	24	3 27 10.3	0 42 02	.165	9 17.2
26	0 57 54.5	4 41 50	.766	12 42.3	26	3 30 38.3	0 44 53	.143	9 12.8
28	1 01 00.1	4 31 54	.764	12 37.5	28	3 34 06.3	0 48 15	.121	9 08.4
30	1 04 06.4	− 4 22 03	3.761	12 32.8	30	3 37 34.3	− 0 52 08	3.098	9 03.9
Apr. 1	1 07 13.4	− 4 12 17	3.757	12 28.0	July 2	3 41 02.2	− 0 56 32	3.076	8 59.5

GEOCENTRIC POSITIONS FOR 0ʰ DYNAMICAL TIME

Date	Astrometric J2000.0 R. A.	Dec.	True Distance	Ephemeris Transit	Date	Astrometric J2000.0 R. A.	Dec.	True Distance	Ephemeris Transit
	h m s	° ′ ″		h m		h m s	° ′ ″		h m
July 2	3 41 02.2	− 0 56 32	3.076	8 59.5	Oct. 2	6 01 25.2	−15 33 31	2.003	5 17.5
4	3 44 30.1	1 01 29	.053	8 55.1	4	6 03 28.3	16 06 47	1.983	5 11.7
6	3 47 57.9	1 06 58	.030	8 50.7	6	6 05 26.9	16 40 26	.964	5 05.8
8	3 51 25.5	1 13 00	3.007	8 46.3	8	6 07 20.6	17 14 27	.944	4 59.8
10	3 54 52.9	1 19 36	2.984	8 41.9	10	6 09 09.3	17 48 46	.925	4 53.7
12	3 58 20.0	− 1 26 47	2.960	8 37.4	12	6 10 52.9	−18 23 23	1.906	4 47.6
14	4 01 46.9	1 34 33	.936	8 33.0	14	6 12 31.1	18 58 14	.887	4 41.3
16	4 05 13.4	1 42 54	.913	8 28.6	16	6 14 03.8	19 33 15	.869	4 35.0
18	4 08 39.4	1 51 52	.889	8 24.1	18	6 15 30.8	20 08 25	.851	4 28.6
20	4 12 05.0	2 01 26	.865	8 19.7	20	6 16 51.9	20 43 40	.833	4 22.1
22	4 15 30.0	− 2 11 38	2.841	8 15.2	22	6 18 07.0	−21 18 56	1.816	4 15.4
24	4 18 54.4	2 22 26	.817	8 10.7	24	6 19 15.9	21 54 10	.799	4 08.7
26	4 22 18.1	2 33 53	.793	8 06.3	26	6 20 18.6	22 29 20	.783	4 01.9
28	4 25 41.1	2 45 57	.768	8 01.8	28	6 21 14.8	23 04 20	.767	3 55.0
30	4 29 03.3	2 58 40	.744	7 57.3	30	6 22 04.3	23 39 09	.751	3 47.9
Aug. 1	4 32 24.6	− 3 12 01	2.720	7 52.7	Nov. 1	6 22 47.1	−24 13 41	1.736	3 40.7
3	4 35 45.1	3 26 02	.695	7 48.2	3	6 23 23.0	24 47 53	.721	3 33.5
5	4 39 04.7	3 40 42	.671	7 43.6	5	6 23 51.9	25 21 40	.706	3 26.1
7	4 42 23.2	3 56 02	.647	7 39.1	7	6 24 13.5	25 54 58	.692	3 18.6
9	4 45 40.6	4 12 02	.622	7 34.5	9	6 24 27.8	26 27 41	.678	3 10.9
11	4 48 56.8	− 4 28 42	2.598	7 29.9	11	6 24 34.7	−26 59 45	1.665	3 03.2
13	4 52 11.7	4 46 04	.574	7 25.2	13	6 24 34.1	27 31 04	.652	2 55.3
15	4 55 25.2	5 04 06	.549	7 20.6	15	6 24 26.1	28 01 32	.639	2 47.3
17	4 58 37.2	5 22 50	.525	7 15.9	17	6 24 10.6	28 31 04	.627	2 39.2
19	5 01 47.6	5 42 15	.501	7 11.2	19	6 23 47.8	28 59 34	.616	2 31.0
21	5 04 56.3	− 6 02 21	2.477	7 06.5	21	6 23 17.6	−29 26 57	1.605	2 22.6
23	5 08 03.3	6 23 07	.453	7 01.7	23	6 22 40.3	29 53 08	.594	2 14.1
25	5 11 08.4	6 44 35	.429	6 56.9	25	6 21 55.9	30 18 01	.584	2 05.5
27	5 14 11.6	7 06 43	.405	6 52.1	27	6 21 04.6	30 41 32	.574	1 56.8
29	5 17 12.8	7 29 32	.381	6 47.2	29	6 20 06.7	31 03 35	.565	1 48.0
31	5 20 11.8	− 7 53 00	2.357	6 42.3	Dec. 1	6 19 02.3	−31 24 04	1.556	1 39.0
Sept. 2	5 23 08.6	8 17 10	.334	6 37.4	3	6 17 51.7	31 42 55	.548	1 30.0
4	5 26 03.1	8 41 59	.311	6 32.4	5	6 16 35.3	32 00 02	.540	1 20.9
6	5 28 55.1	9 07 27	.287	6 27.4	7	6 15 13.4	32 15 21	.533	1 11.7
8	5 31 44.5	9 33 36	.264	6 22.4	9	6 13 46.5	32 28 46	.526	1 02.3
10	5 34 31.2	−10 00 23	2.241	6 17.3	11	6 12 15.1	−32 40 14	1.519	0 53.0
12	5 37 15.0	10 27 48	.219	6 12.1	13	6 10 39.6	32 49 39	.513	0 43.5
14	5 39 55.9	10 55 51	.196	6 06.9	15	6 09 00.8	32 56 58	.508	0 34.0
16	5 42 33.5	11 24 31	.174	6 01.7	17	6 07 19.2	33 02 09	.503	0 24.5
18	5 45 07.9	11 53 46	.152	5 56.4	19	6 05 35.5	33 05 09	.499	0 14.9
20	5 47 38.8	−12 23 36	2.130	5 51.0	21	6 03 50.4	−33 05 57	1.495	0 05.3
22	5 50 06.2	12 54 00	.108	5 45.6	23	6 02 04.4	33 04 31	.492	23 50.9
24	5 52 29.9	13 24 55	.087	5 40.1	25	6 00 18.4	33 00 51	.489	23 41.2
26	5 54 49.8	13 56 21	.065	5 34.6	27	5 58 32.9	32 54 56	.486	23 31.6
28	5 57 05.8	14 28 17	.045	5 28.9	29	5 56 48.7	32 46 48	.485	23 22.1
30	5 59 17.6	−15 00 41	2.024	5 23.3	31	5 55 06.2	−32 36 27	1.483	23 12.5
Oct. 2	6 01 25.2	−15 33 31	2.003	5 17.5	33	5 53 26.2	−32 23 54	1.482	23 03.0

Second Transit: December 22ᵈ23ʰ55ᵐ.7

JUNO, 1985

GEOCENTRIC POSITIONS FOR 0ʰ DYNAMICAL TIME

Date	Astrometric J2000.0 R. A.	Dec.	True Distance	Ephemeris Transit	Date	Astrometric J2000.0 R. A.	Dec.	True Distance	Ephemeris Transit
	h m s	° ′ ″		h m		h m s	° ′ ″		h m
Jan. −1	12 37 12.8	− 4 20 07	2.601	6 01.2	Apr. 1	12 22 23.7	+ 3 26 30	1.986	23 39.8
1	12 38 42.5	4 23 26	.577	5 54.8	3	12 20 50.9	3 43 01	1.994	23 30.4
3	12 40 08.0	4 26 11	.554	5 48.3	5	12 19 20.0	3 59 04	2.004	23 21.1
5	12 41 29.2	4 28 22	.531	5 41.8	7	12 17 51.1	4 14 37	.014	23 11.8
7	12 42 46.1	4 29 56	.507	5 35.2	9	12 16 24.7	4 29 37	.026	23 02.5
9	12 43 58.6	− 4 30 55	2.484	5 28.5	11	12 15 01.0	+ 4 44 02	2.039	22 53.3
11	12 45 06.4	4 31 16	.461	5 21.8	13	12 13 40.3	4 57 50	.052	22 44.1
13	12 46 09.5	4 31 00	.438	5 15.0	15	12 12 23.1	5 11 00	.067	22 35.0
15	12 47 07.7	4 30 05	.415	5 08.1	17	12 11 09.4	5 23 29	.083	22 25.9
17	12 48 01.0	4 28 30	.392	5 01.1	19	12 09 59.6	5 35 17	.100	22 16.9
19	12 48 49.2	− 4 26 15	2.369	4 54.0	21	12 08 54.0	+ 5 46 21	2.118	22 08.0
21	12 49 32.1	4 23 19	.347	4 46.8	23	12 07 52.7	5 56 42	.137	21 59.2
23	12 50 09.8	4 19 41	.325	4 39.6	25	12 06 55.8	6 06 18	.157	21 50.4
25	12 50 42.0	4 15 21	.303	4 32.2	27	12 06 03.6	6 15 09	.177	21 41.7
27	12 51 08.8	4 10 18	.282	4 24.8	29	12 05 16.2	6 23 15	.199	21 33.1
29	12 51 30.1	− 4 04 32	2.260	4 17.3	May 1	12 04 33.6	+ 6 30 36	2.221	21 24.5
31	12 51 45.7	3 58 04	.240	4 09.7	3	12 03 55.9	6 37 12	.244	21 16.1
Feb. 2	12 51 55.8	3 50 53	.219	4 02.0	5	12 03 23.1	6 43 04	.268	21 07.7
4	12 52 00.1	3 42 58	.200	3 54.2	7	12 02 55.2	6 48 13	.292	20 59.4
6	12 51 58.8	3 34 21	.180	3 46.3	9	12 02 32.3	6 52 37	.317	20 51.2
8	12 51 51.7	− 3 25 00	2.161	3 38.3	11	12 02 14.4	+ 6 56 20	2.343	20 43.1
10	12 51 38.9	3 14 57	.143	3 30.2	13	12 02 01.4	6 59 20	.369	20 35.1
12	12 51 20.3	3 04 12	.126	3 22.1	15	12 01 53.4	7 01 39	.396	20 27.1
14	12 50 56.0	2 52 45	.109	3 13.8	17	12 01 50.2	7 03 18	.423	20 19.2
16	12 50 26.0	2 40 37	.093	3 05.4	19	12 01 51.9	7 04 17	.451	20 11.4
18	12 49 50.4	− 2 27 50	2.077	2 57.0	21	12 01 58.5	+ 7 04 37	2.479	20 03.7
20	12 49 09.3	2 14 23	.063	2 48.4	23	12 02 09.8	7 04 20	.508	19 56.0
22	12 48 22.9	2 00 20	.049	2 39.8	25	12 02 25.7	7 03 26	.537	19 48.5
24	12 47 31.2	1 45 41	.036	2 31.0	27	12 02 46.3	7 01 56	.566	19 41.0
26	12 46 34.5	1 30 29	.024	2 22.2	29	12 03 11.3	6 59 51	.596	19 33.6
28	12 45 33.0	− 1 14 46	2.013	2 13.4	31	12 03 40.7	+ 6 57 14	2.626	19 26.2
Mar. 2	12 44 26.9	0 58 35	2.003	2 04.4	June 2	12 04 14.4	6 54 04	.656	19 18.9
4	12 43 16.5	0 41 57	1.994	1 55.4	4	12 04 52.2	6 50 23	.687	19 11.7
6	12 42 02.1	0 24 57	.986	1 46.3	6	12 05 34.1	6 46 12	.717	19 04.6
8	12 40 43.9	− 0 07 36	.979	1 37.1	8	12 06 19.9	6 41 33	.748	18 57.5
10	12 39 22.2	+ 0 10 02	1.973	1 27.9	10	12 07 09.6	+ 6 36 25	2.779	18 50.5
12	12 37 57.5	0 27 55	.969	1 18.6	12	12 08 03.0	6 30 50	.810	18 43.5
14	12 36 29.9	0 45 58	.965	1 09.3	14	12 09 00.1	6 24 50	.841	18 36.6
16	12 35 00.0	1 04 08	.963	0 59.9	16	12 10 00.8	6 18 23	.873	18 29.8
18	12 33 28.0	1 22 22	.961	0 50.6	18	12 11 05.0	6 11 33	.904	18 23.0
20	12 31 54.4	+ 1 40 37	1.961	0 41.1	20	12 12 12.6	+ 6 04 19	2.935	18 16.3
22	12 30 19.7	1 58 47	.962	0 31.7	22	12 13 23.4	5 56 42	.967	18 09.6
24	12 28 44.2	2 16 49	.965	0 22.3	24	12 14 37.4	5 48 44	2.998	18 03.0
26	12 27 08.4	2 34 41	.968	0 12.8	26	12 15 54.5	5 40 25	3.029	17 56.5
28	12 25 32.8	2 52 17	.973	0 03.4	28	12 17 14.6	5 31 46	.061	17 49.9
30	12 23 57.7	+ 3 09 34	1.979	23 49.2	30	12 18 37.5	+ 5 22 49	3.092	17 43.5
Apr. 1	12 22 23.7	+ 3 26 30	1.986	23 39.8	July 2	12 20 03.2	+ 5 13 34	3.123	17 37.0

Second Transit: March 28ᵈ23ʰ58ᵐ7

GEOCENTRIC POSITIONS FOR 0ʰ DYNAMICAL TIME

Date	Astrometric J2000.0 R. A.	Dec.	True Distance	Ephemeris Transit	Date	Astrometric J2000.0 R. A.	Dec.	True Distance	Ephemeris Transit
	h m s	° ′ ″		h m		h m s	° ′ ″		h m
July 2	12 20 03.2	+ 5 13 34	3.123	17 37.0	Oct. 2	13 57 48.4	− 4 23 23	4.188	13 12.9
4	12 21 31.6	5 04 01	.154	17 30.7	4	14 00 21.4	4 36 10	.199	13 07.6
6	12 23 02.6	4 54 12	.185	17 24.3	6	14 02 55.1	4 48 51	.210	13 02.3
8	12 24 36.1	4 44 07	.215	17 18.0	8	14 05 29.3	5 01 25	.220	12 57.0
10	12 26 12.1	4 33 47	.246	17 11.8	10	14 08 04.1	5 13 53	.229	12 51.7
12	12 27 50.4	+ 4 23 13	3.276	17 05.5	12	14 10 39.5	− 5 26 14	4.237	12 46.4
14	12 29 31.1	4 12 24	.306	16 59.4	14	14 13 15.3	5 38 28	.245	12 41.1
16	12 31 14.0	4 01 23	.336	16 53.2	16	14 15 51.7	5 50 34	.252	12 35.9
18	12 32 59.0	3 50 08	.366	16 47.1	18	14 18 28.4	6 02 32	.259	12 30.6
20	12 34 46.3	3 38 42	.395	16 41.0	20	14 21 05.6	6 14 21	.264	12 25.4
22	12 36 35.5	+ 3 27 04	3.424	16 35.0	22	14 23 43.1	− 6 26 02	4.269	12 20.1
24	12 38 26.7	3 15 16	.453	16 29.0	24	14 26 21.0	6 37 33	.274	12 14.9
26	12 40 19.8	3 03 18	.482	16 23.0	26	14 28 59.2	6 48 54	.278	12 09.6
28	12 42 14.8	2 51 10	.510	16 17.1	28	14 31 37.7	7 00 06	.281	12 04.4
30	12 44 11.5	2 38 54	.538	16 11.1	30	14 34 16.5	7 11 08	.283	11 59.2
Aug. 1	12 46 09.9	+ 2 26 30	3.565	16 05.2	Nov. 1	14 36 55.5	− 7 21 59	4.285	11 53.9
3	12 48 09.9	2 13 58	.592	15 59.4	3	14 39 34.8	7 32 39	.286	11 48.7
5	12 50 11.6	2 01 19	.619	15 53.5	5	14 42 14.2	7 43 08	.286	11 43.5
7	12 52 14.9	1 48 33	.646	15 47.7	7	14 44 53.8	7 53 26	.286	11 38.3
9	12 54 19.6	1 35 41	.672	15 42.0	9	14 47 33.6	8 03 33	.284	11 33.1
11	12 56 25.9	+ 1 22 43	3.697	15 36.2	11	14 50 13.4	− 8 13 27	4.283	11 27.9
13	12 58 33.7	1 09 39	.722	15 30.5	13	14 52 53.4	8 23 09	.280	11 22.6
15	13 00 42.8	0 56 31	.747	15 24.7	15	14 55 33.3	8 32 38	.277	11 17.4
17	13 02 53.3	0 43 18	.772	15 19.0	17	14 58 13.2	8 41 54	.273	11 12.2
19	13 05 05.1	0 30 01	.796	15 13.4	19	15 00 53.1	8 50 56	.268	11 07.0
21	13 07 18.3	+ 0 16 42	3.819	15 07.7	21	15 03 32.8	− 8 59 45	4.263	11 01.8
23	13 09 32.6	+ 0 03 19	.842	15 02.1	23	15 06 12.4	9 08 20	.257	10 56.6
25	13 11 48.1	− 0 10 06	.864	14 56.5	25	15 08 51.8	9 16 41	.250	10 51.4
27	13 14 04.8	0 23 33	.886	14 50.9	27	15 11 31.0	9 24 47	.243	10 46.1
29	13 16 22.6	0 37 02	.908	14 45.3	29	15 14 10.0	9 32 39	.235	10 40.9
31	13 18 41.5	− 0 50 31	3.929	14 39.8	Dec. 1	15 16 48.7	− 9 40 15	4.226	10 35.7
Sept. 2	13 21 01.4	1 04 01	.949	14 34.2	3	15 19 27.1	9 47 37	.217	10 30.4
4	13 23 22.3	1 17 31	.969	14 28.7	5	15 22 05.1	9 54 44	.207	10 25.2
6	13 25 44.3	1 31 01	3.989	14 23.2	7	15 24 42.8	10 01 34	.196	10 19.9
8	13 28 07.2	1 44 31	4.008	14 17.7	9	15 27 20.0	10 08 09	.185	10 14.7
10	13 30 31.1	− 1 58 00	4.026	14 12.2	11	15 29 56.7	−10 14 28	4.173	10 09.4
12	13 32 55.9	2 11 28	.044	14 06.8	13	15 32 32.8	10 20 30	.160	10 04.1
14	13 35 21.6	2 24 54	.061	14 01.3	15	15 35 08.3	10 26 15	.147	9 58.9
16	13 37 48.2	2 38 18	.077	13 55.9	17	15 37 43.1	10 31 44	.133	9 53.6
18	13 40 15.7	2 51 39	.093	13 50.5	19	15 40 17.2	10 36 55	.118	9 48.3
20	13 42 43.9	− 3 04 58	4.109	13 45.1	21	15 42 50.5	−10 41 49	4.103	9 42.9
22	13 45 12.9	3 18 13	.124	13 39.7	23	15 45 23.0	10 46 26	.087	9 37.6
24	13 47 42.6	3 31 24	.138	13 34.3	25	15 47 54.6	10 50 45	.071	9 32.2
26	13 50 13.0	3 44 31	.151	13 29.0	27	15 50 25.3	10 54 47	.054	9 26.9
28	13 52 44.2	3 57 33	.164	13 23.6	29	15 52 55.0	10 58 31	.036	9 21.5
30	13 55 15.9	− 4 10 31	4.177	13 18.3	31	15 55 23.6	−11 01 56	4.018	9 16.1
Oct. 2	13 57 48.4	− 4 23 23	4.188	13 12.9	33	15 57 51.2	−11 05 04	3.999	9 10.7

VESTA, 1985

GEOCENTRIC POSITIONS FOR 0ʰ DYNAMICAL TIME

Date	Astrometric J2000.0 R. A.	Dec.	True Distance	Ephemeris Transit	Date	Astrometric J2000.0 R. A.	Dec.	True Distance	Ephemeris Transit
	h m s	° ′ ″		h m		h m s	° ′ ″		h m
Jan. −1	13 27 20.1	− 1 50 07	2.297	6 51.4	Apr. 1	14 20 04.9	− 0 52 59	1.272	1 41.8
1	13 30 08.3	2 00 45	.271	6 46.3	3	14 18 44.9	0 41 28	.261	1 32.6
3	13 32 54.2	2 10 58	.245	6 41.2	5	14 17 19.1	0 30 01	.252	1 23.3
5	13 35 37.7	2 20 44	.218	6 36.0	7	14 15 48.2	0 18 41	.244	1 14.0
7	13 38 18.7	2 30 03	.192	6 30.8	9	14 14 12.4	− 0 07 33	.237	1 04.5
9	13 40 57.1	− 2 38 54	2.165	6 25.6	11	14 12 32.3	+ 0 03 20	1.230	0 55.0
11	13 43 32.9	2 47 17	.139	6 20.3	13	14 10 48.4	0 13 54	.225	0 45.4
13	13 46 05.8	2 55 11	.113	6 14.9	15	14 09 01.2	0 24 05	.220	0 35.8
15	13 48 35.7	3 02 35	.086	6 09.6	17	14 07 11.5	0 33 47	.217	0 26.1
17	13 51 02.5	3 09 29	.060	6 04.1	19	14 05 19.8	0 42 59	.214	0 16.4
19	13 53 25.9	− 3 15 51	2.033	5 58.6	21	14 03 26.9	+ 0 51 34	1.213	0 06.6
21	13 55 46.0	3 21 42	2.007	5 53.1	23	14 01 33.4	0 59 30	.212	23 52.0
23	13 58 02.4	3 27 00	1.980	5 47.5	25	13 59 39.9	1 06 44	.213	23 42.3
25	14 00 15.0	3 31 44	.954	5 41.8	27	13 57 47.3	1 13 12	.214	23 32.6
27	14 02 23.7	3 35 56	.928	5 36.1	29	13 55 56.1	1 18 51	.217	23 22.9
29	14 04 28.4	− 3 39 34	1.902	5 30.3	May 1	13 54 07.0	+ 1 23 40	1.220	23 13.2
31	14 06 28.8	3 42 37	.876	5 24.4	3	13 52 20.6	1 27 36	.224	23 03.6
Feb. 2	14 08 24.8	3 45 06	.850	5 18.4	5	13 50 37.4	1 30 38	.230	22 54.1
4	14 10 16.3	3 47 00	.825	5 12.4	7	13 48 57.9	1 32 45	.236	22 44.6
6	14 12 03.0	3 48 19	.799	5 06.3	9	13 47 22.7	1 33 57	.243	22 35.2
8	14 13 44.9	− 3 49 02	1.774	5 00.1	11	13 45 52.1	+ 1 34 12	1.251	22 25.9
10	14 15 21.6	3 49 10	.749	4 53.9	13	13 44 26.7	1 33 31	.259	22 16.6
12	14 16 53.1	3 48 41	.725	4 47.5	15	13 43 06.8	1 31 52	.269	22 07.5
14	14 18 19.0	3 47 35	.700	4 41.1	17	13 41 52.8	1 29 17	.279	21 58.5
16	14 19 39.1	3 45 52	.676	4 34.5	19	13 40 45.0	1 25 46	.290	21 49.5
18	14 20 53.4	− 3 43 32	1.652	4 27.9	21	13 39 43.8	+ 1 21 18	1.302	21 40.7
20	14 22 01.4	3 40 35	.629	4 21.1	23	13 38 49.2	1 15 56	.314	21 32.0
22	14 23 03.2	3 37 02	.606	4 14.3	25	13 38 01.6	1 09 40	.327	21 23.4
24	14 23 58.5	3 32 51	.583	4 07.3	27	13 37 21.1	1 02 32	.341	21 14.9
26	14 24 47.1	3 28 05	.561	4 00.3	29	13 36 47.7	0 54 32	.355	21 06.5
28	14 25 28.9	− 3 22 43	1.539	3 53.1	31	13 36 21.5	+ 0 45 44	1.370	20 58.3
Mar. 2	14 26 03.8	3 16 47	.517	3 45.8	June 2	13 36 02.4	0 36 09	.386	20 50.1
4	14 26 31.7	3 10 17	.497	3 38.4	4	13 35 50.6	0 25 48	.402	20 42.1
6	14 26 52.4	3 03 13	.476	3 30.9	6	13 35 45.8	0 14 44	.418	20 34.2
8	14 27 05.7	2 55 38	.456	3 23.2	8	13 35 48.2	+ 0 02 58	.435	20 26.5
10	14 27 11.7	− 2 47 32	1.437	3 15.4	10	13 35 57.5	− 0 09 28	1.452	20 18.8
12	14 27 10.2	2 38 55	.419	3 07.5	12	13 36 13.8	0 22 32	.470	20 11.3
14	14 27 01.1	2 29 50	.401	2 59.5	14	13 36 37.0	0 36 13	.488	20 03.8
16	14 26 44.3	2 20 19	.383	2 51.4	16	13 37 07.0	0 50 29	.506	19 56.5
18	14 26 19.9	2 10 22	.367	2 43.1	18	13 37 43.7	1 05 19	.525	19 49.3
20	14 25 48.0	− 2 00 03	1.351	2 34.7	20	13 38 27.0	− 1 20 40	1.544	19 42.2
22	14 25 08.5	1 49 24	.335	2 26.2	22	13 39 16.7	1 36 32	.564	19 35.2
24	14 24 21.7	1 38 29	.321	2 17.5	24	13 40 12.8	1 52 53	.584	19 28.3
26	14 23 27.6	1 27 19	.307	2 08.8	26	13 41 15.0	2 09 40	.604	19 21.5
28	14 22 26.7	1 15 58	.295	1 59.9	28	13 42 23.2	2 26 52	.624	19 14.8
30	14 21 19.0	− 1 04 31	1.283	1 50.9	30	13 43 37.2	− 2 44 28	1.644	19 08.2
Apr. 1	14 20 04.9	− 0 52 59	1.272	1 41.8	July 2	13 44 56.9	− 3 02 25	1.665	19 01.7

Second Transit: April 22ᵈ23ʰ56ᵐ9

GEOCENTRIC POSITIONS FOR 0ʰ DYNAMICAL TIME

Date	Astrometric J2000.0 R. A.	Dec.	True Distance	Ephemeris Transit	Date	Astrometric J2000.0 R. A.	Dec.	True Distance	Ephemeris Transit
	h m s	° ′ ″		h m		h m s	° ′ ″		h m
July 2	13 44 56.9	− 3 02 25	1.665	19 01.7	Oct. 2	15 56 51.6	−18 12 11	2.619	15 12.1
4	13 46 22.1	3 20 43	.685	18 55.3	4	16 00 48.8	18 28 23	.637	15 08.2
6	13 47 52.6	3 39 20	.706	18 49.0	6	16 04 48.0	18 44 14	.655	15 04.3
8	13 49 28.4	3 58 15	.727	18 42.7	8	16 08 49.1	18 59 44	.672	15 00.5
10	13 51 09.2	4 17 26	.748	18 36.6	10	16 12 52.3	19 14 52	.690	14 56.7
12	13 52 55.0	− 4 36 53	1.770	18 30.5	12	16 16 57.3	−19 29 37	2.707	14 52.9
14	13 54 45.7	4 56 34	.791	18 24.5	14	16 21 04.2	19 44 00	.724	14 49.1
16	13 56 41.1	5 16 28	.813	18 18.6	16	16 25 12.9	19 57 59	.740	14 45.4
18	13 58 41.2	5 36 34	.834	18 12.7	18	16 29 23.4	20 11 34	.757	14 41.7
20	14 00 45.8	5 56 51	.856	18 06.9	20	16 33 35.5	20 24 43	.773	14 38.0
22	14 02 54.7	− 6 17 18	1.878	18 01.2	22	16 37 49.3	−20 37 28	2.788	14 34.4
24	14 05 07.9	6 37 54	.899	17 55.6	24	16 42 04.7	20 49 46	.804	14 30.8
26	14 07 25.3	6 58 37	.921	17 50.1	26	16 46 21.7	21 01 38	.819	14 27.2
28	14 09 46.7	7 19 27	.943	17 44.6	28	16 50 40.1	21 13 04	.834	14 23.6
30	14 12 11.9	7 40 22	.965	17 39.1	30	16 54 59.9	21 24 02	.849	14 20.0
Aug. 1	14 14 41.0	− 8 01 21	1.986	17 33.8	Nov. 1	16 59 21.2	−21 34 32	2.864	14 16.5
3	14 17 13.7	8 22 23	2.008	17 28.5	3	17 03 43.8	21 44 34	.878	14 13.0
5	14 19 50.1	8 43 28	.030	17 23.2	5	17 08 07.8	21 54 08	.892	14 09.5
7	14 22 30.0	9 04 34	.052	17 18.0	7	17 12 33.0	22 03 13	.906	14 06.1
9	14 25 13.3	9 25 41	.073	17 12.9	9	17 16 59.4	22 11 49	.919	14 02.7
11	14 28 00.0	− 9 46 49	2.095	17 07.8	11	17 21 27.1	−22 19 55	2.932	13 59.2
13	14 30 50.1	10 07 55	.117	17 02.8	13	17 25 55.8	22 27 32	.945	13 55.8
15	14 33 43.5	10 29 00	.138	16 57.8	15	17 30 25.6	22 34 38	.958	13 52.5
17	14 36 40.1	10 50 03	.160	16 52.9	17	17 34 56.4	22 41 14	.970	13 49.1
19	14 39 39.8	11 11 02	.181	16 48.0	19	17 39 28.1	22 47 19	.982	13 45.7
21	14 42 42.6	−11 31 57	2.202	16 43.2	21	17 44 00.6	−22 52 52	2.993	13 42.4
23	14 45 48.3	11 52 48	.224	16 38.4	23	17 48 33.9	22 57 55	3.005	13 39.1
25	14 48 57.0	12 13 32	.245	16 33.7	25	17 53 07.9	23 02 26	.016	13 35.8
27	14 52 08.6	12 34 09	.266	16 29.0	27	17 57 42.5	23 06 26	.026	13 32.5
29	14 55 22.9	12 54 39	.287	16 24.4	29	18 02 17.8	23 09 54	.036	13 29.2
31	14 58 40.0	−13 15 00	2.307	16 19.8	Dec. 1	18 06 53.6	−23 12 51	3.046	13 25.9
Sept. 2	15 01 59.7	13 35 12	.328	16 15.3	3	18 11 29.8	23 15 16	.056	13 22.6
4	15 05 22.1	13 55 15	.348	16 10.8	5	18 16 06.6	23 17 09	.065	13 19.4
6	15 08 47.1	14 15 07	.369	16 06.4	7	18 20 43.7	23 18 30	.074	13 16.1
8	15 12 14.6	14 34 47	.389	16 02.0	9	18 25 21.2	23 19 20	.083	13 12.8
10	15 15 44.7	−14 54 17	2.409	15 57.6	11	18 29 58.9	−23 19 37	3.091	13 09.6
12	15 19 17.4	15 13 33	.429	15 53.3	13	18 34 36.9	23 19 23	.099	13 06.3
14	15 22 52.4	15 32 37	.449	15 49.0	15	18 39 14.9	23 18 37	.107	13 03.1
16	15 26 30.0	15 51 26	.469	15 44.7	17	18 43 53.0	23 17 20	.114	12 59.9
18	15 30 09.9	16 10 01	.488	15 40.5	19	18 48 31.1	23 15 32	.121	12 56.6
20	15 33 52.1	−16 28 20	2.507	15 36.4	21	18 53 09.1	−23 13 12	3.128	12 53.4
22	15 37 36.6	16 46 23	.527	15 32.2	23	18 57 46.9	23 10 21	.134	12 50.1
24	15 41 23.4	17 04 10	.545	15 28.2	25	19 02 24.6	23 07 00	.140	12 46.9
26	15 45 12.2	17 21 38	.564	15 24.1	27	19 07 02.0	23 03 08	.145	12 43.6
28	15 49 03.3	17 38 48	.583	15 20.1	29	19 11 39.0	22 58 46	.150	12 40.3
30	15 52 56.4	−17 55 40	2.601	15 16.1	31	19 16 15.8	−22 53 54	3.155	12 37.1
Oct. 2	15 56 51.6	−18 12 11	2.619	15 12.1	33	19 20 52.1	−22 48 32	3.159	12 33.8

MINOR PLANETS, 1985

OPPOSITION DATES, MAGNITUDES AND OSCULATING ELEMENTS
FOR EPOCH 1985 DECEMBER 1·0 TDT, ECLIPTIC AND EQUINOX J2000·0

Name	No.	B(1,0)	Opposition Date	Mag.	Dia-meter	Inclin-ation i	Long of Asc. Node Ω	Argument of Peri-helion ω	Mean Distance a	Daily Motion n	Eccen-tricity e	Mean Anomaly M
					km	°	°	°		°		°
Pallas	2	5·0	Dec. 22	7·6	608	34·795	173·346	309·909	2·7720	0·21356	0·2337	334·594
Juno	3	6·5	Mar. 27	10·3	247	12·998	170·576	246·909	2·6681	0·22615	0·2578	158·589
Vesta	4	4·3	Apr. 22	6·5	538	7·141	104·084	150·671	2·3615	0·27160	0·0892	22·530
Astraea	5	8·1	Sept. 24	11·8	117	5·356	141·807	356·556	2·5749	0·23854	0·1906	253·764
Metis	9	7·8	July 6	10·9	151	5·585	69·169	4·692	2·3879	0·26711	0·1222	257·285
Hygiea	10	6·5	Oct. 16	11·1	450	3·842	283·854	316·592	3·1340	0·17764	0·1203	143·879
Parthenope	11	7·8	Aug. 16	9·9	150	4·621	125·717	193·776	2·4523	0·25666	0·1005	30·427
Victoria	12	8·4	May 5	10·3	126	8·375	235·898	68·883	2·3341	0·27638	0·2204	2·379
Egeria	13	8·1	May 26	11·4	224	16·506	43·553	79·879	2·5761	0·23838	0·0877	160·421
Irene	14	7·5	Aug. 22	11·2	158	9·110	86·934	95·014	2·5890	0·23659	0·1642	156·541
Eunomia	15	6·4	Oct. 13	8·5	272	11·765	293·654	97·131	2·6435	0·22932	0·1849	7·350
Psyche	16	6·9	Dec. 6	10·1	250	3·089	150·533	227·062	2·9228	0·19724	0·1338	43·289
Thetis	17	9·1	Sept. 3	11·6	109	5·586	125·697	136·136	2·4688	0·25408	0·1377	85·792
Fortuna	19	8·4	June 11	11·7	215	1·568	211·848	181·599	2·4424	0·25822	0·1590	286·525
Massalia	20	7·7	Apr. 9	10·4	131	0·699	207·172	254·763	2·4074	0·26386	0·1456	143·047
Lutetia	21	8·6	Nov. 4	10·9	115	3·070	81·036	249·473	2·4353	0·25935	0·1614	61·429
Kalliope	22	7·3	Aug. 23	11·0	177	13·696	66·515	354·667	2·9118	0·19836	0·0983	295·647
Euterpe	27	8·4	June 29	11·8	108	1·585	94·841	355·831	2·3485	0·27385	0·1717	232·119
Bellona	28	8·2	July 21	12·4	126	9·403	144·727	342·144	2·7836	0·21223	0·1481	198·084
Amphitrite	29	7·1	May 10	10·5	195	6·113	356·666	63·052	2·5538	0·24151	0·0736	219·797
Urania	30	8·8	Aug. 6	11·1	91	2·097	308·167	85·788	2·3660	0·27082	0·1270	325·654
Euphrosyne	31	7·3	Mar. 17	10·9	370	26·348	31·356	63·277	3·1467	0·17657	0·2275	93·276
Pomona	32	8·8	Feb. 13	11·6	93	5·518	220·782	336·360	2·5857	0·23705	0·0845	25·386
Circe	34	9·6	Nov. 20	12·9	111	5·479	184·854	329·045	2·6863	0·22386	0·1068	278·005
Atalante	36	9·8	Apr. 1	14·4	118	18·493	358·961	46·392	2·7449	0·21672	0·3048	180·881
Laetitia	39	7·4	Mar. 6	11·4	163	10·373	157·508	209·112	2·7681	0·21401	0·1136	211·375
Daphne	41	8·2	Apr. 10	10·0	204	15·774	178·547	45·511	2·7688	0·21393	0·2681	36·121
Isis	42	8·8	Mar. 14	12·5	97	8·543	84·798	235·885	2·4397	0·25864	0·2257	292·354
Ariadne	43	9·2	Aug. 12	10·3	85	3·469	265·218	15·427	2·2030	0·30142	0·1686	62·024
Nysa	44	7·8	Apr. 20	10·5	82	3·705	131·735	341·864	2·4218	0·26152	0·1517	137·178
Hestia	46	9·6	May 29	12·7	133	2·327	181·371	175·532	2·5251	0·24563	0·1725	315·716
Aglaja	47	9·2	Dec. 18	13·3	158	4·989	3·610	312·922	2·8796	0·20170	0·1331	114·392
Nemausa	51	8·7	Jan. 16	11·1	151	9·962	176·314	0·719	2·3655	0·27090	0·0664	33·354
Europa	52	7·6	July 2	12·2	289	7·461	129·489	335·352	3·1031	0·18031	0·1050	201·915
Melete	56	9·5	Jan. 15	13·8	146	8·080	193·918	103·052	2·5998	0·23512	0·2322	255·318
Mnemosyne	57	8·4	Mar. 4	12·7	109	15·219	199·594	217·077	3·1487	0·17640	0·1175	145·074
Concordia	58	9·9	June 20	13·2	110	5·057	161·559	30·750	2·7018	0·22193	0·0429	108·178
Echo	60	10·0	June 17	13·5	51	3·589	192·221	269·176	2·3942	0·26604	0·1836	203·229
Ausonia	63	9·0	Nov. 16	12·1	91	5·785	338·363	294·051	2·3948	0·26595	0·1262	138·131
Angelina	64	8·8	July 4	12·7	56	1·317	310·198	177·839	2·6844	0·22409	0·1256	181·302
Cybele	65	8·0	Dec. 5	13·1	309	3·544	156·075	110·286	3·4329	0·15496	0·1054	162·973
Asia	67	9·7	Apr. 1	12·7	58	6·008	203·107	105·538	2·4200	0·26181	0·1870	328·025
Leto	68	8·2	Jan. 31	12·4	126	7·967	44·598	304·462	2·7833	0·21225	0·1850	190·083
Panopaea	70	8·9	Nov. 29	12·5	151	11·594	48·312	254·300	2·6131	0·23333	0·1846	107·876
Niobe	71	8·3	Sept. 26	12·5	115	23·300	316·482	266·672	2·7535	0·21571	0·1751	154·895

OPPOSITION DATES, MAGNITUDES AND OSCULATING ELEMENTS
FOR EPOCH 1985 DECEMBER 1·0 TDT, ECLIPTIC AND EQUINOX J2000·0

Name	No.	B(1,0)	Opposition Date	Mag.	Dia-meter	Inclin-ation i	Long of Asc. Node Ω	Argument of Peri-helion ω	Mean Distance a	Daily Motion n	Eccen-tricity e	Mean Anomaly M
					km	°	°	°		°		°
Feronia	72	10·1	Nov. 1	12·3	96	5·413	208·360	101·891	2·2658	0·28898	0·1205	83·139
Eurynome	79	9·2	Aug. 12	11·8	76	4·623	207·104	200·033	2·4446	0·25786	0·1929	324·084
Sappho	80	9·2	Mar. 5	12·7	83	8·656	219·094	138·878	2·2954	0·28341	0·2002	241·398
Alkmene	82	9·5	Mar. 8	11·6	65	2·844	25·967	110·457	2·7591	0·21505	0·2235	77·101
Klio	84	10·3	Oct. 5	11·4	90	9·332	327·961	14·380	2·3620	0·27151	0·2362	35·731
Io	85	8·9	Apr. 24	12·4	147	11·956	203·597	122·839	2·6529	0·22810	0·1936	319·293
Thisbe	88	8·1	Apr. 11	11·7	210	5·220	277·175	35·843	2·7677	0·21406	0·1631	318·611
Julia	89	8·1	Dec. 22	11·1	155	16·125	311·811	44·542	2·5513	0·24185	0·1806	67·090
Aegina	91	10·0	Apr. 13	13·3	104	2·124	11·061	73·279	2·5890	0·23659	0·1061	163·448
Minerva	93	8·7	May 9	11·5	168	8·568	4·664	274·665	2·7554	0·21549	0·1401	7·170
Aurora	94	8·7	Oct. 11	12·5	188	8·016	3·233	50·970	3·1604	0·17542	0·0813	339·316
Arethusa	95	8·8	Oct. 15	12·0	230	12·929	243·784	150·941	3·0712	0·18312	0·1434	1·411
Artemis	105	9·4	Sept. 27	12·3	126	21·481	188·638	56·084	2·3721	0·26978	0·1781	118·738
Dione	106	8·8	May 22	13·7	139	4·624	62·700	331·451	3·1587	0·17557	0·1822	251·563
Camilla	107	8·3	Oct. 15	12·9	211	9·926	174·199	295·411	3·4788	0·15190	0·0831	287·835
Amalthea	113	9·9	June 5	12·1	47	5·037	123·708	79·448	2·3770	0·26894	0·0862	91·935
Kassandra	114	9·5	Aug. 24	13·4	136	4·937	164·531	351·787	2·6773	0·22499	0·1381	196·321
Thyra	115	8·8	Sept. 7	10·6	93	11·584	309·355	95·860	2·3800	0·26843	0·1920	342·786
Sirona	116	8·9	June 22	12·5	80	3·569	64·444	91·840	2·7713	0·21364	0·1386	134·712
Lachesis	120	8·8	Nov. 19	13·2	173	6·969	341·725	238·749	3·1131	0·17943	0·0647	203·034
Brunhild	123	10·1	Feb. 11	13·1	47	6·416	308·349	124·452	2·6946	0·22282	0·1211	123·235
Antigone	129	7·8	Feb. 21	11·4	115	12·222	137·151	107·191	2·8712	0·20258	0·2079	348·594
Elektra	130	8·5	June 7	13·1	173	22·893	146·007	235·062	3·1114	0·17959	0·2196	285·606
Hertha	135	9·2	Sept. 23	10·7	78	2·302	344·239	338·859	2·4286	0·26042	0·2043	42·847
Meliboea	137	9·1	July 5	12·0	150	13·429	202·596	108·494	3·1126	0·17948	0·2243	10·611
Juewa	139	9·2	Sept. 14	13·5	163	10·938	2·252	165·962	2·7804	0·21260	0·1756	199·751
Siwa	140	9·6	Feb. 15	13·9	103	3·186	107·498	196·259	2·7334	0·21810	0·2145	276·939
Lumen	141	9·6	May 7	13·7	133	11·922	319·169	56·943	2·6644	0·22662	0·2156	277·556
Adeona	145	8·7	Aug. 15	12·7	195	12·619	77·814	44·250	2·6745	0·22534	0·1451	226·965
Baucis	172	10·1	Oct. 1	12·1	67	10·026	332·388	358·594	2·3795	0·26852	0·1138	49·199
Elsa	182	10·2	Aug. 27	12·6	39	2·002	107·344	309·366	2·4167	0·26235	0·1861	323·102
Phthia	189	10·8	Aug. 9	13·4	41	5·172	203·956	164·593	2·4507	0·25690	0·0368	342·444
Nausikaa	192	8·6	Sept. 21	9·5	94	6·823	343·709	29·670	2·4025	0·26468	0·2470	10·565
Prokne	194	8·8	Apr. 11	12·5	191	18·525	159·699	163·351	2·6155	0·23301	0·2383	314·565
Philomela	196	7·7	Aug. 10	11·7	161	7·257	72·838	224·146	3·1170	0·17910	0·0277	38·501
Lacrimosa	208	10·5	Apr. 1	14·2	42	1·763	5·051	113·521	2·8914	0·20047	0·0153	120·983
Isolda	211	9·0	Nov. 4	12·2	166	3·875	264·252	174·942	3·0451	0·18548	0·1548	338·316
Thusnelda	219	10·7	Dec. 4	12·9	39	10·844	201·169	142·007	2·3539	0·27291	0·2237	62·451
Oceana	224	9·8	Mar. 7	13·1	71	5·857	353·437	281·127	2·6447	0·22916	0·0428	318·638
Athamantis	230	8·6	Sept. 5	11·0	121	9·444	240·137	138·506	2·3821	0·26807	0·0609	354·851
Germania	241	8·6	Aug. 31	12·0	200	5·508	271·375	73·656	3·0480	0·18522	0·1039	13·235
Eukrate	247	9·3	Mar. 26	13·4	142	25·036	0·577	54·559	2·7393	0·21739	0·2445	163·641
Anahita	270	10·0	Nov. 24	12·0	51	2·364	254·876	79·699	2·1981	0·30243	0·1501	73·124
Unitas	306	10·0	Feb. 15	13·3	43	7·266	142·163	167·271	2·3575	0·27228	0·1511	281·259
Chaldaea	313	10·1	May 9	12·6	160	11·614	177·055	314·567	2·3756	0·26919	0·1810	129·706

MINOR PLANETS, 1985

OPPOSITION DATES, MAGNITUDES AND OSCULATING ELEMENTS
FOR EPOCH 1985 DECEMBER 1·0 TDT, ECLIPTIC AND EQUINOX J2000·0

Name	No.	B(1,0)	Opposition Date	Mag.	Diameter	Inclination i	Long. of Asc. Node Ω	Argument of Perihelion ω	Mean Distance a	Daily Motion n	Eccentricity e	Mean Anomaly M
					km	°	°	°		°		°
Bamberga	324	8·1	Mar. 28	12·9	246	11·148	328·585	43·411	2·6804	0·22460	0·3412	235·099
Tamara	326	10·3	Nov. 15	13·6	80	23·749	32·524	238·068	2·3170	0·27946	0·1899	137·940
Dembowska	349	7·2	May 12	11·4	144	8·261	32·888	345·450	2·9229	0·19724	0·0916	260·973
Eleonora	354	7·5	Nov. 23	11·0	153	18·425	140·750	5·977	2·7964	0·21077	0·1157	284·771
Liguria	356	9·3	Mar. 24	12·9	150	8·244	355·583	77·339	2·7559	0·21543	0·2397	138·473
Amicitia	367	12·1	Feb. 3	13·7	20	2·944	83·665	54·569	2·2190	0·29818	0·0962	86·302
Siegena	386	8·6	Sept. 7	11·5	191	20·270	167·207	218·668	2·8962	0·19997	0·1694	347·879
Aquitania	387	8·4	Mar. 16	12·1	112	18·075	128·682	156·606	2·7396	0·21736	0·2359	329·481
Industria	389	9·4	Dec. 1	12·7	81	8·147	282·744	265·478	2·6082	0·23399	0·0651	248·238
Lampetia	393	9·3	Feb. 28	13·8	129	14·874	213·431	89·722	2·7774	0·21294	0·3314	308·957
Palatia	415	10·5	Apr. 5	14·7	93	8·133	127·593	296·143	2·7887	0·21165	0·3046	148·951
Vaticana	416	9·2	Aug. 2	11·7	76	12·913	58·548	197·577	2·7897	0·21153	0·2204	59·045
Hungaria	434	12·4	Nov. 16	14·1	11	22·506	175·521	123·492	1·9441	0·36361	0·0738	109·562
Bathilde	441	9·4	Apr. 27	13·2	66	8·130	254·268	200·661	2·8047	0·20983	0·0825	161·117
Patientia	451	7·7	Dec. 23	11·3	276	15·234	89·705	342·542	3·0626	0·18389	0·0700	12·763
Bruchsalia	455	9·9	Feb. 7	14·2	105	12·030	76·836	272·460	2·6583	0·22740	0·2918	191·769
Papagena	471	7·8	July 29	11·3	143	14·959	84·571	313·083	2·8913	0·20047	0·2301	318·774
Davida	511	7·4	Dec. 26	10·5	323	15·932	108·032	338·841	3·1751	0·17421	0·1772	0·930
Amherstia	516	9·4	Mar. 12	11·4	63	12·991	329·750	256·818	2·6806	0·22457	0·2721	29·125
Herculina	532	7·0	Nov. 29	10·8	150	16·352	108·081	75·487	2·7720	0·21356	0·1761	260·041
Pauly	537	9·9	Sept. 21	12·8	136	9·920	120·821	184·287	3·0587	0·18424	0·2397	44·430
Senta	550	10·5	Feb. 1	14·7	53	10·084	271·072	44·992	2·5919	0·23620	0·2178	249·715
Carmen	558	10·1	Apr. 19	13·9	64	8·365	144·335	312·360	2·9059	0·19897	0·0440	150·057
Suleika	563	10·0	Apr. 1	13·8	51	10·229	85·670	335·730	2·7119	0·22070	0·2362	155·465
Semiramis	584	9·8	Oct. 28	11·0	55	10·712	282·607	84·413	2·3735	0·26955	0·2341	28·370
Marianna	602	9·4	Oct. 2	12·0	137	15·229	332·631	41·887	3·0882	0·18161	0·2435	10·945
Patroclus	617	9·1	May 14	16·0	147	22·047	44·428	305·949	5·2334	0·08232	0·1393	277·400
Hektor	624	8·6	Oct. 27	15·4	179	18·246	342·777	180·380	5·1706	0·08383	0·0230	243·244
Zelinda	654	9·5	Apr. 21	11·5	128	18·146	278·834	213·322	2·2965	0·28321	0·2313	121·702
Crescentia	660	10·6	Feb. 19	13·7	51	15·249	157·432	104·872	2·5341	0·24433	0·1026	329·820
Rachele	674	8·6	Mar. 15	11·8	102	13·545	58·845	40·796	2·9208	0·19745	0·1962	100·601
Pax	679	10·4	May 5	15·0	73	24·396	112·883	265·769	2·5849	0·23715	0·3121	260·078
Ekard	694	10·1	Jan. 24	14·5	101	15·843	230·856	110·655	2·6729	0·22555	0·3215	192·153
Interamnia	704	7·2	Oct. 15	10·5	350	17·305	281·109	91·767	3·0610	0·18404	0·1481	19·752
Arequipa	737	9·9	Feb. 12	14·2	46	12·370	185·188	134·234	2·5931	0·23604	0·2413	259·748
Montefiore	782	12·7	May 4	14·6	15	5·263	80·718	80·542	2·1800	0·30622	0·0386	122·316
Zwetana	785	10·7	Aug. 3	13·9	49	12·696	72·700	129·025	2·5756	0·23844	0·2052	112·661
Pretoria	790	9·1	Dec. 9	14·2	176	20·561	252·315	42·830	3·4048	0·15688	0·1545	128·990
Petropolitana	830	10·5	Sept. 16	14·5	51	3·830	342·094	67·736	3·2107	0·17132	0·0646	323·150
Laodamia	1011	14·2	Aug. 16	18·4	7	5·474	132·808	353·017	2·3979	0·26543	0·3461	241·255
Belgica	1052	13·3	Oct. 14	14·6	12	4·694	99·832	297·079	2·2359	0·29479	0·1430	0·908
Aneas	1172	9·3	May 26	15·6	130	16·717	247·515	46·838	5·1602	0·08408	0·1038	335·550
Anchises	1173	10·2	May 30	16·7	92	6·914	284·039	37·357	5·3010	0·08075	0·1363	317·420
Irmela	1178	13·0	Aug. 11	17·0	20	6·955	170·455	356·618	2·6811	0·22451	0·1850	167·146
Icarus	1566	17·7	July 12	18·7	20	22·898	88·204	31·174	1·0779	0·88066	0·8268	255·954

GEOCENTRIC POSITIONS FOR 0ʰ TDT

Date	Astrometric 1950·0 R.A.	Dec.	Distance	Mag	Date	Astrometric 1950·0 R.A.	Dec.	Distance	Mag
	h m	°				h m	°		
Jan. −5	5 52·180	+11 58·64	4·37	16·7	June 29	5 30·771	+18 10·77	4·46	14·7
0	5 46·558	12 01·65	4·34	16·7	July 4	5 34·040	18 18·35	4·37	14·6
5	5 40·952	12 05·47	4·32	16·6	9	5 37·326	18 25·48	4·29	14·5
10	5 35·429	12 10·09	4·30	16·6	14	5 40·614	18 32·16	4·19	14·4
15	5 30·054	12 15·49	4·30	16·5	19	5 43·886	18 38·41	4·09	14·2
20	5 24·888	+12 21·66	4·31	16·5	24	5 47·122	+18 44·25	3·99	14·1
25	5 19·989	12 28·59	4·32	16·5	29	5 50·303	18 49·72	3·88	13·9
30	5 15·405	12 36·24	4·34	16·4	Aug. 3	5 53·409	18 54·85	3·76	13·8
Feb. 4	5 11·174	12 44·59	4·36	16·4	8	5 56·420	18 59·70	3·64	13·6
9	5 07·323	12 53·59	4·39	16·4	13	5 59·309	19 04·31	3·51	13·4
14	5 03·873	+13 03·21	4·43	16·3	18	6 02·045	+19 08·76	3·37	13·2
19	5 00·839	13 13·41	4·46	16·3	23	6 04·591	19 13·13	3·24	13·0
24	4 58·229	13 24·14	4·50	16·3	28	6 06·908	19 17·53	3·09	12·8
Mar. 1	4 56·043	13 35·35	4·55	16·2	Sept. 2	6 08·951	19 22·07	2·95	12·6
6	4 54·272	13 46·98	4·59	16·2	7	6 10·665	19 26·92	2·80	12·4
11	4 52·906	+13 58·96	4·63	16·2	12	6 11·979	+19 32·22	2·64	12·2
16	4 51·932	14 11·26	4·67	16·2	17	6 12·804	19 38·17	2·49	11·9
21	4 51·336	14 23·80	4·71	16·1	22	6 13·030	19 45·04	2·33	11·6
26	4 51·102	14 36·55	4·75	16·1	27	6 12·525	19 53·11	2·17	11·4
31	4 51·211	14 49·42	4·78	16·0	Oct. 2	6 11·113	20 02·71	2·01	11·1
Apr. 5	4 51·640	+15 02·36	4·81	16·0	7	6 08·561	+20 14·20	1·85	10·7
10	4 52·370	15 15·32	4·84	16·0	12	6 04·550	20 27·97	1·69	10·4
15	4 53·384	15 28·25	4·86	15·9	17	5 58·643	20 44·39	1·53	10·0
20	4 54·663	15 41·10	4·88	15·9	22	5 50·244	21 03·65	1·37	9·6
25	4 56·190	15 53·82	4·89	15·8	27	5 38·517	21 25·43	1·22	9·2
30	4 57·942	+16 06·35	4·89	15·7	Nov. 1	5 22·281	+21 48·18	1·07	8·8
May 5	4 59·903	16 18·66	4·89	15·7	6	4 59·909	22 07·57	0·94	8·3
10	5 02·054	16 30·72	4·89	15·6	11	4 29·369	22 13·56	0·82	7·8
15	5 04·383	16 42·48	4·87	15·6	16	3 48·778	21 46·68	0·72	7·3
20	5 06·873	16 53·92	4·85	15·5	21	2 58·040	20 18·80	0·65	6·9
25	5 09·508	+17 05·00	4·83	15·4	26	2 01·065	+17 30·42	0·62	6·6
30	5 12·272	17 15·69	4·80	15·3	Dec. 1	1 05·379	13 39·29	0·63	6·4
June 4	5 15·148	17 25·97	4·76	15·2	6	0 17·500	9 35·26	0·68	6·3
9	5 18·126	17 35·83	4·71	15·1	11	23 39·614	5 59·50	0·75	6·2
14	5 21·192	17 45·26	4·66	15·0	16	23 10·656	3 05·88	0·84	6·2
19	5 24·331	+17 54·23	4·60	14·9	21	22 48·532	+ 0 50·82	0·94	6·1
24	5 27·530	18 02·74	4·53	14·8	26	22 31·296	− 0 54·48	1·04	6·0
29	5 30·771	+18 10·77	4·46	14·7	31	22 17·450	− 2 18·48	1·14	5·9

The above ephemeris was supplied by D. K. Yeomans of JPL on 1983 April 5. It indicates that the nucleus will pass close to three stars of magnitude 4–5 in 1985 November. The coma could occult (i) κ Tauri around November 12·0, (ii) τ Arietis around November 19·1 and (iii) ζ Arietis around November 19·7.

CONTENTS OF SECTION H

Except for the tables of radio sources, positions tabulated in Section H are referred to the mean equator and equinox of J1985.5=244 6248.875. Positions of radio sources are referred to J2000.0=245 1545.0.

Name	B.S.	Right Ascension	Declination	Notes	V	B−V	Spectral Type
		h m s	° ′ ″				
θ Oct	9084	0 00 52.0	−77 08 44	F,V	4.78	+1.27	K2 III
30 Psc	9089	0 01 13.0	− 6 05 41	F,V	4.41	+1.63	M3 III
2 Cet	9098	0 02 59.9	−17 25 00	F,V	4.55	−0.05	B9 IV
33 Psc	3	0 04 35.6	− 5 47 19	F	4.61	+1.04	K1 III
21 α And	15	0 07 38.2	+29 00 38	F,D	2.06	−0.11	B9p
11 β Cas	21	0 08 23.9	+59 04 11	F,S,D	2.27	+0.34	F2 III-IV
ε Phe	25	0 08 40.7	−45 49 39	F	3.88	+1.03	K0 III
22 And	27	0 09 33.8	+45 59 30	F	5.03	+0.40	F2 II
θ Scl	35	0 10 59.9	−35 12 51	F	5.25	+0.44	dF4
88 γ Peg	39	0 12 29.3	+15 06 11	F,S,V	2.83	−0.23	B2 IV
89 χ Peg	45	0 13 51.1	+20 07 34	F,S	4.80	+1.57	M2 III
7 Cet	48	0 13 54.3	−19 00 47		4.44	+1.66	M1 III
25 σ And	68	0 17 34.0	+36 42 18	F	4.52	+0.05	A2 V
8 ι Cet	74	0 18 41.3	− 8 54 15	F	3.56	+1.22	K1.5 III
ζ Tuc	77	0 19 19.4	−64 57 36	F	4.23	+0.58	F9 V
41 Psc	80	0 19 51.0	+ 8 06 35	F	5.37	+1.34	gK3
27 ρ And	82	0 20 21.3	+37 53 18	F	5.18	+0.42	F6 IV
R And	90	0 23 15.8	+38 29 50	S,V	7.39	+1.97	S6.5 Zr6 Ti2
β Hyi	98	0 25 00.5	−77 20 09	F	2.80	+0.62	G1 IV
κ Phe	100	0 25 29.5	−43 45 37		3.94	+0.17	A5 Vn
α Phe	99	0 25 34.2	−42 23 05	F,D	2.39	+1.09	K0 IIIb
	118	0 29 39.2	−23 52 04	F	5.19	+0.12	A5 Vn
λ¹ Phe	125	0 30 43.2	−48 53 01	F,D	4.77	+0.02	A0 V
β¹ Tuc	126	0 30 53.2	−63 02 17	D	4.37	−0.07	B9 V
15 κ Cas	130	0 32 10.0	+62 51 07	F,S	4.16	+0.14	B1 Ia
29 π And	154	0 36 06.2	+33 38 23	F,D	4.35	−0.14	B5 V
17 ζ Cas	153	0 36 09.5	+53 49 02	F	3.66	−0.20	B2 IV
	157	0 36 34.4	+35 19 12	S	5.48	+0.88	G3 II
30 ε And	163	0 37 47.2	+29 13 59	F	4.37	+0.87	G8 IIIp
31 δ And	165	0 38 33.0	+30 46 55	F,S,D	3.27	+1.28	K3 III
18 α Cas	168	0 39 40.7	+56 27 29	F,V,D	2.23	+1.17	K0- IIIa
μ Phe	180	0 40 38.6	−46 09 52	F	4.59	+0.97	G8 III
η Phe	191	0 42 42.4	−57 32 33	F,D	4.36	0.00	B9 Vp
16 β Cet	188	0 42 51.7	−18 03 58	F	2.04	+1.02	K1 III
22 ο Cas	193	0 43 54.7	+48 12 19	F,D	4.54	−0.07	B5 III
34 ζ And	215	0 46 34.1	+24 11 19	F,V,D	4.06	+1.12	K1 II
63 δ Psc	224	0 47 55.7	+ 7 30 23	F	4.43	+1.50	K5 III
λ Hyi	236	0 48 05.5	−75 00 08	F	5.07	+1.37	K4 III
64 Psc	225	0 48 12.9	+16 51 45	F	5.07	+0.51	F8 V
24 η Cas	219	0 48 13.0	+57 44 21	S,D	3.44	+0.57	G0 V
35 ν And	226	0 49 00.6	+41 00 00	F	4.53	−0.15	B5 V
19 φ² Cet	235	0 49 24.0	−10 43 20	F	5.19	+0.50	F8 V
	233	0 49 50.2	+64 10 08	F,C	5.39	+0.49	gG0 + A5
20 Cet	248	0 52 16.0	− 1 13 22	F	4.77	+1.57	M0- IIIa
λ² Tuc	270	0 54 28.1	−69 36 19	F	5.45	+1.09	K2 III
27 γ Cas	264	0 55 49.5	+60 38 18	F,V,D	2.47	−0.15	B0.5 Ive1
37 μ And	269	0 55 56.7	+38 25 15	F,D	3.87	+0.13	A5 V
38 η And	271	0 56 25.9	+23 20 23		4.42	+0.94	G8 III-IV
α Scl	280	0 57 54.5	−29 26 09	F,S	4.31	−0.16	B7 III (C II)
71 ε Psc	294	1 02 11.4	+ 7 48 44	F	4.28	+0.96	K0 III

Name	B.S.	Right Ascension	Declination	Notes	V	B−V	Spectral Type
		h m s	o ′ ″				
β Phe	322	1 05 26.3	−46 47 46	2	3.31	+0.89	G8 III
	285	1 06 33.9	+86 10 48	F	4.25	+1.21	K2 III
ι Tuc	332	1 06 44.4	−61 51 09	F	5.37	+0.88	G5 III
υ Phe	331	1 07 08.2	−41 33 52	F,D	5.21	+0.16	A3 IV/V
30 μ Cas	321	1 07 18.0	+54 50 59	F	5.17	+0.69	G5 Vp
ζ Phe	338	1 07 46.7	−55 19 23	V,D	3.92	−0.08	B7 V
31 η Cet	334	1 07 51.6	−10 15 32	F	3.45	+1.16	K3 III
42 φ And	335	1 08 39.4	+47 09 53	D	4.25	−0.07	B7 III
43 β And	337	1 08 55.0	+35 32 38	F,D	2.06	+1.58	M0 IIIa
33 θ Cas	343	1 10 12.8	+55 04 23		4.33	+0.17	A7 V
84 χ Psc	351	1 10 40.3	+20 57 28	F	4.66	+1.03	G8 III
83 τ Psc	352	1 10 51.5	+30 00 47	F	4.51	+1.09	K0 III-IV
86 ζ Psc	361	1 12 58.3	+ 7 29 56	F,D	4.86	+0.32	F0 Vn
κ Tuc	377	1 15 16.8	−68 57 10	D	4.86	+0.47	F6 IV
89 Psc	378	1 17 03.0	+ 3 32 18	F	5.16	+0.07	A3 V
90 υ Psc	383	1 18 40.0	+27 11 17	F	4.76	+0.03	A2 V
34 φ Cas	382	1 19 09.7	+58 09 21	S,M,D	4.98	+0.68	F0 Ia
46 ξ And	390	1 21 28.9	+45 27 11	F	4.88	+1.08	K0 III-IV
45 θ Cet	402	1 23 17.9	− 8 15 29	F,D	3.60	+1.06	K0 IIIb
37 δ Cas	403	1 24 51.5	+60 09 37	F,S,V	2.68	+0.13	A5 III-IV
36 ψ Cas	399	1 24 53.7	+68 03 17	F,D	4.74	+1.05	K0 III
94 Psc	414	1 25 54.5	+19 09 56	F	5.50	+1.11	gK1
48 ω And	417	1 26 47.0	+45 19 56	F,D	4.83	+0.42	F5 V
γ Phe	429	1 27 44.2	−43 23 32	F	3.41	+1.57	K5+ IIb-IIIa
48 Cet	433	1 28 54.4	−21 42 15	F,7	5.12	+0.02	A1 V
δ Phe	440	1 30 39.0	−49 08 52	F	3.95	+0.99	K0 IIIb
99 η Psc	437	1 30 42.3	+15 16 17	F,3	3.62	+0.97	G8 III
50 υ And	458	1 35 56.5	+41 20 00	F	4.09	+0.54	F8 V
51 And	464	1 37 05.8	+48 33 19	F	3.57	+1.28	K3 III
α Eri	472	1 37 10.6	−57 18 36	F	0.46	−0.16	B3 Vp
40 Cas	456	1 37 20.1	+72 58 00	F,D	5.28	+0.96	G8 II-III
106 ν Psc	489	1 40 40.5	+ 5 24 53	F	4.44	+1.36	K3 III
	490	1 41 13.0	+35 10 22	F	5.40	−0.09	B9 IV-V
π Scl	497	1 41 29.3	−32 23 59	F,M	5.26	+1.04	gK0
	500	1 41 59.5	− 3 45 47	F	4.99	+1.38	K3 II-III
φ Per	496	1 42 44.7	+50 36 58	F,V	4.07	−0.04	B2 Ve4p
52 τ Cet	509	1 43 23.7	−16 00 49	F	3.50	+0.72	G8 Vp
110 o Psc	510	1 44 37.6	+ 9 05 06	F,S	4.26	+0.96	G8 III
ε Scl	514	1 44 58.0	−25 07 29	F,D	5.31	+0.39	dF1
	513	1 45 15.5	− 5 48 20	S	5.34	+1.52	K4 III
53 χ Cet	531	1 48 52.3	−10 45 28	F,D	4.67	+0.33	F2 V
55 ζ Cet	539	1 50 44.6	−10 24 23	F	3.73	+1.14	K2 III
2 α Tri	544	1 52 15.1	+29 30 31	F	3.41	+0.49	F6 IV
111 ξ Psc	549	1 52 48.2	+ 3 06 59	F	4.62	+0.94	K0 III
ψ Phe	555	1 53 03.9	−46 22 24	F	4.41	+1.59	M4 III
45 ε Cas	542	1 53 20.4	+63 35 57	F	3.38	−0.15	B3 Vp
φ Phe	558	1 53 45.9	−42 34 04	F	5.11	−0.06	Ap
6 β Ari	553	1 53 50.2	+20 44 15	F	2.64	+0.13	A5 V
η² Hyi	570	1 54 34.0	−67 43 06	F	4.69	+0.95	G8.5 III
χ Eri	566	1 55 23.7	−51 40 51	F,D	3.70	+0.85	G8 IIIb CN-2

Name	B.S.	Right Ascension	Declination	Notes	V	B−V	Spectral Type
		h m s	° ′ ″				
α Hyi	591	1 58 18.9	−61 38 24	F	2.86	+0.28	F0 V
59 υ Cet	585	1 59 19.3	−21 08 52	F	4.00	+1.57	gM1
113 α Psc	596	2 01 17.7	+ 2 41 39	D	3.79	+0.03	A0p
4 Per	590	2 01 19.7	+54 25 05	F	5.04	−0.08	B8 III
50 Cas	580	2 02 10.5	+72 21 07	F,5	3.98	−0.01	A2 V
57 γ¹ And	603	2 03 00.3	+42 15 38	F,D	2.26	+1.37	K3- IIb
ν For	612	2 03 50.5	−29 21 58	F	4.69	−0.17	Ap
13 α Ari	617	2 06 21.2	+23 23 40	F	2.00	+1.15	K2 IIIab
4 β Tri	622	2 08 40.6	+34 55 09	F	3.00	+0.14	A5 III
65 ξ¹ Cet	649	2 12 13.8	+ 8 46 45	F	4.37	+0.89	G8 II CN-2
μ For	652	2 12 16.2	−30 47 29	F	5.28	−0.02	A2 Vn
	645	2 12 38.1	+50 59 57	F	5.31	+0.93	K0 III
	641	2 12 39.5	+58 29 37	S	6.44	+0.60	A3 Iab
φ Eri	674	2 15 59.5	−51 34 45	F,D	3.56	−0.12	B8.5 V
67 Cet	666	2 16 15.6	− 6 29 19	F	5.51	+0.96	G8 II
9 γ Tri	664	2 16 26.9	+33 46 51	F	4.01	+0.02	A1 Vnn
1 α UMi	424	2 16 51.3	+89 11 56	F,V,D	2.02	+0.60	F8 Ib
62 And	670	2 18 20.3	+47 18 49	F	5.30	−0.01	A1 V
68 ο Cet	681	2 18 36.7	− 3 02 35	V,D	2−10	+1.42	M5.5e
δ Hyi	705	2 21 29.4	−68 43 31	F	4.09	+0.03	A2 V
κ For	695	2 21 52.8	−23 52 55	F	5.20	+0.60	dG1
κ Hyi	715	2 22 46.7	−73 42 41	F	5.01	+1.09	K1 III
λ Hor	714	2 24 29.6	−60 22 36	F	5.35	+0.39	F2 III
72 ρ Cet	708	2 25 14.9	−12 21 20	F	4.89	−0.03	B9.5 Vn
κ Eri	721	2 26 27.3	−47 46 07	F	4.25	−0.14	B5 IV
12 Tri	717	2 27 18.8	+29 36 19	F,M	5.28		F0 III
73 ξ² Cet	718	2 27 23.2	+ 8 23 44	F	4.28	−0.06	B9 III
ι Cas	707	2 27 51.4	+67 20 17	V,D	4.52	+0.12	A5p
14 Tri	736	2 31 12.8	+36 05 01	F	5.15	+1.47	K5 III
76 σ Cet	740	2 31 24.0	−15 18 28	F	4.75	+0.45	F5 IV-Vs
μ Hyi	776	2 31 57.6	−79 10 22	F	5.28	+0.98	G8 III
78 ν Cet	754	2 35 06.7	+ 5 31 50	F,D	4.86	+0.87	G8 III
	753	2 35 17.0	+ 6 49 06	F,S	5.82	+0.98	K3 V
	743	2 36 37.9	+72 45 21	F	5.16	+0.88	G8 III
32 ν Ari	773	2 37 59.4	+21 53 57	F	5.30	+0.16	A7 V
82 δ Cet	779	2 38 44.3	+ 0 15 59	F,V	4.07	−0.22	B2 IV
ε Hyi	806	2 39 21.9	−68 19 44	F	4.11	−0.06	B9 V
ι Eri	794	2 40 05.7	−39 55 01	F	4.11	+1.02	K0 III
ζ Hor	802	2 40 12.6	−54 36 42	F	5.21	+0.40	F4 IV
86 γ Cet	804	2 42 32.9	+ 3 10 31	D	3.47	+0.09	A2 V
35 Ari	801	2 42 35.9	+27 38 46	F	4.66	−0.13	B3 V
14 Per	800	2 43 08.2	+44 14 10	F	5.43	+0.90	G0 Ib
13 θ Per	799	2 43 12.2	+49 10 04	F,D	4.12	+0.49	F7 V
89 π Cet	811	2 43 25.9	−13 55 11	F	4.25	−0.14	B7 V
87 μ Cet	813	2 44 09.4	+10 03 13	F	4.27	+0.31	F0 IV
1 τ¹ Eri	818	2 44 25.5	−18 38 00		4.47	+0.48	F5 V
β For	841	2 48 29.0	−32 27 59	F	4.46	+0.99	gG8
41 Ari	838	2 49 07.6	+27 12 05	F,1	3.63	−0.10	B8 Vn
15 η Per	834	2 49 37.9	+55 50 10	F,D	3.76	+1.68	K3- Ib-IIa
16 Per	840	2 49 39.8	+38 15 35		4.23	+0.34	F2 III

Name	B.S.	Right Ascension	Declination	Notes	V	B − V	Spectral Type
		h m s	° ′ ″				
2 τ² Eri	850	2 50 22.8	−21 03 48	F,D	4.75	+0.91	gK0
43 σ Ari	847	2 50 41.4	+15 01 22	F	5.49	−0.09	B7 V
18 τ Per	854	2 53 13.4	+52 42 14	F,C,D	3.95	+0.74	gG5: + A:
R Hor	868	2 53 23.9	−49 56 57	M,V	4.00		M6.5e:
3 η Eri	874	2 55 43.1	− 8 57 19	F	3.89	+1.11	K1 III-IV
	875	2 55 53.8	− 3 46 13	F	5.17	+0.08	A1 V
θ¹ Eri	897	2 57 42.7	−40 21 45	F,D	2.91	+0.12	A5 III
θ² Eri	898	2 57 43.3	−40 21 44	M,D	4.42		A1 V
24 Per	882	2 58 09.5	+35 07 33	F	4.93	+1.23	K2 III
91 λ Cet	896	2 58 56.2	+ 8 51 01	F	4.70	−0.12	B6 III
92 α Cet	911	3 01 31.2	+ 4 02 00	F	2.53	+1.64	M1.5 III
11 τ³ Eri	919	3 01 45.1	−23 40 51	F	4.09	+0.16	A5 V
θ Hyi	939	3 02 13.3	−71 57 33	F,D	5.53	−0.14	B8 III/IV
μ Hor	934	3 03 16.3	−59 47 37	F	5.11	+0.34	F0 IV
23 γ Per	915	3 03 44.4	+53 27 02	F,C,D	2.93	+0.70	G8 III: + A3:
	881	3 04 08.6	+79 21 46	F,D	5.49	+1.57	M2 IIIab
25 ρ Per	921	3 04 14.6	+38 47 05	F,V	3.39	+1.65	M4 IIb-IIIa
26 β Per	936	3 07 13.3	+40 54 02	F,V,D	2.12	−0.05	B8 V
ι Per	937	3 08 00.9	+49 33 32	F	4.05	+0.61	G0 V
27 κ Per	941	3 08 30.8	+44 48 11	D	3.80	+0.98	K0 III
57 δ Ari	951	3 10 47.9	+19 40 21	F	4.35	+1.03	K2 III
α For	963	3 11 27.3	−29 02 37	D	3.87	+0.52	F6 IV
94 Cet	962	3 12 02.0	− 1 14 59	F,D	5.06	+0.57	F8 V
	977	3 12 11.0	−57 22 32	F,S	5.74	+2.28	C6:,2.5 Ba2 Y4
58 ζ Ari	972	3 14 04.0	+20 59 29	F	4.89	−0.01	A1 V
13 ζ Eri	984	3 15 07.7	− 8 52 23	F,6	4.80	+0.23	A5m:
29 Per	987	3 17 35.5	+50 10 12	S,M	5.15	−0.05	B3 V
	961	3 18 27.0	+77 40 59	F,D	5.45	+0.19	A5 III:
96 κ Cet	996	3 18 36.0	+ 3 19 04	F,S	4.83	+0.68	G5 V
16 τ⁴ Eri	1003	3 18 52.3	−21 48 36	D	3.69	+1.62	gM3
	1008	3 19 20.9	−43 07 29	F	4.27	+0.71	G8 III
	999	3 19 27.6	+28 59 48		4.47	+1.55	K4 III
61 τ Ari	1005	3 20 23.3	+21 05 44	F	5.28	−0.07	B5 IV
33 α Per	1017	3 23 16.9	+49 48 38	F,S,M	1.80	+0.48	F5 Ib
	1009	3 23 24.3	+64 32 07	F	5.23	+2.08	M0 II
1 o Tau	1030	3 24 01.9	+ 8 58 43	F	3.60	+0.89	G8 III
	1029	3 24 55.3	+49 04 14	S,M	6.07	−0.08	B7 V
2 ξ Tau	1038	3 26 22.9	+ 9 40 58	F	3.74	−0.09	B9 Vn
	1035	3 27 53.2	+59 53 27	F,D	4.21	+0.41	B9 Ia
	1040	3 28 44.9	+58 49 46	S	4.54	+0.56	A0 Ia
κ Ret	1083	3 29 07.4	−62 59 18	F,D	4.72	+0.40	F5 IV-V
35 σ Per	1052	3 29 32.8	+47 56 46	F,M	4.35	+1.37	K3 III
17 Eri	1070	3 29 53.8	− 5 07 27	F	4.73	−0.09	B9 Vs
5 Tau	1066	3 30 04.3	+12 53 16	F	4.11	+1.12	K0 II-III
18 ε Eri	1084	3 32 14.8	− 9 30 24	F,S	3.73	+0.88	K2 V
19 τ⁵ Eri	1088	3 33 08.8	−21 40 51	F,M	4.26	−0.10	B8 V
37 ψ Per	1087	3 35 27.3	+48 08 43	M	4.23	−0.06	B5 Ve2
20 Eri	1100	3 35 37.7	−17 30 52	F	5.23	−0.13	B9p
10 Tau	1101	3 36 07.9	+ 0 21 23	F	4.28	+0.58	F8 V
	1106	3 36 34.4	−40 19 18	F	4.58	+1.04	K1 III

Name	B.S.	Right Ascension	Declination	Notes	V	B−V	Spectral Type
		h m s	° ′ ″				
	1105	3 40 53.2	+63 10 15	F	5.10	+1.63	S5,3
δ For	1134	3 41 40.3	−31 59 03	F	5.00	−0.16	B5 IV
39 δ Per	1122	3 41 53.3	+47 44 32	F	3.01	−0.13	B5 III
23 δ Eri	1136	3 42 33.2	− 9 48 43	F	3.54	+0.92	K0 IV
38 o Per	1131	3 43 24.4	+32 14 35	V,D	3.83	+0.05	B1 III
24 Eri	1146	3 43 46.2	− 1 12 29	F	5.25	−0.10	B7 V
17 Tau	1142	3 44 00.7	+24 04 07	F,M	3.70	−0.11	B6 III
β Ret	1175	3 44 00.9	−64 51 09	F	3.85	+1.13	K1 IV
41 ν Per	1135	3 44 12.3	+42 32 01	F,D	3.77	+0.42	F5 II
19 Tau	1145	3 44 20.6	+24 25 21	M	4.30	−0.11	B6 IV
29 Tau	1153	3 44 54.1	+ 6 00 19	F,D	5.35	−0.12	B3 V
20 Tau	1149	3 44 57.7	+24 19 24	S,M	3.88	−0.07	B7 III (Fe II)
26 π Eri	1162	3 45 27.3	−12 08 48		4.42	+1.63	M2- IIIab
23 Tau	1156	3 45 27.8	+23 54 14	M	4.18	−0.06	B6 IV
27 τ⁶ Eri	1173	3 46 13.4	−23 17 31	F	4.23	+0.42	F3 III
25 η Tau	1165	3 46 37.2	+24 03 40	F,M,D	2.87	−0.09	B7 III
γ Hyi	1208	3 47 27.3	−74 17 01	F	3.24	+1.62	M2 III
	1155	3 48 10.9	+65 28 57		4.47	+1.88	M2+ II
27 Tau	1178	3 48 17.9	+24 00 36	F,M,D	3.63	−0.08	B8 III
γ Cam	1148	3 48 48.6	+71 17 20	F	4.63	+0.03	A2 IVn
	1195	3 48 54.7	−36 14 37	F	4.17	+0.95	G5
44 ζ Per	1203	3 53 13.1	+31 50 29	F,S,D	2.85	+0.12	B1 Ib
45 ε Per	1220	3 56 52.6	+39 58 09	F,S,D	2.89	−0.18	B0.5 III
34 γ Eri	1231	3 57 21.1	−13 32 57	F,D	2.95	+1.59	M1 III
46 ξ Per	1228	3 58 01.3	+35 45 01	F	4.04	+0.01	O7.5
δ Ret	1247	3 58 30.9	−61 26 28	F	4.56	+1.62	M2 IIIab
35 λ Tau	1239	3 59 52.5	+12 27 01	F,V	3.47	−0.12	B3 IV
35 Eri	1244	4 00 47.9	− 1 35 23	F	5.28	−0.15	B5 V
38 ν Tau	1251	4 02 23.0	+ 5 56 59	F	3.91	+0.03	A1 V
37 Tau	1256	4 03 50.2	+22 02 35	F	4.36	+1.07	K0 III
47 λ Per	1261	4 05 29.9	+50 18 46	F	4.29	−0.01	A0 IVn
	1279	4 06 52.7	+15 07 29	S,M,D	6.01	+0.40	F3 V
48 Per	1273	4 07 36.3	+47 40 29	F	4.04	−0.03	B3 Ve1+
	1270	4 08 13.5	+59 52 14	S	6.28	+1.14	G8 II
43 Tau	1283	4 08 19.2	+19 34 18	F	5.50	+1.07	K1 III
44 Tau	1287	4 09 56.7	+26 26 38	F	5.41	+0.34	F2 IV-V
38 o¹ Eri	1298	4 11 09.4	− 6 52 29	F	4.04	+0.33	F3 V
α Hor	1326	4 13 31.2	−42 19 47	F	3.86	+1.10	K2 III
51 μ Per	1303	4 13 49.7	+48 22 25	F,D	4.14	+0.95	G0 Ib
α Ret	1336	4 14 14.2	−62 30 36	F,D	3.35	+0.91	G9 III
40 o² Eri	1325	4 14 36.2	− 7 40 29	D	4.43	+0.82	K0 V
49 μ Tau	1320	4 14 44.7	+ 8 51 24	F,M	4.29	−0.05	B3 IV
48 Tau	1319	4 14 56.8	+15 21 54	S,M	6.32	+0.40	F3 V
γ Dor	1338	4 15 38.8	−51 31 22	F	4.25	+0.30	F0 V
ε Ret	1355	4 16 13.8	−59 20 12	D	4.44	+1.08	K2 IVa
41 Eri	1347	4 17 20.7	−33 50 00	D	3.56	−0.12	Ap
54 γ Tau	1346	4 18 58.0	+15 35 36	F,M	3.63	+0.99	K0- IIIab
57 Tau	1351	4 19 08.6	+14 00 04	S,M	5.59	+0.28	F0 IV
	1327	4 19 17.9	+65 06 23	S	5.27	+0.81	G5 IIb
54 Per	1343	4 19 28.0	+34 31 58	F	4.93	+0.94	G8 III

Name		B.S.	Right Ascension	Declination	Notes	V	B−V	Spectral Type
			h m s	° ′ ″				
		1367	4 20 01.0	−20 40 25	F,M	5.38	−0.02	A1 V
η	Ret	1395	4 21 43.8	−63 25 14	F,M	5.23	+0.95	G8 III
61 δ	Tau	1373	4 22 05.8	+17 30 33	F,M	3.76	+0.98	K1 III
63	Tau	1376	4 22 35.0	+16 44 39	S,C,M	5.63	+0.30	kA2,mF3 III
42 ξ	Eri	1383	4 22 57.5	− 3 46 42	F	5.17	+0.08	A2 V
43	Eri	1393	4 23 29.5	−34 03 00	F,M	3.95	+1.49	K5 III
65 κ	Tau	1387	4 24 30.2	+22 15 41	M	4.22	+0.14	A7 V
68	Tau	1389	4 24 39.0	+17 53 45	M,D	4.30	+0.05	A3 V
69 υ	Tau	1392	4 25 26.3	+22 46 53	M	4.29	+0.26	A8 Vn
71	Tau	1394	4 25 31.1	+15 35 10	M	4.49	+0.25	A8 Vn
77 θ¹	Tau	1411	4 27 44.7	+15 55 51		3.85	+0.96	G9 III
74 ε	Tau	1409	4 27 46.1	+19 08 57	F	3.54	+1.02	K1 III
78 θ²	Tau	1412	4 27 50.0	+15 50 22	S	3.42	+0.18	A7 III
δ	Cae	1443	4 30 23.4	−44 59 04	F	5.07	−0.19	B2 IV-V
1	Cam	1417	4 30 52.6	+53 52 50	F,D	5.77	+0.18	B0 IIIn
50 υ¹	Eri	1453	4 32 56.5	−29 47 43		4.51	+0.98	gG6
86 ρ	Tau	1444	4 33 01.4	+14 48 53	F,M	4.65	+0.24	A8 Vn
α	Dor	1465	4 33 40.9	−55 04 29	F,1	3.27	−0.10	A0 IIIp
88	Tau	1458	4 34 51.4	+10 07 55	D	4.25	+0.18	A5m:
52 υ²	Eri	1464	4 34 59.2	−30 35 29	F	3.82	+0.98	gG9
87 α	Tau	1457	4 35 05.2	+16 28 51	F,S,D	0.85	+1.54	K5 III
48 ν	Eri	1463	4 35 35.6	− 3 22 53	F,V	3.93	−0.21	B2 III
58	Per	1454	4 35 40.9	+41 14 09	C	4.25	+1.22	G5 Ib-II + A
R	Dor	1492	4 36 35.4	−62 06 21	S,V,D	5.40	+1.58	M8 III
90	Tau	1473	4 37 20.7	+12 28 57	M	4.27	+0.13	A6 Vn
53	Eri	1481	4 37 30.9	−14 19 54	F,D	3.87	+1.09	K2 III
54	Eri	1496	4 39 48.4	−19 41 56	D	4.32	+1.61	gM4
α	Cae	1502	4 40 05.6	−41 53 28	F,3	4.45	+0.34	F1 V
94 τ	Tau	1497	4 41 22.4	+22 55 48	F	4.28	−0.13	B3 V
β	Cae	1503	4 41 32.6	−37 10 20	F	5.05	+0.37	F1 V
57 μ	Eri	1520	4 44 46.6	− 3 16 50	F	4.02	−0.15	B4 IV
4	Cam	1511	4 46 47.5	+56 43 58	F,M,D	5.26	+0.25	A3m
		1533	4 48 55.9	+37 27 49	F	4.88	+1.44	K4 II
1 π³	Ori	1543	4 49 03.1	+ 6 56 12	F	3.19	+0.45	F6 V
2 π²	Ori	1544	4 49 49.2	+ 8 52 34		4.36	+0.01	A1 Vn
3 π⁴	Ori	1552	4 50 26.0	+ 5 34 52	F,S	3.69	−0.17	B2 III
97	Tau	1547	4 50 31.5	+18 48 58	F	5.13	+0.21	A9 IIIn
4 o¹	Ori	1556	4 51 42.7	+14 13 38	F,C	4.74	+1.84	M3- IIIaS
61 ω	Eri	1560	4 52 10.9	− 5 28 35		4.39	+0.25	A9 IV
9 α	Cam	1542	4 52 36.1	+66 19 10	F	4.29	+0.03	O9.5 Ia
8 π⁵	Ori	1567	4 53 29.7	+ 2 25 04	F,V	3.72	−0.18	B2 III
9 o²	Ori	1580	4 55 33.3	+13 29 32	D	4.07	+1.15	K2 III
η	Men	1629	4 55 35.8	−74 57 35	F	5.47	+1.52	K4 III
3 ι	Aur	1577	4 56 02.8	+33 08 39	F	2.69	+1.53	K3 II
7	Cam	1568	4 56 07.2	+53 43 48	D	4.47	−0.02	A1 V
10 π⁶	Ori	1601	4 57 47.7	+ 1 41 34		4.47	+1.40	K2 II
7 ε	Aur	1605	5 00 55.6	+43 48 10	F,D	2.99	+0.54	F0 Iap
8 ζ	Aur	1612	5 01 27.7	+41 03 20	F,C,V	3.75	+1.22	K5 II + B
10 β	Cam	1603	5 02 07.4	+60 25 21	F,D	4.03	+0.92	G0 Ib
102 ι	Tau	1620	5 02 13.7	+21 34 12	F,M	4.64	+0.15	A7 V

Name	B.S.	Right Ascension	Declination	Notes	V	B−V	Spectral Type
		h m s	o ′ ″				
11 Ori	1638	5 03 44.4	+15 23 05	F	4.68	−0.06	A0p
η² Pic	1663	5 04 35.4	−49 35 50	F	5.03	+1.49	K5 III
2 ε Lep	1654	5 04 50.8	−22 23 24	F	3.19	+1.46	K5 III
ζ Dor	1674	5 05 15.7	−57 29 32	F	4.72	+0.52	F7 V
10 η Aur	1641	5 05 29.7	+41 12 57	F	3.17	−0.18	B3 V
67 β Eri	1666	5 07 08.1	− 5 06 16	F	2.79	+0.13	A3 III
69 λ Eri	1679	5 08 27.1	− 8 46 19	F	4.27	−0.19	B2 IVn
16 Ori	1672	5 08 31.7	+ 9 48 42	F,M	5.43	+0.24	A2m
3 ι Lep	1696	5 11 37.2	−11 53 09	D	4.45	−0.10	B9 V:
5 μ Lep	1702	5 12 16.7	−16 13 19	F,S	3.31	−0.11	B9 III (Mn II)
11 μ Aur	1689	5 12 26.1	+38 28 06	F	4.86	+0.18	A4m
17 ρ Ori	1698	5 12 31.9	+ 2 50 41	D	4.46	+1.19	K3 III
4 κ Lep	1705	5 12 33.6	−12 57 29	D	4.36	−0.10	B9 V:
θ Dor	1744	5 13 45.9	−67 12 06	F	4.83	+1.28	K2.5 III
19 β Ori	1713	5 13 50.4	− 8 13 04	F,S,D	0.12	−0.03	B8 Ia
13 α Aur	1708	5 15 37.0	+45 59 04	F,C,D	0.08	+0.80	G8 III: + F
20 τ Ori	1735	5 16 54.1	− 6 51 34	F,S,D	3.60	−0.11	B5 III
o Col	1743	5 16 57.6	−34 54 32	F	4.83	+1.00	sgK0
15 λ Aur	1729	5 18 07.2	+40 05 14	F,D	4.71	+0.63	G0 V
6 λ Lep	1756	5 18 54.4	−13 11 28	F	4.29	−0.26	B0.5 IV
ζ Pic	1767	5 19 00.7	−50 37 16	F	5.45	+0.51	F7 III-IV
	1686	5 20 09.0	+79 13 01	F,D	5.05	+0.47	F6 V
22 Ori	1765	5 21 01.3	− 0 23 46	F	4.73	−0.17	B2 IV-V
29 Ori	1784	5 23 14.9	− 7 49 14		4.14	+0.96	G8 III
28 η Ori	1788	5 23 44.8	− 2 24 35	V,D	3.36	−0.17	B0.5 Vnn
24 γ Ori	1790	5 24 21.1	+ 6 20 14	F	1.64	−0.22	B2 III
112 β Tau	1791	5 25 22.5	+28 35 46	F,S	1.65	−0.13	B7 III
115 Tau	1808	5 26 19.3	+17 57 02	F,D	5.42	−0.10	B5 V
9 β Lep	1829	5 27 37.4	−20 46 14	F,D	2.84	+0.82	G5 III
	1856	5 29 45.5	−47 05 16	F,7,V	5.46	+0.62	G3 IV
32 Ori	1839	5 30 00.5	+ 5 56 16	D	4.20	−0.14	B5 V
ε Col	1862	5 30 41.8	−35 28 51		3.87	+1.14	gK1
34 δ Ori	1852	5 31 15.9	− 0 18 33	F,V,D	2.23	−0.22	O9.5 II
34 δ Ori	1851	5 31 16.0	− 0 17 40	S,D	6.85	−0.16	B2 Vh
119 Tau	1845	5 31 21.7	+18 35 04	V	4.38	+2.07	M2 Iab-Ib
25 χ Aur	1843	5 31 47.0	+32 10 56	F	4.76	+0.34	B5 Iab
11 α Lep	1865	5 32 05.4	−17 49 55	F,S,D	2.58	+0.21	F0 Ib
γ Men	1953	5 32 27.3	−76 21 07	F,D	5.19	+1.13	K2 III
β Dor	1922	5 33 29.9	−62 29 57	F,M,V	3.40	+0.80	F9 Ib
37 φ¹ Ori	1876	5 34 01.4	+ 9 28 50	F	4.41	−0.16	B0.5 IV-V
39 λ Ori	1879	5 34 20.3	+ 9 55 31	D	3.39	−0.18	O8
	1890	5 34 38.7	− 4 30 09	S,M	6.55	−0.14	B2 Vh
	1891	5 34 39.3	− 4 26 02	S,M,D	6.25	−0.16	B2.5 V
44 ι Ori	1899	5 34 43.4	− 5 55 07	F,S,M,D	2.76	−0.23	O9 III
46 ε Ori	1903	5 35 28.6	− 1 12 38	F,S	1.70	−0.19	B0 Ia
40 φ² Ori	1907	5 36 06.5	+ 9 17 01	S	4.09	+0.95	K0 IIIb CN-2 Fe-1
123 ζ Tau	1910	5 36 46.6	+21 08 05	F,S	3.00	−0.19	B1 IV:((e)) (shell)
48 σ Ori	1931	5 38 01.0	− 2 36 28	D	3.81	−0.24	O9.5 V
α Col	1956	5 39 07.4	−34 04 53	F,D	2.64	−0.12	B7 IV
50 ζ Ori	1948	5 40 01.6	− 1 56 58	D	1.77	−0.21	O9.5 Ib

Name	B.S.	Right Ascension	Declination	Notes	V	B−V	Spectral Type
		h m s	o ′ ″				
50 ζ Ori	1949	5 40 01.6	− 1 56 58	M,D	4.21		B3n
13 γ Lep	1983	5 43 51.5	−22 27 09	F,D	3.60	+0.47	F6 V
δ Dor	2015	5 44 44.8	−65 44 28	F	4.35	+0.21	A7 IV
27 o Aur	1971	5 44 46.6	+49 49 16	F	5.47	+0.03	A0p
14 ζ Lep	1998	5 46 17.9	−14 49 36	F	3.55	+0.10	A3 Vn
130 Tau	1990	5 46 35.4	+17 43 28	F	5.49	+0.30	F0 III
β Pic	2020	5 46 56.5	−51 04 17		3.85	+0.17	A5 V
53 κ Ori	2004	5 47 04.1	− 9 40 27	F	2.06	−0.17	B0.5 Ia
γ Pic	2042	5 49 33.8	−56 10 12	F	4.51	+1.10	K1 III
β Col	2040	5 50 26.9	−35 46 24	F	3.12	+1.16	K2 III
32 ν Aur	2012	5 50 29.0	+39 08 43	F,D	3.97	+1.13	K0 III
	2049	5 50 33.6	−52 06 43	F	5.17	+0.99	G8 III
15 δ Lep	2035	5 50 41.8	−20 52 47	F	3.81	+0.99	G8+ III CN-2
136 Tau	2034	5 52 24.9	+27 36 35	F,D	4.58	−0.02	A0 V
54 χ¹ Ori	2047	5 53 31.4	+20 16 28		4.41	+0.59	G0 V
30 ξ Aur	2029	5 53 37.8	+55 42 18	F	4.99	+0.05	A2 V
58 α Ori	2061	5 54 23.2	+ 7 24 19	F,V,D	0.50	+1.85	M2: Ia-Iab
16 η Lep	2085	5 55 44.6	−14 10 11	F	3.71	+0.33	F0 IV
γ Col	2106	5 57 01.3	−35 17 04	F,D	4.36	−0.18	B2.5 IV
60 Ori	2103	5 58 04.8	+ 0 33 09	F,6	5.22	+0.01	A1 Vs
33 δ Aur	2077	5 58 20.0	+54 17 05	F	3.72	+1.00	K0 III
34 β Aur	2088	5 58 27.9	+44 56 50	F,V,D	1.90	+0.03	A2 V
η Col	2120	5 58 42.1	−42 48 56	F	3.96	+1.14	G8/K1 II
37 θ Aur	2095	5 58 43.9	+37 12 45	D	2.62	−0.08	B9.5pv
35 π Aur	2091	5 58 51.5	+45 56 12		4.26	+1.72	M3 II
61 μ Ori	2124	6 01 35.1	+ 9 38 54	M,D	4.12	+0.15	A2m
62 χ² Ori	2135	6 03 03.5	+20 08 23	S	4.63	+0.28	B2 Ia
1 Gem	2134	6 03 14.3	+23 15 54	F,D	4.16	+0.82	G5 III-IV
17 Lep	2148	6 04 20.3	−16 28 58	S,V	4.93	+0.24	A(shell)
67 ν Ori	2159	6 06 44.6	+14 46 16	F	4.42	−0.17	B3 IV
	2180	6 08 21.3	−22 25 27	F	5.50	−0.01	A0 IV
ν Dor	2221	6 08 49.9	−68 50 25	F	5.06	−0.08	B8 V
δ Pic	2212	6 10 00.9	−54 57 54	F,6	4.81	−0.23	B0.5 IV
α Men	2261	6 10 40.5	−74 44 55	F	5.09	+0.72	G6 V
70 ξ Ori	2199	6 11 06.9	+14 12 46		4.48	−0.18	B3 IV
36 Cam	2165	6 11 23.6	+65 43 22	F,6	5.32	+1.34	K2 II-III
7 η Gem	2216	6 14 00.1	+22 30 43	V,D	3.28	+1.60	M3- IIIab
5 γ Mon	2227	6 14 08.9	− 6 16 11	D	3.98	+1.32	K3 III
44 κ Aur	2219	6 14 27.2	+29 30 16	F	4.35	+1.02	G8 III
74 Ori	2241	6 15 37.7	+12 16 37	F,D	5.04	+0.42	F5 IV-V
κ Col	2256	6 16 02.1	−35 08 07	F	4.37	+1.00	gK0
	2209	6 17 15.0	+69 19 36	F	4.80	+0.03	A0 Vn
2 Lyn	2238	6 18 20.7	+59 01 03	F	4.48	+0.01	A2 Vs
7 Mon	2273	6 19 00.9	− 7 48 58	F	5.27	−0.19	B2.5 V
1 ζ CMa	2282	6 19 45.4	−30 03 23	F	3.02	−0.19	B2.5 IV
δ Col	2296	6 21 35.0	−33 25 43		3.85	+0.88	gG4
2 β CMa	2294	6 22 03.6	−17 56 53	F,S	1.98	−0.23	B1 II-III
13 μ Gem	2286	6 22 05.0	+22 31 19	F,S,D	2.88	+1.64	M3 III
8 Mon	2298	6 22 60.0	+ 4 36 04	F,D	4.33	+0.20	A5 IV
	2305	6 23 29.7	−11 31 18	F	5.22	+1.24	K3 III

Name	B.S.	Right Ascension	Declination	Notes	V	B−V	Spectral Type
		h m s	° ′ ″				
α Car	2326	6 23 37.8	−52 41 15	F	−0.72	+0.15	F0 II
46 ψ¹ Aur	2289	6 23 46.9	+49 17 47	F,V	4.91	+1.97	K5-M0 Iab-Ib
10 Mon	2344	6 27 14.6	− 4 45 09	F,M	5.05	−0.18	B2 V
λ CMa	2361	6 27 37.9	−32 34 14		4.48	−0.17	B4 V
18 ν Gem	2343	6 28 06.1	+20 13 20	F,D	4.15	−0.13	B6 III
4 ξ¹ CMa	2387	6 31 15.1	−23 24 26	M,V,D	4.34	−0.25	B1 III
	2392	6 32 06.1	−11 09 18	S	6.24	+1.11	K0 III Ba 3
13 Mon	2385	6 32 07.2	+ 7 20 40	F	4.50	0.00	A0 Ib
	2395	6 32 53.7	− 1 12 30	F	5.10	−0.14	B5 Vn
5 ξ² CMa	2414	6 34 26.9	−22 57 10	F	4.54	−0.05	A0 V
	2435	6 34 39.4	−52 57 48		4.39	−0.02	A0 II
7 ν² CMa	2429	6 36 03.1	−19 14 35		3.95	+1.06	K1 IV
24 γ Gem	2421	6 36 52.5	+16 24 45	F	1.93	0.00	A0 IV
8 ν³ CMa	2443	6 37 15.1	−18 13 27		4.43	+1.15	K1 II-III
ν Pup	2451	6 37 19.0	−43 10 58	F	3.17	−0.11	B8 III
15 Mon	2456	6 40 10.8	+ 9 54 36	S,M,V,D	4.65	−0.25	O7 V
27 ε Gem	2473	6 43 02.4	+25 08 47	F,S,D	2.98	+1.40	G8 Ib
30 Gem	2478	6 43 10.2	+13 14 36	D	4.49	+1.16	K1 III
	2401	6 43 46.7	+79 34 59	F	5.45	+0.50	F8 V
31 ξ Gem	2484	6 44 28.5	+12 54 43	F	3.36	+0.43	F5 IV
9 α CMa	2491	6 44 30.6	−16 41 44	F,D,G	−1.46	0.00	A1 V
	2513	6 45 06.0	−52 11 07	S,M	6.32		G5 Iab
56 ψ⁵ Aur	2483	6 45 41.7	+43 35 35	F,D	5.25	+0.56	G0 V
57 ψ⁶ Aur	2487	6 46 33.3	+48 48 22	F	5.22	+1.12	K1 III
	2518	6 46 51.6	−37 54 48	F,D	5.26	−0.08	B9 IV
18 Mon	2506	6 47 06.3	+ 2 25 44	F	4.47	+1.11	K0 III
α Pic	2550	6 48 02.6	−61 55 32	F	3.27	+0.21	A7 Vn
13 κ CMa	2538	6 49 17.9	−32 29 28	F	3.96	−0.23	B1.5 IVne2
	2554	6 49 32.4	−53 36 18		4.40	+0.92	G3: III
τ Pup	2553	6 49 34.6	−50 35 50	F	2.93	+1.20	K1 III
	2534	6 50 00.4	− 8 01 25	S	6.29	0.00	A2: V:kn ((Sr II))
ι Vol	2602	6 51 37.1	−70 56 44	F	5.40	−0.11	B7 IV
34 θ Gem	2540	6 51 50.0	+33 58 47	F,D	3.60	+0.10	A3 III
43 Cam	2511	6 52 08.8	+68 54 24	F	5.12	−0.13	B7 III
14 θ CMa	2574	6 53 30.9	−12 01 11	F	4.07	+1.43	K4 III
16 o¹ CMa	2580	6 53 31.8	−24 09 55	S,M	3.86	+1.73	K2+ Iab
	2591	6 53 59.3	−42 20 48	S	6.32	+2.24	C5,2.5
20 ι CMa	2596	6 55 29.4	−17 02 05	M	4.38	−0.07	B3 II
15 Lyn	2560	6 56 01.4	+58 26 35	D	4.35	+0.85	G5 III-IV
	2527	6 57 58.0	+76 59 53	F	4.55	+1.36	K4 III
21 ε CMa	2618	6 58 03.3	−28 57 06	F,4	1.50	−0.21	B2 II
22 σ CMa	2646	7 01 08.5	−27 54 49	F,M,D	3.46	+1.73	K7 Ib
42 ω Gem	2630	7 01 31.8	+24 14 13	F,S	5.18	+0.94	G5 Ib-II
24 o² CMa	2653	7 02 25.1	−23 48 42	F,S,M	3.03	−0.09	B3 Iab
23 γ CMa	2657	7 03 06.1	−15 36 40	F	4.11	−0.12	B8 II
43 ζ Gem	2650	7 03 15.0	+20 35 33	F,V,D	3.79	+0.79	F9 Ib
	2666	7 03 35.2	−42 18 56	F	5.20	+0.20	A3m
	2683	7 04 02.1	−56 43 39	F,M	5.17	−0.04	Ap
25 δ CMa	2693	7 07 48.1	−26 22 11	F,S	1.86	+0.65	F8 Ia
γ¹ Vol	2735	7 08 49.9	−70 28 25	D	3.62	+0.91	F0/3

Name	B.S.	Right Ascension	Declination	Notes	V	B−V	Spectral Type
		h m s	° ′ ″				
γ² Vol	2736	7 08 52.6	−70 28 32	F,M,D	3.56	+0.90	G9 III
20 Mon	2701	7 09 30.4	− 4 12 50	F	4.92	+1.03	K0 III
46 τ Gem	2697	7 10 13.0	+30 16 12	D	4.41	+1.26	K2 III
63 Aur	2696	7 10 39.6	+39 20 43	F	4.90	+1.45	K4 II-III
22 δ Mon	2714	7 11 07.4	− 0 28 05	F,D	4.15	−0.01	A2 V
48 Gem	2706	7 11 33.5	+24 09 13	S	5.85	+0.36	F5 III-IV
	2740	7 12 08.8	−46 44 05	F	4.49	+0.32	F0 IV
51 Gem	2717	7 12 32.3	+16 11 04	F,V	5.00	+1.66	M4 IIIab
	2748	7 13 05.8	−44 36 56	V,D	5.10	+1.56	gM5e
27 CMa	2745	7 13 39.7	−26 19 37	6	4.66	−0.19	B3 IIIp
28 ω CMa	2749	7 14 13.4	−26 44 49		3.85	−0.17	B2 IV-Ve1+
π Pup	2773	7 16 37.8	−37 04 15	F	2.70	+1.62	K4 III
δ Vol	2803	7 16 50.4	−67 55 51	F	3.98	+0.79	F9 Ib
54 λ Gem	2763	7 17 15.6	+16 34 02	F,D	3.58	+0.11	A3 V
30 τ CMa	2782	7 18 06.4	−24 55 38	M,D	4.39	−0.15	O9 Ib
55 δ Gem	2777	7 19 15.5	+22 00 36	F,D	3.53	+0.34	F0 IV
66 Aur	2805	7 23 08.3	+40 42 04	F	5.19	+1.23	K0 III
31 η CMa	2827	7 23 31.3	−29 16 28	F,S,M	2.44	−0.07	B5 Ia
60 ι Gem	2821	7 24 49.6	+27 49 40	F	3.79	+1.03	G9 IIIb
3 β CMi	2845	7 26 21.9	+ 8 19 10	F	2.90	−0.09	B7 V
4 γ CMi	2854	7 27 22.4	+ 8 57 21	D	4.32	+1.43	K3 III
62 ρ Gem	2852	7 28 10.8	+31 48 51	F,D	4.18	+0.32	F0 V
σ Pup	2878	7 28 46.2	−43 16 18	F,D	3.25	+1.51	K5 III
6 CMi	2864	7 28 59.4	+12 02 14	F	4.54	+1.28	K2 III
	2906	7 33 25.9	−22 15 51	F	4.45	+0.51	F6 IV
66 α Gem	2890	7 33 40.5	+31 55 16	F,M,D,G	2.85	+0.04	A5m
66 α Gem	2891	7 33 40.5	+31 55 16	F,M,D,G	1.99	+0.03	A1 V
	2609	7 34 05.9	+87 03 13	F	5.07	+1.63	M2- IIIab
69 υ Gem	2905	7 35 01.8	+26 55 44	F	4.06	+1.54	M0 III
	2934	7 35 18.2	−52 30 05	F,6	4.94	+1.40	K3 III
25 Mon	2927	7 36 33.4	− 4 04 41	F,1	5.13	+0.44	F6 III
	2937	7 36 49.9	−34 56 07	F,D	4.53	−0.09	B8 V
	2948	7 38 13.7	−26 46 06	D,M	4.50	−0.17	B6 V
10 α CMi	2943	7 38 32.6	+ 5 15 46	F,S,D,G	0.38	+0.42	F5 IV-V
R Pup	2974	7 40 18.9	−31 37 36	S	6.65	+1.20	G2 0-Ia
26 α Mon	2970	7 40 33.3	− 9 31 00	F	3.93	+1.02	K0 III
24 Lyn	2946	7 41 47.1	+58 44 44	F,D	4.99	+0.08	A3 IVn
ζ Vol	3024	7 42 00.4	−72 34 17	F,7	3.95	+1.04	G9 III
75 σ Gem	2973	7 42 24.4	+28 55 10		4.28	+1.12	K1 III
3 Pup	2996	7 43 13.5	−28 55 11		3.96	+0.18	A2 Iab
77 κ Gem	2985	7 43 34.4	+24 26 01	F,2	3.57	+0.93	G8 IIIa
78 β Gem	2990	7 44 25.8	+28 03 43	F,D	1.14	+1.00	K0 IIIb
	3017	7 44 44.3	−37 55 59	M	3.59	+1.72	cK
4 Pup	3015	7 45 16.8	−14 31 41	F	5.04	+0.33	A6n
81 Gem	3003	7 45 17.1	+18 32 46	F	4.88	+1.45	K5 III
11 CMi	3008	7 45 28.3	+10 48 16	F	5.30	+0.01	A1 Vnn
	2999	7 45 41.3	+37 33 12	F,M	5.18	+1.58	M2+ IIIb
80 π Gem	3013	7 46 34.3	+33 27 08	F,D	5.14	+1.60	M1+ IIIa
	3037	7 47 05.2	−46 34 20	F,M	5.23	−0.14	B1.5 IV
o Pup	3034	7 47 29.0	−25 54 02	D	4.50	−0.05	B1 IV:nne2

Name	B.S.	Right Ascension	Declination	Notes	V	B−V	Spectral Type
		h m s	° ′ ″				
7 ξ Pup	3045	7 48 41.0	−24 49 22	F,6	3.34	+1.24	G3 Ib
	3055	7 48 47.8	−46 20 11	D	4.11	−0.18	B0 III
13 ζ CMi	3059	7 50 56.9	+ 1 48 17	F	5.14	−0.12	B8
	3080	7 51 43.1	−40 32 17	F,C	3.73	+1.04	K1/2 II + A
	3084	7 52 07.8	−38 49 30	6	4.49	−0.19	B2.5 V
83 φ Gem	3067	7 52 36.6	+26 48 15	F,5	4.97	+0.09	A3 V
	3090	7 52 52.6	−48 03 53		4.24	−0.14	B0.5 Ib
11 Pup	3102	7 56 14.1	−22 50 27		4.20	+0.72	F8 II
χ Car	3117	7 56 24.6	−52 56 35	F	3.47	−0.18	B3 IVp
	3113	7 57 05.4	−30 17 42	F	4.79	+0.15	A2
V Pup	3129	7 57 49.4	−49 12 19	C,V,D	4.41	−0.17	B1 Vp + B2:
	3075	7 58 28.8	+73 57 30	F	5.41	+1.42	K3 III
27 Mon	3122	7 59 00.7	− 3 38 22	F	4.93	+1.21	K2 III
	3131	7 59 13.0	−18 21 32	F,M	4.62	+0.08	A2 Vn
	3153	7 59 22.8	−60 32 49	S,M	5.16	+1.72	M1.5 IIa
	3145	8 01 30.7	+ 2 22 30		4.39	+1.25	K2 III
χ Gem	3149	8 02 37.7	+27 50 09	F,6	4.94	+1.12	K2 III
ζ Pup	3165	8 03 04.5	−39 57 43	F,S	2.25	−0.26	O5 If
15 ρ Pup	3185	8 06 55.6	−24 15 43	F,V,D	2.81	+0.43	F5 IIp
27 Lyn	3173	8 07 22.2	+51 32 58	F,D	4.84	+0.05	A2 V
29 ζ Mon	3188	8 07 51.9	− 2 56 27	D	4.34	+0.97	G2 Ib
ε Vol	3223	8 07 53.3	−68 34 29	D	4.35	−0.11	B6 IV
16 Pup	3192	8 08 22.7	−19 12 07		4.40	−0.15	B5 IV
γ¹ Vel	3206	8 09 02.5	−47 18 09	D	4.27	−0.23	B1 IV
γ² Vel	3207	8 09 05.2	−47 17 37	F,C,D	1.78	−0.22	WC8
	3225	8 10 50.4	−39 34 30		4.45	+1.62	K3 Ib
	3182	8 11 23.0	+68 31 05	F	5.32	+1.04	G8 II
20 Pup	3229	8 12 39.9	−15 44 38	F	4.99	+1.07	G5 II
	3243	8 13 32.0	−40 18 12	D	4.44	+1.17	K1 II-III
17 β Cnc	3249	8 15 43.8	+ 9 13 51	F,3	3.52	+1.48	K4 III
	3270	8 18 00.7	−36 36 50	F	4.45	+0.22	A7 III
α Cha	3318	8 18 55.1	−76 52 27		4.07	+0.39	F4 IV
18 χ Cnc	3262	8 19 11.1	+27 15 55	F	5.14	+0.47	F6 V
	3282	8 20 48.7	−33 00 28	F	4.83	+1.45	K3- II
θ Cha	3340	8 21 05.8	−77 26 17	F,D	4.35	+1.16	K1 III/IV
31 Lyn	3275	8 21 50.8	+43 14 08	F	4.25	+1.55	K7 III
ε Car	3307	8 22 13.1	−59 27 45	F,C	1.86	+1.28	K3: III + B2: V
	3315	8 24 26.1	−23 59 55	F,M,D	5.28	+1.48	K5 III
	3314	8 24 56.2	− 3 51 31	F	3.90	−0.02	A0 V
β Vol	3347	8 25 35.0	−66 05 19	F	3.77	+1.13	K2 III
1 o UMa	3323	8 29 04.1	+60 46 04	F,S,D	3.36	+0.84	G5 IIIa
33 η Cnc	3366	8 31 52.3	+20 29 28	F	5.33	+1.25	K3 III
4 δ Hya	3410	8 36 53.3	+ 5 45 18	F	4.16	0.00	A1 Vnn
	3426	8 37 08.0	−42 56 17	F	4.14	+0.11	A7 II
5 σ Hya	3418	8 38 00.0	+ 3 23 35	F	4.44	+1.21	K2 III
6 Hya	3431	8 39 20.2	−12 25 25	F	4.98	+1.42	K4 III
β Pyx	3438	8 39 32.1	−35 15 23	D	3.97	+0.94	G4 III
o Vel	3447	8 39 52.7	−52 52 12	F,M	3.62	−0.18	B3 IV
34 Lyn	3422	8 40 01.2	+45 53 08	F	5.37	+0.99	G8 IV
	3445	8 40 08.7	−46 35 48	F,D	3.84	+0.71	F3 Ia

Name	B.S.	Right Ascension	Declination	Notes	V	B−V	Spectral Type
		h m s	° ′ ″				
	3457	8 40 17.9	−59 42 33	6	4.33	−0.11	B1.5 III
η Cha	3502	8 41 50.8	−78 54 40	F	5.47	−0.10	B8 V
43 γ Cnc	3449	8 42 26.9	+21 31 17	F,M	4.67	+0.01	A1 IV
7 η Hya	3454	8 42 28.0	+ 3 27 05		4.30	−0.20	B4 V
α Pyx	3468	8 43 00.5	−33 08 01	F	3.68	−0.18	B1.5 III
47 δ Cnc	3461	8 43 51.7	+18 12 30	F,1	3.94	+1.08	K0 III
	3477	8 43 52.9	−42 35 47	1,M	4.05	+0.87	G5 III
δ Vel	3485	8 44 18.2	−54 39 18	D	1.96	+0.04	A0 V
	3487	8 45 32.2	−45 59 18		3.91	0.00	A0 II
12 Hya	3484	8 45 41.4	−13 29 39	6	4.32	+0.90	G8 III
48 ι Cnc	3475	8 45 49.3	+28 48 49	F,D	4.02	+1.01	G8 II
11 ε Hya	3482	8 46 00.5	+ 6 28 21	C,D	3.38	+0.68	G1 III + A8 V
	3498	8 46 20.2	−56 42 58		4.49	−0.17	B3 Vne
13 ρ Hya	3492	8 47 39.9	+ 5 53 31	D	4.36	−0.04	A0 Vn
14 Hya	3500	8 48 38.0	− 3 23 19	F	5.31	−0.09	B9p
γ Pyx	3518	8 49 55.0	−27 39 20	F	4.01	+1.27	K3 III
16 ζ Hya	3547	8 54 37.7	+ 6 00 05	F	3.11	+1.00	G9 II-III
	3571	8 54 43.2	−60 35 20	F,D	3.84	−0.10	B7 II/III
	3582	8 56 37.1	−59 10 23	F,D	4.92	−0.19	B2 IV-V
65 α Cnc	3572	8 57 41.7	+11 54 52	F,D	4.25	+0.14	A3m
9 ι UMa	3569	8 58 13.2	+48 05 57	F,D	3.14	+0.19	A7 IV
64 σ³ Cnc	3575	8 58 39.4	+32 28 32	F	5.20	+0.93	G8 III
ζ Oct	3678	8 58 59.8	−85 36 24	F	5.42	+0.31	F0 III
	3591	8 59 32.9	−41 11 49	F,C	4.45	+0.65	G8/K1 III + A
	3579	8 59 42.1	+41 50 27	F,D,G	3.97	+0.44	F5 V
8 ρ UMa	3576	9 01 15.1	+67 41 14	F	4.76	+1.53	M3 IIIb
α Vol	3615	9 02 13.3	−66 20 17	F	4.00	+0.14	A3m
12 κ UMa	3594	9 02 38.4	+47 12 53	F,D	3.60	0.00	A1 Vn
	3614	9 03 39.2	−47 02 23	F	3.75	+1.20	K2 III
	3643	9 05 07.3	−72 32 40		4.48	+0.61	F8 II
	3612	9 05 36.6	+38 30 39	F	4.56	+1.04	G7 Ib-II
76 κ Cnc	3623	9 06 57.7	+10 43 38	F	5.24	−0.11	B8 IIIp
λ Vel	3634	9 07 27.7	−43 22 25	F,D	2.21	+1.66	K4 Ib-IIa
15 UMa	3619	9 07 51.2	+51 39 50		4.48	+0.27	A1m
77 ξ Cnc	3627	9 08 31.6	+22 06 17	F	5.14	+0.97	K0 III
13 σ² UMa	3616	9 09 07.5	+67 11 40	D	4.80	+0.49	F7 IV-V
a Car	3659	9 10 35.1	−58 54 27		3.44	−0.19	B2 IV-V
	3663	9 10 57.0	−62 15 27		3.97	−0.18	B3 III
36 Lyn	3652	9 12 51.5	+43 16 42	F	5.32	−0.14	B8 IIIp
β Car	3685	9 13 02.8	−69 39 27	F	1.68	0.00	A1 III
22 θ Hya	3665	9 13 36.6	+ 2 22 33	F,D	3.88	−0.06	A0p
	3696	9 15 47.6	−57 28 49		4.34	+1.63	K7 III
ι Car	3699	9 16 42.1	−59 12 51	F	2.25	+0.18	A9 Ib
38 Lyn	3690	9 17 56.7	+36 51 53	D	3.82	+0.06	A3 V
40 α Lyn	3705	9 20 10.5	+34 27 16	F	3.13	+1.55	K7 IIIab
θ Pyx	3718	9 20 51.0	−25 54 12	F	4.72	+1.63	gM1
κ Vel	3734	9 21 39.9	−54 56 54	F	2.50	−0.18	B2 IV-V
1 κ Leo	3731	9 23 48.7	+26 14 43	F,D	4.46	+1.23	K2 III
30 α Hya	3748	9 26 52.5	− 8 35 43	F	1.98	+1.44	K3 II-III
ε Ant	3765	9 28 38.8	−35 53 16	F	4.51	+1.44	gK4

Name	B.S.	Right Ascension	Declination	Notes	V	B−V	Spectral Type
		h m s	° ′ ″				
ψ Vel	3786	9 30 07.7	−40 24 10	D	3.60	+0.36	F2 IV
23 UMa	3757	9 30 23.8	+63 07 34	F,D	3.67	+0.33	F0 IV
N Vel	3803	9 30 46.8	−56 58 13	F,V	3.13	+1.55	K5 III
4 λ Leo	3773	9 30 53.7	+23 01 57		4.31	+1.54	K5 III
5 ξ Leo	3782	9 31 09.9	+11 21 52	F	4.97	+1.05	K0 III
	3821	9 31 30.3	−73 01 00	F	5.47	+1.56	K4 III
R Car	3816	9 31 52.8	−62 43 28	M,D	4.00		M5e
25 θ UMa	3775	9 31 53.6	+51 44 39	F,2	3.17	+0.46	F6 IV
	3808	9 32 32.3	−21 03 04	F	5.01	+1.02	sgK0
24 UMa	3771	9 33 13.0	+69 53 42	F	4.56	+0.77	G4 III-IV
10 LMi	3800	9 33 20.3	+36 27 45	F	4.55	+0.92	G8.5 III
26 UMa	3799	9 33 50.2	+52 07 00		4.50	+0.01	A2 V
	3825	9 34 01.4	−59 09 53		4.08	+0.01	B5 II
	3751	9 35 05.8	+81 23 31	F	4.29	+1.48	K3 III
	3836	9 36 18.5	−49 17 23	D	4.35	+0.17	A5 V
	3834	9 37 42.0	+ 4 42 55	F	4.68	+1.32	K3 III
35 ι Hya	3845	9 39 06.9	− 1 04 36	F	3.91	+1.32	K3 III
38 κ Hya	3849	9 39 36.6	−14 15 58	F	5.06	−0.15	B5 V
14 o Leo	3852	9 40 22.7	+ 9 57 32	F,C,D	3.52	+0.49	F6 II + A2
16 ψ Leo	3866	9 42 56.6	+14 05 19	F	5.35	+1.63	M2+ IIIab
θ Ant	3871	9 43 33.3	−27 42 10	F,C,D	4.79	+0.51	A8 V + F7 II-III
l Car	3884	9 44 50.9	−62 26 27	F,M,V	3.40	+1.20	G8 Ia (CNII)
17 ε Leo	3873	9 45 01.8	+23 50 29	F	2.98	+0.80	G1 IIab
υ Car	3890	9 46 44.4	−65 00 16	D	2.97	+0.27	A8 Ib
R Leo	3882	9 46 46.8	+11 29 47	M,V	4.40		M7e
	3881	9 47 39.5	+46 05 21	F	5.09	+0.62	G1 V
29 υ UMa	3888	9 49 58.0	+59 06 27	F,3	3.80	+0.29	F0 IV
39 υ¹ Hya	3903	9 50 46.8	−14 46 42		4.12	+0.92	G8 III
24 μ Leo	3905	9 51 56.5	+26 04 33	F,S	3.88	+1.22	K2 IIIb CN1 Fe1
	3923	9 54 11.1	−18 56 25	F,6	4.94	+1.57	gM1
φ Vel	3940	9 56 21.1	−54 29 54	F,D	3.54	−0.08	B5 Ib
19 LMi	3928	9 56 48.0	+41 07 31	F	5.14	+0.46	F5 V
η Ant	3947	9 58 14.8	−35 49 17	F,3	5.23	+0.31	F1 III-IV
29 π Leo	3950	9 59 26.9	+ 8 06 51	F	4.70	+1.60	M2- IIIab
20 LMi	3951	10 00 10.7	+31 59 44	F	5.36	+0.66	G4 V
40 υ² Hya	3970	10 04 25.1	−12 59 39	F	4.60	−0.09	B9 III-IV
30 η Leo	3975	10 06 32.6	+16 50 01	F,S	3.52	−0.03	A0 Ib
21 LMi	3974	10 06 34.6	+35 18 57		4.48	+0.18	A7 V
31 Leo	3980	10 07 08.1	+10 04 09	3	4.37	+1.45	K4 III
15 α Sex	3981	10 07 11.8	− 0 18 02		4.49	−0.04	A0 III
32 α Leo	3982	10 07 36.0	+12 02 19	F,D	1.35	−0.11	B7 V
41 λ Hya	3994	10 09 52.8	−12 16 56	F,D	3.61	+1.01	K0 III
ω Car	4037	10 13 23.7	−69 57 57	F	3.32	−0.08	B8 III
	4023	10 14 07.5	−42 03 00	F,6	3.85	+0.05	A1 V
36 ζ Leo	4031	10 15 53.1	+23 29 24	F,S	3.44	+0.31	F0 III
33 λ UMa	4033	10 16 13.6	+42 59 14	F,S,M	3.45	+0.03	A2 IV
	4050	10 16 35.8	−61 15 35	F	3.40	+1.54	K3 IIa
22 ε Sex	4042	10 16 54.5	− 7 59 46	F	5.24	+0.31	F4 V:
	4049	10 17 27.6	−28 55 09	F,M	5.34	+0.24	B9
41 γ¹ Leo	4057	10 19 10.5	+19 54 55	D,M	2.61	+1.15	K0 III-

Name	B.S.	Right Ascension	Declination	Notes	V	B − V	Spectral Type
		h m s	° ′ ″				
41 γ² Leo	4058	10 19 10.8	+19 54 51	M,D	3.80	+1.10	G7 III+
	4074	10 20 22.3	−55 58 12	D	4.50	−0.12	B3 III
34 μ UMa	4069	10 21 28.1	+41 34 22	F	3.05	+1.59	M0 III
	4080	10 21 42.2	−41 34 37	F	4.83	+1.12	K1 III
	4086	10 22 51.1	−37 56 10	F	5.33	+0.25	A3
	4072	10 23 05.8	+65 38 25	F	4.97	−0.06	A0p
	4102	10 24 06.6	−73 57 28	F	4.00	+0.35	F3 V
42 μ Hya	4094	10 25 23.3	−16 45 43	F,M	3.81	+1.48	K5 III
α Ant	4104	10 26 29.2	−30 59 37	F	4.25	+1.45	K4.5 III
31 β LMi	4100	10 27 02.9	+36 46 55	F,D	4.21	+0.90	G9 IIIab
	4114	10 27 20.7	−58 39 55	F	3.82	+0.31	F0 Ib
29 δ Sex	4116	10 28 44.5	− 2 39 53	F	5.21	−0.06	B9.5 V
	4084	10 29 23.7	+82 37 59	F	5.26	+0.37	F4 V
36 UMa	4112	10 29 42.3	+56 03 19	F	4.84	+0.52	F8 V
	4140	10 31 30.4	−61 36 38	F	3.32	−0.09	B4 Vne2
47 ρ Leo	4133	10 32 02.9	+ 9 22 53	F	3.85	−0.14	B1 Iab
	4143	10 32 20.1	−46 55 43	F,D	5.02	+1.04	K1/2 III
44 Hya	4145	10 33 19.4	−23 40 13	F,D	5.08	+1.60	gK4
	4126	10 33 53.2	+75 47 17	F	4.84	+0.96	K0 III
37 UMa	4141	10 34 14.1	+57 09 28	F	5.16	+0.34	F1 V
	4159	10 35 01.7	−57 28 57		4.45	+1.62	K5 II
γ Cha	4174	10 35 18.3	−78 31 57	F	4.11	+1.58	M0 III
	4167	10 36 41.4	−48 09 01	D	3.84	+0.30	Am
37 LMi	4166	10 37 54.4	+32 03 07	F	4.71	+0.81	G3 II
	4180	10 38 43.6	−55 31 39	F,D	4.28	+1.04	G2 II
	4181	10 42 02.6	+69 09 09	F	5.00	+1.38	K3 III
θ Car	4199	10 42 26.2	−64 19 06	F,M	2.76	−0.23	B0.5 Vp
41 LMi	4192	10 42 37.7	+23 15 53	F	5.08	+0.04	A3 Vn
	4191	10 42 42.0	+46 16 49	F,D	5.18	+0.33	F5 III
η Car	4210	10 44 29.7	−59 36 28	M,V,D	6.22	+0.62	pec
42 LMi	4203	10 45 03.7	+30 45 32	F	5.24	−0.06	A1 Vn
51 Leo	4208	10 45 37.7	+18 58 06	F	5.49	+1.12	gK3
δ² Cha	4234	10 45 39.2	−80 27 49	F	4.45	−0.19	B2.5 IV
μ Vel	4216	10 46 08.6	−49 20 36	D	2.69	+0.90	G5 IIIa
53 Leo	4227	10 48 29.7	+10 37 20	F	5.25	+0.01	A2 V
ν Hya	4232	10 48 54.5	−16 07 03	F	3.11	+1.25	K3 III
46 LMi	4247	10 52 30.2	+34 17 36	F	3.83	+1.04	K0 III-IV
	4257	10 52 54.1	−58 46 34		3.78	+0.95	K0 IIIb
54 Leo	4259	10 54 49.8	+24 49 38	D	4.32	+0.02	A0 V
ι Ant	4273	10 56 02.4	−37 03 35	F	4.60	+1.03	gK0
47 UMa	4277	10 58 39.4	+40 30 29	F	5.05	+0.61	G0 V
7 α Crt	4287	10 59 04.0	−18 13 17	F	4.08	+1.09	K0 III
	4293	10 59 29.2	−42 08 53	F	4.39	+0.11	A3 IV
58 Leo	4291	10 59 48.7	+ 3 41 44	F	4.84	+1.16	K1 III
48 β UMa	4295	11 00 58.4	+56 27 37	F	2.37	−0.02	A1 V
60 Leo	4300	11 01 33.4	+20 15 28		4.42	+0.05	A1m:
50 α UMa	4301	11 02 50.5	+61 49 46	F,D	1.79	+1.07	K0- IIIa
63 χ Leo	4310	11 04 16.2	+ 7 24 53	F,2	4.63	+0.33	Fp
χ¹ Hya	4314	11 04 37.9	−27 12 54	F,D	4.94	+0.36	F3 IV
	4337	11 07 58.0	−58 53 47	F,C,6	3.91	+1.23	G0 Ia+

Name	B.S.	Right Ascension	Declination	Notes	V	B−V	Spectral Type
		h m s	° ′ ″				
52 ψ UMa	4335	11 08 51.1	+44 34 39	F	3.01	+1.14	K1 III
11 β Crt	4343	11 10 56.6	−22 44 47	F	4.48	+0.03	A2 III
	4350	11 11 53.3	−49 01 19	F,6	5.36	+0.18	A3 IV/V
68 δ Leo	4357	11 13 20.3	+20 36 12	F	2.56	+0.12	A4 V
70 θ Leo	4359	11 13 28.8	+15 30 32	F	3.34	−0.01	A2 V
74 φ Leo	4368	11 15 55.4	− 3 34 20	F	4.47	+0.21	A7 IVn
	4369	11 16 14.0	− 7 03 21	S,D	6.14	+0.20	A7: III:kn Sr II
53 ξ UMa	4375	11 17 24.7	+31 36 39	C,D	3.79	+0.59	G0 V
54 ν UMa	4377	11 17 41.9	+33 10 25	F,3	3.48	+1.40	K3 III Ba 0
55 UMa	4380	11 18 20.7	+38 15 55	F	4.78	+0.12	A2 V
12 δ Crt	4382	11 18 36.9	−14 42 00	F	3.56	+1.12	G8 III-IV
π Cen	4390	11 20 20.6	−54 24 41	F,D	3.89	−0.15	B5 Vn
77 σ Leo	4386	11 20 23.3	+ 6 06 32	F	4.05	−0.06	B9.5 Vs
78 ι Leo	4399	11 23 10.2	+10 36 33	D	3.94	+0.41	F2 IV
15 γ Crt	4405	11 24 09.4	−17 36 15	F,2	4.08	+0.21	A7 IV-V
84 τ Leo	4418	11 27 11.5	+ 2 56 10	F	4.95	+1.00	G8 II-III
1 λ Dra	4434	11 30 33.3	+69 24 41	F	3.84	+1.62	M0 III
ξ Hya	4450	11 32 17.2	−31 46 38	F,D	3.54	+0.94	gG7
λ Cen	4467	11 35 06.4	−62 56 22	F,D	3.13	−0.04	B9 III
	4466	11 35 13.2	−47 33 40	F	5.25	+0.25	A7m
21 θ Crt	4468	11 35 56.7	− 9 43 19	F	4.70	−0.08	B9.5 Vn
91 υ Leo	4471	11 36 12.4	− 0 44 37	F	4.30	+1.00	G9 III
o Hya	4494	11 39 29.4	−34 39 51	F	4.70	−0.07	B8
61 UMa	4496	11 40 17.3	+34 17 01	F,S	5.33	+0.72	G8 V
3 Dra	4504	11 41 40.3	+66 49 31	F	5.30	+1.28	K3 III
	4511	11 42 49.4	−62 24 32	S	5.05	+0.80	F9 0-Ia
27 ζ Crt	4514	11 44 01.6	−18 16 12	F	4.73	+0.97	G8 III
λ Mus	4520	11 44 55.0	−66 38 54	F,D	3.64	+0.16	A7 V
3 ν Vir	4517	11 45 06.8	+ 6 36 38	F	4.03	+1.51	M1 IIIab
63 χ UMa	4518	11 45 17.3	+47 51 36	F	3.71	+1.18	K0 III
	4522	11 45 48.4	−61 05 52	F	4.11	+0.90	G3 II
93 Leo	4527	11 47 14.3	+20 17 58	F,C	4.53	+0.55	G III + A7 V
	4532	11 48 01.0	−26 40 09	F	5.11	+1.60	gM4
94 β Leo	4534	11 48 19.2	+14 39 11	F,D	2.14	+0.09	A3 V
	4537	11 48 58.4	−63 42 28		4.32	−0.15	B3 V
5 β Vir	4540	11 49 56.4	+ 1 50 47	F	3.61	+0.55	F9 V
	4546	11 50 24.9	−45 05 35	F	4.46	+1.30	K3 III
β Hya	4552	11 52 10.5	−33 49 38	2	4.28	−0.10	Ap
64 γ UMa	4554	11 53 04.3	+53 46 31	F	2.44	0.00	A0 V
95 Leo	4564	11 54 55.8	+15 43 39	F	5.53	+0.11	A3 V
30 η Crt	4567	11 55 16.5	−17 04 12	F	5.18	−0.02	A0 V
8 π Vir	4589	12 00 07.8	+ 6 41 43	F	4.66	+0.13	A5 V
θ¹ Cru	4599	12 02 16.9	−63 13 56	D	4.33	+0.27	A3m
	4600	12 02 54.3	−42 21 11		5.15	+0.41	F6 V
9 o Vir	4608	12 04 28.2	+ 8 48 49	F,S	4.12	+0.98	G8 IIIa Ba1
η Cru	4616	12 06 07.1	−64 31 58	6	4.15	+0.34	F2 III
	4618	12 07 19.9	−50 34 50	D	4.47	−0.15	B2 IIIne3
δ Cen	4621	12 07 36.2	−50 38 30	F,D	2.60	−0.12	B2: IVne2+
1 α Crv	4623	12 07 39.8	−24 38 53		4.02	+0.32	F2 V
2 ε Crv	4630	12 09 22.6	−22 32 21	F	3.00	+1.33	K2 III

Name	B.S.	Right Ascension	Declination	Notes	V	B−V	Spectral Type
		h m s	° ′ ″				
ρ Cen	4638	12 10 53.4	−52 17 16		3.96	−0.15	B3 V
	4646	12 11 31.9	+77 41 49	F	5.14	+0.33	A5m
δ Cru	4656	12 14 22.1	−58 40 06	F	2.80	−0.23	B2 IV
69 δ UMa	4660	12 14 42.8	+57 06 47	F	3.31	+0.08	A3 V
4 γ Crv	4662	12 15 03.5	−17 27 41	F	2.59	−0.11	B8 IIIp
ε Mus	4671	12 16 46.7	−67 52 49		4.11	+1.58	M5 III
β Cha	4674	12 17 28.4	−79 13 54	F	4.26	−0.12	B5 Vn
ζ Cru	4679	12 17 38.6	−63 55 21	D	4.04	−0.17	B2.5 V
3 CVn	4690	12 19 06.1	+49 03 52	F	5.29	+1.66	M1+ IIIab
15 η Vir	4689	12 19 09.8	− 0 35 11	F	3.89	+0.02	A2 IV
16 Vir	4695	12 19 36.8	+ 3 23 36	F	4.96	+1.16	K1 III
ε Cru	4700	12 20 34.2	−60 19 16		3.59	+1.42	K3/4 III
12 Com	4707	12 21 46.7	+25 55 36	F,C,D	4.79	+0.49	G III + A2 V
6 CVn	4728	12 25 08.2	+39 05 56	F	5.02	+0.96	G8 III-IV
α¹ Cru	4730	12 25 47.1	−63 01 08	F,C,M,D	1.58		B0.5 IV
α² Cru	4731	12 25 47.7	−63 01 10	C,M,D	2.09		B1 V
15 γ Com	4737	12 26 13.0	+28 20 56	M	4.35	+1.13	K1 III-IV
σ Cen	4743	12 27 15.1	−50 09 02	F	3.91	−0.19	B2 V
	4748	12 27 36.0	−38 57 40	F,M	5.44	−0.08	B8
7 δ Crv	4757	12 29 06.7	−16 26 05	F,D	2.95	−0.05	B9.5 V:n
74 UMa	4760	12 29 16.9	+58 29 08	F,M	5.32	+0.20	δ Del
γ Cru	4763	12 30 21.3	−57 01 56	F,D	1.63	+1.59	M4- IIIb
8 η Crv	4775	12 31 19.3	−16 06 58		4.31	+0.38	F0 IV
γ Mus	4773	12 31 35.3	−72 03 11	F	3.87	−0.15	B5 V
5 κ Dra	4787	12 32 52.1	+69 52 05	F	3.87	−0.13	B6 IIIp
	4783	12 32 56.1	+33 19 39	F	5.42	+1.00	K0 III
8 β CVn	4785	12 33 03.3	+41 26 10	F,S	4.26	+0.59	G0 V
9 β Crv	4786	12 33 37.4	−23 19 00	F	2.65	+0.89	G5 III
23 Com	4789	12 34 07.8	+22 42 32	F,5	4.81	0.00	A0 IV
24 Com	4792	12 34 24.1	+18 27 24	F,D	5.02	+1.15	K2 III
α Mus	4798	12 36 18.5	−69 03 21	F,D	2.69	−0.20	B2 IV-V
τ Cen	4802	12 36 54.3	−48 27 42		3.86	+0.05	A2 V
26 χ Vir	4813	12 38 29.8	− 7 54 58	F	4.66	+1.23	K2 III
γ Cen	4819	12 40 42.7	−48 52 49	D	2.17	−0.01	A0 IV
29 γ Vir	4825	12 40 55.5	− 1 22 12	C,D	2.75	+0.36	F0 V
29 γ Vir	4826	12 40 55.5	− 1 22 12	C,M,D	3.68		F0 V
30 ρ Vir	4828	12 41 09.0	+10 18 55	F	4.88	+0.09	A0 V
	4839	12 43 14.0	−28 14 40	F,M	5.48	+1.34	gK4
Y CVn	4846	12 44 27.1	+45 31 10	F,V	4.99	+2.54	C5,5
32 d² Vir	4847	12 44 53.1	+ 7 45 09	F	5.22	+0.33	A8m
β Mus	4844	12 45 22.9	−68 01 45	2	3.05	−0.18	B2 V
β Cru	4853	12 46 52.0	−59 36 35	F,V,D	1.25	−0.23	B0.5 III
	4874	12 49 53.8	−33 55 14	F	4.91	−0.04	A0 IV
31 Com	4883	12 50 59.6	+27 37 10	F,S	4.94	+0.67	G0 III
	4888	12 52 17.3	−48 51 52		4.33	+1.37	K3/4 III
	4889	12 52 37.8	−40 06 01	F	4.27	+0.21	A7 III
ι Oct	4870	12 53 20.9	−85 02 42	F,D	5.46	+1.02	K0 III
77 ε UMa	4905	12 53 23.6	+56 02 18	F,V	1.77	−0.02	A0pv
40 ψ Vir	4902	12 53 35.8	− 9 27 37	F	4.79	+1.60	M3 III
μ¹ Cru	4898	12 53 44.1	−57 05 57	D	4.03	−0.17	B2 IV-V

Name	B.S.	Right Ascension	Declination	Notes	V	B−V	Spectral Type
		h m s	° ′ ″				
43 δ Vir	4910	12 54 52.4	+ 3 28 34	F	3.38	+1.58	M3 III
8 Dra	4916	12 54 54.1	+65 31 01	F	5.24	+0.28	F0 V
12 α² CVn	4915	12 55 21.1	+38 23 48	F,V,D	2.90	−0.12	B9.5pv
78 UMa	4931	13 00 06.6	+56 26 40	S,D	4.93	+0.36	F2 V
δ Mus	4923	13 01 15.6	−71 28 16	F	3.62	+1.18	K2 III
47 ε Vir	4932	13 01 27.3	+11 02 13	F,S	2.83	+0.94	G8 III
14 CVn	4943	13 05 03.8	+35 52 35	F	5.25	−0.08	B9 V
ξ² Cen	4942	13 06 03.5	−49 49 44	F,D	4.27	−0.19	B1.5 V
51 θ Vir	4963	13 09 11.9	− 5 27 43	F,D	4.38	−0.01	A1 V
43 β Com	4983	13 11 11.8	+27 57 05	F	4.26	+0.57	G0 V
η Mus	4993	13 14 15.2	−67 49 05	F,D	4.80	−0.08	B7 V
	5006	13 16 04.6	−31 25 47	F,M	5.10	+0.96	K1
60 σ Vir	5015	13 16 52.3	+ 5 32 46	F	4.80	+1.67	M2 IIIa
20 CVn	5017	13 16 53.6	+40 38 56	F,S	4.73	+0.30	F3 III
61 Vir	5019	13 17 38.7	−18 13 51	F	4.74	+0.71	G6 V
46 γ Hya	5020	13 18 07.9	−23 05 43	F	3.00	+0.92	G8 III
ι Cen	5028	13 19 46.7	−36 38 10	F	2.75	+0.04	A2 V
	5035	13 21 41.2	−60 54 46	F,D	4.53	−0.13	B3 V
79 ζ UMa	5054	13 23 20.6	+55 00 03	F,D	2.05	+0.02	A2 V
79 ζ UMa	5055	13 23 21.5	+54 59 50	M,D	3.95	+0.13	A1m
67 α Vir	5056	13 24 25.7	−11 05 09	F,M,V	0.97	−0.24	B1 IV
80 UMa	5062	13 24 38.7	+55 03 48		4.01	+0.16	A5 V
68 Vir	5064	13 25 57.1	−12 37 57	F	5.25	+1.52	M0 III
70 Vir	5072	13 27 43.2	+13 51 21	F	4.98	+0.71	G5 V
	5085	13 27 55.2	+60 01 14	F,M	5.40	−0.01	A1 Vn
	5089	13 30 12.0	−39 19 58	D	3.88	+1.17	G8 III
78 Vir	5105	13 33 23.8	+ 3 43 59	F	4.94	+0.03	A1p
79 ζ Vir	5107	13 33 57.2	− 0 31 20	F	3.37	+0.11	A3 Vn
	5110	13 34 09.0	+37 15 23	F	4.98	+0.40	F2 IV
ε Cen	5132	13 38 57.8	−53 23 35	F,D	2.30	−0.22	B1 III
	5134	13 39 05.6	−49 52 37	S,M	6.00	+1.50	M6 III
82 Vir	5150	13 40 51.0	− 8 37 49	F	5.01	+1.63	M2 IIIa
1 Cen	5168	13 44 51.6	−32 58 15	F	4.23	+0.38	F3 IV
	5171	13 46 09.5	−62 31 04	S,D	6.51	+1.98	K0 0-Ia
4 τ Boo	5185	13 46 34.4	+17 31 43	F,D	4.50	+0.48	F7 V
85 η UMa	5191	13 46 58.2	+49 23 08	F	1.86	−0.19	B3 V
2 Cen	5192	13 48 36.1	−34 22 44		4.19	+1.50	M4.5 IIIab
ν Cen	5190	13 48 37.8	−41 36 57		3.41	−0.22	B2 IV
μ Cen	5193	13 48 44.3	−42 24 07	F,S,V,D	3.04	−0.17	B2 V:e
5 υ Boo	5200	13 48 46.7	+15 52 10		4.06	+1.52	K5+ III
89 Vir	5196	13 49 04.9	−18 03 44	F	4.97	+1.06	K1 III
10 Dra	5226	13 51 00.5	+64 47 41	F,D	4.65	+1.58	M3 IIIaS
8 η Boo	5235	13 53 59.6	+18 28 12	F,S	2.68	+0.58	G0 IV
ζ Cen	5231	13 54 37.8	−47 13 03	F	2.55	−0.22	B2.5 IV
	5241	13 56 35.3	−63 36 58	F	4.71	+1.11	K0 III
φ Cen	5248	13 57 23.1	−42 01 50		3.83	−0.21	B2 IV
47 Hya	5250	13 57 42.2	−24 54 07	F,6	5.15	−0.10	B8n
υ¹ Cen	5249	13 57 46.7	−44 44 00		3.87	−0.20	B2 IV-V
υ² Cen	5260	14 00 48.9	−45 32 01		4.34	+0.60	F6 II
93 τ Vir	5264	14 00 54.5	+ 1 36 52	F,D	4.26	+0.10	A3 V

Name	B.S.	Right Ascension	Declination	Notes	V	B−V	Spectral Type
		h m s	° ′ ″				
	5270	14 01 49.1	+ 9 45 22	S	6.20	+0.90	K1 CN-5 Fe-4
β Cen	5267	14 02 47.5	−60 18 13	F,6,M	0.61	−0.23	B1 III
θ Aps	5261	14 03 53.1	−76 43 39	F,S,M,V	5.50		M6.5 III
11 α Dra	5291	14 03 59.7	+64 26 42	F,S	3.65	−0.05	A0 III
χ Cen	5285	14 05 09.4	−41 06 38		4.36	−0.19	B2 V
49 π Hya	5287	14 05 32.6	−26 36 47	F	3.27	+1.12	K2 III
5 θ Cen	5288	14 05 49.5	−36 17 57	F	2.06	+1.01	K0 III-IV
	5299	14 07 21.0	+43 55 23	F	5.27	+1.59	M4-4.5 III
4 UMi	5321	14 08 53.4	+77 36 56	F	4.82	+1.36	K3 III
12 d Boo	5304	14 09 44.3	+25 09 36	F	4.83	+0.54	F8 IV
98 κ Vir	5315	14 12 07.2	−10 12 24	F	4.19	+1.33	K3 III
16 α Boo	5340	14 14 60.0	+19 15 27	F	−0.04	+1.23	K2 IIIp
99 ι Vir	5338	14 15 15.2	− 5 55 54	F	4.08	+0.52	F7 III-IV
21 ι Boo	5350	14 15 39.1	+51 26 02	F,D	4.75	+0.20	A9 V
19 λ Boo	5351	14 15 50.0	+46 09 17	F	4.18	+0.08	A0p
	5361	14 17 23.0	+35 34 34	F	4.81	+1.06	K0 III
100 λ Vir	5359	14 18 19.4	−13 18 18	F	4.52	+0.13	A2m
ι Lup	5354	14 18 28.2	−45 59 30		3.55	−0.18	B2.5 IV
18 Boo	5365	14 18 34.2	+13 04 15	F	5.41	+0.38	F3 V
	5358	14 19 18.3	−56 19 14	F	4.33	+0.12	B6 Ib
ψ Cen	5367	14 19 40.2	−37 49 09	F,D	4.05	−0.03	B9.5 IV
	5378	14 22 08.4	−39 26 47		4.42	−0.18	B7 IIIp
	5392	14 23 28.0	+ 5 53 08	F,6	5.10	+0.12	A5 V
	5390	14 23 58.8	−24 44 28	F,M	5.32	+0.96	gG8
δ Oct	5339	14 24 28.2	−83 36 10		4.32	+1.31	K2 III
23 θ Boo	5404	14 24 42.2	+51 55 03	F	4.05	+0.50	F7 V
τ¹ Lup	5395	14 25 12.1	−45 09 23	F,V	4.56	−0.15	B2 IV
τ² Lup	5396	14 25 14.6	−45 18 52	C,D	4.35	+0.43	A7: + F4 IV
22 Boo	5405	14 25 46.9	+19 17 30	F	5.39	+0.23	F0m
52 Hya	5407	14 27 19.3	−29 25 37	F,3	4.97	−0.07	B8 IV
105 φ Vir	5409	14 27 27.2	− 2 09 48	F,S,D	4.81	+0.70	G2 IV
5 UMi	5430	14 27 32.6	+75 45 38	F,D	4.25	+1.44	K4 III
25 ρ Boo	5429	14 31 12.3	+30 26 05	F,D	3.58	+1.30	K3 III
27 γ Boo	5435	14 31 29.6	+38 22 17	F,1,V	3.03	+0.19	A7 III
σ Lup	5425	14 31 38.0	−50 23 36		4.42	−0.19	B2 III
28 σ Boo	5447	14 34 02.9	+29 48 28	F	4.46	+0.36	F2 V
η Cen	5440	14 34 34.9	−42 05 41	F,7	2.31	−0.19	B1.5 Vn
ρ Lup	5453	14 36 54.3	−49 21 47		4.05	−0.15	B5 V
33 Boo	5468	14 38 17.8	+44 28 00	F,6	5.39	0.00	A1 V
α¹ Cen	5459	14 38 36.6	−60 46 34	F,M,D,G	0.33		G2 V
α² Cen	5460	14 38 36.6	−60 46 34	F,M,D,G	1.70		K1 V
30 ζ Boo	5477	14 40 27.3	+13 47 24	C,D	3.78	+0.05	A3 IVn
30 ζ Boo	5478	14 40 27.3	+13 47 24	C,M,D	4.43		A3 IVn
α Lup	5469	14 40 57.6	−47 19 36	F,D	2.30	−0.20	B1.5 III
	5471	14 41 03.3	−37 43 55		4.00	−0.17	B3 V
α Cir	5463	14 41 19.4	−64 54 46	F,D	3.19	+0.24	F1 Vp
107 μ Vir	5487	14 42 17.7	− 5 35 45	F	3.88	+0.38	F3 IV
	5485	14 42 46.0	−35 06 43	F	4.05	+1.35	gK5
34 Boo	5490	14 42 47.1	+26 35 21	F,V	4.81	+1.66	M3 IIIa
36 ε Boo	5506	14 44 21.2	+27 08 06	M,D	2.40	+0.96	K0 II-III

Name		B.S.	Right Ascension	Declination	Notes	V	B−V	Spectral Type
			h　m　s	°　′　″				
109	Vir	5511	14 45 30.9	+ 1 57 12	F	3.72	−0.01	A0 V
		5495	14 46 00.0	−52 19 23	F,M,D	5.21	+0.98	G8 III
	α Aps	5470	14 46 00.8	−78 59 04	F	3.83	+1.43	K3 III
56	Hya	5516	14 46 53.9	−26 01 38	F	5.24	+0.94	gG5
58	Hya	5526	14 49 26.1	−27 54 02		4.41	+1.40	gK4
8	α¹ Lib	5530	14 49 53.0	−15 56 15	F,D	5.15	+0.41	F3 V
9	α² Lib	5531	14 50 04.5	−15 58 56	F,D	2.75	+0.15	A2 IV
	o Lup	5528	14 50 41.3	−43 30 58	D	4.32	−0.15	B5 IV
7	β UMi	5563	14 50 44.2	+74 12 53	F	2.08	+1.47	K4 III
		5552	14 51 04.2	+59 21 10	F	5.46	+1.36	K4 III
		5558	14 54 51.1	−33 47 51	F,M,D	5.34		A0 V
15	ξ² Lib	5564	14 55 58.8	−11 21 07	F,M	5.46	+1.49	gK4
16	Lib	5570	14 56 25.5	− 4 17 17		4.49	+0.32	F0 IV
		5589	14 57 20.9	+65 59 24	F,V	4.60	+1.59	M5 III
	β Lup	5571	14 57 34.6	−43 04 35	F	2.68	−0.22	B2 III
	κ Cen	5576	14 58 12.8	−42 02 48	F,D	3.13	−0.20	B2 IV
19	δ Lib	5586	15 00 11.8	− 8 27 43	F,V	4.92	0.00	B9.5 V
42	β Boo	5602	15 01 24.0	+40 26 50	F	3.50	+0.97	G8 III
110	Vir	5601	15 02 10.0	+ 2 08 51		4.40	+1.04	K0 III
20	σ Lib	5603	15 03 13.1	−25 13 32	F	3.29	+1.70	M3.5 III
43	ψ Boo	5616	15 03 49.4	+27 00 13	F	4.54	+1.24	K2 III
		5635	15 05 51.8	+54 36 43	F	5.25	+0.96	G8 III
45	Boo	5634	15 06 39.8	+24 55 30	F	4.93	+0.43	F5 V
	λ Lup	5626	15 07 51.7	−45 13 29	D	4.05	−0.18	B3 V
	κ Lup	5646	15 10 55.3	−48 41 01	F,D	3.87	−0.05	B9.5 Vn
	ζ Lup	5649	15 11 14.3	−52 02 41	F,D	3.41	+0.92	G8 III
24	ι Lib	5652	15 11 23.6	−19 44 15	F,D	4.54	−0.08	A0p
1	Lup	5660	15 13 43.9	−31 27 57	F	4.91	+0.37	F1 II
		5691	15 14 28.0	+67 24 06	F	5.13	+0.53	F8 V
3	Ser	5675	15 14 28.1	+ 4 59 33	F	5.33	+1.09	gK0
49	δ Boo	5681	15 14 55.1	+33 22 06	F,D	3.47	+0.95	G8 III CN-1
27	β Lib	5685	15 16 13.5	− 9 19 48	F	2.61	−0.11	B8 V
	β Cir	5670	15 16 22.3	−58 44 53	F	4.07	+0.09	A3 V
2	Lup	5686	15 16 56.7	−30 05 46		4.34	+1.10	gK0
	μ Lup	5683	15 17 31.2	−47 49 21	D	4.27	−0.08	B8 V
	γ TrA	5671	15 17 32.5	−68 37 37	F	2.89	0.00	A0 IV
	δ Lup	5695	15 20 25.0	−40 35 45	F	3.22	−0.22	B1.5 IV
13	γ UMi	5735	15 20 44.6	+71 53 08	F	3.05	+0.05	A3 II-III
	φ¹ Lup	5705	15 20 53.0	−36 12 34	F,D	3.56	+1.54	gK5
	ε Lup	5708	15 21 41.5	−44 38 17	D	3.37	−0.18	B2 IV-V
	γ Cir	5704	15 22 12.9	−59 16 10	C,2	4.51	+0.19	B5 IV
	φ² Lup	5712	15 22 13.6	−36 48 26	F	4.54	−0.15	B4 V
51	μ¹ Boo	5733	15 23 56.5	+37 25 39	F,D	4.31	+0.31	F2 III-IV
12	ι Dra	5744	15 24 36.3	+59 01 00	F	3.29	+1.16	K2 III
9	τ¹ Ser	5739	15 25 07.0	+15 28 42	F	5.17	+1.66	M1 IIIa
3	β CrB	5747	15 27 13.9	+29 09 19	F	3.68	+0.28	F0p
	κ¹ Aps	5730	15 29 54.7	−73 20 26	F,D	5.49	−0.12	B1pne2
52	ν¹ Boo	5763	15 30 24.5	+40 52 55	F	5.02	+1.59	M0- IIIab
4	θ CrB	5778	15 32 20.7	+31 24 27	F	4.14	−0.13	B6 Vnn
37	Lib	5777	15 33 23.0	−10 00 56	F	4.62	+1.01	K1 IVa

Name	B.S.	Right Ascension	Declination	Notes	V	B−V	Spectral Type
		h m s	° ′ ″				
5 α CrB	5793	15 34 04.4	+26 45 47	F,V	2.23	−0.02	A0 V
13 δ Ser	5789	15 34 06.5	+10 35 13	M,D	4.23		F0 IV
γ Lup	5776	15 34 10.2	−41 07 08	D	2.78	−0.20	B2 IV
38 γ Lib	5787	15 34 42.8	−14 44 31	F,1	3.91	+1.01	G8 III CN-1
	5784	15 35 12.3	−44 20 56	F	5.43	+1.50	K4/5 III
ε TrA	5771	15 35 22.9	−66 16 10	F,D	4.11	+1.17	K1/2 III
39 υ Lib	5794	15 36 08.5	−28 05 16	F,D	3.58	+1.38	K3 III
ω Lup	5797	15 37 04.4	−42 31 14	D	4.33	+1.42	K4.5 III
54 φ Boo	5823	15 37 18.3	+40 24 01	F	5.24	+0.88	G8 III-IV
	5798	15 37 44.5	−52 19 33	F	5.44	0.00	B9 V
40 τ Lib	5812	15 37 45.8	−29 43 51		3.66	−0.17	B2.5 V
43 κ Lib	5838	15 41 06.6	−19 37 57	F,6	4.74	+1.57	K5 III
8 γ CrB	5849	15 42 08.0	+26 20 28	D	3.84	0.00	A0 IV
24 α Ser	5854	15 43 33.2	+ 6 28 14	F,D	2.65	+1.17	K2 III CN 1.5
16 ζ UMi	5903	15 44 33.3	+77 50 22	F	4.32	+0.04	A3 Vn
28 β Ser	5867	15 45 31.1	+15 28 00	F,D	3.67	+0.06	A2 IV
27 λ Ser	5868	15 45 44.3	+ 7 23 53		4.43	+0.60	G0 V
	5886	15 46 26.5	+62 38 39	F	5.19	+0.04	A2 IV
35 κ Ser	5879	15 48 05.2	+18 11 09	F	4.09	+1.62	M1- IIIab
32 μ Ser	5881	15 48 51.7	− 3 23 12	F,6	3.54	−0.04	A0 V
10 δ CrB	5889	15 48 59.1	+26 06 44	S	4.63	+0.80	G5 III-IV
5 χ Lup	5883	15 50 02.1	−33 35 02	F	3.95	−0.04	Ap
37 ε Ser	5892	15 50 05.5	+ 4 31 15	F	3.71	+0.15	A2m
11 κ CrB	5901	15 50 41.1	+35 42 07	F,S	4.82	+1.00	K1 IVa
1 χ Her	5914	15 52 10.4	+42 29 30	F	4.62	+0.56	F9 V
45 λ Lib	5902	15 52 29.4	−20 07 28	F	5.03	−0.01	B2.5 V
46 θ Lib	5908	15 52 59.9	−16 41 15		4.15	+1.02	K0 III-IV
β TrA	5897	15 53 51.4	−63 23 13	F	2.85	+0.29	F2 III
41 γ Ser	5933	15 55 47.0	+15 42 30	F	3.85	+0.48	F6 V
5 ρ Sco	5928	15 55 59.3	−29 10 21	D	3.88	−0.20	B2 IV-V
13 ε CrB	5947	15 56 59.2	+26 55 10	F,S,3	4.15	+1.23	K2 III
48 Lib	5941	15 57 22.5	−14 14 18	F,6	4.88	−0.10	B5 IIIp
	5960	15 57 26.7	+54 47 26	F	4.95	+0.26	F0 IV
6 π Sco	5944	15 57 58.4	−26 04 23	F,C,D	2.89	−0.19	B1 V + B2
	5943	15 58 30.8	−41 42 13	F	4.99	+1.00	K0 II/III
T CrB	5958	15 58 53.7	+25 57 39	M,V	2−11		pec
η Lup	5948	15 59 09.4	−38 21 23	D	3.41	−0.22	B2.5 IV
7 δ Sco	5953	15 59 28.5	−22 34 52	F	2.32	−0.12	B0.3 IV
49 Lib	5954	15 59 30.7	−16 29 29	F,6	5.47	+0.52	F8 V
13 θ Dra	5986	16 01 36.9	+58 36 14	F	4.01	+0.52	F8 IV-V
ξ Sco	5977	16 03 34.2	−11 20 02	C,D	4.16	+0.45	F6 IV
8 β¹ Sco	5984	16 04 35.5	−19 45 59	F,D	2.62	−0.07	B0.5 V
8 β² Sco	5985	16 04 35.9	−19 45 47	S,D	4.92	−0.02	B2 V
δ Nor	5980	16 05 27.7	−45 08 05	F	4.72	+0.23	A1m
θ Lup	5987	16 05 38.2	−36 45 50	F	4.23	−0.17	B2.5 Vn
9 ω¹ Sco	5993	16 05 57.4	−20 37 51	S	3.96	−0.04	B1 V
10 ω² Sco	5997	16 06 33.2	−20 49 49		4.32	+0.84	gG2
7 κ Her	6008	16 07 25.2	+17 05 06	F,D	5.00	+0.95	G8 III
11 φ Her	6023	16 08 18.7	+44 58 21	F	4.26	−0.07	B9p
16 τ CrB	6018	16 08 26.4	+36 31 38	F,D	4.76	+1.01	K0 IIIb-IVa

Name	B.S.	Right Ascension	Declination	Notes	V	B−V	Spectral Type
		h m s	o ′ ″				
14 ν Sco	6027	16 11 09.1	−19 25 25	D	4.01	+0.04	B2 IVp
19 UMi	6079	16 11 13.5	+75 54 52	F	5.48	−0.15	B8 V
κ Nor	6024	16 12 19.8	−54 35 39	F,D	4.94	+1.04	G8 III
1 δ Oph	6056	16 13 35.1	− 3 39 28	F	2.74	+1.58	M0.5 III
δ TrA	6030	16 14 06.6	−63 38 59	F,D	3.85	+1.11	G2 II
2 ε Oph	6075	16 17 33.2	− 4 39 28	F	3.24	+0.96	K0- III
21 η UMi	6116	16 17 55.0	+75 47 21	F	4.95	+0.37	F5 V
δ¹ Aps	6020	16 18 08.8	−78 39 41	F,D	4.68	+1.69	M5 IIb
	6077	16 18 37.6	−30 52 21	F,D	5.49	+0.47	F6 III
γ² Nor	6072	16 18 45.1	−50 07 16	F,D	4.02	+1.08	K0 III
22 τ Her	6092	16 19 18.2	+46 20 51	F,3	3.89	−0.15	B5 IV
20 σ Sco	6084	16 20 18.3	−25 33 32	F,V,D	2.89	+0.13	B1 III
20 γ Her	6095	16 21 16.8	+19 11 12	F,D	3.75	+0.27	A9 III
50 σ Ser	6093	16 21 20.2	+ 1 03 45	F	4.82	+0.34	F3 V
4 ψ Oph	6104	16 23 15.2	−20 00 15		4.50	+1.01	K0 III
14 η Dra	6132	16 23 47.5	+61 32 49	D	2.74	+0.91	G8 III
24 ω Her	6117	16 24 44.8	+14 03 58	F,D	4.57	0.00	B9p
ε Nor	6115	16 26 07.1	−47 31 23	D	4.47	−0.07	B4 V
7 χ Oph	6118	16 26 10.9	−18 25 27	V	4.42	+0.28	B1.5 Ve4
ζ TrA	6098	16 26 53.9	−70 03 12	F	4.91	+0.55	F9 V
15 Dra	6161	16 28 00.4	+68 47 58	F	5.00	−0.06	A0 III
21 α Sco	6134	16 28 31.0	−26 24 03	F,V,D,G	0.96	+1.83	M1.5: Iab
27 β Her	6148	16 29 35.8	+21 31 14	F	2.77	+0.94	G8 III
10 λ Oph	6149	16 30 10.9	+ 2 00 54	D	3.82	+0.01	A2 V
8 φ Oph	6147	16 30 18.4	−16 34 55	D	4.28	+0.92	G8 III
	6143	16 30 25.9	−34 40 25	F	4.23	−0.16	B2 III
γ Aps	6102	16 31 11.9	−78 52 00	F	3.89	+0.91	G8/K0 III
9 ω Oph	6153	16 31 16.5	−21 26 10		4.45	+0.13	Ap
35 σ Her	6168	16 33 38.1	+42 27 59	F	4.20	−0.01	A1 Vn
23 τ Sco	6165	16 34 58.7	−28 11 13	F,S	2.82	−0.25	B0 V
	6166	16 35 25.1	−35 13 36		4.16	+1.57	gK6
13 ζ Oph	6175	16 36 21.6	−10 32 19	F	2.56	+0.02	O9.5 Vnn
42 Her	6200	16 38 21.2	+48 57 23	F,1	4.90	+1.55	M3- IIIab
	6196	16 40 44.0	−17 42 54	F	4.96	+1.11	G8 II
40 ζ Her	6212	16 40 44.4	+31 37 43	D	2.81	+0.65	G1 IV
β Aps	6163	16 40 59.1	−77 29 21	D	4.24	+1.06	K0 III
44 η Her	6220	16 42 23.9	+38 56 58	F	3.53	+0.92	G7 III-IV
	6237	16 45 01.2	+56 48 27	F	4.85	+0.38	F5 V
α TrA	6217	16 47 07.3	−69 00 09	F	1.92	+1.44	K2 IIb-IIIa
22 ε UMi	6322	16 47 25.1	+82 03 46	F,V,D	4.23	+0.89	G5 III
η Ara	6229	16 48 31.7	−59 01 00	F,D	3.76	+1.57	K5 III
20 Oph	6243	16 49 01.8	−10 45 30	F	4.65	+0.47	F7 III
26 ε Sco	6241	16 49 13.4	−34 16 04	F	2.29	+1.15	K2.5 III
μ¹ Sco	6247	16 50 53.2	−38 01 25	F,V,D	3.08	−0.20	B1.5 IV
51 Her	6270	16 51 09.2	+24 40 49	F	5.04	+1.25	K2 II-III
μ² Sco	6252	16 51 21.1	−37 59 38	D	3.57	−0.21	B2 IV
53 Her	6279	16 52 25.0	+31 43 30	F	5.32	+0.29	F2 V
25 ι Oph	6281	16 53 19.3	+10 11 19	F	4.38	−0.08	B8 V
ζ² Sco	6271	16 53 33.6	−42 20 15		3.62	+1.37	K4 III
27 κ Oph	6299	16 56 58.9	+ 9 23 49	F,S,V	3.20	+1.15	K2 III

Name	B.S.	Right Ascension	Declination	Notes	V	B−V	Spectral Type
		h m s	° ′ ″				
ζ Ara	6285	16 57 25.0	− 55 58 06	F	3.13	+1.60	K3 III
ε¹ Ara	6295	16 58 25.5	− 53 08 22	F	4.06	+1.45	K4 IIIab
58 ε Her	6324	16 59 44.1	+ 30 56 50	F	3.92	−0.01	A0 V
30 Oph	6318	17 00 17.7	− 4 12 06	F	4.82	+1.48	K4 III
59 Her	6332	17 01 04.2	+ 33 35 19	F	5.25	+0.02	A3 IV
60 Her	6355	17 04 42.3	+ 12 45 36	F,1	4.91	+0.12	A4 IV
22 ζ Dra	6396	17 08 44.5	+ 65 43 57	F	3.17	−0.12	B6 III
35 η Oph	6378	17 09 32.7	− 15 42 28	D	2.43	+0.06	A2.5 V
η Sco	6380	17 11 06.8	− 43 13 16	F	3.33	+0.41	F2 V
64 α¹ Her	6406	17 13 59.2	+ 14 24 22	S,V,D	3.08	+1.44	M5 Ib-II
65 δ Her	6410	17 14 26.2	+ 24 51 21	F,D	3.14	+0.08	A3 IV
67 π Her	6418	17 14 32.5	+ 36 49 30	F	3.16	+1.44	K3 II
	6452	17 19 40.5	+ 18 04 17	F	5.00	+1.62	M1+ IIIab
53 ν Ser	6446	17 20 00.7	− 12 49 59	7	4.33	+0.03	A2 V
72 Her	6458	17 20 07.0	+ 32 29 09	F,D	5.39	+0.62	G0 V
40 ξ Oph	6445	17 20 08.0	− 21 05 54	7	4.39	+0.39	F1 Vs
ι Aps	6411	17 20 28.6	− 70 06 35	F,D	5.41	−0.04	B8/9 Vn
42 θ Oph	6453	17 21 07.1	− 24 59 09	F	3.27	−0.22	B2 IV
β Ara	6461	17 24 05.6	− 55 31 03	F	2.85	+1.46	K3 Ib-IIa
γ Ara	6462	17 24 10.3	− 56 21 55	D	3.34	−0.13	B1 Ib
44 Oph	6486	17 25 29.0	− 24 09 46	F	4.17	+0.28	A9m:
49 σ Oph	6498	17 25 47.7	+ 4 09 08	F,S	4.34	+1.50	K2 II
	6493	17 25 51.7	− 5 04 29	F	4.54	+0.39	F3 IIIs
45 Oph	6492	17 26 25.7	− 29 51 18	F	4.29	+0.40	δ Del
34 υ Sco	6508	17 29 46.6	− 37 17 07	F,6	2.69	−0.22	B2 IV
δ Ara	6500	17 29 47.3	− 60 40 23	F,D	3.62	−0.10	B8 Vn
23 β Dra	6536	17 30 06.2	+ 52 18 42	F,S,D	2.79	+0.98	G2 Ib
76 λ Her	6526	17 30 09.1	+ 26 07 16	F	4.41	+1.44	K4 III
α Ara	6510	17 30 43.2	− 49 51 57	F,D	2.95	−0.17	B2 Vne2
24 ν¹ Dra	6554	17 31 53.3	+ 55 11 38	F,D	4.88	+0.26	Am
25 ν² Dra	6555	17 31 58.8	+ 55 10 57	F,D	4.87	+0.28	Am
27 Dra	6566	17 32 01.2	+ 68 08 40	F,6	5.05	+1.08	K0 III
35 λ Sco	6527	17 32 37.4	− 37 05 39	F	1.63	−0.22	B1.5 IV
55 α Oph	6556	17 34 15.7	+ 12 34 12	F	2.08	+0.15	A5 III
	6546	17 35 32.8	− 38 37 34		4.29	+1.09	gK0
θ Sco	6553	17 36 16.6	− 42 59 23	F	1.87	+0.40	F0 II
55 ξ Ser	6561	17 36 45.3	− 15 23 25	F,D	3.54	+0.26	F0 IV
23 δ UMi	6789	17 36 51.5	+ 86 35 43	F	4.36	+0.02	A1 Vn
28 ω Dra	6596	17 37 02.1	+ 68 45 53	F	4.80	+0.43	F4 V
85 ι Her	6588	17 39 03.3	+ 46 00 49	F,S	3.80	−0.18	B3 IV
56 o Ser	6581	17 40 35.9	− 12 52 06		4.26	+0.08	A2 V
κ Sco	6580	17 41 29.0	− 39 01 25	F	2.41	−0.22	B1.5 III
31 ψ Dra	6636	17 42 11.7	+ 72 09 23	F,D	4.58	+0.42	F5 V
58 Oph	6595	17 42 33.6	− 21 40 38	F	4.87	+0.47	F7 V:
60 β Oph	6603	17 42 45.4	+ 4 34 21	F	2.77	+1.16	K2 III
84 Her	6608	17 42 45.8	+ 24 20 00	S	5.71	+0.65	G2 IIIb
μ Ara	6585	17 42 59.6	− 51 49 39	F	5.15	+0.70	G5 V
η Pav	6582	17 44 18.6	− 64 43 06	F	3.62	+1.19	K2 II
86 μ Her	6623	17 45 53.5	+ 27 43 43	F,S,D	3.42	+0.75	G5 IV
ι¹ Sco	6615	17 46 34.2	− 40 07 21	F,S,6	3.03	+0.51	F2 Ia

Name			B.S.	Right Ascension	Declination	Notes	V	B−V	Spectral Type
				h m s	° ′ ″				
3	X	Sgr	6616	17 46 38.8	−27 49 34	F,M,V	4.20	+0.70	F3 II
62	γ	Oph	6629	17 47 09.9	+ 2 42 43	F	3.75	+0.04	A0 V
			6630	17 48 52.3	−37 02 23	F	3.21	+1.17	gK1
35		Dra	6701	17 50 05.8	+76 57 56	F	5.04	+0.49	F7 IV
32	ξ	Dra	6688	17 53 16.6	+56 52 29	F	3.75	+1.18	K2 III
89		Her	6685	17 54 50.1	+26 03 06	F,S,6,V	5.46	+0.34	F2 Ib
91	θ	Her	6695	17 55 45.3	+37 15 07	F	3.86	+1.35	K1 IIa CN 2
33	γ	Dra	6705	17 56 16.1	+51 29 25	F,S,D	2.23	+1.52	K5 III
92	ξ	Her	6703	17 57 12.1	+29 14 56	F	3.70	+0.94	G8 III
94	ν	Her	6707	17 57 56.9	+30 11 24		4.41	+0.39	F2 II
64	ν	Oph	6698	17 58 13.7	− 9 46 22	F	3.34	+0.99	K0- IIIa CN-1
93		Her	6713	17 59 24.7	+16 45 04	F	4.67	+1.26	K0 II-III
67		Oph	6714	17 59 55.1	+ 2 55 53	F,S,D	3.97	+0.02	B5 Ib
68		Oph	6723	18 01 01.0	+ 1 18 17	D	4.45	+0.02	A2 Vn
	W	Sgr	6742	18 04 05.7	−29 34 54	M,V,D	4.30	+0.80	cG2v
70		Oph	6752	18 04 43.3	+ 2 30 08	D	4.03	+0.86	K0 V
10	γ	Sgr	6746	18 04 52.6	−30 25 31	F,6	2.99	+1.00	K0 III
	θ	Ara	6743	18 05 30.1	−50 05 37	F	3.66	−0.08	B2 Ib
72		Oph	6771	18 06 39.7	+ 9 33 40	F,D	3.73	+0.12	A4 IVs
103	o	Her	6779	18 06 58.6	+28 45 36	F,V	3.83	−0.03	B9.5 V
			6791	18 07 02.5	+43 27 34	S,6	5.00	+0.91	G8 III CH-3 CN-1
	π	Pav	6745	18 07 11.1	−63 40 13	6	4.35	+0.22	A7p
102		Her	6787	18 08 08.3	+20 48 42	2	4.36	−0.16	B2 IV
	ε	Tel	6783	18 10 09.2	−45 57 29	F,D	4.53	+1.01	K0 III
13	μ	Sgr	6812	18 12 53.8	−21 03 49	F,V,D	3.86	+0.23	B9 Ia
36		Dra	6850	18 13 48.8	+64 23 32	F	5.03	+0.38	F5 V
			6819	18 15 54.2	−56 01 45	F,6	5.33	−0.05	B3 IIIep
	η	Sgr	6832	18 16 38.8	−36 46 02	F,2	3.11	+1.56	M3.5 III
1	κ	Lyr	6872	18 19 21.2	+36 03 27	F	4.33	+1.17	K2 III CN 1
19	δ	Sgr	6859	18 20 04.0	−29 50 07	F,D	2.70	+1.38	K2+ III
74		Oph	6866	18 20 08.6	+ 3 22 12	F,D	4.86	+0.91	G8 III
58	η	Ser	6869	18 20 33.6	− 2 54 12	F	3.26	+0.94	K0 III-IV
43	φ	Dra	6920	18 20 58.0	+71 19 50	D	4.22	−0.10	A0p
44	χ	Dra	6927	18 21 19.1	+72 43 37	F,D	3.57	+0.49	F7 V
	ξ	Pav	6855	18 21 53.5	−61 30 07	F,D	4.36	+1.48	K4 III
109		Her	6895	18 23 04.8	+21 45 45	F,S	3.84	+1.18	K2.5 IIIab
20	ε	Sgr	6879	18 23 12.6	−34 23 33	F,D	1.85	−0.03	A0 V
39		Dra	6923	18 23 41.8	+58 47 31	D	4.98	+0.08	A1 V
	α	Tel	6897	18 25 53.9	−45 58 39	F	3.51	−0.17	B3 IV
22	λ	Sgr	6913	18 27 04.6	−25 25 50	F	2.81	+1.04	K2 III
	ζ	Tel	6905	18 27 42.9	−49 04 48		4.13	+1.02	G8/K0 III
	γ	Sct	6930	18 28 22.3	−14 34 34	F	4.70	+0.06	A3 Vn
60		Ser	6935	18 28 55.7	− 1 59 44	F	5.39	+0.96	K0 III
	θ	Cra	6951	18 32 28.1	−42 19 26	F	4.64	+1.01	G8 III
	α	Sct	6973	18 34 25.1	− 8 15 18	F	3.85	+1.33	K3 III
			6985	18 35 46.3	+ 9 06 37	F	5.39	+0.37	F5 IIIs
3	α	Lyr	7001	18 36 26.9	+38 46 11	F,S,D	0.03	0.00	A0 Va
	ζ	Pav	6982	18 41 21.0	−71 26 32	F,D	4.01	+1.14	K2 III
	δ	Sct	7020	18 41 28.8	− 9 04 02	F,V,D	4.72	+0.35	F3 IIIp
	ε	Sct	7032	18 42 43.9	− 8 17 25	F,D	4.90	+1.12	G8 II

Name	B.S.	Right Ascension	Declination	Notes	V	B−V	Spectral Type
		h m s	° ′ ″				
6 ζ¹ Lyr	7056	18 44 16.4	+37 35 22	D	4.36	+0.19	A4m
27 φ Sgr	7039	18 44 45.1	−27 00 24	F	3.17	−0.11	B8 III
110 Her	7061	18 45 02.3	+20 31 55	F,D	4.19	+0.46	F6 V
	7064	18 45 29.4	+26 38 46	F	4.83	+1.20	K3 III
111 Her	7069	18 46 22.8	+18 09 53	F	4.36	+0.13	A5 III
β Sct	7063	18 46 24.3	− 4 45 51	F	4.22	+1.10	G4 IIa
χ Oct	6721	18 46 29.9	−87 37 23	F	5.28	+1.28	K3 II
R Sct	7066	18 46 42.5	− 5 43 17	S,V	5.20	+1.47	K0 Ib:p Ca-1
50 Dra	7124	18 46 50.6	+75 25 03	F,M	5.35	+0.05	A1 Vn
η¹ Cra	7062	18 47 47.8	−43 41 49	F	5.49	+0.13	A2 Vn
10 β Lyr	7106	18 49 32.7	+33 20 43	F,C,V,D	3.45	0.00	Bpe
λ Pav	7074	18 50 52.6	−62 12 20	F,D	4.22	−0.14	B2 II-III
47 o Dra	7125	18 50 59.2	+59 22 14	F,D	4.66	+1.19	K0 II-III
12 δ² Lyr	7139	18 53 59.8	+36 52 48	V,D	4.30	+1.68	M4 II
34 σ Sgr	7121	18 54 22.0	−26 18 56	F	2.02	−0.22	B2.5 V
52 υ Dra	7180	18 54 34.7	+71 16 41	F	4.82	+1.15	K0 III
13 R Lyr	7157	18 54 53.6	+43 55 36	F,S,V	4.04	+1.59	M5 IIIv
κ Pav	7107	18 55 27.7	−67 15 12	M,V	3.90	+0.60	F5 I-II
63 θ¹ Ser	7141	18 55 29.9	+ 4 11 02	F,D	4.06	+0.17	A5 V
37 ξ² Sgr	7150	18 56 51.9	−21 07 36	F	3.51	+1.18	gK1
λ Tel	7134	18 57 18.3	−52 57 31	F,6,M	5.03		A0 V
14 γ Lyr	7178	18 58 24.1	+32 40 09	F,1	3.24	−0.05	B9 III
13 ε Aql	7176	18 58 57.9	+15 02 52	F,6	4.02	+1.08	K2 III
12 Aql	7193	19 00 54.4	− 5 45 37		4.02	+1.09	K1 III
38 ζ Sgr	7194	19 01 41.4	−29 54 07	D	2.60	+0.08	A2 III
39 o Sgr	7217	19 03 48.9	−21 45 49	D	3.77	+1.01	gG8
17 ζ Aql	7235	19 04 44.6	+13 50 28	F,2	2.99	+0.01	A0 V:nn
γ Cra	7226	19 05 26.4	−37 05 06	D	4.21	+0.52	F7 IV-V
16 λ Aql	7236	19 05 28.8	− 4 54 18	F	3.44	−0.09	B9: V:n
40 τ Sgr	7234	19 06 02.1	−27 41 33	F,6	3.32	+1.19	K1 III
18 ι Lyr	7262	19 06 47.1	+36 04 37	F	5.28	−0.11	B6 IV
α Cra	7254	19 08 29.2	−37 55 41	F	4.11	+0.04	A2 IV
41 π Sgr	7264	19 08 54.1	−21 02 51	F,D	2.89	+0.35	F2 II-III
β Cra	7259	19 09 02.0	−39 21 53		4.11	+1.20	gG3
20 Aql	7279	19 11 53.5	− 7 57 52	F	5.34	+0.13	B3 V
57 δ Dra	7310	19 12 33.2	+67 38 10	F	3.07	+1.00	G9 III
20 η Lyr	7298	19 13 15.9	+39 07 14	D	4.39	−0.15	B2.5 IV
60 τ Dra	7352	19 15 50.1	+73 19 44	F,6	4.45	+1.25	K3 III
21 θ Lyr	7314	19 15 51.9	+38 06 27	F	4.36	+1.26	K0+ II
1 κ Cyg	7328	19 16 46.1	+53 20 29	F	3.77	+0.96	G9 III
43 Sgr	7304	19 16 47.2	−18 58 47	F,M	4.96	+1.02	G8 II
25 ω Aql	7315	19 17 08.2	+11 34 07	F	5.28	+0.20	F0 IV
44 ρ¹ Sgr	7340	19 20 49.9	−17 52 31		3.93	+0.22	F0 IV-V
46 υ Sgr	7342	19 20 53.8	−15 58 59	F,V	4.61	+0.10	Apep
β¹ Sgr	7337	19 21 35.9	−44 29 14	F,D	4.01	−0.10	B8 V
β² Sgr	7343	19 22 10.4	−44 49 41		4.29	+0.34	F2 III
α Sgr	7348	19 22 53.0	−40 38 39	F,6	3.97	−0.10	B8 V
31 Aql	7373	19 24 16.7	+11 54 46	F	5.16	+0.77	G8 IV
30 δ Aql	7377	19 24 46.0	+ 3 05 07	F	3.36	+0.32	F0 IV
6 α Vul	7405	19 28 06.1	+24 38 06	F	4.44	+1.50	M1 IIIb

Name	B.S.	Right Ascension	Declination	Notes	V	B − V	Spectral Type
		h　m　s	°　′　″				
10 ι Cyg	7420	19 29 20.4	+51 41 55	F	3.79	+0.14	A5 Vn
36　Aql	7414	19 29 54.3	− 2 49 11	F	5.03	+1.75	M1 IIIab
6 β Cyg	7417	19 30 08.2	+27 55 43	F,C,D	3.08	+1.13	K3 II: + B:
8　Cyg	7426	19 31 14.0	+34 25 18	F	4.74	−0.14	B3 IV
61 σ Dra	7462	19 32 23.4	+69 38 11	S	4.68	+0.79	K0 V
38 μ Aql	7429	19 33 22.9	+ 7 20 51	F,D	4.45	+1.17	K3 IIIb
ι Tel	7424	19 34 08.6	−48 07 53	F	4.90	+1.09	K0 III
52　Sgr	7440	19 35 49.6	−24 54 59	F,3	4.60	−0.07	B9
41 ι Aql	7447	19 35 58.3	− 1 19 10	D	4.36	−0.08	B5 III
13 θ Cyg	7469	19 36 03.1	+50 11 13	F,D	4.48	+0.38	F4 V
39 κ Aql	7446	19 36 06.7	− 7 03 38	F	4.95	0.00	B0.5 IIIn
5 α Sge	7479	19 39 26.9	+17 58 47	D	4.37	+0.78	G1 IIab
54　Sgr	7476	19 39 53.6	−16 19 38	F,D	5.30	+1.13	K2 III
	7495	19 40 23.4	+45 29 24	S	5.06	+0.40	F5 II-III
6 β Sge	7488	19 40 23.9	+17 26 30	F	4.37	+1.05	G9 IIIa CN 2
16　Cyg	7503	19 41 25.8	+50 29 28	S,D	5.96	+0.64	G3 V
16　Cyg	7504	19 41 28.8	+50 29 01	S,D	6.20	+0.66	G5 V
55　Sgr	7489	19 41 41.4	−16 09 32	F,6	5.06	+0.33	F0 IVn:
10　Vul	7506	19 43 06.7	+25 44 12	F	5.49	+0.93	G8 III
15　Cyg	7517	19 43 45.2	+37 19 08	F	4.89	+0.95	G8 III
18 δ Cyg	7528	19 44 31.3	+45 05 42	D	2.87	−0.03	B9.5 III
56　Sgr	7515	19 45 31.0	−19 47 48	F,M	4.86	+0.93	K1 III
50 γ Aql	7525	19 45 34.2	+10 34 38	F	2.72	+1.52	K3 II
7 δ Sge	7536	19 46 44.5	+18 29 52	F,C	3.82	+1.41	M2 II: + B:
ν Tel	7510	19 46 50.5	−56 23 55	F	5.35	+0.20	A9 Vn
63 ε Dra	7582	19 48 13.6	+70 13 52	D	3.83	+0.89	G7 IIIb CN-1
χ Cyg	7564	19 50 00.4	+32 52 37	V	4.23	+1.82	S7,2e
53 α Aql	7557	19 50 04.6	+ 8 49 46	F,D	0.77	+0.22	A7 IV,V
	7552	19 50 51.7	−39 54 43	S,6	5.33	−0.06	A0: IV: (pec.metals)
	7589	19 51 32.8	+46 59 22	S	5.62	−0.07	O9.5 Iab
9　Sge	7574	19 51 43.0	+18 38 03	S	6.23	+0.01	O8 If
55 η Aql	7570	19 51 44.1	+ 0 58 04	F,V	3.90	+0.89	F7 Ibv
	7575	19 52 33.2	− 3 09 10	F,S	5.65	+0.20	A3: IV:kn Sr II
ι Sgr	7581	19 54 15.8	−41 54 27	F	4.13	+1.08	G8 III
60 β Aql	7602	19 54 36.1	+ 6 22 12	F,D	3.71	+0.86	G8 IV
21 η Cyg	7615	19 55 45.7	+35 02 40	F,D	3.89	+1.02	K0 III
61　Sgr	7614	19 57 07.7	−15 31 51	F,M	5.02	+0.05	A3 IV
12 γ Sge	7635	19 58 06.7	+19 27 08	F,S	3.47	+1.57	M0 III
θ¹ Sgr	7623	19 58 47.7	−35 18 59	F	4.37	−0.15	B2.5 IV
ε Pav	7590	19 58 56.1	−72 57 01	F	3.96	−0.03	A0 V
15　Vul	7653	20 00 30.2	+27 42 47	F	4.64	+0.18	A4 III
62　Sgr	7650	20 01 46.1	−27 45 03	F	4.58	+1.65	gM4
ξ Tel	7673	20 06 16.8	−52 55 24	F,6	4.94	+1.62	M1 IIab
δ Pav	7665	20 07 18.8	−66 13 13	F	3.56	+0.76	G6/8 IV
28　Cyg	7708	20 08 53.3	+36 47 47	F	4.93	−0.13	B2.5 V
1 κ Cep	7750	20 09 23.8	+77 40 06	F,2	4.39	−0.05	B9 III
65 θ Aql	7710	20 10 33.4	− 0 51 54	F	3.23	−0.07	B9.5 III
33　Cyg	7740	20 13 03.7	+56 31 23	F,6	4.30	+0.11	A3 IV-Vn
31 o¹ Cyg	7735	20 13 10.5	+46 41 49	F,C,V,D	3.79	+1.28	K2 II + B3 V
67 ρ Aql	7724	20 13 36.4	+15 09 10	F	4.95	+0.08	A2 V

Name	B.S.	Right Ascension	Declination	Notes	V	B − V	Spectral Type
		h m s	° ′ ″				
32 o² Cyg	7751	20 15 01.4	+47 40 10	C,V	3.98	+1.52	K3 Ib-II + B
24 Vul	7753	20 16 09.9	+24 37 33	F,M	5.32	+0.95	G8 III
5 α¹ Cap	7747	20 16 50.7	− 12 33 13	F,D	4.24	+1.07	G3 Ib
6 α² Cap	7754	20 17 15.0	− 12 35 26	F,M,D	3.56	+0.94	G9 III
34 P Cyg	7763	20 17 15.1	+37 59 15	S	4.81	+0.42	P Cyg
9 β Cap	7776	20 20 11.8	− 14 49 40	F,C,D	3.08	+0.79	gK0: + late B
37 γ Cyg	7796	20 21 42.5	+40 12 35	F,S,D	2.20	+0.68	F8 Ib
	7794	20 22 27.6	+ 5 17 46	F	5.31	+0.97	G8 III-IV
39 Cyg	7806	20 23 16.8	+32 08 35	S	4.43	+1.33	K3 III
α Pav	7790	20 24 30.5	− 56 46 57	F	1.94	−0.20	B2.5 V
41 Cyg	7834	20 28 48.2	+30 19 11	F	4.01	+0.40	F5 II
69 Aql	7831	20 28 53.6	− 2 56 04	F	4.91	+1.15	K2 III
2 θ Cep	7850	20 29 20.4	+62 56 43	F	4.22	+0.20	A7 III
73 Dra	7879	20 31 42.6	+74 54 18	F,V	5.20	+0.07	A0p
2 ε Del	7852	20 32 31.2	+11 15 12	F	4.03	−0.13	B6 III
α Ind	7869	20 36 33.1	− 47 20 34	F,D	3.11	+1.00	K0 III CN-1
6 β Del	7882	20 36 52.2	+14 32 39	D	3.63	+0.44	F5 IV
71 Aql	7884	20 37 35.4	− 1 09 23	D	4.32	+0.95	G8 III
29 Vul	7891	20 37 52.5	+21 08 59	F	4.82	−0.02	A0 V
7 κ Del	7896	20 38 25.5	+10 02 04	F,D	5.05	+0.72	G5 IV
9 α Del	7906	20 38 57.9	+15 51 37	F,D	3.77	−0.06	B9 IV
15 υ Cap	7900	20 39 13.5	− 18 11 25	F	5.10	+1.66	gM2
49 Cyg	7921	20 40 27.3	+32 15 19	S,D	5.51	+0.88	G8 IIb
50 α Cyg	7924	20 40 56.2	+45 13 41	F,S,D	1.25	+0.09	A2 Ia
11 δ Del	7928	20 42 46.9	+15 01 19	F,V	4.43	+0.32	F0 IVp
η Ind	7920	20 42 58.8	− 51 58 25	F	4.51	+0.27	A9 III-IV
β Pav	7913	20 43 39.9	− 66 15 22	F	3.42	+0.16	A7 III
	7955	20 44 59.5	+57 31 39	F	4.51	+0.54	F8 IV-V
3 η Cep	7957	20 44 59.8	+61 46 56	F,D	3.43	+0.92	K0 IV
52 Cyg	7942	20 45 03.8	+30 39 59	2	4.22	+1.05	K0 III
16 ψ Cap	7936	20 45 14.3	− 25 19 25	F	4.14	+0.43	F4 V
53 ε Cyg	7949	20 45 37.5	+33 54 56	F,D	2.46	+1.03	K0- III
12 γ² Del	7948	20 45 59.1	+16 04 17	F,D	4.27	+1.04	K1 IV
54 λ Cyg	7963	20 46 50.6	+36 26 14	D	4.53	−0.11	B6 IV
2 ε Aqr	7950	20 46 53.5	− 9 32 58	F	3.77	0.00	A1 V
3 Aqr	7951	20 46 58.4	− 5 04 53	F	4.42	+1.65	M3 III
ι Mic	7943	20 47 30.4	− 44 02 32	F,D	5.11	+0.35	F1 IV
55 Cyg	7977	20 48 26.7	+46 03 36	S,1	4.84	+0.41	B3 Ia
18 ω Cap	7980	20 50 57.5	− 26 58 27	F	4.11	+1.64	K5 III
6 μ Aqr	7990	20 51 52.4	− 9 02 18	F	4.73	+0.32	A3m
β Ind	7986	20 53 41.1	− 58 30 35	F	3.65	+1.25	K1 II
32 Vul	8008	20 53 56.5	+28 00 07	F	5.01	+1.48	K4 III
σ Oct	7228	20 55 13.3	− 89 00 51	F	5.47	+0.27	F0 III
	8023	20 56 04.0	+44 52 08	S	5.96	+0.05	O6 V
58 ν Cyg	8028	20 56 37.9	+41 06 40	F,6	3.94	+0.02	A1 Vn
33 Vul	8032	20 57 37.4	+22 16 10	F	5.31	+1.40	gK4
20 Cap	8033	20 58 46.8	− 19 05 31	S,M	6.23		A0 III (Si II)
59 Cyg	8047	20 59 19.9	+47 27 50	F,V,D	4.74	−0.05	B1.5 Ve2nn
γ Mic	8039	21 00 24.3	− 32 18 54	F,D	4.67	+0.89	gG4
ζ Mic	8048	21 02 02.6	− 38 41 20	F,M	5.35		F3 V

Name	B.S.	Right Ascension	Declination	Notes	V	B−V	Spectral Type
		h m s	o ′ ″				
α Oct	8021	21 02 59.9	−77 04 49	F,6	5.15	+0.49	F4 III
62 ξ Cyg	8079	21 04 24.2	+43 52 11	F,S,6	3.72	+1.65	K4.5 Ib-II
23 θ Cap	8075	21 05 08.0	−17 17 28	F	4.07	−0.01	A1 V
61 Cyg	8085	21 06 15.5	+38 40 27	F,S,D,G	5.21	+1.18	K5 V
61 Cyg	8086	21 06 15.5	+38 40 27	S,D,G	6.03	+1.37	K7 V
24 Cap	8080	21 06 16.9	−25 03 52	F,D	4.50	+1.61	gM1
13 ν Aqr	8093	21 08 48.3	−11 25 52	F	4.51	+0.94	G8 III
5 γ Equ	8097	21 09 38.2	+10 04 21	F,D	4.69	+0.26	F0pv
o Pav	8092	21 12 00.0	−70 11 11	F,6	5.02	+1.58	M1/2 III
64 ζ Cyg	8115	21 12 19.1	+30 10 01	F,S	3.20	+0.99	G8+ III-IIIa Ba 0.6
	8110	21 12 25.9	−27 40 45	F	5.42	+1.42	K5 III
7 δ Equ	8123	21 13 46.5	+ 9 56 52	D	4.49	+0.50	G1 V
65 τ Cyg	8130	21 14 12.7	+37 59 00	D	3.72	+0.39	F3 IV
8 α Equ	8131	21 15 06.0	+ 5 11 15	F,C,6	3.92	+0.53	G0 III + A5 V
67 σ Cyg	8143	21 16 50.7	+39 20 01	F	4.23	+0.12	B9 Ia
ε Mic	8135	21 17 03.7	−32 14 02	F	4.71	+0.06	A1 V
66 υ Cyg	8146	21 17 19.3	+34 50 08	F,D	4.43	−0.11	B2 Ve1+
5 α Cep	8162	21 18 14.1	+62 31 26	F,D	2.44	+0.22	A7 IV,V
θ Ind	8140	21 18 50.4	−53 30 40	2	4.39	+0.19	A5 V
θ¹ Mic	8151	21 19 50.2	−40 52 18	F	4.82	+0.02	Ap
1 Peg	8173	21 21 24.9	+19 44 31	F,D	4.08	+1.11	K1 III
32 ι Cap	8167	21 21 26.4	−16 53 49	F	4.28	+0.90	G8 III
18 Aqr	8187	21 23 24.0	−12 56 27	F	5.49	+0.29	F1 V
69 Cyg	8209	21 25 11.4	+36 36 16	S,D	5.94	−0.08	B0 Ib
γ Pav	8181	21 25 15.5	−65 25 58	F	4.22	+0.49	F6 Vp
34 ζ Cap	8204	21 25 50.5	−22 28 29	F,D	3.74	+1.00	G4 Ib:p
36 Cap	8213	21 27 53.9	−21 52 15		4.51	+0.91	gG5
8 β Cep	8238	21 28 28.6	+70 29 49	F,V,D	3.23	−0.22	B1 III
71 Cyg	8228	21 28 54.8	+46 28 35	F	5.24	+0.97	K0 III
2 Peg	8225	21 29 17.5	+23 34 30	F,D	4.57	+1.62	M1 III
22 β Aqr	8232	21 30 47.8	− 5 38 08	F,S,D	2.91	+0.83	G0 Ib
73 ρ Cyg	8252	21 33 26.1	+45 31 39	F	4.02	+0.89	G8 III CN-1
74 Cyg	8266	21 36 22.0	+40 20 53	F	5.01	+0.18	A5 V
23 ξ Aqr	8264	21 36 58.8	− 7 55 11	F	4.69	+0.17	A7 V
5 Peg	8267	21 37 04.7	+19 15 10	F	5.45	+0.30	F1 IV
9 Cep	8279	21 37 31.9	+62 00 59	S	4.73	+0.30	B2 Ib
40 γ Cap	8278	21 39 17.3	−16 43 42	F	3.68	+0.32	Am
75 Cyg	8284	21 39 36.9	+43 12 28	S,D	5.11	+1.60	M1 III
ν Oct	8254	21 39 54.4	−77 27 19	F,D	3.76	+1.00	K0 III
11 Cep	8317	21 41 42.8	+71 14 41	F	4.56	+1.10	K0 III
μ Cep	8316	21 43 03.8	+58 42 48	S,D	4.08	+2.35	M2 Ia
8 ε Peg	8308	21 43 28.4	+ 9 48 29	F,S,D	2.39	+1.53	K2 Ib
9 Peg	8313	21 43 49.5	+17 16 59	S	4.34	+1.17	G5 Ib
10 κ Peg	8315	21 43 59.3	+25 34 41	D	4.13	+0.43	F5 IV
9 ι PsA	8305	21 44 05.2	−33 05 33	F,D	4.34	−0.05	Ap
10 ν Cep	8334	21 45 01.8	+61 03 13	F	4.29	+0.52	A2 Ia
49 δ Cap	8322	21 46 14.5	−16 11 37	F,V,D	2.87	+0.29	Am
81 π² Cyg	8335	21 46 15.4	+49 14 32	F	4.23	−0.12	B2.5 III
14 Peg	8343	21 49 12.1	+30 06 23	F	5.04	−0.03	A1 Vs
o Ind	8333	21 49 34.7	−69 41 52	F	5.53	+1.37	K2/3 III

Name	B.S.	Right Ascension	Declination	Notes	V	B−V	Spectral Type
		h m s	° ′ ″				
16 Peg	8356	21 52 24.1	+25 51 24	F	5.08	−0.17	B3 V
51 μ Cap	8351	21 52 30.4	−13 37 14	F	5.08	+0.37	F2 V
γ Gru	8353	21 53 03.3	−37 26 01	F	3.01	−0.12	B8 III
13 Cep	8371	21 54 23.8	+56 32 32	S	5.80	+0.73	B8 Ib
δ Ind	8368	21 56 56.3	−55 03 44	F,D	4.40	+0.28	F0 IV
ε Ind	8387	22 02 15.5	−56 50 46	F	4.69	+1.06	K5 V
17 ξ Cep	8417	22 03 22.2	+64 33 25	D	4.29	+0.34	A3m
20 Cep	8426	22 04 34.0	+62 42 53	F	5.27	+1.41	K4 III
19 Cep	8428	22 04 42.0	+62 12 33	S,D	5.11	+0.08	O9 Ib
34 α Aqr	8414	22 05 02.4	− 0 23 26	F,S	2.96	+0.98	G2 Ib
λ Gru	8411	22 05 14.7	−39 36 49	F	4.46	+1.37	K3 III
33 ι Aqr	8418	22 05 39.3	−13 56 26	F	4.27	−0.07	B9 IV-V
24 ι Peg	8430	22 06 20.1	+25 16 26	F	3.76	+0.44	F5 V
α Gru	8425	22 07 19.5	−47 01 54	F,D	1.74	−0.13	B7 IV
14 μ PsA	8431	22 07 32.4	−33 03 35	F	4.50	+0.05	A2 V
29 π Peg	8454	22 09 20.5	+33 06 24	F	4.29	+0.46	F3 II
26 θ Peg	8450	22 09 28.1	+ 6 07 34	F,5	3.53	+0.08	A2 V
24 Cep	8468	22 09 31.9	+72 16 11	F	4.79	+0.92	G8 III
21 ζ Cep	8465	22 10 21.0	+58 07 46	F,6	3.35	+1.57	K1.5 Ib
22 λ Cep	8469	22 11 01.1	+59 20 34	S	5.04	+0.25	O6 If
	8485	22 13 15.3	+39 38 33	F,D	4.49	+1.39	K3 III
16 λ PsA	8478	22 13 29.6	−27 50 21	F	5.43	−0.16	B8 III
23 ε Cep	8494	22 14 29.8	+56 58 16		4.19	+0.28	F0 IV
	8546	22 14 31.5	+86 02 08	F	5.27	−0.03	B9.5 Vn
1 Lac	8498	22 15 20.2	+37 40 35		4.13	+1.46	K3 II-III
43 θ Aqr	8499	22 16 04.2	− 7 51 21	F	4.16	+0.98	G8 III-IV
α Tuc	8502	22 17 31.1	−60 19 56	F,D	2.86	+1.39	K3 III
ε Oct	8481	22 18 27.6	−80 30 45	F	5.10	+1.47	M6 III
47 Aqr	8516	22 20 47.8	−21 40 17	F,M	5.13	+1.07	gK2
31 Peg	8520	22 20 48.2	+12 07 55	F	5.01	−0.13	B2 IV-V
48 γ Aqr	8518	22 20 54.5	− 1 27 39	F,D	3.84	−0.05	B9 III
3 β Lac	8538	22 22 59.3	+52 09 22	F	4.43	+1.02	G9 III
52 π Aqr	8539	22 24 32.2	+ 1 18 13	F	4.66	−0.03	B1 Vel
δ Tuc	8540	22 26 18.9	−65 02 26	D	4.48	−0.03	B9/A0 V
ν Gru	8552	22 27 48.4	−39 12 20	F,D	5.47	+0.95	gG9
55 ζ¹ Aqr	8558	22 28 04.9	− 0 05 41	C,D	3.65	+0.40	F3 IV
55 ζ² Aqr	8559	22 28 05.3	− 0 05 41	C,M,D	4.42		F3 IV
δ¹ Gru	8556	22 28 24.4	−43 34 12	F	3.97	+1.03	G6/8 III
27 δ Cep	8571	22 28 37.8	+58 20 27	F,V,D	3.75	+0.60	F5 Ibv
δ² Gru	8560	22 28 53.7	−43 49 26	D	4.11	+1.57	M4.5 IIIa
5 Lac	8572	22 28 55.5	+47 37 57	C,6	4.36	+1.68	M0 Iab + B
38 Peg	8574	22 29 22.0	+32 29 53	F	5.47	−0.10	B9.5 V
6 Lac	8579	22 29 51.6	+43 02 56		4.51	−0.09	B2 IV
57 σ Aqr	8573	22 29 52.8	−10 45 09	F	4.82	−0.06	A0 IVs
17 β PsA	8576	22 30 41.1	−32 25 14	F,D	4.29	+0.01	A0 V
7 α Lac	8585	22 30 41.5	+50 12 28	F,1	3.77	+0.01	A1 V
59 ν Aqr	8592	22 33 54.1	−20 46 58	F	5.20	+0.44	F5 V
62 η Aqr	8597	22 34 36.7	− 0 11 33	F	4.02	−0.09	B9 IV-V:n
31 Cep	8615	22 35 24.7	+73 34 04	F	5.08	+0.39	F3 III-IV
63 κ Aqr	8610	22 37 00.4	− 4 18 11	F	5.03	+1.14	K2 III

Name	B.S.	Right Ascension	Declination	Notes	V	B−V	Spectral Type
		h m s	° ′ ″				
30 Cep	8627	22 38 08.0	+63 30 32	F	5.19	+0.06	A3 IV
10 Lac	8622	22 38 36.5	+38 58 29	F,D	4.88	−0.20	O9 V
	8626	22 38 54.8	+37 31 01	S,1	6.03	+0.86	G3: Ib: CN-2 CH2
18 ε PsA	8628	22 39 51.4	−27 07 10	F	4.17	−0.11	B8 Ve
11 Lac	8632	22 39 52.6	+44 12 02		4.46	+1.33	K3 III
42 ζ Peg	8634	22 40 44.3	+10 45 20	F,D	3.40	−0.09	B8 V
β Gru	8636	22 41 48.4	−46 57 39	F	2.11	+1.62	M5 III
44 η Peg	8650	22 42 19.3	+30 08 43	F,C,D	2.94	+0.86	G8 II: + F:
13 Lac	8656	22 43 26.6	+41 44 35	F,4	5.08	+0.96	K0 III
β Oct	8630	22 44 38.1	−81 27 29	F,6	4.15	+0.20	A9 IV/V
47 λ Peg	8667	22 45 49.9	+23 29 21	F	3.95	+1.07	G8 II-III
46 ξ Peg	8665	22 45 58.1	+12 05 54	D	4.19	+0.50	F7 V
68 Aqr	8670	22 46 46.5	−19 41 21	F,M	5.26	+0.94	gG7
ε Gru	8675	22 47 41.1	−51 23 36	F	3.49	+0.08	A3 V
71 τ Aqr	8679	22 48 49.5	−13 40 10	F	4.01	+1.57	gM0
32 ι Cep	8694	22 49 09.7	+66 07 27	F,S	3.52	+1.05	K0 III
48 μ Peg	8684	22 49 18.1	+24 31 29	F,S	3.48	+0.93	G8 III
	8685	22 50 12.9	−39 14 02	F,M	5.42	+1.43	M0
22 γ PsA	8695	22 51 43.4	−32 57 10	D	4.46	−0.04	A0 V
73 λ Aqr	8698	22 51 51.5	− 7 39 25	F	3.74	+1.64	M2.5 IIIa L-1
76 δ Aqr	8709	22 53 52.9	−15 53 53	F	3.27	+0.05	A3 V
	8748	22 54 34.1	+84 16 08	F	4.71	+1.43	K4 III
23 δ PsA	8720	22 55 08.9	−32 37 03	D	4.21	+0.97	gG8
	8726	22 55 47.7	+49 39 21	S	4.95	+1.78	K5 Ib
24 α PsA	8728	22 56 51.1	−29 41 58	F	1.16	+0.09	A3 V
	8732	22 57 46.7	−35 36 02	S	6.13	+0.58	F8 III-IV
	8752	22 59 28.2	+56 52 04	S	5.00	+1.42	G5 0-Ia
ζ Gru	8747	23 00 01.8	−52 49 55	F,6	4.12	+0.98	G8/K0 III
1 o And	8762	23 01 15.1	+42 14 53	F,V	3.62	−0.09	B6pev
π PsA	8767	23 02 41.8	−34 49 41	F,6	5.11	+0.29	F0 III
53 β Peg	8775	23 03 04.2	+28 00 14	F,V,D	2.42	+1.67	M2.5 II-III
4 β Psc	8773	23 03 08.3	+ 3 44 31	F	4.53	−0.12	B6 Vel
54 α Peg	8781	23 04 02.3	+15 07 37	F	2.49	−0.04	B9.5 III
86 Aqr	8789	23 05 54.2	−23 49 18	D	4.47	+0.90	gG9
θ Gru	8787	23 06 04.0	−43 35 57	2	4.28	+0.42	δ Del
55 Peg	8795	23 06 16.4	+ 9 19 52	F	4.52	+1.57	M1 IIIab
33 π Cep	8819	23 07 26.0	+75 18 33	D	4.41	+0.80	G2 III
88 Aqr	8812	23 08 40.5	−21 15 05	F	3.66	+1.22	K2 II
ι Gru	8820	23 09 32.5	−45 19 31	F	3.90	+1.02	K1 III
59 Peg	8826	23 11 00.2	+ 8 38 28	F	5.16	+0.13	A5 Vn
90 φ Aqr	8834	23 13 34.3	− 6 07 38	F	4.22	+1.56	M1.5 III
91 ψ¹ Aqr	8841	23 15 07.9	− 9 10 01	F,D	4.21	+1.11	K0 III
6 γ Psc	8852	23 16 24.8	+ 3 12 11	F,S	3.69	+0.92	K0- IIIb CN-1.5 Fe-1
γ Tuc	8848	23 16 35.4	−58 18 55	F	3.99	+0.40	F1 III
93 ψ² Aqr	8858	23 17 09.0	− 9 15 42		4.39	−0.15	B5 Vn
γ Scl	8863	23 18 02.6	−32 36 40	F	4.41	+1.13	sgG8
95 ψ³ Aqr	8865	23 18 12.5	− 9 41 24	F,D	4.98	−0.02	A0 V
62 τ Peg	8880	23 19 55.1	+23 39 39	F	4.60	+0.17	A5 V
98 Aqr	8892	23 22 12.6	−20 10 47	F	3.97	+1.10	gK0
4 Cas	8904	23 24 11.3	+62 12 11	F,M	4.97	+1.68	M2- IIIab

Name	B.S.	Right Ascension	Declination	Notes	V	B−V	Spectral Type
		h m s	° ′ ″				
68 υ Peg	8905	23 24 39.3	+23 19 27	F,S,M	4.41	+0.61	F8 III
99 Aqr	8906	23 25 17.1	−20 43 17	M	4.39	+1.48	K5 III
8 κ Psc	8911	23 26 11.3	+ 1 10 34	F	4.94	+0.03	A0p
τ Oct	8862	23 26 15.2	−87 33 44	F	5.49	+1.27	K2 III
10 θ Psc	8916	23 27 13.9	+ 6 17 57	F	4.28	+1.07	K1 III
70 Peg	8923	23 28 25.3	+12 40 50	F	4.55	+0.94	G8 III
	8924	23 28 47.1	− 4 36 42	S	6.25	+1.09	K2.5 III-IV CN 1
β Scl	8937	23 32 11.8	−37 53 56	F	4.37	−0.09	Ap
ι Phe	8949	23 34 17.9	−42 41 43	F,D	4.71	+0.08	Ap
	8952	23 34 20.9	+71 33 43	S	5.84	+1.80	K0 Ib
16 λ And	8961	23 36 51.1	+46 22 46	F,V	3.82	+1.01	G8 III-IV
	8959	23 37 04.4	−45 34 22	F	4.74	+0.08	A1/2 V
17 ι And	8965	23 37 25.3	+43 11 16	F	4.29	−0.10	B8 V
35 γ Cep	8974	23 38 44.6	+77 33 05	F,S	3.21	+1.03	K1 III-IV
17 ι Psc	8969	23 39 12.2	+ 5 32 52	F	4.13	+0.51	F7 V
19 κ And	8976	23 39 41.5	+44 15 13	F,D	4.14	−0.08	B9 IVn
μ Scl	8975	23 39 52.6	−32 09 12	F	5.31	+0.97	K0 III
18 λ Psc	8984	23 41 18.4	+ 1 42 01	F	4.50	+0.20	A7 V
105 ω² Aqr	8988	23 41 58.3	−14 37 31	F,D	4.49	−0.04	B9.5 V
106 Aqr	8998	23 43 27.0	−18 21 27	F	5.24	−0.08	B9 Vn
20 ψ And	9003	23 45 18.7	+46 20 23	F	4.95	+1.11	G5 Ib
20 Psc	9012	23 47 11.8	− 2 50 32	F	5.49	+0.94	gG8
	9013	23 47 12.7	+67 43 35	F	5.04	−0.01	A1 Vn
δ Scl	9016	23 48 10.4	−28 12 38	F,D	4.57	+0.01	B9 V
81 φ Peg	9036	23 51 44.9	+19 02 23	F	5.08	+1.60	M3- IIIb
82 Peg	9039	23 51 52.7	+10 52 00	F,M	5.29		A4 Vn
7 ρ Cas	9045	23 53 39.3	+57 25 08	F,V	4.54	+1.22	cF8v
84 ψ Peg	9064	23 57 01.1	+25 03 39	F,V	4.66	+1.59	M3 III
27 Psc	9067	23 57 55.9	− 3 38 11	F,2,V	4.86	+0.93	G9 III
π Phe	9069	23 58 10.9	−52 49 37	F,V	5.13	+1.13	K0 III
28 ω Psc	9072	23 58 34.0	+ 6 46 59	F,6,V	4.01	+0.42	F3 V
ε Tuc	9076	23 59 10.3	−65 39 28	F,V	4.50	−0.08	B9 IV

Notes

F	FK4 position and proper motion
S	MK standard
C	composite or combined spectrum
V	variable star
M	magnitude and color from Yale Bright Star Catalog
D	double star data given in Yale Bright Star Catalog
G	position is for center of gravity
1	companion is optical
2	visual binary
3	common proper motion components
4	fixed-separation companion
5	two spectra are indicated on radial velocity plates
6	spectroscopic binary
7	magnitude and color refer to combined light of two or more stars

BS=HR No.	Name			Right Ascension	Declination	Stand-ards Code	V	U−B	B−V	V−R	V−I	Spectral Type
				h m s	° ′ ″							
21	11	β	Cas	0 08 23.9	+59 04 11		2.27	+0.12	+0.34	+0.31	+0.51	F2 III–IV
39	88	γ	Peg	0 12 29.3	+15 06 11	1	2.84	−0.86	−0.23	−0.10	−0.29	B2 IV
45	89	χ	Peg	0 13 51.1	+20 07 34	1	4.80	+1.93	+1.57	+1.34	+2.47	M2 III
63	24	θ	And	0 16 19.9	+38 36 04		4.61	+0.05	+0.06	+0.08	+0.09	A2 V
113				0 29 30.9	+59 53 51		5.94	−0.36	+0.01			B9 IIIn
130	15	κ	Cas	0 32 10.0	+62 51 07		4.16	−0.80	+0.14	+0.14	+0.20	B1 Ia
321	30	μ	Cas	1 07 18.0	+54 50 59		5.18	+0.09	+0.69	+0.63	+1.04	G5 Vp
437	99	η	Psc	1 30 42.4	+15 16 17		3.62	+0.74	+0.97	+0.72	+1.22	G8 III
493	107		Psc	1 41 42.4	+20 11 54	1	5.24	+0.49	+0.84	+0.69	+1.12	K1 V
553	6	β	Ari	1 53 50.2	+20 44 15		2.65	+0.10	+0.13	+0.14	+0.22	A5 V
617	13	α	Ari	2 06 21.2	+23 23 40	2	2.00	+1.13	+1.15	+0.84	+1.46	K2 IIIab
718	73	ξ²	Cet	2 27 23.2	+ 8 23 44	1	4.29	−0.11	−0.06	+0.02	−0.03	B9 III
753				2 35 17.1	+ 6 49 06	1	5.82	+0.79	+0.97	+0.83	+1.36	K3 V
875				2 55 53.8	− 3 46 12	2	5.17	+0.05	+0.08	+0.11	+0.16	A1 V
996	96	κ	Cet	3 18 36.0	+ 3 19 04		4.84	+0.19	+0.68	+0.57	+0.93	G5 V
1034				3 27 00.9	+49 00 47		4.98	−0.55	−0.10	+0.01	−0.09	B3 V
1046				3 28 53.4	+55 24 10		5.10	+0.05	+0.04	+0.09	+0.08	A1 V
1084	18	ε	Eri	3 32 14.8	− 9 30 24	1	3.73	+0.58	+0.88	+0.72	+1.19	K2 V
1131	38	o	Per	3 43 24.4	+32 14 35		3.83	−0.75	+0.05	+0.12	+0.12	B1 III
1144	18		Tau	3 44 17.7	+24 47 40	1	5.65	−0.36	−0.07	+0.03	−0.04	B8 V
1165	25	η	Tau	3 46 37.2	+24 03 40	1	2.87	−0.35	−0.09	+0.03	−0.01	B7 III
1172				3 47 29.2	+23 22 39		5.45	−0.32	−0.07	+0.05	−0.01	B8 V
1228	46	ξ	Per	3 58 01.3	+35 45 01		4.04	−0.93	+0.02	+0.16	+0.15	O7.5
1346	54	γ	Tau	4 18 58.0	+15 35 36		3.65	+0.81	+0.99	+0.73	+1.20	K0⁻IIIab
1373	61	δ	Tau	4 22 05.8	+17 30 33		3.76	+0.82	+0.99	+0.73	+1.20	K1 III
1409	74	ε	Tau	4 27 46.1	+19 08 57	1	3.54	+0.87	+1.01	+0.73	+1.23	K1 III
1411	77	θ¹	Tau	4 27 44.7	+15 55 51	1	3.83	+0.72	+0.95	+0.71	+1.18	G9 III
1412	78	θ²	Tau	4 27 50.0	+15 50 22	1	3.39	+0.12	+0.18	+0.18	+0.27	A7 III
1543	1	π³	Ori	4 49 03.1	+ 6 56 12	1	3.19	−0.01	+0.46	+0.42	+0.68	F6 V
1552	3	π⁴	Ori	4 50 26.0	+ 5 34 52		3.68	−0.81	−0.16	−0.05	−0.21	B2 III
1641	10	η	Aur	5 05 29.8	+41 12 57	1	3.18	−0.67	−0.18	−0.05	−0.22	B3 V
1666	67	β	Eri	5 07 08.1	− 5 06 16		2.79	+0.10	+0.13	+0.14	+0.22	A3 III
1781				5 22 57.7	+ 0 10 21	1	5.70	−0.88	−0.21	−0.08	−0.27	B2 V
1791	112	β	Tau	5 25 22.5	+28 35 46		1.65	−0.49	−0.13	−0.01	−0.11	B7 III
1855	36	υ	Ori	5 31 13.7	− 7 18 41	1	4.62	−1.07	−0.26	−0.12	−0.38	B0 V
1861				5 31 57.3	− 1 36 06	1	5.35	−0.93	−0.19	−0.05	−0.24	B1 V
1938				5 39 39.7	+31 21 05	1	6.04	−0.21	+0.05	+0.11	+0.16	B7 V
2010	134		Tau	5 48 44.0	+12 38 51		4.91	−0.16	−0.07	+0.02	−0.06	B9 IV
2047	54	χ¹	Ori	5 53 31.4	+20 16 28		4.41	+0.08	+0.59	+0.51	+0.82	G0 V
2382	12		Mon	6 31 33.0	+ 4 52 01		5.83	+0.78	+1.00	+0.72	+1.25	K0 III
2421	24	γ	Gem	6 36 52.5	+16 24 45		1.92	+0.05	0.00	+0.06	+0.05	A0 IV
2693	25	δ	CMa	7 07 48.1	−26 22 11		1.84	+0.54	+0.67	+0.51	+0.84	F8 Ia
2763	54	λ	Gem	7 17 15.6	+16 34 02		3.58	+0.09	+0.12	+0.12	+0.17	A3 V
2782	30	τ	CMa	7 18 06.4	−24 55 38		4.40	−0.99	−0.15	−0.04	−0.22	O9 Ib
2787				7 17 47.5	−36 42 26		4.67	−0.79	−0.10	+0.10	+0.05	B3 Ve

BS=HR No.	Name			Right Ascension	Declination	Stand- ards Code	V	U−B	B−V	V−R	V−I	Spectral Type
				h m s	° ′ ″							
2852	62	ρ	Gem	7 28 10.8	+31 48 51	1	4.18	−0.02	+0.32	+0.32	+0.51	F0 V
2990	78	β	Gem	7 44 25.8	+28 03 43		1.14	+0.86	+1.00	+0.75	+1.25	K0 IIIb
3249	17	β	Cnc	8 15 43.8	+ 9 13 51	2	3.53	+1.77	+1.48	+1.12	+1.90	K4 III
3314				8 24 56.2	− 3 51 31		3.90	−0.03	−0.02	+0.03	−0.02	A0 V
3427	39		Cnc	8 39 16.5	+20 03 34	1	6.39	+0.83	+0.98	+0.72	+1.19	K0 III
3454	7	η	Hya	8 42 28.0	+ 3 27 05	2	4.30	−0.74	−0.20	−0.07	−0.26	B4 V
3569	9	ι	UMa	8 58 13.2	+48 05 57		3.14	+0.07	+0.19	+0.22	+0.29	A7 IV
3579				8 59 42.1	+41 50 27		3.97	+0.06	+0.43	+0.40	+0.62	F5 V
3815	11		LMi	9 34 47.6	+35 52 35	1	5.41	+0.44	+0.77	+0.62	+0.99	G8 IV-V
3974	21		LMi	10 06 34.6	+35 18 57	1	4.49	+0.07	+0.18	+0.18	+0.25	A7 V
3982	32	α	Leo	10 07 36.0	+12 02 19	1	1.35	−0.36	−0.11	−0.02	−0.12	B7 V
4031	36	ζ	Leo	10 15 53.1	+23 29 24		3.44	+0.19	+0.31	+0.31	+0.50	F0 III
4033	33	λ	UMa	10 16 13.6	+42 59 14		3.45	+0.06	+0.03	+0.08	+0.07	A2 IV
4054	40		Leo	10 18 56.9	+19 32 41		4.80	+0.01	+0.45	+0.45	+0.68	F6 IV
4112	36		UMa	10 29 42.3	+56 03 19		4.84	−0.01	+0.52	+0.48	+0.76	F8 V
4133	47	ρ	Leo	10 32 02.9	+ 9 22 53		3.85	−0.95	−0.14	−0.05	−0.21	B1 Iab
4456	90		Leo	11 33 57.2	+16 52 38	1	5.95	−0.65	−0.16	−0.06	−0.24	B3 V
4534	94	β	Leo	11 48 19.2	+14 39 11		2.14	+0.08	+0.08	+0.06	+0.08	A3 V
4550				11 52 08.8	+37 49 22	1	6.45	+0.17	+0.75	+0.66	+1.11	G8 Vp
4554	64	γ	UMa	11 53 04.3	+53 46 31		2.44	+0.03	0.00	0.00	−0.03	A0 V
4623	1	α	Crv	12 07 39.8	−24 38 53		4.02	−0.02	+0.32	+0.30	+0.48	F2 V
4660	69	δ	UMa	12 14 42.8	+57 06 47		3.31	+0.07	+0.08	+0.06	+0.06	A3 V
4662	4	γ	Crv	12 15 03.5	−17 27 41	1	2.58	−0.35	−0.11	−0.04	−0.13	B8 IIIp
4707	12		Com	12 21 46.7	+25 55 35	1	4.81	+0.27	+0.49	+0.47	+0.80	G III+A2 V
4751				12 28 01.2	+25 58 46	1	6.65	+0.08	+0.22	+0.15	+0.23	A0p
4752	17		Com	12 28 11.3	+25 59 35	1	5.29	−0.10	−0.06	+0.02	−0.06	A0p (Si)
4785	8	β	CVn	12 33 03.3	+41 26 10		4.27	+0.05	+0.59	+0.54	+0.85	G0 V
4983	43	β	Com	13 11 11.8	+27 57 05	1	4.26	+0.08	+0.58	+0.49	+0.79	G0 V
5019	61		Vir	13 17 38.7	−18 13 51	1	4.74	+0.26	+0.71	+0.58	+0.94	G6 V
5062	80		UMa	13 24 38.7	+55 03 48		4.02	+0.08	+0.16	+0.17	+0.24	A5 V
5185	4	τ	Boo	13 46 34.4	+17 31 43		4.50	+0.05	+0.48	+0.41	+0.65	F7 V
5235	8	η	Boo	13 53 59.7	+18 28 12		2.68	+0.20	+0.58	+0.44	+0.73	G0 IV
5264	93	τ	Vir	14 00 54.5	+ 1 36 51		4.26	+0.13	+0.10	+0.15	+0.21	A3 V
5340	16	α	Boo	14 15 00.0	+19 15 27		−0.05	+1.28	+1.23	+0.97	+1.62	K2 IIIp
5359	100	λ	Vir	14 18 19.4	−13 18 18		4.52	+0.09	+0.13	+0.10	+0.14	A2m
5447	28	σ	Boo	14 34 02.9	+29 48 28		4.47	−0.08	+0.37	+0.34	+0.53	F2 V
5511	109		Vir	14 45 30.9	+ 1 57 12		3.73	−0.03	−0.01	+0.07	+0.05	A0 V
5570	16		Lib	14 56 25.5	− 4 17 17		4.49	+0.04	+0.32	+0.32	+0.49	F0 IV
5634	45		Boo	15 06 39.8	+24 55 30		4.93	−0.02	+0.43	+0.40	+0.61	F5 V
5685	27	β	Lib	15 16 13.5	− 9 19 48	2	2.61	−0.37	−0.11	−0.04	−0.14	B8 V
5854	24	α	Ser	15 43 33.2	+ 6 28 14	2	2.64	+1.25	+1.17	+0.81	+1.37	K2 III CN 1.5
5868	27	λ	Ser	15 45 44.3	+ 7 23 53		4.43	+0.10	+0.60	+0.51	+0.83	G0 V
5933	41	γ	Ser	15 55 47.0	+15 42 30		3.86	−0.03	+0.48	+0.49	+0.73	F6 V
5947	13	ε	CrB	15 56 59.2	+26 55 10	2	4.15	+1.28	+1.23	+0.89	+1.51	K2 III
6092	22	τ	Her	16 19 18.2	+46 20 51	2	3.90	−0.57	−0.15	−0.09	−0.26	B5 IV

BS=HR No.	Name			Right Ascension	Declination	Stand-ards Code	V	U−B	B−V	V−R	V−I	Spectral Type
				h m s	° ′ ″							
6175	13	ζ	Oph	16 36 21.6	−10 32 19		2.56	−0.85	+0.02	+0.10	+0.06	O9.5 Vnn
6603	60	β	Oph	17 42 45.4	+ 4 34 21	1	2.77	+1.24	+1.17	+0.82	+1.39	K2 III
6629	62	γ	Oph	17 47 09.9	+ 2 42 43	1	3.75	+0.04	+0.04	+0.04	+0.04	A0 V
6705	33	γ	Dra	17 56 16.1	+51 29 25		2.22	+1.88	+1.52	+1.14	+1.99	K5 III
7178	14	γ	Lyr	18 58 24.1	+32 40 09		3.24	−0.08	−0.05	−0.03	−0.04	B9 III
7235	17	ζ	Aql	19 04 44.6	+13 50 28		2.99	−0.01	+0.01	+0.01	+0.01	A0 V:nn
7377	30	δ	Aql	19 24 46.0	+ 3 05 07		3.36	+0.04	+0.32	+0.25	+0.41	F0 IV
7446	39	κ	Aql	19 36 06.7	− 7 03 38	1	4.96	−0.87	0.00	+0.06	+0.02	B0.5 IIIn
7602	60	β	Aql	19 54 36.1	+ 6 22 12	1	3.72	+0.49	+0.86	+0.66	+1.15	G8 IV
7906	9	α	Del	20 38 57.9	+15 51 37	1	3.77	−0.21	−0.06	0.00	−0.04	B9 IV
7950	2	ε	Aqr	20 46 53.5	− 9 32 58		3.77	+0.02	0.00	+0.07	+0.07	A1 V
8085	61		Cyg A	21 06 15.5	+38 40 27		5.22	+1.11	+1.17	+1.03	+1.68	K5 V
8086	61		Cyg B	21 06 15.5	+38 40 27		6.03	+1.23	+1.37	+1.17	+2.00	K7 V
8469	22	λ	Cep	22 11 01.1	+59 20 34		5.05	−0.74	+0.24	+0.28	+0.43	O6 If
8622	10		Lac	22 38 36.5	+38 58 28	2	4.88	−1.05	−0.20	−0.09	−0.30	O9 V
8781	54	α	Peg	23 04 02.3	+15 07 37		2.48	−0.06	−0.04	+0.01	−0.02	B9.5 III
8832				23 12 34.8	+57 05 18	2	5.57	+0.89	+1.00	+0.83	+1.36	K3 V

BS=HR No.	Name	Right Ascension	Declination	Spectral Type	V	$b-y$	m_1	c_1	β	Type
		h m s	° ′ ″							
15	21 α And	0 07 38.2	+29 00 38	B9p	2.06	−0.046	0.120	0.520		
21	11 β Cas	0 08 23.9	+59 04 11	F2 III–IV	2.27	+0.216	0.177	0.785		
27	22 And	0 09 33.8	+45 59 30	F2 II	5.03	+0.273	0.123	1.082	2.666	AF
39	88 γ Peg	0 12 29.3	+15 06 11	B2 IV	2.83	−0.106	0.093	0.116	2.629	B
63	24 θ And	0 16 19.9	+38 36 04	A2 V	4.61	+0.026	0.180	1.050	2.879	AF
68	25 σ And	0 17 34.0	+36 42 18	A2 V	4.52	+0.026	0.187	1.040		
100	κ Phe	0 25 29.6	−43 45 37	A5 Vn	3.94	+0.100	0.192	0.915		
114	28 And	0 29 21.3	+29 40 19	Am	5.23	+0.169	0.165	0.869		
153	17 ζ Cas	0 36 09.5	+53 49 02	B2 IV	3.66	−0.090	0.087	0.134	2.625	B
184	20 π Cas	0 42 39.8	+46 56 44	A5 V	4.94	+0.087	0.221	0.902		
193	22 o Cas	0 43 54.7	+48 12 19	B5 III	4.54	+0.007	0.076	0.479		
233		0 49 50.2	+64 10 08	gG0+A5	5.39	+0.355	0.127	0.696		
269	37 μ And	0 55 56.7	+38 25 15	A5 V	3.87	+0.068	0.194	1.056	2.863	AF
343	33 θ Cas	1 10 12.8	+55 04 23	A7 V	4.33	+0.087	0.213	0.997		
373	39 Cet	1 15 52.0	− 2 34 35	gG5	5.41*	+0.567	0.291	0.328		
413	93 ρ Psc	1 25 28.3	+19 05 50	F2 V:	5.38	+0.256	0.148	0.485		
458	50 υ And	1 35 56.5	+41 20 00	F8 V	4.09	+0.344	0.179	0.409	2.629	AF
493	107 Psc	1 41 42.4	+20 11 54	K1 V	5.24	+0.492	0.364	0.294		
531	53 χ Cet	1 48 52.3	−10 45 28	F2 V	4.67	+0.209	0.184	0.648		
553	6 β Ari	1 53 50.2	+20 44 15	A5 V	2.64	+0.064	0.211	0.983		
617	13 α Ari	2 06 21.2	+23 23 40	K2 IIIab	2.00	+0.696	0.526	0.395		
622	4 β Tri	2 08 40.6	+34 55 09	A5 III	3.00	+0.071	0.191	1.065		
623	14 Ari	2 08 35.7	+25 52 18	F2 III	4.98	+0.210	0.185	0.874	2.723	AF
660	8 δ Tri	2 16 09.9	+34 09 30	G0 V	4.87	+0.386	0.191	0.254		
675	10 Tri	2 18 06.4	+28 34 34	A2 V	5.33	+0.011	0.161	1.145		
685	9 Per	2 21 20.3	+55 46 48	A2 Ia	5.17	+0.321	−0.038	0.753		
717	12 Tri	2 27 18.8	+29 36 19	F0 III	5.30	+0.178	0.211	0.780		
773	32 ν Ari	2 37 59.4	+21 53 57	A7 V	5.30	+0.092	0.182	1.095		
801	35 Ari	2 42 35.9	+27 38 46	B3 V	4.66	−0.052	0.097	0.333	2.682	B
811	89 π Cet	2 43 25.9	−13 55 11	B7 V	4.25	−0.048	0.096	0.607		
812	38 Ari	2 44 10.1	+12 23 07	A7 IV	5.18	+0.135	0.188	0.837	2.804	AF
813	87 μ Cet	2 44 09.4	+10 03 13	F0 IV	4.27	+0.189	0.187	0.762		
937	ι Per	3 08 00.9	+49 33 32	G0 V	4.05	+0.376	0.201	0.376		
1017	33 α Per	3 23 16.9	+49 48 38	F5 Ib	1.80	+0.302	0.195	1.074	2.677	AF
1030	1 o Tau	3 24 01.9	+ 8 58 43	G8 III	3.60	+0.547	0.335	0.424		
1140	16 Tau	3 43 56.3	+24 14 41	B7 IV	5.45	−0.001	0.105	0.647		
1144	18 Tau	3 44 17.7	+24 47 40	B8 V	5.64	−0.022	0.109	0.637	2.749	B
1178	27 Tau	3 48 17.9	+24 00 36	B8 III	3.62	−0.019	0.092	0.708	2.697	B
1201		3 52 20.2	+17 17 05	F4 V	5.97	+0.221	0.166	0.610		
1269	42 ψ Tau	4 06 06.5	+28 57 46	F1 V	5.23	+0.226	0.159	0.588		
1292	45 Tau	4 10 33.9	+ 5 29 10	F1 IV–V	5.73	+0.231	0.163	0.592		
1303	51 μ Per	4 13 49.7	+48 22 25	G0 Ib	4.14	+0.614	0.268	0.551		
1327		4 19 17.9	+65 06 23	G5 IIb	5.27	+0.510	0.289	0.405		
1329	50 ω Tau	4 16 24.6	+20 32 37	A3m	4.94	+0.146	0.235	0.745		
1331	51 Tau	4 17 31.6	+21 32 41	A8 V	5.65	+0.175	0.185	0.787		

*V magnitude may be or is variable.

BS=HR No.	Name			Right Ascension	Declination	Spectral Type	V	b−y	m₁	c₁	β	Type
				h m s	° ′ ″							
1346	54	γ	Tau	4 18 58.0	+15 35 36	K0⁻IIIab	3.65	+0.596	0.427	0.388		
1373	61	δ	Tau	4 22 05.8	+17 30 33	K1 III	3.76	+0.597	0.430	0.409		
1376	63		Tau	4 22 35.0	+16 44 39	kA2, mF3 III	5.64	+0.180	0.237	0.738		
1380	64		Tau	4 23 15.5	+17 24 40	A7 V	4.80	+0.081	0.210	0.981		
1387	65	κ	Tau	4 24 30.2	+22 15 41	A7 V	4.22	+0.070	0.200	1.054		
1388	67		Tau	4 24 33.1	+22 10 03	A5n	5.28	+0.149	0.193	0.840		
1389	68		Tau	4 24 39.0	+17 53 45	A3 V	4.30	+0.020	0.193	1.046		
1394	71		Tau	4 25 31.1	+15 35 10	A8 Vn	4.48	+0.150	0.188	0.934		
1409	74	ε	Tau	4 27 46.1	+19 08 57	K1 III	3.54	+0.616	0.448	0.422		
1411	77	θ¹	Tau	4 27 44.7	+15 55 51	G9 III	3.85	+0.580	0.390	0.389		
1412	78	θ²	Tau	4 27 50.0	+15 50 22	A7 III	3.42	+0.099	0.202	1.013	2.830	AF
1414	79		Tau	4 28 01.4	+13 00 59	A5m	5.03	+0.114	0.225	0.912		
1430	83		Tau	4 29 48.3	+13 41 37	F0 Vn	5.43	+0.154	0.201	0.814		
1444	86	ρ	Tau	4 33 01.4	+14 48 53	A8 Vn	4.66	+0.144	0.205	0.823		
1457	87	α	Tau	4 35 05.2	+16 28 51	K5 III	0.85*	+0.955	0.814	0.373		
1543	1	π³	Ori	4 49 03.1	+ 6 56 12	F6 V	3.19	+0.298	0.164	0.412	2.654	AF
1552	3	π⁴	Ori	4 50 26.0	+ 5 34 52	B2 III	3.69	−0.055	0.070	0.131	2.606	B
1577	3	ι	Aur	4 56 02.8	+33 08 39	K3 II	2.69	+0.937	0.775	0.307		
1620	102	ι	Tau	5 02 13.7	+21 34 12	A7 V	4.64	+0.080	0.203	1.031		
1641	10	η	Aur	5 05 29.8	+41 12 57	B3 V	3.17	−0.085	0.104	0.318	2.684	B
1656	104		Tau	5 06 35.5	+18 37 35	G4 V	5.00	+0.415	0.197	0.332		
1672	16		Ori	5 08 31.7	+ 9 48 42	A2m	5.43	+0.138	0.245	0.840		
1729	15	λ	Aur	5 18 07.2	+40 05 14	G0 V	4.71	+0.389	0.206	0.363		
1861				5 31 57.3	− 1 36 06	B1 V	5.35	−0.077	0.074	−0.002	2.612	B
1865	11	α	Lep	5 32 05.4	−17 49 55	F0 Ib	2.58	+0.139	0.148	1.504		
1905	122		Tau	5 36 13.2	+17 01 56	F0 V	5.54	+0.133	0.203	0.850		
1956		α	Col	5 39 07.4	−34 04 53	B7 IV	2.64	−0.046	0.086	0.650		
2034	136		Tau	5 52 24.9	+27 36 35	A0 V	4.58*	0.000	0.136	1.153		
2047	54	χ¹	Ori	5 53 31.4	+20 16 28	G0 V	4.41	+0.378	0.194	0.307	2.599	AF
2056		λ	Col	5 52 35.3	−33 48 14	B5 V	4.87	−0.076	0.121	0.408		
2106		γ	Col	5 57 01.3	−35 17 04	B2.5 IV	4.36	−0.076	0.092	0.363		
2143	40		Aur	6 05 35.1	+38 29 06	A4m	5.35	+0.139	0.222	0.923		
2220	71		Ori	6 13 59.7	+19 09 44	F6 V	5.20	+0.293	0.163	0.448		
2241	74		Ori	6 15 37.8	+12 16 37	F5 IV-V	5.04	+0.284	0.153	0.438		
2264	45		Aur	6 20 35.5	+53 27 36	F5 III	5.36	+0.284	0.171	0.632		
2294	2	β	CMa	6 22 03.6	−17 56 53	B1 II-III	1.98	−0.090	0.052	−0.002		
2375				6 30 59.7	+11 33 20	A4 V	5.23	+0.101	0.172	0.999		
2421	24	γ	Gem	6 36 52.5	+16 24 45	A0 IV	1.93	+0.007	0.149	1.186	2.869	B
2473	27	ε	Gem	6 43 02.4	+25 08 47	G8 Ib	2.98	+0.869	0.654	0.283		
2483	56	ψ⁵	Aur	6 45 41.7	+43 35 35	G0 V	5.25	+0.357	0.185	0.371		
2484	31	ξ	Gem	6 44 28.5	+12 54 43	F5 IV	3.36	+0.288	0.167	0.552		
2585	16		Lyn	6 56 33.7	+45 06 51	A2 V	4.90	+0.011	0.163	1.101		
2590	19	π	CMa	6 54 59.7	−20 07 02	gF2	4.68	+0.248	0.150	0.649		
2657	23	γ	CMa	7 03 06.1	−15 36 40	B8 II	4.11	−0.045	0.097	0.560		
2707	21		Mon	7 10 39.1	− 0 16 38	A8n	5.45*	+0.184	0.187	0.878		

*V magnitude may be or is variable.

BS=HR No.	Name			Right Ascension	Declination	Spectral Type	V	b−y	m_1	c_1	β	Type
				h m s	° ′ ″							
2763	54	λ	Gem	7 17 15.6	+16 34 02	A3 V	3.58	+0.048	0.198	1.055		
2777	55	δ	Gem	7 19 15.5	+22 00 36	F0 IV	3.53	+0.221	0.156	0.696		
2845	3	β	CMi	7 26 21.9	+ 8 19 09	B7 V	2.90	−0.038	0.113	0.799	2.733	B
2852	62	ρ	Gem	7 28 10.8	+31 48 51	F0 V	4.18	+0.214	0.155	0.613	2.713	AF
2857	64		Gem	7 28 26.3	+28 08 56	A6 V	5.05	+0.062	0.202	1.013		
2880	7	δ¹	CMi	7 31 20.7	+ 1 56 45	F0 III	5.25	+0.131	0.173	1.203		
2886	68		Gem	7 32 46.9	+15 51 31	A1 V	5.25	+0.036	0.149	1.178		
2927	25		Mon	7 36 33.4	− 4 04 41	F6 III	5.13	+0.289	0.169	0.653		
2930	71	o	Gem	7 38 13.3	+34 37 07	F3 III	4.90	+0.266	0.176	0.660		
2948/9				7 38 13.7	−26 46 06	B6 Vn+B5 IV	3.82	−0.074	0.114	0.402		
2961				7 38 56.7	−38 16 28	B2.5 V	4.84	−0.082	0.100	0.304		
2985	77	κ	Gem	7 43 34.4	+24 26 01	G8 IIIa	3.57	+0.573	0.379	0.398		
2990	78	β	Gem	7 44 25.8	+28 03 43	K0 IIIb	1.14	+0.611	0.427	0.420		
3003	81		Gem	7 45 17.1	+18 32 46	K5 III	4.88	+0.893	0.743	0.444		
3084				7 52 07.8	−38 49 30	B2.5 V	4.49*	−0.083	0.097	0.247		
3131				7 59 13.0	−18 21 32	A2 Vn	4.61	+0.049	0.158	1.128		
3173	27		Lyn	8 07 22.2	+51 32 58	A2 V	4.84	+0.021	0.150	1.099		
3249	17	β	Cnc	8 15 43.8	+ 9 13 51	K4 III	3.52	+0.911	0.765	0.367		
3262	18	χ	Cnc	8 19 11.1	+27 15 55	F6 V	5.14	+0.314	0.146	0.384		
3314				8 24 56.2	− 3 51 31	A0 V	3.90	−0.005	0.158	1.024	2.897	B
3410	4	δ	Hya	8 36 53.4	+ 5 45 18	A1 Vnn	4.16	+0.008	0.153	1.091	2.851	B
3454	7	η	Hya	8 42 28.0	+ 3 27 05	B4 V	4.30	−0.088	0.092	0.240	2.653	B
3459				8 42 57.7	− 7 10 51	G2 Ib	4.62	+0.519	0.289	0.476		
3555	59	σ²	Cnc	8 56 03.1	+32 58 01	A7 IV	5.45	+0.084	0.205	0.968		
3619	15		UMa	9 07 51.2	+51 39 50	A1m	4.48	+0.169	0.233	0.776		
3624	14	τ	UMa	9 09 44.0	+63 34 24	Am	4.67	+0.217	0.238	0.723		
3662	18		UMa	9 15 09.1	+54 04 57	A5 V	4.83	+0.113	0.196	0.892		
3757	23		UMa	9 30 23.8	+63 07 34	F0 IV	3.67	+0.211	0.180	0.752		
3759	31	τ¹	Hya	9 28 24.7	− 2 42 18	F6 V	4.60	+0.296	0.164	0.448		
3771	24		UMa	9 33 13.0	+69 53 42	G4 III-IV	4.56	+0.488	0.254	0.347		
3775	25	θ	UMa	9 31 53.6	+51 44 38	F6 IV	3.17	+0.314	0.153	0.463		
3800	10		LMi	9 33 20.3	+36 27 45	G8.5 III	4.55	+0.562	0.346	0.389		
3815	11		LMi	9 34 47.6	+35 52 35	G8 IV-V	5.41	+0.473	0.304	0.372		
3849	38	κ	Hya	9 39 36.6	−14 15 58	B5 V	5.06	−0.069	0.107	0.405	2.700	B
3852	14	o	Leo	9 40 22.7	+ 9 57 31	F6 II+A2	3.52*	+0.306	0.234	0.615		
3856				9 38 56.9	−61 15 44	B9 V	4.52	−0.042	0.143	0.818		
3881				9 47 39.5	+46 05 21	G1 V	5.09	+0.390	0.203	0.382		
3888	29	ν	UMa	9 49 58.0	+59 06 27	F0 IV	3.80	+0.196	0.162	0.830		
3928	19		LMi	9 56 48.0	+41 07 31	F5 V	5.14	+0.300	0.165	0.457		
3951	20		LMi	10 00 10.7	+31 59 44	G4 V	5.36	+0.416	0.234	0.388		
3974	21		LMi	10 06 34.6	+35 18 57	A7 V	4.48	+0.111	0.196	0.870	2.836	AF
3982	31	α	Leo	10 07 36.0	+12 02 19	B7 V	1.35	−0.041	0.102	0.712	2.723	B
4031	36	ζ	Leo	10 15 53.1	+23 29 24	F0 III	3.44	+0.196	0.169	0.986	2.722	AF
4054	40		Leo	10 18 56.9	+19 32 41	F6 IV	4.79	+0.297	0.171	0.459		
4057/8	41	γ	Leo	10 19 10.5	+19 54 55	K0 III⁻, G7 III⁺	1.99	+0.689	0.457	0.373		

*V magnitude may be or is variable.

BS=HR No.	Name			Right Ascension	Declination	Spectral Type	V	$b-y$	m_1	c_1	β	Type
				h m s	° ′ ″							
4090	30		LMi	10 25 05.1	+33 52 13	F0 V	4.74	+0.151	0.195	0.956		
4112	36		UMa	10 29 42.3	+56 03 19	F8 V	4.84	+0.341	0.172	0.331		
4119	30	β	Sex	10 29 33.0	− 0 33 44	B6 V	5.09	−0.064	0.116	0.466	2.730	B
4133	47	ρ	Leo	10 32 02.9	+ 9 22 53	B1 Iab	3.85*	−0.025	0.033	−0.039	2.555	B
4141	37		UMa	10 34 14.1	+57 09 28	F1 V	5.16	+0.228	0.159	0.574		
4166	37		LMi	10 37 54.4	+32 03 07	G3 II	4.71	+0.512	0.297	0.477	2.594	AF
4199		θ	Car	10 42 26.2	−64 19 06	B0.5 Vp	2.78	−0.102	0.071	−0.075		
4277	47		UMa	10 58 39.4	+40 30 29	G0 V	5.05	+0.392	0.203	0.337		
4288	49		UMa	11 00 01.8	+39 17 25	F0m	5.08	+0.145	0.194	1.007		
4293				10 59 29.2	−42 08 53	A3 IV	4.39	+0.060	0.175	1.121		
4301	50	α	UMa	11 02 50.5	+61 49 46	K0⁻IIIa	1.79	+0.660	0.437	0.394		
4335	52	ψ	UMa	11 08 51.1	+44 34 39	K1 III	3.01	+0.703	0.524	0.396		
4343	11	β	Crt	11 10 56.6	−22 44 47	A2 III	4.48	+0.010	0.161	1.201		
4392	56		UMa	11 22 02.1	+43 33 45	G8 IIb	4.99	+0.609	0.405	0.401		
4405	15	γ	Crt	11 24 09.4	−17 36 15	A7 IV-V	4.08	+0.117	0.193	0.899	2.821	AF
4456	90		Leo	11 33 57.2	+16 52 38	B3 V	5.95	−0.070	0.104	0.319	2.688	B
4515	2	ξ	Vir	11 44 32.2	+ 8 20 20	A4 V	4.85	+0.091	0.198	0.919		
4527	93		Leo	11 47 14.3	+20 17 58	G III+A7 V	4.53	+0.352	0.186	0.725		
4534	94	β	Leo	11 48 19.2	+14 39 11	A3 V	2.14	+0.044	0.210	0.975	2.900	AF
4540	5	β	Vir	11 49 56.4	+ 1 50 47	F9 V	3.61	+0.354	0.187	0.414	2.628	AF
4550				11 52 08.8	+37 49 22	G8 Vp	6.45	+0.484	0.224	0.166		
4554	64	γ	UMa	11 53 04.3	+53 46 31	A0 V	2.44	+0.006	0.153	1.113	2.885	B
4618				12 07 19.9	−50 34 50	B2 IIIne3	4.47	−0.079	0.102	0.264		
4695	16		Vir	12 19 36.8	+ 3 23 36	K1 III	4.96	+0.720	0.485	0.513		
4707	12		Com	12 21 46.7	+25 55 35	G III+A2 V	4.79	+0.322	0.175	0.779		
4753	18		Com	12 28 43.5	+24 11 20	F5 III	5.48	+0.289	0.172	0.611		
4775	8	η	Crv	12 31 19.3	−16 06 57	F0 IV	4.31	+0.247	0.158	0.550		
4785	8	β	CVn	12 33 03.3	+41 26 10	G0 V	4.26	+0.385	0.182	0.296		
4802		τ	Cen	12 36 54.3	−48 27 42	A2 V	3.86	+0.021	0.159	1.087		
4883	31		Com	12 50 59.6	+27 37 10	G0 III	4.94	+0.435	0.193	0.411	2.594	AF
4889				12 52 37.8	−40 06 01	A7 III	4.27	+0.128	0.176	0.977		
4931	78		UMa	13 00 06.6	+56 26 40	F2 V	4.93	+0.244	0.168	0.578	2.708	AF
4983	43	β	Com	13 11 11.8	+27 57 05	G0 V	4.26	+0.370	0.191	0.337	2.609	AF
5011	59		Vir	13 16 03.3	+ 9 29 59	F8 V	5.22	+0.376	0.191	0.383		
5017	20		CVn	13 16 53.6	+40 38 55	F3 III	4.73	+0.180	0.231	0.913		
5062	80		UMa	13 24 38.7	+55 03 48	A5 V	4.01	+0.097	0.192	0.928	2.847	AF
5168	1		Cen	13 44 51.6	−32 58 15	F3 IV	4.23	+0.247	0.155	0.562		
5191	85	η	UMa	13 46 58.2	+49 23 08	B3 V	1.86	−0.080	0.106	0.296	2.694	B
5235	8	η	Boo	13 53 59.7	+18 28 12	G0 IV	2.68	+0.376	0.203	0.476	2.627	AF
5270				14 01 49.1	+ 9 45 22	K1 CN-5 Fe-4	6.20	+0.633	0.090	0.550	2.540	AF
5285		χ	Cen	14 05 09.4	−41 06 38	B2 V	4.36	−0.095	0.089	0.176		
5304	12	d	Boo	14 09 44.3	+25 09 36	F8 IV	4.83	+0.348	0.175	0.441		
5340	16	α	Boo	14 15 00.0	+19 15 27	K2 IIIp	−0.04	+0.755	0.526	0.491		
5435	27	γ	Boo	14 31 29.7	+38 22 17	A7 III	3.03	+0.116	0.191	1.008		
5447	28	σ	Boo	14 34 02.9	+29 48 28	F2 V	4.46	+0.253	0.132	0.488	2.681	AF

*V magnitude may be or is variable.

BS=HR No.	Name		Right Ascension	Declination	Spectral Type	V	b−y	m₁	c₁	β	Type
			h m s	° ′ ″							
5511	109	Vir	14 45 30.9	+ 1 57 12	A0 V	3.72	+0.007	0.134	1.081	2.846	B
5530	8 α¹	Lib	14 49 53.0	−15 56 15	F3 V	5.15	+0.262	0.155	0.497	2.678	AF
5531	9 α²	Lib	14 50 04.5	−15 58 56	A2 IV	2.75	+0.074	0.192	0.996	2.863	AF
5626	λ	Lup	15 07 51.7	−45 13 29	B3 V	4.05	−0.080	0.099	0.282		
5634	45	Boo	15 06 39.8	+24 55 30	F5 V	4.93	+0.285	0.165	0.449		
5660	1	Lup	15 13 43.9	−31 27 57	F1 II	4.91	+0.244	0.136	1.381		
5681	49 δ	Boo	15 14 55.1	+33 22 06	G8 III CN-1	3.47	+0.587	0.346	0.410		
5685	27 β	Lib	15 16 13.5	− 9 19 48	B8 V	2.61	−0.040	0.100	0.750	2.711	B
5744	12 ι	Dra	15 24 36.3	+59 01 00	K2 III	3.29	+0.711	0.567	0.429		
5793	5 α	CrB	15 34 04.4	+26 45 47	A0 V	2.23	0.000	0.144	1.060		
5825			15 40 11.3	−44 36 50	F5 IV-V	4.64	+0.264	0.150	0.470		
5854	24 α	Ser	15 43 33.2	+ 6 28 14	K2 III CN1.5	2.65	+0.715	0.572	0.445		
5868	27 λ	Ser	15 45 44.3	+ 7 23 53	G0 V	4.43	+0.385	0.199	0.354		
5885	1	Sco	15 50 06.3	−25 42 29	B1.5 Vn	4.64*	+0.005	0.068	0.127		
5933	41 γ	Ser	15 55 47.0	+15 42 30	F6 V	3.85	+0.319	0.151	0.401	2.633	AF
5936	12 λ	CrB	15 55 16.0	+37 59 18	F2	5.45	+0.233	0.161	0.662		
5944	6 π	Sco	15 57 58.4	−26 04 23	B1 V+B2	2.89	−0.066	0.058	0.028	2.614	B
5947	13 ε	CrB	15 56 59.2	+26 55 10	K2 III	4.15	+0.751	0.570	0.414		
5953	7 δ	Sco	15 59 28.5	−22 34 52	B0.3 IV	2.32	−0.019	0.038	−0.017	2.602	B
5968	15 ρ	CrB	16 00 29.4	+33 20 49	G2 V	5.41	+0.394	0.183	0.322		
5986	13 θ	Dra	16 01 36.9	+58 36 14	F8 IV-V	4.01	+0.354	0.174	0.460		
5993	9 ω¹	Sco	16 05 57.4	−20 37 50	B1 V	3.96	+0.033	0.041	0.022	2.621	B
5997	10 ω²	Sco	16 06 33.2	−20 49 49	gG2	4.32	+0.521	0.284	0.448	2.579	AF
6027	14 ν	Sco	16 11 09.1	−19 25 25	B2 IVp	4.01	+0.072	0.059	0.150		
6092	22 τ	Her	16 19 18.2	+46 20 51	B5 IV	3.89	−0.056	0.089	0.440	2.702	B
6095	20 γ	Her	16 21 16.8	+19 11 12	A9 III	3.75	+0.168	0.192	1.008		
6141	22	Sco	16 29 19.5	−25 05 03	B2 V	4.79	−0.046	0.085	0.202	2.662	B
6165	23 τ	Sco	16 34 58.7	−28 11 13	B0 V	2.82	−0.100	0.051	−0.065		
6175	13 ζ	Oph	16 36 21.6	−10 32 19	O9.5 Vnn	2.56	+0.085	0.012	−0.061		
6212	40 ζ	Her	16 40 44.4	+31 37 43	G1 IV	2.81	+0.415	0.207	0.408		
6243	20	Oph	16 49 01.8	−10 45 30	F7 III	4.65	+0.307	0.161	0.536		
6332	59	Her	17 01 04.2	+33 35 19	A3 III	5.25	+0.002	0.180	1.094		
6355	60	Her	17 04 42.3	+12 45 36	A4 IV	4.91	+0.070	0.203	0.988	2.878	AF
6378	35 η	Oph	17 09 32.7	−15 42 28	A2.5 V	2.43	+0.026	0.184	1.084		
6458	72	Her	17 20 07.0	+32 29 09	G0 V	5.39	+0.409	0.182	0.309		
6536	23 β	Dra	17 30 06.3	+52 18 42	G2 Ib	2.79	+0.610	0.323	0.423		
6581	56 o	Ser	17 40 36.0	−12 52 06	A2 V	4.26	+0.047	0.166	1.115		
6588	85 ι	Her	17 39 03.3	+46 00 49	B3 IV	3.80	−0.064	0.078	0.294	2.661	B
6595	58	Oph	17 42 33.6	−21 40 38	F7 V:	4.87	+0.301	0.150	0.413		
6603	60 β	Oph	17 42 45.4	+ 4 34 21	K2 III	2.77	+0.721	0.549	0.453		
6629	62 γ	Oph	17 47 09.9	+ 2 42 43	A0 V	3.75	+0.026	0.165	1.054	2.908	B
6705	33 γ	Dra	17 56 16.1	+51 29 25	K5 III	2.23	+0.943	0.811	0.374		
6714	67	Oph	17 59 55.1	+ 2 55 53	B5 Ib	3.97	+0.079	0.023	0.303	2.590	B
6723	68	Oph	18 01 01.1	+ 1 18 17	A2 Vn	4.45	+0.033	0.136	1.094		
6743	θ	Ara	18 05 30.1	−50 05 37	B2 Ib	3.66	+0.004	0.035	0.027		

* *V* magnitude may be or is variable.

BS=HR No.	Name			Right Ascension	Declination	Spectral Type	V	b−y	m₁	c₁	β	Type
				h m s	° ′ ″							
6930		γ	Sct	18 28 22.3	−14 34 33	A3 Vn	4.70	+0.044	0.141	1.219		
7001	3	α	Lyr	18 36 26.9	+38 46 11	A0 Va	0.03	+0.004	0.157	1.089		
7069	111		Her	18 46 22.9	+18 09 53	A5 III	4.36	+0.061	0.216	0.942	2.903	AF
7152		ε	CrA	18 57 44.8	−37 07 38	F0 V	4.87*	+0.255	0.149	0.633		
7178	14	γ	Lyr	18 58 24.1	+32 40 09	B9 III	3.24	+0.001	0.093	1.219	2.754	B
7235	17	ζ	Aql	19 04 44.6	+13 50 28	A0 V:nn	2.99	+0.012	0.147	1.080	2.878	B
7253				19 06 03.2	+28 36 19	F0 III	5.55	+0.176	0.190	0.752		
7254		α	CrA	19 08 29.2	−37 55 41	A2 IV	4.11	+0.018	0.185	1.062		
7328	1	κ	Cyg	19 16 46.1	+53 20 29	G9 III	3.77	+0.579	0.390	0.430		
7340	44	ρ¹	Sgr	19 20 50.0	−17 52 31	F0 IV–V	3.93	+0.129	0.188	0.955		
7377	30	δ	Aql	19 24 46.0	+ 3 05 07	F0 IV	3.36	+0.204	0.168	0.715	2.739	AF
7446	39	κ	Aql	19 36 06.7	− 7 03 38	B0.5 IIIn	4.95	+0.079	−0.014	−0.022	2.565	B
7447	41	ι	Aql	19 35 58.3	− 1 19 10	B5 III	4.36	−0.017	0.086	0.577	2.711	B
7462	61	σ	Dra	19 32 23.4	+69 38 11	K0 V	4.68	+0.472	0.320	0.261		
7469	13	θ	Cyg	19 36 03.1	+50 11 13	F4 V	4.48	+0.261	0.158	0.506		
7479	5	α	Sge	19 39 26.9	+17 58 47	G1 IIab	4.37	+0.497	0.260	0.466		
7503	16		Cyg	19 41 25.8	+50 29 28	G3 V	5.96	+0.410	0.214	0.375		
7504				19 41 28.8	+50 29 01	G5 V	6.20	+0.416	0.226	0.354		
7525	50	γ	Aql	19 45 34.2	+10 34 38	K3 II	2.72	+0.936	0.760	0.294		
7534	17		Cyg	19 45 52.6	+33 41 36	F5 V	4.99	+0.316	0.155	0.435		
7557	53	α	Aql	19 50 04.6	+ 8 49 46	A7 IV, V	0.77	+0.137	0.178	0.880		
7560	54	o	Aql	19 50 20.0	+10 22 43	F8 V	5.11	+0.356	0.188	0.404		
7602	60	β	Aql	19 54 36.1	+ 6 22 12	G8 IV	3.71	+0.521	0.306	0.341		
7610	61	φ	Aql	19 55 33.0	+11 23 05	A1 V	5.28	+0.002	0.174	1.020		
7730	30		Cyg	20 12 50.7	+46 46 17	A3 III	4.83	+0.068	0.150	1.310		
7747	5	α¹	Cap	20 16 50.7	−12 33 13	G3 Ib	4.24	+0.571	0.327	0.389		
7773	8	ν	Cap	20 19 51.6	−12 48 20	B9 V	4.76	−0.022	0.135	1.025		
7790		α	Pav	20 24 30.5	−56 46 57	B2.5 V	1.94	−0.092	0.087	0.271		
7796	37	γ	Cyg	20 21 42.5	+40 12 35	F8 Ib	2.20	+0.396	0.296	0.885	2.641	AF
7858	3	η	Del	20 33 15.9	+12 58 37	A2 V	5.38	+0.038	0.196	0.975		
7871	4	ζ	Del	20 34 37.9	+14 37 25	A3 V	4.68	+0.066	0.176	1.107		
7906	9	α	Del	20 38 57.9	+15 51 37	B9 IV	3.77	−0.019	0.125	0.893	2.802	B
7936	16	ψ	Cap	20 45 14.4	−25 19 25	F4 V	4.14	+0.271	0.157	0.481		
7949	53	ε	Cyg	20 45 37.5	+33 54 56	K0⁻III	2.46	+0.627	0.415	0.425		
7977	55		Cyg	20 48 26.7	+46 03 36	B3 Ia	4.84	+0.356	−0.067	0.153	2.530	B
7984	56		Cyg	20 49 34.0	+44 00 16	A4m	5.04	+0.108	0.209	0.897		
8060	22	η	Cap	21 03 34.9	−19 54 47	A5 V	4.84	+0.088	0.186	0.949		
8085	61		CygA	21 06 15.5	+38 40 27	K5 V	5.21	+0.656	0.677	0.134		
8086	61		CygB	21 06 15.5	+38 40 27	K7 V	6.03	+0.791	0.676	0.067		
8115	64	ζ	Cyg	21 12 19.1	+30 10 01	G8⁺III–IIIa Ba0.6	3.20	+0.591	0.446	0.296		
8143	67	σ	Cyg	21 16 50.7	+39 20 01	B9 Ia	4.23	+0.138	0.027	0.571	2.584	B
8162	5	α	Cep	21 18 14.1	+62 31 26	A7 IV, V	2.44	+0.125	0.190	0.936		
8181		γ	Pav	21 25 15.6	−65 25 58	F6 Vp	4.22	+0.321	0.124	0.323		
8267	5		Peg	21 37 04.7	+19 15 10	F1 IV	5.45	+0.203	0.170	0.892		
8279	9		Cep	21 37 31.9	+62 00 59	B2 Ib	4.73	+0.275	−0.051	0.135	2.560	B

* *V* magnitude may be or is variable.

BS=HR No.	Name		Right Ascension	Declination	Spectral Type	V	b−y	m₁	c₁	β	Type
			h　m　s	°　′　″							
8313	9	Peg	21 43 49.5	+17 16 59	G5 Ib	4.34	+0.709	0.468	0.354		
8344	13	Peg	21 49 27.3	+17 13 04	F2 III–IV	5.29	+0.263	0.156	0.545		
8353	γ	Gru	21 53 03.3	−37 26 01	B8 III	3.01	−0.048	0.104	0.734		
8425	α	Gru	22 07 19.5	−47 01 54	B7 IV	1.74	−0.061	0.105	0.576		
8430	24 ι	Peg	22 06 20.1	+25 16 26	F5 V	3.76	+0.296	0.159	0.446		
8431	14 μ	PsA	22 07 32.4	−33 03 35	A2 V	4.50	+0.024	0.172	1.084		
8454	29 π	Peg	22 09 20.5	+33 06 24	F3 II	4.29	+0.304	0.177	0.778		
8494	23 ε	Cep	22 14 29.8	+56 58 16	F0 IV	4.19	+0.169	0.192	0.787	2.757	AF
8551	35	Peg	22 27 07.5	+ 4 37 21	K0 III–IV	4.79	+0.638	0.426	0.404		
8585	7 α	Lac	22 30 41.5	+50 12 28	A1 V	3.77	+0.001	0.173	1.030	2.908	B
8613	9	Lac	22 36 46.5	+51 28 12	A7 IV	4.63	+0.142	0.174	0.948		
8622	10	Lac	22 38 36.5	+38 58 28	O9 V	4.88	−0.070	0.042	−0.110	2.590	B
8630	β	Oct	22 44 38.1	−81 27 29	A9 IV/V	4.15	+0.110	0.198	0.908		
8634	42 ζ	Peg	22 40 44.3	+10 45 20	B8 V	3.40	−0.035	0.114	0.867	2.770	B
8650	44 η	Peg	22 42 19.3	+30 08 43	G8 II:+F?	2.94	+0.535	0.296	0.499		
8665	46 ξ	Peg	22 45 58.1	+12 05 54	F7 V	4.19	+0.330	0.147	0.407		
8675	ε	Gru	22 47 41.1	−51 23 36	A3 V	3.49	+0.041	0.168	1.154		
8709	76 δ	Aqr	22 53 52.9	−15 53 53	A3 V	3.27	+0.034	0.162	1.176		
8728	24 α	PsA	22 56 51.1	−29 41 58	A3 V	1.16	+0.036	0.206	0.991		
8729	51	Peg	22 56 45.1	+20 41 27	G5 V	5.49*	+0.416	0.232	0.364		
8781	54 α	Peg	23 04 02.3	+15 07 37	B9.5 III	2.49	−0.012	0.130	1.128	2.841	B
8826	59	Peg	23 11 00.2	+ 8 38 28	A5 Vn	5.16	+0.075	0.165	1.090		
8830	7	And	23 11 53.0	+49 19 37	A8 III	4.52	+0.181	0.172	0.723		
8848	γ	Tuc	23 16 35.4	−58 18 55	F1 III	3.99	+0.262	0.146	0.579		
8880	62 τ	Peg	23 19 55.1	+23 39 39	A5 V	4.60	+0.104	0.166	1.013		
8905	68 υ	Peg	23 24 39.3	+23 19 27	F8 III	4.40	+0.390	0.186	0.461		
8965	17 ι	And	23 37 25.4	+43 11 16	B8 V	4.29	−0.031	0.100	0.784	2.728	B
8969	17 ι	Psc	23 39 12.3	+ 5 32 52	F7 V	4.13	+0.329	0.164	0.395	2.622	AF
8976	19 κ	And	23 39 41.5	+44 15 13	B9 IVn	4.14	−0.035	0.131	0.831	2.834	B
9039	82	Peg	23 51 52.7	+10 52 00	A4 Vn	5.32	+0.099	0.181	0.967		
9072	28 ω	Psc	23 58 34.0	+ 6 46 59	F3 V	4.01	+0.266	0.150	0.630		
9076	ε	Tuc	23 59 10.3	−65 39 28	B9 IV	4.50	−0.032	0.104	0.894		
9088	85	Peg	0 01 24.7	+27 00 19	G2 V	5.75	+0.428	0.189	0.215	2.563	AF
9091	ζ	Scl	0 01 35.4	−29 48 05	B5 V	5.02	−0.067	0.107	0.461		

*V magnitude may be or is variable.

HD No.	BS=HR No.	Name			Right Ascension	Declination	Vis. Mag.	Spectral Type	Radial Velocity
					h m s	° ′ ″			km./sec.
693	33	6		Cet	0 10 31.6	−15 32 51	4.89	F6 V	+ 14.7±0.2
3712	168	18	α	Cas	0 39 40.7	+56 27 29	2.23	K0⁻IIIab	− 3.9 0.1
3765					0 40 01.3	+40 06 37	7.36	dK5	− 63.0 0.2
4128	188	16	β	Cet	0 42 51.7	−18 03 58	2.04	K1 III	+ 13.1 0.1
4388					0 45 40.2	+30 52 22	7.51	K3 III	− 28.3 0.6
8779	416				1 25 42.7	− 0 28 26	6.41	gK0	− 5.0±0.6
9138	434	98	μ	Psc	1 29 25.5	+ 6 04 10	4.84	K4 III	+ 35.4 0.5
12029					1 57 51.9	+29 18 34	7.80	K2 III	+ 38.6 0.5
12929	617	13	α	Ari	2 06 21.2	+23 23 40	2.00	K2 IIIab	− 14.3 0.2
14969*					2 24 40.1	+29 48 56	7.67	K3 III	− 33.4 0.3
18884	911	92	α	Cet	3 01 31.2	+ 4 02 00	2.53	M1.5 III	− 25.8±0.1
20902	1017	33	α	Per	3 23 16.9	+49 48 38	1.80	F5 Ib	− 2.3 0.2
22484	1101	10		Tau	3 36 07.9	+ 0 21 23	4.28	F8 V	+ 27.9 0.1
23169					3 43 00.6	+25 40 50	8.75	G2 V	+ 13.3 0.2
26162	1283	43		Tau	4 08 19.2	+19 34 18	5.50	K1 III	+ 23.9 0.6
29139	1457	87	α	Tau	4 35 05.2	+16 28 51	0.85	K5 III	+ 54.1±0.1
29587					4 40 34.6	+42 05 34	7.29	dG2	+112.4 0.2
32963					5 07 01.9	+26 18 37	7.72	G2 V	− 63.1 0.4
35410*	1787	27		Ori	5 23 44.6	− 0 54 17	5.08	K0 III	+ 20.5 0.2
36079	1829	9	β	Lep	5 27 37.4	−20 46 14	2.84	G5 III	− 13.5 0.1
36673	1865	11	α	Lep	5 32 05.4	−17 49 55	2.58	F0 Ib	+ 24.7±0.2
42397					6 10 41.1	+25 00 49	8.03	G0 IV	+ 37.4 0.4
44131	2275				6 19 16.0	− 2 56 15	4.90	gM1	+ 47.4 0.3
45348	2326		α	Car	6 23 37.8	−52 41 15	−0.72	F0 II	+ 20.5 0.1
51250	2593	18	μ	CMa	6 55 26.8	−14 01 27	5.00	K2 III+B9V:	+ 19.6 0.5
62509	2990	78	β	Gem	7 44 25.8	+28 03 43	1.14	K0 IIIb	+ 3.3±0.1
65583					7 59 38.4	+29 15 27	7.00	dG7	+ 12.5 0.4
65934					8 01 18.2	+26 40 45	7.94	G8 III	+ 35.0 0.3
66141	3145				8 01 30.7	+ 2 22 30	4.39	K2 III	+ 70.9 0.3
75935					8 52 58.3	+26 58 07	8.63	G8 V	− 18.9 0.3
80170	3694				9 16 23.0	−39 20 25	5.33	K5 III–IV	0.0±0.2
81797	3748	30	α	Hya	9 26 52.5	− 8 35 43	1.98	K3 II–III	− 4.4 0.2
84441	3873	17	ε	Leo	9 45 01.8	+23 50 29	2.98	G1 IIab	+ 4.8 0.1
86801					10 00 44.4	+28 38 12	8.88	G0 V	− 14.5 0.4
89449	4054	40		Leo	10 18 56.9	+19 32 41	4.79	F6 IV	+ 6.5 0.5
90861					10 29 05.1	+28 39 21	7.20	K2 III	+ 36.3±0.4
92588	4182	33		Sex	10 40 39.9	− 1 39 54	6.26	sgK1	+ 42.8 0.1
102494					11 47 11.4	+27 25 15	7.44	G8 IV	− 22.9 0.3
102870	4540	5	β	Vir	11 49 56.4	+ 1 50 47	3.61	F9 V	+ 5.0 0.2
103095	4550				11 52 08.8	+37 49 22	6.45	G8 Vp	− 99.1 0.3
107328	4695	16		Vir	12 19 36.8	+ 3 23 36	4.96	K1 III	+ 35.7±0.3
108903	4763		γ	Cru	12 30 21.3	−57 01 56	1.63	M4⁻IIIb	+ 21.3 0.1
109379	4786	9	β	Crv	12 33 37.4	−23 19 00	2.65	G5 III	− 7.0 0.0
112299					12 54 46.0	+25 49 01	8.66	F8 V	+ 3.4 0.5
114762					13 11 37.7	+17 35 37	7.31	dF7	+ 49.9 0.5

*Radial velocity is now known to vary.

HD No.	BS=HR No.	Name			Right Ascension	Declination	Vis. Mag.	Spectral Type	Radial Velocity
					h m s	° ′ ″			km./sec.
115521	5015	60	σ	Vir	13 16 52.3	+ 5 32 46	4.80	M2 IIIa	− 26.8±0.3
122693					14 02 12.0	+24 37 53	8.21	F8 V	− 6.3 0.2
123782	5300	13		Boo	14 07 44.8	+49 31 35	5.25	M2 IIIab	− 13.4 0.3
124897	5340	16	α	Boo	14 15 00.0	+19 15 27	−0.04	K2 IIIp	− 5.3 0.1
126053	5384				14 22 30.7	+ 1 18 33	6.27	G1 V	− 18.5 0.4
132737					14 59 15.0	+27 13 02	8.02	K0 III	− 24.1±0.3
136202	5694	5		Ser	15 18 34.3	+ 1 49 11	5.06	F8 IV–V	+ 53.5 0.2
140913					15 44 31.7	+28 30 54	8.21	G0 V	− 20.8 0.4
144579					16 04 26.8	+39 11 43	6.66	dG8	− 60.0 0.3
145001	6008	7	κ	Her	16 07 25.2	+17 05 06	5.00	G8 III	− 9.5 0.2
146051	6056	1	δ	Oph	16 13 35.1	− 3 39 28	2.74	M0.5 III	− 19.8±0.0
149803					16 35 20.1	+29 46 27	8.40	F7 V	− 7.6 0.4
150798	6217		α	TrA	16 47 07.4	−69 00 09	1.92	K2 IIb–IIIa	− 3.7 0.2
154417	6349				17 04 32.6	+ 0 43 23	6.01	G0 V	− 17.4 0.3
156014	6406	64	α¹	Her	17 13 59.2	+14 24 22	3.08	M5 Ib–II	− 32.5 0.0
157457	6468		κ	Ara	17 24 52.0	−50 37 17	5.23	G8 III	+ 17.4±0.2
161096	6603	60	β	Oph	17 42 45.4	+ 4 34 21	2.77	K2 III	− 12.0 0.1
168454	6859	19	δ	Sgr	18 20 04.0	−29 50 07	2.70	K2⁺ III	− 20.0 0.0
171232					18 32 00.6	+25 28 40	7.73	G8 III	− 35.9 0.5
171391	6970				18 34 14.0	−10 59 22	5.14	G8 III	+ 6.9 0.2
182572	7373	31		Aql	19 24 16.7	+11 54 46	5.16	G8 IV	−100.5±0.4
184467*					19 30 53.2	+58 33 23	6.59	dK5	+ 10.9 0.2
†					19 34 25.6	+29 03 16	9.05	F7 V	− 36.6 0.5
186791	7525	50	γ	Aql	19 45 34.2	+10 34 38	2.72	K3 II	− 2.1 0.2
187691	7560	54	o	Aql	19 50 20.0	+10 22 43	5.11	F8 V	+ 0.1 0.3
194071					20 22 01.5	+28 11 58	8.13	G8 III	− 9.8±0.1
203638	8183	33		Cap	21 23 20.4	−20 54 51	5.77	K0 III	+ 21.9 0.1
204867	8232	22	β	Aqr	21 30 47.8	− 5 38 08	2.91	G0 Ib	+ 6.7 0.1
206778	8308	8	ε	Peg	21 43 28.4	+ 9 48 29	2.39	K2 Ib	+ 5.2 0.2
212943	8551	35		Peg	22 27 07.5	+ 4 37 21	4.79	K0 III–IV	+ 54.3 0.3
213014					22 27 29.3	+17 11 21	7.70	gG8	− 39.7±0.0
213947					22 33 55.5	+26 31 22	7.53	K4 III	+ 16.7 0.3
222368	8969	17	ι	Psc	23 39 12.3	+ 5 32 52	4.13	F7 V	+ 5.3 0.2
223094					23 45 41.5	+28 37 23	7.45	K5 III	+ 19.6 0.3
223311	9014				23 47 47.8	− 6 27 40	6.07	gK4	− 20.4 0.1
223647	9032		γ¹	Oct	23 51 17.6	−82 05 58	5.11	G5 III	+ 13.8±0.4

* Radial velocity is now known to vary.

† BD 28°3402

NGC or IC	Right Ascension	Declination	Revised Morphological Type	T	L	Log D_{25}	Log R_{25}	B_T^w	$(B-V)_T$	$(U-B)_T$	V (km/sec)	V_0 (km/sec)
	h m	° '										
W–L–M	0 01.22	−15 32.7	IB(s)m	+10	8	2.01	0.39	11.27	0.40	−0.24	− 120	− 38
N7814	0 02.51	+16 03.9	SA(s)ab: sp	+ 2		1.80	0.38	11.49	0.90		+1047	+1249
N0045	0 13.33	−23 15.8	SA(s)dm	+ 8	8	1.91	0.15	11.11	0.69	−0.04	+ 468	+ 508
N0055	0 14.18	−39 16.2	SB(s)m: sp	+ 9		2.51	0.70	7.84			+ 131	+ 98
N0134	0 29.7	−33 20	SAB(s)bc	+ 4		1.91	0.50	11.05	0.88	+0.29	+1545	+1531
N0147	0 32.40	+48 25.5	E5p	− 5		2.11	0.20	10.24	0.94		− 263	− 11
N0185	0 38.15	+48 15.4	E3p	− 5		2.06	0.07	10.03	0.90		− 245	+ 4
N0205	0 39.58	+41 36.6	E5p	− 5		2.24	0.25	8.83	0.84		− 239	+ 1
N0221	0 41.91	+40 47.2	cE2	− 6		1.88	0.12	9.09	0.94	+0.47	− 217	+ 21
N0224	0 41.94	+41 11.4	SA(s)b	+ 3	2	3.25	0.45	4.37	0.91	+0.50	− 299	− 61
N0247	0 46.42	−20 50.4	SAB(s)d	+ 7	7	2.30	0.43	9.53	0.65		+ 150	+ 180
N0253	0 46.87	−25 22.1	SAB(s)c	+ 5	4	2.40	0.53	8.13	0.97		+ 249	+ 259
SMC	0 52.2	−72 54	SB(s)mp	+ 9	7	3.45	0.25	2.79	0.50		+ 150	− 30
N0300	0 54.20	−37 45.9	SA(s)d	+ 7	6	2.30	0.13	8.71			+ 145	+ 97
I1613	1 04.05	+ 2 02.4	IAB(s)m	+10	9	2.08	0.03	9.93	0.60		− 238	− 125
N0488	1 21.02	+ 5 10.9	SA(r)b	+ 3	1	1.72	0.11	11.15	0.86		+2180	+2292
N0578	1 29.78	−22 44.5	SAB(rs)c	+ 5	3	1.68	0.18	11.48	0.57	−0.14	+1696	+1689
N0598	1 33.05	+30 34.8	SA(s)cd	+ 6	4	2.79	0.20	6.27	0.55	−0.10	− 183	+ 2
N0613	1 33.62	−29 29.4	SB(rs)bc	+ 4	2	1.76	0.10	10.76	0.76	+0.15	+1500	+1462
N0628	1 35.92	+15 42.5	SA(s)c	+ 5	1	2.01	0.03	9.77	0.58		+ 655	+ 793
N0672	1 47.09	+27 21.7	SB(s)cd	+ 6	5	1.82	0.39	11.41	0.59	−0.11	+ 412	+ 578
N0772	1 58.54	+18 56.3	SA(s)b	+ 3	1	1.85	0.20	11.10	0.77		+2431	+2562
N0891	2 21.64	+42 16.9	SA(s)b? sp	+ 3		2.13	0.68	10.95	0.92	+0.27	+ 524	+ 706
N0908	2 22.41	−21 18.0	SA(s)c	+ 5	1	1.74	0.30	10.87	0.67		+1511	+1470
N0925	2 26.41	+33 30.9	SAB(s)d	+ 7	4	1.99	0.21	10.59	0.59		+ 560	+ 716
N0936	2 26.89	− 1 13.2	LB(rs)0+	− 1		1.72	0.08	11.11	0.96	+0.55	+1317	+1350
FORNX	2 39.31	−34 35.3	E0p	− 5		2.30	0.16	9.04			+ 53	− 51
N1023	2 39.50	+39 00.0	LB(rs)0−	− 3		1.94	0.42	10.38	1.00	+0.55	+ 614	+ 776
N1055	2 41.01	+ 0 22.8	SBb: sp	+ 3	4	1.88	0.40	11.42	0.85	+0.20	+1050	+1077
N1068	2 41.94	− 0 04.5	(R)SA(rs)b	+ 3		1.84	0.07	9.55	0.70	+0.08	+1109	+1134
N1073	2 42.92	+ 1 18.9	SB(rs)c	+ 5	3	1.69	0.03	11.50	0.53	−0.05	+1216	+1245
N1097	2 45.70	−30 20.2	SB(s)b	+ 3	2	1.97	0.15	10.21	1.00		+1320	+1227
N1232	3 09.10	−20 38.1	SAB(rs)c	+ 5	1	1.89	0.05	10.48	0.63		+1720	+1644
N1291	3 16.78	−41 10.7	(R)SB(s)0/a	0		2.02	0.06	9.45	0.93	+0.44	+ 824	+ 674
N1313	3 18.08	−66 33.0	SB(s)d	+ 7		1.93	0.11	9.77			+ 448	+ 241
N1300	3 19.03	−19 27.8	SB(rs)bc	+ 4	1	1.81	0.18	11.13	0.68	+0.13	+1502	+1422
N1316	3 22.14	−37 15.5	LAB(s)0p	− 2		1.85	0.11	9.75	0.90	+0.49	+1774	+1632
N1332	3 25.64	−21 23.1	L(s)0−: sp	− 3		1.66	0.42	11.25	0.90		+1564	+1471
N1365	3 33.06	−36 11.2	SB(s)b	+ 3	2	1.99	0.25	10.20	0.62	+0.05	+1649	+1502
N1380	3 35.89	−35 01.4	LA0	− 2		1.69	0.41	11.21			+1809	+1664
N1398	3 38.25	−26 23.0	(R')SB(r)ab	+ 2	1	1.82	0.10	10.62	0.95		+1419	+1299
N1433	3 41.56	−47 16.0	SB(r)a	+ 1		1.83	0.05	10.67	0.69	+0.23	+ 984	+ 802
N1448	3 44.05	−44 41.3	SAcd: sp	+ 6	5	1.91	0.65	11.38			+1182	+1005
I0342	3 45.40	+68 03.0	SAB(rs)cd	+ 6	2	2.25	0.01	9.16			+ 32	+ 228
I0356	4 06.26	+69 46.4	SA(s)abp	+ 2		1.72	0.11	11.43			+ 822	+1015

NGC or IC	Right Ascension	Declination	Revised Morphological Type	T	L	Log D_{25}	Log R_{25}	B_T^w	$(B-V)_T$	$(U-B)_T$	V (km/sec)	V_0 (km/sec)
	h m	° ′										
N1566	4 19.68	−54 58.4	SAB(s)bc	+ 4		1.88	0.09	10.23	0.85	0.00	+1394	+1178
N1617	4 31.34	−54 37.9	SB(s)a	+ 1		1.67	0.29	11.30	0.95	+0.42	+1000	+ 778
N1672	4 45.48	−59 16.4	SB(s)b	+ 3	2	1.68	0.09	11.02			+1309	+1076
N1808	5 07.21	−37 32.0	(R)SAB(s)a	+ 1		1.86	0.25	10.72	0.81	+0.30	+ 981	+ 769
LMC	5 23.7	−69 46	SB(s)m	+ 9	6	3.81	0.07	0.63	0.55		+ 260	+ 13
N2146	6 16.40	+78 21.8	SB(s)ab	+ 2		1.78	0.20	11.24	0.74		+ 838	+1028
N2217	6 21.08	−27 13.6	(R)LB(rs)0⁺	− 1		1.68	0.04	11.48	1.03	+0.54	+1476	+1243
N2336	7 24.59	+80 12.5	SAB(r)bc	+ 4	1	1.84	0.24	11.16	0.66		+2199	+2389
N2366	7 27.38	+69 14.8	IB(s)m	+10	8	1.88	0.33	11.46	0.55		+ 107	+ 252
N2403	7 35.47	+65 38.0	SAB(s)cd	+ 6	5	2.25	0.21	8.90	0.50		+ 131	+ 259
N2442	7 36.44	−69 29.8	SB(s)b	+ 3	2	1.78	0.04	11.12			+ 657	+ 384
HLMII	8 17.42	+70 45.7	Im	+10	8	1.88	0.09	11.11	0.52		+ 158	+ 305
N2613	8 32.74	−22 55.3	SA(s)b	+ 3	3	1.86	0.53	11.35	0.93	+0.36	+1712	+1444
N2683	8 51.78	+33 28.5	SA(rs)b	+ 3	4	1.97	0.57	10.61	0.89	+0.29	+ 284	+ 242
N2655	8 53.77	+78 16.7	SAB(s)0/a	0		1.71	0.07	10.95	0.86		+1445	+1623
N2775	9 09.57	+ 7 05.8	SA(r)ab	+ 2		1.65	0.10	11.20	0.87	+0.38	+1135	+ 965
N2768	9 10.50	+60 05.8	E6:	− 5		1.80	0.35	10.96	0.93		+1408	+1502
N2784	9 11.68	−24 06.7	LA(s)0:	− 2		1.71	0.35	11.35	1.15	+0.72	+ 708	+ 435
N2841	9 21.03	+51 02.2	SA(r)b:	+ 3	1	1.91	0.33	10.17	0.85	+0.41	+ 652	+ 700
N2903	9 31.35	+21 33.8	SAB(rs)bc	+ 4	2	2.10	0.28	9.56	0.64	+0.05	+ 569	+ 467
N2997	9 45.01	−31 07.4	SAB(rs)c	+ 5	1	1.91	0.10	10.36			+1089	+ 805
N2976	9 46.08	+67 59.1	SAcp	+ 5		1.69	0.29	10.86	0.70		+ 42	+ 175
N3031	9 54.42	+69 08.2	SA(s)ab	+ 2	2	2.41	0.26	7.86	0.93		− 44	+ 95
N3034	9 54.63	+69 44.8	I0 sp	0		2.05	0.39	9.28	0.87		+ 246	+ 388
N3079	10 00.98	+55 45.1	SB(s)c sp	+ 5	3	1.88	0.65	11.27	0.64		+1137	+1212
N3077	10 02.20	+68 48.2	I0p	0		1.66	0.10	10.67	0.80	+0.15	+ 10	+ 148
N3115	10 04.51	− 7 38.9	L0⁻sp	− 3		1.92	0.42	10.00	0.95	+0.57	+ 698	+ 476
LEO I	10 07.67	+12 22.8	E3	− 5		2.03	0.11	10.81	0.97			
N3166	10 13.00	+ 3 29.9	SAB(rs)0/a	0		1.72	0.29	11.50	0.91		+1381	+1203
N3169	10 13.47	+ 3 32.6	SA(s)ap	+ 1		1.68	0.18	11.30	0.80		+1229	+1051
N3184	10 17.41	+41 29.3	SAB(rs)cd	+ 6	3	1.84	0.01	10.40	0.65		+ 589	+ 593
N3198	10 19.04	+45 37.3	SB(rs)c	+ 5	3	1.92	0.35	10.92	0.54		+ 665	+ 691
I2574	10 27.29	+68 29.2	SAB(s)m	+ 9	8	2.09	0.32	10.84	0.47		+ 46	+ 185
N3338	10 41.37	+13 49.5	SA(s)c	+ 5	3	1.74	0.17	11.34	0.55		+1316	+1191
N3344	10 42.72	+24 59.9	(R)SAB(r)bc	+ 4	3	1.84	0.03	10.51	0.55		+ 585	+ 513
N3351	10 43.19	+11 46.9	SB(r)b	+ 3	3	1.87	0.16	10.54	0.79	+0.20	+ 807	+ 673
N3359	10 45.68	+63 18.0	SB(rs)c	+ 5	3	1.83	0.20	11.02	0.55		+1007	+1124
N3368	10 46.00	+11 53.9	SAB(rs)ab	+ 2		1.85	0.14	10.11	0.86	+0.27	+ 905	+ 773
N3379	10 47.07	+12 39.6	E1	− 5		1.65	0.05	10.20	0.94	+0.52	+ 885	+ 756
N3384	10 47.52	+12 42.4	LB(s)0⁻:	− 3		1.77	0.35	10.91	0.91	+0.46	+ 770	+ 642
N3486	10 59.64	+29 03.2	SAB(r)c	+ 5	3	1.84	0.11	10.93	0.52		+ 720	+ 674
N3521	11 05.08	+ 0 02.7	SAB(rs)bc	+ 4	3	1.98	0.28	9.99	0.84		+ 815	+ 640
N3556	11 10.68	+55 45.1	SB(s)cd sp	+ 6		1.92	0.52	10.71	0.61	−0.01	+ 685	+ 772
N3623	11 18.16	+13 10.2	SAB(rs)a	+ 1	3	2.00	0.48	10.24	0.90	+0.41	+ 780	+ 666
N3627	11 19.49	+13 04.1	SAB(s)b	+ 3	3	1.94	0.30	9.74	0.70	+0.22	+ 697	+ 583

NGC or IC	Right Ascension	Declination	Revised Morphological Type	T	L	Log D_{25}	Log R_{25}	B_T^w	$(B-V)_T$	$(U-B)_T$	V (km/sec)	V_0 (km/sec)
	h m	° ′										
N3628	11 19.51	+13 40.4	Sbp sp	+ 3		2.17	0.61	10.31	0.80		+ 839	+ 728
N3631	11 20.23	+53 15.0	SA(s)c	+ 5	1	1.66	0.05	11.04	0.60		+1167	+1245
N3675	11 25.35	+43 40.0	SA(s)b	+ 3	3	1.77	0.26	11.09			+ 701	+ 735
N3718	11 31.78	+53 08.9	SB(s)ap	+ 1		1.94	0.29	11.21	0.73		+1014	+1095
N3726	11 32.56	+47 06.6	SAB(r)c	+ 5	2	1.78	0.13	10.95	0.51		+ 765	+ 818
N3938	11 52.07	+44 12.2	SA(s)c	+ 5	1	1.73	0.04	10.90	0.52		+ 792	+ 838
N3945	11 52.47	+60 45.5	LB(rs)0⁺	− 1		1.74	0.18	11.44	0.92		+1220	+1340
N3953	11 53.07	+52 24.7	SB(r)bc	+ 4	1	1.82	0.26	10.81	0.70		+ 959	+1043
N3992	11 56.85	+53 27.4	SB(rs)bc	+ 4	1	1.88	0.19	10.64	0.79		+1059	+1149
N4036	12 00.71	+61 58.6	L0⁻	− 3		1.65	0.34	11.48	0.90	+0.55	+1382	+1510
N4051	12 02.42	+44 36.8	SAB(rs)bc	+ 4	3	1.70	0.10	10.93	0.67	0.00	+ 674	+ 726
N4088	12 04.85	+50 37.3	SAB(rs)bc	+ 4	2	1.76	0.36	11.14	0.60		+ 742	+ 822
N4096	12 05.29	+47 33.5	SAB(rs)c	+ 5	3	1.81	0.50	11.13	0.44		+ 494	+ 561
N4125	12 07.35	+65 15.5	E6p	− 5		1.71	0.20	10.73	0.88		+1339	+1482
N4151	12 09.79	+39 29.1	(R′)SAB(rs)ab:	+ 2		1.77	0.13	11.12	0.75	0.00	+ 970	+1002
N4192	12 13.07	+14 59.0	SAB(s)ab	+ 2	2	1.98	0.48	10.91	0.79		− 129	− 206
N4214	12 14.92	+36 24.7	IAB(s)m	+10	6	1.90	0.10	10.22	0.46	−0.30	+ 289	+ 309
N4216	12 15.16	+13 13.6	SAB(s)b:	+ 3	3	1.92	0.58	10.97	0.99	+0.55	+ 15	− 69
N4236	12 16.00	+69 33.2	SB(s)dm	+ 8	7	2.27	0.43	10.09	0.40		− 1	+ 160
N4244	12 16.77	+37 53.4	SA(s)cd: sp	+ 6	7	2.21	0.81	10.60	0.44		+ 242	+ 270
N4254	12 18.09	+14 29.9	SA(s)c	+ 5	1	1.73	0.05	10.43	0.58	−0.02	+2400	+2324
N4258	12 18.24	+47 23.2	SAB(s)bc	+ 4		2.26	0.36	9.01	0.68		+ 465	+ 537
N4274	12 19.11	+29 41.5	(R)SB(r)ab	+ 2	4	1.84	0.39	11.30	0.93	+0.41	+ 722	+ 715
N4293	12 20.49	+18 27.9	(R)SB(s)0/a	0		1.78	0.31	11.22			+ 882	+ 825
N4303	12 21.17	+ 4 33.3	SAB(rs)bc	+ 4	1	1.78	0.04	10.17	0.54		+1599	+1483
N4314	12 21.83	+29 58.3	SB(rs)a	+ 1		1.68	0.05	11.32	0.84	+0.30	+ 883	+ 879
N4321	12 22.18	+15 54.2	SAB(s)bc	+ 4	1	1.84	0.05	10.11	0.73		+1610	+1543
N4365	12 23.74	+ 7 23.9	E3	− 5		1.79	0.13	10.51			+1177	+1074
N4374	12 24.32	+12 58.0	E1	− 5		1.70	0.06	10.26	0.97	+0.58	+ 933	+ 854
N4382	12 24.67	+18 16.2	LA(s)0⁺p	− 1		1.85	0.13	10.09	0.88		+ 773	+ 718
N4395	12 25.09	+33 37.7	SA(s)m:	+ 9	8	2.11	0.07	10.39	0.54		+ 294	+ 307
N4406	12 25.46	+13 01.6	E3	− 5		1.87	0.13	10.07	0.93	+0.52	− 341	− 419
N4429	12 26.70	+11 11.3	LA(r)0⁺	− 1		1.74	0.33	11.15	0.94	+0.54	+1114	+1029
N4438	12 27.03	+13 05.3	SA(s)0/ap:	0		1.97	0.38	10.91	0.83		+ 259	+ 182
N4442	12 27.33	+ 9 52.9	LB(s)0	− 2		1.66	0.37	11.40	0.92	+0.55	+ 580	+ 490
N4449	12 27.51	+44 10.5	IBm	+10	5	1.71	0.14	9.94	0.41	−0.30	+ 200	+ 262
N4450	12 27.76	+17 09.9	SA(s)ab	+ 2		1.68	0.14	10.93	0.82		+2048	+1990
N4472	12 29.05	+ 8 04.9	E2	− 5		1.95	0.08	9.30	0.94		+ 914	+ 817
N4473	12 29.08	+13 30.6	E5	− 5		1.65	0.24	11.07	0.88	+0.53	+2279	+2205
N4490	12 29.89	+41 43.1	SB(s)dp	+ 7	5	1.77	0.28	10.24	0.44	−0.18	+ 577	+ 629
N4486	12 30.09	+12 28.3	E⁺0–1p	− 4		1.86	0.03	9.58	0.94	+0.57	+1257	+1180
N4494	12 30.68	+25 51.3	E1–2	− 5		1.68	0.10	10.73	0.89	+0.48	+1307	+1289
N4501	12 31.25	+14 29.9	SA(rs)b	+ 3	1	1.84	0.25	10.27	0.75	+0.25	+2057	+1989
N4517	12 32.02	+ 0 11.6	SA(s)cd: sp	+ 6		2.01	0.73	11.20	0.73		+1128	+1001
N4526	12 33.31	+ 7 46.8	LAB(s)0:	− 2		1.86	0.49	10.61	0.94	+0.54	+ 450	+ 355

NGC or IC	Right Ascension	Declination	Revised Morphological Type	T	L	Log D_{25}	Log R_{25}	B_T^w	$(B-V_T)$	$(U-B_T)$	V (km/sec)	V_0 (km/sec)
	h m	° ′										
N4527	12 33.40	+ 2 44.0	SAB(s)bc	+ 4	3	1.80	0.44	11.33	0.88		+1730	+1614
N4535	12 33.60	+ 8 16.9	SAB(s)c	+ 5	1	1.83	0.13	10.52	0.70		+1946	+1853
N4536	12 33.72	+ 2 16.0	SAB(rs)bc	+ 4	3	1.87	0.33	11.01	0.60		+1927	+1810
N4548	12 34.71	+14 34.7	SB(rs)b	+ 3		1.73	0.09	10.98	0.79	+0.30	+ 468	+ 403
N4559	12 35.25	+28 02.4	SAB(rs)cd	+ 6	4	2.02	0.33	10.34	0.45		+ 807	+ 802
N4565	12 35.62	+26 03.9	SA(s)b? sp	+ 3	1	2.21	0.77	10.33	0.83		+1136	+1122
N4569	12 36.10	+13 14.7	SAB(rs)ab	+ 2		1.98	0.31	10.25	0.75	+0.30	− 312	− 382
N4579	12 36.99	+11 53.9	SAB(rs)b	+ 3		1.73	0.09	10.56	0.83	+0.32	+1805	+1730
N4594	12 39.23	−11 32.7	SA(s)a sp	+ 1		1.95	0.34	9.29	0.97		+1128	+ 963
N4605	12 39.35	+61 41.4	SB(s)cp	+ 5		1.74	0.38	10.95			+ 148	+ 286
N4621	12 41.31	+11 43.5	E5	− 5		1.71	0.18	10.80	0.96		+ 414	+ 341
N4631	12 41.41	+32 37.1	SB(s)d sp	+ 7	5	2.18	0.66	9.81	0.54		+ 620	+ 638
N4636	12 42.10	+ 2 46.0	E0-1	− 5		1.79	0.09	10.48	0.94	+0.50	+ 979	+ 869
N4649	12 42.94	+11 37.8	E2	− 5		1.86	0.07	9.82	1.00		+1200	+1128
N4654	12 43.23	+13 12.3	SAB(rs)cd	+ 6	3	1.67	0.20	11.14	0.64	−0.07	+1036	+ 970
N4656	12 43.26	+32 14.8	SB(s)mp	+ 9	7	2.14	0.62	10.86	0.43		+ 645	+ 662
N4697	12 47.85	− 5 43.3	E6	− 5		1.78	0.20	10.20	0.93	+0.39	+1308	+1170
N4725	12 49.74	+25 34.9	SAB(r)abp	+ 2	1	2.04	0.14	9.99	0.74		+1138	+1131
N4736	12 50.20	+41 12.0	(R)SA(r)ab	+ 2	3	2.04	0.08	8.90	0.75	+0.16	+ 269	+ 329
N4754	12 51.56	+11 23.5	LB(r)0⁻:	− 3		1.67	0.26	11.46	0.95	+0.50	+1461	+1393
N4753	12 51.62	− 1 07.3	I0	0		1.73	0.27	10.82	0.95	+0.48	+1255	+1137
N4762	12 52.20	+11 18.5	LB(r)0? sp	− 2		1.94	0.73	11.19	0.90	+0.40	+ 945	+ 878
N4826	12 56.02	+21 45.6	(R)SA(rs)ab	+ 2		1.97	0.24	9.37	0.84	+0.21	+ 397	+ 377
N4856	12 58.57	−14 57.8	SB(s)0/a	0		1.66	0.46	11.48	0.97		+1251	+1088
N4945	13 04.60	−49 23.4	SB(s)cd: sp	+ 6		2.30	0.66	9.63			+ 594	+ 356
N5005	13 10.26	+37 08.1	SAB(rs)bc	+ 4	3	1.73	0.30	10.68	0.82	+0.30	+1015	+1069
N5033	13 12.78	+36 40.5	SA(s)c	+ 5	2	2.02	0.27	10.63	0.54		+ 907	+ 961
N5055	13 15.18	+42 06.6	SA(rs)bc	+ 4	3	2.09	0.21	9.36	0.73		+ 509	+ 587
N5102	13 21.14	−36 33.2	LA0⁻	− 3		1.97	0.43	10.30	0.70	+0.27	+ 454	+ 247
N5128	13 24.61	−42 56.6	L0p	− 2		2.26	0.10	7.83	0.98		+ 541	+ 323
N5194	13 29.26	+47 16.3	SA(s)bcp	+ 4	1	2.04	0.15	9.00	0.60		+ 460	+ 565
N5195	13 29.37	+47 20.8	I0p	0		1.73	0.10	10.52	0.90	+0.40	+ 552	+ 658
N5236	13 36.17	−29 47.7	SAB(s)c	+ 5	2	2.05	0.04	8.21			+ 518	+ 337
N5248	13 36.82	+ 8 57.7	SAB(rs)bc	+ 4	1	1.81	0.12	10.67	0.63	0.00	+1146	+1102
N5247	13 37.27	−17 48.6	SA(s)bc	+ 4	2	1.73	0.06	11.13	0.59	−0.10	+1655	+1511
N5322	13 48.78	+60 15.8	E3-4	− 5		1.74	0.15	10.86	0.88	+0.44	+1902	+2061
N5364	13 55.48	+ 5 05.2	SA(rs)bcp	+ 4	1	1.85	0.15	11.05	0.65		+1393	+1349
N5457	14 02.72	+54 25.4	SAB(rs)cd	+ 6	1	2.43	0.01	8.16	0.46		+ 241	+ 388
N5474	14 04.52	+53 43.9	SA(s)cdp	+ 6	7	1.65	0.03	11.31	0.50		+ 270	+ 416
N5585	14 19.33	+56 47.8	SAB(s)d	+ 7	7	1.74	0.17	11.37	0.50		+ 300	+ 462
N5566	14 19.61	+ 3 59.9	SB(r)ab	+ 2	4	1.81	0.43	11.43	0.86	+0.42	+1518	+1489
N5643	14 31.76	−44 06.6	SAB(rs)c	+ 5	5	1.66	0.05	10.84			+1142	+ 962
N5866	15 06.09	+55 49.1	LA0⁺ sp	− 1		1.72	0.35	10.96	0.85	+0.40	+ 692	+ 874
N5907	15 15.53	+56 22.6	SA(s)c: sp	+ 5	3	2.09	0.84	11.15	0.77		+ 592	+ 780
N5921	15 21.22	+ 5 07.3	SB(r)bc	+ 4	2	1.69	0.07	11.47	0.63	+0.02	+1475	+1503

NGC or IC	Right Ascension	Declination	Revised Morphological Type	T	L	Log D_{25}	Log R_{25}	B^w_T	$(B-V)_T$	$(U-B)_T$	V (km/sec)	V_0 (km/sec)
	h m	° ′										
N6300	17 15.61	−62 48.3	SB(r)b	+ 3		1.73	0.18	11.13			+1140	+ 988
N6384	17 31.70	+ 7 04.3	SAB(r)bc	+ 4	1	1.78	0.15	11.32	0.73		+1660	+1801
N6503	17 49.59	+70 09.0	SA(s)cd	+ 6	5	1.79	0.42	10.94	0.67	+0.05	+ 62	+ 315
N6744	19 08.40	−63 52.9	SAB(r)bc	+ 4	3	2.19	0.18	9.26			+ 644	+ 519
N6822	19 44.13	−14 50.5	IB(s)m	+10	8	2.01	0.03	9.31			− 56	+ 65
N6946	20 34.55	+60 06.4	SAB(rs)cd	+ 6	1	2.04	0.05	9.68	0.80		+ 46	+ 338
N7331	22 36.42	+34 20.6	SA(s)bc	+ 4	2	2.03	0.43	10.39	0.84	+0.25	+ 826	+1105
N7410	22 54.19	−39 44.3	SB(s)a	+ 1		1.74	0.43	11.40	0.92	+0.49	+1638	+1634
I5267	22 56.40	−43 28.5	LA(rs)0:	− 2		1.70	0.09	11.35	0.93	+0.30	+1715	+1691
N7424	22 56.48	−41 09.0	SAB(rs)cd	+ 6	3	1.88	0.05	10.99			+ 862	+ 850
N7582	23 17.60	−42 27.0	(R′)SB(s)ab	+ 2		1.66	0.32	11.47	0.77	+0.16	+1452	+1427
N7640	23 21.42	+40 45.9	SB(s)c	+ 5	3	2.03	0.63	11.44	0.54		+ 369	+ 642
I5332	23 33.69	−36 10.8	SA(s)d	+ 7		1.82	0.11	11.25	0.66	−0.10	+ 702	+ 701
N7793	23 57.09	−32 40.2	SA(s)d	+ 7	6	1.96	0.14	9.64	0.59	−0.10	+ 209	+ 214

```
W-L-M   = A2359-15 = Wolf-Lundmark-Melotte neb. = DDO 221
SMC     = A0051-73 = Small Magellanic Cloud
FORNX   = A0237-34 = Fornax System
LMC     = A0524-69 = Large Magellanic Cloud
HLMII   = A0813+70 = Holmberg II = DDO 50
LEO I   = A1005+12 = Regulus System = DDO 74

NGC  224 = M31    = Andromeda Nebula
NGC  221 = M32
NGC  598 = M33    = Triangulum Nebula
NGC 5194 = M51    = Whirlpool Nebula
NGC 5457 = M101   = Pinwheel Nebula
NGC 4594 = M104   = Sombrero Nebula
NGC 5128          = Centaurus A
```

IAU Desig.	Name	R. A.	Dec.	Ang. Diam.	Dist.	Trumpler Class	Tot. Mag.	Spec-trum	Mag.*	Log age	Log Fe/H	A_V
		h m	° ′	′	pc							
C0001−302	Blanco 1	0 03.5	−30 01	70	250	IV 3 m		B5	8	7.70		0.30
C0022+610	N0103	0 24.5	+61 16	5	3000	II 1 m	5.8	B3	11	7.58		1.68
C0027+599	N0129	0 29.1	+60 09	12	1600	III 2 m	9.8	B3	11	8.18		1.83
C0029+628	King 14	0 31.0	+63 05	7	2600	III 1 p		B2	10	7.20		1.71
C0036+608	N0189	0 38.8	+61 00	5	1080	III 1 p	11.1	A0		7.30		1.68
C0039+850	N0188	0 42.9	+85 16	15	1550	I 2 r	9.3	F2	10	9.70	−0.06	0.15
C0040+615	N0225	0 42.6	+61 43	15	630	III 1 p	8.9	A2		8.15		0.87
C0112+585	N0436	1 14.7	+58 44	5	2200	I 2 m	9.3	B5	10	7.90		0.47
C0115+580	N0457	1 18.1	+58 15	20	2800	II 3 r	5.1	B2	6	7.40		1.47
C0126+630	N0559	1 28.5	+63 14	7	900	I 1 m	7.4		9	9.10	−1.00	2.81
C0129+604	N0581	1 32.3	+60 38	6	2600	II 2 m	6.9	B2	9	7.35		1.20
C0132+610	Tr 1	1 34.7	+61 13	3	2200	II 2 p	8.9	B2	10	7.41		1.35
C0140+616	N0654	1 43.1	+61 49	6	1600	II 2 r	8.2	B0	10	7.18		2.67
C0140+604	N0659	1 43.2	+60 38	6	2100	I 2 m	7.2	B0	10	7.30		1.82
C0142+610	N0663	1 45.0	+61 11	15	2200	II 3 r	6.4	B1	9	7.35		2.43
C0149+615	I0166	1 51.5	+61 46	8	3300	II 1 r			17	9.20		2.40
C0154+374	N0752	1 56.9	+37 36	75	400	II 2 r	6.6	F0	8	9.04	0.00	0.09
C0155+552	N0744	1 57.5	+55 24	5	1500	III 1 p	7.8	B7	10	7.59		1.20
C0211+590	Stock 2	2 13.9	+59 12	45	320	I 2 m		B8		8.00		1.32
C0215+569	N0869	2 18.0	+57 05	18	2200	I 3 r	4.3	B1	7	6.75		1.68
C0218+568	N0884	2 21.4	+57 03	18	2300	I 3 r	4.4	B1	7	6.50		1.68
C0228+612	I1805	2 31.6	+61 23	20	2100	II 3 m	4.8	O6	9	6.12		2.55
C0233+557	Tr 2	2 36.2	+55 55	17	600	II 2 p	9.0	B9		7.89		0.96
C0238+613	N1027	2 41.6	+61 29	15	1000	II 3 m	7.4	B3	9	8.54		1.02
C0238+425	N1039	2 41.1	+42 43	25	440	II 3 r	5.8	B8	9	8.29		0.15
C0247+602	I1848	2 50.0	+60 23	18	2200	I 3 p	7.0	O7		6.00		1.98
C0311+470	N1245	3 13.7	+47 12	10	2300	II 2 r	7.7	B9	12	9.04	+0.06	0.84
C0318+484	Mel 20	3 21.0	+48 34	300	170	III 3 m	2.3	B1	3	7.71		0.30
C0328+371	N1342	3 30.7	+37 17	17	550	III 2 m	7.2	A1	8	8.48	−0.41	0.84
C0344+239	Pleiades	3 46.1	+24 05	120	125	I 3 r	1.5	B5	3	7.89		0.18
C0403+622	N1502	4 06.4	+62 18	20	950	I 3 m	4.1	B0	7	7.30		2.22
C0411+511	N1528	4 14.3	+51 12	18	800	II 2 m	6.4	B8	10	8.43		0.90
C0417+501	N1545	4 19.8	+50 13	12	800	IV 2 p	4.6	B8	9	8.29		1.08
C0424+157	Hyades	4 26.0	+15 50	330	40	II 3 m	0.8	A2	4	8.82	+0.20	0.00
C0443+189	N1647	4 45.2	+19 03	40	550	II 2 r	6.2	B7	9	8.33		1.17
C0445+108	N1662	4 47.7	+10 55	12	400	II 3 m	8.0	A0	9	8.48	−0.18	1.02
C0447+436	N1664	4 50.0	+43 41	18	1200	III 1 p	7.2	A0	10	8.48		0.75
C0504+369	N1778	5 07.1	+37 02	8	1350	III 2 p	8.5	B6		8.20		0.99
C0509+166	N1817	5 11.2	+16 41	20	1750	IV 2 r	7.8	A0	9	8.90	+0.02	1.05
C0518−685	N1901	5 17.8	−68 28	40	300	III 3 m				8.70		0.18
C0519+333	N1893	5 21.7	+33 23	25	4000	II 3 r	7.8			6.00		1.68
C0524+352	N1907	5 27.1	+35 19	5	1380	I 1 m	10.2	B3	11	8.64	−0.18	1.41
C0525+358	N1912	5 27.7	+35 50	15	1320	II 2 r	6.8	B5	8	8.35	−0.50	0.72
C0532+341	N1960	5 35.2	+34 07	10	1270	I 3 r	6.5	B3	9	7.40		0.66
C0532−054	Trapez	5 34.6	− 5 24	48	450			O6		7.40		

*Magnitude of brightest cluster number.

IAU Desig.	Name	R. A.		Dec.		Ang. Diam.	Dist.	Trumpler Class	Tot. Mag.	Spectrum	Mag.*	Log age	Log Fe/H	A_v
		h	m	°	′	′	pc							
C0546+336	King 8	5	48.4	+33	38	4	4150	II 2 m		B0	15	9.10		2.58
C0549+325	N2099	5	51.4	+32	33	15	1350	I 2 r	6.2	B9	11	8.48	−0.07	1.02
C0600+104	N2141	6	02.3	+10	26	10	4400	I 2 r	10.8		15	9.60	−0.54	
C0604+241	N2158	6	06.6	+24	06	5	4900	II 3 r	12.1	F0	15	9.51	−0.64	1.29
C0605+139	N2169	6	07.6	+13	58	6	1100	III 3 m	7.0	B1		7.70		0.39
C0605+243	N2168	6	08.0	+24	21	25	870	III 3 r	5.6	B4	8	8.03		0.69
C0606+203	N2175	6	08.9	+20	20	22	1950	III 3 r	6.8	O6	8	6.00		1.20
C0611+128	N2194	6	13.0	+12	48	9	1600	II 2 r	10.0		13	8.90		
C0613−186	N2204	6	15.1	−18	39	10	4450	II 2 r	9.3		13	9.48	−0.38	
C0624−047	N2232	6	25.9	− 4	44	45	400	III 2 p	4.2	B3		7.35		0.03
C0627−312	N2243	6	29.2	−31	16	5	4600	I 2 r	10.5			9.59	−0.54	0.03
C0629+049	N2244	6	31.6	+ 4	52	30	1700	II 3 r	5.2	O5	7	6.48		1.41
C0634+094	Tr 5	6	35.9	+ 9	27	15	2400	III 1 r	10.9		17	9.10		2.10
C0638+099	N2264	6	40.3	+ 9	54	40	750	III 3 m	4.1	O8	5	7.30	−0.15	0.21
C0644−206	N2287	6	46.4	−20	43	40	700	I 3 r	5.0	B5	8	8.29	−0.02	0.00
C0645+411	N2281	6	48.3	+41	05	25	500	I 3 m	7.2	A0	8	8.48	−0.02	0.27
C0649+005	N2301	6	51.0	+ 0	29	15	750	I 3 r	6.3	B	8	8.03		0.13
C0700−082	N2323	7	02.5	− 8	19	15	910	II 3 r	7.2	B8	9	7.89		0.93
C0701+011	N2324	7	03.4	+ 1	05	8	2900	II 2 r	7.9	B9	12	8.82	−0.39	0.18
C0704−100	N2335	7	05.9	−10	03	7	1000	III 2 m	9.3	B9	10	8.20		1.20
C0705−105	N2343	7	07.6	−10	37	6	1000	II 2 p	7.5	A0	8	8.00		0.60
C0706−130	N2345	7	07.6	−13	08	12	1800	II 3 r	8.1	A2	9	7.90		1.80
C0712−102	N2353	7	13.9	−10	17	18	1100	III 3 p	5.2	B0	9	7.10		0.30
C0712−256	N2354	7	13.7	−25	43	18	1850	III 2 r	8.9			8.26		0.42
C0715−155	N2360	7	17.1	−15	36	14	1630	I 3 r	9.1	B8		9.11	−0.12	0.21
C0716−248	N2362	7	18.2	−24	55	6	1550	I 3 r	3.8	O8	8	7.40		0.36
C0717−130	Haf 6	7	19.4	−13	06	7	1100	IV 2 r			16	8.90		0.00
C0722−321	Cr 140	7	23.4	−32	10	30	300	III 3 m	4.2	B3		7.35	−0.10	0.00
C0724−476	Mel 66	7	25.9	−47	42	15	2500	II 1 r	10.7	A0		9.80	−0.49	0.51
C0734−205	N2421	7	35.6	−20	35	8	1900	I 2 r	9.0		11	7.40		1.41
C0734−143	N2422	7	35.9	−14	28	25	480	I 3 m	4.3	B3	5	7.89		0.24
C0734−137	N2423	7	36.4	−13	50	12	870	II 2 m	7.0	B5		8.55	+0.20	0.39
C0735−119	Mel 71	7	36.9	−12	02	8	2800	II 2 r	9.0			8.62	−0.37	0.00
C0735+216	N2420	7	37.6	+21	36	6	2500	I 1 r	10.0		11	9.60	−0.39	0.00
C0738−315	N2439	7	40.3	−31	37	9	1610	II 3 r	7.1	B1	9	7.82		0.75
C0739−147	N2437	7	41.1	−14	47	20	1660	II 2 r	6.6	B9	10	8.48		0.18
C0742−237	N2447	7	44.0	−23	50	10	1100	I 3 r	6.5	B9	9	7.99		0.18
C0743−378	N2451	7	44.9	−37	56	50	260	II 2 m	3.7	B7	6	7.56		0.15
C0750−384	N2477	7	51.8	−38	31	20	1300	I 2 r	5.7		12	8.85	+0.10	0.90
C0752−241	N2482	7	54.3	−24	16	10	800	IV 1 m	8.8			8.60	+0.20	0.12
C0754−299	N2489	7	55.6	−30	02	5	1200	I 2 m	9.3	B8	11	8.38		1.08
C0757−607	N2516	7	58.1	−60	50	22	400	I 3 r	3.3	B3	7	8.03		0.30
C0757−106	N2506	7	59.5	−10	45	12	2200	I 2 r	8.9		11	9.60	−0.54	0.30
C0805−297	N2533	8	06.4	−29	51	6	1700	II 2 r	10.0			8.26		0.78
C0808−126	N2539	8	10.1	−12	47	15	1280	III 2 m	8.0	A0	9	8.82		0.33

*Magnitude of brightest cluster number.

IAU Desig.	Name	R. A.	Dec.	Ang. Diam.	Dist.	Trumpler Class	Tot. Mag.	Spec-trum	Mag.*	Log age	Log Fe/H	A_V
		h m	° '	'	pc							
C0809−491	N2547	8 10.2	−49 13	25	400	I 3 r	5.0	B3	7	7.87		0.09
C0810−374	N2546	8 11.9	−37 35	70	1000	III 2 m	5.2	B0	7	7.62		0.33
C0811−056	N2548	8 13.1	− 5 45	30	610	I 3 r	5.5	A0	8	8.48		0.18
C0816−295	N2571	8 18.3	−29 42	7	2100	II 3 m	7.4	B8		7.35		0.93
C0837+201	Praesepe	8 39.2	+20 02	70	160	II 3 m	3.9	A0	6	8.82	+0.08	0.00
C0838−528	I2391	8 39.8	−53 01	60	180	II 3 m	2.6	B5	4	7.56		0.12
C0839−480	I2395	8 40.6	−48 09	17	850	II 3 m	4.6	B5		7.20		0.39
C0840−469	N2660	8 41.8	−47 06	3	2100	I 1 r	10.8		13	9.20	+0.08	1.11
C0843−527	N2669	8 44.4	−52 55	20	1000	III 3 m	6.0	B9		7.80		0.57
C0846−423	Tr 10	8 47.3	−42 26	30	420	II 3 m	5.0	B3		7.67		0.15
C0847+120	N2682	8 49.6	+11 52	25	800	II 3 r	7.4	B8	9	9.51	+0.01	0.18
C1001−598	N3114	10 02.2	−60 02	35	900	II 3 r	4.5	B9	9	8.03	−0.07	0.03
C1025−573	I2581	10 26.8	−57 34	5	1660	II 2 p	5.3	B0		7.00		1.29
C1033−579	N3293	10 35.3	−58 09	6	2600	I 3 r	6.2	B0	8	7.00		0.90
C1040−588	Boc 10	10 41.7	−59 04	20		II 3 m				7.40		
C1041−597	Cr 228	10 42.5	−59 56	15	2600		4.9			6.00		1.50
C1041−641	I2602	10 42.7	−64 19	100	150	I 3 r	1.6	B0	3	7.56		0.12
C1041−593	Tr 14	10 43.4	−59 29	5	1660		6.8	O		7.00		1.56
C1042−591	Tr 15	10 44.2	−59 17	15	1500	III 2 p	9.0	O		6.78		1.59
C1043−594	Tr 16	10 44.6	−59 38	10	1700		6.7	O5		7.00		1.47
C1057−600	N3496	10 59.3	−60 15	7	1100	II 1 r	9.2			8.36		1.53
C1104−584	N3532	11 05.8	−58 36	50	410	II 3 r	3.4	B5	8	8.43		0.00
C1108−599	N3572	11 09.8	−60 10	7	2300	II 3 m	4.5	B0	7	7.10		1.50
C1109−600	Cr 240	11 10.6	−60 13	20		III 2 m		B2		6.00		
C1109−604	Tr 18	11 10.8	−60 36	6	2500	II 3 m	8.2	B2		7.40		1.05
C1115−624	I2714	11 17.2	−62 38	15	1200	II 2 r	8.2		10	8.30		1.35
C1117−632	Mel 105	11 18.8	−63 26	5	2100	I 2 r	9.4			7.77		1.14
C1123−429	N3680	11 25.0	−43 10	7	800	I 2 m	8.6		10	9.26	−0.06	0.12
C1133−613	N3766	11 35.5	−61 32	15	1700	I 3 r	4.6	B0	8	7.35		0.54
C1134−627	I2944	11 36.0	−62 57	35	2100	III 3 m	2.8	O6		7.00		1.05
C1148−554	N3960	11 50.2	−55 37	7		I 2 m	8.8			9.00	−0.39	
C1159−629	N4052	12 01.1	−63 07	10	1900	III 2 r	8.8	B3		8.14		0.90
C1204−609	N4103	12 05.9	−61 10	6	1200	I 2 m	7.4	B	10	7.35		0.84
C1221−616	N4349	12 23.7	−61 49	4	1700	II 2 m	8.0	B8	11	8.35		0.72
C1222+263	Coma Ber	12 24.4	+26 11	120	80	III 3 r	2.9	A0	5	8.60	−0.15	0.00
C1232+365	Upgren 1	12 34.3	+36 23	18	140	IV 2 p		F3				0.25
C1239−627	N4609	12 41.5	−62 54	6	1510	II 2 m	4.5	B4	10	7.56		0.90
C1250−600	κ Cru	12 52.7	−60 16	10	2340	I 3 r	5.2	B3	7	6.85		0.93
C1315−623	Stock 16	13 18.1	−62 29	20	2300	III 3 p		O6	10	7.45		1.59
C1327−606	N5168	13 30.3	−60 52	4	1400	I 2 m	11.5	O6		8.20		1.08
C1343−626	N5281	13 45.6	−62 50	8	1300	I 3 m	8.2	O6	10	7.71		0.78
C1350−616	N5316	13 52.9	−61 47	15	1120	II 2 r	8.8	B8	11	8.29	−0.07	0.54
C1404−480	N5460	14 06.7	−48 15	35	500	I 3 m	6.1	B8	9	8.03		0.42
C1420−611	Lyngå 2	14 23.0	−61 20	10	1100	II 3 m		B		7.50		0.57
C1424−594	N5606	14 26.7	−59 35	3	1700	I 3 p	10.0	O6		7.10		1.38

*Magnitude of brightest cluster number.

IAU Desig.	Name	R. A.	Dec.	Ang. Diam.	Dist.	Trumpler Class	Tot. Mag.	Spectrum	Mag.*	Log age	Log Fe/H	A_v
		h m	° ′	′	pc							
C1426−605	N5617	14 28.7	−60 39	10	1200	I 3 r	8.5	B3	10	7.66	−0.25	1.53
C1431−563	N5662	14 34.2	−56 29	30		II 3 r	7.7	B8	10	7.80		
C1440+697	Ursa Maj	14 40.7	+69 38		20			A0	2	8.21		0.00
C1445−543	N5749	14 47.9	−54 28	10	900	II 2 m	8.8	B8		7.96		1.23
C1501−541	N5822	15 04.1	−54 17	35	550	II 2 r	6.5	B9	10	8.95	−0.06	0.42
C1502−554	N5823	15 04.6	−55 32	12	700	II 2 r	8.6	F0	13	8.30	−0.30	0.81
C1559−603	N6025	16 02.4	−60 28	15	840	II 3 r	6.0	B3	7	8.03		0.00
C1601−517	Lyngå 6	16 03.7	−51 53	5	1600			B		7.60		3.06
C1603−539	N6031	16 06.5	−54 02	3	3200	I 3 p	12.2	B3		7.34		1.29
C1609−540	N6067	16 12.1	−54 10	15	2100	I 3 r	6.5	B2	10	7.89	−0.13	1.11
C1614−577	N6087	16 17.6	−57 52	15	900	II 2 m	6.0	B5	8	7.74		0.39
C1622−405	N6124	16 24.6	−40 38	40	490	I 3 r	6.3	B8	9	7.71		2.16
C1623−261	Antares	16 25.2	−26 12	505		III 3 p	1.0					
C1624−490	N6134	16 26.7	−49 07	7	790	II 3 m	8.8	B8	11	8.80	+0.14	1.35
C1637−486	N6193	16 40.2	−48 44	15	1350	II 3 p	5.4	O7		6.00		1.56
C1642−469	N6204	16 45.4	−47 00	6	2600	I 3 m	8.4	O6		7.13		1.53
C1645−537	N6208	16 48.3	−53 48	18	1000	III 2 r	9.5			9.00		0.54
C1650−417	N6231	16 53.0	−41 46	15	1800	I 3 p	3.4	O9	6	6.50		1.26
C1652−394	N6242	16 54.6	−39 28	9	1200	I 3 m	8.2	B5		7.71		1.17
C1654−457	N6250	16 56.9	−45 55	10	1020	II 3 r	8.0	B8		7.15		
C1657−446	N6259	16 59.7	−44 39	15	770	II 2 r	8.6	F8	11	8.35	+0.21	1.95
C1714−429	N6322	17 17.4	−42 56	5	1200	I 3 m	6.5	B0		7.00		1.59
C1720−499	I4651	17 23.5	−49 56	10	780	II 2 r	8.0		10	9.38	−0.19	0.33
C1731−325	N6383	17 33.8	−32 33	20	1380	II 3 m	5.4	O7		6.65		0.78
C1732−334	Tr 27	17 35.2	−33 28	7	2100	III 3 m	9.1			7.00		4.20
C1736−321	N6405	17 39.1	−32 12	20	600	II 3 r	4.6	B5	7	7.71		0.51
C1743+057	I4665	17 45.5	+ 5 43	70	430	III 2 m	5.3	B4	6	7.56		0.51
C1747−302	N6451	17 49.8	−30 13	8	570	I 2 r	8.2		12	9.80		0.24
C1750−348	N6475	17 53.0	−34 48	80	240	I 3 r	3.3	B5	7	8.35		0.12
C1753−190	N6494	17 56.0	−19 01	30	660	II 2 r	5.9	B9	10	8.35		0.81
C1800−279	N6520	18 02.4	−27 54	5	1650	I 2 r	7.6	O	9	9.00		0.94
C1801−225	N6531	18 03.7	−22 30	15	1300	I 3 r	7.2	B0	8	6.66		0.90
C1801−243	N6530	18 03.9	−24 20	15	1600	II 2 m	5.1	O5	6	6.30		0.96
C1804−233	N6546	18 06.4	−23 20	15	830	II 1 r	8.2			7.60		
C1815−122	N6604	18 17.3	−12 14	6	700	I 3 m	7.5	O9		6.60		3.00
C1816−138	N6611	18 18.0	−13 47	7	2500	II 3 m	6.5	O7	11	6.74		2.22
C1825+065	N6633	18 27.0	+ 6 33	20	320	III 2 m	5.6	B6	8	8.82	−0.30	0.54
C1828−192	I4725	18 30.8	−19 15	30	580	I 3 m	6.2	B4	8	7.95		1.50
C1834−082	N6664	18 35.9	− 8 14	12	1300	III 2 m	8.5	B3	9	8.16		1.92
C1836+054	I4756	18 38.2	+ 5 26	40	400	II 3 r	5.4	B7	8	8.76	−0.11	0.66
C1840−041	Tr 35	18 42.2	− 4 09	6	1610	I 2 m	10.0	B4		7.62		3.54
C1842−094	N6694	18 44.4	− 9 25	8	1550	II 3 m	9.0	B8	11	7.95		2.22
C1848−052	N6704	18 50.1	− 5 13	6	1810	I 2 m	9.3	B2	12	7.30		3.18
C1848−063	N6705	18 50.3	− 6 17	14	1720	I 2 r	6.1	B8	11	8.35	+0.11	1.14
C1905+041	N6755	19 07.1	+ 4 12	15	1500	II 2 r	8.6	B2	11	7.55		3.55

*Magnitude of brightest cluster number.

IAU Desig.	Name	R. A.	Dec.	Ang. Diam.	Dist.	Trumpler Class	Tot. Mag.	Spec- trum	Mag.*	Log age	Log Fe/H	A_v
		h m	° ′	′	pc							
C1906+046	N6756	19 08.0	+ 4 39	4	1650	I 1 m	10.6	B3	13	7.67		4.41
C1919+377	N6791	19 20.2	+37 49	10	5100	I 2 r		F2	15	9.80		0.66
C1936+464	N6811	19 37.8	+46 32	15	900	III 1 r	9.0	A3	11	8.73		0.46
C1939+400	N6819	19 40.8	+40 09	5	2200	I 1 r	9.5	A0	11	9.54	−0.16	1.41
C1941+231	N6823	19 42.5	+23 16	7	2700	I 3 m		O7		6.30		2.55
C1948+229	N6830	19 50.4	+23 01	6	1470	II 2 p	8.9	B0	10	8.00		1.74
C1950+292	N6834	19 51.6	+29 23	6	2300	II 2 m	9.7	B2	11	7.90		1.83
C2002+438	N6866	20 03.3	+43 57	15	1200	II 2 r	9.1	A2	10	8.36		0.42
C2004+356	N6871	20 05.3	+35 44	30	1650	II 2 p	5.8	O9		7.00		1.20
C2009+357	N6883	20 10.7	+35 48	35	1380	IV 2 m	8.0	B3		7.17		1.29
C2014+374	I4996	20 15.9	+37 36	7	1620	II 3 p	7.1	B0	8	7.00		2.15
C2021+406	N6910	20 22.6	+40 44	10	1650	I 3 m	7.3	B0		7.00		2.89
C2022+383	N6913	20 23.4	+38 29	10	1250	II 3 m	7.5	B0	9	7.00		2.91
C2030+604	N6939	20 31.1	+60 35	10	1250	II 1 r	10.1	B8		9.26		1.50
C2032+281	N6940	20 34.0	+28 15	25	800	III 2 r	7.2	A2	11	9.04	+0.05	0.75
C2121+461	N7062	21 22.7	+46 19	5	1900	II 2 m	8.3	A1		8.80		1.35
C2122+478	N7067	21 23.7	+47 57	3	3500	II 1 p	8.3	B0		7.10		2.58
C2122+362	N7063	21 23.9	+36 26	9	660	III 1 p	8.9	B8		8.15		0.24
C2130+482	N7092	21 31.7	+48 22	30	270	III 2 m	5.3	A0	7	8.43		0.18
C2144+655	N7142	21 45.5	+65 44	12	1000	I 2 r	10.0	F3	11	9.60	−0.58	0.57
C2151+470	I5146	21 52.9	+47 12	20	1000	III 2 p	8.3	B1		8.36		2.05
C2152+623	N7160	21 53.3	+62 32	5	900	I 3 p	6.4	B2		7.00		1.62
C2203+462	N7209	22 04.6	+46 25	15	900	III 1 m	7.8	A0	9	8.48		0.63
C2210+570	N7235	22 12.1	+57 13	6	3800	II 3 m	9.2	B0		6.30		2.94
C2213+496	N7243	22 14.7	+49 49	30	880	II 2 m	6.7	B6	8	8.03		0.58
C2218+578	N7261	22 19.9	+58 01	6	900	II 3 m	9.8	B2		7.60	−0.70	3.00
C2245+578	N7380	22 46.4	+58 01	20	3600	III 2 m	8.8	O9	10	6.58		1.95
C2306+602	King 19	23 07.7	+60 27	5	1350	III 2 p		B6	12	7.60		2.46
C2309+603	N7510	23 10.9	+60 30	7	3160	II 3 r	9.3	B2	10	7.00		3.30
C2313+602	Mark 50	23 14.6	+60 24	2	2250	III 1 p		B0		7.00		2.58
C2322+613	N7654	23 23.6	+61 31	16	1600	II 2 r	8.2	B7	11	7.55		1.86
C2354+564	N7789	23 56.3	+56 39	25	1900	II 2 r	7.5	B9	10	9.20	−0.35	0.84
C2355+609	N7790	23 57.7	+61 08	5	3200	II 2 m	7.2	B4	10	7.89		1.60

*Magnitude of brighest cluster number.

C0001−302 = ζ Scl Cluster	C0700−082 = M50	C1736−321 = M6
C0129+604 = M103	C0716−248 = τ CMa Cluster	C1750−348 = M7
C0215+569 = h Per	C0734−143 = M47	C1753−190 = M23
C0218+568 = χ Per	C0739−147 = M46	C1801−225 = M21
C0238+425 = M34	C0742−237 = M93	C1816−138 = M16
C0344+239 = M45	C0811−056 = M48	C1828−192 = M25
C0525+358 = M38	C0837+201 = M44 = N2632	C1842−094 = M26
C0532+341 = M36	C0838−528 = o Vel Cluster	C1848−063 = M11
C0549+325 = M37	C0847+120 = M67	C2022+383 = M29
C0605+243 = M35	C1041−641 = θ Car Cluster	C2130+482 = M39
C0629+049 = Rosette Cluster	C1043−594 = η Car Cluster	C2322+613 = M52
C0638+099 = S Mon Cluster	C1239−627 = Coal-Sack Cluster	
C0644−206 = M41	C1250−600 = N4755	

Boc = Bochum; Cr = Collinder; Haf = Haffner; Mark = Markarian; Mel = Melotte; Tr = Trumpler

IAU Desig.	Name	Right Ascension	Declination	Log d'	V	B−V	U−B	$(m-M)_v$	$E_{(B-V)}$	R	Type	v_r	No. Var.	Remarks
		h m	° '							kpc		km/sec		
C0021−723	N0104	0 23.4	−72 09	1.49	4.03	0.89	0.37	13.16	0.04	4.0	G	− 14.1	30	Xr
C0050−268	N0288	0 51.9	−26 40	1.14	8.10	0.66	0.09	14.70	0.03	8.3	F	− 48.2	2	
C0100−711	N0362	1 02.8	−70 56	1.11	6.58	0.76	0.14	14.90	0.04	9.0	F	+232.4	16	
C0149−447	SW−1	1 50.5	−44 31							100:				
C0310−554	N1261	3 11.9	−55 17	0.84	8.38	0.70	0.14	16.05	0.02	15.8	F	+ 55	14	
C0325+794	Pal 1	3 30.9	+79 35	0.25				20.1	0.12	87.7	F	+ 3	0	
C0353−497	ESO 1	3 54.6	−49 40	0.22						300:				AM−1
C0422−213	SW−2	4 24.1	−21 13					19.2	0.03	69.3	F	− 40.5		
C0435−589	Sersic	4 36.0	−58 52		12.7			18.57	0.02	50.3	F			
C0443+313	Pal 2	4 45.4	+31 27	0.28	13.20	1.9:	1.8:	20.9	1.20	19.1	F	−133		
C0512−400	N1851	5 13.6	−40 03	1.04	7.30	0.78	0.22	15.55	0.07	11.6	F	+318.6	26	Xrb
C0522−245	N1904	5 23.7	−24 31	0.94	8.00	0.63	0.03	15.60	0.01	13.0	F	+185.4	8	M79
C0647−359	N2298	6 48.5	−35 59	0.83	9.40	0.73	0.19	15.60	0.11	11.2	F	+ 44	3	
C0734+390	N2419	7 37.2	+38 55	0.61	10.37	0.66	0.07	19.90	0.03	91.4	F	− 20	41	
C0911−646	N2808	9 11.6	−64 48	1.14	6.30	0.93	0.29	15.60	0.22	9.5	F	+104.1	9	
C0921−770	ESO 3	9 21.2	−77 13	0.30	11.3:			15.45	0.28	8.1			0	
C1003+003	Pal 3	10 04.8	+ 0 08	0.44	14.7:			20.0	0.03	95.7	F	+ 22	1	
C1015−461	N3201	10 17.0	−46 20	0.26	6.75	0.98	0.37	14.15	0.21	5.0	F	+494.0	92	
C1126+292	Pal 4	11 28.5	+29 04	0.33	14.20	0.80		19.85	0.00	93.3	F	+168	2	
C1207+188	N4147	12 09.4	+18 37	0.60	10.26	0.60	0.07	16.25	0.02	17.3	F	+182	16	
C1223−724	N4372	12 25.1	−72 36	1.27	7.80	0.97:	0.32	14.90	0.45	4.9	F	+ 83	2	
C1236−264	N4590	12 38.7	−26 41	1.08	8.20	0.63	0.04	15.00	0.03	9.6	F	−116.5	42	M68
C1256−706	N4833	12 58.4	−70 47	1.13	7.35	0.96	0.28	14.85	0.38	5.3	F	+216.6	24	
C1310+184	N5024	13 12.2	+18 15	1.10	7.72	0.64	0.10	16.34	0.05	17.2	F	− 78.9	47	M53
C1313+179	N5053	13 15.6	+17 46	1.02	9.80	0.64	0.06	16.03	0.03	15.4	F		11	
C1323−470	N5139	13 25.9	−47 24	1.56	3.65	0.79	0.19	13.92	0.11	5.2	F	+228.3	200	
C1339+286	N5272	13 41.5	+28 27	1.21	6.35	0.69	0.10	15.00	0.01	9.9	F	−147.1	241	M3
C1343−511	N5286	13 45.3	−51 18	0.96	7.62	0.87	0.29	15.60	0.27	8.9	F	+ 48.6	22	
C1353−269	AM−4	13 55.0	−27 06	0.26						200				
C1403+287	N5466	14 04.8	+28 36	1.04	9.10	0.71	0.04	15.96	0.05	14.5	F	+119.9	23	
C1427−057	N5634	14 28.9	− 5 54	0.69	9.57	0.67	0.12	17.15	0.07	24.3	F	− 63	7	
C1436−263	N5694	14 38.8	−26 28	0.56	10.20	0.69	0.07	17.8	0.08	32.3	F	−183.8	0	
C1452−820	I4499	14 58.5	−82 11	0.88	10.60	0.88	0.36:	17.05	0.24	18.0	F		88	
C1500−328	N5824	15 03.1	−33 01	0.79	9.00	0.75	0.15	17.40	0.14	24.6	F	− 58	27	
C1513+000	Pal 5	15 15.3	− 0 03	0.84	11.75	0.70		16.75	0.03	21.4	F		5	
C1514−208	N5897	15 16.5	−20 58	1.10	8.55	0.75	0.08:	15.65	0.06	12.3	F		8	
C1516+022	N5904	15 17.8	+ 2 08	1.24	5.75	0.71	0.12	14.51	0.03	7.6	F	+ 51.9	97	M5
C1524−505	N5927	15 27.0	−50 36	1.08	8.33	1.31	0.84	15.80	0.55	6.4	G	− 78	11	
C1531−504	N5946	15 34.4	−50 37	0.85	9.65:	1.24	0.54	16.6	0.56	9.2	F		7	
C1542−376	N5986	15 45.1	−37 44	0.99	7.12	0.90	0.30	15.90	0.27	10.2	F	− 35	12	
C1608+150	Pal 14	16 10.4	+15 00	0.32				19.2	0.03	66.2	F	+ 81.0		
C1614−228	N6093	16 16.2	−22 57	0.95	7.20	0.85	0.24:	15.22	0.21	8.1	F	+ 12.9	8	M80
C1620−720	N6121	16 22.8	−26 29	1.42	5.93	1.03	0.44	12.75	0.35	2.1	F	+ 64.3	46	M4
C1620−264	N6101	16 24.1	−72 11	1.03	9.30	0.68:	0.10	15.7	0.08	12.3	F		15	
C1624−259	N6144	16 26.4	−26 01	0.97	9.12	1.01	0.45	15.90	0.36	8.9	G		2	
C1624−387	N6139	16 26.7	−38 49	0.74	9.18	1.39	0.73	16.9	0.68	8.8	F	+ 7.6	0	
C1629−129	N6171	16 31.7	−13 02	1.00	8.13	1.14	0.55	14.73	0.37	5.1	G	−147	25	M107
C1639+365	N6205	16 41.2	+36 29	1.22	5.86	0.69	0.03	14.35	0.02	7.2	F	−247.8	15	M13
C1644−018	N6218	16 46.4	− 1 56	1.16	6.60	0.82	0.21	14.30	0.19	5.5	F	− 43.5	2	M12
C1645+476	N6229	16 46.6	+47 33	0.65	9.43	0.71	0.05:	17.50	0.01	31.2	F	−154.2	22	

IAU Desig.	Name	Right Ascension	Declination	Log d'	V	B−V	U−B	(m−M_v)	E(B−V)	R	Type	v_r	No. Var.	Remarks
		h m	° '							kpc		km/sec		
C1650−220	N6235	16 52.5	−22 09	0.70	10.15:	1.04	0.40	16.15	0.38	9.7	F		5	
C1654−040	N6254	16 56.4	− 4 05	1.18	6.57	0.92	0.23	14.05	0.26	4.4	F	+ 70.1	4	M10
C1656−370	N6256	16 58.4	−37 03			1.68	1.04	16.3	(>1)	4?	G			Ter 1
C1657−004	Pal 15	16 59.4	− 0 31	0.92					0.09:				0	
C1658−300	N6266	17 00.4	−30 06	1.15	6.60	1.17	0.52	15.35	0.46	6.0	F	− 60.9	89	M62
C1659−262	N6273	17 01.7	−26 15	1.13	7.15	1.00	0.37	16.35	0.38	10.6	F	+121	7	M19
C1701−246	N6284	17 03.7	−24 44	0.75	8.95	0.95	0.37	15.95	0.27	10.4	F	+ 22	15	
C1702−226	N6287	17 04.2	−22 41	0.71	9.25	1.20:	0.65	15.62	0.36	7.8	G		3	
C1707−265	N6293	17 09.3	−26 33	0.90	8.20:	0.98	0.29	15.54	0.34	7.8	F	− 73	7	
C1711−294	N6304	17 13.7	−29 26	0.83	8.42	1.33	0.85	15.20	0.58	4.7	G	− 98	21	
C1713−280	N6316	17 15.6	−28 07	0.69	9.00:	1.27	0.66	16.9	0.48	11.8	G			
C1715+432	N6341	17 16.7	+43 09	1.05	6.52	0.62	0.00	14.50	0.01	7.8	F	−120.5	15	M92
C1714−237	N6325	17 17.2	−23 44	0.63	10.70	1.54:	0.88:	16.7	0.80	6.7	F			
C1716−184	N6333	17 18.3	−18 30	0.97	7.93	0.94	0.30	15.49	0.36	7.4	F	+224.7	13	M9
C1718−195	N6342	17 20.3	−19 34	0.47	9.9:	1.29	0.73	17.1	0.49	12.8	G			
C1720−177	N6356	17 22.8	−17 48	0.86	8.40	1.11	0.60	16.77	0.28	15.0	G	+ 31.6	10	
C1720−263	N6355	17 23.1	−26 21	0.70	9.6:	1.46	0.76	16.6	0.76	6.8	F			
C1721−484	N6352	17 24.3	−48 27	0.85	6.52	1.06	0.63	14.25	0.25	4.9	G		5	
C1724−307	Ter 2	17 26.6	−30 48	0.17										Xrb
C1725−050	N6366	17 27.0	− 5 04	0.92	10.0:	1.47	0.98	14.80	0.65	3.5	G		2	
C1727−315	Ter 4	17 29.7	−31 35	0.00										
C1727−299	HP 1	17 30.2	−29 59	0.46									15	
C1726−670	N6362	17 30.3	−67 03	1.03	8.30	0.85	0.28	14.70	0.12	7.3	F		33	
C1728−336	Gr 1	17 30.9	−33 50											Xrb
C1730−333	Lil 1	17 32.4	−33 22											Xrb
C1731−390	N6380	17 34.5	−39 03	0.59									1	Ton 1
C1732−304	Ter 1	17 34.9	−30 27	0.44										HP 2
C1733−390	Ton 2	17 35.1	−38 32	0.53									2	
C1732−447	N6388	17 35.2	−44 44	0.94	6.85	1.17	0.66	16.40	0.32	11.9	G	+ 83.8	12	
C1735−032	N6402	17 36.9	− 3 15	1.07	7.56	1.28	0.64	16.90	0.58	10.2	F	−123.4	93	M14
C1735−238	N6401	17 37.7	−23 54	0.75	9.5:	1.58	0.89	16.4	0.79	5.9	G		3	
C1736−536	N6397	17 39.7	−53 40	1.41	5.65	0.75	0.15	12.30	0.18	2.2	F	+ 19.0	3	
C1740−262	Pal 6	17 42.8	−26 13	0.86				18.5	1.8	3.5	F		0	
C1742+031	N6426	17 44.2	+ 3 11	0.50	11.20	1.03	0.34	17.4	0.40	16.7	F		13	
C1745−247	Ter 5	17 47.2	−-24 47	0.32:		2.77	2.1:		1.8:				2	Xrb
C1746−203	N6440	17 48.0	−20 22	0.73	9.65	1.98	1.51	18.00	1.11	7.8	G	− 84		Xrb
C1746−370	N6441	17 49.2	−37 03	0.89	7.42	1.28	0.83	16.20	0.45	9.0	G	+ 13.9	10	Xrb
C1747−312	Ter 6	17 49.8	−31 17	0.07										HP 5
C1748−346	N6453	17 50.4	−34 38	0.54	9.9:	1.28:	0.65:	17.1	0.67	9.8	F		0	
C1755−442	N6496	17 58.1	−44 14	0.84	9.2	0.93	0.42:	14.0	0.07	5.7	G		0	
C1758−268	Ter 9	18 00.9	−26 52											
C1759−089	N6517	18 01.0	− 8 57	0.63	10.30:	1.79	0.94	17.4	1.14	5.6	F			
C1800−300	N6522	18 02.7	−30 02	0.75	8.60	1.22	0.67	15.65	0.50	6.5	F	+ 8	10	
C1801−003	N6535	18 03.1	− 0 18	0.56	10.60:	0.97	0.31	15.2	0.36	6.5	F		2	
C1801−300	N6528	18 03.9	−30 04	0.57	9.50	1.45	1.10	15.85	0.65	5.7	G	+101	0	
C1802−075	N6539	18 04.0	− 7 35	0.84	9.6:	1.89	1.10:	16.0	1.22	2.6	F		1	
C1804−250	N6544	18 06.5	−25 01	0.95	8.25	1.36	0.67:	15.2	0.63	4.3	F	− 12.0		
C1804−437	N6541	18 07.0	−43 44	1.12	6.64	0.77	0.14	14.60	0.13	6.9	F	−152.8	1	
C1806−259	N6553	18 08.5	−25 56	0.91	8.25	1.62	1.24	16.05	0.79	5.1	G	− 32.6	18	
C1807−317	N6558	18 09.3	−31 47	0.57		1.09	0.48:	15.8	0.40	8.0	G		9	

IAU Desig.	Name	Right Ascension	Declination	Log d'	V	B−V	U−B	(m−M)ᵥ	E(B−V)	R	Type	vᵣ	No. Var.	Remarks
		h　m	°　　'							kpc		km/sec		
C1808−072	I1276	18 09.9	− 7 14	0.85		1.74	1.0:	17.6	0.92	8.5	G		5	
C1809−227	Ter 11	18 11.7	−22 45											
C1810−318	N6569	18 12.7	−31 49	0.76	8.70	1.34	0.63	16.2	0.63	6.9	G		5	
C1814−522	N6584	18 17.4	−52 13	0.90	9.18	0.79	0.17	16.2	0.11	14.8	F	+180	48	
C1820−303	N6624	18 22.8	−30 22	0.77	8.32	1.10	0.57	15.15	0.25	7.4	G	+ 69	5	Xrb
C1821−249	N6626	18 23.7	−24 52	1.05	6.93	1.10	0.45	15.01	0.33	6.2	F	+ 1.8	24	M28
C1827−255	N6638	18 30.1	−25 31	0.70	9.15	1.16	0.58	15.3	0.36	6.8	G	− 14	45	
C1828−323	N6637	18 30.4	−32 21	0.85	7.70	0.99	0.50	15.30	0.17	8.9	G	+ 50.1	8	M69
C1828−235	N6642	18 31.0	−23 28	0.65		1.08	0.50:	14.6	0.36	4.9	G	− 90		
C1832−330	N6652	18 34.8	−33 00	0.55	8.91	0.92	0.39	15.8	0.11	12.3	G	−124.2	0	
C1833−239	N6656	18 35.5	−23 56	1.38	5.10	0.99	0.30	13.60	0.35	3.1	F	−152.5	32	M22
C1838−198	Pal 8	18 40.6	−19 50	0.67	11.70	1.19	0.69:	18.6	0.40	28.8	G			
C1840−323	N6681	18 42.3	−32 19	0.89	8.08	0.71	0.14	15.40	0.07	10.8	F	+198	2	M70
C1850−087	N6712	18 52.2	− 8 44	0.86	8.21	1.16	0.56	15.21	0.35	6.6	G	−123.9	21	Xrb
C1851−305	N6715	18 54.2	−30 29	0.96	7.70	0.85	0.24	17.11	0.14	21.5	F	+131.0	80	M54
C1852−227	N6717	18 54.2	−22 44	0.59		0.93	0.37	15.1	0.25	7.2	G		1	Pal 9
C1856−367	N6723	18 58.6	−36 39	1.04	7.32	0.75	0.24	14.58	0.03	7.9	G	+ 35	31	
C1902+017	N6749	19 04.3	+ 1 45	0.80	8.6	1.76:	0.74:		1.40	10.0				
C1906−600	N6752	19 09.5	−60 01	1.31	5.40	0.65	0.07	13.20	0.03	4.2	F	− 32.2	2	
C1908+009	N6760	19 10.4	+ 1 01	0.82	9.10	1.66	1.00:	15.9	0.91	4.0	F		4	
C1914+300	N6779	19 16.0	+30 09	0.85	8.25	0.86	0.18	15.60	0.22	9.5	F	−138.1	12	M56
C1914−347	Ter 7	19 16.7	−34 41						0.12:					
C1916+184	Pal 10	19 17.6	+18 32	0.54					1.00	14.5	F		2	
C1925−304	Arp 2	19 27.8	−30 23	0.57					0.11:					
C1936−310	N6809	19 39.2	−30 58	1.28	6.95	0.69	0.10	13.80	0.07	5.2	F	+166.6	7	M55
C1942−081	Pal 11	19 44.5	− 8 04	0.50				16.1	0.35	9.9	G	− 68	0	
C1951+186	N6838	19 53.1	+18 45	0.86	8.30	1.13	0.54	13.55	0.28	3.4	G	− 19.3	5	M71
C2003−220	N6864	20 05.3	−21 58	0.78	8.55	0.87	0.28	16.85	0.17	18.2	F	−195.2	14	M75
C2031+072	N6934	20 33.4	+ 7 21	0.77	8.88	0.74	0.19	16.20	0.12	14.6	F	−379	51	
C2050−127	N6981	20 52.6	−12 36	0.77	9.35	0.72	0.13	16.25	0.03	17.0	F	−278	40	M72
C2059+160	N7006	21 00.8	+16 08	0.45	10.60	0.74	0.17	18.12	0.13	34.7	F	−384.8	71	
C2127+119	N7078	21 29.3	+12 06	1.09	6.35	0.68	0.06	15.26	0.12	9.4	F	−112.1	112	M15,Xr
C2130−010	N7089	21 32.7	− 0 54	1.11	6.50	0.67	0.08	15.45	0.06	11.3	F	− 6.1	21	M2
C2137−234	N7099	21 39.5	−23 15	1.04	7.50	0.58	0.03	14.60	0.01	8.2	F	−172.3	12	M30
C2143−214	Pal 12	21 45.7	−21 18	0.46	12.16	0.90	0.29:	16.20	0.02	16.9	G	+ 9	0	
C2304+124	Pal 13	23 06.0	+12 40	0.25	14.50	0.69:	−.14:	17.10	0.05	24.4	F	− 28	4	
C2305−159	N7492	23 07.6	−15 42	0.79	11.50	0.48	0.17:	16.40	0.00	19.1	F	−188.5	4	

AM = Arp-Madore
ESO = European Southern Obs.
Gr = Grindlay
HP = Haute Provence
Lil = Liller

Pal = Palomar
SW = Schuster-West
Ter = Terzan
Ton = Tonantzintla

N0104 = 47 Tucanae
N5139 = Omega Centauri
Sersic = Reticulum cluster
SW-2 = Eridanus cluster

IAU Designation	Name	Right Ascension	Declination	S_{5GHz}
		h　m　　s	°　′　　″	Jy
0003−066		0　06　13.895	− 6　23　35.34	1.5
0016+731		0　19　45.787	73　27　30.07	1.7
0019−000	4C+00.02	0　22　25.43	0　14　56.2	1.1
0022−423		0　24　42.992	−42　02　03.58	1.5
0026+346		0　29　14.241	34　56　32.24	1.2
0056−001	4C−00.06	0　59　05 5143	0　06　51.74	1.4
0107+562	4C+56.02	1　10　57.559	56　32　16.93	0.8
0112−017		1　15　17.094	− 1　27　04.58	0.9
0116+319	4C+31.04	1　19　35.001	32　10　50 03	1.5
0119+041		1　21　56.861	4　22　24.72	1.1
0133+476		1　36　58.5954	47　51　29.114	2.0
0135−247		1　37　38.346	−24　30　53 82	0.7
0138−097		1　41　25.831	− 9　28　43.68	1.2
0146+056		1　49　22.38	5　55　53.5	0.9
0149+218		1　52　18.06	22　07　07.8	1.4
0153+744		1　57　34.976	74　42　43.26	1.1
0202+319		2　05　04 926	32　12　30.05	1.2
0202−172		2　04　57.675	−17　01　19.79	1.2
0212+735		2　17　30.8211	73　49　32.639	2.2
0235+164		2　38　38.928	16　36　59.19	1.4
0237−233		2　40　08.1770	−23　09　15.862	0.9
0256+075		2　59　27.08	7　47　39.6	0.8
0300+470	4C+47.08	3　03　35.2427	47　16　16.293	0.0
0316+161	3C83.1	3　18　57.804	16　28　32.68	2.9
0316+413	3C84	3　19　48.1614	41　30　42.115	56.0
0319+121		3　21　53.101	12　21　14.02	1.1
0332−403		3　34　13.654	−40　08　25.41	1.5
0333+321	4C+32.14	3　36　30.108	32　18　29.350	2.4
0336−019		3　39　30.938	− 1　46　35.859	2.6
0400+258		4　03　05.578	26　00　01.51	1.2
0414−189		4　16　36.546	−18　51　08.28	1.3
0420−014		4　23　15.8016	− 1　20　33.02	3.1
0428+205		4　31　03.753	20　37　34.25	2.3
0430+052	3C120	4　33　11.0959	5　21　15.601	3.3
0438−436		4　40　17.1795	−43　33　08.62	3.9
0440−003		4　42　38.6615	− 0　17　43.43	1.5
0454+844		5　08　42.335	84　32　04.56	1.6
0457+024		4　59　52.048	2　29　31.06	1.2
0458−020	4C−02.19	5　01　12.81	− 1　59　13.8	1.9
0528−250		5　30　07.965	−25　03　29.81	0.8
0552+398		5　55　30.806	39　48　49.16	4.7
0600+442		6　04　29.144	41　13　58.9	0.7
0607−157		6　09　40.9493	−15　42　40.68	2.4
0609+607		6　14　23.859	60　46　21.81	1.1
0615+820		6　26　03.00	82　02　25.64	1.0

IAU Designation	Name	Right Ascension	Declination	S_{5GHz}
		h m s	° ′ ″	Jy
0642+449		6 46 32.016	44 51 16.61	0.7
0710+439		7 13 38.19	43 49 17.0	1.6
0711+356		7 14 24.8194	35 34 39.777	1.2
0716+714		7 21 53.449	71 20 36.44	1.1
0727−115		7 30 19.1129	−11 41 12.616	3.0
0733−174		7 35 45.815	−17 35 48.40	1.9
0735+178		7 38 07.3945	17 42 18.993	2.1
0736+017		7 39 18.032	1 37 04.64	2.2
0738+313		7 41 10.7040	31 12 00.230	1.6
0742+103		7 45 33.0601	10 11 12.681	3.6
0748+126		7 50 52.043	12 31 04.70	1.5
0804+499		8 08 39.664	49 50 36.55	1.1
0814+425		8 18 16.0002	42 22 45.424	1.6
0823+033		8 25 50.333	3 09 24.45	1.0
0826−373		8 28 04.7811	−37 31 06.27	1.8
0828+493		8 32 23.217	49 13 21.02	1.5
0831+557	4C+55.16	8 34 54.9044	55 34 21.074	5.5
0833+585		8 37 22.406	58 25 01.88	1.2
0836+710	4C+71.4	8 41 24.367	70 53 42.206	2.5
0839+187		8 42 05.094	18 35 40.97	1.0
0851+202	3C287	8 54 48.8757	20 06 30.628	2.8
0859−140		9 02 16.8317	−14 15 30.895	2.1
0906+015	4C+01.24	9 09 10.11	1 21 34.8	1.4
0917+624		9 21 36.236	62 15 52.14	1.2
0919−260		9 21 29.356	−26 18 43.37	2.1
0923+392	4C+39.25	9 27 03.0149	39 02 20.849	7.6
0941−080		9 43 36.946	− 8 19 30.86	1.0
0954+658		9 58 47.248	65 33 54.813	0.6
1015−314		10 18 09.274	−31 44 14.11	1.3
1030+415		10 33 03.708	41 16 06.17	0.6
1031+567		10 35 07.047	56 28 46.77	1.2
1032−199		10 35 02.156	−20 11 34.35	0.9
1034−293		10 37 16.086	−29 34 02.79	1.9
1039+811		10 44 23.086	80 54 39.45	0.8
1117+146	4C+14.41	11 20 27.806	14 20 54.93	1.1
1127−145		11 30 07.053	−14 49 27.400	4.7
1145−071		11 47 51.558	− 7 24 41.17	1.0
1148−001	4C−00.47	11 50 43.8713	− 0 23 54.219	1.9
1150+812		11 53 12.516	80 58 29.09	1.2
1155+251		11 58 25.793	24 50 17.93	0.9
1213+350	4C+35.28	12 15 55.599	34 48 15.09	0.9
1216+487		12 19 06.421	48 29 56.09	1.0
1219+285		12 21 31.693	28 13 58.43	2.0
1226+023		12 29 06.700	2 03 08.581	45.8
1237−101		12 39 43.066	−10 23 28.76	1.0

IAU Designation	Name	Right Ascension	Declination	S_{5GHz}
		h m s	° ′ ″	Jy
1243−072		12 46 04.235	− 7 30 46.63	1.4
1245−197		12 48 23.8997	−19 59 18.70	2.3
1252+119		12 54 38.254	11 41 05.85	1.0
1255−316		12 57 59.071	−31 55 17.0	1.0
1302−102		13 05 33.018	−10 33 19.5	1.0
1308+326		13 10 28.66	32 20 43.7	2.5
1311+678	4C+67.22	13 13 27.985	67 35 50.368	0.9
1323+321	4C+32.44	13 26 16.514	31 54 09.40	2.3
1328+254	3C287	13 30 37.691	25 09 10.85	3.2
1328+304	3C286	13 31 08.2889	30 30 32.927	7.4
1334−127		13 37 39.784	−12 57 24.710	1.9
1345+125	4C+12.50	13 47 33.358	12 17 24.20	2.7
1354−152		13 57 11.241	−15 27 28.75	1.5
1354+195	4C+19.44	13 57 04.435	19 19 07.37	1.8
1358+624		14 00 28.650	62 10 38.53	1.7
1404+286		14 07 00.394	28 27 14.67	3.0
1418+546		14 19 46.594	54 23 14.72	0.7
1435+638		14 36 45.800	63 36 37.86	0.9
1442+101		14 45 16.462	9 58 36.03	1.1
1502+106	4C+10.39	15 04 24.9800	10 29 39.169	2.1
1504−166		15 07 04.788	−16 52 30.15	2.4
1511+238	4C+23.41	15 13 40.186	23 38 35.19	0.8
1514−241		15 17 41.819	−24 22 19.35	2.4
1519−273		15 22 37.683	−27 30 10.62	2.0
1546+027		15 49 29.436	2 37 01.14	1.3
1547+507		15 49 17.469	50 38 05.769	0.7
1555+001		15 57 51.4337	− 0 01 50.425	1.2
1600+355		16 02 07.262	33 26 53.08	2.1
1607+268		16 09 13.318	26 41 29.0	1.7
1611+343		16 13 41.065	34 12 47.907	2.2
1624+416	4C+41.32	16 25 57.669	41 34 40.58	1.1
1633+382	4C+38.41	16 35 15.494	38 08 04.47	1.9
1637+574		16 38 13.461	57 20 23.9	1.6
1638+124	4C+12.60	16 40 47.932	12 20 02.13	1.0
1638+398	MK501	16 40 29.633	39 46 46.02	0.8
1641+399	3C345	16 42 58.8084	39 48 36.965	7.8
1652+398	4C+39.49	16 53 52.23	39 45 36.5	1.2
1732+389		17 34 20.576	38 57 51.41	1.3
1739+522	4C+51.37	17 40 36.99	52 11 43.5	1.9
1741−038		17 43 58.8578	− 3 50 04.635	2.2
1748−253		17 51 51.263	−25 23 59.80	0.5
1749+701		17 48 32.841	70 05 50.760	1.2
1749+096		17 51 32.815	9 39 00.70	1.6
1751+441		17 53 22.650	44 09 45.68	0.8
1803+784		18 00 45.668	78 28 04.02	2.5

IAU Designation	Name	Right Ascension	Declination	S_{5GH}.
		h m s	° ′ ″	Jy
1821+107		18 24 02.849	10 44 23.77	1.1
1921−293		19 24 51.0577	−29 14 30.17	6.8
1928+738	4C+73.18	19 27 48.4908	73 58 01.557	3.0
1933−400		19 37 16.209	−39 58 00.9	0.7
1947+079		19 50 05.538	8 07 13.93	1.2
1958−179		20 00 57.091	−17 48 57.67	1.2
2007+776		20 05 31.002	77 52 43.22	1.0
2021+614		20 22 06.681	61 36 58.802	2.3
2106−413		21 09 33.183	−41 10 20.47	2.2
2113+293		21 15 29.42	29 33 38.2	0.8
2128+048	3CR433	21 30 32.873	5 02 17.47	2.1
2128−123		21 31 35.261	−12 07 04.76	2.4
2131−021	4C−02.81	21 34 10.303	− 1 53 17.27	1.9
2134+004		21 36 38.5851	0 41 54.22	10.3
2136+141		21 39 01.302	14 23 36.00	1.2
2144+092		21 47 10.159	9 29 46.65	0.7
2145+067	4C+06.65	21 48 05.458	6 57 38.614	2.5
2149+056		21 51 37.868	5 52 12.93	1.0
2150+173		21 52 24.813	17 34 37.81	0.7
2200+420		22 02 43.2903	42 16 39.982	2.4
2203−188		22 06 10.413	−18 35 38.76	4.1
2210−257		22 13 02.497	−25 29 30.17	0.9
2216−038	4C−03.79	22 18 52.034	− 3 35 36.91	3.2
2227−088		22 29 40.082	− 8 32 54.44	1.2
2227−399		22 30 40.271	−39 42 52.03	0.6
2230+114	4C+11.69	22 32 36.4089	11 43 50.905	3.6
2234+282		22 36 22.467	28 28 57.40	1.3
2243−123		22 46 18.232	−12 06 51.276	2.4
2245−328		22 48 38.687	−32 35 51.88	1.8
2251+158	3C454.3	22 53 57.748	16 08 53.561	10.2
2254+074		22 57 17.302	7 43 12.28	0.5
2255−282		22 58 05.86	−27 58 23.04	1.6
2318+049		23 20 44.853	5 13 49.96	0.8
2319+272		23 21 59.861	27 32 46.41	0.8
2328+107		23 30 40.851	11 00 18.69	1.1
2329−162		23 31 38.654	−15 56 56.98	0.9
2331−240		23 33 55.28	−23 43 41.9	1.0
2337+264		23 40 29.0281	26 41 56.829	0.8
2344+092		23 46 36.837	9 30 45.51	1.9
2345−167		23 48 02.6089	−16 31 12.037	2.7
2351+456		23 54 21.68	45 53 04.2	1.2
2352+495		23 55 09.458	49 50 08.30	1.6

Source	Right Ascension	Declination	S_{400}	S_{750}	S_{1400}	S_{1665}	S_{2700}	S_{5000}
	h m s	° ′ ″	Jy	Jy	Jy	Jy	Jy	Jy
3C48 [e]	1 37 41.244	+33 09 35.40	39.4	25.6	15.9	13.9	9.20	5.24
3C123	4 37 04.3	+29 40 15	119.2	77.7	48.7	42.4	28.5	16.5
3C147 [e, g]	5 42 36.073	+49 51 07.23	48.2	33.9	22.4	19.8	13.6	7.98
3C161	6 27 12.0	− 4 10 39	41.2	28.9	19.0	16.8	11.4	6.62
3C218	9 18 07.3	−10 19 33	134.6	76.0	43.1	36.8	23.7	13.5
3C227	9 47 46.4	+ 7 25 12	20.3	12.1	7.21	6.25	4.19	2.52
3C249.1	11 04 11.4	+76 59 01	6.1	4.0	2.48	2.14	1.40	0.77
3C274 [f]	12 30 49.5	+12 23 21	625	365	214	184	122	71.9
3C286 [e]	13 31 08.289	+30 30 32.93	25.1	19.7	14.8	13.6	10.5	7.30
3C295	14 11 20.6	+52 12 09	54.1	36.3	22.3	19.2	12.2	6.36
3C348	16 51 08.2	+04 59 26	168.1	86.8	45.0	37.5	22.6	11.8
3C353	17 20 29.4	− 0 57 02	131.1	88.2	57.3	50.5	35.0	21.2
DR 21	20 39 01.1	+42 19 45	—	—	—	—	—	—
NGC7027 [d]	21 07 01.5	+42 14 10	—	—	1.35	1.65	3.5	5.7

Source	S_{8000}	S_{10700}	S_{15000}	S_{22235}	Spec.	Ident.	Polarization (at 5 GHz)	Angular Size (at 1.4 GHz)
	Jy	Jy	Jy	Jy			%	″
3C48 [e]	3.31	2.46	1.72	1.11	C−	QSS	5	<1
3C123	10.6	7.94	5.63	3.71	C−	GAL	2	20
3C147 [e, g]	5.10	3.80	2.65	1.71	C−	QSS	<1	<1
3C161	4.18	3.09	2.14	—	C−	GAL	5	<3
3C218	8.81	6.77	—	—	S	GAL	1	core 25, halo 200
3C227	1.71	1.34	1.02	0.73	S	GAL	7	180
3C249.1	0.47	0.34	0.23	—	S	QSS	—	15
3C274 [f]	48.1	37.5	28.1	—	S	GAL	1	halo 400 [a]
3C286 [e]	5.38	4.40	3.44	2.55	C−	QSS	11	<5
3C295	3.65	2.53	1.61	0.92	C−	GAL	0.1	4
3C348	7.19	5.30	—	—	S	GAL	8	115 [b]
3C353	14.2	10.9	—	—	C−	GAL	5	150
DR 21	21.6	20.8	20.0	19.0	Th	HII	—	20 [c]
NGC7027 [d]	—	6.43	6.16	5.86	Th	PN	<1	10

a) Halo has steep spectral index, so for λ≤6 cm, more than 90% of the flux is in the core. Spectrum curves positively above 20 GHz.

b) Angular distance between the two components.

c) Angular size at 2 cm, but consists of 5 smaller components.

d) Data up to 5 GHz are the direct measurements, not calculated from fit.

e) Suitable for calibration of interferometers and synthesis telescopes.

f) Virgo A.

g) Indications of time variability above 5 GHz.

Designation Discovery	4U	Right Ascension	Declination	Flux [1]	Mag [2]	Identified Counterpart	Type
		h m s	° ′ ″				
4U0005+20	0005+20	0 05 34.8	+20 07 21	5	14.0*	Mkn 335	G
Cep XR−1	0022+63	0 24 27	+64 03.7	16		Tycho's SNR	R
		0 28 28.6	+13 11 16		14.8	PG0026+129	Q
3U0026−09	0037−10	0 41 06.4	− 9 22.4	5	15.7	Abell 85	C
2U0022+42	0037+39	0 42	+41 12	4	4.8	M31	G
		0 48 00.1	+31 52 41		15.5*	Mkn 348	G
		0 52 49.3	+12 36 53		14.3*	I Zw 1	G
		0 59 05.3	+31 44 59		15.0*	Mkn 352	G
		1 02 28	+ 2 16.8		16.0	UMT301	Q
SMC X−1	0115−73	1 16 41	−73 31.3	66	13.2	Sanduleak 160	S
		1 21 15.3	− 1 06 57		15.1*	II Zw 1	G
2A0120−591	0106−59	1 23 12.6	−58 52 53	6	13.2	Fairall 9	G
		1 35 36.8	+20 53 02		18.1V	3CR47	Q
		2 13 48.7	− 0 50 10		14.5*	Mkn 590	G
		2 18	+62 35			HB3	R
4U0223+31	0223+31	2 27 23.7	+31 14 53	6	13.9*	NGC 931	G
4U0241+62	0241+62	2 43 48.6	+62 24 27	6	16.4		Q
GX146−15	0253+41	2 53.5	+41 32	9	14.5	NGC 1129	G+C
2U0528+13	0254+13	2 58.2	+13 31		15.6	Abell 401	C
2A0311−227		3 13 34.4	−22 38 55		14.8*		S
Per XR−1	0316+41	3 18.8	+41 26	86	12.7	NGC 1275	G+C
H0324+28		3 25 42.2	+28 39 58		6.5V	UX Ari	S
4U0336+01	0336+01	3 36 02.6	+ 0 32 28	180	6.0	HR 1099	S
2A0335+096	0344+11	3 37.0	+10 03	3	12.2	Zw0335.1+0956	C
H0349+17		3 49 34	+17 12.8		9.2V	V471 Tau	S
2U0352+30	0352+30	3 54 28.4	+31 00 14	55	6.4V	X Per	S
2U0410+10	0410+10	4 12 37.3	+10 26 01	6	17.4	Abell 478	C
H0405−08		4 14 36.3	− 7 40 29		4.4	40 Eri	S
H0415+38	0407+37?	4 17 23.0	+37 59 30	5	18.0	3C111	G
	0432+05	4 32 24.8	+ 5 19 27	5	14.2	3C120	G
2A0431−136		4 32.9	−13 17		15.3	Abell 496	C
		4 35 40.9	−10 24 18		14.5*	Mkn 618	G
H0457+46		5 00	+46 33			HB 9	R
MX0513−40	0513−40	5 13 38.8	−40 03 28	33	8.1	NGC 1851	A
H0523−00		5 15 26.9	− 0 09 56		14.6*	Akn 120	G
LMC X−2	0520−72	5 20 43.3	−71 58 25	29	17		S
		5 25 10	−69 39 14			N132D	R
		5 25 24	−65 59 53			(N49)	R
		5 25 58	−66 06 02			N49	R
2A0526−328		5 28 53.3	−32 49 42		13.5		S
		5 32 11	−71 01 10			N206	R
LMC X−4	0532−66	5 32 48	−66 22 49	7	14.0		S
Tau XR−1	0531+21	5 33 39	+22 00 19	1730	8.4	Crab Nebula	R+P
		5 34 26	−70 33 49			DEM 238	R
		5 35 42	−66 02 39			N63A	R

Designation Discovery	4U	Right Ascension	Declination	Flux [1]	Mag [2]	Identified Counterpart	Type
		h m s	° ′ ″				
A0538−66		5 35 45.2	−66 50 55		12.8V		S
		5 36 24.6	−70 39 24			DEM 249	R
		5 37 54	−69 10 28			N157B	R
A0535+26	0538+26	5 38 00.5	+26 18 30	4	9.1	HDE 245770	S
LMC X−3	0538−64	5 38 51.6	−64 05 28	46	16.9		S
		5 40 18.9	−69 20 14			N158A	R
		5 45 27.5	−32 18 41		5.2	μ Col	S
		5 47 18	−69 42 40			N135	R
3U0545−32	0543−31	5 50 08.1	−32 16 34	7	16.1	PKS0548−322	G
2S0549−074		5 51 29.3	− 7 27 37		14.0	NGC 2110	G
MX0600+46	0558+46	5 53 48.9	+46 26 18	5	14.5	MCG 8−11−11	G
		6 14 50	+28 34.7		11.3V	KR Aur	S
2U0613+09	0614+09	6 16 19.5	+ 9 08 20	220	18.5		S
2U0601+21	0617+23	6 16.4	+22 33	6		IC 443	R
A0620−00		6 22 00	− 0 20 15		16.4V	V616 Mon	T
4U0720+55	0720+55	7 20 21	+55 48.0	5	13.6	Abell 576	C
		7 35 43.5	+58 48 19		14.5*	Mkn 9	G
		7 41 18.9	+65 12 46		15.0*	Mkn 78	G
		7 54 14	+22 02.6		8.8V	U Gem	S
		7 54 26.8	+39 13 33		15.5*	Mkn 382	G
	0821−42	8 22 31	−42 58.9	14		Puppis A	R
Vela XR−2	0833−45	8 34 51	−45 07 34	17	20.0	PSR0833−45	R+P
		8 50 03.9	+15 25 32		17.7V	LB8755	Q
Vela XR−1	0900−40	9 01 34	−40 29 50	450	6.7	HD 77581	S
3U0901−09	0900−09	9 08.1	− 9 36	9	15.2	Abell 754	C
		10 30 45.7	+28 51 30		16.6	Ton 524A	G
		10 44 29.8	−59 36 28		6.6V	η Car	S+H
A1044−59	1053−58	10 46	−59 34	5		G287.8−0.5	R
2A1052+606		10 54 49.4	+60 32 50		8.8	SAO 015338	S
		11 02.9	+28 58		15.2	IC 3510	G
A1103+38		11 03 39.1	+38 17 14		13.5*	Mkn 421	G
Cen XR−3	1118−60	11 20 38	−60 32 41	360	13.3		S
H1122−59		11 23.8	−59 22			MSH 11−54	R
		11 24 48.0	+54 27 47		16.0*	Mkn 40	G
A1136−37	1136−37	11 38 18.6	−37 39 29	5	12.8*	NGC 3783	G
2U1134−61	1137−65	11 38 48.8	−65 19 03	17	5.1	HD 101379	S
2U1144+19	1143+19	11 43 58	+19 49.9	5	13.5	Abell 1367	G+C
Cen X−5	1145−61	11 47 18	−62 07 34	130	9.2	HD 102567	S
		12 03 57.7	+27 59 02		15.5V	GQ Com	Q
2U1207+39	1206+39	12 10	+39 29	8	11.2*	NGC 4151	G
H1209−52		12 11.5	−52 54			PKS1209−52	R
		12 17 42.7	+29 53 38		14.0*	Mkn 766	G
		12 21 06.4	+75 23 26		14.5	Mkn 205	Q
		12 24.4	+12 58		9.3	M84	G
		12 25.1	+12 44		12.7*	NGC 4388	G

Designation Discovery	4U	Right Ascension	Declination	Flux [1]	Mag [2]	Identified Counterpart	Type
		h m s	° ′ ″				
		12 25.5	+13 01		9.7	M86	G
GX301−2	1223−62	12 25 48	−62 41 24	73	10.0	Wray 977	S
		12 26.4	+ 9 30		12.5	NGC 4424	G
		12 27.1	+13 05		11.3*	NGC 4438	G
		12 27 41.7	+31 33 26		15.9	B2 1225+317	Q
		12 28.3	+14 03		12.0	NGC 4459	G
	1226+02	12 28 22.2	+ 2 07 57	5	13.0	3C273	Q
1E1227.0+1403		12 28 49.7	+13 51 15		17.4		Q
		12 29.1	+13 30		11.6*	NGC 4473	G
		12 29.4	+13 43		11.5	NGC 4477	G
Vir XR−1	1228+12	12 30.1	+12 28	40	9.2	M87	G+C
		12 33 32	+11 09		15.2	IC 3510	G
		12 34 49.5	−39 49 46		12.9	NGC 4507	G
4U1240−05	1240−05	12 38.8	− 5 16	4	12.0	NGC 4593	G
2U1247−41	1246−41	12 48.1	−41 14	9	12.4*	NGC 4696	G+C
2U1253−28	1249−28	12 51 37	−29 10 51	8	11.5V	EX Hya	S
Coma XR−1	1257+28	12 59.2	+27 59.9	27	10.7	Coma Cluster	C
GX304−1	1258−61	13 00 22.2	−61 31 21	100	14.7		S
MX1313+29		13 15.7	+29 11		12.5*	HZ 43	S
	1322−42	13 24.5	−42 56	15	7.2*	Cen A	G
4U1326+11	1326+11	13 28.7	+11 49	4	14.2	NGC 5171	G+C
2U1348+24	1348+25	13 48 12.0	+26 39.8	8	16.0	Abell 1795	C
2A1347−300		13 48 29.5	−30 14 18		12.8*	IC 4329A	G+C
		13 52 49.9	+63 50 01		14.8	PG1351+640	Q
		14 11 09.3	+52 16 13		20.5	3C295	C
TWX−1	1410−03	14 12.5	− 3 08	3	13.6*	NGC 5506	G
2A1415+255	1414+25	14 17 20.3	+25 12 10	6	13.1*	NGC 5548	G
		14 28 24	−62 37 04		12.4V	Proxima Cen	S
		14 34 21.8	+48 43 33		16.5*	Mkn 474	G
Cen XR−4		14 57 29.1	−31 36 40		19.0		T
	1458−41	15 01 25	−41 40.5	4	19.9	SN 1006	R
GX9+50		15 10.3	+ 5 49		16.0	Abell 2029	C
Cir XR−1	1516−56	15 19 33.4	−57 06 54	1300	22.5*		S
2A1519+082		15 21 08.9	+ 7 45 28		15.5	NGC 5920	G+C
		15 26 04.2	+10 02 07		18.0	4C10.43	Q
A1524−61		15 27 03.6	−61 49 59		19.0	Nova TrA 1974	T
		15 35 33.7	+57 57 03		15.0*	Mkn 290	G
2U1537−52	1538−52	15 41 18.0	−52 20 25	33	14.5		S
		15 54 29.4	+19 14 11		15.0*	Mkn 291	G
		15 55 12	−37 53 36		12.0	Thé 12	S
3U1555+27	1556+27	15 57.7	+27 16		16.0	Abell 2142	C
3U1551+15	1601+15	16 01 34.2	+16 03 37	6	13.8	Abell 2147	G+C
		16 04 18.0	+23 57 26		15.0	NGC 6051	G+C
MX1608−52	1608−52	16 11 36.0	−52 23 12	73	21		S
H1615−51		16 16 29.5	−51 00 19			RCW 103	R

Designation Discovery	4U	Right Ascension	Declination	Flux¹	Mag²	Identified Counterpart	Type
		h m s	° ′ ″				
Sco XR−1	1617−15	16 19 05.4	−15 36 19	31000	12.4V	V818 Sco	S
3U1639+40	1627+39	16 28.1	+39 33	7	13.9	Abell 2199	C
2U1626−67	1626−67	16 30 48.5	−67 25 51	33	18.5		S
2A1630+057		16 32.0	+ 5 37		17.1	Abell 2204	C
2U1637−53	1636−53	16 39 45.2	−53 23 23	460	17.5	V801 Ara	S
Ara XR−1	1642−45	16 44 47	−45 36	820		G339.6−0.1	H
4U1651+39	1651+39	16 53 23.2	+39 47 00	4	13.5*	Mkn 501	G
Her X−1	1656+35	16 57 19	+35 21 49	180	13.0V	HZ Her	S
		17 00 33.9	+29 25 46		17.0*	Mkn 504	G
2U1700−37	1700−37	17 02 58	−37 49 28	180	6.7	HD 153919	S
2U1706+78	1707+78	17 04 43.6	+78 39.6	7	15.3	Abell 2256	C
H1705−25		17 07 21.2	−25 04 23		21*	Nova Oph 1977	T
		17 22 05.5	+24 37 07		16.4V	V396 Her	Q
		17 22 07.0	+30 53 34		15.5*	Mkn 506	G
4U1722−30	1722−30	17 26 36.9	−30 47 27	13	17	Terzan 2	A
		17 29.7	−21 28.4		19	Kepler's SNR	R
GX9+9	1728−16	17 30 53.6	−16 57 08	470	16.6		S
GX1+4	1728−24	17 31 08.7	−24 44 18	110	18.7V		S
MXB1730−335		17 32 27	−33 22 46		17.5		A
GX346−7	1735−44	17 37 54.5	−44 26 32	380	17.5	V926 Sco	S
		17 48 43.1	+68 42 15		16.0*	Mkn 507	G
L10	1746−37	17 49 13.6	−37 02 50	73	8.4*	NGC 6441	A
2U1808+50	1813+50	18 15 51.7	+49 51 43	10	12.3	AM Her	S
Sgr XR−4	1820−30	18 22 44.5	−30 22 07	580	8.6*	NGC 6624	A
H1832+32		18 34 31.1	+32 41 03		14.7	3C382	G
Ser XR−1	1837+04	18 39 14.5	+ 5 01 28	510	15.1		S
2U1828+81	1847+78	18 43 10	+79 45 20	5	15.0	3C390.3	G
A1850−08	1850−08	18 52 16.8	− 8 43 28	16	8.9	NGC 6712	A
4U1849−31	1849−31	18 54 07	−31 11.1	7	14.7V	V1223 Sgr	S
2U1907+02	1901+03?	18 55 24	+ 1 17.8	160		Westerhout 44	R
	1907+09	19 08 57.1	+ 9 48 21	36	16.4		S
Aql XR−1	1908+00	19 10 31.7	+ 0 33 38	360	16.0	V1333 Aql	S
A1909+04	1908+05	19 11 06.6	+ 4 57 30	7	14.2V	SS433	S
2A1914−589	1924−59	19 19 59.8	−58 41 53	4	14.1	ESO 141−G55	G
2U1926+43	1919+44	19 20 46	+43 54.7	7	15.4	Abell 2319	C
		19 32	+31 15			G65.2+6.7	R
H1938+16		19 41 31	+17 03.7		14.7V	UU Sge	S
Cyg XR−1	1956+35	19 57 48.9	+35 09 42	2100	8.9	HDE 226868	S
3U1956+11	1957+11	19 58 42.9	+11 40 06	32	18.7		S
2U1957+40	1957+40	19 58 58	+40 42	7	16.2	Cyg A	C
1E2014.1+3702		20 15 31.2	+37 09 25			G74.9+1.2	R
Cyg X−3	2030+40	20 31 55	+40 54 29	700			S
2A2040−115		20 43 22.4	−10 46 34		13.0*	Mkn 509	G
Vul XR−1?	2046+31?	20 51 13	+31 01	3		Cygnus Loop	R
2U2134+11	2129+12	21 29 16.4	+12 06 10	8	6.0	M15=NGC 7078	A

Designation Discovery	4U	Right Ascension	Declination	Flux [1]	Mag [2]	Identified Counterpart	Type
		h m s	° ′ ″				
2U2130+47	2129+47	21 30 54.3	+47 13 33	36	16.2V		S
		21 42 09	+43 31.1		8.2V	SS Cyg	S
Cyg XR−2	2142+38	21 44 05	+38 15 17	1000	15.5V		S
2A2151−316		21 58 01.3	−30 17 42		17.0	PKS2155−304	G
H2208−47		22 08.4	−47 15		11.8	NGC 7213	G
		22 16 29.4	+14 10 09		15.5*	Mkn 304	G
2S2251−178		22 53 19.5	−17 39 33		17.0	MR2251−178	Q
GF2259+586		23 00 31.4	+58 48 05		15.0	G109.1−1.0	R+S
2A2259+085	2300+08	23 02 31.9	+ 8 47 47	5	13.0*	NGC 7469	G
		23 03 20.1	+22 32 42		15.0*	Mkn 315	G
2A2302−088	2305−07	23 03 58.2	− 8 45 50	4	13.9	MCG−2−58−22	G
2A2315−428		23 17.8	−42 26		11.8	NGC 7582	G
Cas XR−1	2321+58	23 22 46	+58 44	97	19.6	Cas A	R
3U2346+26	2345+27	23 50 17	+27 04.4	4	13.8	Abell 2666	C
4U2351+06	2351+06	23 55 17.4	+ 7 26 32	7	15.5*	Mkn 541	G

[1] (2–6) kev flux, units are 10^{-11} ergs cm^{-2} s^{-1}.
[2] V mag. unless followed by *, then B mag.
V, magnitude is variable.

Type Designation: A—Globular Cluster
C—Cluster of Galaxies
G—Galaxy
H—HII Region
P—Pulsar
Q—Quasi-Stellar Object
R—Supernova Remnant
S—Stellar
T—Transient (Nova-like optically).

RR LYRAE VARIABLES

Name	Right Ascension	Declination	Magnitude Max.	Min.	Period	Spectral Type
	h m s	° ′			d	
SW And	0 22 58	+ 29 19·2	9·14	10·09	0·442 279 456	A7 III—F8 III
XZ Cet	1 59 34	− 16 25·1	8·5	9·2	0·451	A
SS For	2 07 12	− 26 56·0	9·45	10·60	0·495 432	A3—G0
X Ari	3 07 44	+ 10 23·6	8·97	9·91	0·651 152	A8—F4
AR Per	4 16 14	+ 47 21·9	9·93	10·80	0·425 549 4	A8—F6
AD CMi	7 52 02	+ 1 38·1	9·08	9·38	0·122 974	F0 III—F3 III
AI Vel	8 13 36	− 44 31·9	6·4	7·13	0·111 573 96	A2p—F2p
SU Dra	11 37 08	+ 67 24·7	9·25	10·24	0·660 418 88	F0—F7
SV Hya	12 29 45	− 25 58·1	9·78	11·00	0·478 543 95	F0—F8
RS Boo	14 32 56	+ 31 49·0	9·69	10·84	0·377 338 96	A7—F5
VY Ser	15 30 18	+ 1 43·9	9·74	10·44	0·714 093 84	F2—F6
UV Oct	16 28 58	− 83 53·3	8·92	9·79	0·542 625	A6—F6
V703 Sco	17 41 20	− 32 31·1	7·82	8·50	0·115 217 896	F0—F5
MT Tel	19 01 09	− 46 40·3	8·68	9·28	0·316 897	A0
RR Lyr	19 25 00	+ 42 45·5	7·06	8·12	0·566 830	A8—F7
DX Del	20 46 47	+ 12 24·5	9·53	10·26	0·472 616 73	A9—F6
RS Gru	21 42 08	− 48 15·3	7·93	8·49	0·147 011 21	A6—F0
DH Peg	22 14 42	+ 6 44·8	9·27	9·78	0·255 498	A1—A7
BS Aqr	23 48 01	− 8 13·6	9·39	10·00	0·197 822 776	A8—F3

LONG-PERIOD CEPHEID VARIABLES

Name	Right Ascension	Declination	Magnitude Max.	Min.	Period	Spectral Type
	h m s	° ′			d	
α UMi	2 16 29	+ 89 11·9	1·92	2·07	4	F7 Ib—F8 Ib
RX Cam	4 03 46	+ 58 37·3	7·30	8·07	8	F6 Ib—G1
ζ Gem	7 03 15	+ 20 35·5	3·66	4·16	10	F7 Ib—G3 Ib
X Pup	7 32 09	− 20 52·7	7·82	9·24	26	F6—G2
T Vel	8 37 13	− 47 18·7	7·70	8·34	5	F6—F9
U Car	10 57 13	− 59 39·2	5·72	6·94	39	F6 Ib—G7
R Mus	12 41 11	− 69 19·7	5·93	6·73	7	F6—G2
V Cen	14 31 31	− 56 49·5	6·43	7·21	5	F6—G0
RV Sco	16 57 22	− 33 35·2	6·61	7·49	6	F5—G1
Y Oph	17 51 52	− 6 08·5	5·92	6·38	17	F8 Ib—G3 Ib
W Sgr	18 04 06	− 29 34·9	4·30	5·08	8	F4—G1
η Aql	19 51 44	+ 0 58·0	3·50	4·30	7	F6 Ib—G4 Ib
X Cyg	20 42 50	+ 35 32·1	5·87	6·86	16	F7 Ib—G8 Ib
δ Cep	22 28 37	+ 58 20·4	3·48	4·34	5	F5 Ib—G1 Ib

MIRA CETI VARIABLES

Name	Right Ascension	Declination	Max.	Min.	Period	Spectral Type
	h m s	° ′			d	
S Scl	0 14 39	− 32 07·6	5·5	13·6	365	M3e—M8e
R Psc	1 29 54	+ 2 48·4	7·1	14·8	344	M3e—M6e
o Cet	2 18 37	− 3 02·5	2·0	10·1	332	gM5e—M9e
R Per	3 29 08	+ 35 37·3	8·1	14·8	210	M2e—M5e
R Cae	4 40 00	− 38 15·9	6·7	13·7	391	M6e
R Aur	5 16 07	+ 53 34·3	6·7	13·7	458	gM6·5e—M9e
R Oct	5 30 25	− 86 24·0	6·4	13·2	406	M5·5e
V Mon	6 21 59	− 2 11·3	6·0	13·7	334	M5e—M8e(Se)
R Gem	7 06 29	+ 22 43·6	6·0	14·0	370	S2, 9e—S8, 9e
S Pyx	9 04 27	− 25 01·8	8·0	14·2	206	M3e—M5e
S Sex	10 34 12	− 0 16·0	8·2	13·6	261	M3e—M5e
R UMa	10 43 38	+ 68 51·1	6·7	13·4	302	M3e—M9e
R Crv	12 18 53	− 19 10·5	6·7	14·4	317	M4·5e—M9e
R Cen	14 15 31	− 59 50·8	5·3	11·8	546	M4e—M8 IIe
R Boo	14 36 33	+ 26 47·9	6·2	13·0	223	M3e—M8e
R Dra	16 32 38	+ 66 47·1	6·7	13·0	245	M5e—M9e
R Oph	17 06 56	− 16 04·5	7·0	13·8	303	M4e—M6e
R Pav	18 11 30	− 63 37·2	7·5	13·8	230	M4e—M5e
R Aql	19 05 40	+ 8 12·5	5·7	12·0	291	M5e—9e
S Cep	21 35 26	+ 78 33·6	7·4	12·9	487	N8e(C7, 4e)
S Lac	22 28 23	+ 40 14·5	7·6	13·9	242	M5e—M8e
R Peg	23 05 56	+ 10 27·9	6·9	13·8	378	M6e—M9e

SEMI-REGULAR VARIABLES

Name	Right Ascension	Declination	Max.	Min.	Period	Spectral Type
	h m s	° ′			d	
AC Scl	0 55 36	− 25 37·9	7·92	8·26	47	M4 III
ψ Phe	1 53 04	− 46 22·3	4·3	4·5	30	M4 III
W Tri	2 40 37	+ 34 27·2	8·5	9·7	108	M5 II
UX Hyi	3 49 00	− 69 55·3	9·6	11·7	600	M2
DM Eri	4 39 48	− 19 41·9	4·28	4·36	30	gM4
RV Col	5 35 11	− 30 50·2	9·3	10·3	106	G5
α Ori	5 54 24	+ 7 24·3	0·40	1·3	2335	M2e Iab
S Lep	6 05 09	− 24 11·6	7·1	8·9	90	M6
BC CMi	7 51 22	+ 3 19·0	6·14	6·42	35	gM4
BP Cnc	8 25 56	+ 12 42·3	5·41	5·75	40	M3 III
U Pyx	8 29 17	− 30 16·5	8·6	9·4	345	K5
DF Leo	9 22 43	+ 7 46·6	6·74	6·95	70	gM4
RT Sex	10 11 36	− 10 15·0	8·0	8·5	96	M6
RY UMa	12 19 46	+ 61 23·4	6·68	8·5	311	M2—3e III
V UMi	13 38 25	+ 74 23·0	8·8	9·9	72	M5 III
ET Vir	14 10 03	− 16 14·0	4·80	5·00	80	gM3
Z Ser	15 15 18	+ 2 13·3	9·4	10·9	87	M5
R Lyr	18 54 54	+ 43 55·5	3·88	5·0	46	M5 III
V450 Aql	19 33 03	+ 5 26·0	6·30	6·65	40	M5—M5·5 III
X Sge	20 04 26	+ 20 36·4	7·0	8·36	196	N(C5, 5)
TW Peg	22 03 20	+ 28 16·6	7·0	9·2	956	M6—M7
ε Oct	22 18 27	− 80 30·8	4·96	5·36	55	M6 III

IRREGULAR VARIABLES

Name	Right Ascension	Declination	Magnitude Max.	Min.	Spectral Type
	h m s	° '			
SW Cet	1 37 45	+ 1 17·3	9·8	10·9	gM7
Ψ¹ Aur	6 23 47	+49 17·7	6·6	7·2	K5—M0 Iab-Ib
VW Gem	6 41 13	+31 28·1	8·1	8·5	C3, 9
W CMa	7 07 23	−11 54·0	8·7	9·7	N(C6, 3)
UV Cnc	8 37 57	+21 12·7	9	10·5	M4
RT UMa	9 17 24	+51 27·8	8·6	9·6	C4, 4
RR Ant	9 35 04	−39 50·3	9·4	10·9	Mc
UV Boo	14 21 53	+25 37·0	8·5	9·2	F5 V
T Lyr	18 31 50	+36 59·3	7·8	9·6	R6(C5₃)
T Cyg	20 46 36	+34 19·2	5·0	5·5	K3 III
RW Cep	22 22 34	+55 53·4	8·6	10·5	G8—M0: Ia—0
TZ Cas	23 52 13	+60 55·3	8·86	10·5	M2 Iab

OTHER TYPES OF VARIABLES

Type	Name	Right Ascension	Declination	Magnitude Max.	Min.	Period	Spectral Type
		h m s	° '			d	
δ Sct	AI Scl	1 12 05	−37 56·0	5·93	5·98	0·05	A7 III
δ Sct	UV Ari	2 44 10	+12 23·1	5·18	5·22	0·06	A7 IV
α CVn	V396 Per	3 31 07	+47 58·6	5·45	5·53	2·476 1	B8 IIIp
α CVn	DO Eri	3 54 36	−12 08·4	5·97	6·00	12·448	Ap
δ Sct	o¹ Eri	4 11 09	− 6 52·5	4·00	4·05	0·081 5	F2 II—III
RVa Tau	TW Cam	4 19 36	+57 24·4	8·98	10·27	87·48	F8 Ib—G8 Ib
β Cep	β CMa	6 22 04	−17 56·9	1·93	2·00	0·250 0225	B1 II—III
δ Sct	V571 Mon	7 10 39	− 0 16·6	5·43	5·50	0·099 9081	A8n
δ Sct	ρ Pup	8 06 56	−24 15·7	2·68	2·78	0·140 88143	F6 IIp
RV Tau	RU Cen	12 08 39	−45 20·7	8·7	10·7	64·727	A7 Ib—G pe
β Cep	β Cru	12 46 52	−59 36·5	1·23	1·31	0·236 5072	B0·5 III—IV
α CVn	ε UMa	12 53 23	+56 02·3	1·76	1·79	5·088 7	A0 Vp
δ Sct	κ² Boo	14 12 57	+51 51·4	4·50	4·54	0·066 82	A8 IV
α CVn	β CrB	15 27 15	+29 09·2	3·65	3·69	18·487	A7—F0 IIIp
δ Sct	δ Ser	15 34 07	+10 35·1	4·20	4·25	0·134	F0 IV
β Cep	σ Sco	16 20 18	−25 33·5	2·94	3·06	0·246 8406	B1 III
RVa Tau	R Sct	18 46 42	− 5 43·3	4·45	8·20	140·05	G0e Ia—K0p Ib
δ Sct	ρ¹ Sgr	19 20 50	−17 52·5	3·90	3·93	0·050	F0 IV—V
RVb Tau	R Sge	20 13 24	+16 40·9	9·46	11·46	70·594	G0 Ib—G8 Ib
α CVn	θ¹ Mic	21 19 50	−40 52·3	4·77	4·87	2·121 9	A2 p
β Cep	β Cep	21 28 28	+70 29·8	3·16	3·27	0·190 4881	B2 III eV
α CVn	κ Psc	23 26 12	+ 1 10·6	4·91	4·96	0·580 5	A2p
α CVn	CG And	23 59 59	+45 10·4	6·32	6·42	3·739 75	A0 Vp

QUASARS

Name	Right Ascension	Declination	V	B − V	Red shift z	$\log_{10} F_\nu$	Spectral Index
	h m s	° ′ ″					
3C 2	0 05 38	− 0 09 15	19·35	+0·79	1·037	−25·18	+0·69
3C 9	0 19 40	+15 36 05	18·21	+0·23	2·012	−25·21	+1·03
3C 47	1 35 37	+20 53 08	18·10	+0·05	0·425	−25·00	+0·94
3C 48	1 36 52	+33 05 10	16·20	+0·42	0·367	−24·54	+0·70
PKS 0403 − 13	4 04 53	−13 10 33	17·17	+0·22	0·571	−25·22	+0·4
3C 138	5 20 20	+16 37 33	18·84	+0·53	0·759	−24·99	+0·50
3C 147	5 41 29	+49 50 44	17·80	+0·65	0·545	−24·48	+0·63
3C 191	8 04 00	+10 17 54	18·40	+0·25	1·952	−25·37	+0·98
3C 215	9 05 43	+16 49 42	18·27	+0·21	0·411	−25·39	+1·00
3C 245	10 41 59	+12 08 06	17·27	+0·46	1·029	−25·34	+0·67
3C 249·1	11 03 09	+77 03 40	15·72	−0·02	0·311	−25·29	+0·77
PKS 1127 − 14	11 29 23	−14 44 39	16·90	+0·27	1·187	−25·19	−0·1
3C 270·1	12 19 51	+33 48 01	18·61	+0·19	1·519	−25·29	+0·83
3C 273	12 28 22	+ 2 07 57	12·80	+0·21	0·158	−24·27	+0·11
3C 275·1	12 43 14	+16 27 40	19·00	+0·23	0·557	−25·16	+0·87
3C 277·1	12 51 48	+56 39 03	17·93	−0·17	0·320	−25·29	+0·66
3C 323·1	15 47 05	+20 54 56	16·69	+0·11	0·264	−25·32	+0·71
3C 345	16 42 29	+39 50 13	15·96	+0·29	0·594	−25·21	+0·14
3C 351	17 04 30	+60 45 40	15·28	+0·13	0·371	−25·22	+0·72
3C 454·3	22 53 15	+16 04 15	16·10	+0·47	0·859	−25·06	−0·15

PULSARS

Name	Right Ascension	Declination	Galactic Long.	Lat.	Period P(1969)	Ṗ	Epoch of Period 244	Log τ	Distance
	h m s	° ′ ″	°	°	s	ns/d	244	y	pc
PSR 0329 + 54	3 31 53	+54 31 48	145·0	− 1·2	0·714 5187	0·177	0621·50	6·74	2300
PSR 0531 + 21	5 33 40	+22 00 19	184·6	− 5·8	0·033 1340	36·499	1351·3894	3·09	2000
PSR 0655 + 64	6 59 14	+64 19 27	151·6	+25·2	0·195 6709	0·130	3987·43	6·31	280
PSR 0809 + 74	8 13 17	+74 31 47	140·0	+31·6	1·292 2413	0·014	0689·47	8·09	170
PSR 0820 + 02	8 22 25	+ 2 02 03	222·0	+21·2	0·864 8728	0·009	3419·3472	8·14	790
PSR 0833 − 45	8 34 51	−45 07 34	263·6	− 2·8	0·089 2473	10·773	3892·2341	4·05	500
PSR 0834 + 06	8 36 19	+ 6 13 18	219·7	+26·3	1·273 7642	0·587	1708·00	6·47	430
PSR 0950 + 08	9 52 23	+ 7 59 43	228·9	+43·7	0·253 0651	0·020	1501·00	7·24	90
PSR 1133 + 16	11 35 18	+15 55 54	241·9	+69·2	1·187 9115	0·323	1665·00	6·70	150
PSR 1508 + 55	15 09 02	+55 34 52	91·3	+52·3	0·739 6779	0·435	0625·96	6·37	730
PSR 1749 − 28	17 52 04	−28 06 28	1·5	− 1·0	0·562 5532	0·705	0128·19	6·04	1000
PSR 1913 + 16	19 14 49	+16 04 54	50·0	+ 2·1	0·059 0300	0·001	2321·4332	8·03	5200
PSR 1919 + 21	19 21 08	+21 51 21	55·8	+ 3·5	1·337 3012	0·116	0689·95	7·20	330
PSR 1933 + 16	19 35 08	+16 14 43	52·4	− 2·1	0·358 7362	0·519	2265·00	5·98	6000
PSR 1937 + 21	19 39 01	+21 32 57	57·5	− 0·3	0·001 5577	2·592	5237·5	2·92	>2000
PSR 2016 + 28	20 17 28	+28 37 10	68·1	− 4·0	0·557 9534	0·013	0689·00	7·77	1300
PSR 2045 − 16	20 47 47	−16 20 00	30·5	−33·1	1·961 5669	0·947	0695·01	6·45	380
PSR 2327 − 20	23 29 41	−20 10 19	49·4	−70·2	1·643 6197	0·400	3556·8157	6·75	290

The following pulsars are members of binary systems: PSR 0655 + 64, PSR 0820 + 02, PSR 1913 + 16.

CONTENTS OF SECTION J

Pages J8-J18 contain as complete a list as possible of optical and radio observatories that are currently engaged in professional programs of astronomical observations. Entries are in alphabetical order according to geographical location. If only the formal name of an observatory is known, its location can be found in the Index List (pp. J2-J6). In the General List the column labelled Ref. specifies the year in which an observatory appeared in the Instrumentation Lists that appeared in the 1981-1984 editions. East longitudes and north latitudes are considered to be positive.

INDEX LIST

Radio observatories are designated by *R*.

INDEX LIST

Radio observatories are designated by *R*.

INDEX LIST

Radio observatories are designated by *R*.

INDEX LIST

Radio observatories are designated by R.

INDEX LIST

Radio observatories are designated by *R*.

Place	Description	East Longitude	Latitude	Ref.
		° ′	° ′	
Albany, New York	Dudley Observatory	− 73 46.8	+42 39.2	82
Alma-Ata, Kazakh S.S.R.	Mountain Observatory	+ 76 57.4	+43 11.3	84
Alston, England	Wilfred Hall Observatory	− 2 35.6	+53 48.1	82
Anacapri, Italy	Capri Observatory	+ 14 11.8	+40 33.5	82
Anderson Mesa, Arizona	Anderson Mesa Station	−111 32.2	+35 05.8	
Ankara, Turkey	Ankara University Observatory	+ 32 46.8	+39 50.6	82
Arcetri, Italy	Arcetri Astrophysical Observatory	+ 11 15.3	+43 45.2	82
Arhus, Denmark	Ole Rømer Observatory	+ 10 11.8	+56 07.7	82
Armagh, Northern Ireland	Armagh Observatory	− 6 38.9	+54 21.2	82
Arosa, Switzerland	Arosa Astrophysical Observatory	+ 9 40.1	+46 47.0	82
Ashkhabad, Turkmen S.S.R.	Ashkhabad Astrophysical Laboratory	+ 58 21.2	+37 57.4	84
Asiago, Italy	Asiago Astrophysical Observatory	+ 11 31.7	+45 51.7	81
Athens, Greece	National Observatory of Athens	+ 23 43.2	+37 58.4	81
Atlanta, Georgia	Fernbank Observatory	− 84 19.1	+33 46.7	81
Auckland, New Zealand	Auckland Observatory	+174 46.7	−36 54.4	82
Bailey, Colorado	Dick Mountain Station	−105 26.2	+39 25.6	83
Bamberg, German Fed. Rep.	Remeis Observatory	+ 10 53.4	+49 53.1	82
Barcelona, Spain	Fabra Observatory	+ 2 07.6	+41 25.0	82
Barcelona, Spain	Faculty of Physics Observatory	+ 2 07.1	+41 23.2	82
Beijing (Peking), China	Beijing Astronomical Observatory	+116 19.7	+40 06.1	84
Belo Horizonte, Brazil	Piedade Observatory	− 43 30.7	−19 49.3	82
Beloit, Wisconsin	Thompson Observatory	− 89 01.9	+42 30.3	82
Bergedorf, German Fed. Rep.	Hamburg Observatory	+ 10 14.5	+53 28.9	83
Berlin, German Dem. Rep.	Archenhold Observatory	+ 13 28.7	+52 29.2	81
Berlin, German Fed. Rep.	Wilhelm-Foerster Observatory	+ 13 21.2	+52 27.5	82
Besançon, France	Besançon Observatory	+ 5 59.2	+47 15.0	81
Bickley, Western Australia	Perth Observatory	+116 08.1	−32 00.5	83
Big Bear Lake, California	Big Bear Solar Observatory	−116 54.9	+34 15.2	82
Binningen, Switzerland	University of Basle Ast. Institute	+ 7 35.0	+47 32.5	82
Björnstorp, Sweden	Jävan Station	+ 13 26.0	+55 37.4	82
Bloemfontein, South Africa	Boyden Observatory	+ 26 24.3	−29 02.3	81
Blue Mesa, New Mexico	Blue Mesa Station	−107 09.9	+32 29.5	82
Bochum, German Fed. Rep.	Bochum Ast. Observing Station	+ 7 13.4	+51 27.9	82
Bogotá, Colombia	National Astronomical Observatory	− 74 04.9	+ 4 35.9	82
Bologna, Italy	San Vittore Observatory	+ 11 20.5	+44 28.1	83
Boone, Iowa	Erwin W. Fick Observatory	− 93 56.5	+42 00.3	82
Bornova, Turkey	Ege University Observatory	+ 27 16.5	+38 23.9	82
Borowiec, Poland	Astronomical Latitude Observatory	+ 17 04.5	+52 16.6	84
Bosque Alegre, Argentina	Bosque Alegre Astrophys. Station	− 64 32.8	−31 35.9	81
Boulder, Colorado	Sommers-Bausch Observatory	−105 15.8	+40 00.2	82
Bouzaréah, Algeria	Algiers Observatory	+ 3 02.1	+36 48.1	82
Brannenburg, German Fed. Rep.	Wendelstein Solar Observatory	+ 12 00.8	+47 42.5	82
Bratislava, Czechoslovakia	Slovak Technical University Obs.	+ 17 07.2	+48 09.3	82
Bristol Springs, New York	C. E. Kenneth Mees Observatory	− 77 24.5	+42 42.0	82
Brno, Czechoslovakia	Nicholas Copernicus Observatory	+ 16 35.3	+49 12.3	81

Place	Description	East Longitude	Latitude	Ref.
		° ′	° ′	
Broederstroom, South Africa	Leiden Obs. Southern Station	+ 27 52.6	− 25 46.4	81
Bronson, Florida	Rosemary Hill Observatory	− 82 35.2	+ 29 24.0	82
Brooklyn, Indiana	Goethe Link Observatory	− 86 23.7	+ 39 33.0	81
Brorfelde, Denmark	Copenhagen University Observatory	+ 11 39.9	+ 55 37.3	82
Brownsboro, Kentucky	Moore Observatory	− 85 31.8	+ 38 20.1	82
Brunswick, Maine	Bowdoin College Observatory	− 69 57.8	+ 43 54.6	82
Brussels, Belgium	Astronomical and Astrophys. Inst.	+ 4 23.0	+ 50 48.8	81
Bucharest, Romania	Bucharest Astronomical Observatory	+ 26 05.8	+ 44 24.8	82
Budapest, Hungary	Konkoly Observatory	+ 18 57.9	+ 47 30.0	82
Budapest, Hungary	Urania Observatory	+ 19 03.9	+ 47 29.1	82
Buenos Aires, Argentina	Naval Observatory	− 58 21.3	− 34 37.3	82
Byurakan, Armenian S.S.R.	Byurakan Astrophysical Observatory	+ 44 17.5	+ 40 20.1	84
Calar Alto, Spain	Calar Station	− 2 32.2	+ 37 13.8	81
Calgary, Alberta	Rothney Astrophysical Observatory	− 114 17.3	+ 50 52.1	82
Cambridge, Massachusetts	Harvard College Observatory	− 71 07.8	+ 42 22.8	82
Cambridge, Massachusetts	Smithsonian Astrophysical Obs.	− 71 07.8	+ 42 22.8	82
Cape Town, South Africa	South African Astronomical Obs.	+ 18 28.7	− 33 56.1	81
Capilla de Caleu, Chile	Cerro El Roble Astronomical Sta.	− 71 01.2	− 32 58.9	81
Capilla Peak, New Mexico	Capilla Peak Observatory	− 106 24.3	+ 34 41.8	82
Capoterra, Sardinia	Cagliari Astronomical Observatory	+ 8 58.4	+ 39 08.2	82
Caracas, Venezuela	Cagigal Observatory	− 66 55.7	+ 10 30.4	82
Carloforte, Sardinia	International Latitude Observatory	+ 8 18.7	+ 39 08.2	82
Castel Gandolfo, Italy	Vatican Observatory	+ 12 39.1	+ 41 44.8	82
Castleknock, Ireland	Dunsink Observatory	− 6 20.3	+ 53 23.2	82
Catania, Sicily	Catania Astrophysical Observatory	+ 15 05.2	+ 37 30.2	82
Caussols, France	CERGA	+ 6 55.6	+ 43 44.9	84
Cerro Calán, Chile	Cerro Calán National Ast. Obs.	− 70 32.8	− 33 23.8	82
Cerro La Silla, Chile	European Southern Observatory	− 70 43.8	− 29 15.4	81
Cerro Tololo, Chile	Cerro Tololo Inter-American Obs.	− 70 48.9	− 30 09.9	82
Charlottesville, Virginia	Leander McCormick Observatory	− 78 31.4	+ 38 02.0	82
Chavannes-des-Bois, Switzerland	University of Lausanne Observatory	+ 6 08.2	+ 46 18.4	83
Chung-Li, Taiwan	National Central Univ. Observatory	+ 121 11.2	+ 24 58.2	82
Cincinnati, Ohio	Cincinnati Observatory	− 84 25.4	+ 39 08.3	82
Clinton, Louisiana	Louisiana State University Obs.	− 90 58.1	+ 30 48.1	82
Cluj-Napoca, Romania	Cluj-Napoca Astronomical Obs.	+ 23 35.9	+ 46 45.6	82
Cocoa, Florida	Brevard Community College Obs.	− 80 45.7	+ 28 23.1	82
Coimbra, Portugal	Coimbra Astronomical Observatory	− 8 25.8	+ 40 12.4	82
College Park, Maryland	University of Maryland Observatory	− 76 57.4	+ 39 00.1	82
Columbia, South Carolina	Melton Memorial Observatory	− 81 01.6	+ 33 59.8	82
Copenhagen, Denmark	Copenhagen University Observatory	+ 12 34.6	+ 55 41.2	82
Córdoba, Argentina	Córdoba Astronomical Observatory	− 64 11.8	− 31 25.3	82
Cracow, Poland	Fort Skala Station	+ 19 49.6	+ 50 03.3	81
Cracow, Poland	Jagellonian University Ast. Obs.	+ 19 57.6	+ 50 03.9	82
Danbury, Connecticut	Western Conn. State College Obs.	− 73 26.7	+ 41 24.0	82
Danyang, Korea	National Astronomical Observatory	+ 128 27.4	+ 36 56.0	82

Place	Description	East Longitude	Latitude	Ref.
		° ′	° ′	
Debrecen, Hungary	Heliophysical Observatory	+ 21 37.4	+47 33.6	84
Decatur, Georgia	Bradley Observatory	− 84 17.6	+33 45.9	82
Dehra Dun, India	Haig Observatory	+ 78 02.9	+30 18.9	82
Delaware, Ohio	Perkins Observatory	− 83 03.3	+40 15.1	81
Denver Colorado	Chamberlin Observatory	− 104 57.2	+39 40.6	83
Devon, Alberta	Devon Astronomical Observatory	− 113 45.5	+53 23.4	82
Dolbeau, Quebec	Quebec Astronomical Observatory	− 72 15.3	+48 50.2	82
Dresden, German Dem. Rep.	Lohrmann Observatory	+ 13 52.3	+51 03.0	83
Dundee, Scotland	Mills Observatory	− 3 00.7	+56 27.9	82
Dushanbe, Tadzhik S.S.R.	Institute of Astrophysics	+ 68 46.9	+38 33.7	83
East Lansing, Michigan	Michigan State University Obs.	− 84 29.0	+42 42.4	82
Edinburg, Texas	Pan American University Obs.	− 98 10.4	+26 18.3	82
Edinburgh, Scotland	City Observatory	− 3 10.8	+55 57.4	82
Edinburgh, Scotland	Royal Observatory	− 3 11.0	+55 55.5	81
Evanston, Illinois	Dearborn Observatory	− 87 40.5	+42 03.4	82
Evanston, Illinois	Lindheimer Ast. Research Center	− 87 40.3	+42 03.6	82
Fan Mountain, Virginia	Fan Mountain Observatory Station	− 78 41.6	+37 52.7	82
Fayette, Missouri	Morrison Observatory	− 92 41.8	+39 09.1	82
Flagstaff, Arizona	Flagstaff Station	− 111 44.4	+35 11.0	81
Flagstaff, Arizona	Lowell Observatory	− 111 39.9	+35 12.2	81
Flagstaff, Arizona	Northern Arizona University Obs.	− 111 39.2	+35 11.1	82
Floirac, France	Bordeaux University Observatory	− 0 31.7	+44 50.1	82
Freiburg, German Fed. Rep.	Schauinsland Observatory	+ 7 54.3	+47 54.8	82
Gaithersburg, Maryland	International Latitude Observatory	− 77 12.0	+39 08.2	82
Glasgow, Scotland	Glasgow University Observatory	− 4 18.3	+55 54.1	81
Gorki, R.S.F.S.R.	Gorki Latitude Station	+ 43 59.0	+56 15.5	82
Graz, Austria	University of Graz Observatory	+ 15 26.9	+47 04.6	82
Greenbelt, Maryland	Goddard Research Observatory	− 76 49.6	+39 01.3	81
Greenville, Delaware	Mount Cuba Astronomical Obs.	− 75 38.0	+39 47.1	82
Grosschwabhausen, German D.R.	Friedrich-Schiller University Obs.	+ 11 29.0	+50 55.8	82
Gyula, Hungary	Gyula Observing Station	+ 21 16.2	+46 39.2	84
Haleakala, Hawaii	LURE Observatory	− 156 15.5	+20 42.6	82
Hamburg, German Fed. Rep.	German Hydrographic Institute	+ 10 00.9	+53 35.8	82
Hannover, German Fed. Rep.	Theor. Geodesy Inst. Ast. Station	+ 9 42.8	+52 23.3	82
Hanover, New Hampshire	Shattuck Observatory	− 72 17.0	+43 42.3	82
Harestua, Norway	Oslo Solar Observatory	+ 10 45.0	+60 12.6	82
Harriman, New York	Harriman Observatory	− 74 06.9	+41 18.2	82
Harvard, Massachusetts	George R. Agassiz Station	− 71 33.5	+42 30.3	81
Haverford, Pennsylvania	Strawbridge Observatory	− 75 18.2	+40 00.7	82
Helsinki, Finland	University of Helsinki Observatory	+ 24 57.3	+60 09.7	82
Helwân, Egypt	Helwân Observatory	+ 31 22.8	+29 51.5	82
Herstmonceux, England	Royal Greenwich Observatory	+ 0 20.3	+50 52.2	83
Hobart, Tasmania	University of Tasmania Observatory	+ 147 32.0	− 42 50.0	81
Hoeven, Netherlands	Simon Stevin Observatory	+ 4 33.8	+51 34.0	82
Hoher List, German Fed. Rep.	Hoher List Observatory	+ 6 51.0	+50 09.8	81

Place	Description	East Longitude	Latitude	Ref.
		° ′	° ′	
Hoshigaoka-Machi, Japan	International Latitude Observatory	+ 141 07.9	+39 08.1	82
Hyderabad, India	Nizamiah Observatory	+ 78 27.2	+17 25.9	82
Incline Village, Nevada	Maclean Observatory	− 119 55.7	+39 17.7	82
Innerkirchen, Switzerland	Astrophotographic Station	+ 8 14.2	+46 42.5	82
Irkutsk, R.S.F.S.R.	City Astronomical Observatory	+ 104 16.8	+52 16.5	84
Irkutsk, R.S.F.S.R.	Irkutsk Astronomical Observatory	+ 104 20.7	+52 16.7	83
Istanbul, Turkey	Istanbul University Observatory	+ 28 58.0	+41 00.8	82
Istanbul, Turkey	Kandilli Observatory	+ 29 03.7	+41 03.8	82
Itajubá, Brazil	Itajubá Astrophysical Station	− 45 33.9	−22 31.1	82
Itatiba, Brazil	Astronomical and Geophysical Inst.	− 46 58.0	−23 00.1	82
Ithaca, New York	Hartung-Boothroyd Observatory	− 76 23.1	+42 27.5	82
Japal, India	Japal-Rangapur Observatory	+ 78 43.7	+17 05.9	83
Jungfraujoch, Switzerland	High Alpine Research Station	+ 7 59.1	+46 32.9	81
Juvisy, France	Flammarion Observatory	+ 2 22.3	+48 41.6	82
Kaliningrad, R.S.F.S.R.	Kaliningrad University Observatory	+ 20 29.7	+54 42.8	83
Kamitakara, Japan	Hida Observatory	+ 137 18.5	+36 14.9	84
Kanzelhöhe, Austria	Kanzelhöhe Solar Observatory	+ 13 54.4	+46 40.7	82
Kazan, R.S.F.S.R.	Engelhardt Astronomical Obs.	+ 48 48.9	+55 50.3	81
Kazan, R.S.F.S.R.	Kazan University Observatory	+ 49 07.3	+55 47.4	83
Kharkov, Ukrainian S.S.R.	Kharkov University Ast. Obs.	+ 36 13.9	+50 00.2	82
Kiev, Ukrainian S.S.R.	Kiev University Observatory	+ 30 29.9	+50 27.2	83
Kiev, Ukrainian S.S.R.	Main Astronomical Observatory	+ 30 30.5	+50 21.9	83
Kirkkonummi, Finland	Metsahövi Observatory	+ 24 23.8	+60 13.2	81
Kislovodsk, R.S.F.S.R.	Mountain Station	+ 42 31.8	+43 44.0	84
Kiso, Japan	Kiso Observatory	+ 137 37.7	+35 47.6	81
Kitab, Uzbek S.S.R.	International Latitude Observatory	+ 66 52.9	+39 08.0	83
Kitt Peak, Arizona	Kitt Peak National Observatory	− 111 36.0	+31 57.8	81
Kitt Peak, Arizona	Kitt Peak Station	− 111 36.0	+31 57.8	81
Kitt Peak, Arizona	Kitt Peak Station	− 111 35.9	+31 57.6	83
Kitt Peak, Arizona	McGraw-Hill Observatory	− 111 37.0	+31 57.0	81
Königstuhl, German Fed. Rep.	State Observatory	+ 8 43.3	+49 23.9	82
Kottamia, Egypt	Kottamia Observatory	+ 31 49.5	+29 55.9	81
Kunming (K'un-ming), China	Yunnan Observatory	+ 102 47.3	+25 01.5	82
Kutztown, Pennsylvania	Kutztown State College Observatory	− 75 47.1	+40 30.9	82
Kyoto, Japan	Institute of Astrophysics	+ 135 47.0	+35 01.8	81
Kyoto, Japan	Kwasan Observatory	+ 135 47.6	+34 59.7	84
Lafayette, California	Leuschner Observatory	− 122 09.4	+37 55.1	82
Lake Angelus, Michigan	McMath-Hulbert Observatory	− 83 15.8	+42 39.8	82
Lane Cove, New South Wales	Riverview College Observatory	+ 151 09.5	−33 49.8	82
La Plata, Argentina	La Plata Astronomical Observatory	− 57 55.9	−34 54.5	81
Las Campanas, Chile	Las Campanas Observatory	− 70 42.0	−29 00.5	83
Las Cruces, New Mexico	Corralitos Observatory	− 107 02.6	+32 22.8	82
Lawrence, Kansas	University of Kansas Observatory	− 95 15.0	+38 57.6	82
Leiden, Netherlands	Leiden Observatory	+ 4 29.1	+52 09.3	81
Lembang, (Java), Indonesia	Bosscha Observatory	+ 107 37.0	− 6 49.5	84

Place	Description	East Longitude	Latitude	Ref.
		° ′	° ′	
Leningrad, R.S.F.S.R.	Leningrad University Observatory	+ 30 17.7	+59 56.5	83
Liège, Belgium	Cointe Observatory	+ 5 33.9	+50 37.1	81
Lintong, China	Shaanxi Astronomical Observatory	+109 33.1	+34 56.7	
Lisbon, Portugal	Lisbon Astronomical Observatory	− 9 11.2	+38 42.7	82
Loiano, Italy	Bologna University Observatory	+ 11 20.2	+44 15.5	81
Lomnický Štít, Czechoslovakia	Lomnický Štít Coronal Station	+ 20 13.2	+49 11.8	82
Los Angeles, California	Griffith Observatory	− 118 18.1	+34 06.8	82
Lund, Sweden	Lund Royal University Observatory	+ 13 11.2	+55 41.9	82
Lustbühel, Austria	University of Graz Observatory	+ 15 29.7	+47 03.9	82
Lvov, Ukrainian S.S.R.	Lvov Polytechnic Inst. Observatory	+ 24 00.9	+49 50.2	83
Lvov, Ukrainian S.S.R.	Lvov University Ast. Institute	+ 24 01.8	+49 50.0	83
Madison, Wisconsin	Washburn Observatory	− 89 24.5	+43 04.6	82
Madrid, Spain	National Astronomical Observatory	− 3 41.1	+40 24.6	82
Malvern, Pennsylvania	Flower and Cook Observatory	− 75 29.6	+40 00.0	81
Manastash Ridge, Washington	Manastash Ridge Observatory	− 120 43.4	+46 57.1	82
Manchester, England	Godlee Observatory	− 2 14.0	+53 28.6	82
Manora Peak, India	Uttar Pradesh State Observatory	+ 79 27.4	+29 21.7	82
Marine-on-St. Croix, Minnesota	O'Brien Observatory	− 92 46.6	+45 10.9	82
Mauna Kea, Hawaii	Mauna Kea Observatory	− 155 28.3	+19 49.6	81
Mead, Nebraska	Behlen Observatory	− 96 26.8	+41 10.3	82
Merate, Italy	Brera-Milan Astronomical Obs.	+ 9 25.7	+45 42.0	81
Mérida, Venezuela	Llano del Hato Observatory	− 70 52.0	+ 8 47.4	81
Meudon, France	Meudon Observatory	+ 2 13.9	+48 48.3	84
Middletown, Connecticut	Van Vleck Observatory	− 72 39.6	+41 33.3	82
Milan, Italy	Brera-Milan Astronomical Obs.	+ 9 11.5	+45 28.0	82
Mill Hill, England	University of London Observatory	− 0 14.4	+51 36.8	82
Mitaka-Shi, Japan	Tokyo Astronomical Observatory	+139 32.5	+35 40.3	81
Mitzpe Ramon, Israel	The Florence and George Wise Obs.	+ 34 45.8	+30 35.8	81
Monte Mario, Italy	Rome Observatory	+ 12 27.1	+41 55.3	82
Montevideo, Uruguay	National Observatory	− 56 12.8	−34 54.6	84
Mont Gros, France	Nice Observatory	+ 7 18.1	+43 43.4	81
Mont Mégantic, Quebec	Quebec Astronomical Observatory	− 71 09.2	+45 27.3	81
Montville, Ohio	Nassau Astronomical Station	− 81 04.5	+41 35.5	83
Moscow, R.S.F.S.R.	Sternberg State Astronomical Inst.	+ 37 32.7	+55 42.0	83
Mount Chikurin, Japan	Okayama Astrophysical Observatory	+133 35.8	+34 34.4	81
Mount Dodaira, Japan	Dodaira Observatory	+139 11.8	+36 00.2	81
Mount Ekar, Italy	Mount Ekar Observatory	+ 11 34.3	+45 50.8	81
Mount Evans, Colorado	Mount Evans Observatory	− 105 38.4	+39 35.2	82
Mount Hamilton, California	Lick Observatory	− 121 38.2	+37 20.6	84
Mount Hopkins, Arizona	Fred Lawrence Whipple Observatory	− 110 53.1	+31 41.3	84
Mount John, New Zealand	Mount John University Observatory	+170 27.9	−43 59.2	83
Mount Kanobili, Georgian S.S.R.	Abastumani Astrophysical Obs.	+ 42 49.5	+41 45.3	83
Mount Killíni, Greece	Kryonerion Astronomical Station	+ 22 37.3	+37 58.4	82
Mount Kobau, British Columbia	Dominion Astrophysical Observatory	− 119 30.0	+49 07.0	82
Mount Laguna, California	Mount Laguna Observatory	− 116 25.6	+32 50.4	82

Place	Description	East Longitude	Latitude	Ref.
		° ′	° ′	
Mount Lemmon, Arizona	Mount Lemmon Infrared Observatory	− 110 47.5	+32 26.5	81
Mount Lemmon, Arizona	Mount Lemmon Station	− 110 47.3	+32 26.6	81
Mount Locke, Texas	McDonald Observatory	− 104 01.3	+30 40.3	84
Mount Norikura, Japan	Norikura Observatory	+ 137 33.3	+36 06.8	82
Mount Pleasant, Michigan	Central Michigan University Obs.	− 84 46.5	+43 35.3	82
Mount Stromlo, Austl. Cap. Ter.	Mount Stromlo Observatory	+ 149 00.5	−35 19.2	83
Mount Wilson, California	Mount Wilson Observatory	− 118 03.6	+34 13.0	82
Munich, German Fed. Rep.	Bavarian Observatory	+ 11 36.5	+48 07.4	82
Munich, German Fed. Rep.	Munich University Observatory	+ 11 36.5	+48 08.7	82
Nantucket, Massachusetts	Maria Mitchell Observatory	− 70 06.3	+41 16.8	82
Naples, Italy	Capodimonte Astronomical Obs.	+ 14 15.3	+40 51.8	81
Nashville, Tennessee	Arthur J. Dyer Observatory	− 86 48.3	+36 03.1	82
Neuchâtel, Switzerland	Cantonal Observatory	+ 6 57.5	+46 59.9	82
New York, New York	Rutherfurd Observatory	− 73 57.5	+40 48.6	82
Nijmegen, Netherlands	Catholic University Ast. Institute	+ 5 52.1	+51 49.5	82
Nikolaev, Ukrainian S.S.R.	Nikolaev Astronomical Observatory	+ 31 58.5	+46 58.3	83
Norman, Oklahoma	University of Oklahoma Observatory	− 97 26.6	+35 12.1	82
Oakland, California	Chabot Observatory	− 122 10.6	+37 47.2	82
Oakland, Illinois	Prairie Observatory	− 88 03.2	+39 42.1	81
Odessa, Ukrainian S.S.R.	Odessa Observatory	+ 30 45.5	+46 28.6	83
Ostrowik, Poland	Warsaw University Observatory	+ 21 25.2	+52 05.4	82
Ottawa, Ontario	Ottawa River Solar Observatory	− 75 53.6	+45 23.2	82
Oxford, England	Oxford University Observatory	− 1 15.1	+51 45.6	82
Padua, Italy	Padua Astronomical Observatory	+ 11 52.3	+45 24.0	82
Palermo, Sicily	Palermo University Ast. Obs.	+ 13 21.5	+38 06.7	82
Palomar Mountain, California	Palomar Observatory	− 116 51.8	+33 21.4	81
Paris, France	Paris Observatory	+ 2 20.2	+48 50.2	81
Pentele, Greece	Pentele Astronomical Station	+ 23 51.8	+38 02.9	82
Philadelphia Pennsylvania	The Franklin Institute Observatory	− 75 10.4	+39 57.5	82
Pic du Midi, France	Pic du Midi Observatory	+ 0 08.7	+42 56.2	82
Piikkio, Finland	Turku-Tuorla University Obs.	+ 22 26.8	+60 25.0	83
Pine Bluff, Wisconsin	Pine Bluff Observatory	− 89 41.1	+43 04.7	82
Pino Torinese, Italy	Turin Astronomical Observatory	+ 7 46.5	+45 02.3	83
Piszkéstetö, Hungary	Piszkéstetö Mountain Station	+ 19 54.0	+47 55.0	81
Pittsburgh, Pennsylvania	Allegheny Observatory	− 80 01.3	+40 29.0	82
Piwnice, Poland	Piwnice Astronomical Observatory	+ 18 33.3	+53 05.8	82
Poltava, Ukrainian S.S.R.	Gravimetric Observatory	+ 34 32.8	+49 36.3	84
Potsdam, German Dem. Rep.	Central Inst. for Earth Physics	+ 13 04.0	+52 22.9	82
Potsdam, German Dem. Rep.	Einstein Tower Solar Observatory	+ 13 03.9	+52 22.8	83
Poznań, Poland	Poznań University Ast. Obs.	+ 16 52.7	+52 23.8	82
Prague, Czechoslovakia	Charles University Ast. Institute	+ 14 23.7	+50 04.6	82
Preston, England	Jeremiah Horrocks Observatory	− 2 42.2	+53 46.0	82
Princeton, New Jersey	Fitzrandolph Observatory	− 74 38.8	+40 20.7	81
Prostějov, Czechoslovakia	Prostějov Observatory	+ 17 09.8	+49 29.2	83
Providence, Rhode Island	Ladd Observatory	− 71 24.0	+41 50.3	82

Place	Description	East Longitude	Latitude	Ref.
		° ′	° ′	
Pulkovo, R.S.F.S.R.	Main Astronomical Observatory	+ 30 19.6	+59 46.4	83
Punta Indio, Argentina	La Plata Astronomical Observatory	− 57 17.2	−35 20.7	82
Purple Mountain, China	Purple Mountain Observatory	+118 49.3	+32 04.0	83
Quezon City, Philippines	Manila Observatory	+121 04.6	+14 38.2	82
Quezon City, Philippines	Pagasa Astronomical Observatory	+121 04.3	+14 39.2	82
Quito, Ecuador	Quito Astronomical Observatory	− 78 29.9	− 0 13.0	82
Rattlesnake Mtn., Washington	Rattlesnake Mountain Observatory	−119 35.7	+46 23.7	82
Richmond, Florida	Time Service Substation	− 80 23.1	+25 36.8	81
Richmond Hill, Ontario	David Dunlap Observatory	− 79 25.3	+43 51.8	81
Riga, Latvian S.S.R.	Riga Polytechnic Inst. Observatory	+ 24 07.0	+56 57.1	84
Rio de Janeiro, Brazil	National Observatory	− 43 13.4	−22 53.7	81
Rio de Janeiro, Brazil	Valongo Observatory	− 43 11.2	−22 53.9	82
Riverside, Iowa	University of Iowa Observatory	− 91 33.6	+41 30.9	82
Roden, Netherlands	Kapteyn Observatory	+ 6 26.6	+53 07.8	82
Roquetas, Spain	Ebro Observatory	+ 0 29.6	+40 49.2	82
Rostov on Don, R.S.F.S.R.	Rostov University Ast. Observatory	+ 39 40.0	+47 15.0	82
Sacramento Peak, New Mexico	Sacramento Peak Observatory	−105 49.2	+32 47.2	82
St. Andrews, Scotland	St. Andrews University Observatory	− 2 48.9	+56 20.2	82
St. Corona at Schöpfl, Austria	L. Figl Astrophysical Observatory	+ 15 55.4	+48 05.0	82
St. Genis Laval, France	Lyon University Observatory	+ 4 47.1	+45 41.7	82
St. Michel, France	Observatory of Haute-Provence	+ 5 42.8	+43 55.9	81
Saltsjöbaden, Sweden	Stockholm Observatory	+ 18 18.5	+59 16.3	82
Samarkand, Uzbek S.S.R.	Ouloug-Beg Observatory	+ 67 01.5	+39 40.6	83
San Fernando, California	San Fernando Observatory	−118 29.5	+34 18.5	81
San Fernando, Spain	Naval Observatory	− 6 12.2	+36 28.0	81
San Juan, Argentina	Felix Aguilar Observatory	− 68 37.2	−31 30.6	82
San Miguel, Argentina	National Obs. of Cosmic Physics	− 58 43.9	−34 53.4	82
San Pedro Martir, Mexico	National Astronomical Observatory	−115 27.8	+31 02.6	81
Santiago, Chile	Manuel Foster Astrophysical Obs.	− 70 37.8	−33 25.1	82
Santiago de Compostela, Spain	Santiago de Comp. Univ. Ast. Obs.	− 8 33.6	+42 52.5	82
Sendai, Japan	Sendai Astronomical Observatory	+140 51.9	+38 15.4	82
Sendai, Japan	Tohoku University Observatory	+140 50.6	+38 15.4	82
Serra La Nave, Sicily	Stellar Station	+ 14 58.4	+37 41.5	81
Siding Spring Mountain, N.S.W.	Anglo-Australian Observatory	+149 04.0	−31 16.6	83
Sigtuna, Sweden	Kvistaberg Observatory	+ 17 36.4	+59 30.1	81
Simeis, Ukrainian S.S.R.	Crimean Astrophysical Observatory	+ 34 01.0	+44 32.1	84
Skalnaté Pleso, Czechoslovakia	Skalnaté Pleso Observatory	+ 20 14.7	+49 11.3	82
Skibotn, Norway	Skibotn Observatory	+ 20 21.9	+69 20.9	82
Socorro, New Mexico	Joint Obs. for Cometary Research	−107 11.3	+33 59.1	82
Sonneberg, German Dem. Rep.	Sonneberg Observatory	+ 11 11.5	+50 22.7	81
South Park, Colorado	Tiara Observatory	−105 31.0	+38 58.2	82
Strasbourg, France	Strasbourg Observatory	+ 7 46.2	+48 35.0	81
Sutherland, South Africa	Sutherland Observing Station	+ 20 48.7	−32 22.7	81
Swarthmore, Pennsylvania	Sproul Observatory	− 75 21.4	+39 54.3	82
Sydney, New South Wales	Sydney Observatory	+151 12.2	−33 51.7	82

Place	Description	East Longitude	Latitude	Ref.
		° ′	° ′	
Syracuse, New York	Syracuse University Observatory	− 76 08.3	+43 02.2	82
Table Mountain, California	Table Mountain Observatory	−117 40.8	+34 22.9	82
Tartu, Estonian S.S.R.	Wilhelm Struve Astrophysical Obs.	+ 26 43.3	+58 22.8	83
Tashkent, Uzbek S.S.R.	Tashkent Observatory	+ 69 17.6	+41 19.5	83
Tautenburg, German Dem. Rep.	Karl Schwarzschild Observatory	+ 11 42.8	+50 58.9	83
Teramo, Italy	Collurania Astronomical Obs.	+ 13 44.0	+42 39.5	82
Thessaloniki, Greece	University of Thessaloniki Obs.	+ 22 57.5	+40 37.0	82
Tianjing (T'ien-Ching), China	Tianjing Latitude Station	+117 03.5	+39 08.0	84
Toledo, Ohio	Ritter Observatory	− 83 36.8	+41 39.7	81
Tomsk, R.S.F.S.R.	Tomsk University Observatory	+ 84 56.8	+56 28.1	84
Tonantzintla, Mexico	National Astronomical Observatory	− 98 18.8	+19 02.0	82
Topeka, Kansas	Zenas Crane Observatory	− 95 41.8	+39 02.2	82
Tortugas Mountain, New Mexico	Tortugas Mountain Station	−106 41.8	+32 17.6	82
Toulouse, France	Toulouse University Observatory	+ 1 27.8	+43 36.7	82
Trieste, Italy	Trieste Astronomical Observatory	+ 13 52.5	+45 38.5	81
Tübingen, German Fed. Rep.	Tübingen University Ast. Obs.	+ 9 03.5	+48 32.3	82
Tucson, Arizona	Catalina Observatory	−110 43.9	+32 25.0	81
Tucson, Arizona	Steward Observatory	−110 56.9	+32 14.0	81
Tumamoc Hill, Arizona	Catalina Observatory	−111 00.3	+32 12.8	82
Tumamoc Hill, Arizona	Tumamoc Hill Station	−111 00.3	+32 12.8	81
Uccle, Belgium	Royal Observatory of Belgium	+ 4 21.5	+50 47.9	81
Uchinoura, Japan	Kagoshima Space Center	+131 04.0	+31 13.7	82
Ukiah, California	International Latitude Observatory	−123 12.6	+39 08.2	82
U.S. Air Force Academy, Col.	U.S. Air Force Academy Observatory	−104 52.5	+39 00.4	82
University, Alabama	University of Alabama Observatory	− 87 32.5	+33 12.6	82
Uppsala, Sweden	Uppsala University Ast. Obs.	+ 17 37.5	+59 51.5	82
Utrecht, Netherlands	Sonnenborgh Observatory	+ 5 07.8	+52 05.2	82
Valašské Meziříčí, Czech.	Valašské Meziříčí, Observatory	+ 17 58.5	+49 27.8	82
Victoria, British Columbia	Dominion Astrophysical Observatory	−123 25.0	+48 31.2	84
Victoria, British Columbia	University of Victoria Observatory	−123 18.5	+48 27.8	82
Vienna, Austria	Kuffner Observatory	+ 16 17.8	+48 12.8	82
Vienna, Austria	Urania Observatory	+ 16 23.1	+48 12.7	82
Vienna, Austria	Vienna University Observatory	+ 16 20.2	+48 13.9	82
Vila Nova de Gaia, Portugal	Prof. Manuel de Barros Ast. Obs.	− 8 35.3	+41 06.5	82
Villanova, Pennsylvania	Villanova University Observatory	− 75 20.5	+40 02.4	82
Vilnius, Lithuanian S.S.R.	Vilnius Astronomical Observatory	+ 25 17.2	+54 41.0	83
Washington, D.C.	U.S. Naval Observatory	− 77 04.0	+38 55.3	81
Wellesley, Massachusetts	Whitin Observatory	− 71 18.2	+42 17.7	82
Wellington, New Zealand	Carter Observatory	+174 46.0	−41 17.2	83
Westford, Massachusetts	George R. Wallace, Jr. Aph. Obs.	− 71 29.1	+42 36.6	82
Williams Bay, Wisconsin	Yerkes Observatory	− 88 33.4	+42 34.2	81
Williamstown, Massachusetts	Hopkins Observatory	− 73 12.1	+42 42.7	82
Wroclaw, Poland	Wroclaw University Ast. Obs.	+ 17 05.3	+51 06.7	82
Xing Long (Hsing-Lung), China	Xing Long Station	+117 34.5	+40 23.7	84
Yebes, Spain	Yebes Station	− 3 06.0	+40 31.5	82

Place	Description	East Longitude	Latitude	Ref.
		° ′	° ′	
Zagreb, Yugoslavia	Geodetical Faculty Observatory	+ 16 01.3	+45 49.5	82
Zelenchukskaya, R.S.F.S.R.	Special Astrophysical Observatory	+ 41 26.5	+43 39.2	81
Zermatt, Switzerland	South Gornergrat Observatory	+ 7 47.1	+45 59.1	81
Zimmerwald, Switzerland	Zimmerwald Observatory	+ 7 27.9	+46 52.6	81
Zürich, Switzerland	Swiss Federal Observatory	+ 8 33.1	+47 22.6	81

Place	Description	East Longitude	Latitude	Ref.
		° ′	° ′	
Algonquin Prov. Park, Ontario	Algonquin Radio Observatory	− 78 04.4	+45 57.3	81
Arcetri, Italy	Arcetri Astrophysical Observatory	+ 11 15.3	+43 45.2	81
Arecibo, Puerto Rico	Arecibo Observatory	− 66 45.2	+18 20.6	81
Atibaia, Brazil	Itapetinga Radio Observatory	− 46 33.8	−23 11.0	83
Beijing (Peking), China	Beijing Astronomical Observatory	+116 19.7	+40 06.1	84
Big Pine, California	Owens Valley Radio Observatory	−118 16.9	+37 13.9	81
Bochum, German Fed. Rep.	Bochum Observatory	+ 7 11.6	+51 25.7	81
Bolton Landing, New York	Dudley Observatory	− 73 40.3	+43 36.9	81
Borrego Springs, California	Clark Lake Radio Observatory	−116 17.4	+33 20.5	81
Cambridge, England	Mullard Radio Astronomy Obs.	+ 0 02.6	+52 10.2	81
Campo, California	La Posta Astrogeophysical Obs.	−116 26.1	+32 40.7	81
Cassel, California	Hat Creek Radio Astronomy Obs.	−121 28.4	+40 49.1	81
Cebreros, Spain	Deep Space Station 62 (Cebreros)	− 4 22.0	+40 27.3	84
Chatanika, Alaska	Chatanika Incoherent Scatter Fac.	−147 27.1	+65 06.2	81
Chiisagata-Gun, Japan	Sugadaira Station	+138 19.2	+36 31.3	81
Chilbolton, England	Chilbolton Observatory	− 1 26.2	+51 08.7	81
Cocoa, Florida	Brevard Community College Obs.	− 80 45.7	+28 23.1	81
Cracow, Poland	Fort Skala Station	+ 19 49.8	+50 03.2	81
Danville, Illinois	Vermilion River Observatory	− 87 33.4	+40 03.9	81
Delaware, Ohio	Ohio State-Ohio Wesl. Radio Obs.	− 83 02.9	+40 15.1	81
Derwood, Maryland	Derwood Observatory	− 77 09.1	+39 07.3	81
Dwingeloo, Netherlands	Dwingeloo Radio Observatory	+ 6 23.8	+52 48.8	81
Effelsberg, German Fed. Rep.	Max Planck Inst. for Radio Ast.	+ 6 53.0	+50 31.5	81
El Segundo, California	Space Radio Systems Facility	−118 22.6	+33 54.8	81
Eschweiler, German Fed. Rep.	Stockert Radio Observatory	+ 6 43.4	+50 34.2	81
Fort Davis, Texas	Harvard Radio Astronomy Station	−103 56.7	+30 38.2	82
Fort Irwin, California	Goldstone Complex	−116 50.9	+35 23.4	81
Green Bank, West Virginia	National Radio Astronomy Obs.	− 79 50.5	+38 25.8	83
Greenbelt, Maryland	Goddard Research Observatory	− 76 49.6	+39 01.3	81
Hamilton, Massachusetts	Sagamore Hill Radio Observatory	− 70 49.3	+42 37.9	81
Harvard, Massachusetts	George R. Agassiz Station	− 71 33.5	+42 30.2	81
Haverford, Pennsylvania	Strawbridge Observatory	− 75 18.0	+40 00.6	81
Hobart, Tasmania	University of Tasmania Observatory	+147 32.0	−42 50.0	81
Holmdel, New Jersey	Crawford Hill Observatory	− 74 11.2	+40 23.5	81
Homer, Alaska	Homer Radar Observatory	−151 32.1	+59 42.8	81
Hoskinstown, New South Wales	Molongo Radio Observatory	+149 25.4	−35 22.3	84
Humain, Belgium	Humain Radio Astronomy Station	+ 5 15.3	+50 11.5	84
Japal, India	Japal-Rangapur Observatory	+ 78 43.7	+17 05.9	83
Jodrell Bank, England	Nuffield Radio Astronomy Labs.	− 2 18.4	+53 14.2	81
Kamikuisshiki-Mura, Japan	Fujigane Station	+138 36.7	+35 26.6	81
Kashima-Machi, Japan	Kashima-Machi Earth Station	+140 39.8	+35 57.3	81
Kasugai-Shi, Japan	Research Inst. of Magnetosphere	+137 00.6	+35 16.6	81
Kemps Creek, New South Wales	Fleurs Radio Observatory	+150 46.5	−33 51.8	81
Kirkkonummi, Finland	Metsähovi Radio Research Station	+ 24 23.6	+60 13.1	81
Kiruna, Sweden	Kiruna Geophysical Institute	+ 20 24.8	+67 50.4	82

Place	Description	East Longitude	Latitude	Ref.
		° ′	° ′	
Kisarazu, Japan	Kisarazu Technical College Obs.	+ 139 57.6	+ 35 22.8	81
Kitt Peak, Arizona	National Radio Astronomy Obs.	− 111 36.9	+ 31 57.2	81
Legon, Ghana	University of Ghana Observatory	− 0 11.4	+ 5 38.9	81
Maipu, Chile	Maipu Radio Astronomy Observatory	− 70 51.5	− 33 30.1	81
Malvern, England	Royal Radar Establishment	− 2 20.0	+ 52 08.1	81
Marfa, Texas	Univ. of Texas Radio Ast. Obs.	− 103 54.5	+ 30 06.5	82
Minamimaki-Mura, Japan	Nobeyama Solar Radio Observatory	+ 138 28.8	+ 35 56.3	81
Mitaka-Shi, Japan	Tokyo Astronomical Observatory	+ 139 32.2	+ 35 40.3	81
Miyun (Mi-Yün), China	Miyun Station	+ 116 45.9	+ 40 33.4	84
Mount Locke, Texas	Millimeter Wave Observatory	− 104 01.7	+ 30 40.3	81
Nagoya, Japan	Radio Astronomy Laboratory	+ 136 58.4	+ 35 08.9	81
Nakaminato-Shi, Japan	Hiraiso Branch	+ 140 37.5	+ 36 21.9	82
Nançay, France	Nançay Radio Astronomy Station	+ 2 11.8	+ 47 22.8	81
Narrabri, New South Wales	Culgoora Solar Radio Observatory	+ 149 33.7	− 30 18.9	81
Nederland, Colorado	Univ. of Colorado Radio Ast. Obs.	− 105 30.7	+ 39 56.8	81
New Salem, Massachusetts	Five College Radio Astronomy Obs.	− 72 20.7	+ 42 23.6	81
North Liberty, Iowa	North Liberty Radio Observatory	− 91 34.5	+ 41 46.3	81
Old Town, Florida	University of Florida Radio Obs.	− 83 02.1	+ 29 31.7	81
Onsala, Sweden	Onsala Space Observatory	+ 11 55.2	+ 57 23.6	81
Ootacamund, India	Radio Astronomy Center	+ 76 40.0	+ 11 22.9	81
Parkes, New South Wales	Australian Natl. Radio Ast. Obs.	+ 148 15.7	− 33 00.0	81
Partizanskoye, Ukrainian S.S.R.	Crimean Astrophysical Observatory	+ 34 01.0	+ 44 43.7	84
Penticton, British Columbia	Dominion Radio Astrophysical Obs.	− 119 37.2	+ 49 19.2	81
Portage Lake, Michigan	Univ. of Michigan Radio Ast. Obs.	− 83 56.2	+ 42 23.9	81
Pulkovo, R.S.F.S.R.	Main Astronomical Observatory	+ 30 19.4	+ 59 46.1	83
Rattlesnake Mtn., Washington	Rattlesnake Mountain Observatory	− 119 35.1	+ 46 23.4	81
Richmond Hill, Ontario	David Dunlap Observatory	− 79 25.3	+ 43 51.8	81
Riverside, Maryland	Maryland Point Observatory	− 77 13.9	+ 38 22.4	81
San Fernando, California	San Fernando Observatory	− 118 29.5	+ 34 18.5	81
Socorro, New Mexico	National Radio Astronomy Obs.	− 107 37.1	+ 34 04.7	81
Stanford, California	Radio Astronomy Institute	− 122 11.3	+ 37 23.9	81
Sugar Grove, West Virginia	Naval Research Laboratory	− 79 16.4	+ 38 31.2	81
Tidbinbilla, Austl. Cap. Terr.	Deep Space Sta. CDSCC-Tidbinbilla	+ 148 58.8	− 35 24.1	82
Toyokawa, Japan	Toyokawa Observatory	+ 137 22.3	+ 34 50.2	81
Tremsdorf, German Dem. Rep.	Radio Astronomy Observatory	+ 13 08.2	+ 52 17.1	83
Trieste, Italy	Trieste Astronomical Observatory	+ 13 45.0	+ 45 38.0	81
Uchinoura, Japan	Kagoshima Space Center	+ 131 04.8	+ 31 15.0	81
University, Alabama	Unversity of Alabama Observatory	− 87 32.5	+ 33 12.6	81
Vancouver, British Columbia	Univ. of British Columbia Obs.	− 123 13.9	+ 49 15.2	81
Villa Elisa, Argentina	Argentine Inst. of Radio Astronomy	− 58 08.2	− 34 52.1	81
Washington, D.C.	Radio Astronomy Observatory	− 77 01.6	+ 38 49.3	81
Westerbork, Netherlands	Westerbork Radio Observatory	+ 6 36.3	+ 52 55.0	81
Westford, Massachusetts	Haystack Observatory	− 71 29.3	+ 42 37.4	81
Westford, Massachusetts	Millstone Hill Radar Observatory	− 71 29.5	+ 42 37.0	81
Yebes, Spain	Yebes Station	− 3 06.0	+ 40 31.5	81
Zelenchukskaya, R.S.F.S.R.	Special Astrophysical Observatory	+ 41 35.4	+ 43 49.5	81

CONTENTS OF SECTION K

JULIAN DAY NUMBER

DAYS ELAPSED AT GREENWICH NOON, A.D. 1950–2000

Year	Jan. 0	Feb. 0	Mar. 0	Apr. 0	May 0	June 0	July 0	Aug. 0	Sept. 0	Oct. 0	Nov. 0	Dec. 0
1950	243 3282	3313	3341	3372	3402	3433	3463	3494	3525	3555	3586	3616
1951	3647	3678	3706	3737	3767	3798	3828	3859	3890	3920	3951	3981
1952	4012	4043	4072	4103	4133	4164	4194	4225	4256	4286	4317	4347
1953	4378	4409	4437	4468	4498	4529	4559	4590	4621	4651	4682	4712
1954	4743	4774	4802	4833	4863	4894	4924	4955	4986	5016	5047	5077
1955	243 5108	5139	5167	5198	5228	5259	5289	5320	5351	5381	5412	5442
1956	5473	5504	5533	5564	5594	5625	5655	5686	5717	5747	5778	5808
1957	5839	5870	5898	5929	5959	5990	6020	6051	6082	6112	6143	6173
1958	6204	6235	6263	6294	6324	6355	6385	6416	6447	6477	6508	6538
1959	6569	6600	6628	6659	6689	6720	6750	6781	6812	6842	6873	6903
1960	243 6934	6965	6994	7025	7055	7086	7116	7147	7178	7208	7239	7269
1961	7300	7331	7359	7390	7420	7451	7481	7512	7543	7573	7604	7634
1962	7665	7696	7724	7755	7785	7816	7846	7877	7908	7938	7969	7999
1963	8030	8061	8089	8120	8150	8181	8211	8242	8273	8303	8334	8364
1964	8395	8426	8455	8486	8516	8547	8577	8608	8639	8669	8700	8730
1965	243 8761	8792	8820	8851	8881	8912	8942	8973	9004	9034	9065	9095
1966	9126	9157	9185	9216	9246	9277	9307	9338	9369	9399	9430	9460
1967	9491	9522	9550	9581	9611	9642	9672	9703	9734	9764	9795	9825
1968	9856	9887	9916	9947	9977	*0008	*0038	*0069	*0100	*0130	*0161	*0191
1969	244 0222	0253	0281	0312	0342	0373	0403	0434	0465	0495	0526	0556
1970	244 0587	0618	0646	0677	0707	0738	0768	0799	0830	0860	0891	0921
1971	0952	0983	1011	1042	1072	1103	1133	1164	1195	1225	1256	1286
1972	1317	1348	1377	1408	1438	1469	1499	1530	1561	1591	1622	1652
1973	1683	1714	1742	1773	1803	1834	1864	1895	1926	1956	1987	2017
1974	2048	2079	2107	2138	2168	2199	2229	2260	2291	2321	2352	2382
1975	244 2413	2444	2472	2503	2533	2564	2594	2625	2656	2686	2717	2747
1976	2778	2809	2838	2869	2899	2930	2960	2991	3022	3052	3083	3113
1977	3144	3175	3203	3234	3264	3295	3325	3356	3387	3417	3448	3478
1978	3509	3540	3568	3599	3629	3660	3690	3721	3752	3782	3813	3843
1979	3874	3905	3933	3964	3994	4025	4055	4086	4117	4147	4178	4208
1980	244 4239	4270	4299	4330	4360	4391	4421	4452	4483	4513	4544	4574
1981	4605	4636	4664	4695	4725	4756	4786	4817	4848	4878	4909	4939
1982	4970	5001	5029	5060	5090	5121	5151	5182	5213	5243	5274	5304
1983	5335	5366	5394	5425	5455	5486	5516	5547	5578	5608	5639	5669
1984	5700	5731	5760	5791	5821	5852	5882	5913	5944	5974	6005	6035
1985	244 6066	6097	6125	6156	6186	6217	6247	6278	6309	6339	6370	6400
1986	6431	6462	6490	6521	6551	6582	6612	6643	6674	6704	6735	6765
1987	6796	6827	6855	6886	6916	6947	6977	7008	7039	7069	7100	7130
1988	7161	7192	7221	7252	7282	7313	7343	7374	7405	7435	7466	7496
1989	7527	7558	7586	7617	7647	7678	7708	7739	7770	7800	7831	7861
1990	244 7892	7923	7951	7982	8012	8043	8073	8104	8135	8165	8196	8226
1991	8257	8288	8316	8347	8377	8408	8438	8469	8500	8530	8561	8591
1992	8622	8653	8682	8713	8743	8774	8804	8835	8866	8896	8927	8957
1993	8988	9019	9047	9078	9108	9139	9169	9200	9231	9261	9292	9322
1994	9353	9384	9412	9443	9473	9504	9534	9565	9596	9626	9657	9687
1995	244 9718	9749	9777	9808	9838	9869	9899	9930	9961	9991	*0022	*0052
1996	245 0083	0114	0143	0174	0204	0235	0265	0296	0327	0357	0388	0418
1997	0449	0480	0508	0539	0569	0600	0630	0661	0692	0722	0753	0783
1998	0814	0845	0873	0904	0934	0965	0995	1026	1057	1087	1118	1148
1999	1179	1210	1238	1269	1299	1330	1360	1391	1422	1452	1483	1513
2000	245 1544	1575	1604	1635	1665	1696	1726	1757	1788	1818	1849	1879

DAYS ELAPSED AT GREENWICH NOON, A.D. 2000–2050

Year	Jan. 0	Feb. 0	Mar. 0	Apr. 0	May 0	June 0	July 0	Aug. 0	Sept. 0	Oct. 0	Nov. 0	Dec. 0
2000	245 1544	1575	1604	1635	1665	1696	1726	1757	1788	1818	1849	1879
2001	1910	1941	1969	2000	2030	2061	2091	2122	2153	2183	2214	2244
2002	2275	2306	2334	2365	2395	2426	2456	2487	2518	2548	2579	2609
2003	2640	2671	2699	2730	2760	2791	2821	2852	2883	2913	2944	2974
2004	3005	3036	3065	3096	3126	3157	3187	3218	3249	3279	3310	3340
2005	245 3371	3402	3430	3461	3491	3522	3552	3583	3614	3644	3675	3705
2006	3736	3767	3795	3826	3856	3887	3917	3948	3979	4009	4040	4070
2007	4101	4132	4160	4191	4221	4252	4282	4313	4344	4374	4405	4435
2008	4466	4497	4526	4557	4587	4618	4648	4679	4710	4740	4771	4801
2009	4832	4863	4891	4922	4952	4983	5013	5044	5075	5105	5136	5166
2010	245 5197	5228	5256	5287	5317	5348	5378	5409	5440	5470	5501	5531
2011	5562	5593	5621	5652	5682	5713	5743	5774	5805	5835	5866	5896
2012	5927	5958	5987	6018	6048	6079	6109	6140	6171	6201	6232	6262
2013	6293	6324	6352	6383	6413	6444	6474	6505	6536	6566	6597	6627
2014	6658	6689	6717	6748	6778	6809	6839	6870	6901	6931	6962	6992
2015	245 7023	7054	7082	7113	7143	7174	7204	7235	7266	7296	7327	7357
2016	7388	7419	7448	7479	7509	7540	7570	7601	7632	7662	7693	7723
2017	7754	7785	7813	7844	7874	7905	7935	7966	7997	8027	8058	8088
2018	8119	8150	8178	8209	8239	8270	8300	8331	8362	8392	8423	8453
2019	8484	8515	8543	8574	8604	8635	8665	8696	8727	8757	8788	8818
2020	245 8849	8880	8909	8940	8970	9001	9031	9062	9093	9123	9154	9184
2021	9215	9246	9274	9305	9335	9366	9396	9427	9458	9488	9519	9549
2022	9580	9611	9639	9670	9700	9731	9761	9792	9823	9853	9884	9914
2023	9945	9976	*0004	*0035	*0065	*0096	*0126	*0157	*0188	*0218	*0249	*0279
2024	246 0310	0341	0370	0401	0431	0462	0492	0523	0554	0584	0615	0645
2025	246 0676	0707	0735	0766	0796	0827	0857	0888	0919	0949	0980	1010
2026	1041	1072	1100	1131	1161	1192	1222	1253	1284	1314	1345	1375
2027	1406	1437	1465	1496	1526	1557	1587	1618	1649	1679	1710	1740
2028	1771	1802	1831	1862	1892	1923	1953	1984	2015	2045	2076	2106
2029	2137	2168	2196	2227	2257	2288	2318	2349	2380	2410	2441	2471
2030	246 2502	2533	2561	2592	2622	2653	2683	2714	2745	2775	2806	2836
2031	2867	2898	2926	2957	2987	3018	3048	3079	3110	3140	3171	3201
2032	3232	3263	3292	3323	3353	3384	3414	3445	3476	3506	3537	3567
2033	3598	3629	3657	3688	3718	3749	3779	3810	3841	3871	3902	3932
2034	3963	3994	4022	4053	4083	4114	4144	4175	4206	4236	4267	4297
2035	246 4328	4359	4387	4418	4448	4479	4509	4540	4571	4601	4632	4662
2036	4693	4724	4753	4784	4814	4845	4875	4906	4937	4967	4998	5028
2037	5059	5090	5118	5149	5179	5210	5240	5271	5302	5332	5363	5393
2038	5424	5455	5483	5514	5544	5575	5605	5636	5667	5697	5728	5758
2039	5789	5820	5848	5879	5909	5940	5970	6001	6032	6062	6093	6123
2040	246 6154	6185	6214	6245	6275	6306	6336	6367	6398	6428	6459	6489
2041	6520	6551	6579	6610	6640	6671	6701	6732	6763	6793	6824	6854
2042	6885	6916	6944	6975	7005	7036	7066	7097	7128	7158	7189	7219
2043	7250	7281	7309	7340	7370	7401	7431	7462	7493	7523	7554	7584
2044	7615	7646	7675	7706	7736	7767	7797	7828	7859	7889	7920	7950
2045	246 7981	8012	8040	8071	8101	8132	8162	8193	8224	8254	8285	8315
2046	8346	8377	8405	8436	8466	8497	8527	8558	8589	8619	8650	8680
2047	8711	8742	8770	8801	8831	8862	8892	8923	8954	8984	9015	9045
2048	9076	9107	9136	9167	9197	9228	9258	9289	9320	9350	9381	9411
2049	9442	9473	9501	9532	9562	9593	9623	9654	9685	9715	9746	9776
2050	246 9807	9838	9866	9897	9927	9958	9988	*0019	*0050	*0080	*0111	*0141

The Julian date (JD) corresponding to any instant is the interval in mean solar days elapsed since 4713 BC January 1 at Greenwich mean noon (12^h). To determine the JD at 0^h for a given Gregorian calendar date, sum the values from Table A for century, Table B for year and Table C for month; then add the day of the month. Julian dates for the current year are given on page B4. More extensive tables of Julian dates are given on pages 437–439 in the *Explanatory Supplement*.

A. Julian date at January 0^d0^h of centurial year

Year	1600†	1700	1800	1900	2000†	2100
Julian date	230 5447.5	234 1971.5	237 8495.5	241 5019.5	245 1544.5	248 8068.5

†Centurial years that are exactly divisible by 400 and hence are leap years in the Gregorian calendar. To determine the JD for any date in such a year, subtract 1 from the JD in Table A and use the leap year portion of Table C. (For 1600 and 2000 the JD tabulated in Table A are actually for January 1^d0^h.)

B. Addition to give Julian date for January 0^d0^h of year

Year	Add	Year	Add	Year	Add	Year	Add
0	0	25	9131	50	18262	75	27393
1	365	26	9496	51	18627	76*	27758
2	730	27	9861	52*	18992	77	28124
3	1095	28*	10226	53	19358	78	28489
4*	1460	29	10592	54	19723	79	28854
5	1826	30	10957	55	20088	80*	29219
6	2191	31	11322	56*	20453	81	29585
7	2556	32*	11687	57	20819	82	29950
8*	2921	33	12053	58	21184	83	30315
9	3287	34	12418	59	21549	84*	30680
10	3652	35	12783	60*	21914	85	31046
11	4017	36*	13148	61	22280	86	31411
12*	4382	37	13514	62	22645	87	31776
13	4748	38	13879	63	23010	88*	32141
14	5113	39	14244	64*	23375	89	32507
15	5478	40*	14609	65	23741	90	32872
16*	5843	41	14975	66	24106	91	33237
17	6209	42	15340	67	24471	92*	33602
18	6574	43	15705	68*	24836	93	33968
19	6939	44*	16070	69	25202	94	34333
20*	7304	45	16436	70	25567	95	34698
21	7670	46	16801	71	25932	96*	35063
22	8035	47	17166	72*	26297	97	35429
23	8400	48*	17531	73	26663	98	35794
24*	8765	49	17897	74	27028	99	36159

Example: 14 November 1981

0 Jan. 1900	241	5019.5
+Table B	+2	9585
0 Jan. 1981	244	4604.5
+Table C	+	304
0 Nov. 1981	244	4908.5
+Day of Month	+	14
14 Nov. 1981	244	4922.5

* Leap years

C. Addition to give Julian date for beginning of month (0^d0^h)

	Jan.	Feb.	Mar.	Apr.	May	June	July	Aug.	Sept.	Oct.	Nov.	Dec.
Normal year	0	31	59	90	120	151	181	212	243	273	304	334
Leap year	0	31	60	91	121	152	182	213	244	274	305	335

IAU (1964) System of Astronomical Constants

This system of constants was replaced for the 1984 edition of the *Astronomical Almanac* by the IAU (1976) System of Astronomical Constants given on pages K6 to K7.

Defining constants

Number of ephemeris seconds in one tropical year (1900)	$s=31\ 556\ 925.974\ 7$
Gaussian gravitational constant	$k=0.017\ 202\ 098\ 950\ 000$
	$=3\ 548\overset{..}{.}187\ 606\ 965\ 1$

Primary constants

Astronomical unit	$149\ 600\times10^6$m
Velocity of light	$299\ 792.5\times10^3$m/sec
Equatorial radius of the Earth	$6\ 378\ 160$ m
Dynamical form-factor for Earth	$0.001\ 082\ 7$
Geocentric gravitational constant	$398\ 603\times10^9\mathrm{m}^3\mathrm{s}^{-2}$
Mass ratio: Earth/Moon	81.30
General precession in longitude per tropical century (1900)	$5025\overset{..}{.}64$
Constant of nutation (1900)	$9\overset{..}{.}210$

Derived constants

Solar parallax	$8\overset{..}{.}794$
Light-time for unit distance	$499\overset{.}{.}012$
Constant of aberration	$20\overset{..}{.}496$
Flattening factor for Earth	$1/298.25$
	$=\quad 0.003\ 352\ 89$
Heliocentric gravitational constant	$132\ 718\times10^{15}\mathrm{m}^3\mathrm{s}^{-2}$
Mass ratio: Sun/Earth	$332\ 958$
Mass ratio: Sun/(Earth+Moon)	$328\ 912$
Mean distance of the Moon	$384\ 400\times10^3$m
Constant of sine parallax for Moon	$3\ 422\overset{..}{.}451$

Figure of the Earth

Equatorial radius (primary)	$a=6\ 378\ 160$m
Polar radius	$a(1-f)=6\ 356\ 774.7$m
Square of eccentricity	$e^2=0.006\ 694\ 54$

Reduction from geodetic latitude ϕ to geocentric latitude ϕ'

$$\phi'-\phi=-11'\ 32\overset{..}{.}743\ 0\ \sin 2\phi+1\overset{..}{.}163\ 3\ \sin 4\phi-0\overset{..}{.}002\ 6\ \sin 6\phi$$

Radius vector

$$\rho=a(0.998\ 327\ 073+0.001\ 676\ 438\ \cos 2\phi-0.000\ 003\ 519\ \cos 4\phi$$
$$+0.000\ 000\ 008\ \cos 6\phi)$$

One degree of latitude (m)

$$111\ 133.35-559.84\ \cos 2\phi+1.17\ \cos 4\phi\ (\phi=\text{mid-latitude of arc})$$

One degree of longitude (m)

$$111\ 413.28\ \cos\phi-93.51\ \cos 3\phi+0.12\ \cos 5\phi$$

The complete system of astronomical constants is given in *Supplement to the A.E. 1968* (pages 4s–7s).

Old Constants

The printed ephemerides of the Sun and inner planets are based on the following values of the constants that were in use immediately prior to the introduction of the IAU (1964) System.

Solar parallax	$8\overset{..}{.}80$
Light-time for unit distance	$498\overset{.}{.}38$
Constant of aberration	$20\overset{..}{.}47$
Mass ratio	
Sun/(Earth+Moon)	$329\ 390$
Earth/Moon (planetary theory)	81.45

ASTRONOMICAL CONSTANTS

IAU (1976) System of Astronomical Constants

Units:

The units meter (m), kilogram (kg), and second (s) are the units of length, mass, and time in the International System of Units (SI).

The astronomical unit of time is a time interval of one day (D) of 86400 seconds. An interval of 36525 days is one Julian century.

The astronomical unit of mass is the mass of the Sun (S).

The astronomical unit of length is that length (A) for which the Gaussian gravitational constant (k) takes the value 0.017 202 098 95 when the units of measurement are the astronomical units of length, mass, and time. The dimensions of k^2 are those of the constant of gravitation (G), i.e., $L^3 M^{-1} T^{-2}$. The term "unit distance" is also used for the length A.

In the preparation of the ephemerides and the fitting of the ephemerides to all the observational data available, it was necessary to modify some of the constants and planetary masses. The modified values of the constants are indicated in brackets following the (1976) System values.

Defining constants:

1. Gaussian gravitational constant $\qquad$ $k = 0.017\ 202\ 098\ 95$
2. Speed of light $\qquad$ $c = 299\ 792\ 458$ m s^{-1}

Primary constants:

3. Light-time for unit distance $\qquad$ $\tau_A = 499.004\ 782$ s
$\qquad$ [499.004 7837 . . .]
4. Equatorial radius for Earth $\qquad$ $a_e = 6378\ 140$ m
$\quad$ [IUGG value $\qquad$ $a_e = 6378\ 137$ m]
5. Dynamical form-factor for Earth $\qquad$ $J_2 = 0.001\ 082\ 63$
6. Geocentric gravitational constant $\qquad$ $GE = 3.986\ 005 \times 10^{14}$ m^{3}s^{-2}
$\qquad$ [3.986 004 48 . . . $\times 10^{14}$]
7. Constant of gravitation $\qquad$ $G = 6.672 \times 10^{-11}$ m^{3}kg^{-1}s^{-2}
8. Ratio of mass of Moon to that of Earth $\qquad$ $\mu = 0.012\ 300\ 02$
$\qquad$ [0.012 300 034]
9. General precession in longitude, per Julian century, at standard epoch 2000 $\qquad$ $\rho = 5029\overset{''}{.}0966$
10. Obliquity of the ecliptic, at standard epoch 2000 $\qquad$ $\epsilon = 23°26'\ 21\overset{''}{.}448$
$\qquad$ [23°26'21$\overset{''}{.}$4119]

Derived constants:

11. Constant of nutation, at standard epoch 2000 $\qquad$ $N = 9\overset{''}{.}2025$
12. Unit distance $\qquad$ $c\tau_A = A = 1.495\ 978\ 70 \times 10^{11}$ m
$\qquad$ [1.495 978 706 6 $\times 10^{11}$]
13. Solar parallax $\qquad$ arcsin $(a_e/A) = \pi_\odot = 8\overset{''}{.}794\ 148$
14. Constant of aberration, for standard epoch 2000 $\qquad$ $\kappa = 20\overset{''}{.}49\ 552$
15. Flattening factor for the Earth $\qquad$ $f = 0.003\ 352\ 81$
$\qquad$ $= 1/298.257$
16. Heliocentric gravitational constant $\qquad$ $A^3 k^2/D^2 = GS = 1.327\ 124\ 38 \times 10^{20}$ m^3 s^{-2}
$\qquad$ [1.327 124 40 . . . $\times 10^{20}$]
17. Ratio of mass of Sun to that of the Earth $\qquad$ $(GS)/(GE) = S/E = 332\ 946.0$
$\qquad$ [332 946.038 . . .]
18. Ratio of mass of Sun to that of Earth+Moon $\qquad$ $(S/E)/(1+\mu) = 328\ 900.5$
$\qquad$ [328 900.55]
19. Mass of the Sun $\qquad$ $(GS)/G = S = 1.9891 \times 10^{30}$ kg

20. System of planetary masses

Ratios of mass of Sun to masses of the planets

Mercury	6 023 600	Jupiter	1 047.355	[1 047.350]
Venus	408 523.5	Saturn	3 498.5	[3 498.0]
Earth+Moon	328 900.5	Uranus	22 869	[22 960]
Mars	3 098 710	Neptune	19 314	
		Pluto	3 000 000	[130 000 000]

Other Quantities for Use in the Preparation of Ephemerides

It is recommended that the values given in the following list should normally be used in the preparation of new ephemerides.

21. Masses of minor planets

Minor planet	Mass in solar mass
(1) Ceres	5.9×10^{-10}
(2) Pallas	1.1×10^{-10} [1.081×10^{-10}]
(4) Vesta	1.2×10^{-10} [1.379×10^{-10}]

22. Masses of satellites

Planet	Satellite	Satellite/Planet
Jupiter	Io	4.70×10^{-5}
	Europa	2.56×10^{-5}
	Ganymede	7.84×10^{-5}
	Callisto	5.6×10^{-5}
Saturn	Titan	2.41×10^{-4}
Neptune	Triton	2×10^{-3}

23. Equatorial radii in km

Mercury	2 439	Jupiter	71 398	Pluto	2 500
Venus	6 052	Saturn	60 000		
Earth	6 378.140	Uranus	25 400	Moon	1 738
Mars	3 397.2	Neptune	24 300	Sun	696 000

24. Gravity fields of planets

Planet	J_2	J_3	J_4
Earth	$+0.001\ 082\ 63$	-0.254×10^{-5}	-0.161×10^{-5}
Mars	$+0.001\ 964$	$+0.36 \times 10^{-4}$	
Jupiter	$+0.014\ 75$		-0.58×10^{-3}
Saturn	$+0.016\ 45$		-0.10×10^{-2}
Uranus	$+0.012$		
Neptune	$+0.004$		

(Mars: $C_{22} = -0.000\ 055$, $S_{22} = +0.000\ 031$, $S_{31} = +0.000\ 026$)

25. Gravity field of the Moon

$\gamma = (B-A)/C = 0.000\ 2278$

$\beta = (C-A)/B = 0.000\ 6313$

$C_{20} = -0.000\ 2027$

$C_{22} = +0.000\ 0223$

$C_{30} = -0.000\ 006$

$C_{31} = +0.000\ 029$

$S_{31} = +0.000\ 004$

$C/MR^2 = 0.392$

$I = 5552.''7 = 1°32'32.''7$

$C_{32} = +0.000\ 0048$

$S_{32} = +0.000\ 0017$

$C_{33} = +0.000\ 0018$

$S_{33} = -0.000\ 001$

$$\Delta T = \mathrm{E\,T} - \mathrm{U\,T}$$

Year	ΔT	Year	ΔT	Year	ΔT	Year	ΔT	Year	ΔT
	s		s		s		s		s
1621	+98	1820.5	+5.15	1860.5	+4.27	1900.5	− 3.90	1940.5	+24.20
1635	+38	1821	4.64	1861	2.68	1901	− 2.87	1941	24.99
1639	−13	1822	5.36	1862	2.75	1902	− 0.58	1942	24.97
1645	+13	1823	3.49	1863	2.67	1903	+ 0.71	1943	25.72
1653	−10	1824	3.27	1864	1.94	1904	+ 1.80	1944	26.21
1662	− 5	1825.5	+2.45	1865.5	+1.39	1905.5	+ 3.08	1945.5	+26.37
		1826	4.03	1866	1.66	1906	4.63	1946	26.89
		1827	1.76	1867	0.88	1907	5.86	1947	27.68
		1828	3.30	1868	+0.33	1908	7.21	1948	28.13
		1829	1.00	1869	−0.17	1909	8.58	1949	28.94
1681	−13.5	1830.5	+2.42	1870.5	−1.88	1910.5	+10.50	1950.5	+29.42
1710	12.0	1831	0.94	1871	3.43	1911	12.10	1951	29.66
1727	7.6	1832	2.31	1872	4.05	1912	12.49	1952	30.29
1738	2.9	1833	+2.27	1873	5.77	1913	14.41	1953	30.96
1747	− 0.4	1834	−0.22	1874	7.06	1914	15.59	1954	31.09
		1835.5	+0.03	1875.5	−7.36	1915.5	+15.81	1955.5	+31.59
		1836	−0.05	1876	7.67	1916	17.52	1956	31.52
		1837	−0.06	1877	7.64	1917	19.01	1957	31.92
		1838	−0.57	1878	7.93	1918	18.39	1958	32.45
		1839	+0.03	1879	7.82	1919	19.55	1959	32.91
1760.9	+ 2.1	1840.5	−0.47	1880.5	−8.35	1920.5	+20.36	1960.5	+33.39
1774.1	6.6	1841	+0.98	1881	7.91	1921	21.01	1961	33.80
1785.1	8.3	1842	−0.86	1882	8.03	1922	21.81	1962	34.23
1792.6	7.4	1843	+2.45	1883	9.14	1923	21.76	1963	34.73
1801.8	+ 5.7	1844	+0.22	1884	8.18	1924	22.35	1964	35.40
1811.9	+ 4.7	1845.5	+0.37	1885.5	−7.88	1925.5	+22.68	1965.5	+36.14
		1846	2.79	1886	7.62	1926	22.94	1966	36.99
		1847	1.20	1887	7.17	1927	22.93	1967	37.87
		1848	3.52	1888	8.14	1928	22.69	1968	38.75
		1849	1.17	1889	7.59	1929	22.94	1969	39.70
		1850.5	+2.67	1890.5	−7.17	1930.5	+23.20	1970.5	+40.70
		1851	3.06	1891	7.94	1931	23.31	1971.5	+41.68
		1852	2.66	1892	8.23	1932	23.63		
		1853	2.97	1893	7.88	1933	23.47		
		1854	3.28	1894	7.68	1934	23.68		
		1855.5	+3.31	1895.5	−6.94	1935.5	+23.62		
		1856	3.33	1896	6.89	1936	23.53		
		1857	3.23	1897	7.11	1937	23.59		
		1858	3.60	1898	5.87	1938	23.99		
		1859.5	+3.52	1899.5	−5.04	1939.5	+23.80		

Values of ΔT for current years are given on page B5.

For additional information concerning these data, see the *Explanatory Supplement*, 1974 and subsequent printings, page 90.

Date	Approx. to ET—UT $\Delta T(A)$	Difference UT—UTC ΔUT	Coefficients for UT0 u_x	u_y	Date	Approx. to ET—UT $\Delta T(A)$	Difference UT—UTC ΔUT	Coefficients for UT0 u_x	u_y
	s	s	s	s		s	s	s	s
1972					**1980**				
Jan. 1	+42·23	−0·05	−0·004	+0·003	Jan. 1	+50·54	+0·64	+0·009	+0·017
Apr. 1	42·53	−0·34	−0·013	+0·012	Apr. 1	50·76	+0·42	+0·001	+0·013
June 30		−0·64	−0·004	+0·027	July 1	50·97	+0·21	−0·003	+0·019
July 1	42·82	+0·36	−0·004	+0·027	Oct. 1	51·15	+0·03	0·000	+0·023
Oct. 1	43·07	+0·11	+0·011	+0·023					
Dec. 31		−0·19	+0·010	+0·009	**1981**				
					Jan. 1	+51·38	−0·20	+0·004	+0·024
1973					Apr. 1	51·60	−0·42	+0·006	+0·019
Jan. 1	+43·37	+0·81	+0·010	+0·009	June 30		−0·62	+0·005	+0·014
Apr. 1	43·67	+0·51	−0·003	+0·009	July 1	51·81	+0·37	+0·005	+0·014
July 1	43·96	+0·22	−0·007	+0·019	Oct. 1	51·96	+0·22	−0·003	+0·014
Oct. 1	44·20	−0·02	+0·003	+0·023					
Dec. 31		−0·30	+0·009	+0·017	**1982**				
					Jan. 1	+52·17	+0·02	−0·006	+0·025
1974					Apr. 1	52·37	−0·19	+0·006	+0·029
Jan. 1	+44·49	+0·70	+0·009	+0·017	June 30		−0·38	+0·015	+0·016
Apr. 1	44·74	+0·45	+0·002	+0·012	July 1	52·57	+0·61	+0·015	+0·016
July 1	45·00	+0·19	−0·001	+0·014	Oct. 1	52·73	+0·45	+0·002	+0·004
Oct. 1	45·21	−0·02	+0·001	+0·015					
Dec. 31		−0·29	−0·003	+0·019					

See page B5 for current years.

Date	Approx. to ET—UT $\Delta T(A)$	Difference UT—UTC ΔUT	Coefficients for UT0 u_x	u_y
1975				
Jan. 1	+45·48	+0·71	−0·003	+0·019
Apr. 1	45·74	+0·45	+0·001	+0·023
July 1	45·98	+0·20	+0·008	+0·017
Oct. 1	46·18	0·00	+0·005	+0·008
Dec. 31		−0·27	−0·009	+0·013
1976				
Jan. 1	+46·46	+0·73	−0·009	+0·014
Apr. 1	46·73	+0·46	−0·007	+0·027
July 1	47·00	+0·19	+0·009	+0·026
Oct. 1	47·23	−0·05	+0·016	+0·011
Dec. 31		−0·33	−0·003	+0·005

Date	Difference TAI—UTC ΔAT	Difference ET—UTC ΔET
	s	s
1972 Jan. 1	+10·00	+42·18
1972 July 1	+11·00	+43·18
1973 Jan. 1	+12·00	+44·18
1974 Jan. 1	+13·00	+45·18
1975 Jan. 1	+14·00	+46·18
1976 Jan. 1	+15·00	+47·18
1977 Jan. 1	+16·00	+48·18
1978 Jan. 1	+17·00	+49·18
1979 Jan. 1	+18·00	+50·18
1980 Jan. 1	+19·00	+51·18
1981 July 1	+20·00	+52·18
1982 July 1	+21·00	+53·18
1983 July 1	+22·00	+54·18
1984 July 1		

In critical cases descend.

Date	Approx. to ET—UT $\Delta T(A)$	Difference UT—UTC ΔUT	Coefficients for UT0 u_x	u_y
1977				
Jan. 1	+47·52	+0·66	−0·003	+0·005
Apr. 1	47·78	+0·41	−0·016	+0·024
July 1	48·03	+0·15	+0·004	+0·033
Oct. 1	48·24	−0·06	+0·020	+0·015
Dec. 31		−0·35	+0·002	+0·001
1978				
Jan. 1	+48·53	+0·65	+0·002	+0·001
Apr. 1	48·83	+0·35	−0·016	+0·016
July 1	49·10	+0·09	−0·004	+0·032
Oct. 1	49·31	−0·12	+0·017	+0·024
Dec. 31		−0·40	+0·011	+0·005
1979				
Jan. 1	+49·59	+0·60	+0·009	+0·005
Apr. 1	49·85	+0·33	−0·007	+0·009
July 1	50·10	+0·08	−0·008	+0·023
Oct. 1	50·29	−0·11	+0·006	+0·027
Dec. 31		−0·36	+0·009	+0·017

See page B4 for a summary of the notation for time-scales.

The direct methods of this section are consistent with the tabulations of ephemeris data in this volume, and satisfy the most frequently encountered needs for interpolated coordinates. For special requirements, the user may refer to methods and extensive tabulations of interpolation coefficients in the literature of numerical analysis. Finite difference interpolation of the Moon's right ascension, declination and horizontal parallax on pages D6–D20 (even pages), to full precision, is impractical. Coordinates at intermediate times may be derived from the polynomials provided for this purpose on pages D23–D45.

NOTATION

Arg.	Function	Differences			
		1st	2nd	3rd	4th
t_{-2}	f_{-2}		δ^2_{-2}		
		$\delta_{-3/2}$		$\delta^3_{-3/2}$	
t_{-1}	f_{-1}		δ^2_{-1}		δ^4_{-1}
		$\delta_{-1/2}$		$\delta^3_{-1/2}$	
t_0	f_0		δ^2_0		δ^4_0
		$\delta_{1/2}$		$\delta^3_{1/2}$	
t_{+1}	f_{+1}		δ^2_1		δ^4_1
		$\delta_{3/2}$		$\delta^3_{3/2}$	
t_{+2}	f_{+2}		δ^2_2		

$p \equiv$ the interpolating argument $= (t - t_0)/(t_1 - t_0) = (t - t_0)/h$

$$f_p = f(t_0 + ph) \qquad \delta_{1/2} = f_1 - f_0$$
$$\delta^2_0 = \delta_{1/2} - \delta_{-1/2} \;= f_1 - 2f_0 + f_{-1}$$
$$\delta^3_{1/2} = \delta^2_1 \;- \delta^2_0 \;= f_2 - 3f_1 + 3f_0 - f_{-1}$$
$$\delta^4_0 = \delta^3_{1/2} - \delta^3_{-1/2} \;= f_2 - 4f_1 + 6f_0 - 4f_{-1} + f_{-2}$$

FORMULAS AND TABLES

Bessel's formula may be written

$$f_p = f_0 + p\delta_{1/2} + B_2(\delta^2_0 + \delta^2_1) + B_3\delta^3_{1/2} + B_4(\delta^4_0 + \delta^4_1) + \; \ldots$$

The maximum truncation error of f_p from neglecting each order of difference is less than 0.5 in the unit of the end figure of the tabular function if

$$\delta^2 < 4 \qquad \delta^3 < 60 \qquad \delta^4 < 20 \qquad \delta^5 < 500.$$

A Critical Table for B_2 provides a rapid means of interpolating where higher order differences are negligible or full precision is not required. The Subtabulation Table gives coefficients B_2 through B_4; it is arranged for the convenience of subtabulating from the intervals used in this volume to smaller intervals. The table may be entered with the interpolating argument expressed in decimal form or as a simple fraction. The number of terms to be retained in the formula, and the number of decimals in the coefficients, may be decided by inspection of the difference table. For inverse interpolation,

$$p = (f_p - f_0)/\delta_{1/2} - B_2(\delta^2_0 + \delta^2_1)/\delta_{1/2} - \; \ldots$$

An initial estimate is obtained by taking the first term alone. The computed value of p is then used to enter the Critical Table to find B_2, which enables the calculation of the second term, and hence an improved value for p. When further approximations are necessary, repeat the above calculation using the latest value of p.

Where the tables are inconvenient, the coefficients may be calculated directly:

$$B_2 = \frac{p(p-1)}{2\cdot 2!}, \qquad B_3 = \frac{p(p-1)(p-1/2)}{3!}, \qquad B_4 = \frac{(p+1)p(p-1)(p-2)}{2\cdot 4!}.$$

Alternatively, a polynomial representation may be constructed and applied as

$$f_p = f_0 + ap + bp^2 + cp^3 + dp^4 + \ldots$$

or

$$f_p = f_0 + (a + (b + (c + dp)p)p)p.$$

Expressions for the coefficients $a, \ldots d$ are provided by Stirling's interpolation formula:

$$a = \frac{\delta_{1/2} + \delta_{-1/2}}{2} - \frac{\delta^3_{1/2} + \delta^3_{-1/2}}{12}, \qquad c = \frac{\delta^3_{1/2} + \delta^3_{-1/2}}{12}$$

$$b = \frac{\delta^2_0}{2} - \frac{\delta^4_0}{24}, \qquad d = \frac{\delta^4_0}{24}$$

The resultant polynomial is neither unique nor optimal and, in general, should not be used beyond the range spanned by the highest order difference retained.

PRECEPTS FOR USING THE TABLES

Critical Table. Round the interpolating factor p to 4 decimals. The required value of B_2 is the tabular value opposite the *interval* in which p lies, or if p exactly equals a tabular argument, the value above and to the right of p. B_2 is always negative. The effects of third and fourth differences can be estimated from the values of B_3 and B_4 in the last column.

Subtabulation. The ratio of the ephemeris tabulation interval to the required interval is an integer which is the horizontal index of the coefficient table. Entering arguments are multiples of this ratio, and are found in the column directly under the index. Take out p, which is exact, the additional digit in smaller type denoting a repeating decimal, and B_2 through B_4 to the required number of decimals. B_2 is always negative.

EXAMPLES

To find (a) the declination of the Sun at $16^h23^m14^s.8$ on 1984 January 19, (b) the right ascension of Mercury at $17^h21^m16^s.8$ on 1984 January 8, and (c) the time on January 8 when Mercury's right ascension is exactly 18^h04^m. The tabular values, and their differences in units of the end figure of the functions are:

1984 Jan.	Dec. of Sun	δ	δ^2	1984 Jan.	R. A. of Mercury	δ	δ^2	δ^3	δ^4
	° ′ ″				h m s				
18	−20 44 48.3			7	18 07 03.03		+4299		
		+7212				−14410		− 16	
19	−20 32 47.1		+233	8	18 04 38.93		+4283		−104
		+7445				−10127		−120	
20	−20 20 22.6		+230	9	18 02 57.66		+4163		− 76
		+7675				− 5964		−196	
21	−20 07 35.1			10	18 01 58.02		+3967		

(a) The tabular interval is one day; the interpolating factor is therefore 0.68281. From the Critical Table, $B_2 = -0.054$, and

$$f_p = -20°32'47\overset{.}{''}1 + 0.68281(+744\overset{.}{''}5) - 0.054(+23\overset{.}{''}3 + 23\overset{.}{''}0) = -20°24'21\overset{.}{''}2.$$

(b) The coefficients for a polynomial are

$$c = (-1\overset{s}{.}20 - 0\overset{s}{.}16)/12 = -0\overset{s}{.}113 \qquad a = (-101\overset{s}{.}27 - 144\overset{s}{.}10)/2 + 0\overset{s}{.}113 = -122\overset{s}{.}572$$
$$d = -1\overset{s}{.}04/24 = -0\overset{s}{.}043 \qquad b = +42\overset{s}{.}83/2 + 0\overset{s}{.}043 = +21\overset{s}{.}458$$

Then, $\qquad f_p = 18^h04^m38\overset{s}{.}93 - 122\overset{s}{.}572p + 21\overset{s}{.}458p^2 - 0\overset{s}{.}113p^3 - 0\overset{s}{.}043p^4,$

with the additional decimals as guard figures. Evaluating this polynomial with the interpolating factor $p = 0.72311$, $f_p = 18^h03^m21\overset{s}{.}46.$

(c) As a first approximation,

$$p = (18^h04^m - 18^h04^m38\overset{s}{.}93)/(-101\overset{s}{.}27) = 0.38442.$$

From the Critical Table, with $p = 0.3844$, $B_2 = -0.059$ so that
$$B_2(\delta_0^2 + \delta_1^2) = -0.059(+84\overset{s}{.}46) = -4\overset{s}{.}98.$$

A better approximation is then $p = (-38\overset{s}{.}93 + 4\overset{s}{.}98)/(-101\overset{s}{.}27) = 0.33524$, which gives $t = 8^h02^m45^s$. As a check, using the polynomial found above with $p = 0.33524$,

$$f_p = 18^h04^m38\overset{s}{.}93 - 122\overset{s}{.}572(0.33524) + 21\overset{s}{.}458(0.1124) - 0\overset{s}{.}113(0.04) - 0\overset{s}{.}043(0.01)$$

$$= 18^h04^m00\overset{s}{.}25.$$

An additional iteration gives $t = 8^h06^m19^s$, corresponding to $p = 0.33772$. Interpolating with this last value of p produces $f_p = 18^h03^m59\overset{s}{.}98.$

CRITICAL TABLE FOR B_2

p	B_2	p	B_2	p	B_2	p	B_2	p	B_2	p	B_3
0.0000		0.1101		0.2719		0.7280		0.8898		0.0	0.000
.0020	.000	.1152	.025	.2809	.050	.7366	.049	.8949	.024	.1	+ .006
.0060	.001	.1205	.026	.2902	.051	.7449	.048	.9000	.023	.2	.008
.0101	.002	.1258	.027	.3000	.052	.7529	.047	.9049	.022	.3	.007
.0142	.003	.1312	.028	.3102	.053	.7607	.046	.9098	.021	.4	+ .004
.0183	.004	.1366	.029	.3211	.054	.7683	.045	.9147	.020		
.0225	.005	.1422	.030	.3326	.055	.7756	.044	.9195	.019	0.5	0.000
.0267	.006	.1478	.031	.3450	.056	.7828	.043	.9242	.018		
.0309	.007	.1535	.032	.3585	.057	.7898	.042	.9289	.017	.6	− .004
.0352	.008	.1594	.033	.3735	.058	.7966	.041	.9335	.016	.7	.007
.0395	.009	.1653	.034	.3904	.059	.8033	.040	.9381	.015	.8	.008
.0439	.010	.1713	.035	.4105	.060	.8098	.039	.9427	.014	.9	− .006
.0483	.011	.1775	.036	.4367	.061	.8162	.038	.9472	.013	1.0	0.000
.0527	.012	.1837	.037	.5632	.062	.8224	.037	.9516	.012		
.0572	.013	.1901	.038	.5894	.061	.8286	.036	.9560	.011	p	B_4
.0618	.014	.1966	.039	.6095	.060	.8346	.035	.9604	.010	0.0	0.000
.0664	.015	.2033	.040	.6264	.059	.8405	.034	.9647	.009	.1	+ .004
.0710	.016	.2101	.041	.6414	.058	.8464	.033	.9690	.008	.2	.007
.0757	.017	.2171	.042	.6549	.057	.8521	.032	.9732	.007	.3	.010
.0804	.018	.2243	.043	.6673	.056	.8577	.031	.9774	.006	.4	.011
.0852	.019	.2316	.044	.6788	.055	.8633	.030	.9816	.005		
.0901	.020	.2392	.045	.6897	.054	.8687	.029	.9857	.004	0.5	+0.012
.0950	.021	.2470	.046	.7000	.053	.8741	.028	.9898	.003	.6	.011
.1000	.022	.2550	.047	.7097	.052	.8794	.027	.9939	.002	.7	.010
.1050	.023	.2633	.048	.7190	.051	.8847	.026	0.9979	.001	.8	.007
0.1101	.024	0.2719	.049	0.7280	.050	0.8898	.025	1.0000	.000	.9	+ .004
										1.0	0.000

In critical cases ascend.

B_2 is always negative.

2	3	4	5	6	8	10	12	20	24	40	p	B_2	B_3	B_4
										1	0.025	0.006094	0.001930	0.001028
									1		.04166	.009983	.003050	.001697
								1		2	.050	.011875	.003562	.002026
										3	.075	.017344	.004914	.002991
							1		2		.08333	.019097	.005305	.003304
						1		2		4	.100	.022500	.006000	.003919
					1				3	5	.125	.027344	.006836	.004807
								3		6	.150	.031875	.007437	.005651
				1			2		4		.16666	.034722	.007716	.006189
										7	.175	.036094	.007820	.006450
			1			2		4		8	.200	.040000	.008000	.007200
									5		.20833	.041233	.008017	.007439
										9	.225	.043594	.007992	.007899
		1			2		3	5	6	10	.250	.046875	.007813	.008545
										11	.275	.049844	.007477	.009135
									7		.29166	.051649	.007174	.009497
						3		6		12	.300	.052500	.007000	.009669
										13	.325	.054844	.006398	.010143
	1			2			4		8		.33333	.055556	.006173	.010288
								7		14	.350	.056875	.005687	.010557
					3				9	15	.375	.058594	.004883	.010910
			2			4		8		16	.400	.060000	.004000	.011200
							5		10		.41666	.060764	.003376	.011358
										17	.425	.061094	.003055	.011426
								9		18	.450	.061875	.002063	.011589
									11		.45833	.062066	.001724	.011628
										19	.475	.062344	.001039	.011686
1		2		3	4	5	6	10	12	20	.500	.062500	.0	.011719
										21	.525	.062344	-.001039	.011686
									13		.54166	.062066	-.001724	.011628
								11		22	.550	.061875	-.002062	.011589
										23	.575	.061094	-.003055	.011426
							7		14		.58333	.060764	-.003376	.011358
			3		5	6		12	15	24	.600	.060000	-.004000	.011200
					5				15	25	.625	.058594	-.004883	.010910
	2						8	13	16	26	.650	.056875	-.005687	.010557
	2			4			8		16		.66666	.055556	-.006173	.010288
						7		14		27	.675	.054844	-.006398	.010143
						7		14		28	.700	.052500	-.007000	.009669
									17		.70833	.051649	-.007174	.009497
										29	.725	.049844	-.007477	.009135
	3				6	6	9	15	18	30	.750	.046875	-.007813	.008545
										31	.775	.043594	-.007992	.007899
									19		.79166	.041233	-.008017	.007439
		4				8		16		32	.800	.040000	-.008000	.007200
										33	.825	.036094	-.007820	.006450
			5	5			10		20		.83333	.034722	-.007716	.006189
					7			17		34	.850	.031875	-.007437	.005651
					7	9			21	35	.875	.027344	-.006836	.004807
						9		18		36	.900	.022500	-.006000	.003919
							11		22		.91666	.019097	-.005305	.003304
										37	.925	.017344	-.004914	.002991
								19		38	.950	.011875	-.003563	.002026
									23		.95833	.009983	-.003050	.001697
										39	0.975	.006094	-.001930	.001028
2	3	4	5	6	8	10	12	20	24	40	1.000	0.0	0.0	0.0

B_2 is always negative.

This explanation specifies the sources for the theories and data used in constructing the ephemerides in this volume, explains basic concepts required to use the ephemerides, and where appropriate states the precise meaning of tabulated quantities. Definitions of individual terms are given in the Glossary (Section M).

The IAU (1976) System of Astronomical Constants was adopted by the General Assembly of the IAU at Grenoble. These constants are given on page K6 of this volume. Additional resolutions concerning time scales and the astronomical reference system were adopted by the IAU in 1979 at Montreal and in 1982 at Patras. A complete list of these resolutions, with constants, formulae and explanatory notes, is given in the *Supplement to the Astronomical Almanac for 1984*.

Fundamental ephemerides of the Sun, Moon and planets were calculated by a simultaneous numerical integration at the Jet Propulsion Laboratory in a cooperative effort with the U.S. Naval Observatory. Optical, radar, laser, and spacecraft observations were analyzed to determine starting conditions for the numerical integration. In order to obtain the best fit of the ephemerides to the observational data, some modifications to the IAU (1976) System of Astronomical Constants were necessary. These modifications of the constants are listed on page K7. A satisfactory ephemeris for Uranus for the 1980's could be computed only by excluding observations made before 1900. This integration, designated DE200/LE200, is available on magnetic tape for the period 1800–2050. Additional information about the new ephemerides is included in the *Supplement to the Astronomical Almanac for 1984*.

Reference Frame

Beginning in 1984 the standard epoch of the fundamental astronomical coordinate system is 2000 January 1, 12^h TDB (JD 2451545.0), which is denoted J2000.0. The numerical integration used as the basis for ephemerides in this volume is in a reference frame defined by the mean equator and dynamical equinox of J2000.0. Rigorous reduction methods presented in Section B were used to construct the published tabular ephemerides.

In practice, the dynamical equinox, defined by the ascending node of the ecliptic on the mean equator at epoch J2000.0, differs from the origin of right ascension (the catalog equinox) of the FK5 star catalog. Although the exact value of the difference is uncertain, it is thought to be less than 0."04 at the current time.

Time Scales

Terrestrial dynamical time (TDT) is the tabular argument of the fundamental geocentric ephemerides. For ephemerides referred to the barycenter of the solar system, the argument is barycentric dynamical time (TDB). In the terminology of the general theory of relativity, TDT corresponds to a proper time, while TDB corresponds to a coordinate time. These scales are defined so that the difference between them is purely periodic. Like their predecessor, ephemeris time (ET), TDT and TDB are independent of the Earth's rotation.

In the astronomical system of units, the unit of time is the day of 86400 seconds of barycentric dynamical time (TDB). For long periods, however, the

Julian century of 36525 days is used. Use of the tropical year and Besselian epochs was discontinued in 1984.

International atomic time (TAI) is the most precisely determined time scale that is now available for astronomical use. This scale results from analyses by the Bureau International de l'Heure in Paris of data from atomic time standards of many countries. Although TAI was not introduced until 1972 January 1, atomic time scales have been available since 1956. Therefore, TAI may be extrapolated backwards for the period 1956–1971. The fundamental unit of TAI is the unit of time in the international system of units, the SI second; it is defined as the duration of 9 192 631 770 periods of the radiation corresponding to the transition between two hyperfine levels of the ground state of the cesium 133 atom.

Universal time (UT), which serves as the basis of civil timekeeping, is formally defined by a mathematical formula which relates UT to Greenwich mean sidereal time. Thus UT is determined from observations of the diurnal motions of the stars. It implicitly contains nonuniformities due to variations in the rotation of the Earth. A UT scale determined directly from stellar observations is dependent on the place of observation; these scales are designated UT0. A time scale that is independent of the location of the observer is established by removing from UT0 the effect of the variation of the observer's meridian due to the observed motion of the geographic pole; this time scale is designated UT1. A tabulation of the quantity $\Delta T = \text{TDT} \pm \text{UT1}$ is given on page B5.

Since 1972 January 1, the time scale distributed by most broadcast time services has been based on the redefined coordinated universal time (UTC), which differs from TAI by an integral number of seconds. UTC is maintained within $0\overset{s}{.}90$ of UT1 by the introduction of one second steps (leap seconds) when necessary, normally at the end of June or December. DUT1, an approximation to the difference UT1 minus UTC, is transmitted in code on broadcast time signals. Beginning in 1962, an increasing number of broadcast time services cooperated to provide a consistent time standard, until most broadcast signals were synchronized to the redefined UTC in 1972. For a while prior to 1972, broadcast time signals were kept within $0\overset{s}{.}1$ of UT2 (UT1 corrected by an adopted formula for the seasonal variation) by the introduction of step adjustments, normally of $0\overset{s}{.}1$, and occasionally by changes in the duration of the second. Since the table on page K8 is based on the signals broadcast by WWV, special corrections may be required to derive UT1 times from other signals broadcast prior to 1972.

Universal time and UT are commonly used to mean UT0, UT1 or UTC, according to context. In this volume, UT1 is always implied where the differences are significant.

Greenwich mean sidereal time (GMST) is defined as the Greenwich hour angle of the mean equinox of date. The defining relation between sidereal and universal time is:

$$\text{GMST of } 0^h \text{ UT1} = 6^h41^m50\!\!.\!\!^s54841 + 8640\ 184\!\!.\!\!^s812\ 866\ T + 0\!\!.\!\!^s093\ 104\ T^2$$
$$- 6\!\!.\!\!^s2 \times 10^{-6}\ T^3$$

where T is measured in Julian centuries of 36525 days of UT1 from 2000 January 1, 12^h UT1 (JD 2451545.0 UT1). (S. Aoki *et al.*, *Astron. Astrophys.*, **105**, 359, 1982).

To provide continuity with pre-1984 practices, the difference between TDT and TAI was set to the current estimate of the difference between ET and TAI:

$$\text{TDT} = \text{TAI} + 32\!\!.\!\!^s184.$$

Thus procedures analogous to those used with ephemerides tabulated as functions of ET are generally applicable to ephemerides based on TDT. The tabulations for 0^h TDT may be converted to 0^h UT1 by interpolation to $\Delta T\,(\delta_{1/2}/h)\ \alpha$, where h is the tabular interval and $\delta_{1/2}$ is the first difference of the tabular values.

Beginning in 1984, the ephemeris meridian is defined to be 1.002738 ΔT east of the Greenwich meridian. Only when ΔT is specified can quantities be referred to the Greenwich meridian.

Section A: Summary of Principal Phenomena

The lunations given on page A1 are numbered in continuation of E. W. Brown's series, of which No. 1 commenced on 1923 January 16 (*Mon. Not. Roy. Astr. Soc,* **93**, 603, 1933).

The planet diagram on page A7 provides a general picture of the availability of planets and stars for observations. Notes on its use are given on page A6.

Times tabulated on page A3 for the stationary points of the planets are the instants at which the planet is stationary in apparent geocentric right ascension; but for elongations of the planets from the Sun, the tabular times are for the geometric configurations. From inferior conjunction to superior conjunction for Mercury or Venus, or from conjunction to opposition for a superior planet, the elongation from the Sun is west; from superior to inferior conjunction, or from opposition to conjunction, the elongation is east. Because planetary orbits do not lie exactly in the ecliptic plane, elongation passages from west to east or from east to west do not in general coincide with oppositions and conjunctions.

Heliocentric phenomena for which dates are given on page A3 are based on the actual perturbed motion. Hence, these dates generally differ from dates obtained by using the elements of the mean orbit. The date on which the radius vector is a minimum may differ considerably from the date on which the heliocentric longitude of a planet is equal to the longitude of perihelion of the mean orbit. Similarly, when the heliocentric latitude of a planet is zero, the heliocentric longitude may not equal the longitude of the mean node.

Configurations of the Sun, Moon and Planets (pages A9–A11) is a chronological listing, with times to the nearest hour, of geocentric phenomena. Included are eclipses; lunar perigees, apogees and phases; phenomena in apparent geocentric longitude of the planets and of the minor planets Ceres, Pallas, Juno and Vesta; times when the planets and minor planets are stationary in right ascension and when the geocentric distance to Mars is a minimum; and geocentric conjunctions in apparent right ascension of the planets with the Moon, with each other, and with the bright stars Aldebaran, Pollux, Regulus, Spica and Antares, provided these conjunctions are considered to occur sufficiently far from the Sun to permit observation. Thus conjunctions in right ascension are excluded if they occur within 15° of the Sun from the Moon, Mars and Saturn; within 10° for Venus and Jupiter; and within approximately 10° for Mercury, depending on Mercury's brightness. Geocentric phenomena differ from the actually observed configurations by the effects of the geocentric parallax at the place of observation, which for configurations with the Moon may be quite large.

The explanation for the tables of sunrise and sunset, twilight, moonrise and moonset is given on page A12; examples are given on page A13.

Eclipses

The elements and circumstances are computed according to Bessel's method from apparent right ascensions and declinations of the Sun and Moon. Semidiameters of the Sun and Moon used in the calculation of eclipses do not include irradiation. The adopted semidiameter of the Sun at unit distance is $15'59''.63$. (A. Auwers, *Astronomische Nachrichten*, No. 3068, 367, 1891), the same, except for irradiation, as in the ephemeris of the Sun. The apparent semidiameter of the Moon is equal to arcsin ($k \sin \pi$), where π is the Moon's horizontal parallax and k is an adopted constant. For computing the radii of the umbra and penumbra, $k = 0.272\ 4880$. However, the computed duration on the central line for total phase only is based on the value $k = 0.272\ 281$ in lieu of approximate limb corrections. The position of the central line does not depend on k. To obtain the tabular duration of total phase, the correction $+0.000\ 207$ must be applied to the tabular radius of the umbra.

In calculating lunar eclipses the radius of the geocentric shadow of the Earth is increased by one-fiftieth part to allow for the effect of the atmosphere. Refraction is neglected in calculating solar and lunar eclipses. Because the circumstances of eclipses are calculated for the surface of the ellipsoid, refraction is not included in Besselian elements. For local predictions, corrections for refraction are unnecessary; they are required only in precise comparisons of theory with observation in which many other refinements are also necessary.

The solar eclipse maps show the path of the eclipse, beginning and ending times of the eclipse, and the region of visibility, including restrictions due to rising and setting of the Sun.

Besselian elements characterize the geometric position of the shadow of the Moon relative to the Earth. The exterior tangents to the surfaces of the Sun and Moon form the umbral cone; the interior tangents form the penumbral cone. The common axis of these two cones is the axis of the shadow. To form a system of geocentric rectangular coordinates, the geocentric plane perpendicular to the axis of the shadow is taken as the xy-plane. This is called the fundamental plane. The x-axis is the intersection of the fundamental plane with the plane of the equator; it is positive toward the east.

The y-axis is positive toward the north. The z-axis is parallel to the axis of the shadow and is positive toward the Moon. The tabular values of x and y are the coordinates, in units of the Earth's equatorial radius, of the intersection of the axis of the shadow with the fundamental plane. The direction of the axis of the shadow is specified by the declination d and hour angle μ of the point on the celestial sphere toward which the axis is directed.

The radius of the penumbral cone on the fundamental plane is denoted by l_1. The radius of the umbral cone, regarded as positive for an annular eclipse and negative for a total eclipse, is denoted by l_2. The angles f_1 and f_2 are the angles at which the tangents that form the penumbral and umbral cones, respectively, intersect the axis of the shadow.

Section B: Time Scales and Coordinate Systems

Calendar

Over extended intervals, civil time is ordinarily reckoned according to conventional calendar years and adopted historical eras; in constructing and regulating civil calendars and fixing ecclesiastical calendars, a number of auxiliary cycles and periods are used.

To facilitate chronological reckoning, the system of Julian day (JD) numbers maintains a continuous count of astronomical days, beginning with JD 0 on 1 January 4713 B.C., Julian proleptic calendar. Julian day numbers for the current year are given on page B4 and in the Universal and Sidereal Times table, pages B8–B15. To determine JD numbers for other years on the Gregorian calendar, consult the Julian Day Number tables, pages K2–K4.

Note that the Julian day begins at noon, whereas the calendar day begins at the preceding midnight. Thus the Julian day system is consistent with astronomical practice before 1925, with the astronomical day being reckoned from noon. For critical applications, the Julian date should include a specification as to whether UT, TDT or TDB is used.

Universal and Sidereal Times

The tabulations of Greenwich mean sidereal time (GMST) at 0^h UT are calculated from the defining relation between sidereal time and universal time (see the introductory discussion of Time Scales in this Explanation). The tabulation of Greenwich apparent sidereal time (GAST) is calculated by adding the equation of the equinoxes (the total nutation in longitude, multiplied by the cosine of the obliquity of the ecliptic) to GMST. Following the general practice of this volume, UT implies UT1 in critical applications. Useful formulae and examples are given on pages B6–B7.

Reduction of Astronomical Coordinates

Formulae and tables for a variety of methods of apparent place reduction are presented. Choice of a particular method should be made according to accuracy requirements.

Reduction to apparent place from mean place for standard epoch J2000.0 is most accurately accomplished by formulae given on pages B36–B41. These require the rectangular position and velocity components of the Earth with respect to the solar system barycenter (even pages B42–B56) and the precession and nutation matrix (odd pages B43–B57). The Earth's position and velocity components are derived from the simultaneous numerical integration that is the basis of all planetary ephemerides of this volume. In critical applications the tabular argument of the barycentric ephemeris is barycentric dynamical time (TDB).

Beginning in 1984 the standard epoch of the stellar data tabulations (Section H) is the middle of the Julian year, rather than the beginning of the Besselian year. Thus the Besselian and second-order day numbers are referred to the mean equator and equinox of the middle of the current Julian year. Formulae for precessing positions from the standard epoch J2000.0 to the current year are given on page B18. These formulae are based on expressions for annual rates of precession given on page K6, as determined by J. H. Lieske *et al.* (*Astron. Astrophys.*, 58, 1–16, 1977), in conformance with the IAU (1976) value of the constant of precession.

Section C: The Sun

Apparent geocentric coordinates of the Sun are given on even pages C4–C18; geocentric rectangular coordinates referred to the mean equator and equinox of J2000.0 are given on pages C20–C23. These ephemerides are based on the simultaneous numerical integration of the planets described on page L1. The tabular argument of the solar ephemerides is terrestrial dynamical time (TDT). Although the apparent right ascension and declination are antedated for light-time, the true geocentric distance in astronomical units is the geometric distance at the tabular time.

The rotation elements listed on page C3 are due to R. C. Carrington (*Observations of the Spots on the Sun*, 1863). The synodic rotation numbers are in continuation of Carrington's Greenwich photoheliographic series, of which Number 1 commenced on 1853 November 9. However, the daily tabulations of rotational parameters (odd pages C5–C19) are based on the pole of D. Stark and H. Wöhl (*Astron. Astrophys.*, 93, 241–244, 1981). In calculating the tabular values of the semidiameter, the arc sine of the IAU solar radius is divided by the true distance, then $1{.}''15$ is added to account for irradiation.

Formulae for geocentric and heliographic coordinates are given on pages C1–C3.

Section D: The Moon

The geocentric ephemerides of the Moon are based on the numerical integration of solar system bodies described on page L1. The tabular argument is terrestrial dynamical time (TDT).

For high precision calculations the polynomial ephemeris on pages D23–D45 should be used; procedures for evaluating the polynomials are given on page D22. A daily geocentric ephemeris to lower precision is given on the even numbered pages D6–D20. Although the tabular apparent right ascension and declination are antedated for light-time, the horizontal parallax is the geometric value for the tabular time. It is derived by dividing $8{.}''794\ 148$ by the true distance in units of the Earth's equatorial radius. The semidiameter s is derived from the horizontal parallax π by $s = 0{.}''0799 + 0{.}''272\ 453\pi$, which is based on $15'32{.}''58$ for the semidiameter at mean distance. No correction is made for irradiation.

Beginning in 1985 the physical ephemeris (odd pages D7–D21) is based on the formulae and constants for physical librations given by D. Eckhardt

(*The Moon and the Planets,* **25**, 3, 1981; *High Precision Earth Rotation and Earth-Moon Dynamics,* ed. O. Calame, pages 193–198, 1982), but with the IAU value of 1°32′32″.7 for the inclination of the mean lunar equator to the ecliptic. Although values of Eckhardt's constants differ slightly from those of the IAU, this is of no consequence to the precision of the tabulation. Optical librations are first calculated from rigorous formulae; then the total librations (optical and physical) are calculated from the rigorous formulae by replacing I with $I+\rho$, Ω with $\Omega+\sigma$ and $\mathbb{C}$ with $\mathbb{C}+\tau$. Included in the calculations are perturbations for all terms greater than 0°.0001 in solution 500 of the first Eckhardt reference and in Table I of the second reference. Since apparent coordinates of the Sun and Moon are used in the calculations, aberration is fully included, except for the inappreciable difference between the light-time from the Sun to the Moon and from the Sun to the Earth.

The selenographic coordinates of the Earth and Sun specify the point on the lunar surface where the Earth and Sun are in the selenographic zenith. The selenographic longitude and latitude of the Earth are the total geocentric, optical and physical librations in longitude and latitude, respectively. When the longitude is positive, the mean central point of the disk is displaced eastward on the celestial sphere, exposing to view a region on the west limb. When the latitude is positive, the mean central point is displaced toward the south, exposing to view the north limb. If the principal moment of inertia axis toward the Earth is used as the origin for measuring librations, rather than the traditional origin in the mean direction of the Earth from the Moon, there is a constant offset of 214″.2 in τ, or equivalently a correction of $-0°.059$ to the Earth's selenographic longitude.

The tabulated selenographic colongitude of the Sun is the east selenographic longitude of the morning terminator. It is calculated by subtracting the selenographic longitude of the Sun from 90° or 450°. Colongitudes of 270°, 0°, 90° and 180° correspond to New Moon, First Quarter, Full Moon and Last Quarter, respectively.

The position angles of the axis of rotation and the midpoint of the bright limb are measured counterclockwise around the disk from the north point. The position angle of the terminator may be obtained by adding 90° to the position angle of the bright limb before Full Moon and by subtracting 90° after Full Moon.

For precise reductions of observations, the tabular data should be reduced to topocentric values. Formulae for this purpose by R. d'E. Atkinson (*Mon. Not. Roy. Astr. Soc.,* **111**, 448, 1951) are given on page D5.

Additional formulae and data pertaining to the Moon are given on pages D2–D5, D46.

Section E: Major Planets

The heliocentric and geocentric ephemerides of the planets are based on the numerical integration described on page L1. Terrestrial dynamical time (TDT) is the tabular argument of the geocentric ephemerides. The argument of the heliocentric ephemerides is barycentric dynamical time (TDB).

Although the apparent right ascension and declination are antedated for light-time, the true geocentric distance in astronomical units is the geometric distance for the tabular time. For Pluto the astrometric ephemeris results from adding planetary aberration to the geometric ephemeris, referred to the mean equator and equinox of J2000.0, and then subtracting stellar aberration. As a result the astrometric ephemeris is comparable with observations referred to catalog mean places of comparison stars (corrected for proper motion and annual parallax, if significant, to the epoch of observation), provided the catalog is referred to the J2000.0 reference frame and the observations are corrected for geocentric parallax.

Ephemerides for Physical Observations of the Planets

The physical ephemerides of the planets have been calculated from the fundamental solar system ephemerides used elsewhere in this volume. Except where otherwise noted, physical data are based on the "Report of the IAU Working Group on Cartographic Coordinates and Rotational Elements of the Planets and Satellites" (M. E. Davies *et al., Celest. Mech.,* 29, 309–321, 1983; hereafter referred to as the IAU Report on Cartographic Coordinates).

All tabulated quantities are corrected for light-time, so the given values apply to the disk that is visible at the tabular time. Except for planetographic longitudes, all tabulated quantities vary so slowly that they remain unchanged if the time argument is considered to be universal time rather than dynamical time. Conversion from dynamical to universal time affects the tabulated planetographic longitudes by several tenths of a degree for all planets except Mercury, Venus and Pluto.

The tabulated light-time is the travel time for light arriving at the Earth at the tabular time. Expressions for the visual magnitudes of the planets are due to D. L. Harris (*Planets and Satellites,* ed. G. P. Kuiper and B. L. Middlehurst, page 272, 1961), except that values for $V(1,0)$, the visual magnitude at unit distance, are those given on page E88 of this volume. The tabulated surface brightness is the average visual magnitude of an area of one square arc-second of the illuminated portion of the apparent disk. For a few days around inferior and superior conjunctions, the tabulated magnitude and surface brightness of Mercury and Venus are only approximate; surface brightness is not tabulated near inferior conjunction. For Saturn the magnitude includes the contribution due to the rings, but the surface brightness applies only to the disk of the planet.

The apparent disk of an oblate planet is always an ellipse, with an oblateness less than or equal to the oblateness of the planet itself, depending on the apparent tilt of the planet's axis. For planets with significant oblateness, the apparent equatorial and polar diameters are separately tabulated.

The phase is the ratio of the apparent illuminated area of the disk to the total area of the disk, as seen from the Earth. The phase angle is the planetocentric elongation of the Earth from the Sun. In the accompanying diagram of the apparent disk of a planet, the defect of illumination is designated by q. It is the length of the unilluminated section of the diameter passing through the sub-Earth point e (the center of the disk) and the sub-solar point s. The position angle of the defect of illumination can be computed by adding 180° to the tabulated position angle of the sub-solar point. Calculations of phase and defect of illumination are based on the geometric terminator, which is defined by the plane crossing through the planet's center of mass, orthogonal to the direction of the Sun.

The tabulated quantity L_s is the planetocentric longitude of the Sun, measured eastward in the planet's orbital plane from the planet's vernal equinox. Instantaneous orbital and equatorial planes are used in computing L_s. Values of L_s of 0°, 90°, 180°, and 270° correspond to the beginning of spring, summer, autumn and winter, respectively, for the planet's northern hemisphere.

The orientation of the pole of a planet is specified by the right ascension α_0 and declination δ_0 of the north pole, with respect to the Earth's mean equator and equinox of J2000.0. According to the IAU definition, the north pole is the pole that lies on the north side of the invariable plane of the solar system. Because of precession of a planet's axis, α_0 and δ_0 may vary slowly with time; values for the current year are given on page E87.

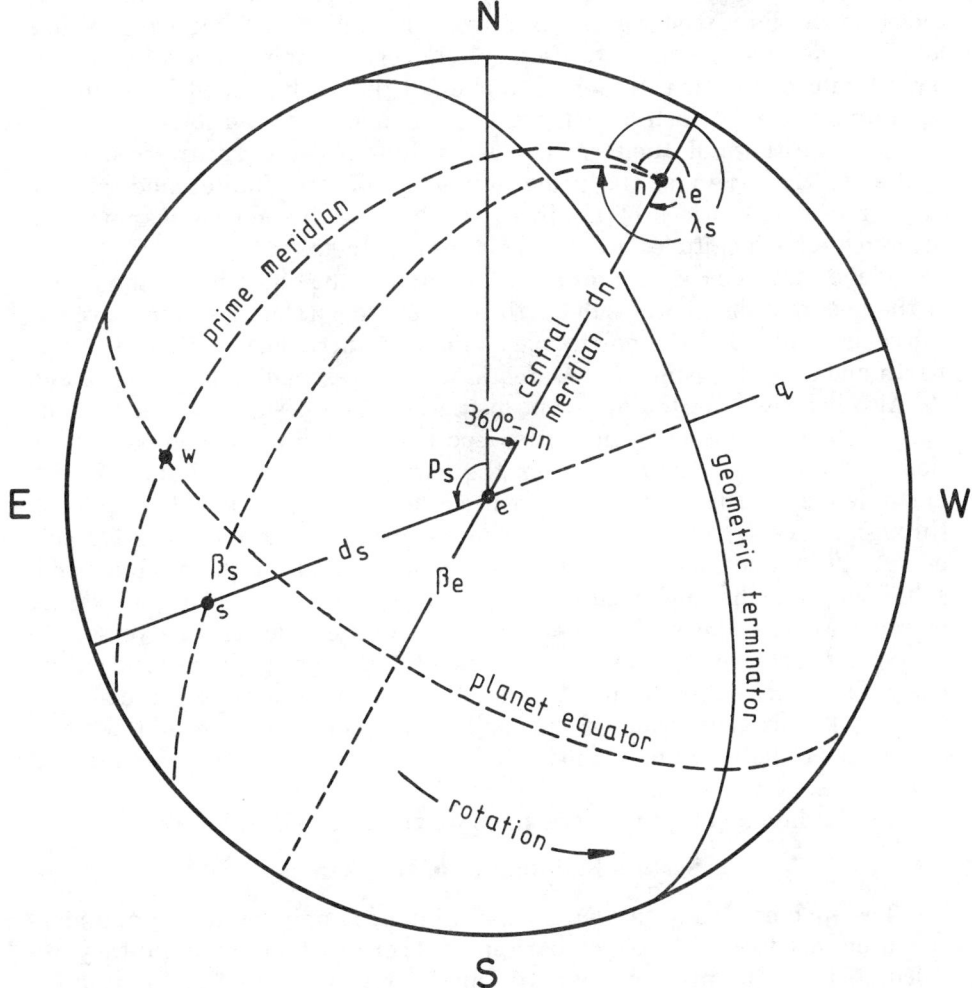

The position angle W of the prime meridian is measured clockwise (when viewed from above the planet's north pole) along the planet's equator from the ascending node of the planet's equator on the Earth's mean equator of J2000.0. For a planet with direct rotation (counterclockwise as viewed from the planet's north pole), W increases with time. Values of W and its rate of change are given on page E87.

Except for Saturn and Pluto, expressions for the pole and prime meridian of each planet are based on the IAU Report on Cartographic Coordinates. The rotation of Saturn was provided by M. D. Desch and M. L. Kaiser. For Pluto the pole and rotation are due to R. S. Harrington and J. W. Christy (*Astr. Jour.*, **86**, 442, 1981), under the assumptions that the orbital motion of Pluto's satellite is synchronous with Pluto's rotation and that the satellite's orbital plane is coincident with Pluto's equatorial plane.

Tabulated longitudes and latitudes of the sub-Earth and sub-solar points are in planetographic coordinates. Planetographic longitude is reckoned from the prime meridian and increases from 0° to 360° in the direction opposite rotation. The planetographic latitude of a point is the angle between the planet's equator and the normal to the reference spheroid at the point. Latitudes north of the equator are positive. For Jupiter and Saturn multiple longitude systems are defined, each system corresponding to a different apparent rate of rotation. System I applies to the visible cloud layer in the equatorial region of each planet. System II applies to the visible cloud layer at higher latitudes of Jupiter; there is no System II for Saturn. System III applies to the origin of the radio emissions of both Jupiter and Saturn. Since rotational periods of Uranus and Neptune are not well known, no planetographic longitudes are given for these planets.

Planetographic coordinates are illustrated in the diagram. At the center of the apparent disk is the sub-Earth point e; other reference points are the sub-solar point s and the north pole n. Planetocentric longitudes of the sub-Earth and sub-solar points are λ_e and λ_s with corresponding latitudes β_e and β_s. Also indicated are the apparent distances d and position angles p of the north pole and sub-solar point with respect to the center of the disk e. Position angles are measured east from the north on the celestial sphere, with north defined in this case by the great circle on the celestial sphere passing through the center of the planet's apparent disk and the true celestial pole of date. Tabulated distances are positive for points on the visible hemisphere of the planet and negative for points on the far side. Thus, as point n or s passes from the visible hemisphere to the far side, or vice versa, the sign of the distance changes abruptly, but the position angle varies continuously. However, when the point passes close to the center of the disk, the sign of the distance remains unchanged, but both distance and position angle vary rapidly and may appear to be discontinuous in the fixed interval tabulations.

Useful data and formulae are given on pages E43, E87, E88.

Section F: Satellites of the Planets

The ephemerides of the satellites are intended only for search and identification, not for the exact comparison of theory with observation; they are calculated only to an accuracy sufficient for the purpose of facilitating observations. These ephemerides are corrected for light-time. The value of ΔT used in preparing the ephemerides is given on page F1. Orbital elements and constants are given on pages F2, F3. Reference planes for the satellite orbits are defined by the north poles of rotation given in the "Report of the IAU Working Group on Cartographic Coordinates and Rotational Elements of the Planets and Satellites" (M. E. Davies *et al.*, *Celest. Mech.*, **29**, 309–321, 1983).

   The apparent orbit of a satellite is an ellipse on the celestial sphere, with semimajor axis a/Δ, where a is the apparent semimajor axis at unit distance in seconds of arc and Δ is the geocentric distance of the primary. In calculating the tables for finding the position angle and apparent angular distance with respect to the primary, the value of the eccentricity of the apparent orbit at opposition is used. The apparent geocentric distance s is measured from the central point of the geometric disk of the primary, and the position angle p is measured eastward from the north celestial pole. Neglected in the calculations are the effect of the eccentricity of the actual orbit upon its projection onto the apparent orbit and the variation of the eccentricity of the apparent orbit. Approximately, therefore, $s=F(a/\Delta)$, where F is the ratio of s to the apparent distance at greatest elongation. At greatest elongations $p=P\pm90°$, where P is the position angle of the extremity of the minor axis of the apparent orbit that is directed toward the pole of the orbit from which motion appears counterclockwise. With P_0 denoting an arbitrary fixed integral number of degrees, usually the approximate value of P at opposition, the value of p at any time is expressed in the form p_1+p_2, where p_1 is the sum of $P_0+90°$ plus the amount of motion in position angle since elongation, and p_2 denotes the correction $P-P_0$. In the tables of p_1 the tabular entry for argument 0^h00^m is the value of $P_0+90°$.

   Approximate formulae for calculating differential coordinates of satellites are given with the relevant tables.

Satellites of Mars

   The ephemerides of the satellites of Mars are computed from the orbital elements given by H. Struve (*Sitzungsberichte der Königlich Preuss. Akad. der Wiss.*, p. 1073, 1911).

Satellites of Jupiter

   The ephemerides of Satellites I–IV are based on tables by R. A. Sampson (*Tables for the Four Great Satellites of Jupiter*, 1910), but they are computed in accordance with the procedures developed by H. Andoyer (*Bul. Astr.*, **32**, 177, 1915), in which a number of approximations and modifications of the tabular procedures are made.

   The elongations of Satellite V are computed from circular orbital elements determined by A. J. J. Van Woerkom (*Astr. Pap. Amer. Eph.*, Vol. XIII, Part I, pp. 8, 14 and 16, 1950). The differential coordinates of Satellites VI and VII are computed from J. Bobone's tables (*Astr. Nach.*, **262**, 321, 1937, and **263**, 401, 1937), Satellites VIII–XII from the integration of P. Herget (*Pub. Cincinnati Obs.*, No. 23, 1968), and Satellite XIII from the ephemeris of K. Aksnes (*Astr. Jour.*, **83**, 1249, 1978).

   The actual geocentric phenomena of Satellites I–IV are not instantaneous. Since the tabulated times are for the middle of the phenomena, a satellite is usually observable after the tabulated time of eclipse disappearance (EcD) and before the time of eclipse reappearance (EcR). In the case of Satellite IV the difference is sometimes quite large. Light curves of eclipse phenomena are discussed by D. L. Harris (*Planets and Satellites*, ed. G. P. Kuiper and B. M. Middlehurst, pages 327–340, 1961).

   To facilitate identification, approximate configurations of Satellites I–IV are shown in graphical form on pages facing the tabular ephemerides of the geocentric phenomena. Time is shown by the vertical scale, with horizontal lines denoting 0^h UT. For any time the curves specify the relative positions of the satellites in the equatorial plane of Jupiter. The width of the central band, which represents the disk of Jupiter, is scaled to the planet's equatorial diameter.

For eclipses the points d of immersion into the shadow and points r of emersion from the shadow are shown pictorially at the foot of the right-hand pages for the superior conjunctions nearest the middle of each month. At the foot of the left-hand pages rectangular coordinates of these points are given in units of the equatorial radius of Jupiter. The x-axis lies in Jupiter's equatorial plane, positive toward the east; the y-axis is positive toward the north pole of Jupiter. The subscript 1 refers to the beginning of an eclipse, subscript 2 to the end of an eclipse.

Satellites and Rings of Saturn

The ephemeris of the rings of Saturn is computed from the elements of the plane of the rings determined by G. Struve (*Veröff. der Universitäts-sternwarte zu Berlin-Babelsberg*, Vol. VI, Pt. 4, p. 49, 1930). The apparent outer dimensions of the outer ring are according to H. Struve (*Pub. de l'Obs. Central Nicolas*, XI, p. 226, 1898); factors for computing relative dimensions of the rings are from F. W. Bessel (*Abhandlungen*, I, pp. 110, 150, 319, 1875), except those for the dusky ring which are based on the observations of various astronomers.

Since the appearance of the rings depends upon the Saturnicentric positions of the Earth and Sun, the following quantities are tabulated in the ephemeris:

U, the geocentric longitude of Saturn, measured in the plane of the rings eastward from its ascending node on the mean equator of the Earth; the Saturnicentric longitude of the Earth, measured in the same way, is $U+180°$.

B, the Saturnicentric latitude of the Earth, referred to the plane of the rings, positive toward the north; when B is positive the visible surface of the rings is the northern surface.

P, the geocentric position angle of the northern semiminor axis of the apparent ellipse of the rings, measured eastward from north.

U', the heliocentric longitude of Saturn, measured in the plane of the rings eastward from its ascending node on the ecliptic; the Saturnicentric longitude of the Sun, measured in the same way, is $U'+180°$.

B', the Saturnicentric latitude of the Sun, referred to the plane of the rings, positive toward the north; when B' is positive the northern surface of the rings is illuminated.

P', the heliocentric position angle of the northern semiminor axis of the rings on the heliocentric celestial sphere, measured eastward from the great circle that passes through Saturn and the poles of the ecliptic.

The ephemeris of the rings is corrected for light-time.

The ephemerides of Satellites I–VI and of Iapetus are computed from the orbital elements determined by G. Struve (*Veröff. der Universitätsstern-warte zu Berlin-Babelsberg*, Vol. VI, Pt. 4, 1930, and Pt. 5, 1933). The ephemeris of Hyperion is computed from the elements given by J. Woltjer, Jr. (*Annalen van de Sterrewacht te Leiden,* Vol. XVI, Pt. 3, p. 64, 1928), and of Phoebe from the theory by F. E. Ross (*Annals of Harvard College Obs.,* Vol. LIII, No. VI, 1905).

For Satellites I–V times of eastern elongation are tabulated; for Satellites VI–VIII times of all elongations and conjunctions are tabulated. Tables for finding approximate distance s and position angle p are given for Satellites I–VIII. On the diagram of the orbits of Satellites I–VII, points of eastern elongation are marked "0". From the tabular times of these elongations the apparent position of a satellite at any other time can be marked on the diagram by setting off on the orbit the elapsed interval since last eastern elongation. For Hyperion and Iapetus ephemerides of differential coordinates are also included. An ephemeris of differential coordinates is given for Phoebe.

Solar perturbations are not included in calculating the tables of elongations and conjunctions, distances and position angles for Satellites I–VIII. For Satellites I–IV, the orbital eccentricity e is neglected. However, the 4-day tabulations of mean orbital longitude L and mean anomaly M for Satellites I–VIII are calculated from accurate values of the orbital elements; in the case of Titan, solar perturbations are included. Also tabulated are values of the elements that have large variations. The tabular values of the elements can thus be used to obtain perturbed orbital positions. Therefore, using the Saturnicentric position of the Earth, referred to the orbital plane of the satellite, one can calculate the perturbed apparent distance and position angle, and hence differential coordinates in right ascension and declination.

The ascending node of the ring-plane on the mean equator of the Earth serves as the origin for measuring mean orbital longitude L, true longitude u, and the longitude of the ascending node θ of the orbit on the plane of the rings. L and u are reckoned along the ring-plane to the node of the orbit, then along the orbit. Tabulated values of L and M are geometric values at the tabular times, not corrected for light-time.

Satellites and Rings of Uranus

Data for the Uranian Rings are from the analysis of J. L. Elliot *et al.* (*Astr. Jour.,* 86, 444, 1981). The ephemerides of Ariel and Umbriel are calculated from orbital elements determined by Newcomb (*Washington Obs. for 1873,* App. I). For Titania and Oberon elements of H. Struve (*Abhand. der Königlich Preuss. Akad. der Wiss.,* 1912) are used. For all four of these satellites Struve's elements of the plane of the orbits are adopted. Elements determined by D. W. Dunham (Dissertation, Yale U., 1971) are used for calculating the ephemeris of Miranda. On 11 December 1985 the Earth passes through the plane defined by the celestial pole and the planetocentric perpendicular to the orbital plane of the satellites. During a revolution of Uranus, the Earth passes twice through this plane, at which time the apparent orbits of the satellites are most nearly circular. At this time the major axes of the apparent orbits are parallel to the celestial equator, and the point of northern elongation switches sides between east and west. Thus at the instant of passage, the position angle of northern elongation changes by 180°. However, since the tables of apparent distance and position angle (F,

p_1) are based on the date of opposition, the times of elongation and values of p_2 are computed relative to the original elongation for all of 1985. The new configuration is taken into account in the 1986 edition, resulting in an abrupt discontinuity in the tables of p_1, p_2 and the times of northern elongation. Computation of distance and position angle is unaffected by these changes and should be performed as before.

Satellites of Neptune

The ephemeris of Triton is calculated from elements by W. S. Eichelberger and A. Newton (*Astr. Pap. Amer. Eph.*, Vol. IX, Pt. III, 1926). Elements and theory by F. Mignard (*Astr. Jour.*, 86, 1728, 1981) are used for Nereid.

Satellite of Pluto

The ephemeris of the satellite of Pluto is calculated from the elements of R. S. Harrington and J. W. Christy (*Astr. Jour.*, 86, 442, 1981).

Section G: Minor Planets

The ephemerides of Ceres, Pallas, Juno and Vesta give astrometric right ascensions and declinations, referred to the mean equator and equinox of J2000.0, geometric distances from the Earth, and times of ephemeris transit. Astrometric positions are obtained by adding planetary aberration to the geometric positions, referred to the origin of the FK5 system, and then subtracting stellar aberration. Thus these positions are comparable with observations that are referred to catalog mean places of reference stars on the FK5 system, provided the observations are corrected for geocentric parallax and the star positions are corrected for proper motion and annual parallax, if significant, to the epoch of observation. These ephemerides are based on the heliocentric ephemerides of R. L. Duncombe (*Astr. Pap. Amer. Ephem.*, Vol. XX, Pt. II, 1969).

Orbital elements for the larger minor planets are based on data from the Minor Planet Center and the Institute of Theoretical Astronomy. Data concerning physical characteristics are from D. Morrison (*Icarus*, 31, 185, 1977).

Section H: Stellar Data

Except for the positions of radio sources (pages H57–H61) all positions in this section are mean places for the middle of the current Julian year, referred to the origin of the FK5 system. The positions of radio sources are mean places for J2000.0.

Bright Stars

Included in the list of bright stars are 1482 stars chosen according to the following criteria:

> all stars of visual magnitude 4.5 or brighter, as listed in the third revised edition of the *Yale Bright Star Catalog* (BSC);
> all FK4 stars brighter than 5.5;
> all MK standards (W. W. Morgan *et al.*, *Revised MK Spectral Atlas for Stars Earlier Than the Sun*, 1978; and P. C. Keenan and R. C.

McNeil, *Atlas of Spectra of the Cooler Stars: Types G, K, M, S, and C,* 1976) in the BSC.

Flamsteed and Bayer designations are given with the constellation name and the BSC number. The positions are derived from the *Fourth Fundamental Catalog* (FK4) or else from the *Third Fundamental Catalog* (FK3) or *Albany General Catalog* (GC) as reduced to the FK4 system. Finally they are reduced to the origin of the FK5 system. Whenever possible visual magnitudes V and color indices $B-V$ are due to B. Nicolet (*Astron. Astrophys. Supp.,* **34**, 1, 1978); otherwise these data are taken from the BSC. Spectral types for MK standards are taken from the spectral catalogs cited above. For all other stars spectral types were provided by W. P. Bidelman. Codes in the Notes column are explained at the end of the table (p. H31).

Photometric Standards

A selection of 107 stars to serve as standards of the *UBVRI* photometric system was supplied by H. L. Johnson. Photometric data for these stars are due to Johnson *et al.* (*Comm. Lunar Planetary Lab.,* Vol. 4, Pt. 3, Table 2, 1966). Primary standards of the *UBVRI* and *UBV* systems are specified by 1 and 2, respectively, in the Standards Code column. As given in the above reference, the filter bands have the following effective wavelengths: U, 3600 Å; B, 4400 Å; V, 5500 Å; R, 7000 Å; I, 9000 Å.

The selection and photometric data (except V magnitudes) for standards for the Strömgren four-color system are those of D. L. Crawford and J. V. Barnes (*Astr. Jour.,* **75**, 978, 1970). The u band is centered at 3500 Å; v at 4100 Å; b at 4700 Å; and y at 5500 Å. Three indices are tabulated: $b-y$, $m_1 = (v-b)-(b-y)$, and $c_1 = (u-v)-(v-b)$. The column labelled β gives photometric standards on the Hβ system, as compiled by Crawford and J. Mander (*Astr. Jour.,* **71**, 114, 1966), except that 56 Tauri has been dropped because of variability in Hβ. V magnitudes and variability notes were supplied by W. H. Warren, Jr.

In both photometric tables, star names and numbers are taken from the *Yale Bright Star Catalog.* Spectral types are taken from the Bright Stars list (pp. H2–H31) or from the photometric references cited above.

Radial Velocity Standards

The selection and data for radial velocity standards are taken from the report of IAU Sub-Commission 30a On Standard Velocity Stars (*Trans. IAU,* **IX**, 442, 1957). A list of fainter stars (*Trans. IAU,* **XVA**, 409, 1973) is also included. V magnitudes are due to B. Nicolet (*Astron. Astrophys. Supp.,* **34**, 1, 1978) when possible; otherwise they are estimated from the given photographic magnitudes and spectral types. The spectral types are from the Bright Stars list (pp. H2–H31), the *Yale Bright Star Catalog,* or the original IAU list, in that order of preference.

Bright Galaxies

The list of galaxies is comprised of the brightest ($B_T^w \leqslant 11.50$) and largest ($\log D_{25} \geqslant 1.65$) galaxies, as compiled by G. de Vaucouleurs from the *Second Reference Catalog of Bright Galaxies* (G. de Vaucouleurs *et al.,* 1976), hereafter referred to as RC2. In addition to serving as an identification list, the precision of the diameters, photometric data and velocities makes these data suitable for calibration purposes.

Identification numbers from the *New General Catalog* (NGC) have the prefix N; those from the *Index Catalog* (IC) have the prefix I. Other abbreviations are interpreted at the end of the table (page H48). Morphological types are based on the revised Hubble system (see G. de Vaucouleurs, *Handbuch der Physik*, **53**, 275, 1959; *Astrophys. Jour. Supp.*, **8**, 31, 1963).

The column headed T gives a numerical index to the stages of the Hubble sequence:

T	-6	-5	-4	-3	-2	-1	0	$+1$	$+2$	$+3$	$+4$	$+5$	$+6$	$+7$	$+8$	$+9$	$+10$	$+11$
type	cE	E	E$^+$	L$^-$	L	L$^+$	S0/a	Sa	Sab	Sb	Sbc	Sc	Scd	Sd	Sdm	Sm	Im	cI

where E=elliptical, L=lenticular, S=spiral, I=irregular, c=compact.

The column headed L gives the luminosity class in the David Dunlap Observatory system:

L	1	2	3	4	5	6	7	8	9
class	I	I-II	II	II-III	III	III-IV	IV	IV-V	V

Columns headed Log D_{25} and Log R_{25} give logarithms to base 10 of the apparent isophotol diameter (D_{25}) and the ratio of the major diameter to the minor diameter ($R_{25} = D_{25}/d_{25}$), measured at or reduced to the surface brightness level $\mu_s = 25.0$ mag/arcsec^2.

The total magnitude in the B system is given in the column headed B_T^w. This quantity is a revision of B_T in RC2 (see G. de Vaucouleurs and G. Bollinger, *Astrophys. Jour. Supp.*, **34**, 469, 1977). Total (asymptotic) color indices in the standard $B-V$, $U-B$ system are given in the columns $(B-V)_T$ and $(U-B)_T$. The tabulated values are derived by extrapolation from photoelectric color-aperture data or from precise photographic surface photometry with photoelectric zero point.

Observed radial velocities V in km/s are weighted means, corrected for systematic errors, of all optical and radio observations. A few values not listed in RC2 are from new or revised determinations. Radial velocities, corrected for solar motion relative to the Local Group of galaxies, are calculated from $V_0 = V + 300 \cos b \sin l$, as recommended by IAU Commission 28 (*Trans, IAU*, **XVIB**, 201, 1977).

Radio Source Standards

The list of 177 radio source positions is that of A. Witzel and K. J. Johnston (*Abhand. aus der Hamberger Sternwarte*, **X**, h. 3, 151, 1982). This list is complete north of declination $-40°$ for sources with a flux density greater than 1 Jansky at a frequency of 5 GHz (wavelength 6 cm). Positions were compiled from a number of previously published catalogs, most of which referred the source positions to the equator and equinox of B1950.0. The tabulated positions, referred to the equator and equinox of J2000.0, were calculated using the procedure given by G. H. Kaplan (*U.S. Naval Obs. Circ.* 163, 1981). The origin of right ascension is defined by the tabulated right ascension of 1226+023 (3C 273B), which is based on the B1950.0 position determined for the source by C. Hazard *et al.* (*Nature Phys. Sci.*, **233**, 89, 1971). An indication of the uncertainty of a position is given by the number of digits in the tabulated coordinates; the end figures may be subject to revision. The column headed $S_{5\,GHz}$ gives the flux density in Janskys at 5 GHz. Fluxes of many of the sources vary, however, and the tabulated flux is meant to serve only as a rough guide.

Data for the list of flux standards are due to J. W. M. Baars *et al.* (*Astron. Astrophys.*, **61**, 99, 1977), as updated by the authors. Flux densities *S*, measured in Janskys, are given for ten frequencies ranging from 400 to 22235 MHz. Positions are referred to the mean equinox and equator of J2000.0. For flux calibration of interferometers, positions of three sources are given with increased precision. Positions of 3C 48 and 3C 147 are due to B. Elsmore and M. Ryle (*Mon. Not. Roy. Astr. Soc.*, **174**, 411, 1976); the position of 3C 286 is from the list of astrometric radio sources, pages H57–H60. Positions of the other sources are due to Baars *et al.*, as cited above.

Star Clusters

The list of 213 open clusters was selected from the Lund-Strasbourg catalogue as described by G. Lyngå (*Astron. Data Cen. Bul.*, 2, 1981). For each cluster, two identifications are given. First is the designation adopted by the IAU, while the second is the traditional name (G. Alter *et al.*, *Catalogue of Star Clusters and Associations*, 2nd ed., 1970).

Positions are referred to the mean equator and equinox of the middle of the Julian year. The tabulated angular diameter of a cluster pertains to the cluster's nucleus. Trumpler classification is defined by R. S. Trumpler (*Lick Obs. Bul.*, **XIV**, 154, 1930).

The total magnitude of the cluster usually refers to the integrated blue magnitude. The tabulated spectrum refers to the hottest member of the cluster. Under the heading Mag. is tabulated the magnitude of the brightest cluster member.

The logarithm to the base 10 of the cluster age is determined from the turn-off point on the main sequence. Log (Fe/H) is mostly determined from photometric narrow band or intermediate band studies.

Extinction in V is tabulated under A_V. This is determined using the assumption that $A_V = 3E_{(B-V)}$, where the color excess $E_{(B-V)}$ is derived from some of the brightest cluster members.

The list of 137 globular clusters was supplied by H. Sawyer Hogg. It is based on the compilations of B. V. Kukarkin (*The Catalogue of Globular Star Clusters of Our Galaxy*, 1974) and W. E. Harris and R. Racine (*Annual Rev. of Astron. Astrophys.*, **17**, 241–274, 1979). Included in the list are clusters currently considered to be both globular and members of our galaxy, plus a few that are more distant but not yet shown to be associated with other galaxies.

All clusters are identified by their IAU designations. In addition, most clusters are identified by their number in the *New General Catalogue*; these are denoted with the prefix N. The prefix I refers to the *Index Catalogue*. Designations of clusters newly recognized as globular are explained at the end of the table (page H56).

Positions are referred to the mean equator and equinox of the middle of the Julian year. Logarithms to base 10 of the apparent diameters (Log d') in minutes of arc are taken mainly from Kukarkin's catalog.

Apparent integrated visual magnitudes V and integrated color indices on the *UBV* system are taken mainly from the compilation of Harris and

Racine cited above. The V magnitudes are taken as $(m-M)_V+M_V$, where $(m-M)_V$ is the tabulated apparent distance modulus. Values of the distance modulus are based on the assumption that the ratio of visual absorption A_V to color excess $E_{(B-V)}$ is 3.2. Heliocentric distances are tabulated under R.

The column headed Type gives spectral types, taken from the compilation of Harris and Racine cited above. Radial velocities V_r with respect to the Sun are due to R. F. Webbink (*Astrophys. Jour. Supp.*, **45**, No. 2, 259, 1981), from all available data.

No. Var. is the number of stars found to vary in light within the apparent region of sky occupied by the cluster. These data, which may include field stars, are from Sawyer Hogg's *Third Catalogue* (*David Dunlap Obs. Pub.*, **3**, No. 6, 1973) or her unpublished files.

In the Remarks column are included other designations of the clusters. Clusters having X-ray sources within their error boxes, according to W. H. G. Lewin and P. C. Joss (*Space Science Rev.*, **28**, 3, 1981), are denoted by Xr or, for a burst source, Xrb. Data for Gr 1 are due to J. E. Grindlay and P. Hertz (*Astrophys. Jour.*, **247**, L 17, 1981).

Identified X-Ray Sources

The X-ray sources were selected by J. F. Dolan from his unpublished survey file. Two common designations of X-ray sources are tabulated: the discovery designation, usually taken from the first published detection of the source, and the designation in the *Fourth Uhuru Catalog* (4U) of W. Forman *et al.* (*Astrophys. Jour. Supp.*, **38**, 357, 1978). When no discovery designation is listed, the source is consistently referred to by the common name of the identified counterpart. Although the listed counterparts are usually optical, the common designation of the radio or infrared counterpart is given in the absence of an optical counterpart. When no identified counterpart is listed, the counterpart has no common designation.

Tabulated positions are based on published positions of identified counterparts. The (2–6) kev flux, in units of 10^{-11} erg cm^{-2} s^{-1} (10^{-14} watts m^{-2}), is taken from the 4U catalog. For sources with variable X-ray intensities, the maximum observed flux from the 4U catalog is tabulated. The tabulated magnitude is the optical magnitude of the counterpart in the V filter, unless marked by an asterisk, in which case the B magnitude is given. Variable magnitude objects are denoted by V; for these objects the tabulated magnitude pertains to maximum brightness. Codes specifying the type of the identified counterpart are explained at the end of the table (page H66).

Variable Stars

Each list contains representatives of a particular class of variable star. The distribution in right ascension and declination is approximately uniform, and the magnitude at maximum brightness is always less than 10.0. The data were taken from the Moscow Catalog of Variable Stars (third edition). For the Mira Ceti variables, the tabulated magnitudes correspond to the brightest maximum and the faintest minimum. The last list contains four types of variable stars: Canum Venaticorum, δ Scuti, RV Tauri and β Cephei.

Quasars

The list contains a selection of northern hemisphere quasars that is roughly uniformly distributed in right ascension and declination. In the tabulations F_ν is the flux at 500 MHz.

Pulsars

The list is based on the one published in *Astrophysical Quantities* by C. W. Allen (third edition). In the tabulations P is the period at epoch 1969 approximately, $\dot{P}$ is the rate of period increase in ns/d, and $T=P/\dot{P}$ is the time characteristic in 10^6 years.

aberration: the apparent angular displacement of the observed position of a celestial object from its **geometric position,** caused by the finite velocity of light in combination with the motions of the observer and of the observed object. (See **aberration, planetary.**)

aberration, annual: the component of stellar aberration (see **aberration, stellar**) resulting from the motion of the Earth about the Sun.

aberration, diurnal: the component of stellar aberration (see **aberration, stellar**) resulting from the observer's diurnal motion about the center of the Earth.

aberration, E-terms of: terms of annual aberration (see **aberration, annual**) depending on the **eccentricity** and longitude of perihelion (see **longitude of pericenter**) of the Earth.

aberration, elliptic: see **aberration, E-terms of.**

aberration, planetary: the apparent angular displacement of the observed position of the celestial body produced by motion of the observer (see **aberration, stellar**) and the actual motion of the observed object (see **light-time**).

aberration, secular: the component of stellar aberration (see **aberration, stellar**) resulting from the essentially uniform and rectilinear motion of the entire solar system in space. Secular aberration is usually disregarded.

aberration, stellar: the apparent angular displacement of the observed position of a celestial body resulting from the motion of the observer. Stellar aberration is divided into diurnal, annual and secular components (see **aberration, diurnal; aberration, annual; aberration, secular**).

altitude: the angular distance of a celestial body above or below the **horizon,** measured along the great circle passing through the body and the **zenith.** Altitude is 90° minus **zenith distance.**

aphelion: the point in a planetary **orbit** that is at the greatest distance from the Sun.

apparent place: the position on a **celestial sphere,** centered at the Earth, determined by removing from the directly observed position of a celestial body the effects that depend on the **topocentric** location of the observer, i.e., **refraction,** diurnal aberration (see **aberration, diurnal**) and geocentric (diurnal) **parallax,** thus the position at which the object would actually be seen from the center of the Earth, displaced by planetary aberration (except the diurnal part — see **aberration, planetary; aberration, diurnal**) and referred to the true **equator and equinox.**

apparent solar time: the measure of time based on the diurnal motion of the true Sun. The rate of diurnal motion undergoes seasonal variation because of the **obliquity** of the **ecliptic** and because of the **eccentricity** of the Earth's **orbit.** Additional small variations result from irregularities in the rotation of the Earth on its axis.

astrometric ephemeris: an ephemeris of a solar system body in which the tabulated positions are essentially comparable to the catalog **mean places** of stars at a **standard epoch.** An astrometric position is obtained by adding to the **geometric position,** computed from gravitational theory, the correction for **light-time.** Prior to 1984, the E-terms of annual aberration (see **aberration, annual; aberration, E-terms of**) were also added to the geometric position.

astronomical coordinates: the longitude and latitude of a point on the Earth relative to the **geoid.** These coordinates are influenced by local gravity anomalies. (See **zenith.**)

astronomical day: the mean solar day beginning at noon, 12 hours after the midnight of the beginning of the same civil day. A continuous count of astronomical days on the Greenwich meridian is the **Julian day number.**

astronomical unit (au): a unit of length, originally defined as the length of the **semimajor axis** of the Earth's **orbit.** It is now defined dynamically through Kepler's third law:

$$n^2 a^3 = k^2(1+m),$$

where a is the semimajor axis of an elliptic orbit (in au), n is the sidereal **mean motion** (in radians per **day**), m is the mass (in solar masses), and the value of the **Gaussian gravitational constant** k is defined to be exactly 0.01720209895. As determined from this definition the semimajor axis of the Earth's orbit is 1.000000031 au.

atomic second: see **second, Système International.**

augmentation: the amount by which the apparent **semidiameter** of a celestial body, as observed from the surface of the Earth, is greater than the semidiameter that would be observed from the center of the Earth.

azimuth: the angular distance measured clockwise along the **horizon** from a specified reference point (usually north) to the intersection with the great circle drawn from the **zenith** through a body on the **celestial sphere.**

barycenter: the center of mass of a system of bodies; e.g., the center of mass of the solar system or the Earth-Moon system.

barycentric dynamical time (TDB): the independent argument of ephemerides and equations of motion that are referred to the **barycenter** of the solar system. A family of time scales results from the transformation by various theories and metrics of relativistic theories of **terrestrial dynamical time (TDT).** TDB differs from TDT only by periodic variations. In the terminology of the general theory of relativity, TDB may be considered to be a coordinate time. (See **dynamical time.**)

catalog equinox: the intersection of the **hour circle** of zero **right ascension** of a star catalog with the **celestial equator.** (See **dynamical equinox; equator.**)

celestial ephemeris pole: the reference pole for **nutation** and **polar motion.** The axis of figure for the mean surface of a model Earth in which the free motion has zero amplitude. This pole has no nearly-diurnal nutation with respect to a space-fixed or Earth-fixed coordinate system.

celestial equator: the projection onto the **celestial sphere** of the Earth's **equator.** (See **mean equator and equinox; true equator and equinox.**)

celestial pole: either of the two points projected onto the **celestial sphere** by the extension of the Earth's axis of rotation to infinity.

celestial sphere: an imaginary sphere of arbitrary radius upon which celestial bodies may be considered to be located. As circumstances require, the celestial sphere may be centered at the observer, at the Earth's center, or at any other location.

conjunction: the phenomenon in which two bodies have the same apparent celestial longitude (see **longitude, celestial**) or **right ascension** as viewed from a third body. Conjunctions are usually tabulated as **geocentric** phenomena, however. For Mercury and Venus, geocentric inferior conjunction occurs when the planet is between the Earth and Sun, and superior conjunction occurs when the Sun is between the planet and Earth.

constellation: a grouping of stars, usually with pictorial or mythic associations, that serves to identify an area of the **celestial sphere**. Also one of the precisely defined areas of the celestial sphere, associated with a grouping of stars, that the International Astronomical Union has designated as a constellation.

coordinated universal time (UTC): the time scale available from broadcast time signals. UTC differs from TAI (see **international atomic time**) by an integral number of seconds; it is maintained within ±0.90 seconds of UT1 (see **universal time**) by the introduction of one-second steps (leap seconds).

culmination: passage of a celestial object across the observer's **meridian**, also called "meridian passage". More precisely, culmination is the passage through the point of greatest **altitude** in the diurnal path. Upper culmination (also called "culmination above pole" for circumpolar stars and the Moon) or **transit** is the crossing closer to the observer's **zenith**. Lower culmination (also called "culmination below pole" for circumpolar stars and the Moon) is the crossing farther from the zenith.

day: an interval of 86400 SI seconds (see **second, Système International**), unless otherwise indicated.

day numbers: quantities, depending solely on the Earth's position and motion, that facilitate the reduction of **mean place** to **apparent place**. Besselian day numbers and independent day numbers are commonly tabulated at daily intervals. Second order day numbers, which are used in high precision reductions, depend on the positions of both the Earth and the star.

declination: angular distance on the **celestial sphere** north or south of the **celestial equator**. It is measured along the **hour circle** passing through the celestial object. Declination is usually given in combination with **right ascension** or **hour angle**.

defect of illumination: the angular amount of the observed lunar or planetary disk that is not illuminated as seen by an observer on the Earth.

deflection of light: the angle by which the apparent path of a photon is altered from a straight line by the gravitational field of the Sun. The path is deflected radially away from the Sun by up to $1\rlap{.}''75$ at the Sun's limb. Correction for this effect, which is independent of wavelength, is included in the reduction from **mean place** to **apparent place**.

deflection of the vertical: the angle between the astronomical vertical and the normal to the geodetic ellipsoid. (See **zenith; astronomical coordinates; geodetic coordinates**.)

Delta T (ΔT): the difference between **dynamical time** and **universal time**; specifically the difference between **terrestrial dynamical time** (TDT) and UT1: $\Delta T = \text{TDT} - \text{UT1}$.

direct motion: for orbital motion in the solar system, motion that is counterclockwise in the orbit as seen from the north pole of the **ecliptic**; for an object observed on the **celestial sphere**, motion that is from west to east, resulting from the relative motion of the object and the Earth.

DUT1: the predicted value of the difference between UT1 and UTC transmitted in code on broadcast time signals: $\text{DUT1} = \text{UT1} - \text{UTC}$. (See **universal time; coordinated universal time**.)

dynamical equinox: the ascending **node** of the Earth's mean **orbit** on the Earth's **equator**; i.e., the intersection of the **ecliptic** with the **celestial equator** at which the Sun's **declination** is changing from south to north. (See **catalog equinox; equinox**.)

dynamical time: the family of time scales introduced in 1984 to replace **ephemeris time** as the independent argument of dynamical theories and ephemerides. (See **barycentric dynamical time; terrestrial dynamical time**.)

eccentric anomaly: in undisturbed elliptic motion, the angle measured at the center of the ellipse from **pericenter** to the point on the circumscribing auxiliary circle from which a perpendicular to the major axis would intersect the orbiting body. (See **mean anomaly; true anomaly**.)

eccentricity: a parameter that specifies the shape of a conic section; one of the standard elements used to describe an elliptic **orbit** (see **elements, orbital**).

eclipse: the obscuration of a celestial body caused by its passage through the shadow cast by another body.

eclipse, annular: a solar **eclipse** (see **eclipse, solar**) in which the solar disk is never completely covered but is seen as an annulus or ring at maximum eclipse. An annular eclipse occurs when the apparent disk of the Moon is smaller than that of the Sun.

eclipse, lunar: an **eclipse** in which the Moon passes through the shadow cast by the Earth. The eclipse may be total (the Moon passing completely through the Earth's **umbra**), partial (the Moon passing partially through the Earth's umbra at maximum eclipse) or penumbral (the Moon passing only through the Earth's **penumbra**).

eclipse, solar: an **eclipse** in which the Earth passes through the shadow cast by the Moon. It may be total (observer in the Moon's **umbra**), partial (observer in the Moon's **penumbra**) or annular (see **eclipse, annular**).

ecliptic: the mean plane of the Earth's **orbit** around the Sun.

elements, Besselian: quantities tabulated for the calculation of accurate predictions of an **eclipse** or **occultation** for any point on or above the surface of the Earth.

elements, orbital: parameters that specify the position and motion of a body in orbit. (See **osculating elements; mean elements**.)

elongation, greatest: the instants when the **geocentric** angular distances of Mercury and Venus are at a maximum from the Sun.

elongation (planetary): the **geocentric** angle between a planet and the Sun, measured in the plane of the planet, Earth and Sun. Planetary elongations are measured from 0° to 180°, east or west of the Sun.

elongation (satellite): the **geocentric** angle between a satellite and its primary, measured in the plane of the satellite, planet and Earth. Satellite elongations are measured from 0°, east or west of the planet.

ephemeris hour angle: an **hour angle** referred to the **ephemeris meridian.**

ephemeris longitude: longitude (see **longitude, terrestrial**) measured eastward from the **ephemeris meridian.**

ephemeris meridian: the fictitious terrestrial **meridian** that rotates independently of the Earth at the uniform rate implicitly defined by **terrestrial dynamical time** (TDT). The ephemeris meridian is $1.002738\Delta T$ east of the Greenwich meridian, where $\Delta T = \text{TDT} - \text{UT1}$.

ephemeris time (ET): the time scale used prior to 1984 as the independent variable in gravitational theories of the solar system. Beginning in 1984, ET is replaced by **dynamical time.**

ephemeris transit: the passage of a celestial body or point across the **ephemeris meridian.**

equation of center: in elliptic motion, the **true anomaly** minus the **mean anomaly.** It is the difference between the actual angular position in the elliptic **orbit** and the position the body would have if its angular motion were uniform.

equation of the equinoxes: the **right ascension** of the mean **equinox** (see **mean equator and equinox**) referred to the **true equator and equinox;** apparent **sidereal time** minus mean sidereal time. (See **apparent place; mean place.**)

equation of time: the **hour angle** of the true Sun minus the hour angle of the **fictitious mean sun;** alternatively, **apparent solar time** minus **mean solar time.**

equator: the great circle on the surface of a body formed by the intersection of the surface with the plane passing through the center of the body perpendicular to the axis of rotation. (See **celestial equator.**)

equinox: either of the two points on the **celestial sphere** at which the **ecliptic** intersects the **celestial equator;** also the time at which the Sun passes through either of these intersection points; i.e., when the apparent longitude (see **apparent place; longitude, celestial**) of the Sun is 0° or 180°. (See **catalog equinox; dynamical equinox** for precise usage.)

fictitious mean sun: an imaginary body introduced to define **mean solar time;** essentially the name of a mathematical formula that defined mean solar time. This concept is no longer used in high precision work.

flattening: a parameter that specifies the degree by which a planet's figure differs from that of a sphere: the ratio $f = (a-b)/a$ where a is the equatorial radius and b is the polar radius.

Gaussian gravitational constant $(k = 0.01720209895)$: the constant defining the astronomical system of units of length (**astronomical unit**), mass (**solar mass**) and time (**day**), by means of Kepler's third law. The dimensions of k^2 are those of Newton's constant of gravitation: $L^3 M^{-1} T^{-2}$.

geocentric: with reference to, or pertaining to, the center of the Earth.

geocentric coordinates: the latitude and longitude of a point on the Earth's surface relative to the center of the Earth; also celestial coordinates given with respect to the center of the Earth. (See **zenith; latitude, terrestrial; longitude, terrestrial.**)

geodetic coordinates: the latitude and longitude at a point on the Earth's surface determined from the geodetic vertical (normal to the specified spheroid). (See **zenith; latitude, terrestrial; longitude, terrestrial.**)

geoid: an equipotential surface that coincides with mean sea level in the open ocean. On land it is the level surface that would be assumed by water in an imaginary network of frictionless channels connected to the ocean.

geometric position: the geocentric position of an object on the **celestial sphere** referred to the **true equator and equinox,** but without the displacement due to planetary aberration. (See **apparent place; mean place; aberration, planetary.**)

Greenwich sidereal date (GSD): the number of **sidereal days** elapsed at Greenwich since the beginning of the Greenwich sidereal day that was in progress at **Julian date** 0.0.

Greenwich sidereal day number: the integral part of the **Greenwich sidereal date.**

Gregorian calendar: the calendar introduced by Pope Gregory XIII in 1582 to replace the **Julian calendar;** the calendar now used as the civil calendar in most countries. Every year that is exactly divisible by four is a leap year, except for centurial years, which must be exactly divisible by 400 to be leap years. Thus 1600 and 2000 are leap years; 1700, 1800 and 1900 are not leap years.

heliocentric: with reference to, or pertaining to, the center of the Sun.

horizon: a plane perpendicular to the line from an observer to the **zenith.** The great circle formed by the intersection of the **celestial sphere** with a plane perpendicular to the line from an observer to the zenith is called the astronomical horizon.

horizontal parallax: the difference between the **topocentric** and **geocentric** positions of an object, when the object is on the astronomical **horizon.**

hour angle: angular distance on the **celestial sphere** measured westward along the **celestial equator** from the **meridian** to the **hour circle** that passes through a celestial object.

hour circle: a great circle on the **celestial sphere** that passes through the **celestial poles** and is therefore perpendicular to the **celestial equator.**

inclination: the angle between two planes or their poles; usually the angle between an orbital plane and a reference plane; one of the standard elements (see **elements, orbital**) that specifies the orientation of an **orbit.**

international atomic time (TAI): the continuous scale resulting from analyses by the Bureau International de l'Heure in Paris of atomic time standards in many countries. The fundamental unit of TAI is the SI second (see **second, Système International**), and the epoch is 1958 January 1.

invariable plane: the plane through the center of mass of the solar system perpendicular to the angular momentum vector of the solar system.

irradiation: an optical effect of contrast that makes bright objects viewed against a dark background appear to be larger than they really are.

Julian calendar: the calendar introduced by Julius Caesar to replace the Roman calendar. In the Julian calendar a common year is defined to comprise 365 days, and every fourth year is a leap year comprising 366 days. The Julian calendar was superseded by the **Gregorian calendar.**

Julian century: a period of 36525 days; 100 **Julian years.**

Julian date (JD): the interval in days and fractions of a day since 1 January 4713 BC, Greenwich noon, **Julian proleptic calendar.** In precise work the time scale, e.g., **dynamical time** or UT1, should be specified.

Julian date, modified (MJD): the Julian date minus 2400000.5.

Julian day number (JD): the integral part of the **Julian date.**

Julian proleptic calendar: the calendric system employing the rules of the **Julian calendar,** but extended and applied to dates preceding the introduction of the Julian calendar.

Julian year: a period of 365.25 days. This period served as the basis for the **Julian calendar.**

Laplacian plane: for planets see **invariable plane;** for a system of satellites, the fixed plane relative to which the vector sum of the disturbing forces has no orthogonal component.

latitude, celestial: angular distance on the **celestial sphere** measured north or south of the **ecliptic** along the great circle passing through the poles of the ecliptic and the celestial object.

latitude, terrestrial: angular distance on the Earth measured north or south of the **equator** along the **meridian** of a geographic location.

librations: variations in the orientation of the Moon's surface with respect to an observer on the Earth. Physical librations are due to variations in the rate at which the Moon rotates on its axis. The much larger optical librations are due to variations in the rate of the Moon's orbital motion, the **obliquity** of the Moon's **equator** to its orbital plane, and the diurnal changes of geometric perspective of an observer on the Earth's surface.

light-time: the interval of time required for light to travel from a celestial body to the Earth. During this interval the motion of the body in space causes an angular displacement of its **apparent place** from its geometric place (see **aberration, planetary**).

light year: the distance that light traverses in a vacuum during one year.

local sidereal time: the local **hour angle** of a **catalog equinox.**

longitude, celestial: angular distance on the **celestial sphere** measured eastward along the **ecliptic** from the **dynamical equinox** to the great circle passing through the poles of the ecliptic and the celestial object.

longitude of pericenter: an orbital element (see **elements, orbital**) that specifies the orientation of an **orbit.** It is a broken angle consisting of the angular distance in the **ecliptic** from the **dynamical equinox** to the ascending **node** of the orbit plus the angular distance in the orbital plane from the ascending node to the **pericenter.**

longitude, terrestrial: angular distance measured along the Earth's **equator** from the Greenwich **meridian** to the meridian of a geographic location.

lunar phases: cyclically recurring apparent forms of the Moon. New Moon, First Quarter, Full Moon and Last Quarter are defined to occur when the excess of the apparent celestial longitude (see **longitude, celestial**) of the Moon over that of the Sun is 0°, 90°, 180° and 270°, respectively.

lunation: the period of time between two consecutive New Moons.

magnitude, stellar: a measure on a logarithmic scale of the brightness of a celestial object considered as a point source.

magnitude of a lunar eclipse: the fraction of a lunar diameter obscured by the shadow of the Earth at the greatest phase of a lunar eclipse (see **eclipse, lunar**), measured along the common diameter.

magnitude of a solar eclipse: the fraction of the solar diameter obscured by the Moon at the greatest phase of a solar eclipse (see **eclipse, solar**), measured along the common diameter.

mean anomaly: in undisturbed elliptic motion, the product of the **mean motion** of an orbiting body and the interval of time since the body passed **pericenter**. Thus the mean anomaly is the angle from pericenter of a hypothetical body moving with a constant angular speed that is equal to the mean motion. (See **true anomaly; eccentric anomaly.**)

mean distance: the **semimajor axis** of an elliptic **orbit**.

mean elements: elements of an adopted reference **orbit** (see **elements, orbital**) that approximates the actual, perturbed orbit. Mean elements may serve as the basis for calculating **perturbations**.

mean equator and equinox: the celestial reference system determined by ignoring small variations of short period in the motions of the **celestial equator**. Thus the mean equator and equinox are affected only by **precession**. Positions in star catalogs are normally referred to the mean catalog equator and equinox (see **catalog equinox**) of a **standard epoch**.

mean motion: in undisturbed elliptic motion the constant angular speed required for a body to complete one revolution in an **orbit** of a specified **semimajor axis**.

mean place: the coordinates, referred to the **mean equator and equinox** of a **standard epoch**, of an object on the **celestial sphere** centered at the Sun. A mean place is determined by removing from the directly observed position the effects of **refraction**, geocentric and stellar **parallax**, and stellar aberration (see **aberration, stellar**), and by referring the coordinates to the mean equator and equinox of a standard epoch. In compiling star catalogs it has been the practice not to remove the secular part of stellar aberration (see **aberration, secular**). Prior to 1984 it was additionally the practice not to remove the elliptic part of annual aberration (see **aberration, annual; aberration, E-terms of**).

mean solar time: a measure of time based conceptually on the diurnal motion of the **fictitious mean sun**, under the assumption that the Earth's rate of rotation is constant.

meridian: a great circle passing through the **celestial poles** and through the **zenith** of any location on Earth. For planetary observations a meridian is half of the great circle passing through the planet's poles and through any location on the planet.

moonrise, moonset: the times at which the apparent upper limb of the Moon is on the astronomical **horizon**, i.e., when the true **zenith distance**, referred to the center of the Earth, of the central point of the disk is $90°34' + s - \pi$, where s is the Moon's **semidiameter**, π is the **horizontal parallax**, and $34'$ is the adopted value of horizontal **refraction**.

nadir: the point on the **celestial sphere** diametrically opposite to the **zenith**.

node: either of the points on the **celestial sphere** at which the plane of an **orbit** intersects a reference plane. The position of a node is one of the standard orbital elements (see **elements, orbital**) used to specify the orientation of an orbit.

nutation: the short-period oscillations in the motion of the pole of rotation of a freely rotating body that is undergoing torque from external gravitational forces. Nutation of the Earth's pole is discussed in terms of components in **obliquity** and longitude (see **longitude, celestial.**)

obliquity: in general the angle between the equatorial and orbital planes of a body or, equivalently, between the rotational and orbital poles. For the Earth the obliquity of the **ecliptic** is the angle between the planes of the **equator** and the ecliptic.

occultation: the obscuration of a celestial body by another of greater apparent diameter; especially the passage of the Moon in front of a star or planet, or the disappearance of a satellite behind the disk of its primary. If the primary source of illumination of a reflecting body is cut off by the occultation, the phenomenon is also called an **eclipse**. The occultation of the Sun by the Moon is called a solar eclipse (see **eclipse, solar**).

opposition: a configuration of the Sun, Earth and a planet in which the apparent **geocentric** longitude (see **longitude, celestial**) of the planet differs by 180° from the apparent geocentric longitude of the Sun.

orbit: the path in space followed by a celestial body.

osculating elements: a set of parameters (see **elements, orbital**) that specifies the instantaneous position and velocity of a celestial body in its perturbed **orbit**. Osculating elements describe the unperturbed (two-body) orbit that the body would follow if **perturbations** were to cease instantaneously.

parallax: the difference in apparent direction of an object as seen from two different locations; conversely the angle at the object that is subtended by the line joining two designated points. Geocentric (diurnal) parallax is the difference in direction between a **topocentric** observation and a hypothetical **geocentric** observation. Heliocentric or annual parallax is the difference between hypothetical geocentric and **heliocentric** observations; it is the angle subtended at the observed object by the semimajor axis of the Earth's **orbit**. (See also **horizontal parallax**.)

parsec: the distance at which one **astronomical unit** subtends an angle of one second of arc; equivalently the distance to an object having an annual **parallax** of one second of arc.

penumbra: the portion of a shadow in which light from an extended source is partially but not completely cut off by an intervening body; the area of partial shadow surrounding the **umbra**.

pericenter: the point in an orbit that is nearest to the center of force (see **osculating elements**). (See **perigee; perihelion.**)

perigee: the point at which a body in **orbit** around the Earth most closely approaches the Earth. Perigee is sometimes used with reference to the apparent orbit of the Sun around the Earth.

perihelion: the point at which a body in **orbit** around the Sun most closely approaches the Sun.

period: the interval of time required to complete one revolution in an **orbit** or one cycle of a periodic phenomenon, such as a cycle of **phases.**

perturbations: deviations between the actual motion of a celestial body and an assumed reference **orbit**; also the forces that cause deviations between the actual and reference motions. Perturbations, according to the first meaning, are usually calculated as quantities to be added to the coordinates of the reference orbit to obtain precise coordinates.

phase: the ratio of the illuminated area of the apparent disk of a celestial body to the area of the entire apparent disk taken as a circle. For the Moon, phase designations (see **lunar phases**) are defined by specified configurations of the Sun, Earth and Moon. For eclipses, phase designations (total, partial, penumbral, etc.) provide general descriptions of the phenomena (see **eclipse, solar; eclipse, annular; eclipse, lunar.**)

phase angle: the angle measured at the center of an illuminated body between the light source and the observer.

polar motion: the irregularly varying motion of the Earth's pole of rotation with respect to the Earth's crust. (See **celestial ephemeris pole.**)

precession: the uniformly progressing motion of the pole of rotation of a freely rotating body undergoing torque from external gravitational forces. In the case of the Earth, the component of precession caused by the Sun and Moon acting on the Earth's equatorial bulge is called lunisolar precession; the component caused by the action of the planets is called planetary precession; the sum of lunisolar and planetary precession is called general precession. (See **nutation.**)

proper motion: the projection onto the **celestial sphere** of the space motion of a star relative to the solar system; thus the transverse component of the space motion of a star with respect to the solar system. Proper motion is usually tabulated in star catalogs as changes in **right ascension** and **declination** per year or century.

quadrature: a configuration in which two celestial bodies have apparent longitudes (see **longitude, celestial**) that differ by 90° as viewed from a third body. Quadratures are usually tabulated with respect to the Sun as viewed from the center of the Earth.

radial velocity: the rate of change of the distance to an object.

refraction, astronomical: the change in direction of travel (bending) of a light ray as it passes obliquely through an atmosphere. As a result of refraction the observed **altitude** of a celestial object is greater than its geometric altitude. The amount of refraction depends on the altitude of the object and on atmospheric conditions.

retrograde motion: for orbital motion in the solar system, motion that is clockwise in the **orbit** as seen from the north pole of the **ecliptic**; for an object observed on the **celestial sphere**, motion that is from east to west, resulting from the relative motion of the object and the Earth. (See **direct motion.**)

right ascension: angular distance on the **celestial sphere** measured eastward along the **celestial equator** from the **equinox** to the **hour circle** passing through the celestial object. Right ascension is usually given in combination with **declination.**

second, Système International (SI): the duration of 9 192 631 770 cycles of radiation corresponding to the transition between two hyperfine levels of the ground state of cesium 133.

selenocentric: with reference to, or pertaining to, the center of the Moon.

semidiameter: the angle at the observer subtended by the equatorial radius of the Sun, Moon or a planet.

semimajor axis: half the length of the major axis of an ellipse; a standard element used to describe an elliptical **orbit** (see **elements, orbital**).

sidereal day: the interval of time between two consecutive **transits** of a **catalog equinox.** (See **sidereal time.**)

sidereal hour angle: angular distance on the **celestial sphere** measured westward along the **celestial equator** from a **catalog equinox** to the **hour circle** passing through the celestial object. It is equal to 360° minus **right ascension** in degrees.

sidereal time: the measure of time defined by the apparent diurnal motion of a **catalog equinox;** hence a measure of the rotation of the Earth with respect to the stars rather than the Sun.

solstice: either of the two points on the **ecliptic** at which the apparent longitude (see **longitude, celestial**) of the Sun is 90° or 270°; also the time at which the Sun is at either point.

standard epoch: a date and time that specifies the reference system to which celestial coordinates are referred. Prior to 1984 coordinates of star catalogs were commonly referred to the **mean equator and equinox** of the beginning of a Besselian year (see **year, Besselian**). Beginning with 1984 the **Julian year** is used, as denoted by the prefix J, e.g., J2000.0.

stationary point (of a planet): the position at which the rate of change of the apparent **right ascension** (see **apparent place**) of a planet is momentarily zero.

sunrise, sunset: the times at which the apparent upper limb of the Sun is on the astronomical **horizon**, i.e., when the true **zenith distance**, referred to the center of the Earth, of the central point of the disk is 90°50′, based on adopted values of 34′ for horizontal **refraction** and 16′ for the Sun's **semidiameter.**

surface brightness (of a planet): the visual magnitude of an average square arc-second area of the illuminated portion of the apparent disk.

synodic period: for planets, the mean interval of time between successive **conjunctions** of a pair of planets, as observed from the Sun; for satellites, the mean interval between successive conjunctions of a satellite with the Sun, as observed from the satellite's primary.

terrestrial dynamical time (TDT): the independent argument for apparent **geocentric** ephemerides. At 1977 January $1^d00^h00^m00^s$ TAI, the value of TDT is exactly 1977 January $1^d0003725$. The unit of TDT is 86400 SI seconds at mean sea level. For practical purposes $TDT = TAI + 32^s.184$. (See **barycentric dynamical time; dynamical time; international atomic time.**)

terminator: the boundary between the illuminated and dark areas of the apparent disk of the Moon, a planet or a planetary satellite.

topocentric: with reference to, or pertaining to, a point on the surface of the Earth, usually with reference to a coordinate system.

transit: the passage of a celestial body or point (e.g., the **equinox**) across a **meridian;** also the passage of one celestial body in front of another of greater apparent diameter (e.g., the passage of Mercury or Venus across the Sun or Jupiter's satellites across its disk). However, the passage of the Moon in front of the larger apparent Sun is called an annular eclipse (see **eclipse, annular**). The passage of a body's shadow across another body is called a shadow transit; however, the passage of the Moon's shadow across the Earth is called a solar eclipse (see **eclipse, solar**).

true anomaly: the angle, measured at the focus nearest the **pericenter** of an elliptical **orbit**, between the pericenter and the radius vector from the focus to the orbiting body; one of the standard orbital elements (see **elements, orbital**). (See also **eccentric anomaly; mean anomaly.**)

true equator and equinox: the celestial coordinate system determined by the instantaneous positions of the **celestial equator** and **ecliptic**. The motion of this system is due to the progressive effect of **precession** and the short-term, periodic variations of **nutation**. (See **mean equator and equinox**.)

twilight: the interval of time preceding sunrise and following sunset (see **sunrise, sunset**) during which the sky is partially illuminated. Civil twilight comprises the interval when the true **zenith distance**, referred to the center of the Earth, of the central point of the Sun's disk is between $90°50'$ and $96°$, nautical twilight comprises the interval from $96°$ to $102°$, astronomical twilight comprises the interval from $102°$ to $108°$.

umbra: the portion of a shadow cone in which none of the light from an extended light source (ignoring **refraction**) can be observed.

universal time (UT): a measure of time that conforms, within a close approximation, to the mean diurnal motion of the Sun and serves as the basis of all civil timekeeping. UT is formally defined by a mathematical formula as a function of **sidereal time.** Thus UT is determined from observations of the diurnal motions of the stars. The time scale determined directly from such observations is designated UT0; it is slightly dependent on the place of observation. When UT0 is corrected for the shift in longitude of the observing station caused by **polar motion,** the time scale UT1 is obtained. Whenever the designation UT is used in this volume, UT1 is implied.

vernal equinox: the ascending **node** of the **ecliptic** on the **celestial equator;** also the time at which the apparent longitude (see **apparent place; longitude, celestial**) of the Sun is $0°$. (See **equinox.** See **catalog equinox; dynamical equinox** for precise usage.)

vertical: apparent direction of gravity at the point of observation (normal to the plane of a free level surface.)

year: a period of time based on the revolution of the Earth around the Sun. The calendar year (see **Gregorian calendar**) is an approximation to the tropical year (see **year, tropical**). The anomalistic year is the mean interval between successive passages of the Earth through **perihelion**. The sidereal year is the mean period of revolution with respect to the background stars. (See **Julian year; year, Besselian.**)

year, Besselian: the period of one complete revolution in **right ascension** of the **fictitious mean sun**, as defined by Newcomb. The beginning of a Besselian year, traditionally used as a **standard epoch**, is denoted by the suffix ".0". Beginning in 1984 the **Julian year** supersedes the Besselian year for defining standard epochs. For distinction the beginning of a Besselian year is now identified by the prefix B (e.g., B1950.0).

year, tropical: the period of one complete revolution of the mean longitude of the Sun with respect to the **dynamical equinox**. The tropical year is longer than the Besselian year (see **year, Besselian**) by $0\overset{s}{.}148T$, where T is centuries from B1900.0.

zenith: in general, the point directly overhead on the **celestial sphere**. The astronomical zenith is the extension to infinity of a plumb line. The geocentric zenith is defined by the line from the center of the Earth through the observer. The geodetic zenith is the normal to the **geoid** at the observer's location. In common usage astronomical zenith is implied. (See **deflection of the vertical.**)

zenith distance: angular distance on the **celestial sphere** measured along the great circle from the **zenith** to the celestial object. Zenith distance is 90° minus **altitude**.

U.S. GOVERNMENT PRINTING OFFICE : 1984 - 356-293 : OL 3